# EIGHTEENTH-CENTURY FRENCH PLAYS

The Century Modern Language Series

Kenneth McKenzie, Editor

# EIGHTEENTH-CENTURY
# FRENCH PLAYS

*Edited by*

## CLARENCE D. BRENNER
UNIVERSITY OF CALIFORNIA

*and*

## NOLAN A. GOODYEAR
EMORY UNIVERSITY

APPLETON-CENTURY-CROFTS, INC.

NEW YORK

PRINTED IN U. S. A.
E–12249

# PREFACE

The purpose of this book is to include within the compass of a single volume a series of representative plays illustrating the principal phases of eighteenth-century French drama. The necessary physical limitations of such a volume prohibited the inclusion of a number of other plays which for various reasons might claim a place therein. Some of the plays here published would naturally be included in any such collection; the others were found upon some investigation to be those most generally read in college courses dealing with the drama of the period covered. Standard texts of the plays themselves have been used, and modernizations in spelling and punctuation have been introduced wherever they seemed desirable in order to make the text easily intelligible. Inasmuch as it is expected that this volume will be used largely by mature readers interested in these plays as drama rather than as exercises in translation, no excisions of any kind have been made and the explanatory notes have been limited to what has been considered essential for such readers. A brief survey of the main developments of the French drama of the eighteenth century has been presented in the general introduction. This is supplemented in details by the introductions prefacing the individual plays. The general bibliography and the special bibliographies relating to the authors and their plays make no pretense of being complete. They offer lists of useful and important works which may be of value to one wishing to make further investigations.

The editors wish to express their grateful appreciation to Professors Kenneth McKenzie and Donald Clive Stuart of Princeton University, and to Professor James Hinton of Emory University, for their very helpful counsel and expert opinions.

C. D. B.
N. A. G.

# INTRODUCTION

The course of French drama in the eighteenth century, the developments in theory and practice which it presents, can be appreciated only when considered in relation to the theatre of the age which preceded it. The most obvious of the traits of the seventeenth-century classical drama reflects the general characteristic of the time, a blind and unquestioning respect for tradition and authority. Add to this the instinctive tendency of the French mind to rationalism and abstraction, to order and regularity. These factors largely account for the rigorously defined rules which establish a clear line of demarcation between tragedy and comedy, placing definite limits on the form and material of both. They dictate that tragedy must employ subject matter drawn from antiquity, classical or Biblical, and that the unities of time, place, and action must be strictly observed. The setting must be historical and authentic, within these limitations; though actually it serves merely to provide a concrete framework for the presentation of general human problems. The writer of tragedy is not interested in the particularizing details which distinguish men, periods of history, and civilizations. He has no historical perspective to enable him to do so, and consequently interprets all history in terms of his own age. He is interested rather in the eternal verities of human nature, in the universal traits which characterize all men, whether past or present. He finds that kings and princes most readily and satisfactorily provide the general types with which he is concerned. He employs a noble and refined versified language, declaimed in a stately fashion, to express the great passions of his aristocratic characters. The fact must not be overlooked that French literature in the seventeenth century develops under the guidance and protection of the aristocratic society of the court and of the salons, that this society lends the tone to literature and that literature is written for it. Corneille and Racine furnish the most important examples of tragedy written with an effort to comply with these conventions.

While the strict literary code of seventeenth-century France gave to tragedy the exclusive right to noble characters, to the portrayal of the play of passions, and to tears, it assigned to comedy the lower orders of society, the vices, and laughter. Molière, the great master of comedy of the century, likewise offers universal types, but instead of presenting the struggle of human nature and its passions, he portrays human nature as a prey to its vices. Although his plays give the impression that they may take a tragic turn, they always remain comic; for his aim was to instruct his audience while amusing it. A little more latitude in observing the rules of form is permitted in comedy than in tragedy.

With Corneille the age of heroes passes, and tragedy loses much of its vigor. A new, highly refined, disciplined and artificial society develops around the court, which requires a new form of tragedy. Quinault begins to supply this demand by introducing insipid gallantry and *romanesque* [1] elements into his tragedies. Then Racine appears to halt the new development for a moment; the influence of the spirit of contemporary society is discernible in his plays, but he is too great an artist to permit gallantry to become his sole preoccupation. After Racine classical tragedy begins to die of a lingering illness, with many complications, which lasts for more than a century.

Racine's immediate successors, Campistron, Lagrange-Chancel, Longpierre, and others, lacking the genius and artistry of the master, are unable to attain his unity of penetrating psychological truth and a noble antique setting. They strive to imitate his methods and his elegance of style, and combine with these a very superficial portrayal of psychological reality. They attempt to make up for their psychological deficiency by a revival of the *romanesque* type of tragedy of the first half of the century. Incidents and *coups de théâtre*, recognitions, clever repartee, and hollow declamation become the principal components of serious drama. At the same time there is some little evidence that a modern spirit is beginning to creep in and weaken the absolutism of the classical régime. In 1678 Thomas Corneille in his *Comte d'Essex* ventures to replace ancient by modern history. Bayer, Boursault, Ferrier, La Fosse make similar efforts. But the time is not yet ripe for such an innovation and the classical formulæ are unsuited for portraying the particularizing details which seem necessary to lend an air of reality to modern historical drama.

Such, briefly, is the condition to which classical tragedy has descended at the beginning of the eighteenth century. Crébillon continues to follow the course marked out for it by the successors of Racine. He seems to have been somewhat aware of the fact that the old tragedy had lost its appeal, and therefore seeks to employ means of his own to reinvigorate it. Accepting without question the traditional forms of classical tragedy, he attempts to infuse new elements into this framework; highly complicated plots turning on the stock *romanesque* disguises, recognitions, and so on, with an element of horror frequently added, replace a realistic study of human nature. From Crébillon on the *romanesque* is often employed in eighteenth-century French tragedy. It eventually tends to develop more emphasis on particular details, more spectacular effects, in short a new type of realism, which gradually prepares for the death of classical tragedy.

The greatest figure in eighteenth-century French tragedy is Voltaire; in fact, it has been said that he *is* eighteenth-century tragedy. From 1732, when *Zaïre* was produced, he dominated the French stage. Most of the tragedies worthy of notice during this period come from his pen, and they pretty well indicate the trend which this form of drama takes in the course of the century. Voltaire, like Crébillon, seems to have realized that tragedy required certain transformations if it was to appeal to his generation. At the outset of his dramatic career he declared for the formulæ of classical tragedy and remained faithful to them throughout his life. Whatever innovations he was to make had to be within these self-imposed limitations. His acquaintance with English tragedy, in particular with the plays of Shakespeare, formed during his stay in England, 1726–29, seems to have suggested to him certain possibilities for

[1] *Romanesque*, in the French sense, means the use of such elements as disguises, mistaken identities, abductions, etc., commonly found in the novels of the seventeenth century.

the rejuvenation of French tragedy. At the same time he was undoubtedly influenced by the trend of French opera and comedy towards the spectacular
and of tragedy towards the *romanesque.* While it is frequently difficult to trace
the source of the new influences affecting his dramatic methods, we have more
than one statement from his own pen that some of them came from across the
Channel. Within three years after his return from England he produced three
plays, *Brutus* (1730), *Eriphyle* (1732), *Zaïre* (1732), which contain reminiscences of Shakespeare. He came to feel, under English inspiration, that French
tragedy was suffering from too much loquacity and not enough action. He saw
also that a little emphasis on the spectacular might attract the interest of the
public. Hence there becomes noticeable in his plays a certain effort to speed up
the action and to strike the eye as well as the ear of the spectator. The development of this second element, the spectacular, is of special importance. Voltaire
had at first been hindered in his attempt at realistic stage effects by the practice of allowing spectators upon the stage. For years he protested against
this practice, and it was to a considerable extent his efforts which led to its
abolition upon the stage of the Comédie-Française in 1759. In *Tancrède* (1760)
he took advantage of the new freedom upon the stage to produce an "air de
la chevalerie" such as had never before been achieved, nor even attempted,
in French tragedy. He made a moderate use of costumes and settings of the
period of his play and introduced a crowd upon the stage. In this tragedy
he went just as far in the direction of the spectacular as his dramatic practices
permitted. The development of this tendency towards the spectacular is one
of the characteristics of the eighteenth-century theatre in France, and in the
years before the Revolution it becomes one of the most noticeable features of the
stage. Voltaire contributed no small part towards the growth of what was
eventually to develop, under additional influences, into what is known as *local
color,* thereby introducing particularizing details of background which helped
to bring about the final downfall of classical tragedy.

In other directions also Voltaire effected modifications in the classical régime.
He denied that love was an essential element in tragedy and insisted that it be
employed only where it belonged. To illustrate his point he wrote three plays,
*Oreste, la Mort de César,* and *Mérope,* in which this love element is lacking.
In the second place Voltaire greatly extended the limits of the possibilities in
the way of subject matter available for tragedy. He not only employed the con-
ventional material drawn from classical antiquity, but he made use of modern
French history and laid scenes in the Orient, Africa, and America. His use
of French history is especially interesting. In *Zaïre* (1732) he introduced
French characters upon the tragic stage for the first time in some thirty years.
He confessed that he owed the idea of this innovation to the inspiration of
English historical plays. The approval which greeted the appearance of several
French characters in *Zaïre* led him to produce *Adélaïde du Guesclin* two years
later in which all of the characters were drawn from French history. In
*Tancrède* (1760) he once more presented a similar set of characters. This latter
play with its combination of French historical characters and effective setting
did not a little to stimulate the use of national historical material upon the
stage in the years that followed.

Finally, with Voltaire serious drama takes on a social mission and eventually becomes the mouthpiece of "philosophie." This term is applied to the attitude in thought represented by a comparatively small but very capable and determined group of forward-looking French thinkers, who lend the intellectual tone to the century. They demand a revaluation of the traditionally accepted facts in the light of reason and in accordance with the methods of natural science. An awakening of interest in other European civilizations, that of England especially, developed a cosmopolitan attitude of mind and enabled Frenchmen for the first time to obtain a comparatively objective view of political and social conditions in their own country. These conditions were found by comparison to be far from ideal, and a group of social and political reformers gradually developed, the representatives of which were known as "philosophes." Voltaire was one of the leaders of this group. Criticism of French social, religious, and political institutions begins to creep into French literature in the first quarter of the century, but it is not until after the middle of the century that a well-defined and to some extent organized propaganda movement in this direction develops. Already in *Alzire* (1735) Voltaire shows traces of the new critical spirit, and it clearly becomes the chief motive of *Mahomet* (1742). From now on Voltaire can write nothing without introducing some criticism of contemporary conditions. So we are not surprised to find a strong element of propaganda in *les Scythes* (1767), *les Guèbres* (1769), and *les Lois de Minos* (1773). Other writers of tragedy too, such as Lemierre in his *Guillaume Tell* (1766) and *la Veuve du Malabar* (1770), and Leblanc de Guillet in his *les Druides* (1772) presented a disguised form of propaganda. The strict censorship made it necessary to disguise criticisms, especially those of governmental and religious institutions, by presenting analogous situations in non-French settings, if the author hoped to have his play produced or circulated in France. Tragedy, on account of the inelasticity of its external form and the traditions which tenaciously clung to it, did not prove itself an ideal vehicle for the dissemination of philosophic propaganda, and was not widely used for this purpose. The *drame*, which developed in the second half of the century, was considered by the "philosophes" to offer more advantages as an organ for influencing public opinion.

The most successful tragedy on the French stage during the entire century was De Belloy's third-rate play, *le Siège de Calais* (1765). It appeared at a psychological moment when a wave of patriotism was sweeping over France as a result of the indignation aroused by the reverses suffered in the Seven Years' War. Officially inspired and under the sponsorship of the government, it was skilfully employed in an attempt to restore confidence in the ruling house. Teeming with patriotic feeling and presenting a glorious event in the nation's past, it enjoyed through its timeliness an immense success which spread from France to other European countries. It inspired a host of weak imitations; and for a moment it seemed as if history might restore the waning fortunes of tragedy. But the classical rules once more proved to be an insurmountable handicap and other, more popular, dramatic forms took over national historical material and emphasizing its inherent spectacular qualities, used it with success.

Another effort to contribute something original to French tragedy is credited to Ducis, who in the latter years of the century produced a number of adaptations from Shakespeare. Inspired largely by the critical attitude of Voltaire, Ducis made over Shakespeare's plays into French classical tragedies. This process required so many omissions, additions, and other changes, that the originals are scarcely recognizable. Judged from the English standpoint, these efforts of a man who knew no English are ludicrous, yet as purely French tragedies in the classical style, they had sufficient qualities to hold the stage for several decades. They serve as a significant indication of the sway which the classical rules still exercised over tragedy at the end of the century.

It may be said of French tragedy that the classical conception hung over it like a pall throughout the eighteenth century. From the great works of Corneille and Racine were deduced a set of fixed rules; and the eighteenth-century French playwrights considered that a slavish imitation of the methods employed by these models was sufficient to produce tragedy comparable with theirs. It did not occur to most of them that something besides a proved recipe was necessary to insure an important result. Those dramatists who did have some intuition that serious drama required renovation were for the most part unable to reconcile new departures with the classical formulæ to which they held unswervingly. It was only Diderot and his school who made a determined effort to reform serious drama.

* * *

In comedy, Molière had a certain number of followers but no successors. Regnard and Dancourt, the outstanding writers of comedy coming immediately after him, continue the comedy of character by emphasizing its amusing side without any effort to contribute a serious underlying moral purpose through a penetrating psychological portrayal of their personages. Regnard's sole aim is to draw laughter from every possible situation. He is not preoccupied with any study of manners, though reflections of the social degeneration of the period are evident in his works. Brilliant and polished language, and a fanciful turn of mind combine to produce a group of farce-comedies which are highly entertaining and nothing more. Dancourt too emphasizes the amusing side of life. He lacks the brilliant style of Regnard, but on the other hand offers fairly realistic observation, in a light vein, of certain phases of contemporary manners, with especial predilection for the middle and lower classes. The important influence of financial impoverishment upon the life of the aristocracy at the end of the century is a new note to be found in some of his comedies. He draws his characters with some skill, but it is only in the *Chevalier à la mode* (1687) that he rises much above the level of mediocrity.

A thoroughly realistic picture of the part that money matters were playing in the life of the period is found in Lesage's *Turcaret* (1709), one of the great comedies of the century. The influence of Molière is evident, but Lesage uses the methods of the comedy of characters to produce a comedy of manners. He creates a new type in the unscrupulous tax farmer, but this and his other characters lack the psychological depth of those of Molière. They do serve, however, as a means of portraying an exceedingly colorful picture of contemporary manners. Accurate observation is Lesage's greatest gift. This, combined skilfully with comedy of a lighter vein, a crisp, natural dialogue, and a swiftly moving plot, produces a masterpiece of dramatic realism.

*Turcaret* may be said to belong to the seventeenth century rather than the eighteenth, although in picturing the manners of the time it hints at the trend that comedy is to take. During the latter century comedy exhibits more vitality and originality than tragedy, produces some real masterpieces, keeps abreast of the times, and undergoes an interesting evolution, the most important development of which is the *drame*. Two phases in the evolution show themselves in the first quarter of the century. The first is the study of the elegant manners of highly refined society. The second, and much more important, is the gradual substitution of the serious for the frankly comic, the development of a comedy of manners with a didactic purpose achieved through satire and sentimental moralizing.

The first of these two phases may be said to begin and end with Marivaux. This dramatist was not greatly indebted to any of his predecessors; on the contrary, he endeavored above all to be original and avoid imitating. He shunned the comedy of characters and presented a comedy of manners in a form that is unique. The most important years for his intellectual formation were passed under the Regency,[1] a period characterized by the moral laxity of an ultra-refined society. It is this society which interests Marivaux and which he portrays in his comedies, in a manner so indulgent that it is scarcely recognizable. He pictures only its refined side, its wit and its restrained gallantry. Like the painter Watteau, he eliminates all that is vulgar, and adds a sentiment of delicacy and charm which produces an idealized and enchanted world. For above all, Marivaux is a poet and an artist possessing a delightful fantasy, which entitles him to a place apart. Into his unreal and artificial world he sometimes introduces satire of certain contemporary conditions and practices, but this satire has a far less serious tone than it was shortly to have on the stage.

Marivaux has been called a miniature Racine, for he makes love the mainspring of his comedies and portrays its psychological development in subtle and delicate shades. This is why, perhaps, like Racine he assigns to women rôles of equal or greater importance than those given to men. With him women for the first time begin to occupy an important position in comedy. In simple, sometimes almost negligible, plots he pictures the growth of a shy and timid love in a social setting that is too refined and restrained to permit an overpowering passion. It is because he is a rare combination of poet, psychologist, and master dramatist that Marivaux occupies a unique position in eighteenth-century comedy.

The very restraint manifest in Marivaux' comedies gives them a certain serious tone. Seriousness combined with sentiment and moralizing, as has been said, became the principal characteristic of comedy as it is developed in the eighteenth century until it culminated in the *comédie larmoyante* and then the *drame*. Already in 1728 seriousness and sentimentality made their appearance in Piron's *les Fils ingrats,* but Piron is still under the spell of the tradition of

[1] Historical note: When Louis XIV died in 1715 his successor, Louis XV, was only five years old. The duc d'Orléans therefore served as regent until the young king took over the government in 1723. He ruled until 1774 and was succeeded by Louis XVI. The latter reigned until 1793. The following governments succeeded him: First Republic, 1793–1795; Directoire, 1795–1799; Consulat, 1799–1804; First Empire, under Napoleon, 1804–1814; First Restoration, under Louis XVIII, 1814–15; The Hundred Days of Napoleon, 1815; Second Restoration: Louis XVIII, 1815–1824, Charles X, 1824–1830.

Molière and relegates the serious to the background. Laughter dominates this play, although it has all the ingredients necessary to produce a tearful comedy.

It was Destouches who really gave to comedy a dominating tone of serious moralizing. The "philosophic" spirit, which was beginning to make its presence felt in literature, now entered the drama. Writers commenced to assume the rôle of reformers, and take it upon themselves to satirize existing evils as they saw them, and to instruct the public in the ways of virtue. The stage offered perhaps the best means available at the time for reaching a large audience and affecting public opinion. A change too had come over public sentiment in France. Laughter passed out of fashion, became regarded as something vulgar. Men were more ready to weep than to laugh. Destouches reflects this change. To affect the emotions of the spectators in such a way as to touch their hearts and make them weep becomes one of his devices.

He tries to inaugurate a new form of comedy of character. His stay in England and his interest in the theatre there undoubtedly had some influence in determining the character of his own comedies. He does not take Molière for his model, since Molière gives too much place to broad laughter, but he takes rather La Bruyère and Boileau; and like them he presents us a series of portraits. His characters utter maxims and moral instruction which they try to illustrate by their actions. Such moralizing, to be effective and convincing, must of necessity be presented in a serious tone. Yet the fact that Destouches' aim was to be amusing withal, indicates how imperfectly he understood what he was about. The effect which his comedies were intended to produce, however, required that he reduce laughter to a smile. In le Glorieux (1732) he seems almost to abandon the idea of amusing and to direct his efforts to producing a serious sentimental comedy. It is difficult to consider this play anything but a real "tearful comedy." Other dramatists of the time attempted to praise virtue and ridicule vice through the medium of character portraits and the best of all the examples of this type of comedy is probably Gresset's le Méchant (1747).

To whom should be ascribed the invention of comédie larmoyante is a debated point. To a considerable degree the honor is due to Destouches, even though he was unaware of the path into which he was leading the theatre. In his plays, and in le Glorieux in particular, are to be found all the essential elements which were to constitute tearful comedy. But it fell to La Chaussée to develop comédie larmoyante into an independent dramatic form. With him French comedy may be said to have severed all relations with the seventeenth century, and to have become thoroughly serious. An exaggerated sentimentality and a pompous style frequently combined with romanesque plots prevent La Chaussée from achieving real greatness in comedy, but he is a determining factor in the trend which comedy is taking. Aside from completing the development of a new type of comedy, perhaps his most important innovation is the presentation of scenes from domestic life. It is out of the problems of family relationships that he evolves moral theses and sentimental emotionalism. He is approaching the drame, but several factors must still work their way into serious comedy before this latter dramatic form can be born.

After La Chaussée, sensibilité continued to have a place in comedy. Gresset's Sidney (1745) is full of it. Voltaire's Nanine (1749) is nothing less than a *comédie larmoyante.* Chevrier's *l'Épouse suivante* (1755) and Voisenon's *la Jeune grecque* (1756) are close to being the same thing. Several isolated examples of the use of prose, anticipating its use in the *drame,* are also to be found. In 1742 appeared Landois' *Silvie ou le Jalous,* a real bourgeois tragedy in prose, which antedates Diderot in illustrating the dramatic principles which the latter was to advocate. Also Mme de Graffigny employed prose in her tragedy *Cénie* (1750). Many of the elements in Diderot's dramatic code had then found some expression before he adopted them. Thus sentimentality, satire, and moralizing had invaded comedy with Destouches and it had taken on a serious air; reform propaganda and other modifications had been introduced into tragedy by Voltaire, so that these two dramatic forms were gradually drawing close together; but they never fused. The new intermediate *genre* which soon made its appearance developed out of serious comedy and was intended to replace worn-out tragedy.

Several important influences contributed to giving this intermediate form, the *drame,* its peculiar characteristics. In the first place, existing social conditions in France supplied one of its most important phases. As has been stated, the eighteenth century early begins to revaluate in the light of reason the long established institutions and customs, and the result is the formation of a body of opinion, represented by the group of enlightened thinkers called "philosophes" who demand political, religious, and social reforms. The influence of this movement was making itself felt in French literature; and its effect upon the drama has been indicated. At the same time the equilibrium between the various classes of society tended to become unbalanced. The bourgeoisie in particular began to develop a class consciousness and to demand its rights. A natural result of the growing hostility to accepted tradition is the refusal to recognize the authority of antiquity. Instead the French begin to compare their literary productions, their institutions and social customs with those of foreign countries. Cosmopolitan interests manifest themselves. It is to England that Frenchmen turn their attention in particular; men like Voltaire and Destouches had already been profoundly influenced by their stay in England, and this influence became diffused through the increasing number of Frenchmen who crossed the Channel. The observations of French travelers and Frenchmen living in England, the reading of English books in the original or in translations, aroused interest especially in the liberty and tolerance which seemed to permeate English life and institutions. The French reformers seized upon the examples which England offered them, and employed these examples to further their own projects. Thus English models and English inspiration have an important influence upon French literature of the century. The works of Richardson, Thomson, and Young, in particular, contributed no small amount to the development of tearful *sensibilité.* Among the dramatists Voltaire had first introduced Shakespeare to the French people; Destouches, Marivaux, and La Chaussée drew inspiration from English sources. English tragedies of bourgeois domestic life, such as Lillo's *London Merchant* (1731) and Moore's *The Gamester* (1753) play a considerable rôle in determining the character of the *drame.* These two plays, and others, were translated into French, and fell in with the tendencies which *comédie larmoyante* was developing and with the spirit of social reform which was manifesting itself. Nothing in French drama offered so good a model for the type of play that Diderot and his school were to advocate. By the middle of the century the partisans of reform had increased in number and had grown bolder in their demands and in their methods, so that they gradually became a more or less organized force whose influence was distinctly felt and feared during the rest of the century. Diderot, editor-in-chief of the *Encyclopédie* and leader of the group of "philosophes" who contributed to that publication, developed the theory of the *drame* and offered illustrative examples of it, thereby making the most serious effort of the century at dramatic reform. It was only natural that his eager and alert mind in search of knowledge and truth in all fields should eventually turn its attention to the theatre. His contribution is much more important in theory than in practice, for he had no talent for dramatic composition. It was not his purpose to reform tragedy and comedy as they then existed, but he proposed rather an intermediate form which should concern itself in a serious manner with problems of bourgeois domestic life and which should take the place of the out-worn classical tragedy. He cannot be said to have a claim to the honor of being the sole inventor of this form, for, as has been shown, many of his ideas had already been put into practice. What he does is to take serious comedy in the state of development in which he found it, and use it as a basis for a theory of the drama to fit in with certain ideas held by himself and his friends. Now one of the chief concerns of this group was social reform. He therefore makes the new dramatic form a vehicle for the dissemination of social propaganda. With him serious comedy takes on a social significance which La Chaussée had failed to give it. Instead of a study of characters, Diderot proposes a study of "conditions," or social classes. In order that this type of play might be presented in a convincing manner, he advocates a number of reforms in stage technique. What he desires above all is greater realism on the stage, in costumes and in staging as well as in the speech and actions of the actors, so that the whole performance may be in keeping with the subject and spirit of the play. In addition he demands that his type of play be written in prose, also for the sake of greater realism,—a step forward from the previous type of serious comedy. Diderot failed to work out completely his theories and his two *drames, le Fils naturel* (1757) and *le Père de famille* (1758) are on the whole ineffectual attempts to illustrate his dramatic principles, although they mark progress in the development of the modern theatre.

It remained for other dramatists, especially Sedaine, Baculard d'Arnaud, and Sébastien Mercier, to produce more complete and satisfactory examples of the practical application of Diderot's theories of the *drame*. Sedaine's *Philosophe sans le savoir* (1765) may be regarded as the best specimen of this type. Its success is due in no small part to the author's superior knowledge of the possibilities of the stage from the acting standpoint. At the same time it combines a well-constructed plot with life-like dialogue, so as to produce a faithful and sympathetic picture of contemporary bourgeois family life. In many respects it is a forerunner of the French social dramas of the middle of the nineteenth century. It is really the only *drame* to rise above the level of mediocrity and one of the few really good French plays of the second half of the century.

The success and influence of the *drame* was much greater in other countries, especially Germany; in France it never made much headway. The French public and the French stage were not yet ready for it. The actors of the Comédie-

Française, that stronghold of jealous conservatism, steadfastly opposed it because it required new methods of acting. The traditional conception of serious drama as embodied in classical tragedy was still too deeply rooted to be overthrown, even though the average Frenchman realized that a change was needed. Add to this the fact that as an organ for "philosophic" propaganda the *drame* encountered the seemingly insurmountable obstacle of a rigorous censorship. The only thing that might have given it a real chance to flourish was the adoption and development of this form by a first-rate dramatist whose genius was suited to this type of play. Such a one failed to appear. For these various reasons the *drame* may be regarded as an unsuccessful effort at dramatic reform. The number of *drames* performed upon the eighteenth-century French stage is relatively small.

\* \* \*

Satire of one kind or another may be said to be the most general characteristic of French comedy during the eighteenth century. While serious sentimental comedy becomes the predominating type, a certain number of comedies may be found which avoid sentimentality to present almost pure satire. The first in line with such comedies is Lesage with his *Crispin rival de son maître* (1707) and *Turcaret* (1709). Gresset's *le Méchant* (1747) is an excellent example of satire through the portrait of a character. The harlequin plays of Delisle at the *théâtres de la foire* provide freer and more popular types of satire. In Palissot's *Philosophes* (1760) and in Voltaire's *l'Écossaise* (1760) satire assumes Aristophanic proportions. Comedy written for the sole purpose of providing amusing entertainment becomes relatively rare and is relegated for the most part to little one-act plays, of which Poinsinet's *le Cercle* (1771) is the best known, and to the broad farces of the popular theatres of the *foires*.

An important feature of the French stage in the eighteenth century is the immense popularity which opera, *opéra-comique*, and other musical forms acquired during the second half of the century. From the early part of the century the influence of opera, from the spectacular and realistic standpoint especially, is noticeable in La Motte, Voltaire and others. At the same time the *théâtres de la foire* begin to favor comedies in which songs are interspersed. During the period of banishment of the *comédiens italiens* from Paris, 1697-1716, these popular theatres at the fairs endeavored to replace their chief rivals to a certain extent, and an era of prosperity began for them. The comedies of Molière and the Italian plays performed at the Comédie-Italienne had both frequently included musical interludes. The *théâtres de la foire* followed these models. Two types of plays with music were developed: the *comédie en vaudevilles* and the *comédie à ariettes*. The former, of which Lesage was the chief purveyor, offered songs in which new words were set to well-known airs; the latter offered entirely original songs. Out of this second form grew the *opéra-comique*. The Comédie-Italienne, after its return in 1716, and the Opéra actively opposed the use of music by the popular theatres. Finally certain of the directors of the *théâtres de la foire* purchased from the Opéra the right to the use of *ariettes* in their plays, and organized the Opéra-Comique. After various vicissitudes this theatre became permanently established at the Foire Saint-Laurent, and especially under the capable directorship of Favart enjoyed an immense success. The *comédiens-italiens* felt keenly the competition of the Opéra-Comique and finally succeeded in destroying it in 1762 by negotiating a fusion of the two theatres under the name of Opéra-Comique.

Various reasons may be assigned to the success of plays with music. They enjoyed much greater freedom in form than the regular dramatic types, they early availed themselves of the possibilities of the spectacular, and they undoubtedly offered a refreshing relief from the stereotyped regular forms. Then too the ability of such capable librettists as Sedaine and Favart contributed largely to the success of this type of performance, and the music was supplied by Grétry, Philidor, Monsigny, and other competent composers. The vogue of music upon the stage increased to such an extent in the second half of the century that we find a large number of *tragédies lyriques, comédies lyriques,* and *drames lyriques,* and also similar plays variously entitled *tragédie, comédie, drame,* or simply *pièce, mêlée d' ariettes.* A certain amount of music frequently combined with a certain amount of spectacle apparently came to be regarded as almost necessary to insure the success of a dramatic production. Regular tragedy and *drame* naturally suffered from the competition of these popular forms. The lament of a contemporary that "le goût du siècle pour les opéra-comiques a détruit celui que la nation avait pour des chefs-d'œuvre de l'esprit humain" (Moissy: *Des ouvrages du théâtre,* in *l'École dramatique de l'homme,* Paris, 1770, p. 99), contains not a little truth.

\* \* \*

The various forms which French comedy employed during the eighteenth century, Molièresque comedy of characters, comedy of manners, satire, farce, serious comedy, *drame,* comic opera,—all contribute a share to the two great comedies of Beaumarchais in the latter part of the century. Beaumarchais began his dramatic career by writing little *parades* for private theatres. Then after two unsuccessful efforts in the field of the *drame,* he turned to the comedy of manners, a type admirably suited to his genius, and produced *le Barbier de Séville* in 1775 and *le Mariage de Figaro* in 1784. Borrowing certain elements from the various earlier types of comedy, he employed them to present an original combination of his own experiences and the ideas of his time. These are united in the remarkable character of Figaro. The timeliness of Beaumarchais' satire on contemporary conditions, especially pronounced in the second of these comedies, undoubtedly contributed greatly to their success when produced and entitle him to be called a herald of the approaching Revolution. But the fact that his comedies are fresh and alive today and occupy a place beside those of Molière, attests the element of permanent value in them which can result only from the genius of a great dramatist.

After drawing away from comedy of character and developing comedy of manners, which assumes a serious rôle in presenting various forms of social satire and in reflecting the trend of the times, French comedy at the end of the eighteenth century returns with Beaumarchais to the tradition of Molière, to the ridiculing of vices through type-characters.

\* \* \*

The new social conditions which characterize the period of the Revolution appear in its drama. The influence which aristocratic society and its conservative traditions had exerted on French literature up to this time is now destroyed. There is no time for consideration of artistic ideals. Literature is written for the day, takes on a journalistic tone, and reaches depths of mediocrity which it never achieved before or since in modern times, at least in France. The theatre holds a decided attraction for the revolutionists and is an important medium for spreading their propaganda. In fact it reflects accurately the various stages through which public opinion passed. Having no time to consider artistic ideas, men likewise had no time to invent new art forms, so that in the theatre the old dramatic forms continued. Numerous plays dealing with current conditions appeared clothed in these old forms. But theatrical productions were by no means confined to such plays. Many of the old classical plays continued to be produced and new ones were written after their model, most of them undergoing some coloring or transformation so as to conform to the spirit of the times.

Marie-Joseph Chénier's tragedy, *Charles IX, ou l'École des rois* (1789), inaugurated the theatre of the Revolution. It had been finished just before the advent of this great political change and its original purpose was to attack the existing order of things. Chénier by adding a few lines was able to make it conform to the spirit of the new situation. When he came to have it produced, however, he encountered the restrictions of an inexorable censorship. It may here be emphasized that the censorship played no small part in determining the fortunes of French drama during the eighteenth century. Most of the important dramatists of that period, among them Voltaire, Sedaine, Beaumarchais, felt its heavy hand. It was the natural means for an incompetent despotic government to employ in order to stifle criticism. During the last years of Louis XV, when that monarch had become immensely unpopular and conditions almost intolerable, it had been rigorously applied. When Louis XVI came to the throne, he was hailed as the inaugurator of an era of liberty and toleration, and the censorship was relaxed for a short time. But the disappointment in the failure of the new king to bring about a better state of affairs soon gave cause for fresh criticisms of the government, and the censorship was again enforced to curb these protests. As discontent grew, so did the censorship stiffen. It was this censorship with which Chénier had to reckon. Through strenuous efforts in behalf of his play he succeeded in making its performance an issue with the Revolutionary party. The royal authorities were finally compelled to yield, and a death blow was dealt to the censorship. Although the play was a great success, the actors of Comédie-Française showed a constant hostility to it and finally suspended the performances. This was a signal for Chénier and the revolutionists again to make an issue of the play, and the result of their efforts was the proclamation of the liberty of the theatres on January 13, 1791. Talma and some of the other actors of the Comédie-Française, who were sympathetic to the Revolution and consequently partisans of Chénier's cause, deserted the old organization and established themselves in another, more truly national theatre on the Rue de Richelieu.

Just as *Charles IX* stands for the beginning of the Revolution and its victorious struggle for the control of the stage, so other plays may be singled out as conspicuous examples of the various aims of the Revolution and of the successive moods through which public opinion passed. Thus Monvel's *les Victimes cloîtrées* (1791) reflects the hatred for the clergy; *Nicodème dans la lune* (1791) by

Cousin Jacques expresses the disillusion in the failure of the supposed constitutional government; Laya's *l'Ami des lois* (1793), the most successful of all the Revolutionary plays, is the militant last stand of the moderates against the extremists on the eve of the Terror; *le Jugement dernier des rois* (1793) by Maréchal is the Revolution in its extreme form; Ducancel's *l'Intérieur des comités revolutionnaires* (1795) represents the reaction against the excesses of the Terror; and Maillot's *Madame Angot* (1795) portrays the upheaval of the classes which the Revolution had brought about. Under Napoleon and his royal successors the censorship was restored, and classical subjects were again presented in the classical forms, which had survived the Revolution. The popular interest in the theatre, so stimulated by the Revolution, was relegated to the melodramas in the theatres of the boulevards. It remained for the young Romantic dramatists of the post-revolutionary generation to bring about a definite and successful reform in French tragedy.

From the preceding brief survey of the course of French drama in the eighteenth century the impression may be gained that this drama got nowhere and accomplished little or nothing. This is in a certain sense true. The eighteenth century in France represents a conflict in which new, progressive ideas were struggling with and attempting to overthrow old, conservative ones. The drama of the century, like all literature, reflects this conflict of opinions and the fluctuations of public sentiment. It was an age in which theories were much more common than practices. The only really serious effort to reform the stage, the *drame,* in the final analysis accomplished very little. Drama, as a whole, especially tragedy, suffered from the continued domination of traditional forms which refused to die; freedom in the expression of ideas was curbed by the censorship; the practice of permitting spectators on the stage hindered the development of the scenic side of regular drama until late in the century. Comedy, more free than serious drama from the tyranny of forms, showed considerable vitality and offered a fairly comprehensive picture of the manners and opinions of the century. Its very timeliness accounts in no small measure for its transitory value, except in a few instances where genius contributed universality. To the French dramatists of the nineteenth century the drama of the preceding century means comparatively little. They belong to a new age, and what little direct connection and influence may have been carried over from one century to the other is limited to the popular theatre where the spectacular elements in the dialogued pantomime, much in vogue during the latter years of the old régime, seem to live on in melodrama, which in turn leaves its trace upon Romantic tragedy. In addition, foreign elements,—Italian and Spanish in the seventeenth and eighteenth centuries, English and German in the eighteenth and nineteenth centuries,—have become fused into a national theatre; and the assimilation process of the eighteenth century may be said to have contributed more than sometimes appears on the surface.

# GENERAL BIBLIOGRAPHY

M. AGHION: *Le Théâtre à Paris au XVIII<sup>e</sup> siècle*, Paris, 1926.

M. ALBERT: *Les Théâtres des Boulevards*, Paris, 1902.

——*Les Théâtres de la Foire*, Paris, 1900.

F. BALDENSPERGER: *Esquisse d'une histoire de Shakespeare en France, in Études d'histoire littéraire*, 2<sup>e</sup> série, Paris, 1910.

L. BÉCLARD: *Sébastien Mercier, sa vie, son œuvre, son temps*, Paris, 1903.

E. BERNBAUM: *The Drama of Sensibility*, New York, 1915.

N. M. BERNARDIN: *La Comédie italienne en France et les théâtres de la Foire, 1570–1791*, Paris, 1902.

P. BERRET: *Comment la scène du théâtre français du XVIII<sup>e</sup> siècle a été débarrassée de la présence des gentilshommes, in Revue d'hist. litt.*, Paris, 1901.

V. DU BLED: *La Comédie de société au XVIII<sup>e</sup> siècle*, Paris, 1893.

P. BOSSUET: *Histoire des théâtres nationaux*, Paris, 1910.

L. BOURQUIN: *La Controverse sur la comédie au XVIII<sup>e</sup> siècle et la lettre à d'Alembert sur les spectacles, in Revue d'hist. litt.*, Paris, 1919–20.

F. BRUNETIÈRE: *Les Époques du théâtre français*, Paris, 1892.

——*L'Évolution d'un genre* [tragedy], *in Revue des Deux Mondes*, Paris, 1901.

——*Le Théâtre de la Révolution, in Études critiques*, 2<sup>e</sup> série.

E. CAMPARDON: *Les Spectacles de la Foire*, Paris, 1877–78, 2 vols.

P. CHAPONNIÈRE: *Les Comédies de mœurs du théâtre de la Foire, in Revue d'hist. litt.*, 1913.

——*L'Influence de l'esprit mondain sur la tragédie au XVIII<sup>e</sup> siècle, in Revue d'hist. litt.*, Paris, 1912.

G. CUCUEL: *Les Créateurs de l'opéra-comique français*, Paris, 1914.

G. DESNOIRESTERRES: *La Comédie satirique au XVIII<sup>e</sup> siècle*, Paris, 1884.

C. G. ÉTIENNE et A. MARTAINVILLE: *Histoire du théâtre français depuis le commencement de la Révolution jusqu'à la réunion générale*, Paris, 1802, 4 vols.

A. FONT: *Essai sur Favart et les origines de la comédie mêlée de chant*, Toulouse, 1894.

L. FONTAINE: *Le Théâtre et la philosophie au XVIII<sup>e</sup> siècle*, Paris, 1879.

F. GAIFFE: *Le Drame en France au XVIII<sup>e</sup> siècle*, Paris, 1910.

C. M. HAINES: *Shakespeare in France. Criticism, Voltaire to Victor Hugo*, London, 1925.

V. HALLAYS-DABOT: *Histoire de la censure théâtrale en France*. Paris, 1862.

F. HAWKINS: *The French Stage in the Eighteenth Century*, London, 1888, 2 vols.

E. F. JOURDAIN: *Dramatic Theory and Practice in France, 1690–1808*, New York, 1921.

J. J. JUSSERAND: *Shakespeare en France sous l'ancien régime*, Paris, 1899. (English translation, New York, 1899).

G. LANSON: *La Comédie au XVIII<sup>e</sup> siècle, in Hommes et livres*, Paris, 1895.

—— *Nivelle de la Chaussée et la comédie larmoyante*, Paris, 1888, 1903.

——*La Parodie dramatique au XVIII<sup>e</sup> siècle, in Hommes et livres*, Paris, 1895.

J. DE LA PORTE et S. R. N. CHAMFORT: *Dictionnaire dramatique*, Paris, 1777, 3 vols.

G. LARROUMET: *Le Théâtre français au XVIII<sup>e</sup> siècle, in Revue des Cours et Conférences*, Paris, 1899–1900.

J. LEMAÎTRE: *Impressions de théâtre*, Paris, 1888–92.

—— *La Comédie après Molière et le théâtre de Dancourt*, Paris, 1882, 1903.

—— *Théories et impressions*, Paris, 1903.

N. LEMOYNE, dit DESESSARTS: *Les Trois théâtres de Paris*, Paris, 1777.

C. LENIENT: *La Comédie en France au XVIII° siècle*, Paris, 1888, 2 vols.

E. LINTILHAC: *La Comédie. Dix-huitième siècle*. Vol. IV of *Histoire générale du théâtre en France*, Paris, (1909).

E. LUNEL: *Le Théâtre et la Révolution*, Paris, 1911.

D. MORNET: *La Question des règles au XVIII° siècle,* in *Revue d'hist. litt.*, 1914.

P. J. B. NOUGARET: *Les Spectacles des foires et des boulevards de Paris*, Paris, 1773–78, 8 vols.

D'ORIGNY: *Annales du Théâtre-Italien, depuis son origine jusqu'à ce jour*, Paris, 1788, 3 vols.

FRÈRES PARFAICT: *Histoire du théâtre français*, Paris, 1745–49, 15 vols.

A. PITOU: *Les Origines du mélodrame français à la fin du XVIII° siècle*, in *Revue d'hist. litt.*, 1911.

F. SARCEY: *Quarante ans de théâtre*, Paris, 1900, 8 vols.

H. WELSCHINGER: *Le Théâtre de la Révolution*, Paris, 1881.

J. WOGUE: *La Comédie aux XVII° et XVIII° siècles*, Paris, 1905.

# CONTENTS

xxiii

## LE
## CHEVALIER A LA MODE

*Comédie en cinq actes, en prose*

Représentée pour la première fois à la Comédie-Française
le 24 octobre 1687

# EIGHTEENTH CENTURY FRENCH PLAYS

## DANCOURT

Florent Carton Dancourt (1661–1725), who was the successor of Molière not merely in time, but in some other respects, was born at Fontainebleau in 1661 of a family of the lesser nobility, of English origin. His father and mother were Calvinists who had embraced Catholicism. He was educated at Paris at the college of the Jesuits, who wished to enroll him in the order. Profiting by the instruction of the clever and celebrated priest La Rue, he was yet unwilling to take up the priesthood; but he was another illustration of the contribution of this order to dramatic art, for out of its schools had already come Corneille and Molière, and soon were to follow Voltaire and Gresset. Dancourt studied law and was admitted to the bar, but at the age of eighteen he ran away and married the daughter of the celebrated actor La Thorillière of the Comédie-Française. This event decided his career; thereafter for some thirty-five years he was connected with this stage as actor and director. His wife and two daughters, Manon and Mimi, were also well-known actresses of the Comédie-Française. Dancourt, like Molière, was a favorite of Louis XIV and often read to him and conversed with him. In 1718 he retired to his country estate in Berry, Courcelles-le-Roi, here to give attention to the salvation of his soul, writing a translation of the Psalms and a sacred tragedy. Before his death, he built his tomb which he visited and inspected as one interested only in things eternal. He died here in December, 1725, surviving his wife by only a few months.

Bearing in mind the difference in genius between the two men, we may think of Dancourt as replacing Molière on the stage of the Comédie-Française. In addition to being actor and director, he was the author of some sixty plays. He, too, was accused of appropriating the work of other writers. Whatever he may have taken, his genius made it his own. Although not the equal of Molière, Dancourt was nevertheless a keen judge of human nature. Instead of observing and painting *man* as did Molière, his comedies give us the more minute details of information about the manners, usages and customs of the *men of his time*. Thus, better even than Molière, Dancourt acquaints us with the condition of the bourgeoisie during the latter part of the reign of Louis XIV. The numerous characters of his plays are largely bourgeois men and women, valets and maids, intriguers of both sexes, magistrates of the second and third order. The young actor-author made use of what he had inherited from the great master, and with a lighter prodigal hand scattered it abroad in much smaller coin for more than thirty years, up into the time of the Regency. It is not his fault if men have degenerated; he draws for us the scenes which

3

the times furnish him. The merit, interest, and attraction of the comedies of Dancourt lies in the fact that they are a mirror.

Dancourt is essentially the painter of reality and manners. Full of wit, of sprightliness, of lively original sallies, he excels in dialogue. Sometimes he paints manners too faithfully, and our sensibilities may be offended. To appreciate his plays properly, we must bear in mind their setting: a society tending toward greater freedom, more ease in business, a looser mingling of the sexes, luxury beginning to blend rank and conditions, money dully extending its empire over the ruins of the prejudices of the nobility, misalliances reëstablishing the fortunes of the great lords, newly rich buying titled estates and taking their names: everything preparing in a word, as early as 1700, for the great upheaval that was to mark the end of the century. In that year *la greffière* in *les Bourgeoises de qualité* says to the soubrette: "C'est la saison des révolutions que la fin des siècles, et tu vas voir d'assez jolis changements dans ma destinée."

Dancourt pictures so well the society of his day that in reading his numerous comedies one is able to understand how the France of the Fronde degenerated to the France of the Regency. The simple enumeration of several titles gives some idea of the character of his works: *la Désolation des joueuses, le Chevalier à la mode, la Maison de campagne, l'Été des coquettes, la Femme d'intrigue, les Vacances, les Bourgeoises à la mode, la Folle Enchère, le Retour des officiers, la Parisienne, la Loterie, l'Opérateur Barry, la Famille à la mode, le Galant jardinier, les Fêtes nocturnes du Cours,* etc. "Dancourt is more often found in village than in city, and more often at the *moulin* than in the village." He had a peculiar talent for painting peasants, putting them on the stage and making them talk. Lowering the type of characters that he presented, he necessarily used a less noble style, and he may be said to have invented the "style villageois." Coupled with his ability as a dramatist and a chroniqueur, he succeeded also in amusing, and that too all classes.

Although *le Chevalier à la mode* (1687) is one of the earlier plays of Dancourt, it is his masterpiece, and one of the best comedies of the second class. It is his best example of intrigue. Running after the old baroness, the rich bourgeois widow, and her niece, all at the same time, the chevalier is kept busy throughout and the action is not allowed to drag for a moment. The dialogue is vivacious, the characters are well sustained, and the action leaves nothing to be desired in the matter of intrigue and the springs that make it move. Although the chevalier and the baronne represent the nobility, the atmosphere is nevertheless that of the bourgeoisie, as is general with Dancourt. The play was revived in 1806 by the Comédie-Française and is said to have enjoyed an immense success.

Bibliography: *Œuvres*, Paris, 1742. BARTHÉLEMY: *La Comédie de Dancourt*, Paris, 1882. LEMAÎTRE: *La Comédie après Molière et le théâtre de Dancourt*, Paris, 1903. LENIENT: *La Comédie au XVIIIᵉ siècle*, Paris, 1888.

# LE CHEVALIER A LA MODE[1]

## Par FLORENT CARTON DANCOURT

### PERSONNAGES.

LE CHEVALIER DE VILLEFONTAINE.
MADAME PATIN, *veuve, amoureuse du Chevalier.*
M. SERREFORT, *beau-frère de Madame Patin.*
LUCILE, *fille de M. Serrefort.*
LA BARONNE, *vieille plaideuse.*
M. MIGAUD, *rapporteur de la Baronne.*
LISETTE, *fille de chambre de Madame Patin.*

CRISPIN, *valet du chevalier.*
UN NOTAIRE.
LABRIE, *laquais de Madame Patin.*
JASMIN, *laquais de la Baronne.*
LE COCHER *de Madame Patin.*
*Plusieurs domestiques de Madame Patin.*

La scène est à Paris, chez Madame Patin.

## ACTE PREMIER

### SCÈNE PREMIÈRE.

#### MADAME PATIN, LISETTE.

*(Madame Patin entre avec beaucoup de précipitation et de désordre, suivie de Lisette.)*

LISETTE. Qu'est-ce donc, Madame? Qu'avez-vous? Que vous est-il arrivé? Que vous a-t-on fait?

MADAME PATIN. Une avanie... Ah! j'étouffe. Une avanie... je ne saurais parler... un siège...

LISETTE, *lui donnant un siège.* Une avanie! A vous, Madame, une avanie! Cela est-il possible?

MADAME PATIN. Cela n'est que trop vrai, ma pauvre Lisette. J'en mourrai. Quelle violence! En pleine rue, on vient de me manquer de respect.

LISETTE. Comment donc, Madame, manquer de respect à une dame comme vous! Madame Patin, la veuve d'un honnête partisan,[2] qui a gagné deux millions de bien au service du roi! Et qui sont ces insolents-là, s'il vous plaît?

MADAME PATIN. Une marquise de je ne sais comment, qui a eu l'audace de faire prendre le haut du pavé à son carrosse, et qui a fait reculer le mien de plus de vingt pas.

LISETTE. Voilà une marquise bien impertinente. Quoi! votre personne qui est toute de clinquant, votre grand carrosse doré qui roule pour la première fois, deux gros

chevaux gris-pommelés à longues queues, un cocher à barbe retroussée, six grands laquais plus chamarrés de galons que les estafiers d'un carrousel, tout cela n'a point imprimé de respect à votre marquise?

MADAME PATIN. Point du tout, c'est du fond d'un vieux carrosse, traîné par deux chevaux étiques, que cette gueuse de marquise m'a fait insulter par des laquais tout déguenillés.

LISETTE. Ah! mort de ma vie, où était Lisette? Que je lui aurais bien dit son fait!

MADAME PATIN. Je l'ai pris sur un ton proportionné à mon équipage; mais elle, avec un *"taisez-vous, bourgeoise,"* m'a pensé faire tomber de mon haut.

LISETTE. Bourgeoise! bourgeoise! Dans un carrosse de velours cramoisi à six poils, entouré d'une crépine d'or!

MADAME PATIN. Je t'avoue qu'à cette injure assommante, je n'ai pas eu la force de répondre; j'ai dit à mon cocher de tourner et de m'amener ici à toute bride.

### SCÈNE II.

#### MADAME PATIN, LISETTE, LABRIE.

LISETTE. Ah! vraiment, voilà un de vos laquais en bel équipage! Vous moquez-vous, Labrie? Comment paraissez-vous devant Madame? Quel désordre est-ce là? Dirait-on que vous avez mis aujourd'hui un habit neuf?

LABRIE. Les autres sont plus chiffonnés que moi, et je venais dire à Madame que Lafleur et Jasmin ont la tête cassée par les

---

[2] Text of first edition.

[2] contractor, revenue-farmer.

5

gens de cette marquise, et qu'il n'a tenu qu'à moi de l'avoir aussi.

LISETTE. Et que ne disiez-vous à qui vous étiez ?

LABRIE. Nous l'avons dit aussi.

MADAME PATIN. Eh bien ?

LABRIE. Eh bien ! Madame, je crois que c'est à cause de cela qu'ils nous ont battus.

LISETTE. Les lourdauds !

MADAME PATIN. Va-t'en dehors, mon enfant.

LABRIE. Mais Lafleur et Jasmin sont chez le chirurgien.

MADAME PATIN. Eh bien ! qu'ils se fassent panser, et qu'on ne m'en rompe pas la tête davantage.

### SCÈNE III.

#### MADAME PATIN, LISETTE.

LISETTE. Au moins, Madame, il faut prendre cette affaire-ci du bon côté. Ce n'est pas à votre personne qu'ils ont fait insulte, c'est à votre nom. Que ne vous dépêchez-vous d'en changer ?

MADAME PATIN. J'y suis bien résolue, et j'enrage contre ma destinée, de ne m'avoir pas fait tout d'abord une femme de qualité.

LISETTE. Eh ! vous n'avez pas tout à fait sujet de vous plaindre ; et si vous n'êtes pas encore femme de qualité, vous êtes riche au moins ; et comme vous savez, on achète facilement de la qualité avec de l'argent ; mais la naissance ne donne pas toujours du bien.

MADAME PATIN. Il n'importe ; c'est toujours quelque chose de bien charmant qu'un grand nom.

LISETTE. Bon ! bon ! Madame, vous seriez, ma foi, bien embarrassée si vous vous trouviez comme certaines grandes dames de par le monde, à qui tout manque, et qui, malgré leur grand nom ne sont connues que par un grand nombre de créanciers, qui crient à leurs portes depuis le matin jusqu'au soir.

MADAME PATIN. C'est là le bon air. C'est ce qui distingue les gens de qualité.

LISETTE. Ma foi, Madame, avanie pour avanie, il vaut mieux, à ce qu'il me semble, en recevoir d'une marquise que d'un marchand ; et, croyez-moi, c'est un grand plaisir de pouvoir sortir de chez soi par la grande porte sans craindre qu'une troupe de sergents vienne saisir le carrosse et les chevaux. Que diriez-vous si vous vous trouviez réduite à gagner à pied votre logis, comme quelques-unes à qui cela est arrivé depuis peu ?

MADAME PATIN. Plût au ciel que cela me fût arrivé, et que je fusse marquise !

LISETTE. Mais, Madame, vous n'y songez pas.

MADAME PATIN. Oui, oui, j'aimerais mieux être la marquise la plus endettée de toute la cour, que de demeurer veuve du plus riche financier de France. La résolution en est prise, il faut que je devienne marquise, quoi qu'il en coûte ; et, pour cet effet, je vais absolument rompre avec ces petites gens, dont je me suis encanaillée. Commençons par Monsieur Serrefort.

LISETTE. M. Serrefort, Madame ! votre beau-frère !

MADAME PATIN. Mon beau-frère ! mon beau-frère ! Parlez mieux, s'il vous plaît.

LISETTE. Pardonnez-moi, Madame, j'ai cru qu'il était votre beau-frère, parce qu'il était frère de feu monsieur votre mari.

MADAME PATIN. Frère de feu mon mari, soit ; mais, mon mari étant mort, Dieu merci, Monsieur Serrefort ne m'est plus rien. Cependant, il semble à ce crasseux-là qu'il me soit de quelque chose ; il se mêle de censurer ma conduite, de contrôler toutes mes actions. Son audace va jusqu'à vouloir me faire prendre de petites manières comme celles de sa femme, et faire des comparaisons d'elle à moi. Mais est-il possible qu'il y ait des gens qui se puissent méconnaître jusqu'à ce point-là ?

LISETTE. Oui, oui, je commence à comprendre qu'il a tort, et que vous avez raison, vous. C'est bien à lui et à sa femme à faire des comparaisons avec vous ! Il n'est que votre beau-frère, et elle n'est que votre belle-sœur, une fois.

MADAME PATIN. Il n'y a pas jusqu'à sa fille qui ne se donne aussi des airs. Allons-nous en carrosse ensemble, elle se place dans le fond à mes côtés. Sommes-nous à pied, elle marche toujours sur la même ligne, sans observer aucune distance entre elle et moi.

LISETTE. La petite ridicule ! Une nièce vouloir aller de pair avec sa tante !

MADAME PATIN. Ce qui m'en déplaît encore, c'est qu'avec ses minauderies, elle attire les yeux de tout le monde, et ne laisse pas aller sur moi le moindre petit regard.

LISETTE. Que le monde est fou ! Parce qu'elle est jeune et jolie, on la regarde plus volontiers que vous.

MADAME PATIN. Cela changera, ou je ne la verrai plus.

LISETTE. Vous la corrigerez aisément ; et en devenant sa belle-mère, Madame, vous aurez des droits sur elle, que la qualité de tante ne vous donne pas.

MADAME PATIN. Comment donc sa belle-mère? Tu crois qu'après ce qui vient de m'arriver je me piquerai de tenir parole à Monsieur Migaud, que je l'épouserai?

LISETTE. Oui, Madame. Et qu'a de commun ce qui vient de vous arriver avec les deux mariages que l'on a conclus de vous avec Monsieur Migaud, et du fils de Monsieur Migaud avec Lucile, votre nièce?

MADAME PATIN. Vraiment, je serais bien avancée. C'est un beau nom que celui de Madame Migaud! J'aimerais autant demeurer Madame Patin.

LISETTE. Oh! il y a bien de la différence. Le nom de Migaud est un nom de robe,[1] et celui de Patin n'est qu'un nom de financier.

MADAME PATIN. Robe ou finance, tout m'est égal; et depuis huit jours je me suis résolue d'avoir un nom de cour, et de ceux qui emplissent le plus la bouche.

LISETTE, à part. Ah! ah! ceci ne vaut pas le diantre pour Monsieur Migaud.

MADAME PATIN. Que dis-tu?

LISETTE. Je dis, Madame, qu'un nom de cour vous siéra à merveille; mais, que ce n'est pas assez d'un nom, à ce qu'il me semble, que je crois qu'il vous faut un mari, et que vous devez bien prendre garde au choix que vous ferez.

MADAME PATIN. Je me connais en gens, et j'ai en main le plus joli homme du monde.

LISETTE. Comment! ce choix est déjà fait, et je n'en savais rien!

MADAME PATIN. Le chevalier n'a pas voulu que je te le dise.

LISETTE. Quel chevalier? Le chevalier de Villefontaine?

MADAME PATIN. Lui-même.

LISETTE. Quoi! c'est le chevalier de Villefontaine que vous voulez épouser?

MADAME PATIN. Justement.

LISETTE. Vous n'y songez pas, Madame. Ce chevalier n'a pas un sou de bien.

MADAME PATIN. J'en ai suffisamment pour tous deux, et il y a même quelque justice à ce que je fais. Monsieur Patin n'a pas gagné trop légitimement son bien en Normandie; et c'est une espèce de restitution que de relever avec ce qu'il m'a laissé une des meilleures maisons de la province.

LISETTE. Ah! puisque c'est un mariage de conscience, je n'ai plus rien à vous dire. Que Monsieur Migaud sera surpris quand vous lui apprendrez votre dessein!

MADAME PATIN. Je n'ai garde de l'en in-

former, il ne manquerait pas d'en aller faire ses plaintes à Monsieur Serrefort. Monsieur Serrefort viendrait à son ordinaire m'étourdir de ses sots raisonnements. Pour m'épargner l'embarras d'y répondre, je ne veux point que l'un ni l'autre sache cette affaire, qu'elle ne soit tout à fait conclue.

LISETTE. Mais, Madame, il me semble qu'avant d'épouser le chevalier de Villefontaine, il faudrait vous défaire honnêtement de Monsieur Migaud?

MADAME PATIN. C'est mon dessein, vraiment, et je veux lui faire une querelle d'Allemand[2] dès que je le verrai. Pour peu qu'il ait d'intelligence, il entendra bien ce que cela veut dire.

LISETTE. Une querelle d'Allemand? Vous avez raison; voilà une manière tout à fait honnête pour vous en défaire. Mais, le voici.

### SCÈNE IV.

#### MONSIEUR MIGAUD, MADAME PATIN, LISETTE.

MONSIEUR MIGAUD. Madame, j'entre peut-être indiscrètement; mais, je viens moi-même vous apporter la réponse du billet que vous m'écrivîtes hier au soir.

MADAME PATIN. Moi! je vous ai écrit, Monsieur?

MONSIEUR MIGAUD. Oui, Madame; une vieille baronne, qui a un procès dont je suis rapporteur, m'apporta hier une recommandation de votre part.

MADAME PATIN. Ah! je m'en souviens; oui, oui, c'est une vieille importune qui me fatigue depuis huit jours pour vous parler en sa faveur, et je vous écrivis hier pour m'en débarrasser.

MONSIEUR MIGAUD. Je suis bien aise, Madame, que vous ne preniez pas grande part à son affaire; il y a dans sa cause plus de chimère que de raison; et en vérité, il y a peu d'honneur à se mêler. . .

MADAME PATIN. Comment, Monsieur, vous ne lui ferez pas gagner son procès?

MONSIEUR MIGAUD. Moi! Madame; cela ne dépend pas de moi seulement, et la justice. . .

MADAME PATIN. La justice! la justice! Vraiment, si la justice était pour elle, on aurait bien à faire de vous solliciter. Quelle

[1] nom de robe, *name associated with the legal profession.*
[2] a groundless quarrel

obligation prétendriez-vous que je vous eusse?

MONSIEUR MIGAUD. Mais, Madame. . .

MADAME PATIN. Mais, Monsieur! je ne prétends pas qu'on dise dans le monde qu'une recommandation comme la mienne n'a servi de rien; et je ne suis pas assez laide, ce me semble, pour avoir la réputation de n'avoir pu mettre un juge dans les intérêts des personnes que je protège.

MONSIEUR MIGAUD. En vérité, Madame, je ne vois pas la raison qui vous oblige à vouloir que je m'intéresse dans une cause où il n'y a que de la honte à recevoir.

MADAME PATIN. En vérité, Monsieur, je ne vois pas la raison qui vous oblige, lorsque je vous en prie, de vouloir refuser de donner un bon tour à une méchante affaire. Eh fi! Monsieur, il semble que vous ayez encore la pudeur d'un jeune conseiller.

MONSIEUR MIGAUD. Sérieusement, Madame. . .

MADAME PATIN. Ah! Monsieur, point de réplique, je vous prie. Je me fais entendre, si je ne me trompe: c'est à vous de prendre vos mesures là-dessus. Lisette, si la personne dont je vous ai parlé vient ici, qu'on me fasse avertir chez Araminte, où je vais jouer au reversis.[1] Monsieur, je vous donne le bonjour.

## SCÈNE V.

### MONSIEUR MIGAUD, LISETTE.

MONSIEUR MIGAUD. Lisette?

LISETTE. Monsieur?

MONSIEUR MIGAUD. Que veut dire cette manière? Quel accueil me fait ta maîtresse!

LISETTE. Vous n'en êtes pas fort content, à ce que je vois?

MONSIEUR MIGAUD. Trouves-tu que j'aie sujet de l'être?

LISETTE. Il me semble que non, franchement.

MONSIEUR MIGAUD. Comment faut-il que j'explique tout ceci?

LISETTE. Pour peu que vous ayez d'intelligence, vous entendez bien ce que cela signifie.

MONSIEUR MIGAUD. Je m'y perds, plus je l'examine.

LISETTE. Il me semble pourtant que cela n'est pas bien difficile à comprendre.

MONSIEUR MIGAUD. Aide-moi, je te prie, à le pénétrer.

1 a game of cards.

LISETTE. Vous aimez Madame Patin ma maîtresse, et vous avez cru jusqu'ici que Madame Patin vous aimait?

MONSIEUR MIGAUD. Nos affaires sont assez avancées pour me le faire présumer; et ce qui me surprend, c'est qu'aux termes où nous en sommes, elle prenne des airs si brusques.

LISETTE. Cela serait aussi un peu surprenant, si vous ne la connaissiez pas; mais, vous savez ce qu'il en faut croire.

MONSIEUR MIGAUD. Sans le respect que j'ai pour elle, je croirais. . .

LISETTE. Eh! laissez là le respect, Monsieur, et dites librement que vous la croyez un peu folle: je me connais trop bien en gens pour vous en dédire.

MONSIEUR MIGAUD. Écoute, Lisette, puisque tu me parles franchement je t'avouerai de bonne foi que le caractère de Madame Patin m'a toujours fait peur, et que, sans certains intérêts de mon fils, je n'aurais jamais songé à l'épouser. Monsieur Serrefort, comme tu sais, appréhende que sa belle-sœur ne dissipe les grands biens que son mari lui a laissés en mourant; et c'est pour s'assurer cette succession, qu'en donnant Lucile à mon fils, il ne consent à ce mariage qu'à condition que j'épouserai Madame Patin.

LISETTE. Et vous aurez la complaisance de vouloir bien souscrire à cette condition?

MONSIEUR MIGAUD. J'assure par-là plus de quarante mille livres de rente à ma famille.

LISETTE. Cela vaut bien que vous vous exposiez à enrager le reste de vos jours.

MONSIEUR MIGAUD. J'aurai moins à souffrir que tu ne penses, et je suis, grâce au ciel, d'une profession et d'un caractère à mettre aisément une femme à la raison.

LISETTE. Commencez donc dès à présent à y mettre Madame Patin; car je vous avertis que si vous attendez pour la rendre sage que vous soyez son mari, vous courez risque de la voir mourir folle.

MONSIEUR MIGAUD. Que me dis-tu là?

LISETTE. Je me suis senti de l'inclination à vous rendre service; et il me semble que Monsieur votre fils, qui est un garçon si sage et si honnête, fera bien un meilleur usage des quarante mille livres de rente à qui vous en voulez, que le petit fat à qui Madame Patin les destine.

MONSIEUR MIGAUD. Explique-moi cette énigme-là: ta maîtresse aurait-elle changé de pensée?

LISETTE. Elle s'est mis la cour en tête; et, pour y paraître avec éclat, elle prétend épouser le chevalier de Villefontaine.

MONSIEUR MIGAUD. Cela ne se peut pas!

LISETTE. Je ne sais pas si cela se peut, mais je sais bien que cela est.

MONSIEUR MIGAUD. Le chevalier de Villefontaine! Tu te moques, mon enfant, cet homme-là n'est point fait pour épouser. C'est un aventurier qui n'en a pas le temps, un jeune extravagant qui n'a pas cent pistoles de revenu, qu'on ne connaît à la cour que par le ridicule qu'il s'y donne, et qui n'a, pour tout mérite, que celui de boire et de prendre du tabac.

LISETTE. Eh bien! Monsieur, boire et prendre du tabac, c'est ce qui fait aujourd'hui le mérite de la plupart des jeunes gens!

MONSIEUR MIGAUD. Je ne saurais croire ce que tu me dis.

LISETTE. Non, ne croyez pas; mais, avertissez-en toujours Monsieur Serrefort par précaution, et prenez vos mesures comme si vous en étiez persuadé; la suite vous convaincra du reste. Voici notre chevalier, adieu! Ne perdez point de temps, et comptez que ce n'est pas peu que je me mêle de vos affaires.

MONSIEUR MIGAUD. L'étrange chose que la tête d'une femme!

### SCÈNE VI.

#### LE CHEVALIER, LISETTE.

LE CHEVALIER. Bonjour, ma pauvre Lisette. Ah! ah! tu as du dessein aujourd'hui. Te voilà plus parée que de coutume, et toujours plus belle que tout ce que j'ai vu de plus beau. Quel charmant embonpoint!

LISETTE. Est-ce à moi que vous parlez, Monsieur?

LE CHEVALIER. Et à qui donc?

LISETTE. J'ai cru que c'était un compliment pour quelque dame, que vous répétiez comme une leçon. Madame vous a attendu longtemps, Monsieur.

LE CHEVALIER. En vérité? Tu es une des plus aimables filles que je connaisse. Mais, qui te fait tes manteaux? Je veux mettre ton ouvrière en crédit. Par ma foi, voilà le plus galant négligé qu'on ait jamais vu! Comme elle se coiffe, la friponne!

LISETTE. Vous voulez bien, Monsieur, que j'aille dire à Madame que vous êtes ici?

Elle n'est qu'à dix pas, chez une de ses amies.

LE CHEVALIER. Attends, attends, Lisette: un moment plus ou moins ne fera rien à la chose.

LISETTE. Pardonnez-moi, Monsieur, je serai bien aise qu'on l'avertisse de votre impatience; aussi bien, voilà Crispin qui a quelque chose à vous dire.

### SCÈNE VII.

#### LE CHEVALIER, CRISPIN.

CRISPIN. Ah! vous voilà, Monsieur! Je vous cherchais partout pour vous dire que la baronne...

LE CHEVALIER. Paix! paix! tais-toi! Ne vois-tu pas où nous sommes!

CRISPIN. Oui, Monsieur, mais la baronne...

LE CHEVALIER. Eh! ventrebleu! maraud, ne t'ai-je pas dit que quand je suis chez une femme, je ne veux point que tu me viennes parler d'aucune autre.

CRISPIN. Cela est vrai. Mais, Monsieur, cette baronne...

LE CHEVALIER. Mais, monsieur le fat, taisez-vous, encore une fois; et ne venez point gâter une affaire qui est peut-être la meilleure qui me puisse arriver.

CRISPIN. Oh! oh! Quoi, Monsieur, la maîtresse du logis parle-t-elle de mariage, et songez-vous à l'épouser? L'aimez-vous?

LE CHEVALIER. Moi, l'aimer? Pauvre sot!

CRISPIN. De quelle affaire parlez-vous donc?

LE CHEVALIER. Je l'épouserai si je veux; mais je la hais comme la peste, et ce ne serait pas elle que j'épouserais.

CRISPIN. Non? Le diable m'emporte si je vous entends!

LE CHEVALIER. Ce serait quarante mille livres de rente qu'elle possède dont je pourrais être amoureux.

CRISPIN. C'est-à-dire que ce sont les quarante mille livres de rente que vous épouseriez en l'épousant?

LE CHEVALIER. Et quoi donc? Si j'avais à aimer, ce ne serait pas Madame Patin, Dieu me damne!

CRISPIN. Ce ne serait pas aussi la vieille baronne; car vous lui promettez tous les huits jours de l'épouser dans la semaine, et il y a près d'un an que vous l'amusez.

LE CHEVALIER. Si la baronne avait gagné ses procès, je la préférerais à Madame Patin; et quoiqu'elle ait quinze ou vingt années davantage, ses procès gagnés lui donneraient quinze ou vingt mille livres de rentes de plus que n'a Madame Patin.

CRISPIN. C'est-à-dire que, s'il en venait encore quelqu'autre plus riche que ces deux-là, vous prendriez parti avec la dernière ?

LE CHEVALIER. Je les ménagerai toutes, autant qu'il s'en présentera, le plus longtemps que je pourrai, et je me déterminerai pour celle qui accommodera le mieux mes affaires.

CRISPIN. Et pour accommoder les miennes, j'ai envie d'en prendre quelqu'une de celles dont vous ne voudrez point ; car, entre nous, Monsieur, je n'aime point les soubrettes, voyez-vous. A propos d'aimer, je crois que vous n'aimez rien, vous, que votre profit ?

LE CHEVALIER. Je ne sais si je n'aimerais point une petite brune, qui est la plus charmante du monde ; et si elle était aussi riche qu'elle voudrait me le faire croire, je n'hésiterais point à lui sacrifier toutes les autres.

CRISPIN. Quelle petite brune ? Comment l'appelez-vous ?

LE CHEVALIER. Je n'ai pu encore savoir son nom.

CRISPIN. Je m'étonnais aussi, car il n'y a point de petite brune sur mon mémoire.

LE CHEVALIER. Ce n'est que depuis quatre jours que je la vois tous les soirs aux Tuileries. Je lui ai fait croire qu'on m'appelait le marquis des Guérets. Parbleu ! c'est une conquête aussi difficile que j'en connaisse. Je ne suis pourtant pas mal auprès d'elle.

CRISPIN. En quatre jours ! Voilà une conquête bien difficile, vous avez raison.

LE CHEVALIER. Elle a un père extrêmement bizarre, à ce qu'elle m'a dit ; et ce n'est que sous le prétexte d'aller voir une certaine tante, qu'elle trouve moyen de venir les soirs à la promenade.

CRISPIN. Toute jeune et toute petite personne qu'elle est, elle ment déjà à la perfection, n'est-ce pas ?

LE CHEVALIER. Elle a de l'esprit au delà de l'imagination. Une vivacité. . . La charmante petite créature !

CRISPIN. Diable !

LE CHEVALIER. Ne m'en parle plus, Crispin, ne m'en parle plus, je t'en prie. Vois-tu ? J'ai des entêtements de fortune, et je craindrais de me faire avec cette petite personne une affaire de cœur qui me mènerait peut-être trop loin.

CRISPIN. Vous avez raison.

LE CHEVALIER. Songeons au solide, mon ami, nous donnerons ensuite dans la bagatelle.

CRISPIN. C'est bien dit. Or çà, je vois bien que c'est la dame d'ici qui est la meilleure à ménager, et je m'en vais renvoyer Madame la baronne avec ses présents.

LE CHEVALIER. Comment, que parles-tu de présents ?

CRISPIN. C'est ce que je vous ai voulu dire d'abord, que Madame la baronne vous attend chez vous avec des présents ; mais je vais la renvoyer.

LE CHEVALIER. Attends, attends un peu. Et qu'est-ce que c'est que ces présents ?

CRISPIN. Eh ! Monsieur, c'est, par exemple, un fort beau carrosse qu'elle a fait mettre sous une de vos remises, deux gros chevaux dans votre écurie, un cocher et un gros barbet qui ont amené tout cela, et que je vais renvoyer puisque vous le voulez.

LE CHEVALIER. Non, non, demeure. Cette pauvre femme ! Elle m'aime dans le fond, et je ne veux pas la fâcher.

CRISPIN. Vous avez raison ; mais vous ne songez pas que Madame Patin. . .

LE CHEVALIER. Je songe que Madame Patin aime le grand air et le grand équipage. Le carrosse est beau ?

CRISPIN. Il est des plus beaux qui se portent.

LE CHEVALIER. Cette pauvre baronne ! Et les chevaux ?

CRISPIN. Les chevaux sont des chevaux qui ont l'air aisé. Vous n'en avez jamais encore eu comme ceux-là.

LE CHEVALIER. La pauvre femme ! Va, va-t'en lui dire que je la remercie, et j'aurai l'honneur de la voir cette après-dînée.

CRISPIN. Oh ! sans vous, il n'y a rien à faire ; et je m'en vais gager qu'elle emmènera les chevaux, le carrosse et le barbet, si vous ne venez les recevoir vous-même ; et encore faut-il vous dépêcher, car elle a des affaires, et il me semble qu'elle m'a dit qu'un de ses procès se jugeait demain sans faute.

LE CHEVALIER. Eh bien ! dis lui seulement que je la verrai aujourd'hui sans y manquer.

CRISPIN. Vous lui avez manqué vingt fois de parole. Voulez-vous qu'elle se fie à la mienne ?

LE CHEVALIER. Voilà Madame Patin. Va vite faire ce que je dis.

CRISPIN. Parbleu ! vous viendrez, puisque vous voulez garder l'équipage.

LE CHEVALIER. Tais-toi donc, maraud, et laisse-moi sortir honnêtement d'avec celle-ci.

## SCÈNE VIII.

Madame Patin, Le Chevalier, Lisette,
Crispin.

Madame Patin. Je vous ai fait attendre,
Monsieur le chevalier; mais vous me devez
savoir gré de ne me pas trouver chez moi.
Comme je n'y veux être que pour vous, je
suis bien aise de me dérober aux importu-
nités de quelques gens qui se croient en
droit de me parler à toute heure, et à qui
mes gens n'osent fermer la porte au nez,
quoique je leur aie commandé plus de mille
fois de le faire.

Le Chevalier. On est trop payé, Madame, du chagrin d'avoir attendu, quand on
a le bonheur de vous voir un moment, et
j'attendrai toujours volontiers, quand je
serai sûr de ne pas attendre inutilement.

Madame Patin. Qu'il est obligeant! et
qu'il dit les choses de bonne grâce! Au
moins, Monsieur le chevalier, Lisette m'a
rendu compte de votre honnêteté; vous ne
vouliez pas qu'elle me vînt avertir, de peur
de me détourner; mais, j'aurais été bien
fâchée contre elle.

Le Chevalier. Je craignais de donner
du chagrin à la compagnie que vous venez
de quitter.

Madame Patin. Il n'y avait que des
femmes, au moins; et vous n'avez point de
rivaux à craindre.

Crispin, bas au chevalier. Le carrosse
s'ennuiera sous la remise.

Le Chevalier. Paix!

Madame Patin. Que dit Crispin?

Crispin. Rien, Madame.

Madame Patin. Passons dans mon cabinet, nous y serons mieux qu'ici.

Crispin, bas au chevalier. Les chevaux
s'impatienteront, vous dis-je.

Le Chevalier. Te tairas-tu?

Madame Patin. Allons, Monsieur le chevalier.

Crispin. Adieu l'équipage.

Madame Patin. A qui en a-t-il? Que
parle-t-il d'équipage.

Le Chevalier. Je ne sais, Madame, ce
qu'il marmotte entre ses dents: de carrosse,
de chevaux, d'équipage. C'est mon sellier
qui m'attend, n'est-ce pas?

Crispin. Oui, Monsieur.

Le Chevalier. M'a-t-on amené ces deux
chevaux neufs?

Crispin. Oui, Monsieur, et ils vous attendent, comme je vous ai dit.

Le Chevalier. Je vous demande pardon,
Madame, c'est un nouveau carrosse que je
me donne. Je sais que je vous fais plaisir de me bien mettre en équipage, et je
meurs d'impatience de voir si vous devez
être contente de celui-ci.

Madame Patin. Je vais le voir avec vous;
et puisque c'est pour me plaire que vous
faites cette dépense, je serai bien aise d'être
la première à vous en dire mon sentiment.
Allons.

Le Chevalier. Ah! Madame, songez de
grâce. . .

Madame Patin. A quoi? Monsieur le
chevalier.

Le Chevalier. Eh! Madame. . .

Madame Patin. Comment?

Le Chevalier. Que dirait-on, Madame,
dans le monde, des petits soins qu'on vous
verrait prendre? Cela seul suffirait pour
découvrir ce que nous avons intérêt de
cacher; et je serais au désespoir que
quelques soupçons nous attirassent de cha-
grinantes remontrances de votre famille et
de la mienne.

Crispin. Assurément, Madame, et il ne
serait pas honnête que mon maître essayât
son carrosse devant vous. La femme de son
sellier est une causeuse. . .

Le Chevalier. Oui, Madame, il y a des
suites à craindre, que je prévois, et que je
ne saurais vous dire. Adieu, Madame, je
reviendrai dans un instant, si vous voulez
me le permettre. . .

Madame Patin. Adieu donc, chevalier.
Ne tardez pas, je vous prie, et passez chez
votre notaire pour ce que vous savez.

## SCÈNE IX.

Madame Patin, Lisette.

Lisette. Ma foi, Madame, ce n'était pas
la peine de quitter le jeu, pour être sacrifiée par Monsieur le chevalier à l'impatience de voir son carrosse.

Madame Patin. Que tu es folle, Lisette!
Je lui sais bon gré de cette impatience.
C'est pour me faire plaisir qu'il a fait faire
ce carrosse. Je gage qu'il y aura fait mettre
des chiffres.

Lisette. Je ne sais, mais je crains bien
que ce Monsieur le chevalier ne vous donne
bien des chagrins. Les gens de la Cour, et
les jeunes gens surtout, sont d'étranges
personnages. Celui-ci, encore qu'il soit votre
amant, vous voyez avec quelle brusquerie il
vous quitte pour aller voir un carrosse neuf.
S'il est jamais votre mari, il se lèvera
d'auprès de vous, dès quatre heures du

matin, pour voir panser ses chevaux. Le beau régal pour une femme!

MADAME PATIN. Tu ne sais ce que tu dis.

LISETTE. Vous m'en direz des nouvelles.

## ACTE DEUXIÈME

### SCÈNE PREMIÈRE.

MONSIEUR SERREFORT, LISETTE.

LISETTE. Au moins, Monsieur, dites-lui bien que vous êtes entré malgré moi; elle n'y veut pas être, comme je vous dis, et vous me feriez quereller infailliblement.

MONSIEUR SERREFORT. Ne te mets pas en peine, je la chapitrerai de manière qu'elle n'aura pas la hardiesse de quereller de plus de huit jours. L'extravagante! Elle se fait de belles affaires! S'il faut malheureusement que celle-ci éclate à la cour, nous ne pourrons jamais nous parer de quelque grosse taxe.

LISETTE. De quelle affaire parlez-vous là?

MONSIEUR SERREFORT. Est-ce que tu n'étais pas avec elle ce matin, quand elle a eu bruit avec cette femme de qualité?

LISETTE. Vous savez déjà cette aventure?

MONSIEUR SERREFORT. Je l'ai sue un quart d'heure après qu'elle est arrivée; et comme on achevait de me la conter, M. Migaud est venu m'avertir du dessein où elle est d'épouser un certain chevalier de Villefontaine.

LISETTE. Franchement, Monsieur, vous avez là une belle-sœur qui vous donnera de la peine à la réduire; je doute que vous en veniez à bout.

MONSIEUR SERREFORT. J'y brûlerai mes livres.

LISETTE. Surtout, ne manquez pas de crier bien fort, et de prendre un ton d'autorité avec elle; car, voyez-vous, quoiqu'elle vous méprise quand vous n'y êtes pas, elle vous craint quand elle vous voit, et elle n'ose pas vous contredire en face.

MONSIEUR SERREFORT. Laisse-moi faire.

LISETTE. La voici.

### SCÈNE II.

MONSIEUR SERREFORT, MADAME PATIN, LISETTE.

LISETTE. Monsieur a voulu demeurer malgré moi, Madame.

MADAME PATIN. Ah! Monsieur Serrefort, quel dessein vous amène? Vous m'auriez fait plaisir de me souffrir seule aujourd'hui; mais, puisque vous voilà, finissons, je vous en prie. De quoi s'agit-il?

MONSIEUR SERREFORT. Qu'est-ce donc, Madame ma belle-sœur, de quel ton le prenez-vous là, s'il vous plaît? Écoutez, vous vous donnez des airs qui ne vous conviennent point; et sans parler de ce qui me regarde, vous prenez un ridicule dont vous vous repentirez quelque jour.

MADAME PATIN. Un fauteuil, Lisette. Je prévois que Monsieur va m'endormir.

MONSIEUR SERREFORT. Non, Madame; et si vous êtes sage, ce que j'ai à vous dire vous réveillera terriblement, au contraire.

MADAME PATIN. Ne prêchez donc pas longtemps, je vous prie.

MONSIEUR SERREFORT. Si vous pouviez profiter de mes sermons, il ne vous arriverait pas tous les jours de nouvelles affaires, qui vous perdront entièrement à la fin.

MADAME PATIN. Ah! ah! vous vous intéressez étrangement à ma conduite.

MONSIEUR SERREFORT. Et qui s'y intéressera, si je ne le fais pas? Vous êtes la tante de ma fille, veuve de maître Paul Patin, mon frère, et je ne veux point que l'on dise dans le monde que la veuve de mon frère, la tante de ma fille, est une folle achevée.

MADAME PATIN. Comment une folle? Vous perdez le respect, Monsieur Serrefort; et il faut que je trouve les moyens de me défaire de vous, pour ne plus entendre des sottises à quoi je ne sais point répondre.

MONSIEUR SERREFORT. Eh! ventrebleu! Madame Patin, vous devriez vous défaire de toutes vos manières et de vos airs de grandeur, surtout pour ne plus recevoir d'avanie pareille à celle d'aujourd'hui.

MADAME PATIN. Vous devriez, Monsieur Serrefort, ne me point reprocher des choses où je ne suis exposée que parce qu'on me croit votre belle-sœur; mais voilà qui est fait, Monsieur Serrefort, je ferai afficher que je ne la suis plus depuis mon veuvage, je vous renonce pour mon beau-frère, Monsieur Serrefort; et, puisque jusqu'ici mes dépenses, la noblesse de mes manières, et tout ce que je fais tous les jours, n'ont pu me corriger du défaut d'avoir été la femme d'un partisan, je prétends. . .

MONSIEUR SERREFORT. Eh! têtebleu! Madame Patin, c'est le plus bel endroit de votre vie que le nom de Patin! Et sans l'économie et la conduite du pauvre défunt, vous ne seriez guère en état de prendre des airs si ridicules. Je voudrais bien savoir. . .

Madame Patin. Courage, courage, Monsieur Serrefort, vous faites bien de jouer de votre reste.

Monsieur Serrefort. Je voudrais bien savoir, vous dis-je, si vous ne feriez pas mieux d'avoir un bon carrosse, mais doublé de drap couleur d'olive, avec un chiffre entouré d'une cordelière, un cocher maigre, vêtu de brun, un petit laquais seulement pour ouvrir la portière, et des chevaux modestes, que de promener par la ville ce somptueux équipage qui fait demander qui vous êtes, ces chevaux fringants qui éclaboussent les gens de pied, et tout cet attirail, enfin, qui vous fait ordinairement mépriser des gens de qualité, envier de vos égaux, et maudire par la canaille. Vous devriez, Madame Patin, retrancher tout ce faste qui vous environne.

Lisette. Mais, Monsieur. . . (A Madame Patin, qui tousse, crache et se mouche.) Qu'avez-vous, Madame?

Madame Patin. Je prends haleine. Monsieur ne va-t-il pas passer au second point?

Monsieur Serrefort. Non, Madame, et j'en reviens toujours à l'équipage.

Madame Patin. Le fatigant homme!

Monsieur Serrefort. Que faites-vous, entre autres choses, de ce cocher à barbe retroussée? Quand ce serait celui de la reine de Saba. . .

Lisette. Mais, est-ce que vous voudriez, Monsieur, que Madame allât faire la barbe à son cocher?

Monsieur Serrefort. Non; mais qu'elle en prenne un autre.

Madame Patin. Oh bien! Monsieur, en un mot comme en mille, je prétends vivre à ma manière; je ne veux point de vos conseils et me moque de vos remontrances. Je suis veuve, Dieu merci. Je ne dépends de personne que de moi-même. Vous venez ici me morigéner, comme si vous aviez quelque droit sur ma conduite; c'est tout ce que je pourrais souffrir à un mari.

Monsieur Serrefort. Quand M. Migaud sera le vôtre, il fera comme il l'entendra, Madame; car je crois que vous ne nous manquerez pas de parole; et si vous aimez tant la dépense, ce mariage au moins vous donnera quelque titre qui rendra vos grands airs plus supportables.

Madame Patin. Oui, Monsieur, quand Monsieur Migaud sera mon mari, je prendrai ses leçons, pourvu qu'il ne suive pas les vôtres. Il s'accommodera de mes manières, ou je me ferai aux siennes. Est-ce fait? Avez-vous tout dit? Sortez-vous, ou voulez-vous que je sorte?

Monsieur Serrefort. Non, Madame, demeurez; je ne me mêlerai plus de vos affaires, je vous assure; mais qu'une tête bien sensée en ait au plus tôt la conduite, et que ce double mariage, que nous avons résolu, se termine avant la fin de la semaine, je vous prie.

Madame Patin. Ne vous mettez pas en peine.

## SCÈNE III.

### Madame Patin, Lisette.

Lisette. Voilà un sot homme, de ne pas dire d'abord les choses. Il était bien besoin de tout ce préambule, pour en venir à l'affaire de M. Migaud. Que ne s'expliquait-il dès en entrant, vous lui auriez dit oui tout aussitôt, et il ne vous aurait pas tant ennuyée.

Madame Patin. Eh! ne faut-il pas bien qu'il me fatigue? Il semble qu'il ne soit fait que pour cela.

Lisette. Franchement, Madame, il m'ennuie quelquefois, pour le moins autant que vous.

Madame Patin. Que je le hais! Je ne serai point satisfaite, qu'il ne lui soit arrivé quelque aventure désespérante.

Lisette. Il le mérite bien; et quand vous serez une fois belle-mère de sa fille, vous aurez bien des occasions de le désespérer.

Madame Patin. La belle-mère de sa fille! Moi? Tu n'y songes pas, Lisette. Ne t'ai-je pas tantôt fait confidence de l'affaire du chevalier?

Lisette. Ah! par ma foi, Madame, je vous demande pardon: je ne m'en souvenais pas; et je croyais que vous l'aviez oublié, à cause de ce que vous venez de dire à Monsieur Serrefort.

Madame Patin. Que tu es bête, ma pauvre Lisette! J'aurais promis à Monsieur Serrefort tout ce qu'il aurait voulu pour après-demain.

Lisette. Oui, Madame.

Madame Patin. Oui, vraiment; car, dès demain, je me mettrai hors d'état de lui pouvoir tenir parole.

Lisette. Cela est bien adroit.

Madame Patin. Nous avons pris, le chevalier et moi, toutes les mesures qu'il faut pour nous marier cette nuit, à cinq heures du matin.

Lisette. Vous avez des précautions admirables. Mais, voici votre petite nièce bien échauffée.

MADAME PATIN. Quoi! je serai toujours obsédée, ou par le père ou par la fille? La mère ne viendra-t-elle point encore?

## SCÈNE IV.

### MADAME PATIN, LUCILE, LISETTE.

LUCILE. J'attendais avec impatience que mon père sortît, ma tante, pour vous dire une nouvelle qui vous fera voir que je suis autant dans vos intérêts que mon père vous est contraire.

MADAME PATIN. Que vous soyez dans mes intérêts, ou qu'il n'y soit pas, c'est pour moi la même chose.

LUCILE. Oh! ma tante, je crois que vous ne serez pourtant pas fâchée de savoir ce qu'on a dit à mon père.

MADAME PATIN. Et qu'a-t-on pu dire à votre père?

LUCILE. Que vous vouliez épouser un homme de la cour; et il a résolu je ne sais combien de choses pour vous en empêcher.

MADAME PATIN. Et qui peut avoir dit cette nouvelle, Lisette?

LISETTE. Je ne sais, Madame. Le chevalier a causé, peut-être. Les chevaliers sont de grands causeurs ordinairement.

LUCILE. Le moyen de rompre ses mesures, c'est de faire vos affaires tout doucement, ma tante, et de vous marier en cachette.

MADAME PATIN. Je sais ce qu'il faut que je fasse. Les gens qui ont dit cette nouvelle sont des bêtes, et votre père aussi.

LUCILE. Je vous demande pardon, ma tante; mais, j'ai une démangeaison furieuse de vous voir femme de qualité.

MADAME PATIN. Vous aurez bientôt ce plaisir-là; et je vous conseille par avance de commencer de bonne heure à garder avec moi certain respect où vous devez être, et où vous auriez peut-être peine à vous accoutumer dans la suite.

LUCILE. Comment donc, ma tante?

MADAME PATIN. Défaites-vous surtout de *ma tante,* et servez-vous du mot de *Madame,* je vous prie, ou demeurez chez votre père.

LUCILE. Mais, ma tante, puisque vous êtes ma tante, pourquoi faut-il que je vous appelle autrement?

MADAME PATIN. C'est qu'étant femme de qualité, et vous ne l'étant pas, je ne pourrais pas honnêtement être votre tante, sans déroger en quelque façon.

LUCILE. Oh! que cela ne vous embarrasse pas, ma tant; je deviendrai bientôt aussi femme de qualité.

MADAME PATIN. Que dites-vous?

LUCILE. Il ne tiendra qu'à moi d'être pour le moins aussi grande dame que vous.

MADAME PATIN. Plaît-il?

LUCILE. Je connais un seigneur tout des plus jolis, que j'ai vu plusieurs fois aux Tuileries, qui m'épousera dès que je voudrai: ne vous mettez pas en peine.

MADAME PATIN. Ah! ah! Et comment s'appelle-t-il, ce seigneur?

LUCILE. On l'appelle Monsieur le marquis des Guérets. Il est fort riche et fort de qualité; car, il me l'a dit.

MADAME PATIN. Vraiment, je suis bien aise, ma nièce, que malgré la mauvaise éducation que votre père vous a donnée, vous preniez des sentiments dignes de l'honneur que je vous fais, de vouloir être votre parente. Voilà de quoi vous avez profité à me voir, et vous m'avez cette obligation.

LUCILE. Il faut que je vous en aie encore une autre, ma tante.

MADAME PATIN. Que faut-il faire?

LUCILE. Vous marier au plus tôt, s'il vous plaît, avec ce Monsieur que vous aimez, afin que cela m'autorise à épouser celui que j'aime aussi, et que quand mon père voudra me quereller, je puisse lui répondre: *Je n'ai pas fait pis que ma tante.*

LISETTE. Vous avez raison. C'est une terrible chose que l'exemple.

LUCILE. Mais il faudrait que ma tante se dépêchât, car Monsieur le marquis des Guérets, qui m'aime, a furieusement d'impatience.

MADAME PATIN. Oh bien! ma nièce, puisque vous êtes dans de si bonnes dispositions, je veux bien vous faire une confidence que je n'ai encore faite à personne qu'à vous. Je me marie demain, à cinq heures du matin.

LUCILE. A cinq heures du matin!

MADAME PATIN. Oui, ma nièce, à cinq heures. Si l'exemple vous encourage, c'est à vous de voir à quoi vous vous déterminez.

LUCILE. Je vais écrire à mon amant, et lui mander qu'il prenne toutes ses précautions, afin que nous nous dépêchions aussi. Adieu, ma tante.

MADAME PATIN. Adieu, ma nièce.

## SCÈNE V.

### MADAME PATIN, LISETTE.

MADAME PATIN. Ah! Lisette, que voilà bien de quoi me venger de Monsieur Serrefort! sa fille est entêtée d'un homme de cour, un homme de cour la veut épouser, et elle meurt d'être épousée. Si le père et la mère en pouvaient mourir de chagrin, nous serions débarrassées de deux ennuyeux personnages.

LISETTE. Mais, Madame, est-ce que vous donnerez les mains aux desseins de votre nièce?

MADAME PATIN. Assurément, et je n'ai garde de manquer une si belle occasion de désespérer Monsieur Serrefort.

LISETTE. Cela est bien charitable, vraiment. Mais voici Monsieur le chevalier.

## SCÈNE VI.

LE CHEVALIER, MADAME PATIN, LISETTE.

LE CHEVALIER. Eh bien! Madame, n'ai-je pas fait diligence?

MADAME PATIN. Quelque peu que vous ayez tardé, chevalier, je trouve les moments bien longs, quand je ne vous vois point, et mon impatience. . .

LE CHEVALIER. Jugez de la mienne par la vôtre, Madame; faites-moi, je vous prie, la justice de croire que je ne vis qu'autant que je suis auprès de vous.

MADAME PATIN. Cela est tout à fait obligeant.

LISETTE, bas. Je crains la conversation qu'ils vont avoir ensemble, et je voudrais bien que quelqu'un vînt les interrompre.

MADAME PATIN. Lisette, dites là-bas que je n'y veux être pour personne, et mettez-nous, je vous prie, cette après-dînée à couvert des importuns.

LISETTE. Oui, Madame. (Bas en s'en allant.) S'il n'en vient point, j'en irai chercher moi-même.

## SCÈNE VII.

MADAME PATIN, LE CHEVALIER.

MADAME PATIN. Eh bien! chevalier, êtes-vous bien content de votre équipage?

LE CHEVALIER. Il marchera ce soir; et s'il est de votre goût, Madame, il ne lui manquera aucune chose pour être parfaitement au mien.

MADAME PATIN. Puisque cela est, je l'admire par avance, et je le trouve des mieux entendus. Vous y avez fait mettre vos armes?

LE CHEVALIER. Non, Madame.

MADAME PATIN. Des chiffres? Je l'ai deviné dès tantôt.

LE CHEVALIER. En vérité, Madame, je ne sais ce que le peintre s'est avisé d'y mettre.

MADAME PATIN. Allez! allez! je vous le pardonne.

LE CHEVALIER. Quoi, Madame?

MADAME PATIN. Le chiffre doit être fort beau, l'N et l'U font un assemblage fort agréable.

LE CHEVALIER. Comment donc, Madame?

MADAME PATIN. Comme je m'appelle Nanette, l'N y domine apparemment.

LE CHEVALIER. Madame.

MADAME PATIN. Vous faites le discret, chevalier; mais, vous êtes un badin, et dans les termes où nous en sommes, toutes ces façons-là ne sont pas permises.

LE CHEVALIER, bas. J'enrage; le chiffre du carrosse est apparemment celui de la baronne.

MADAME PATIN. Avez-vous passé chez le notaire?

LE CHEVALIER. Oui, Madame. Je ne l'ai point trouvé, et je lui ai laissé un billet.

## SCÈNE VIII.

LA BARONNE, LE CHEVALIER, MADAME PATIN, LISETTE.

LISETTE, repoussant la baronne. Mais, Madame. . .

LA BARONNE. Vous êtes une sotte, ma mie, votre maîtresse y est toujours pour moi.

LE CHEVALIER. Vous êtes mal obéie, Madame, et voici quelqu'un qui vous demande.

MADAME PATIN. Ah! juste ciel! C'est une importune plaideuse, dont nous ne serons débarrassés d'aujourd'hui.

LE CHEVALIER, bas. Comment, morbleu! c'est ma baronne! Voici bien un autre embarras. Par où diantre me tirer d'intrigue?

LISETTE. Il nous a été impossible de faire tête à Madame, et le portier ni moi n'avons pu lui persuader que vous n'y étiez pas.

MADAME PATIN. Et pourquoi lui dire que je n'y suis pas? Est-ce pour des personnes comme elle qu'on n'y veut pas être? Je vous demande pardon, Madame.

LA BARONNE. Je vous le disais bien, ma mie, vous êtes une bête, comme vous voyez. Ah! ah! . . . Monsieur le chevalier. . . que faites-vous ici?

LE CHEVALIER. Mais vous, Madame, par quelle aventure. . .

MADAME PATIN, à Lisette. Le chevalier connaît la baronne!

La Baronne. Je venais ici, Madame, pour solliciter encore vos recommandations pour mon procès; mais je ne m'attendais pas d'y trouver Monsieur le chevalier. Qu'y vient-il faire, Madame?

Madame Patin, *bas à Lisette.* Elle y prend un grand intérêt. (*Haut.*) Madame, je ne sais. . .

Le Chevalier, *à madame Patin.* Ah! Madame, regardez, je vous prie, les affaires de Madame la baronne comme les miennes propres, vous ne me sauriez faire plus de plaisir. (*A la baronne.*) Vous voyez comme je m'intéresse pour vous, Madame.

Madame Patin, *bas.* Voilà un embrouillamini où je ne comprends rien.

La Baronne, *bas.* Qu'est-ce que tout cela veut dire?

Madame Patin. En vérité, Madame, je ne comprends point d'où vient votre curiosité sur le chapitre de Monsieur le chevalier, ni par quel motif. . .

La Baronne. Comment, Madame, par quel motif?

Le Chevalier, *à la baronne.* Eh! Madame, de grâce. (*A Madame Patin.*) Que tout ceci ne vous étonne point. Madame est une personne de qualité (c'est ma cousine germaine), qui m'estime cent fois plus que je ne mérite (je suis son héritier); elle a pour moi quelque bonté. (Ne parlez pas de notre mariage.) J'en ai toute la reconnaissance imaginable. (Elle y mettrait obstacle.) Et comme elle a de certaines vues pour mon établissement et pour ma fortune, elle craint que je ne prenne des mesures contraires aux siennes.

La Baronne. Oui, Madame, voilà par quel motif.

Madame Patin. Je vous demande pardon, Madame.

La Baronne. Vous vous moquez, Madame. Mais dites-moi seulement, je vous prie, quel commerce Monsieur le chevalier. . .

Madame Patin. Commerce, Madame! Qu'est-ce que cela veut dire, commerce?

Le Chevalier. Comment, Madame la baronne? Ignorez-vous que la maison de Madame est le rendez-vous de tout ce qu'il y a d'illustre à Paris? (C'est une ridicule.) Que pour être en réputation dans le monde, il faut être connu d'elle? (Ne lui dites rien de notre dessein.) Que sa bienveillance pour moi est ce qui fait tout mon mérite? (C'est une babillarde qui le dirait.) Et qu'en fin je fais tout mon bonheur de lui

plaire, et que c'est là ce qui m'amène ici?

Madame Patin. Oui, Madame, voilà tout le commerce que nous avons ensemble.

La Baronne. Pardonnez-moi, Madame.

Le Chevalier. Eh! de grâce! Mesdames, n'entrez point dans des éclaircissements qui ne sont bons à rien. Soyez amies pour l'amour de moi, je vous en conjure; et que celle de vous deux qui m'estime le plus embrasse l'autre la première.

> (*La baronne et Madame Patin courent s'embrasser avec empressement.*)

La Baronne. Madame, je suis votre servante.

Madame Patin. C'est moi qui suis la vôtre, Madame.

Le Chevalier. Parlons, parlons de votre procès, Madame, je vous prie.

Madame Patin. Au moins, je n'ai pas attendu vos recommandations, Monsieur le chevalier, pour parler de l'affaire de Madame; mais on trouve sa cause fort mauvaise.

La Baronne. Madame, on a menti; je la maintiens bonne. Demandez à M. le chevalier; il la sait sur le bout de son doigt. Contez, contez-la un peu à Madame.

Le Chevalier. Vous avez tant d'affaires, Madame, que je ne sais pas de laquelle il est question. Je sais seulement qu'elles sont toutes aussi claires que le jour, et accompagnées de certaines circonstances dont je ne me souviens pas bien; mais qui sont les plus justes du monde, sans contredit.

La Baronne. Je vous en fais juge vous-même, Madame; écoutez seulement. C'est un procès intenté avant la bataille de Pavie.[1] Mon bisaïeul y commandait un régiment; il fut tué à cette bataille. Ah! s'il était encore au monde, je serais bien sûre de gagner ma cause. N'est-il pas vrai, Monsieur le chevalier?

Le Chevalier. Je crois que oui, Madame.

La Baronne. Vous voyez bien, Madame. . . (*Elle voit rire Lisette.*) Qu'avez-vous à rire, ma mie? Vous avez là une chambrière bien impertinente, Madame. Elle ne fait pas la révérence quand je parle de mes aïeux.

Lisette. Je vous demande pardon, Madame; mais je n'ai pas l'honneur de les connaître.

La Baronne. N'était la considération de votre maîtresse. . .

Madame Patin. Laissez-nous, Lisette.

---

[1] Francis I was taken prisoner in this battle by the forces of Charles V, February 24, 1525.

Revenons à votre procès, Madame, et finissons, je vous prie.

LA BARONNE. Je ne sais où j'en suis, Madame. Remettez-moi un peu, Monsieur le chevalier.

### SCÈNE IX.

MADAME PATIN, LA BARONNE, LE CHEVALIER, LISETTE, CRISPIN.

CRISPIN. Lisette, dis un peu à mon maître qu'il vienne me parler, j'ai quelque chose à lui dire.

LISETTE, s'en allant. Va lui dire toi-même.

LA BARONNE. Ah! m'y voilà; voici le fait: j'ai un moulin à vent, Madame; il est à moi ce moulin à vent; on m'empêche de le faire tourner! Je demande la paisible possession de mon moulin; cela n'est-il pas juste?

MADAME PATIN. Hé! ne l'avez-vous pas, Madame?

LA BARONNE. Eh! non, je ne l'ai pas. Il y a environ cent cinquante, oui, il y a environ cent cinquante ans que le grand-père de ma partie fit planter, proche de ma maison, un bois qui fait à présent tout l'ornement de la sienne.

LE CHEVALIER, bas. Crispin me fait signe. (Haut.) Qu'est-ce que cela veut dire?

LA BARONNE. Cela veut dire qu'il fit planter ce bois par malice, pour me boucher la vue, et qu'il prévoyait bien qu'avec le temps, ce bois deviendrait haute futaie.

MADAME PATIN. Vous croyez, Madame, qu'il a fait planter ce bois par malice?

LA BARONNE. Assurément, Madame: et moi, pour lui faire pièce [1] par représailles, j'ai fait relever un vieux moulin abandonné.

CRISPIN, bas au chevalier. J'ai à vous parler.

LA BARONNE. Et comme ce moulin est plus ancien que le bois de ma partie, et que ce bois. . . écoutez bien ceci, s'il vous plaît, et que ce bois. . .

MADAME PATIN. En vérité, Madame, je ne comprends rien dans les affaires; mais je parlerai encore de la vôtre à M. Migaud, je vous assure.

LA BARONNE. Oh! je vous prie, Madame, j'ai là-bas mon carrosse, allons ensemble chez lui tout à l'heure, s'il vous plaît.

MADAME PATIN. Je ne puis sortir d'aujourd'hui, Madame.

1 faire pièce, to get even with.

LA BARONNE. Mais mon procès se juge demain, Madame.

LE CHEVALIER, bas. Prenons cette occasion aux cheveux. (Haut.) Eh! Madame, je vous conjure de mener Madame la baronne chez Monsieur Migaud. (Bas.) Si vous ne l'emmenez d'ici, nous ne nous en déferons d'aujourd'hui.

MADAME PATIN. Vous m'attendrez donc ici, chevalier?

LE CHEVALIER. Oui, Madame.

MADAME PATIN. Allons, Madame, puisque vous le voulez.

LE CHEVALIER. Allez, Mesdames.

LA BARONNE. Ne venez-vous pas avec nous, Monsieur le chevalier?

LE CHEVALIER. Dispensez-m'en, je vous prie, Madame, je ne sais point parler de procès.

LA BARONNE, au chevalier. Que je vous retrouve donc chez moi. . .

LE CHEVALIER. Je n'y manquerai pas.

MADAME PATIN. Venez-vous, Madame?

LA BARONNE. Oui, Madame, je vous suis.

### SCÈNE X.

LE CHEVALIER, CRISPIN, LISETTE.

LISETTE, à part. Que veut Crispin à son maître? Observons d'ici ce que ce peut être.

LE CHEVALIER. Les voilà parties, Dieu merci! Ah! mon pauvre garçon, qu'il faut d'esprit pour se retirer d'une méchante affaire! Mais que me veux-tu? Qu'as-tu à me dire? D'où vient ton empressement?

CRISPIN. Je ne sais, Monsieur.

LE CHEVALIER. Comment! tu ne sais, maraud?

CRISPIN. Monsieur, Monsieur, ne vous fâchez pas! J'ai une lettre qui vous expliquera toutes choses. Le porteur m'a dit que ce n'était point de la bagatelle, et qu'il y allait de votre fortune.

LE CHEVALIER. Voyons donc? Donne-la moi. L'est-ce là?

CRISPIN. Non, Monsieur.

LE CHEVALIER. Qu'est-ce donc?

CRISPIN. C'est la liste de vos maîtresses, que nous fîmes l'autre jour, Jeanneton et moi, à la porte des Tuileries.

LE CHEVALIER. Le fat! Veux-tu déchirer ces sottises-là!

CRISPIN. Dieu m'en garde, Monsieur. Quand vous reprendrez du goût pour la bagatelle, vous serez bien aise, peut-être, de relire ce petit mémoire.

LE CHEVALIER. Donne donc la lettre.

CRISPIN. La voici.

LE CHEVALIER. Voyons.

CRISPIN. Non, non, ce sont les vers que vous fîtes faire l'autre jour pour la baronne, par ce misérable poète, à qui vous donnâtes ce vieux justaucorps qui vous avait tant servi à la chasse.

LE CHEVALIER. Je n'aurai donc la lettre d'aujourd'hui ?

CRISPIN. Pardonnez-moi, Monsieur, la voici. Elle vous est adressée sous le nom de Monsieur le marquis des Guérets. Comme vous m'avez fait confidence de ce nom, je n'ai pas manqué à la recevoir.

LE CHEVALIER. C'est ma petite brune des Tuileries. Lisons.

LETTRE.

*Vous avez témoigné tant d'envie de me connaître, que je me suis résolue à satisfaire votre curiosité. Je vous attends dans les Tuileries, où j'ai mille choses à vous dire. Ne manquez pas de vous y rendre. Adieu.*

CRISPIN. Le porteur m'a menti, Monsieur ; ce billet-là sent la bagatelle.

LE CHEVALIER. Pas tant bagatelle, Crispin. Je cours trouver la petite brune.

CRISPIN. Et Madame Patin, que vous avez promis d'attendre ?

LE CHEVALIER. Tu as raison, mais il n'importe. Je serai de retour avant elle. En tous cas, il faut lui écrire. N'as-tu pas là ces vers que j'envoyai à la baronne ?

CRISPIN. Oui, Monsieur, les voilà.

LE CHEVALIER. Donne, il serviront pour Madame Patin.

CRISPIN. Mais, Monsieur, vous allez les rendre bien circulaires. Vous les avez déjà fait servir à plus de huit personnes différentes.

LE CHEVALIER. Bon ! Qu'est-ce que cela fait ? S'il fallait de nouveaux vers pour toutes celles à qui l'on écrit. . .

CRISPIN. Diable, votre garde-robe serait bientôt dégarnie de justaucorps.

LE CHEVALIER. Que dis-tu ?

CRISPIN. Rien, écrivez seulement. Si le poète a vendu ces vers autant de fois que vous les avez envoyés, il n'y a point de fille de bonne maison qui n'en doive avoir.

LE CHEVALIER. Tiens, attends Madame Patin, et tu lui donneras mes tablettes.

CRISPIN. Mais, Monsieur, vos tablettes sont-elles sages, au moins ?

LE CHEVALIER. Que veux-tu dire ?

CRISPIN. N'y a-t-il point dedans quelques chansons un peu libertines ?

LE CHEVALIER. Comment ?

CRISPIN. Quelques adresses scandaleuses ?

LE CHEVALIER. Que tu es extravagant ! Je n'ai ces tablettes que d'hier ; ce fut la baronne qui me les donna.

CRISPIN. C'est que les tablettes de vos pareils sont ordinairement de mauvais livres, et il y aurait conscience. . . mais voici Lisette qui nous écoute, je crois.

LE CHEVALIER. Je la croyais avec Madame Patin. N'a-t-elle rien entendu ?

CRISPIN. Ma foi, je ne sais. Mais, puisque la voici, je vais lui laisser ces tablettes ; elle les donnera à sa maîtresse.

LE CHEVALIER. Non, demeure ici ; je veux que tu les donnes toi-même.

CRISPIN. Ma foi, Monsieur, je serais bien aise d'aller voir un peu ce que c'est que votre petite brune. Je suis curieux, voyez-vous !

LE CHEVALIER. Tais-toi donc, maroufle ! Ma pauvre Lisette, je viens de me souvenir que j'ai une affaire de conséquence, qui ne me permet pas d'attendre. Si ta maîtresse revient avant moi, donne-lui ces tablettes, je t'en prie.

LISETTE. C'est assez, Monsieur, je n'y manquerai pas.

CRISPIN. Tu n'as que faire de les ouvrir, il n'y a encore rien de drôle ; et mon maître ne les a que depuis peu.

LISETTE. Eh ! va, va, je n'ai point de curiosité ; et j'en sais plus que toutes les tablettes du monde n'en pourraient apprendre.

## SCÈNE XI.

### LISETTE, *seule.*

Tout ceci ne réjouira pas mal madame Patin, et j'ai entendu de certaines choses. . . Mais, qu'est-ce que ce papier ? Ah ! ah ! «*Liste des maîtresses de mon maître, avec leurs noms, demeures et qualités.* . .» Vraiment, voilà un surcroît de réjouissance pour madame ; et rien ne pouvait venir plus à propos pour confirmer ce que j'ai à lui dire, et pour la détromper de son chevalier. Profitons de cette occasion, et donnons-lui ce petite régal aussitôt qu'elle sera revenue.

## ACTE TROISIÈME

### SCÈNE PREMIÈRE.

#### Monsieur Migaud, Lisette.

Lisette. Non, Monsieur, Madame Patin n'est pas seule entêtée d'un homme de cour; Lucile, sa nièce, et votre prétendue bru, suit l'exemple de sa tante. Elle donne dans les gens du bel air, et traite un mariage incognito avec un galant du caractère du chevalier; elle en est éperdument amoureuse.

Monsieur Migaud. Ouais! Voilà une étrange famille! Et il faut être bien ennemi de son repos, pour vouloir épouser et la tante et la nièce.

Lisette. Oui, mais quarante bonnes mille livres de rentes sont quelque chose de bon, et cela fait passer sur bien des petites choses.

Monsieur Migaud. Tu as raison, et cet entêtement où est Madame Patin pour ce chevalier m'embarrasse un peu, je te l'avoue, à cause des quarante mille livres de rente.

Lisette. Toute la question est de lui faire perdre cet entêtement; car, après cela, vous ne vous ferez pas une affaire de la mettre à la raison.

Monsieur Migaud. D'accord; mais je crains que mon fils ne vienne pas si facilement à bout de Lucile.

Lisette. Oh! pour Lucile, dès que Monsieur Serrefort saura la chose, il la mettra sur le bon pied, je vous en réponds. Il n'y a seulement qu'à rompre le cours d'une intrigue naissante; elle n'est encore guère avancée, Dieu merci; et pourvu qu'on fasse diligence, il n'y a rien, ce me semble, à risquer pour Monsieur votre fils.

Monsieur Migaud. Oh! ma pauvre Lisette, ce sont les suites qui me paraissent à craindre. Une jeune femme, dont on force les volontés, tombe souvent dans de terribles irrégularités; surtout quand son mari a du faible pour elle, et qu'elle a du penchant pour un autre.

Lisette. Ce n'est pas à moi de disputer contre vous sur ces sortes de choses, et vous devez mieux savoir ce qui en est; mais, en tout cas, vous êtes un bon père de famille, et vous aurez l'œil à tout. Ne songeons présentement qu'à guérir Madame Patin de son entêtement, c'est le principal, comme je vous ai dit, et j'ai en main de quoi lui

donner de furieux soupçons de son chevalier. Elle est prompte à prendre la chèvre, et elle y fera réflexion, je m'assure.

Monsieur Migaud. Et, pour confirmer ces soupçons, je vais mêler adroitement le chevalier dans une affaire, dont je viens donner avis à ta maîtresse. Il est bon de lui brouiller la cervelle de plusieurs manières, et de plusieurs choses.

Lisette. La voici, je l'entends. Retirez-vous un moment, je lui dirai que vous êtes là.

### SCÈNE II.

#### Madame Patin, Monsieur Migaud, Lisette.

Madame Patin. Où est le chevalier, Lisette? Qu'a-t-il dit en mon absence? Qu'a-t-il fait?

Lisette. Il a fait haut le pied, Madame, dès que vous avez eu le dos tourné.

Madame Patin. Quoi! je ne sors que pour l'obliger, il me promet de m'attendre, et je ne le trouve pas!

Lisette. Bon! Madame, est-ce que les gens comme Monsieur le chevalier sont faits pour attendre; et peuvent-ils demeurer en place? Cela est bon pour des gens raisonnables, comme Monsieur, par exemple, qui veut vous parler, et qui n'a point voulu sortir que vous ne fussiez rentrée.

Madame Patin, *bas.* J'aimerais bien mieux que celui-là se fût impatienté que l'autre. (*Haut.*) Je viens de chez vous, Monsieur; et cela est fort mal de ne vous y être pas trouvé.

Monsieur Migaud. Je vous aurais attendue, Madame, si j'avais pu prévoir l'honneur que vous m'avez fait; mais j'ai passé chez une marquise. . .

Madame Patin. Chez une marquise, Monsieur, chez une marquise? Quand on aura affaire à vous, il faudra vous aller chercher chez des marquises? Il me semble que des personnes comme vous, dévouées au public, ne doivent être que chez elles ou au Palais,[1] occupées uniquement à leurs affaires, ou à celles de leurs parties.

Monsieur Migaud. Nos affaires et celles de nos parties ne nous occupent pas toujours. Nous préférons souvent celles de nos amis, et je veux bien vous avouer que quelques avis qu'on m'a donnés sur quel-

[1] Palais, i e., Palais de justice.

que chose qui vous regarde, m'ont fait remettre à deux ou trois jours le jugement de ce procès dont vous m'avez écrit.

MADAME PATIN. C'est pour la même affaire que j'allais chez vous; mais quels avis, Monsieur, vous a-t-on donnés, où vous preniez tant d'intérêt?

MONSIEUR MIGAUD. Puisque l'affaire vous touche, il n'est pas extraordinaire que je m'y trouve intéressé. Vous avez eu quelque démêlé de carrosse à carrosse avec une marquise qu'on nomme Dorimène?

MADAME PATIN. Ah! ah! qui vous a conté cette histoire? Vous connaissez cette marquise-là, Monsieur?

MONSIEUR MIGAUD. Oui, Madame.

MADAME PATIN. Et c'est de chez elle que vous venez?

MONSIEUR MIGAUD. Oui, Madame.

MADAME PATIN. Eh bien! Monsieur, vous n'avez qu'à y retourner, s'il vous plaît. C'est une bonne impertinente que votre marquise Dorimène, et je vous trouve bien plaisant d'aller chez elle, et de me le venir dire à mon nez, vous-même!

MONSIEUR MIGAUD. Je ne lui ai rendu visite que pour vous obliger, Madame. Je la connais; elle est d'une humeur violente; elle se croit offensée, et elle est femme à vous barbouiller terriblement dans le monde.

MADAME PATIN. Plaît-il, Monsieur? Que voulez-vous dire? Eh! sont-ce des femmes comme moi qu'on barbouille?

MONSIEUR MIGAUD. Eh! Madame, il n'est rien de plus facile aujourd'hui que de donner des ridicules, et même aux gens qui en ont le moins. Mais quand vous seriez au-dessus de tout cela, vous voulez bien que je vous dise: qu'il y a de certaines choses que vous devez craindre plus encore que le ridicule?

MADAME PATIN. Et qu'ai-je à craindre, s'il vous plaît?

MONSIEUR MIGAUD. Tout, Madame. Vous avez l'âme parfaitement belle; vous êtes la personne du monde la plus magnifique, et cela vous fait des jaloux. Votre magnificence est soutenue d'un fort gros bien, que mille gens enragent de vous voir posséder si tranquillement. On pourrait troubler cette paisible jouissance par quelques recherches, et ces sortes de recherches sont ordinairement suivies d'une chute presque infaillible.

MADAME PATIN. Oh! pour cela, Monsieur, je ne crains point que votre marquise me fasse tomber aussi facilement qu'elle a fait reculer mon carrosse.

MONSIEUR MIGAUD. Je me suis déjà servi du petit pouvoir que j'ai auprès d'elle pour l'obliger à se taire.

MADAME PATIN. Qu'elle parle, qu'elle parle; je ne serai pas muette.

MONSIEUR MIGAUD. Je le crois; mais elle est une de ces parleuses qui disent peu de paroles qui ne portent coup. Je l'ai trouvée dans le dessein de faire un étrange éclat. Son courroux a un peu perdu de sa violence à ma prière, mais je ne l'ai que suspendu; c'est à vous, Madame, de l'étouffer tout à fait.

MADAME PATIN. Mais encore! que faudrait-il que je fisse pour cela?

MONSIEUR MIGAUD. Il faudrait lui rendre visite, lui faire quelques civilités.

MADAME PATIN. Moi! lui rendre visite... lui faire des civilités? moi! moi!

MONSIEUR MIGAUD. Faites-lui donc au moins parler par quelque personne qui puisse la persuader mieux que je n'ai fait. La chose est de conséquence, Madame.

MADAME PATIN. Mais je ne connais point les amis de cette femme-là, et je ne veux point me donner de peine pour les connaître!

MONSIEUR MIGAUD. Cela n'est point si difficile, et si l'on pouvait seulement trouver quelque habitude auprès d'un certain chevalier de Villefontaine...

MADAME PATIN. Le chevalier de Villefontaine, dites-vous?

MONSIEUR MIGAUD. Oui, Madame, c'est un homme qui la gouverne absolument.

MADAME PATIN. Ce chevalier est amoureux de cette marquise?

MONSIEUR MIGAUD. Non pas, Madame, c'est la marquise qui est amoureuse du chevalier; et le chevalier a la bonté de souffrir qu'elle l'aime, parce qu'il y trouve son compte.

MADAME PATIN. Lisette, qu'est-ce ceci?

MONSIEUR MIGAUD. Faites parler cet homme-là, Madame; il n'est pas que quelque femme de vos amies ne soit des siennes, et il a la réputation de connaître bien des dames.

MADAME PATIN. J'aurai soin de m'en informer.

MONSIEUR MIGAUD. Il en a cinq ou six entre autres avec qui il a quelque espèce d'engagement, pour quelque façon de mariage, à ce que j'ai ouï dire.

MADAME PATIN. Ma pauvre Lisette!

MONSIEUR MIGAUD. C'est un caractère d'homme fort particulier. Il a, comme je vous ai dit, ordinairement cinq ou six commerces avec autant de belles. Il leur promet tour à tour de les épouser, suivant qu'il a plus ou moins affaire d'argent. L'une a soin de son équipage, l'autre lui fournit de quoi jouer, celle-ci arrête les parties de son tailleur, celle-là paie ses meubles et son appartement; et toutes ses maîtresses sont comme autant de fermes [1] qui lui font un gros revenu.

MADAME PATIN. Voilà, comme vous dites, un étrange caractère, et je ne sais s'il n'y a point de risque à connaître un homme comme celui-là. Cela ne fait point d'honneur dans le monde.

MONSIEUR MIGAUD. C'est pourtant le seul qui peut apaiser la marquise, et vous épargner les démarches qui vous font tant de répugnance. Adieu, Madame. Ne négligez point cette affaire, je vous en conjure, elle est plus importante que vous ne pouvez vous l'imaginer.

### SCÈNE III.

#### MADAME PATIN, LISETTE.

LISETTE. Ce Monsieur Migaud regarde toujours vos affaires comme les siennes. Le pauvre homme! Il s'attend à devenir votre époux au premier jour.

MADAME PATIN. Serait-il possible, Lisette, que le chevalier fût fourbe au point qu'il a voulu me le persuader?

LISETTE. Bon! Madame, fourbe, cela ne s'appelle point fourberie: en termes de cour, à ce que j'ai ouï dire, c'est gentillesse, tout au plus.

MADAME PATIN. Monsieur Migaud ne sait point que je le connais.

LISETTE. Il n'y a pas d'apparence.

MADAME PATIN. Et ce qu'il m'en a dit est assurément sans dessein.

LISETTE. Vraiment, s'il vous avait crue de ses amies, il n'en aurait pas parlé si librement.

MADAME PATIN. Ah! Lisette, le chevalier me trompe assurément; et je suis peut-être une de ces cinq ou six à qui il promet tour à tour.

LISETTE. Voilà des tablettes qu'il m'a chargée de vous donner et je n'ai pas voulu vous les rendre en présence de Monsieur Migaud.

MADAME PATIN. Tu as bien fait. Que veut-il que je fasse de ces tablettes?

LISETTE. Il a écrit quelque chose dessus, et ce sont peut-être les raisons qui l'ont empêché de vous attendre.

MADAME PATIN. Voyons? Ah! ah! vraiment le chevalier n'est point si coupable. Il n'est sorti, apparemment, que pour avoir un prétexte de me faire cette galanterie.

LISETTE. Comment donc, Madame?

MADAME PATIN. Ce sont des vers les plus tendres du monde; et si son cœur les a dictés, j'ai bien lieu d'en être contente. Monsieur Migaud est un médisant, le chevalier est un honnête homme.

LISETTE. Oui, Madame, assurément; et, pour moi, je jurerais quasi qu'il vous aime.

MADAME PATIN. Il m'en a fait lui-même un million de serments.

LISETTE. Ne vous dis-je pas. . .

MADAME PATIN. Quel papier as-tu là?

LISETTE. C'est un papier que j'ai trouvé ici. Il faut que ce soit ce fou de Crispin qui l'ait laissé tomber de sa poche. Il y a quelque chose de tout à fait drôle, Madame, et je l'ai gardé pour vous en donner le divertissement.

MADAME PATIN. Voyons ce que c'est. «*Liste des maîtresses de mon maître, avec leurs noms, demeures et qualités.*» Et vous croyez, Lisette, que cela doit me divertir?

LISETTE. Oui, Madame. Lisez, lisez seulement le reste; cela vous donnera du plaisir, je vous en réponds.

MADAME PATIN. Ce commencement ne m'en fait point du tout. «*Dorimène la médisante, rue des Mauvaises Paroles.*» Dorimène! Dorimène! Ah! voilà ma marquise justement; Monsieur Migaud avait raison, le chevalier est un scélérat! Un siège, je n'en puis plus!

LISETTE. Madame, Madame. Oh! par ma foi, je ne croyais pas que vous vous fâcheriez de ces petites bagatelles! N'achevez pas, Madame, puisque vous êtes si sensible.

MADAME PATIN. Non, non, je veux connaître toutes ses intrigues, pour le haïr mortellement.

LISETTE. Si vous êtes dans ce dessein-là, vous n'avez qu'à continuer.

MADAME PATIN. «*La Sotte Comtesse, rue Bétisy, à l'hôtel de Picardie.*» Le traître!

«*La Magnifique Marchande, rue des Cinq-Diamants, à la Folie des Bourgeoises.*» Que je me veux de mal de l'avoir aimé!

«*Lucinde, la Coquette, en cour, au Grand-Commun.*» Que je le hais!

«*Silvanire, la Précieuse, rue Montorgueil.*» Je le déteste!

«*Mademoiselle du Hasard, rue des Bons-Enfants, au Repentir.*» C'est un monstre!

«*La Grosse Marquise au teint luisant, rue*

---

[1] fermes, tax-collecting contracts.

*du Plâtre, proche les Enfants-Rouges.»*
C'en est fait, je ne le veux plus voir!

LISETTE. Mais, Madame. . .

MADAME PATIN. Non, je ne le veux plus voir, résolument.

LISETTE. Je crois que je l'entends.

MADAME PATIN. Où vas-tu?

LISETTE. Je cours au-devant de lui, pour lui donner son congé de votre part.

MADAME PATIN. Non, non, Lisette, laisse-le venir. Je veux le confondre, et voir avec quelle effronterie il soutiendra toute cette affaire.

LISETTE. Le voici.

## SCÈNE IV.

LE CHEVALIER, MADAME PATIN, LISETTE, CRISPIN.

CRISPIN, *au chevalier.* La baronne vous attend, vous dis-je!

LE CHEVALIER. Nous avons du temps pour tout. Ah! vous voilà, Madame. Que j'avais d'impatience de vous revoir!

MADAME PATIN. De quel quartier venez-vous, Monsieur? De la rue Montorgueil? Des Enfants-Rouges? Est-ce la Magnifique marchande que vous venez de quitter?

LE CHEVALIER. Que voulez-vous dire, Madame?

MADAME PATIN. Ce que je veux dire, perfide?

CRISPIN. Haie! haie!

LE CHEVALIER. Je ne vous comprends point du tout, je vous assure.

MADAME PATIN. Crispin m'entendra mieux. Approchez, Monsieur Crispin, approchez.

CRISPIN. Madame?

MADAME PATIN. Approchez, vous dis-je. Connaissez-vous cette écriture?

CRISPIN. Madame. . . Je vais faire une petite commission que mon maître m'a donnée, je reviens tout à l'heure.

MADAME PATIN. Non, non, il faut m'expliquer tout ceci auparavant.

LE CHEVALIER. Expliquez-vous vous-même, Madame. Qu'est-ce que ce papier, je vous prie?

MADAME PATIN. Il peut vous en dire des nouvelles mieux que moi.

CRISPIN. Monsieur.

LE CHEVALIER. Veux-tu parler, maraud!

CRISPIN. Monsieur, c'est la liste de vos maîtresses, que Madame a achetée au palais.

LE CHEVALIER. La liste de mes maîtresses!

MADAME PATIN. Ah! scélérat!

LE CHEVALIER. Qui t'a fait écrire ces sottises-là, maroufle?

CRISPIN. Ne vous ai-je pas dit, Monsieur, que c'était l'autre jour en badinant avec Jeanneton?

MADAME PATIN. Quelle est-elle, Jeanneton?

LISETTE. C'est une des maîtresses de Monsieur Crispin, apparemment.

CRISPIN. Non, le diable m'emporte! C'est cette marchande de bouquets, qui est à la porte des Tuileries.

MADAME PATIN. Qui? Cette malheureuse?

CRISPIN. Comment, Madame! c'est une des plus jolies créatures que nous ayons. Il faut savoir aussi comme elle est employée, et combien de femmes des plus huppées sont ravies d'avoir cette Jeanneton-là dans leurs intérêts. Oh! diable! c'est une illustre, vous dis-je, et qui ménage, elle seule, plus d'intrigues que la Guerbois ne vend de lapins en toute une année.

MADAME PATIN. Quel galimatias me fais-tu là, de la Guerbois et de Jeanneton?

CRISPIN. C'est pour vous dire, Madame, que cette Jeanneton est une des amies de mon maître, et que, comme je la trouve drôle, je suis de ses amis; et que, l'autre jour, comme je vous ai dit, nous nous mîmes à griffonner ensemble cette liste, et nous forgeâmes des noms, des qualités et des demeures, qui ne sont que dans l'imagination de Jeanneton et dans la mienne.

MADAME PATIN. Fort bien, voilà ton maître pleinement justifié. C'est un nom en l'air que celui de Dorimène, je ne la connais pas, et tout cela n'est qu'un jeu d'esprit de Monsieur Crispin? N'est-il pas vrai, chevalier?

LE CHEVALIER. Non, Madame, je connais Dorimène, et peut-être toutes celles qui sont sur ce papier. Il y en a même, je crois, beaucoup d'oubliées; mais, ce ne sont point mes maîtresses; et puisque Monsieur Crispin s'est diverti à mes dépens, et que cette liste vous irrite si fort contre moi, je prétends que ce soit lui qui me justifie. . .

CRISPIN. Moi, Monsieur?

LE CHEVALIER. Oui, coquin! Donnez-vous la peine de lire, Madame; et vous, Monsieur le maroufle, à chaque article expliquez à Madame les raisons qui me faisaient voir toutes ces femmes-là.

CRISPIN. Voilà une bonne diable de commission, Monsieur, vous expliqueriez mieux que moi. . .

LE CHEVALIER. Non, non, votre imagination a fait la sottise, il faut que ce soit votre bouche qui la répare. Parlez, faquin, ou je vous donnerai cent coups de bâton!

CRISPIN. Mais, que diable voulez-vous que je dise, Monsieur?

LE CHEVALIER. Lisez, lisez, seulement, Madame.

MADAME PATIN. Ma pauvre Lisette, il le prend sur un ton qui me fait croire qu'il n'est point coupable.

LISETTE. Et c'est ce ton-là qui me le ferait croire plus scélérat.

LE CHEVALIER. Eh bien! Madame, que ne l'interrogez-vous? Qui vous retient?

MADAME PATIN. La crainte de vous trouver doublement perfide.

LE CHEVALIER. Ah! je m'expose à tout, Madame, et je n'ai rien à craindre.

MADAME PATIN. Ah! chevalier, que n'êtes-vous innocent! Mais, je tâche en vain de vous trouver tel. Qu'allez-vous faire, dites-moi, chez cette comtesse qui demeure à l'hôtel de Picardie? Quel charme, quel mérite vous attire chez elle?

LE CHEVALIER, à Crispin. Éclaircis Madame.

CRISPIN. Vous voyez que ce n'est pas moi qu'elle interroge.

LE CHEVALIER. Répondras-tu?

CRISPIN. Que dirais-je?

LE CHEVALIER. Si tu ne parles...

CRISPIN, à Madame Patin. Cette comtesse-là est une folle, et c'est par une espèce de sympathie que mon maître... Que diable! vous me ferez dire quelque sottise, et puis vous vous fâcherez contre moi.

MADAME PATIN. La sympathie est admirable, et cette Mademoiselle du Hasard, est-ce par sympathie qu'il lui rend visite, ou pour se faire honneur dans le monde?

CRISPIN. Eh fi! Madame, il ne la va jamais voir, qu'en sortant de chez Rousseau. Quand il est un peu en train, sur les trois ou quatre heures du matin, il va faire du bruit chez elle pour se divertir.

LE CHEVALIER. Es-tu fou?

CRISPIN. Non, Monsieur, vous me dites de parler, et je parle, comme vous voyez.

MADAME PATIN. L'heure est fort bonne et fort commode. Et la marquise au teint luisant, quel engagement a-t-il avec elle?

CRISPIN. Ah! Madame! il ne voit cette marquise que par admiration.

MADAME PATIN. Comment, par admiration?

CRISPIN. Oui, Madame. Il y a quarante ans qu'elle en avait trente, et elle n'en a présentement que trente-deux, tout au plus.

C'est une merveille au moins d'avoir trouvé le secret de vieillir si doucement.

MADAME PATIN. Ah! chevalier! votre laquais est bien instruit.

CRISPIN. Madame, je vous dis les choses en conscience.

MADAME PATIN. Il n'importe, je veux bien vous croire innocent, puisque vous tâchez de le paraître; et je vous aurais, je crois, pardonné, si je vous avais trouvé coupable.

LE CHEVALIER. Non, non, Madame, non, je ne prétends point abuser de votre indulgence. Punissez-moi, si je suis criminel. Voyez, examinez toute ma conduite. Les apparences sont terriblement contre moi, je vous l'avoue. Depuis deux mois entiers, je me refuse à toutes les parties de plaisir qu'on me propose; je n'en trouve qu'à vous voir, qu'à vous aimer, qu'à vous le dire; je vous le jure à tous moments; je surmonte, pour vous le persuader, l'aversion naturelle que les jeunes gens du siècle ont pour le mariage; je renonce à toutes les compagnies; je romps vingt commerces des plus agréables; je désespère peut-être les plus aimables personnes de France. Tout cela, Madame, est bien scélérat; je suis un perfide, il est vrai; mais, en vérité, Madame, ce n'était point à vous de vous en plaindre.

MADAME PATIN. Ah! chevalier, que vous êtes méchant! Je sens bien que vous me trompez, et je ne puis m'empêcher d'être trompée.

LISETTE. Voilà le plus impudent petit scélérat que j'aie jamais vu!

## SCÈNE V.

MADAME PATIN, LE CHEVALIER, CRISPIN, LISETTE, LABRIE.

LABRIE. Monsieur Guillemin, Madame, un notaire, demande à vous parler.

LE CHEVALIER. Ah! il faut le renvoyer, Madame, s'il vous plaît; je lui avait dit de venir, comme nous en étions demeurés d'accord; mais nous n'avons pas maintenant l'esprit assez libre, l'un et l'autre, pour songer à des affaires si sérieuses. Dis-lui que je le verrai demain matin.

MADAME PATIN. Non, qu'il entre au contraire. Je serai bien aise, chevalier, de vous confondre à force de tendresse. Je veux vous croire aveuglément, je m'abandonne à votre bonne foi. Si vous êtes assez perfide pour en abuser, vous en serez d'autant plus coupable.

## SCÈNE VI.

Madame Patin, Le Chevalier, Monsieur
Guillemin, Lisette, Crispin.

Madame Patin. Approchez, Monsieur,
approchez.

Le Chevalier. Non, Monsieur Guillemin,
retournez chez vous, je vous prie. Je vous
avais averti ce matin pour un contrat de
mariage; mais je ne prévois pas que la
chose se fasse. Madame a changé de pensée,
je suis devenu, en un moment, le plus scélérat de tous les hommes; et parce que j'ai
la réputation d'être trop aimé, je lui parais
indigne de l'être.

Guillemin. Comment donc, Madame?
Vous avez des sentiments bien étranges.

Madame Patin. Passez, passez dans mon
cabinet, Monsieur Guillemin; Monsieur
deviendra raisonnable. Venez, Monsieur
l'emporté, venez voir comme on vous croit
indigne de la tendresse qu'on a pour
vous.

Le Chevalier. Non, Madame, je ne veux
point entrer dans toutes ces petites discussions.

Madame Patin. Mais il faut bien que
nous convenions ensemble.

Le Chevalier. Et c'est justement ce que
j'appréhende, et ce que je veux éviter. Je
ne trouve rien de plus fatigant pour moi
que des conventions, des articles. . . Que
voudriez-vous que j'allasse faire avec Monsieur dans votre cabinet? Quoi vous dire?
Qu'un jeune homme de qualité n'épouse
guère une veuve de financier sans quelque
avantage considérable; que tout l'amour que
j'ai pour vous ne me mettrait point à couvert des reproches qu'on me pourrait faire
dans le monde, et, qu'enfin, pour me justifier aux yeux de tous mes amis, il faudrait
que vous parussiez m'avoir acheté de tout
votre bien? Non, Madame, je ne saurais
dire ces choses-là, cela n'est point de mon
caractère, et j'aimerais mieux être mort,
que d'en avoir jamais parlé.

Guillemin. Oh! Madame, Monsieur le
chevalier sait trop bien son vivre. Mais
aussi, Monsieur, Madame n'ignore pas
comme on fait les choses; elle vous aime,
et ce sera l'amour qui dressera lui-même les
articles.

Madame Patin. Ah! Monsieur Guillemin,
que je vous suis obligée de lui parler comme
vous faites! Oui, Monsieur le chevalier, si
une donation de tout mon bien peut servir
à vous témoigner ma tendresse, je suis au
désespoir de n'en avoir pas mille fois davantage pour vous prouver mille fois plus
d'amour.

Guillemin. Voilà ce qui s'appelle aimer,
Monsieur.

Le Chevalier. Eh bien! Monsieur Guillemin, puisque Madame le veut, passez dans
son cabinet avec elle, dressez le contrat
comme il lui plaira; elle me paraît si raisonnable, que je signerais tout aveuglément.

Guillemin. Peut-on voir un gentilhomme
plus désintéressé?

Madame Patin. Eh! venez, Monsieur le
chevalier, venez vous-même, je vous en conjure.

Le Chevalier. Dispensez-m'en, Madame,
je vous prie, je ne veux point que ma présence vous engage à plus que vous ne voudrez.

Guillemin. Eh! Madame, donnez-lui
cette satisfaction.

## SCÈNE VII.

Madame Patin, Le Chevalier, Monsieur
Guillemin, Labrie, Crispin, Lisette.

Labrie. Madame, voilà Mademoiselle
votre nièce qui vous demande.

Madame Patin. Eh bien! allez donc,
chevalier: aussi bien il ne faut pas qu'elle
vous voie. Mais, revenez au plus vite, au
moins; j'en serai bientôt débarrassée.

Le Chevalier. Je ne vous quitte que pour
un moment.

Madame Patin. Vous rencontreriez ma
nièce par là, sortez par le petit escalier.

Le Chevalier, à Crispin. Courons vite
chez la baronne.

Madame Patin. Faites entrer ma nièce.

Labrie. La voilà, Madame.

## SCÈNE VIII.

Madame Patin, Lisette, Lucile, Monsieur
Guillemin.

Lucile. Ma tante, je viens vous dire. . .
Qui est ce Monsieur-là?

Madame Patin. C'est un honnête notaire,
qui vient pour faire mon contrat de mariage.

Lucile. Ah! ma tante, qu'il en fasse un
aussi pour moi; j'ai vu le Monsieur dont je
vous ai parlé, et vous ne sauriez croire avec
quelle joie il a reçu la proposition que je
lui ai faite. Il était ravi; rien ne lui a paru
difficile; ses souhaits vont au delà des

miens; il a encore plus d'impatience que moi, et je venais vous en avertir.

MADAME PATIN. Eh bien! ma nièce, je vais achever mon affaire avec Monsieur, et nous songerons ensuite à la vôtre.

LISETTE, *bas*. Et moi, j'aurai soin de les empêcher toutes deux de réussir. Il est temps que la chose éclate, et il n'y a plus de moments à perdre.

## SCÈNE IX.

### LUCILE, LISETTE.

LUCILE. Ma pauvre Lisette, tu vois la fille du monde la plus contente; la joie où je suis ne peut s'égaler.

LISETTE. Vous n'avez pas la mine de la garder longtemps, et si votre père vient à savoir. . .

LUCILE. Mon père m'a toujours recommandé de plaire à ma tante, et il n'aura rien à me dire quand il me verra faire ce qu'elle fait. Il n'y a pas de meilleur moyen d'obéir à l'un, et de gagner les bonnes grâces de l'autre.

LISETTE. Eh! oui, oui, voilà un fort joli raisonnement. Mais, quand on vous a tant prêché de plaire à votre tante, c'était afin qu'elle épousât M. Migaud, et qu'elle vous fît son héritière; mais, en se mariant à un homme de cour, elle vous frustre de tout son bien.

LUCILE. Oui, et moi, en me mariant aussi à un homme de cour, qui est un fort gros seigneur, je n'ai que faire du bien de ma tante.

LISETTE. Et croyez-vous qu'un homme de cour puisse être riche au temps où nous sommes? Les courtisans mal aisés ne s'enrichissent point; et ceux qui sont le plus à leur aise ne sont pas difficiles à ruiner.

LUCILE. Va, va, Lisette, le bien n'est pas ce qui me touche le plus; et pourvu qu'on m'aime, c'est assez.

LISETTE. Eh! qui vous répondra qu'on vous aime? Ces jeunes seigneurs d'aujourd'hui sont de grands fripons en matière d'amour.

LUCILE. Ah! celui-ci n'est pas comme les autres. Il jure si amoureusement, et il a tant d'esprit, qu'il est impossible qu'il ne soit pas un fort honnête homme. Il fait des vers, au moins.

LISETTE. Ah! puisqu'il fait des vers, il n'y a rien à dire.

LUCILE. J'ai ici un impromptu, qu'il a fait pour moi. Écoute, Lisette, et juge par là de sa tendresse et de sa sincérité.

LISETTE. Voyons?

## SCÈNE X.

### LA BARONNE, LUCILE, LISETTE.

LA BARONNE. Le chevalier n'est point venu chez moi; je ne suis guère contente de l'avoir trouvé tantôt ici.

LISETTE, *à Lucile*. Vous avez toute la mine d'avoir perdu votre impromptu?

LUCILE. Non, le voilà: tiens, lis-le toi-même.

LA BARONNE. Ah! ah! voici la chambrière avec une petite fille que je ne connais point. Que font-elles là? Écoutons.

LISETTE *lit*.

Le charmant objet que j'adore
Brûle des mêmes feux dont je suis
    enflammé;
Mais je sens que je l'aime encore
Mille fois plus que je n'en suis aimé.

LA BARONNE. Qu'entends-je? Voilà, je crois, les vers que le chevalier a faits pour moi.

LUCILE. Eh bien! qu'en dis-tu?

LA BARONNE, *arrachant les vers des mains de Lisette*. Vous êtes bien curieuse, ma mie, et je vous trouve bien impertinente de lire ainsi des papiers qu'on a perdus chez vous. Rendez-moi mes vers, je vous prie, et. . .

LUCILE. Comment donc, Madame, qu'est-ce que cela signifie? Qui est cette folle, Lisette?

LA BARONNE. Quelle petite insolente est-ce là?

LISETTE. Par ma foi, cela est tout à fait drôle.

LUCILE. Rendez-moi ce papier, Madame.

LA BARONNE. Comment donc, que je vous rende ce papier? Vous êtes une plaisante petite créature, de vouloir avoir malgré moi des vers qui m'appartiennent.

LUCILE. Des vers qui vous appartiennent! Je vous trouve admirable, Madame, et vous êtes bien en âge qu'on fasse des vers pour vous. C'est pour moi qu'ils ont été faits, et vous ferez fort bien de me les rendre.

LA BARONNE. Qui est cette petite ridicule, ma mie?

LISETTE. Ah! ah! Madame, servez-vous de termes moins offensants, c'est la nièce de Madame.

LA BARONNE. Quand ce serait Madame

elle-même, je la trouverais fort impertinente de dérober des vers qui n'ont jamais
été faits que pour moi.

LISETTE. Oh! pour cela, entre vous le
débat, s'il vous plaît.

LUCILE. Cela est bien impudent à une
femme de votre âge.

LISETTE. Mademoiselle!

LA BARONNE. Cela est bien impudent à
une petite fille comme vous.

LISETTE. Ah! Madame!

LUCILE. Donnez-moi mes vers, encore une
fois.

LA BARONNE. Taisez-vous, petite sotte,
et ne m'échauffez pas les oreilles.

### SCÈNE XI.

MADAME PATIN, LA BARONNE, LUCILE,
LISETTE.

LISETTE. Ah! par ma foi, ceci passe la
raillerie; et vous faites bien de venir mettre le holà entre deux dames qui s'allaient
couper la gorge.

MADAME PATIN. Qu'est-ce donc? Qu'avez-
vous, Madame? Que vous a-t-on fait, ma
nièce?

LUCILE. Faites-moi rendre mes vers, ma
tante, ou Madame s'en repentira.

LA BARONNE. Châtiez l'insolence de votre
nièce, ou je la châtierai moi-même.

MADAME PATIN. Doucement, doucement,
Madame, s'il vous plaît. Mais quel est votre
différend?

LUCILE. Comment! ma tante, je montre à
Lisette des vers qui ont été faits pour moi
par la personne que vous savez, et cette
Madame vient les arracher, en disant qu'ils
sont faits pour elle.

MADAME PATIN. Eh bien! pourquoi s'emporter de cette sorte? La modération ne
doit-elle pas être le partage d'une jeune
fille? Et quoique vous soyez persuadée que
la raison est pour vous, faut-il pour cela
faire la harengère comme vous faites?

LA BARONNE. Qu'est-ce à dire? La raison est pour elle? Je soutiens, moi, que ces
vers sont à moi, et qu'elle a menti quand
elle s'en veut faire honneur.

MADAME PATIN. Et, quand cela serait,
Madame, est-il bienséant à votre âge d'en
venir à ces extrémités, et ne devriez-vous
pas rougir de clabauder de la sorte pour
de méchants vers?

LUCILE. De méchants vers, ma tante!
Ils sont les plus jolis du monde. Lisez-les
seulement, et vous verrez bien qu'ils sont
faits tout exprès pour moi.

MADAME PATIN. Voyons donc, Madame,
s'il vous plaît.

LA BARONNE. Non, Madame, je ne les
rendrai point. Je vais vous les dire par
cœur, et vous connaîtrez bien par là que
votre nièce ne sait ce qu'elle dit.

> Le charmant objet que j'adore
> Brûle des mêmes feux dont je suis
>     enflammé;
> Mais je sens que je l'aime encore
> Mille fois plus que je n'en suis aimé.

LUCILE. Eh bien, ma tante? «*Le charmant objet. . .*»

MADAME PATIN. Eh bien, ma nièce, vous
avez le front de soutenir que ces vers-là
sont faits pour vous!

LUCILE. Oui, ma tante.

LA BARONNE. Vous voyez bien, Madame,
que je ne vous fais point d'imposture, et
que votre nièce n'a pas raison.

MADAME PATIN. Vous êtes toutes deux
bien étranges, et nous sommes toutes trois
bien dupes. Tenez, madame.

LA BARONNE. Ah! ce sont les tablettes
que je donnai hier au chevalier.

MADAME PATIN. C'est aussi lui qui me les
a laissées.

LISETTE. Voilà un fort bon incident.

LUCILE. Oh bien! je ne connais point
votre chevalier; mais j'ai vu faire les vers
moi-même, et je vous ferai bien voir que
je dis vrai. Adieu.

LA BARONNE. Je vais chercher le chevalier, Madame, et je le dévisagerai, si je le
trouve.

### SCÈNE XII.

MADAME PATIN, LISETTE.

MADAME PATIN. Ah! Lisette, que je suis
malheureuse! Le chevalier est un perfide,
qui trompait la baronne et moi, et c'est assurément lui-même qui cherche à tromper
cette petite fille.

LISETTE. Il en tromperait mille autres
sans scrupule, Madame. C'est le plus bel
endroit de sa vie que de tromper.

MADAME PATIN. Je suis bien heureuse de
n'avoir point encore signé le contrat. Allons renvoyer le notaire. Courons chez M.
Serrefort, pour conclure notre mariage avec
M. Migaud, afin que je n'entende plus jamais parler de ce petit scélérat de chevalier;
et s'il vient ici, dites au portier qu'on ne le
laisse point entrer.

## ACTE QUATRIÈME

### SCÈNE PREMIÈRE.

Le Chevalier, Crispin.

Crispin. Ma foi, Monsieur, je n'y comprends rien, et il y a là-dessous quelque chose que nous n'entendons ni l'un ni l'autre!

Le Chevalier. Tout cela ne me surprend point, Crispin.

Crispin. Parbleu! cela est violent, au moins, et je ne sais comment l'entend Madame Patin; mais peu s'en est fallu que son portier ne nous ait fermé la porte au nez.

Le Chevalier. Le portier est un maraud qui ne sait ce qu'il fait.

Crispin. Oh! Monsieur, ce portier-là n'est point Suisse,[1] et il nous a parlé comme un homme. Avouez-moi franchement la chose. Vous avez fait quelque bagatelle, et Madame Patin a appris de vos nouvelles, je gage.

Le Chevalier. Ma foi, mon pauvre ami, tu l'as deviné.

Crispin. Il ne faut pas être grand sorcier pour deviner cela; et dès qu'il vous arrive quelque petit chagrin, on peut dire à coup sûr que c'est la suite de quelque sottise.

Le Chevalier. Maraud!

Crispin. Là, là, Monsieur, ne vous fâchez point, et dites-moi un peu de quelle espèce est celle-ci.

Le Chevalier. Ces vers de la baronne, donnés à Madame Patin, sont la cause de tout le désordre.

Crispin. Eh bien! morbleu! ne vous l'avais-je pas bien dit? La baronne et elle se sont expliquées.

Le Chevalier. Il s'en est encore trouvé une troisième, qu'elle ne m'a nommée qu'en la traitant de petite étourdie; il faut que ce soit ma petite brune.

Crispin. Comment diable! Est-ce qu'elle avait aussi les mêmes vers?

Le Chevalier. Oui, vraiment, et il y a plus de quinze jours que je n'en ai point employé d'autres.

Crispin. Mais, Monsieur (car il n'y a personne dans ce logis, et nous pouvons parler en assurance de vos fredaines), de qui savez-vous cette aventure, s'il vous plaît?

Le Chevalier. De la baronne elle-même,

que j'ai trouvée dans une colère épouvantable contre moi.

Crispin. Cent diables! vous avez passé un mauvais quart d'heure; et, sauf correction, Madame la baronne est la plus méchante carogne qu'il y ait au monde.

Le Chevalier. D'accord; mais nous savons, Dieu merci, l'art de la mettre à la raison.

Crispin. Vous êtes un fort habile homme.

Le Chevalier. Il n'a pas fallu grande habileté pour cela. Elle criait comme une enragée, et j'ai crié cent foit plus haut qu'elle; car il est bon quelquefois de faire le fier avec les dames.

Crispin. Le fier?

Le Chevalier. Oui, le fier; et quand j'ai vu sa fureur un peu diminuée, je me suis justifié le mieux qu'il m'a été possible.

Crispin. Et elle a pris tout ce que vous lui avez dit pour de l'argent comptant?

Le Chevalier. Non, elle s'est emportée plus fort que jamais; et je n'ai point trouvé d'autre moyen de la réduire que de prendre un air de mépris pour elle, qui l'a piquée jusqu'au vif.

Crispin. Et cet air de mépris a réussi?

Le Chevalier. A merveille, et nous sommes meilleurs amis que nous n'avons été.

Crispin. La pauvre femme! Mais ne craignez-vous rien, lorsqu'elle saura votre mariage avec Madame Patin?

Le Chevalier. Et que voudrais-tu que je craignisse?

Crispin. Que sais-je? Une femme diablesse est quelquefois pire qu'un vrai diable. Celle-ci tire un lièvre aussi sûrement qu'un homme, comme vous savez, et elle ne craindra peut-être pas plus de tuer un homme que de tirer un lièvre.

Le Chevalier. Nous l'adoucirons; et comme elle ne veut qu'un mari, pour la consoler de m'avoir perdu, je te la ferai épouser, si le cœur t'en dit.

Crispin. Eh là! Monsieur, ne raillons point; elle ne perdrait peut-être pas au change, je vous en réponds.

Le Chevalier. Je l'entends bien ainsi, vraiment; et, si certain dessein que j'ai dans la tête pouvait réussir, je te donnerais à choisir d'elle ou de Madame Patin.

Crispin. De Madame Patin? Ah! ah! voici quelque chose d'assez drôle.

Le Chevalier. Ah! mon pauvre garçon!

[1] Swiss were frequently employed as porters.

CRISPIN. Ouais. . .

LE CHEVALIER. Je crois que je suis amoureux, Crispin; moi qui ne croyais pas pouvoir l'être! . . .

CRISPIN. Amoureux! Et de qui?

LE CHEVALIER. De cette petite créature dont je t'ai parlé.

CRISPIN. De la petite brune?

LE CHEVALIER. D'elle-même.

CRISPIN. Oh! pour cela, le diable m'emporte si je vous comprends. Que venez-vous donc faire chez Madame Patin?

LE CHEVALIER. La ménager comme la baronne, et il faut que dans cette affaire l'une ou l'autre me rende un service considérable.

CRISPIN. Vous n'avez qu'à le leur proposer, elles le feront de grand cœur assurément.

LE CHEVALIER. Elles le feront sans penser le faire.

CRISPIN. Mais encore, de quelle manière?

LE CHEVALIER. Ma petite brune, à ce que j'ai pu savoir, est une héritière considérable, mais d'une naissance peu proportionnée à un si gros bien.

CRISPIN. Ce n'est pas là une raison qui vous embarrasse.

LE CHEVALIER. Au contraire, c'est ce qui m'a fait prendre la résolution de l'enlever. Sa famille, après cela, sera trop heureuse que je l'épouse. Je serai en lieu de sûreté cependant, et je ne l'épouserai point qu'on ne lui fasse de grands avantages.

CRISPIN. Eh! à quoi la baronne et Madame Patin vous peuvent-elles être utiles dans cette affaire?

LE CHEVALIER. Quoi! tu ne vois pas cela tout d'abord?

CRISPIN. Non.

LE CHEVALIER. Je ne suis pas en argent comptant, comme tu sais, et je veux que mes deux vieilles m'en fournissent à l'envi l'une de l'autre, et facilitent ainsi la conquête de ma jeune maîtresse.

CRISPIN. Tudieu! c'est le bien prendre. Vous entendez les affaires à merveille. Mais, je vois venir Madame Patin.

LE CHEVALIER. Paix! paix! tu vas voir le manège que je vais faire avec celle-ci. Ah! palsambleu! laisse-moi rire, Crispin, laisse-moi rire; quand j'en devrais être malade, il m'est impossible de m'en empêcher.

CRISPIN. Il faut que je me mette de la partie.

## SCÈNE II.

MADAME PATIN, LE CHEVALIER, LISETTE, CRISPIN.

MADAME PATIN. Ah! ah! Monsieur, vous voilà de bien bonne humeur, et je ne sais vraiment pas quel sujet vous croyez avoir de vous tant épanouir la rate.

LE CHEVALIER. Je vous demande pardon, Madame; mais, je suis encore tout rempli de la plus plaisante chose du monde. Vous vous souvenez des vers que je vous ai tantôt donnés?

MADAME PATIN. Oui, oui, je m'en souviens, et vous vous en souviendrez aussi, je vous assure.

LE CHEVALIER. Si je m'en souviendrai, Madame! ils sont cause d'un incident, dont j'ai pensé mourir à force de rire, et je vous jure qu'il n'y a rien de plus plaisant.

MADAME PATIN. Où en est donc le plaisant, Monsieur?

LISETTE. Voici quelque pièce nouvelle.

LE CHEVALIER. Le plaisant? Le plaisant, Madame, est que quatre ou cinq godelureaux se sont fait honneur de mes vers. Comme vous les avez applaudis, je les ai crus bons, et je n'ai pu m'empêcher de les dire à quelques personnes. Je vous en demande pardon, Madame, c'est le faible de la plupart des gens de qualité qui ont un peu de génie. On les a retenus, on en a fait des copies, et en moins de deux heures, il sont devenus vaudevilles.[1]

CRISPIN, bas. L'excellent fourbe que voilà!

LISETTE, bas. Où veut-il la mener avec ses vaudevilles?

MADAME PATIN, à Lisette. Écoutons ce qu'il veut dire, il ne m'en fera plus si facilement accroire. (Au chevalier.) Eh bien, Monsieur, vous êtes bien content de voir ainsi courir vos ouvrages?

LE CHEVALIER. N'en n'êtes-vous pas ravie, Madame? Car enfin, puisqu'ils sont pour vous, cela vous fait plus d'honneur qu'à moi-même.

MADAME PATIN. Ah! scélérat!

LE CHEVALIER. Notre baronne, au reste, n'a pas peu contribué à les mettre en vogue. Têtebleu! Madame, que c'est une incommode parente que cette baronne, et qu'elle me vend cher les espérances de sa succession!

LISETTE, bas à Madame Patin. Le fripon!

---

[1] vaudevilles, popular songs. The term was applied later to plays containing such songs.

la baronne est sa parente comme je la suis du grand Mogol.

MADAME PATIN. Écoutons jusqu'à la fin.

LE CHEVALIER. Vous ne sauriez croire jusqu'où vont les folles visions de cette vieille, et les folies qu'elle ferait dans le monde, pour peu que mes manières répondissent aux siennes.

CRISPIN, *bas*. Cet homme-là vaut son pesant d'or.

LE CHEVALIER. J'ai passé chez elle pour lui parler de quelque argent qu'elle m'a prêté, et que je lui veux rendre, s'il vous plaît, Madame, pour en être débarrassé tout à fait.

CRISPIN. Le royal fourbe!

LE CHEVALIER. Je lui ai dit vos vers par manière de conversation : elle les a trouvés admirables. Elle me les a fait répéter jusqu'à trois fois, et j'ai été tout étonné que la vieille surannée les savait par cœur. Elle est sortie tout aussitôt, elle s'en est allée apparemment de maison en maison, chez toutes ses amies, faire parade de ces vers, et dire que je les avais faits pour elle.

MADAME PATIN. S'il disait vrai, Lisette?

LISETTE. Que vous êtes bonne, Madame! Eh, jarnonce! quand il dirait vrai pour la baronne, comment se tirerait-il d'affaire pour votre nièce?

CRISPIN. Oh! patience; s'il demeure court, je veux qu'on me pende.

LE CHEVALIER. Mais voici bien le plus plaisant, Madame. J'ai passé aux Tuileries, où j'ai rencontré cinq ou six beaux esprits. Oui, Madame, cinq ou six, et il ne faut point que cela vous étonne. Nous vivons dans un siècle où les beaux esprits sont tout à fait communs, au moins.

MADAME PATIN. Eh bien, Monsieur?

LE CHEVALIER. Eh bien! Madame, ils m'ont conté que le marquis des Guérets avait donné les vers en question à une petite grisette; que l'abbé du Terrier les avait envoyés à une de ses amies; que le chevalier Richard s'en était fait honneur pour sa maîtresse, et que deux de ces pauvres femmes s'étaient, malheureusement pour elles, trouvées avec la baronne, où il s'était passé une scène des plus divertissantes.

MADAME PATIN. Ce sont de bons sots, Monsieur, que vos beaux esprits, de plaisanter de cette aventure-là.

LISETTE. Bon! elle prend la chose comme il faut.

LE CHEVALIER. Comment, Madame? Vous n'entrez donc point dans le ridicule de ces **trois femmes**, qui se veulent battre pour un madrigal? Et la bonne foi de ces deux pauvres abusées, et la folie de notre baronne, ne vous font point pâmer de rire?

MADAME PATIN, *à Lisette*. Je crève, et je ne sais si je me dois fâcher ou non.

LISETTE. Eh! merci de ma vie! pouvez-vous faire mieux, en vous fâchant contre un petit fourbe comme celui-là?

LE CHEVALIER. Vous ne riez point, Madame?

CRISPIN. Tu ne ris point, Lisette?

LE CHEVALIER. Je le vois bien, Madame, il vous fâche que des vers faits pour vous soient dans les mains de tout le monde. Je suis un indiscret, je l'avoue, de les avoir rendus publics; je vous demande à genoux mille pardons de cette faute, Madame; et je vous jure que l'air que j'ai fait sur ces malheureux vers n'aura pas la même destinée, et que vous serez la seule qui l'entendrez.

MADAME PATIN. Vous avez fait un air sur ces paroles, Monsieur?

LE CHEVALIER. Oui, Madame, et je vous conjure de l'écouter; il est tout plein d'une tendresse que mon cœur ne sent que pour vous; et je jugerai bien, par le plaisir que vous aurez à l'entendre, des sentiments où vous êtes à présent pour moi.

LISETTE. Le double chien la va tromper en musique.

LE CHEVALIER, *après avoir chanté tout l'air, dont il répète quelques endroits*. Avez-vous remarqué, Madame, l'agrément de ce petit passage? (*Il chante.*) Sentez-vous bien toute la tendresse qu'il y a dans celui-ci? (*Il chante.*) Ne m'avouerez-vous pas que celui-là est bien passionné? (*Il chante encore.*) Vous ne dites rien. Ah! Madame, vous ne m'aimez plus, puisque vous êtes insensible au chromatique dont cet air est tout rempli.

MADAME PATIN. Ah! méchant petit homme, à quel chagrin m'avez-vous exposée!

LE CHEVALIER. Comment donc, Madame?

MADAME PATIN. J'étais une des actrices de cette scène que vous trouvez si plaisante.

LE CHEVALIER. Vous, Madame?

MADAME PATIN. Moi-même, et c'est en cet endroit qu'elle s'est passée entre la petite grisette, la baronne et moi.

LE CHEVALIER. Ah! pour le coup, il y a pour en mourir, Madame. Oui, je sens bien que pour m'achever, vous n'avez qu'à me dire que vous me haïssez autant que je le mérite. Faites-le, Madame, je vous en conjure, et donnez-moi le plaisir de vous convaincre que je vous aime, en expirant de douleur de vous avoir offensée.

MADAME PATIN. Levez-vous, levez-vous, Monsieur le chevalier.

CRISPIN. La pauvre femme !

LE CHEVALIER. Ah! Madame, que je mérite peu. . .

MADAME PATIN. Ah! petit cruel, à quelle extrémité avez-vous pensé porter mon dépit! Savez-vous bien, ingrat, qu'il ne s'en faut presque rien que je ne sois la femme de Monsieur Migaud ?

LE CHEVALIER. Si cela est, Madame, j'irai déchirer sa robe entre les bras même de la justice, et je me ferai la plus sanglante affaire. . .

MADAME PATIN. Non, non, chevalier, laissez-le en repos, le pauvre homme ne sera que trop malheureux de ne me point avoir; mais je vous avoue qu'il m'aurait, si j'avais trouvé mon beau-frère chez lui; heureusement il n'y était pas.

LE CHEVALIER. Ah! je respire! je viens donc de l'échapper belle, Madame ?

MADAME PATIN. Vous vous en seriez consolé avec la baronne.

LE CHEVALIER. Eh fi! Madame, ne me parlez point de cela, je vous prie. Je ne songe uniquement, je vous jure, qu'à lui donner mille pistoles que je lui dois, et qu'il faut que je lui paie incessamment : Madame, je vous en conjure.

MADAME PATIN. Si vous êtes bien véritablement dans ce dessein, j'ai de l'argent, chevalier, venez dans mon cabinet.

## SCÈNE III.

MADAME PATIN, LE CHEVALIER, LISETTE, CRISPIN, LABRIE.

LABRIE. Voilà Monsieur Serrefort qui monte.

MADAME PATIN. Ah! bons Dieux, comment ferons-nous ? Allez attendre chez votre notaire, et me laissez Crispin pour vous faire avertir quand je serai seule.

LE CHEVALIER. Demeure ici, Crispin, et attends ici l'ordre de Madame.

CRISPIN. Me donnera-t-elle les mille pistoles ?

LE CHEVALIER. Tais-toi, maroufle.

MADAME PATIN. Sauvez-vous par le petit escalier, comme tantôt.

LE CHEVALIER. Adieu, Madame.

MADAME PATIN. Tiens-toi sur ce petit degré par où sort ton maître.

## SCÈNE IV.

MONSIEUR SERREFORT, MADAME PATIN, LISETTE.

MONSIEUR SERREFORT. On m'a dit que vous aviez passé chez moi, Madame, et que vous m'y aviez demandé.

MADAME PATIN. On vous a dit vrai, Monsieur; mais je n'avais nullement recommandé qu'on vous dît de venir ici.

MONSIEUR SERREFORT. Cela ne fait rien, Madame, et je suis bien aise de savoir ce que vous me vouliez, outre que j'ai de mon côté quelque chose à vous communiquer touchant l'affaire de ce matin.

MADAME PATIN. Quelle affaire, Monsieur ? L'affaire de ce matin ? Ne m'avez-vous pas promis de me laisser en repos, et de ne vous en plus mêler ?

MONSIEUR SERREFORT. Oui, Madame; mais on nous a fait parler à Monsieur Migaud et à moi, pour le différend que vous avez eu avec cette marquise.

MADAME PATIN. Eh bien! Monsieur, pour peu d'avance qu'elle fasse, je verrai ce que j'aurai à faire.

MONSIEUR SERREFORT. Comment, Madame, des avances ? C'est à vous à en faire, s'il vous plaît; et il n'y a point à hésiter même.

MADAME PATIN. Je ferais des avances, moi qui suis offensée ? Ah! vraiment, on voit bien que vous ne savez guère les affaires du point d'honneur.

MONSIEUR SERREFORT, *tirant un papier de sa poche.* Voilà des articles d'accommodement que j'ai dressés. Vous verrez par là si je sais ce que c'est.

MADAME PATIN. Des articles! des articles! Ah! voyons un peu ces articles, je vous prie. Cela est trop plaisant, des articles! Vous vous êtes fait mon plénipotentiaire, à ce que je vois.

MONSIEUR SERREFORT. Voici ce que c'est, Madame.

MADAME PATIN. Écoutons ces articles. Ce sont des articles, Lisette.

MONSIEUR SERREFORT, *lit.* Premièrement, il faudra que vous vous rendiez au logis de la marquise, modestement vêtue.

MADAME PATIN. Modestement !

MONSIEUR SERREFORT. Oui, Madame, modestement. En robe cependant, mais avec une queue plus courte que celle que vous portez d'ordinaire.

MADAME PATIN. Oh! pour l'article de la queue, je suis déjà sa très humble servante.

et je ne rognerais pas deux doigts de ma queue, pour toutes les marquises de la terre.

MONSIEUR SERREFORT, *continuant à lire.* Arrivée chez la marquise, vous la demanderez au laquais qui sera de garde.

MADAME PATIN. Un laquais de garde, Monsieur! un laquais de garde! Il semble que vous parliez de quelque officier.

MONSIEUR SERREFORT, *continuant à lire.* Et pendant que ledit laquais ira avertir sa maîtresse que vous êtes dans l'antichambre, vous y demeurerez debout, et sans murmurer, jusqu'à ce qu'il plaise à Madame la marquise de vous faire entrer.

MADAME PATIN. Non, Monsieur Serrefort, non; pour demeurer dans l'antichambre, je n'en ferai rien, debout surtout. Ce ne sera pas sans murmurer, cela ne se pourrait.

MONSIEUR SERREFORT. Il faudra bien que sela soit pourtant. (*Il lit.*) Quand la marquise sera visible. . .

MADAME PATIN. Eh fi! Monsieur, ce n'est pas la peine d'achever.

MONSIEUR SERREFORT. Oui, Madame, mais savez-vous bien que vous n'avez point d'autre expédient pour sortir d'affaire, et que ce sont ici les dernières paroles qu'elle nous a fait porter par son écuyer?

MADAME PATIN. Par son écuyer, Monsieur, par son écuyer! Oh! vraiment, il faut attendre à faire cet accommodement, que j'aie un écuyer comme elle; et quand nous agirons d'écuyer à écuyer, il ne faudra peut-être pas tant de cérémonie.

MONSIEUR SERREFORT. Comment donc, Madame, un écuyer? Êtes-vous femme à écuyer, s'il vous plaît, et ne songez-vous pas. . .

MADAME PATIN. Tenez, Monsieur, point de contestation, je vous prie. Je n'aime pas les disputes; et pour peu que vous m'obstiniez, vous me ferez prendre des pages.

MONSIEUR SERREFORT. Ah! je vois ce que c'est: votre entêtement continue; il est impossible de vous en corriger; et vos manières me confirment à tous moments les avis qu'on m'a donnés.

MADAME PATIN. Comment donc, Monsieur, quels avis? Avez-vous des espions pour examiner ma conduite?

MONSIEUR SERREFORT. Morbleu! Madame, j'en sais plus que je n'en voudrais savoir.

MADAME PATIN. Eh bien, Monsieur, tâchez de l'oublier!

MONSIEUR SERREFORT. Mais vous ne nous manquerez pas de parole impunément; et il ne sera pas dit que vous aurez jeté ma fille dans le même dérèglement d'esprit où vous êtes, et que son père l'ait souffert sans ressentiment.

MADAME PATIN. Quel discours est-ce là? Que voulez-vous dire? Suis-je une déréglée, s'il vous plaît? Écoutez, Monsieur Serrefort, vous me ferez raison des termes offensants dont vous vous servez; prenez-y garde, je vous en avertis.

MONSIEUR SERREFORT. Écoutez, Madame Patin, il n'y a qu'un mot qui serve. Je suis bien informé que vous voulez épouser un gueux de chevalier, qui se moquera de vous dès le lendemain de vos noces. Je sais de bonne part que ma fille s'entête de quelque espèce de marquis plus gueux peut-être que votre chevalier. Monsieur Migaud sait tout cela comme moi; mais, nous ne demeurerons pas les bras croisés ni l'un ni l'autre, et nous vous rendrons raisonnable malgré vous-même.

MADAME PATIN. Oh bien! Monsieur Serrefort, je vous en défie. Songez à le devenir; et ne mettez pas ici les pieds que vous ne vous soyez rendu plus sage.

MONSIEUR SERREFORT. Oh! ventrebleu! Madame, j'y viendrai jour et nuit, de moment en moment; et je vais si bien assiéger votre maison et la mienne, qu'il n'y entrera personne à qui je ne fasse sauter les fenêtres, pour peu qu'il ait de l'air d'un marquis ou d'un chevalier.

MADAME PATIN. Et pour moi, qui ne suis pas si méchante que vous, je vous prierai seulement de descendre l'escalier tout au plus vite, et de ne pas regarder derrière vous.

MONSIEUR SERREFORT. Adieu, Madame Patin.

MADAME PATIN. Adieu, Monsieur Serrefort.

MONSIEUR SERREFORT. Vous aurez bientôt de mes nouvelles, Madame Patin.

MADAME PATIN. Je n'en veux point apprendre, Monsieur Serrefort.

MONSIEUR SERREFORT. Adieu, Madame Patin.

MADAME PATIN. Adieu, Monsieur Serrefort.

## SCÈNE V.

### MADAME PATIN, LISETTE.

MADAME PATIN. Eh, bon Dieu! quelle rage cet homme a-t-il contre moi? Quel acharnement à me persécuter, Lisette! A-t-on jamais rien vu de plus étrange?

LISETTE. Oh! pour cela, il devient de jour en jour plus insupportable.

MADAME PATIN. N'est-il pas vrai?

LISETTE. Parce que Monsieur le chevalier est un jeune homme assez mal dans ses affaires, et que Monsieur Serrefort prévoit qu'en l'épousant, vous allez faire un mauvais marché, il veut vous empêcher de le conclure; cela est bien impertinent, Madame.

MADAME PATIN. Tout ce qu'il fera, ne servira de rien.

LISETTE. Bon! quand vous avez résolu quelque chose, il faut que cela passe.

MADAME PATIN. Tout ce que je crains, c'est que le chevalier ne vienne à connaître Monsieur Serrefort, et qu'il ne se dégoûte en me voyant si mal apparentée. Crispin!

## SCÈNE VI.

MADAME PATIN, CRISPIN, LISETTE.

CRISPIN. Plaît-il, Madame?

MADAME PATIN. Va dire à ton maître que, pour de certaines raisons, je ne le puis voir que sur les dix heures, et qu'il ne manque pas de venir juste à cette heure-là.

CRISPIN. N'avez-vous que cela à lui faire savoir, Madame?

MADAME PATIN. Non, va vite, j'ai peur qu'il ne s'impatiente.

CRISPIN. Il me semble, Madame, qu'il serait à propos qu'il rendît au plus tôt à Madame la baronne ces mille pistoles dont il vous a parlé.

MADAME PATIN. J'aurai soin de les lui tenir toutes prêtes.

CRISPIN. J'aurai soin de les lui porter, si vous voulez.

MADAME PATIN. Dis-lui bien que je vais penser à lui jusqu'à ce que je le voie.

CRISPIN. Je le lui dirai, Madame.

## SCÈNE VII.

CRISPIN, seul.

Oh çà, puisque je n'ai point d'argent à porter à mon maître, ce que j'ai à lui dire n'est point si pressé. Réfléchissons un peu sur l'état présent de nos affaires. Voilà Monsieur le chevalier de Villefontaine en train d'attraper mille pistoles à Madame Patin, et autant à la vieille baronne; il n'y

a pas grand mal à ces deux articles. Mais c'est pour enlever une petite fille; il y a quelque chose à dire à celui-là. La justice se mêlera infailliblement de cette affaire, et il lui faudra quelqu'un à pendre. Monsieur le chevalier se tirera d'intrigue, et vous verrez que je serai pendu pour la forme. Cela ne vaudrait pas le diable, et je crois que le plus sûr est de ne me point mêler de tout cela, et de tirer adroitement mon épingle du jeu. Que sait-on? Il m'arrivera peut-être d'un autre côté quelque bonne fortune, à quoi je ne m'attends pas. S'il était vrai que Madame la baronne ne voulût qu'un mari, je serais son fait aussi bien qu'un autre, elle pourrait bien m'épouser par dépit. Il arrive tous les jours de choses moins faisables que celle-là, et je ne serais pas le premier laquais, qui aurait coupé l'herbe sous le pied à son maître. Allons faire savoir au mien ce que Madame Patin m'a dit de lui dire; et selon la part qu'il me fera des mille pistoles, je verrai ce que j'aurai à faire.

## ACTE CINQUIÈME

### SCÈNE PREMIÈRE.

MONSIEUR SERREFORT, LISETTE.

MONSIEUR SERREFORT. Ne crains rien, ma pauvre Lisette, ne crains rien. Madame Patin ne saura pas que l'avis est venu de toi.

LISETTE. Au moins, Monsieur, vous savez bien que ma petite fortune dépend d'elle en quelque façon; et si ce n'était que vous donner des commissions à mon père, à mon cousin, et à celui qui veut m'épouser, je ne trahirais pas ma maîtresse pour vous faire plaisir.

MONSIEUR SERREFORT. Comment? Sais-tu bien que c'est le plus grand service que tu lui puisses rendre, que de détourner ce mariage?

LISETTE. J'ai toujours travaillé pour cela, autant qu'il m'était possible. Dans les commencements j'ai cru qu'elle se moquait; mais quand j'ai vu que c'était tout de bon, j'ai couru vous avertir.

MONSIEUR SERREFORT. Tu as parfaitement bien fait.

LISETTE. La partie est faite pour cinq heures du matin. Madame est dans son cabinet, qui compte de l'argent, dont Monsieur le chevalier lui a dit avoir affaire; et il viendra dans une petite demi-heure, avec son notaire: c'est l'ordre de Madame.

MONSIEUR SERREFORT. La malheureuse.

LISETTE. Ils seront bien surpris tous deux de vous voir à leurs noces sans en avoir été prié!

MONSIEUR SERREFORT. Ils ne s'y attendent guère.

LISETTE. Vous n'êtes pas le seul obstacle que j'ai préparé à leurs desseins.

MONSIEUR SERREFORT. Comment donc? Qu'as-tu fait encore?

LISETTE. Il y a une vieille plaideuse de par le monde, qui est aussi amoureuse du chevalier que Madame votre belle-sœur, pour le moins. Je l'ai fait avertir par un solliciteur de procès, qui est mon compère, de tout ce qui se prépare ici, et je répondrais bien qu'elle ne manquera pas de se trouver aux fiançailles.

MONSIEUR SERREFORT. Cela est fort bien imaginé.

LISETTE. Pour vous, il faut, s'il vous plaît, que vous demeuriez quelque temps caché dans ma chambre, et je vous avertirai quand ils seront avec le notaire.

MONSIEUR SERREFORT. C'est bien dit. Oh! ventrebleu! ma pendarde de belle-sœur n'est pas encore où elle s'imagine!

LISETTE. Elle fait de grands projets pour votre satisfaction, et il ne tiendra pas à elle que Mademoiselle votre fille ne suive l'exemple qu'elle prétend lui donner. J'en ai déjà dit tantôt un mot à Monsieur Migaud.

MONSIEUR SERREFORT. Ah! la double enragée! C'est donc elle qui a donné à ma fille la connaissance d'un petit godelureau que j'ai trouvé chez moi un moment avant que tu ne vinsses?

LISETTE. Non, mais c'est elle qui lui conseille de vous donner un gendre à sa fantaisie, sans se mettre en peine qu'il soit à la vôtre.

MONSIEUR SERREFORT. La misérable!

LISETTE. Et je ne répondrais pas trop que Mademoiselle Lucile n'eût un fort grand penchant à suivre les bons conseils de sa tante.

MONSIEUR SERREFORT. J'y donnerai bon ordre. C'est une peste dans une famille bourgeoise qu'une Madame Patin.

LISETTE. Je crois que je l'entends. Voilà la clef de ma chambre, allez vous y enfermer au plus vite, et tâchez de ne vous point ennuyer. (Bas.) Monsieur Serrefort verra peut-être ce soir plus d'incidents qu'il ne s'imagine.

## SCÈNE II.

MADAME PATIN, LISETTE.

MADAME PATIN. Le chevalier n'est point encore venu, Lisette? N'a-t-il pas envoyé?

LISETTE. Non, Madame.

MADAME PATIN. Je suis dans une étrange impatience.

LISETTE. Il n'est pas temps de vous impatienter encore, Madame. Neuf heures viennent de sonner, et vous avez fait dire à Monsieur le chevalier de ne venir ici qu'à dix.

MADAME PATIN. Ce vilain Monsieur Serrefort est cause de cela. Sans cet animal, le chevalier serait ici à l'heure qu'il est, et il n'aurait pas le temps de me faire quelque perfidie.

LISETTE. Oh! par ma foi, Madame, je ne m'accommoderais guère, pour moi, d'un homme comme Monsieur le chevalier, qu'il faudrait garder à vue. Eh, mort de ma vie, vous êtes toujours sur des épines!

MADAME PATIN. Quand nous serons une fois mariés, Lisette, je ne craindrai pas tant; mais jusque-là le chevalier me paraît si aimable, que je meurs de peur qu'on ne me l'enlève.

LISETTE, bas. Le beau joyau pour en être si fort éprise!

MADAME PATIN. N'a-t-on point eu de nouvelles de ma nièce?

LISETTE. Non, Madame.

MADAME PATIN. Je voudrais bien qu'elle fût ici avec son amant, et qu'on les pût marier aussi cette nuit.

LISETTE. Oui, Madame?

MADAME PATIN. Oui, vraiment; et je ne sais ce qui me fera le plus de plaisir, d'épouser le chevalier, ou de désespérer Monsieur Serrefort.

LISETTE. La bonne personne!

MADAME PATIN. Il se mangerait les pouces de rage. Mais qu'est-ce que ceci? La baronne à l'heure qu'il est! Eh! grand Dieu, n'en serai-je jamais défaite?

## SCÈNE III.

LA BARONNE, MADAME PATIN, LISETTE, JASMIN.

LA BARONNE. Bonsoir, Madame.

MADAME PATIN. Madame, je suis votre servante.

LISETTE, bas. Bon! voici déjà la baronne.

LA BARONNE. Vous voilà bien seule, Madame; où est donc Monsieur le chevalier?

MADAME PATIN. Monsieur le chevalier, Madame? Monsieur le chevalier n'est pas toujours chez moi; et si c'est lui que vous cherchez...

LA BARONNE. Non pas, Madame, et ce n'est qu'à vous que j'ai affaire.

MADAME PATIN. Au moins, Madame, il n'est pas heure de solliciter.

LA BARONNE. Oh! vraiment, ma pauvre Madame, ce ne sont pas mes procès qui m'occupent à présent, et j'ai bien autre chose en tête. (*A Lisette.*) Oh! çà, çà, détalez, s'il vous plaît, ma mie, et allez voir là dehors si j'y suis.

MADAME PATIN. Comment donc? Que veut-elle dire? Lisette, ne me quittez pas.

LA BARONNE. Poltronne! vous avez peur?

MADAME PATIN. Quel est votre dessein, Madame?

LA BARONNE. Approchez, Jasmin, approchez.

MADAME PATIN. Ah! bons Dieux! des épées, Madame! venez-vous ici pour m'assassiner?

LISETTE. Vraiment, cela passe raillerie, Madame.

LA BARONNE. Otez-vous de là, vous, ma mie, que je ne vous donne sur les oreilles. Et vous, Madame, choisissez de ces deux épées laquelle vous voulez.

MADAME PATIN. Moi, Madame, prendre une épée! Et pourquoi, s'il vous plaît?

LA BARONNE. Pour me tuer, si vous le pouvez.

MADAME PATIN. Moi! je ne veux tuer personne.

LA BARONNE. Mais, je vous veux tuer, moi.

MADAME PATIN. Eh! bon Dieu! que vous ai-je fait pour vous donner de si méchantes intentions?

LA BARONNE. Ce que vous m'avez fait, Madame? ce que vous m'avez fait?

MADAME PATIN. Lisette, prenez garde à moi.

LISETTE. Oui, Madame.

LA BARONNE. Allons, allons, point tant de raisonnements, ma bonne amie. Vous m'enlevez le chevalier, il est à moi, ce chevalier, aussi bien que mon moulin, et c'est une grâce que je vous fais de vouloir bien voir à qui il demeurera.

MADAME PATIN. Quoi! Madame, c'est Monsieur le chevalier qui vous fait tourner la cervelle?

¹ qui gn'y a = qu'il y a

LA BARONNE. Oui, Madame, et il faut me le céder, ou mourir.

LISETTE. Voilà une vigoureuse femme, au moins.

LA BARONNE. Voyez, renoncez à toutes les prétentions que vous avez sur lui, et je vous donne la vie.

MADAME PATIN. Quelle étrange femme, Lisette! et comment pouvoir m'en débarrasser?

LA BARONNE. Oh! jour de Dieu! c'est trop barguigner. Allons, Madame, point de quartier.

MADAME PATIN. Ah! je suis morte. Au voleur! à l'aide! on m'assassine!

LISETTE. Madame, vous n'y songez pas. Grâce, grâce, Madame.

LA BARONNE. Ame basse!

MADAME PATIN. Holà, Jasmin, Labrie, Lafleur, Lajonquille, Lapensée, mes laquais, mon portier, mon cocher, holà!

LISETTE. Eh! paix, Madame! Quel vacarme faites-vous là?

LE COCHER. Qu'est-ce qui gn'y a,¹ Madame? Morguenne, à qui en avez-vous? Comme vous gueulez!

MADAME PATIN. Ah! mes enfants! jetez-moi Madame par les fenêtres, je vous en prie.

LA BARONNE. Merci de ma vie! Le premier qui avance, je lui donnerai de ces deux épées dans le ventre.

MADAME PATIN. Eh bien, là! Madame la baronne, descendez par la montée, on vous le permet; mais, dépêchez-vous.

LA BARONNE. Malheureuse petite bourgeoise! refuser l'honneur de se mesurer avec une baronne!

LISETTE. Ne faites pas de bruit davantage, Madame.

LA BARONNE. Elle veut devenir femme de qualité, et elle n'oserait tirer l'épée! Merci de ma vie! je m'en vais chercher le chevalier, et s'il ne change de sentiment, ce sera à moi qu'il aura affaire.

LISETTE. Eh! Madame!

## SCÈNE IV.

### MADAME PATIN, LISETTE.

MADAME PATIN. Eh! laisse-la faire, Lisette! J'aime bien mieux qu'elle aille le chercher, que non pas qu'elle l'attende chez moi.

LISETTE. Vous avez raison; mais, Madame, entre vous et moi, je crains bien que cette baronne-là ne vous joue quelque mauvais tour.

Madame Patin. Va, va, il n'y a rien à craindre, et quand le chevalier sera mon mari, il me mettra à couvert des emportements de cette folle. Elle est furieusement emportée, oui; et je crois que si je n'avais pas appelé du secours, elle nous aurait fait un mauvais parti à l'une et à l'autre.

Lisette. Je le crois, vraiment. Et savez-vous bien, Madame, qu'il n'y a rien au monde de si dangereux qu'une vieille amoureuse? Je m'étonne que vous ayez été si pacifique.

Madame Patin. J'ai eu peur d'abord, je te l'avoue.

Lisette. On en prendrait à moins.

Madame Patin. Et je n'en suis pas encore bien remise.

## SCÈNE V.

### Madame Patin, Lucile, Lisette.

Lucile. Ah! ma tante, je viens d'avoir une belle frayeur!

Madame Patin, à Lisette. Elle a rencontré la baronne.

Lucile. Je viens implorer votre protection, ma tante, et vous demander asile contre la violence et les injustices de mon père.

Madame Patin. Comment donc, ma nièce, que vous a-t-il fait?

Lisette, bas. Qu'est-ce que ceci?

Lucile. Ah! ma tante, qu'on est malheureuse d'être fille d'un père comme celui-là!

Madame Patin. Mais encore, qu'y a-t-il de nouveau? Qu'est-il arrivé?

Lucile. Eh! ne le devinez-vous pas, ma tante? Il a trouvé au logis ce Monsieur qui m'aime. Marton, la fille de chambre de ma mère, l'avait fait entrer par la porte du jardin.

Madame Patin. Eh bien! ma nièce, qu'a fait votre père?

Lucile. Il m'a donnée deux soufflets, ma tante, et il a traité ce pauvre garçon de la manière la plus incivile.

Lisette. Cela est bien malhonnête.

Madame Patin. Il ne l'a pas frappé peut-être?

Lucile. Je crois qu'il n'a pas osé; mais, ce qui me fâche le plus, c'est que mon père m'a donné ces deux soufflets devant lui.

Madame Patin. Le brutal!

Lucile. Cela me tient au cœur, voyez-vous, et j'ai bien résolu de m'en venger.

Madame Patin. Eh bien, ma nièce, qu'est-ce que je puis faire pour vous?

Lucile. J'aurais besoin d'un bon conseil, ma tante.

Madame Patin. Mais encore?

Lucile. Ce Monsieur m'a priée de trouver bon qu'il m'enlevât. Conseillez-moi d'y consentir, ma tante, vous ne sauriez me faire plus de plaisir.

Madame Patin. Si je vous le conseillerai, ma nièce! Il ne faut pas manquer cette affaire, faute de résolution. Où est-il à présent?

Lucile. Il est allé prendre deux mille pistoles chez son intendant, et il doit se rendre dans son carrosse à la place des Victoires, où j'ai laissé Marton pour l'attendre, et pour me venir dire quand il y sera.

Lisette, bas. La partie n'est pas mal liée; mais il ne sera pourtant pas difficile à Monsieur Serrefort de la rompre.

Madame Patin. Voici ce qu'il y a à faire, ma nièce. Dès que votre amant sera au rendez-vous, il faut qu'il vienne ici, je serai bien aise de le voir; je ferai mettre six chevaux à mon carrosse, et vous irez ensemble à une maison de campagne, où je répondrais bien qu'on n'ira pas vous chercher.

Lucile. Ah! ma bonne tante, que je vous ai d'obligation! Mais, il faudrait envoyer quelqu'un dire à Marton de l'amener.

Madame Patin. Envoyez-y un laquais, Lisette.

Lisette. Oui, Madame. (Bas.) Je vais l'envoyer chez Monsieur Migaud, la fête ne serait pas bonne sans lui.

Lucile. Au moins, ma tante, ce n'est que par votre conseil que je me laisse enlever; et je me garderais bien de m'engager dans une démarche comme celle-là, si vous n'étiez la première à l'approuver.

Madame Patin. Allez, allez, quand vous ne prendrez que de mes leçons, vous n'aurez rien à vous reprocher.

## SCÈNE VI.

### Le Chevalier, Crispin, Madame Patin, Lucile, Lisette.

Le Chevalier, à Crispin. Dès que j'aurai les mille pistoles, je ne ferai pas grand séjour chez Madame Patin.

Lucile, au chevalier. Ah! Monsieur, vous voilà. Qui vous a déjà dit que j'étais ici?

Le Chevalier. Ah! Crispin, quel incident! c'est ma petite brune.

CRISPIN. Comment, morbleu! la petite brune?

LUCILE. Voilà ma tante, Monsieur, dont je vous ai toujours dit tant de bien.

LE CHEVALIER. Sa tante?

CRISPIN. Aïe! aïe! aïe! ceci ne vaut pas le diable!

LE CHEVALIER. Mademoiselle, j'ai l'honneur. . .

MADAME PATIN. Qu'est-ce que cela signifie, ma nièce?

LUCILE. MONSIEUR est la personne dont je vous ai parlé.

LE CHEVALIER. Oui, Madame, j'avais prié Mademoiselle votre nièce de. . .

MADAME PATIN. Quoi! Monsieur, il est donc vrai que vous êtes le plus fourbe de tous les hommes?

LUCILE. Ah! ma tante, que dites-vous là? Vous me trahissez, ma tante: vous me dites de le faire venir, et vous le querellez quand il est venu.

MADAME PATIN. Ah! ma pauvre nièce, quelle aventure!

LE CHEVALIER. Crispin?

CRISPIN. L'affaire est épineuse.

LUCILE. Je n'y comprends rien, ma tante, en vérité.

MADAME PATIN. Scélérat!

LUCILE. Mais, ma tante. . .

CRISPIN. Sortons d'ici, Monsieur, c'est le plus sûr.

MADAME PATIN. Voir constamment disposer toutes choses pour m'épouser, et se proposer le même jour d'enlever ma nièce!

LUCILE. Quoi, ma tante. . .

MADAME PATIN. Oui, mon enfant, voilà l'oncle que je voulais vous donner.

LUCILE. Ah! perfide!

CRISPIN. Monsieur, encore une fois, sortons.

LE CHEVALIER. Tais-toi.

CRISPIN. Oh! parbleu, je voudrais bien, pour la rareté du fait, qu'il se tirât d'intrigue.

LUCILE. Que vous avais-je fait, Monsieur, pour me vouloir tromper si cruellement?

MADAME PATIN. Pourquoi nous choisissais-tu l'une et l'autre pour l'objet de tes perfidies?

LUCILE. Répondez, Monsieur, répondez.

MADAME PATIN. Parle, parle, perfide.

LE CHEVALIER. Eh! que diantre voulez-vous que je vous dise, Mesdames? Quand je me donnerais à tous les diables, pourrais-je vous persuader que ce que vous voyez n'est pas? Mais, à prendre les choses au pied de la lettre, suis-je si coupable que vous vous l'imaginez, et est-ce ma faute si nous nous rencontrons tous les trois ici?

MADAME PATIN. Tu crois tourner cette affaire en plaisanterie?

LE CHEVALIER. Je ne plaisante point, Madame, le diable m'emporte, et je vous parle de mon plus grand sérieux. Pouvais-je deviner que vous êtes la tante de Mademoiselle, et que Mademoiselle est votre nièce?

CRISPIN. Diable! si nous avions su cela, nous aurions pris d'autres mesures.

LE CHEVALIER. Si vous ne vous étiez point connues, vous ne vous seriez point fait de confidence l'une à l'autre, et nous n'aurions point à présent l'éclaircissement qui vous met si fort en colère.

LUCILE. Eh! seriez-vous pour cela moins coupable? En serions-nous moins trompées? et pouvez-vous jamais vous laver d'un procédé si malhonnête?

LE CHEVALIER. Mettez-vous à ma place, de grâce, et voyez si j'ai tort. J'ai de la qualité, de l'ambition, et peu de bien. Une veuve des plus aimables, et qui m'aime tendrement, me tend les bras. Irai-je faire le héros de roman, et refuserai-je quarante mille livres de rente qu'elle me jette à la tête?

MADAME PATIN. Eh! pourquoi donc, perfide, puisque tu trouves avec moi tous ces avantages, deviens-tu amoureux de ma nièce?

LE CHEVALIER. Oh! pour cela, Madame, regardez-la bien. Sa vue vous en dira plus que je ne pourrais vous en dire.

CRISPIN. Je commence à croire qu'il en sortira à son honneur; quand les dames querellent longtemps, elles ont envie de se raccommoder.

LE CHEVALIER. Je trouve en mon chemin une jeune personne, toute des plus belles et des mieux faites. Je ne lui suis pas indifférent. Peut-on être insensible, Madame, et se trouve-t-il des cœurs dans le monde qui puissent résister à tant de charmes?

CRISPIN. Il aura raison, à la fin.

MADAME PATIN, à Lucile. Ah! petite coquette, ce sont vos minauderies qui m'ont enlevé le cœur du chevalier. Je ne vous le pardonnerai de ma vie.

LUCILE. Oui, ma tante! il n'aimerait que moi sans vos quarante mille livres de rente. C'est moi qui ne vous le pardonnerai pas.

LE CHEVALIER. Oh! Mesdames, il ne faut point vous brouiller pour une bagatelle; et s'il est vrai que vous m'aimiez autant qu'il m'est doux de le croire, que celle qui a le plus d'envie de me persuader, fasse un effort sur elle-même, et me cède à l'autre. Je vous assure que l'infortunée qui ne m'aura point, ne sera pas la plus malheureuse.

MADAME PATIN. Je t'aime à la fureur, scélérat ; mais j'aimerais mieux que ma nièce fût morte, que de la voir jamais à toi.

LUCILE. Je défie tout le monde ensemble d'aimer autant que je vous aime ; mais, pour vous voir le mari de ma tante, c'est ce que je ne souffrirai jamais.

CRISPIN. Voilà l'affaire dans sa crise.

LUCILE. Ah ! ma tante, voilà mon père que j'entends.

MADAME PATIN. Cachez-vous vite, Monsieur le chevalier.

## SCÈNE VII.

MONSIEUR SERREFORT, MADAME PATIN, LUCILE, LE CHEVALIER, CRISPIN.

MONSIEUR SERREFORT, au chevalier. Non, non, Monsieur, il n'est pas besoin de vous cacher. Ah ! ah ! Madame ma belle-sœur, c'est donc là ce Monsieur le chevalier que vous voulez épouser ?

MADAME PATIN. Oui, Monsieur, et c'est ce même chevalier que Mademoiselle votre fille court aux Tuileries, et qui, sans moi, serait peut-être votre gendre à l'heure qu'il est.

MONSIEUR SERREFORT. Que vois-je ? C'est le même homme que j'ai trouvé chez moi !

LE CHEVALIER. Nous sommes heureux à nous rencontrer, comme vous voyez.

MONSIEUR SERREFORT. Quoi ! Monsieur, en même jour, vouloir épouser ma sœur et ma fille ? C'est avoir bien la rage d'épouser pour me persécuter !

LE CHEVALIER. Moi, Monsieur, au contraire ; et pour vous faire voir que je veux être de vos amis, avantagez de ces deux dames celle que vous haïssez, et j'en ferai ma femme tout aussitôt.

MONSIEUR SERREFORT. Qu'est-ce à dire cela ? Oh ! je ne prétends pas que vous épousiez ni l'une ni l'autre.

## SCÈNE VIII.

MONSIEUR MIGAUD, MONSIEUR SERREFORT, MADAME PATIN, LE CHEVALIER, LUCILE, CRISPIN, LISETTE.

MONSIEUR MIGAUD, à Madame Patin. Un de vos laquais, Madame, vient de m'avertir avec empressement, que vous me vouliez parler de quelque chose ; je n'ai point perdu de temps.

MADAME PATIN. Oui, Monsieur, il semble que mon laquais ait deviné ma pensée, et vous venez tout à propos pour profiter de mon dépit.

MONSIEUR MIGAUD. Comment donc, Madame ?

MADAME PATIN. Voilà ma main, Monsieur ; et, dès demain, je vous épouse, pourvu qu'en même temps Monsieur votre fils épouse ma nièce.

MONSIEUR MIGAUD. Ah ! Madame, que cette condition me fait plaisir !

MONSIEUR SERREFORT. C'est moi qui vous réponds de cet article, et ma fille, je crois, n'aura pas l'audace de résister à mes volontés.

LUCILE. Dans le désespoir où je suis, mon père, je ferai tout ce que vous voudrez.

MADAME PATIN, au chevalier. Tu n'épouseras pas ma nièce, perfide !

LUCILE, au chevalier. Vous ne serez jamais le mari de ma tante, pourtant.

CRISPIN. Adieu donc, Mesdames, jusqu'au revoir. Eh bien ! Monsieur, ne ferez-vous pas quelque petit air sur cette aventure-là ? Une chanson à propos raccommode quelquefois bien des choses, comme vous savez.

LE CHEVALIER. Il n'y a que les mille pistoles de Madame Patin que je regrette en tout ceci. Allons retrouver la baronne, et continuons de la ménager jusqu'à ce qu'il me vienne quelque meilleure fortune.

## LE LÉGATAIRE UNIVERSEL

*Comédie en cinq actes, en vers*

Représentée pour la première fois à la Comédie-Française
le 9 janvier 1708

# REGNARD

Jean-François Regnard (1655-1709) was the apostle of broad laughter in French comedy. The son of a rich bourgeois, he was born at Paris in 1655, and died at his Château de Grillon, near Dourdan in the department Seine-et-Oise, in 1709. He led an adventurous life until the age of thirty, traveling throughout Europe. While returning from his second trip to Italy he was captured by corsairs, carried to Algiers (1678), and sold as a slave to a certain Achmet-Talem, who carried him to Constantinople and made him his cook. Being ransomed (1681), he used his experiences as a basis for his novel, *la Provençale,* which was not published, however, till 1731, after his death. He continued his travels, and on his return to Paris secured an appointment as a treasurer of France. He then bought a house at the end of the rue Richelieu, at that time in the outskirts of the city, and here he received his friends. Later he bought the Château de Grillon and made of it another *abbaye de Thélème,* consecrating it to Bacchus. He never married. To the end he led a vigorous, outdoor life, finally succumbing to a dose of horse medicine. He wrote poems, stories of travel, operas, and numerous plays, of which his masterpiece is *le Légataire universel.* He was essentially a comic poet.

It was in an atmosphere of sadness at court and hopelessness on the part of the critics and men of letters that Regnard made his début. He began as the interpreter of a new society, in protest against the ennui of the last years of the reign of Louis XIV. He played his own part in this society and acted as a reporter of it on the stage. Before his career was ended he had succeeded so well that it seemed that the successor of Molière had arrived. His first plays, presented at the *théâtres de la Foire* and at the Théâtre-Italien, were little more than farces, written mainly in prose, mixtures of French and Italian, dances, music, and masquerades, largely reminiscences of Italy. Among them are: *le Divorce,* 1688; *la Descente d'Arlequin aux Enfers,* 1689; *Arlequin, homme à bonne fortune,* 1690; *les Filles errantes ou les Intrigues d'hôtellerie,* 1690; *la Coquette ou l'Académie des Dames,* 1691; *la Baguette de Vulcain,* 1693; *la Naissance d'Amadis,* 1694; *la Foire Saint-Germain* (with Dufresny), 1695; *la Suite de la Foire Saint-Germain,* 1696. But he had not yet struck his stride. His more serious work as a playwright began with his productions for the Comédie-Française. Here, beginning with *la Sérénade* in 1694, he presented in rapid succession: *le Bal,* 1695 (reproduced under the title *le Bourgeois de Falaise,* 1696); *le Joueur,* 1696; *le Distrait,* 1697; *Démocrite,* 1700; *le Retour imprévu,* 1700; *les Folies amoureuses,* 1704; *les Ménechmes,* 1705; *le Légataire universel,* 1708. With the exception of *la Sérénade* and *le Retour imprévu,* these plays are in verse.

His purpose is to laugh and make laugh, and that with the hilarious, side-splitting, coarse laughter of the new age. Nor does he aim at correcting manners and vices by ridiculing them. It is not his concern to present a study of character or manners. If an opportunity for such a study presents itself in *le Joueur* at a

, accepting it frankly as it is. If his valets are more disrespectful and more intimate with their masters than in the works of his predecessors, he is not planning a social revolution. He does not yet conceive of the "après moi le déluge." To us his comedies furnish side-lights on society and presentiments of what is to come; but to him and his audience they furnished only light amusement.

Yet Regnard is no mean writer of comedy. Without the depth of Molière, his plays are remarkable for style, action, and skill in plot-construction. In his maturer years, when he has mastered the Alexandrine line, his style is his personality. He writes in free, quick, vivid comic verse, as spontaneous as his laughter. Movement seems to be as natural in his plays as in his life. His dénouements are often superior in clever management to those of Molière. In general, Regnard's characters are never studied, but rather caricatured, printed in large lines, full of bold selfishness, of the joyous corruption of the time. He presents handsome chevaliers, amiable penniless marquises, gamblers, seekers after dowries and inheritances, shrewd girls anxious to have their fling, tricky shop-girls, —in short a society that is thoroughly cynical and careless of appearances. But he does so without satirizing or grumbling.

Le Joueur is among the first of his more serious attempts at comedy. The subject had the advantage of actuality, but Regnard did not attempt to give a moral lesson to his contemporaries. His business is to entertain. Having been a moderate gambler himself, he cannot afford to be too severe on the poor wretch Valère, who runs to his mistress only for consolation in his losses. Regnard does not attempt to depict the horrors of this terrible passion as does his contemporary Mrs. Centlivre in her English adaptation of the theme in her Gamester, or later Saurin in Beverley. Regnard insists that his gambler be amusing even in his distresses. There is only the slightest trace of the seriousness of purpose of Molière, along with some of the realism of Le Sage; there is none of the sadness or melancholy of the mid-century generation.

Before Regnard produces his masterpiece, he turns aside to present le Retour imprévu in one act and in prose, which is copied from Plautus' Mostellaria (The Haunted House). It is almost a retrograde movement toward farce, and very inferior to the Latin original. In les Folies amoureuses he returns to the pure Italian farce, yet with a style far superior to the typical farce. Carnaval and Folie are personified. In the prologue, the god Momus comes down from Olympus (Versailles), where the gods (the king and his court) no longer laugh, to organize a troupe of comedians. As Molière in l'Impromptu de Versailles, Regnard gives their real names to the actors, who enter whole-heartedly into the spirit of the carnival. Once more Regnard turns to Plautus in Les Ménechmes, his most classic comedy, a work dedicated to Boileau. In the prologue he invokes both Molière and Plautus; but the latter is his real ancestor, of the same temperament, sometimes trivial and sometimes burlesque. His buffoonery is often so excessive as to offend the proprieties and all sense of reality. The theme is that of twin brothers who are subjected to various tricks and turns of fortune because of their resemblance. In Plautus the plot is very simple, while Regnard, like Shakespeare in *The Comedy of Errors*, has made it more complicated, added more characters, and continued his laughter which called forth the remark of Boileau when someone called Regnard *médiocre:* "Il n'est pas médiocrement plaisant."

*Le Légataire universel* (1708), at the end of his career, occupies somewhat the same place in his life and works as *le Malade imaginaire* in Molière's, except that the latter is not Molière's masterpiece. There are certain similarities in theme: the plot of both plays centers in the figure of the old man too slow to die and leave his fortune to others. (For the sources and parallels of the plot, see the works of Toldo and Altrocchi, cited below.) But the diverse treatment exemplifies admirably the essential difference between the spirit of the two dramatists—Molière the thoughtful, quiet, suffering student of human nature; Regnard, the pleasure-loving, active, jovial, robust apostle of broad laughter. It is characteristic of Regnard to make the most of the comedy of the situation, and of Molière more subtly to play upon the comedy of personality; of the one to surprise with unforeseen shifts in the plot, of the other progressively to illuminate the recesses of human character. Molière evokes the intelligent smile or at most that "thoughtful laughter," which belongs, as Meredith declares, to high comedy; in Regnard the dominant note is laughter hilarious, unrestrained, intemperate. Just as the most notable English treatment of the greed of legacy hunters, Ben Jonson's *Volpone*, deviates from the golden mean of comedy in the direction of grim satire, too full of *saeva indignato* for true comic spirit, so Regnard deviates towards frivolity and farce.

Bibliography:*Œuvres*, Paris, éditions 1708, 1731, 1789–90, 1819–20, 1822. *Théâtre de Regnard*, édition G. D. Heylli, 2 vols., Paris, 1876. P. TOLDO: *Études sur le théâtre de Regnard*, in *Revue d'Histoire littéraire*, 1903–4–5. COMPAIGNON DE MARCHÉVILLE: *Bibliographie et Iconographie des œuvres de J.-F. Regnard*, Paris, 1877. E. BERNBAUM: *The Drama of Sensibility*, New York, 1915. R. ALTROCCHI: *The story of Dante's Gianni Schicchi and Regnard's Légataire Universel*, in *P. M. L. A.*, Vol. 29, 1914, p. 200 ff.

# LE LÉGATAIRE UNIVERSEL[1]

### PAR JEAN-FRANÇOIS REGNARD.

#### PERSONNAGES.

GÉRONTE, *oncle d'Éraste.*
ÉRASTE, *amant d'Isabelle.*
MADAME ARGANTE, *mère d'Isabelle.*
ISABELLE, *fille de madame Argante.*
LISETTE, *servante de Géronte.*
CRISPIN, *valet d'Éraste.*

M. CLISTOREL, *apothicaire.*
M. SCRUPULE, *notaire.*
M. GASPARD, *notaire.*
UN LAQUAIS.

La scène est à Paris, chez M. Géronte.

[1] Text of D'Heylli edition.

## ACTE PREMIER

### SCÈNE PREMIÈRE.

LISETTE, CRISPIN.

LISETTE. Bonjour, Crispin, bonjour.

CRISPIN. Bonjour, belle Lisette;
Mon maître, toujours plein du soin qui l'inquiète,
M'envoie, à ton lever, zélé collatéral,
Savoir comment son oncle a passé la nuit.

LISETTE. Mal.

CRISPIN. Le bonhomme, chargé de fluxions, d'années,
Lutte depuis longtemps contre les destinées,
Et pare de la mort le trait fatal en vain;
Il n'évitera pas celui du médecin;
Il garde le dernier: et ce corps cacochyme [1]
Est à son art fatal dévoué pour victime.
Nous prévoyons, dans peu, qu'un petit ou grand deuil
Étendra de son long Géronte en un cercueil.
Si mon maître pouvait être fait légataire,
Je ferais volontiers les frais du luminaire. [2]

LISETTE. Un remède par moi lui vient d'être donné,
Tel que l'apothicaire en avait ordonné.
J'ai cru que ce serait le dernier de sa vie:
Il est tombé sur moi deux fois en léthargie.

CRISPIN. De ses bouillons de bouche, et des postérieurs,
Tu prends soin?

LISETTE. De ma main il les trouve meilleurs.
Aussi, sans me targuer d'une vaine science,
J'entends ce métier-là mieux que fille de France. [3]

CRISPIN. Peste, le beau talent! tu te fais bien payer,
Je crois, de tous les soins qu'il te fait employer.

LISETTE. Il ne me donne rien; mais j'ai, pour récompense,
Le droit de lui parler avec toute licence;
Je lui dis, à son nez, des mots assez piquants;

Voilà tous les profits que j'ai depuis cinq ans.
C'est le ladre plus vert qu'on ait vu de la vie:
Je ne puis exprimer où va sa vilenie.
Il trouve tous les jours dans son fécond cerveau
Quelque trait d'avarice admirable et nouveau.
Il a, pour médecin, pris un apothicaire
Pas plus haut que ma jambe, et de taille sommaire:
Il croit qu'étant petit, il lui faut moins d'argent,
Et qu'attendu sa taille, il ne paîra pas tant.

CRISPIN. S'il est court, il fera de très longues parties.

LISETTE. Mais dans son testament ses grâces départies
Doivent me racquitter de son avare humeur:
Ainsi je renouvelle avec soin mon ardeur.

CRISPIN. Il fait son testament?

LISETTE. Dans peu de temps j'espère
Y voir coucher mon nom en riche caractère.

CRISPIN. C'est très bien espérer: j'espère bien encor
Y voir aussi coucher le mien en lettres d'or.

LISETTE. Tout beau, l'ami, tout beau! l'on dirait, à t'entendre,
Qu'à la succession tu peux aussi prétendre.
Déjà ne sont-ils pas assez de concurrents,
Sans t'aller mettre encor au rang des aspirants?
Il a tant d'héritiers, le bon seigneur Géronte,
Il en a tant et tant, que parfois j'en ai honte:
Des oncles, des neveux, des nièces, des cousins,
Des arrière-cousins remués des germains.
J'en comptai l'autre jour, en lignes paternelles,
Cent sept mâles vivants; juge encor des femelles.

CRISPIN. Oui! mais mon maître aspire à la plus grosse part.
J'en pourrais bien aussi tirer ma quote-part;
Je suis un peu parent, et tiens à la famille.

[1] cacochyme, feeble
[2] frais du luminaire, cost of the candles used to light the church for the funeral ceremony
[3] fille de France, the Sorbonne, whose medical school was frequently satirized in comedy

LISETTE. Toi?

CRISPIN.        Ma première femme était
assez gentille,
Une Bretonne vive, et coquette surtout,
Qu'Éraste, que je sers, trouvait fort à son
goût.
Je crois, comme toujours il fut aimé des
dames,
Que nous pourrions bien être alliés par
les femmes ;
Et de monsieur Géronte il s'en faudrait
bien peu
Que par là je ne fusse un arrière-neveu.

LISETTE. Oui-dà ; tu peux passer pour parent de campagne,
Ou pour neveu, suivant la mode de Bretagne.

CRISPIN. Mais, raillerie à part, nous avons
grand besoin
Qu'à faire un testament Géronte prenne
soin.
Si mon maître, *primo*, n'est nommé léga-
taire,
Le reste de ses jours, il fera maigre
chère ;
*Secundo*, quoiqu'il soit diablement amou-
reux,
Madame Argante, avant de couronner
ses feux,
Et de le marier à sa fille Isabelle,
Veut qu'un bon testament, bien sûr et
bien fidèle,
Fasse ledit neveu légataire de tout.
Mais ce qui doit le plus être de notre
goût,
C'est qu'Éraste nous fait trois cents
livres de rente,
Si nous réussissons au gré de son at-
tente :
Ce don de notre hymen formera les liens.
Ainsi tant de raisons sont autant de
moyens
Que j'emploie à prouver qu'il est très
nécessaire
Que le susdit neveu soit nommé légataire ;
Et je conclus enfin qu'il faut conjointe-
ment
Agir pour arriver au susdit testament.

LISETTE. Comment diable ! Crispin, tu
plaides comme un ange !

CRISPIN. Je le crois. Mon talent te paraît-il
étrange ?
J'ai brillé dans l'étude avec assez d'honneur,
Et l'on m'a vu trois ans clerc chez un
procureur.
Sa femme était jolie ; et, dans quelques
affaires,

Nous jugions à huis clos de petits com-
missaires.

LISETTE. La boutique était bonne. Eh !
pourquoi la quitter ?

CRISPIN. L'époux, un peu jaloux, m'en a
fait déserter.
Un procureur n'est pas un homme fort
traitable.
Sur sa femme il m'a fait des chicanes du
diable ;
J'ai bataillé, ma foi, deux ans sans en
sortir ;
Mais je fus à la fin contraint de déguer-
pir.
Mais mon maître paraît.

## SCÈNE II.

### ÉRASTE, CRISPIN, LISETTE.

ÉRASTE.                Ah ! te voilà, Lisette ?
Guéris-moi, si tu peux, du soin qui m'inquiète.
Eh bien, mon oncle est-il en état d'être
vu ?

LISETTE. Ah ! monsieur, depuis hier il est
encore déchu ;
J'ai cru que cette nuit serait sa nuit
dernière,
Et que je fermerais pour jamais sa
paupière.
Les lettres de répit [1] qu'il prend contre la
mort
Ne lui serviront guère, ou je me trompe
fort.

ÉRASTE. Ah ciel ! que dis-tu là ?

LISETTE.            C'est la vérité pure.

ÉRASTE. Quel que soit mon espoir, je sens
que la nature
Excite dans mon cœur de tristes sentiments.

CRISPIN. Je sentis autrefois les mêmes
mouvements
Quand ma femme passa les rives du
Cocyte, [2]
Pour aller en bateau rendre aux défunts
visite.
J'en avais dans le cœur un plaisir plein
d'appas,
Comme tant de maris l'auraient en pareil
cas ;
Cependant la nature, excitant la tristesse,
Faisait quelque conflit avecque l'allé-
gresse,
Qui, par certains ressorts et mélanges
confus,

[1] lettres de répit, methods of delay

[2] Cocytus, river of Hades in classical mythology

Combattaient tour à tour et prenaient le
    dessus ;
En sorte que l'espoir. . . la douleur légi-
    time. . .
L'amour. . . On sent cela bien mieux
    qu'on ne l'exprime.
Mais ce que je puis dire, en vous accu-
    sant vrai,
C'est que, tout à la fois, j'étais et triste
    et gai.

ÉRASTE. Je ressens pour mon oncle une
    amitié sincère ;
Je donne dans son sens en tout pour lui
    complaire ;
Quoi qu'il dise ou qu'il fasse, ayant le
    droit ou non,
Je conviens avec lui qu'il a toujours rai-
    son.

LISETTE. Il faut que le vieillard soit mal
    dans ses affaires,
Puisqu'il m'a commandé d'aller chez deux
    notaires.

CRISPIN. Deux notaires ! hélas ! cela me fend
    le cœur.

LISETTE. C'est pour instrumenter avecque
    plus d'honneur.

ÉRASTE. Eh ! dis-moi, mon enfant, en pleine
    confidence,
Puis-je, sans me flatter, former quelque
    espérance ?

LISETTE. Elle est très bien fondée ; et, de-
    puis quelques jours,
Avec madame Argante il tient certains
    discours,
Où l'on parle tout bas de legs, de mari-
    age ;
Je n'ai de leur dessein rien appris davan-
    tage.
Votre maîtresse est mise aussi dans l'en-
    tretien.
Pour moi, je crois qu'il veut vous laisser
    tout son bien,
Et vous faire épouser Isabelle.

ÉRASTE.                  Ah ! Lisette !
Que tu flattes mes sens ! que ma joie est
    parfaite !
Ce n'est point l'intérêt qui m'anime au-
    jourd'hui ;
Un dieu beaucoup plus fort et plus puis-
    sant que lui,
L'Amour, parle en mon cœur : la char-
    mante Isabelle
Est de tous mes désirs une cause plus
    belle,
Et pour le testament me fait faire des
    vœux. . .

LISETTE. L'amour et l'intérêt seront con-
    tents tous deux.
Serait-il juste aussi qu'un si bel héritage

De cent cohéritiers devînt le sot partage ?
Verrais-je d'un œil sec déchirer par
    lambeaux
Par tant de campagnards, de pieds plats,
    de nigauds,
Une succession qui doit, par parenthèse,
Vous rendre un jour heureux et nous
    mettre à notre aise ?
Car vous savez, monsieur. . .

ÉRASTE.            Va, tranquillise-toi :
Ce que j'ai dit est dit ; repose-toi sur moi.

LISETTE. Si votre oncle vous fait le bien
    qu'il se propose,
Sans trop vanter mes soins, j'en suis un
    peu la cause :
Je lui dis tous les jours qu'il n'a point de
    neveux
Plus doux, plus complaisants ni plus res-
    pectueux,
Non par l'espoir du bien que vous pouvez
    attendre,
Mais par un naturel et délicat et tendre.

CRISPIN. Que cette fille-là connaît bien
    votre cœur !
Vous ne sauriez, ma foi, trop payer son
    ardeur.
Je dois dans peu de temps contracter
    avec elle.
Regardez-là, monsieur ; elle est et jeune
    et belle ;
N'allez pas en user comme de l'autre,
    non !

LISETTE. Monsieur Géronte vient : il faut
    changer de ton.
Je n'ai point eu le temps d'aller chez les
    notaires.
Toi, qui m'as trop longtemps parlé de
    tes affaires,
Va vite, cours, dis-leur qu'ils soient prêts
    au besoin :
L'un s'appelle Gaspard et demeure à ce
    coin :
Et l'autre un peu plus bas et se nomme
    Scrupule.

CRISPIN. Voilà pour un notaire un nom bien
    ridicule.

## SCÈNE III.

GÉRONTE, ÉRASTE, LISETTE.

GÉRONTE. Ah ! bonjour, mon neveu.

ÉRASTE.            Je suis, en vérité,
Charmé de vous revoir en meilleure
    santé.
De grâce, asseyez-vous.
        (*Le laquais apporte une chaise.*)

ÉRASTE.          Ote donc cette chaise.

Mon oncle en ce fauteuil sera plus à son
  aise.
  (*Le laquais ôte la chaise, apporte un
  fauteuil et sort.*)
GÉRONTE. J'ai cette nuit été secoué comme
  il faut,
Et je viens d'essuyer un dangereux as-
  saut :
Un pareil, à coup sûr, emporterait la
  place.
ÉRASTE. Vous voilà beaucoup mieux : et le
  ciel, par sa grâce,
Pour vos jours en péril nous permet
  d'espérer.
Il faut présentement songer à réparer
Les désordres qu'a pu causer la maladie,
Vous faire désormais un régime de vie,
Prendre de bons bouillons, de sûrs con-
  fortatifs,
Nettoyer l'estomac par de bons purga-
  tifs,
Enfin, ne vous laisser manquer de nulles
  choses.
GÉRONTE. Oui, j'aimerais assez ce que tu
  me proposes :
Mais il faut tant d'argent pour se faire
  soigner,
Que, puisqu'il faut mourir, autant vaut
  l'épargner.
Ces porteurs de seringue ont pris des
  airs si rogues ! . . .
Ce n'est qu'au poids de l'or qu'on achète
  leurs drogues.
Qui pourrait s'en passer et mourir tout
  d'un coup,
De son vivant, sans doute, épargnerait
  beaucoup.
ÉRASTE. Oui, vous avez raison ; c'est une
  tyrannie :
Mais je ferai les frais de votre maladie.
La santé dans le monde étant le premier
  bien,
Un homme de bon sens n'y doit ménager
  rien.
De vos maux négligés vous guérirez sans
  doute.
Tâchons à réparer vos forces, quoi qu'il
  coûte.
GÉRONTE. C'est tout argent perdu dans cette
  occasion :
La maison ne vaut pas la réparation.
Je veux, mon cher neveu, mettre ordre
  à mes affaires.
  (*À Lisette.*)
As-tu dit qu'on allât me chercher deux
  notaires ?
LISETTE. Oui, monsieur ; et dans peu vous
  les verrez ici.

GÉRONTE. Et dans peu vous saurez mes sen-
  timents aussi :
Je veux, en bon parent, vous les faire
  connaître.
ÉRASTE. Je me doute à peu près de ce que
  ce peut être.
GÉRONTE. J'ai des collatéraux. . .[1]
LISETTE.          Oui, vraiment, et beaucoup.
GÉRONTE. Qui d'un regard avide, et d'une
  dent de loup,
Dans le fond de leur cœur dévorent par
  avance
Une succession qui fait leur espérance.
ÉRASTE. Ne me confondez pas, mon oncle,
  s'il vous plaît,
Avec de tels parents.
GÉRONTE.          Je sais ce qu'il en est.
ÉRASTE. Votre santé me touche et me plaît
  davantage
Que tout l'or qui pourrait me tomber
  en partage.
GÉRONTE. J'en suis persuadé. Je voudrais
  me venger
D'un vain tas d'héritiers, et les faire en-
  rager ;
Choisir une personne honnête, et qui me
  plaise,
Pour lui laisser mon bien et la mettre
  à son aise.
ÉRASTE. Vous devez là-dessus suivre votre
  désir.
LISETTE. Non, je ne comprends pas de plus
  charmant plaisir
Que de voir d'héritiers une troupe af-
  fligée,
Le maintien interdit et la mine allongée,
Lire un long testament où, pâles,
  étonnés,
On leur laisse un bonsoir avec un pied de
  nez :
Pour voir au naturel leur tristesse pro-
  fonde,
Je reviendrais, je crois, exprès de l'autre
  monde.
GÉRONTE. Quoique déjà je sois atteint et
  convaincu,
Par les maux que je sens, d'avoir long-
  temps vécu,
Quoiqu'un sable brûlant cause ma né-
  phrétique,
Que j'endure les maux d'une âcre scia-
  tique,
Qui, malgré le bâton que je porte en tout
  lieu,
Fait souvent qu'en marchant je dissimule
  un peu,
Je suis plus vigoureux que l'on ne s'imagine,

----

[1] collatéraux, relatives other than those in direct line of descent

Et je vois bien des gens se tromper à ma
mine.

LISETTE. Il est de certains jours de barbe
où, sur ma foi,
Vous ne paraissez pas plus malade que
moi.

GÉRONTE. Est-il vrai?

LISETTE.                    Dans vos yeux un
certain éclat brille.

GÉRONTE. J'ai toujours reconnu du bon
dans cette fille.
Je veux pourtant songer à mettre ordre
à mon bien,
Avant qu'un prompt trépas m'en ôte le
moyen.
Tu connais et tu vois parfois madame
Argante?

ÉRASTE. Oui; dans ses procédés elle est
toute charmante.

GÉRONTE. Et sa fille Isabelle, euh! la connais-tu?

ÉRASTE.            Fort.
C'est une fille sage, et qui charme d'abord.

GÉRONTE. Tu conviens que le ciel a versé
dans son âme
Les qualités qu'on doit chercher en une
femme?

ÉRASTE. Je ne vois point d'objet plus digne
d'aucuns vœux,
Ni de fille plus propre à rendre un homme
heureux.

GÉRONTE. Je m'en vais l'épouser.

ÉRASTE.                    Vous, mon oncle?

GÉRONTE.                    Moi-même.

ÉRASTE. J'en ai, je vous l'avoue, une allégresse extrême.

LISETTE. Miséricorde! hélas! ah ciel! as-
sistez-nous.
De quelle malheureuse allez-vous être
époux?

GÉRONTE. D'Isabelle, en ce jour: et, par ce
mariage,
Je lui donne, à ma mort, tout mon bien
en partage.

ÉRASTE. Vous ne pouvez mieux faire, et
j'en suis très content:
Je voudrais, comme vous, en pouvoir faire
autant.

*équivoque*

LISETTE. Quoi! vous, vieux, et cassé, fiévreux, épileptique,
Paralytique, étique, asthmatique, hydro-
pique,
Vous voulez de l'hymen allumer le flambeau,
Et ne faire qu'un saut de la noce au
tombeau?

GÉRONTE. Je sais ce qu'il me faut: apprenez, je vous prie,
Que même ma santé veut que je me marie.

Je prends une compagne, et de qui tous
les jours
Je pourrai dans mes maux tirer de grands
secours.
Que me sert-il d'avoir une avide cohorte
D'héritiers qui toujours veille et dort
à ma porte;
De gens qui, furetant les clefs du coffre-
fort,
Me détendront mon lit peut-être avant
ma mort?
Une femme, au contraire, à son devoir
fidèle,
Par des soins conjugaux me marquera
son zèle;
Et, de son chaste amour recueillant tout
le fruit,
Je me verrai mourir en repos et sans
bruit.

ÉRASTE. Mon oncle parle juste et ne saurait
mieux faire
Que de se ménager un secours nécessaire:
Une femme économe et pleine de raison
Prendra seule le soin de toute la maison.

GÉRONTE, *l'embrassant.* Ah! le joli garçon!
aurais-je dû m'attendre
Qu'il eût pris cette affaire ainsi qu'on
lui voit prendre?

ÉRASTE. Votre bien seul m'est cher.

GÉRONTE.            Va, tu n'y perdras rien:
Quoi qu'il puisse arriver, je te ferai du
bien;
Et tu ne seras pas frustré de ton attente.
Mais quelqu'un vient ici.

## SCÈNE IV.

GÉRONTE, ÉRASTE, LISETTE, UN LAQUAIS.

LE LAQUAIS.            Monsieur, madame Argante
Et sa fille sont là.

ÉRASTE.            Je vais les amener.
                    (*Il sort.*)

GÉRONTE, *à Lisette.* Mon chapeau, ma perruque.

LISETTE.            On va vous les donner.
Les voilà.

GÉRONTE. Ne va pas leur parler, je te prie,
Ni de mon lavement, ni de ma léthargie.

LISETTE. Elles ont toutes deux bon nez; dans
un moment
Elles le sentiront de reste assurément.

## SCÈNE V.

MADAME ARGANTE, ISABELLE, GÉRONTE,
ÉRASTE, LISETTE, UN LAQUAIS.

MADAME ARGANTE. Nous avons ce matin appris de vos nouvelles,

Qui nous ont mis pour vous en des peines
    mortelles.
Vous avez, ce dit-on, très mal passé la
    nuit.
GÉRONTE. Ce sont mes héritiers qui font
    courir ce bruit :
Ils me voudraient déjà voir dans la sépul-
    ture.
Je ne me suis jamais mieux porté, je vous
    jure.
ÉRASTE. Mon oncle a le visage, ou du moins
    peu s'en faut,
D'un galant de trente ans.
LISETTE, *à part.* Oui, qui mourra bientôt.
GÉRONTE. Je serais bien malade, et plus
    qu'à l'agonie,
Si des yeux aussi beaux ne me rendaient
    la vie.
MADAME ARGANTE. Ma fille, en ce moment,
    vous voyez devant vous
Celui que je vous ai destiné pour époux.
GÉRONTE. Oui, madame, c'est vous (pour le
    moins je m'en flatte)
Qui guérirez mes maux mieux qu'un autre
    Hippocrate.
Vous êtes pour mon cœur comme un
    julep futur,
Qui doit le nettoyer de ce qu'il a d'impur ;
Mon hymen avec vous est un sûr émé-
    tique ;
Et je vous prends enfin pour mon dernier
    topique.
ISABELLE. Je ne sais pas, monsieur, pour
    quoi vous me prenez :
Mais ce choix m'interdit, et vous me sur-
    prenez.
MADAME ARGANTE. Monsieur, vous épou-
    sant, vous fait un avantage
Qui doit faire oublier et ses maux et son
    âge ;
Et vous n'aurez pas lieu de vous en re-
    pentir.
ISABELLE. Madame, le devoir m'y fera con-
    sentir ;
Mais peut-être monsieur, par cette loi
    sévère,
Ne trouvera-t-il pas en moi ce qu'il es-
    père.
Je sais ce que je suis, et le peu que je
    vaux
Pour être, comme il dit, un remède à ses
    maux :
Il se trompe bien fort. Il prétend, sur
    ma mine,
Devoir trouver en moi toute la méde-
    cine.
Je connais bien mes yeux : ils ne feront
    jamais
Une si belle cure et de si grands effets.

ÉRASTE. Au pouvoir de ces yeux je rends
    plus de justice.
GÉRONTE. Au feu que je ressens si l'amour
    est propice,
Avant qu'il soit neuf mois, sans trop me
    signaler,
Tous mes collatéraux auront à qui parler :
Dans le monde on saura dans peu de mes
    nouvelles.
LISETTE, *à part.* Ah ! par ma foi, je crois
    qu'il en fera de belles.
    (*Haut.*)
Si le diable vous tente et veut vous
    marier,
Qu'il cherche un autre objet pour vous
    apparier.
Je m'en rapporte à vous : madame est
    vive et belle,
Il lui faut un époux qui soit aussi vif
    qu'elle,
Bien fait et de bon air, qui n'ait pas
    vingt-cinq ans ;
Vous, vous êtes majeur, et depuis très
    longtemps.
A votre âge, doit-on parler de mariages ?
Employez le notaire à de meilleurs usages.
C'est un bon testament, un testament,
    morbleu,
Bien fait, bien cimenté, qui doit vous
    tenir lieu
De tendresse, d'amour, de désir, de mé-
    nage,
De femme, de contrats, d'enfants, de
    mariage.
J'ai parlé : je me tais.
GÉRONTE.     Vraiment, c'est fort bien fait.
Qui vous a donc si bien affilé le caquet ?
LISETTE. La raison.
GÉRONTE, *à madame Argante et à Isabelle.*
    De ses airs ne soyez point blessées ;
Elle me dit parfois librement ses pen-
    sées :
Je le souffre en faveur de quelques bons
    talents.
LISETTE. Je ne sais ce que c'est que de flat-
    ter les gens.
ÉRASTE. Vous avez très grand tort de parler
    de la sorte ;
Je voudrais me porter comme monsieur
    se porte.
Il veut se marier ; et n'a-t-il pas raison
D'avoir un héritier, s'il peut, de sa façon ?
Quoi ! refusera-t-il une aimable personne
Que son heureux destin lui réserve et lui
    donne ?
Ah ! le ciel m'est témoin, si je voudrais
    jamais
De sort plus glorieux pour combler mes
    souhaits !

ISABELLE. Vous me conseillez donc de conclure l'affaire?

ÉRASTE. Je crois qu'en vérité vous ne sauriez mieux faire.

ISABELLE. Vos conseils amoureux et vos
rares avis,
Puisque vous le voulez, monsieur, seront
suivis.

MADAME ARGANTE. Ma fille sait toujours
obéir quand j'ordonne.

ÉRASTE. Oui, je vous soutiens, moi, qu'une
jeune personne.
Malgré sa répugnance et l'orgueil de ses
sens,
Doit suivre aveuglément le choix de ses
parents;
Et mon oncle, après tout, n'a pas un si
grand âge
A devoir renoncer encore au mariage;
Et soixante et huit ans, est-ce un si
grand déclin
Pour. . .

GÉRONTE. Je ne les aurai qu'à la Saint-Jean
prochain.

LISETTE. Il a souffert le choc de deux apo-
plexies,
Qui ne sont, par bonheur, que deux pa-
ralysies;
Et tous les médecins qui connaissent ses
maux
Ont juré Galien [1] qu'à son retour des
eaux
Il n'aurait sûrement ni goutte sciatique,
Ni gravelle, ni point, ni toux, ni né-
phrétique.

GÉRONTE. Ils m'ont même assuré que, dans
fort peu de temps,
Je pourrais de mon chef avoir quelques
enfants.

LISETTE. Je ne suis médecin non plus
qu'apothicaire,
Et je jurerais, moi, cependent, du contraire.

GÉRONTE, bas à Lisette. Lisette, le remède
agit à certain point. . .

LISETTE. En dussiez-vous crever, ne le
témoignez point.

ÉRASTE. Mon oncle, qu'avez-vous? vous
changez de visage.

GÉRONTE. Mon neveu, je n'y puis résister
davantage.
Ah! ah! . . . Madame, il faut que je
vous dise adieu;
Certain devoir pressant m'appelle en certain lieu.

MADAME ARGANTE. De peur d'incommoder,
nous vous cédons la place.

GÉRONTE. Éraste, conduis-les. Excusez-moi,
de grâce,
Si je ne puis rester plus longtemps avec
vous.
(Il s'en va avec son laquais.)

LISETTE, à Isabelle. Madame, vous voyez le
pouvoir de vos coups:
Un seul de vos regards, d'un mouvement
facile,
Agite plus d'humeurs, détache plus de
bile,
Opère plus en lui, dès la première fois,
Que les médicaments qu'il prend depuis
six mois.
O pouvoir de l'amour!

MADAME ARGANTE.     Adieu, je me retire.

ÉRASTE. Madame, accordez-moi l'honneur
de vous conduire.

LISETTE. Moi, je vais là-dedans vaquer à
mon emploi;
Le bon homme m'attend, et ne fait rien
sans moi.
Pour le premier début d'une noce conclue,
Voilà, je vous l'avoue, une belle entrevue!

## ACTE DEUXIÈME

### SCÈNE PREMIÈRE.

MADAME ARGANTE, ISABELLE, ÉRASTE.

MADAME ARGANTE. C'est trop nous retenir,
laissez-nous donc partir.

ÉRASTE. Je ne puis vous quitter ni vous
laisser sortir,
Que vous ne me flattiez d'un rayon d'espérance.

MADAME ARGANTE. Je voudrais vous pouvoir donner la préférence.

ÉRASTE. Quoi! vous aurez, madame, assez
de cruauté
Pour conclure à mes yeux cet hymen
projeté,
Après m'avoir promis la charmante Isabelle?
Pourrai-je, sans mourir, me voir séparé
d'elle?

MADAME ARGANTE. Quand je vous le promis,
vous me fîtes serment
Que votre oncle, en faveur de cet engage-
ment,
Vous ferait de ses biens donation entière;
En épousant ma fille, il offre de le faire:
Ai-je tort?

[1] juré Galien, swore by Galien. Galien an ancient Greek anatomist, was still one of the great
authorities of the doctors of the 17th century.

ÉRASTE, *à Isabelle.* Vous, madame, y con-
sentirez-vous ?
ISABELLE. Assurément, monsieur, il sera
mon époux.
Et ne venez-vous pas de me dire vous-
même
Qu'une fille, malgré la répugnance ex-
trême
Qu'elle trouvait à prendre un parti pré-
senté,
Devait de ses parents suivre la volonté ?
ÉRASTE. Et ne voyez-vous pas que, par cet
artifice,
Pour rompre ses projets, je flattais son
caprice ?
Il est certains esprits qu'il faut prendre
de biais,
Et que heurtant de front vous ne gagnez
jamais.
(*A madame Argante.*)
Mon oncle est ainsi fait. L'intérêt peut-il
faire
Que vous sacrifiiez une fille si chère ?
MADAME ARGANTE. Mais le bien qu'il lui
fait. . .
ÉRASTE. Donnez-moi votre foi
De rompre cet hymen, et je vous promets,
moi,
De tourner aujourd'hui son esprit de
manière
Que les choses iront ainsi que je l'espère,
Et qu'il fera pour moi quelque heureux
testament.
MADAME ARGANTE. S'il le fait, ma fille est
à vous absolument.
Je vais d'un mot d'écrit lui mander que
son âge,
Que sa frêle santé répugne au mariage ;
Que je serais bientôt cause de son trépas ;
Que l'affaire est rompue, et qu'il n'y
pense pas.
ISABELLE. Je me fais d'obéir une joie in-
finie.
ÉRASTE. Que mon sort est heureux ! qu'il est
digne d'envie !
Mais Lisette s'avance, et j'entends
quelque bruit.
(*A Lisette.*)
Comment mon oncle est-il ?

## SCÈNE II.

MADAME ARGANTE, ISABELLE, ÉRASTE,
LISETTE.

LISETTE. Le voilà qui me suit.
MADAME ARGANTE, *à Éraste.* Je vous laisse
avec lui ; pour moi, je me retire ;

Mais, avant de partir, je vais là-bas
écrire :
Vous, de votre côté, secondez mon ardeur.
ÉRASTE. Le prix que j'en attends vous répond de mon cœur.

## SCÈNE III.

ÉRASTE, LISETTE.

LISETTE. Eh bien, vous souffrirez que votre
oncle, à son âge,
Fasse devant vos yeux un si sot mari-
age :
Qu'il vous frustre d'un bien que vous
devez avoir !
ÉRASTE. Hélas ! ma pauvre enfant, j'en suis
au désespoir.
Mais l'affaire n'est pas encore consommée,
Et son feu pourrait bien s'en aller en
fumée.
La mère, en ma faveur, change de vo-
lonté,
Et va, d'un mot d'écrit entre nous con-
certé,
Remercier mon oncle, et lui faire com-
prendre
Qu'il est un peu trop vieux pour en faire
son gendre.
LISETTE. Je veux dans le complot entrer
conjointement.
Et que deviendrait donc enfin le testa-
ment,
Sur lequel nous fondons toutes nos es-
pérances,
Et qui doit cimenter un jour nos alli-
ances,
Et faire le bonheur d'Éraste et de Cris-
pin ?
Il faut par notre esprit faire notre destin,
Et rompre absolument l'hymen qu'il prétend faire.
J'en ai fait dire un mot à son apothicaire :
C'est un petit mutin qui doit venir tantôt,
Et qui lui lavera la tête comme il faut.
Je ne veux pas rester dans une noncha-
lance
Qu'il faut laisser aux sots. Mais Géronte
s'avance.

## SCÈNE IV.

GÉRONTE, ÉRASTE, LISETTE, UN LAQUAIS.

GÉRONTE. Ma colique m'a pris assez mal à
propos ;

Je n'ai senti jamais a la fois tant de
maux.
N'ont-elles point été justement irritées
De ce que je les ai si brusquement quit-
tées?

ÉRASTE. On sait que d'un malade on doit
excuser tout.

LISETTE. Monsieur a fait pour vous les honneurs jusqu'au bout:
Je dirai cependant qu'en entrant en
matière.
Vous n'avez pas là fait un beau préli-
minaire.

ÉRASTE. Mon oncle fera mieux une seconde
fois:
Suffit qu'en épousant il ait fait un bon
choix.

GÉRONTE. Il est vrai. Cependant j'ai quelque
répugnance
De songer, à mon âge, à faire une alliance;
Mais, puisque j'ai promis. . .

LISETTE.            Ne vous contraignez point:
On n'est pas aujourd'hui scrupuleux sur
ce point.
Monsieur acquittera la parole donnée.

GÉRONTE. Le sort en est jeté, suivons ma
destinée.
Je voudrais inventer quelque petit ca-
deau,
Qui coûtât peu d'argent et qui parût
nouveau.

ÉRASTE. Reposez-vous sur moi des soins de
cette fête,
Des habits, du repas qu'il faut que l'on
apprête;
J'ordonne sur ce point bien mieux qu'un
médecin.

GÉRONTE. Ne va pas m'embarquer dans un
si grand festin.

LISETTE. Il faut que l'abondance, avec soin
répandue,
Puisse nous racquitter de votre triste vue;
Il faut entendre aussi ronfler les violons;
Et je veux avec vous danser les cotillons.

GÉRONTE. Je valais dans mon temps mon
prix tout comme un autre.

LISETTE, à part. Cela fait que bien peu
vous valez dans le nôtre.


SCÈNE V.

UN LAQUAIS de madame Argante, GÉRONTE,
ÉRASTE, LISETTE, LE LAQUAIS de Géronte.

LE LAQUAIS de madame Argante. Ma maîtresse, qui sort dans ce moment d'ici,
M'a dit de vous donner le billet que voici.

GÉRONTE, prenant le billet. Pour ma santé,
sans doute, elles sont inquiètes.
Lisons. Va me chercher, Lisette, mes
lunettes.

LISETTE. Cela vaut-il le soin de vous tant
préparer?
Donnez-moi le billet, je vais le déchiffrer.
(Elle lit.)

«Depuis notre entrevue, monsieur, j'ai
fait réflexion sur le mariage proposé, et je
trouve qu'il ne convient ni à l'un ni à
l'autre: ainsi vous trouverez bon, s'il vous
plaît, qu'en vous rendant votre parole, je
retire la mienne, et que je sois votre très
humble et très obéissante servante.
            MADAME ARGANTE.
    Et plus bas,        ISABELLE.»

Vous pouvez maintenant, sans que l'on
vous punisse,
Vous retirer chez vous, et quitter le service:
Voilà votre congé bien signé.

GÉRONTE.                    Mon neveu,
Que dis-tu de cela?

ÉRASTE.                    Je m'en étonne peu,
Mais, sans vous arrêter à cet écrit frivole,
Il faut les obliger à tenir leur parole.

GÉRONTE. Je me garderai bien de suivre ton
avis,
Et d'un plaisir soudain tous mes sens
sont ravis.
Je ne sais pas comment, ennemi de moi-
mème,
Je me précipitais dans ce péril extrême:
Un sort à cet hymen m'entraînait malgré
moi,
Et point du tout l'amour.

LISETTE.                    Sans jurer, je le croi.
Que diantre voulez-vous que l'amour aille
faire
Dans un corps moribond, à ses feux si
contraire?
Ira-t-il se loger avec des fluxions,
Des catarrhes, des toux et des obstruc-
tions?

GÉRONTE, au laquais de madame Argante.
Attends un peu là-bas, et que rien
ne te presse:
Je vais faire à l'instant réponse à ta
maîtresse.
(Le laquais de madame Argante sort.)
Voyez comme je prends promptement
mon parti!
De l'hymen tout d'un coup me voilà
départi.

LISETTE. Il faut chanter, monsieur, votre
nom par la ville.

Voilà ce qui s'appelle une action virile.

ÉRASTE. C'était témérité, dans l'âge où vous
voilà,

Malsain, fiévreux, goutteux, et pis que
tout cela,

De prendre femme, et faire, en un jour si
célèbre,

Du flambeau de l'hymen une torche fu-
nébre.

GÉRONTE. Mais tu louais tantôt mon dessein
et mes feux.

ÉRASTE. Tantôt vous faisiez bien, et maintenant bien mieux.

GÉRONTE. Puisque je suis tranquille, et
qu'un conseil plus sage

Me guérit des vapeurs d'amour, de mariage,

Je veux mettre ordre au bien que j'ai
reçu du ciel,

Et faire en ta faveur un legs universel

Par un bon testament. . .

ÉRASTE.              Ah! monsieur, je vous prie,

Épargnez cette idée à mon âme attendrie :

Je ne puis sans soupirs vous ouïr prononcer

Le mot de testament : il semble m'annoncer

Avant qu'il soit longtemps le sort qui doit
le suivre

Et le malheur auquel je ne pourrais survivre :

Je frémis quand je pense à ce moment
cruel.

GÉRONTE. Tant mieux : c'est un effet de ton
bon naturel.

Je veux donc te nommer mon légataire
unique.

J'ai deux parents encor pour qui le sang
s'explique.

L'un est fils de mon frère, et tu sais bien
son nom,

Gentilhomme normand, assez gueux, ce
dit-on :

Et l'autre est une veuve avec peu de
richesse,

La fille de ma sœur, et par ainsi ma
nièce,

Qui jadis dans le Maine épousa, quoique
vieux,

Certain baron qui n'eut pour bien que ses
aïeux.

Je veux donc, en faveur de l'amitié sincère

Qu'autrefois je portais à leur père, à
leur mère,

Leur laisser à chacun vingt mille écus
**comptant.**

LISETTE. Vingt mille écus! le legs serait ex-
orbitant.

Un neveu bas-normand, une nièce du
Maine,

Pour acheter chez eux des procès par
douzaine,

Jouiront, pour plaider, d'un bien comme
cela!

Fi! c'est trop des trois quarts pour ces
deux cancres-là.

GÉRONTE. Je ne les vis jamais; ce que je
puis vous dire,

C'est qu'ils se sont tous deux avisés de
m'écrire

Qu'ils voulaient à Paris venir dans peu
de temps,

Pour me voir, m'embrasser, et retourner
contents.

Je crois que tu n'es pas fâché que je leur
laisse

De quoi vivre à leur aise, et soutenir noblesse.

ÉRASTE. N'êtes-vous pas, monsieur, maître
de votre bien?

Tout ce que vous ferez, je le trouverai
bien.

LISETTE. Et moi je trouve mal cette dernière
clause,

Et de tout mon pouvoir à ce legs je m'oppose.

Mais vous ne songez pas que le laquais
attend.

GÉRONTE. Je vais l'expédier, et reviens à
l'instant.

LISETTE. Avez-vous oublié qu'une paralysie
S'est, de votre bras droit, depuis un mois
saisie,

Et que vous ne sauriez écrire ni signer?

GÉRONTE. Il est vrai : mon neveu viendra
m'accompagner :

Et je vais lui dicter une lettre d'un style

Que de madame Argante échauffera la
bile :

J'en suis bien assuré. Viens, Éraste : suis-
moi.

ÉRASTE. Vous obéir, monsieur, est ma suprême loi.

## SCÈNE VI.

LISETTE, *seule.*

Nos affaires vont prendre une face nouvelle,

Et la fortune enfin nous rit et nous appelle.

Ah! te voilà, Crispin! et d'où diantre
viens-tu?

## SCÈNE VII.

CRISPIN, LISETTE.

CRISPIN. Ma foi, pour te servir, j'ai diable-
   ment couru :
   Ces notaires sont gens d'approche dif-
      ficile :
   L'un n'était pas chez lui, l'autre était par
      la ville.
   Je les ai déterrés où l'on m'avait instruit,
   Dans un jardin, à table, en un petit ré-
      duit,
   Avec dames qui m'ont paru de bonne
      mine.
   Je crois qu'ils passaient là quelque acte
      à la sourdine :
   Mais dans une heure au plus ils seront
      ici.
LISETTE.      Bon.
   Sais-tu pourquoi Géronte ici les deman-
      dait ?
CRISPIN.      Non.
LISETTE. Pour faire son contrat de mari-
      age.
CRISPIN.      Oh ! diable !
   A son âge, il voudrait nous faire un
      tour semblable !
LISETTE. Pour Isabelle, un trait décoché
      par l'Amour
   Avait, ma foi, percé son pauvre cœur à
      jour ;
   Et, frustrant des neveux l'espérance uni-
      forme,
   Lui-même il voulait faire un héritier en
      forme :
   Mais le ciel, par bonheur, en ordonne
      autrement.
   Il pense maintenant à faire un testament
   Où ton maître sera nommé son légataire.
CRISPIN. Pour lui comme pour nous il ne
      pouvait mieux faire.
   La nouvelle est trop bonne ; il faut qu'en
      sa faveur
   Je t'embrasse et rembrasse, et, ma foi, de
      bon cœur :
   Et qu'un épanchement de joie et de ten-
      dresse,
   En te congratulant. . . L'amour qui
      m'intéresse. . .
   La nouvelle est charmante, et vaut seule
      un trésor.
   Il faut, ma chère enfant, que je t'em-
      brasse encor.
LISETTE. Dans tes emportements sois sage
      et plus modeste.
CRISPIN. Excuse si la joie emporte un peu
      le geste.

LISETTE. Mais, comme en ce bas monde il
      n'est nuls biens parfaits,
   Et que tout ne va pas au gré de nos sou-
      haits,
   Il met au testament une fâcheuse clause.
CRISPIN. Et dis-moi, mon enfant, quelle
      est-elle ?
LISETTE.      Il dispose
   De son argent comptant quarante mille
      écus,
   Pour deux parents lointains et qu'il n'a
      jamais vus.
CRISPIN. Quarante mille écus d'argent sec
      et liquide !
   De la succession voilà le plus solide.
   C'est de l'argent comptant dont je fais
      plus de cas.
   Vous en aurez menti, cela ne sera pas.
   C'est moi qui vous le dis, mon cher mon-
      sieur Géronte :
   Vous avez fait sans moi trop vite votre
      compte.
   Et qui sont ces parents ?
LISETTE.      L'un est un Bas-Normand,
   Gentilhomme, natif d'entre Falaise et
      Caen ;
   L'autre est une baronne et veuve sans
      douaire,
   Qui dans le Maine fait sa demeure ordi-
      naire,
   Plaideuse s'il en fut, comme on m'a dit
      souvent,
   Qui, de vingt-cinq procès, en perd trente
      par an.
CRISPIN. C'est tirer du métier toute la quin-
      tessence.
   Puisque pour les procès elle a si bonne
      chance,
   Il faut lui faire perdre encore celui-ci.
LISETTE. L'un et l'autre bientôt arriveront
      ici.
   Il faut, mon cher Crispin, tirer de ta cer-
      velle,
   Comme d'un arsenal, quelque ruse nou-
      velle
   Qui déporte Géronte à leur faire ce
      legs.
CRISPIN. A-t-il vu quelquefois ces deux pa-
      rents ?
LISETTE.      Jamais ;
   Il a su seulement par une lettre écrite
   Qu'ils viendront à Paris pour lui rendre
      visite.
CRISPIN. Mon visage chez vous n'est-il point
      trop connu ?
LISETTE. Géronte, tu le sais, ne t'a presque
      point vu ;
   Et, pour te dire vrai, je suis persuadée
   Qu'il n'a de ta figure encore nulle idée.

CRISPIN. Bon. Mon maître sait-il ce dangereux projet,
L'intention de l'oncle, et le tort qu'on lui fait ?
LISETTE. Il ne le sait que trop : dans son cœur, il enrage,
Et voudrait que quelqu'un détournât cet orage.
CRISPIN. Je serai ce quelqu'un, je te le promets bien ;
De la succession les parents n'auront rien :
Et je veux que Géronte à tel point les haïsse,
Qu'ils soient déshérités, de plus, qu'il les maudisse,
Eux et leurs descendants à perpétuité,
Et tous les rejetons de leur postérité.
LISETTE. Quoi ! tu pourrais, Crispin. . .
CRISPIN.              Va, demeure tranquille :
Le prix qui m'est promis me rendra tout facile :
Car je dois t'épouser, si. . .
LISETTE.          D'accord. . . mais enfin. . .
CRISPIN. Comment donc ?
LISETTE.              Tu    m'as    l'air
d'être un peu libertin.
CRISPIN. Ne nous reprochons rien.
LISETTE.          On sait de tes fredaines.
CRISPIN. Nous sommes but à but, ne sais-je point des tiennes ?
LISETTE. Tu dois de tous côtés, et tu devras longtemps.
CRISPIN. J'ai cela de commun avec d'honnêtes gens.
Mais enfin sur ce point à tort tu t'inquiètes,
Le testament de l'oncle acquittera mes dettes :
Et tel n'y pense pas, qui doit payer pour moi.
Mais on vient.
LISETTE. C'est Géronte. Adieu, sauve-toi.
Va m'attendre là-bas ; dans peu j'irai t'instruire
De ce que pour ton rôle il faudra faire et dire.
CRISPIN. Va, va, je sais déjà tout mon rôle par cœur ;
Les gens d'esprit n'ont point besoin de précepteur.


### SCÈNE VIII.

GÉRONTE, ÉRASTE, LISETTE.

GÉRONTE, *tenant une lettre.* Je parle en cet écrit comme il faut à la mère :

Je voudrais que quelqu'un me contât la manière
Dont elle recevra mon petit compliment :
Je crois qu'elle sera surprise assurément.
ÉRASTE. Si vous voulez, monsieur, me charger de la lettre,
Moi-même entre ses mains je promets de la mettre
Et de vous rapporter ce qu'elle m'aura dit,
Et ce qu'elle aura fait en lisant votre écrit.
GÉRONTE. Cela sera-t-il bien que toi-même on te voie ? . . .
ÉRASTE. Vous ne sauriez, monsieur, me donner plus de joie.
GÉRONTE. Dis-leur de bouche encor qu'elles ne pensent pas
A renouer l'hymen dont je fais peu de cas. . .
ÉRASTE. De vos intentions je sais tout le mystère.
GÉRONTE. Que je vais à l'instant te nommer légataire,
Te donner tout mon bien.
ÉRASTE.              Je connais ieur esprit :
Elles en crèveront toutes deux de dépit.
Demeurez en repos ; je sais ce qu'il faut dire ;
Et de notre entretien je reviens vous instruire.


### SCÈNE IX.

GÉRONTE, LISETTE.

GÉRONTE. Oui, depuis que j'ai pris ce généreux dessein,
Je me sens de moitié plus léger et plus sain.
LISETTE. Vous avez fait, monsieur, ce que vous deviez faire.
Mais j'aperçois quelqu'un : c'est votre apothicaire,
Monsieur Clistorel.


### SCÈNE X.

M. CLISTOREL, GÉRONTE, LISETTE.

GÉRONTE, *à Clistorel.* Ah ! Dieu vous garde en ces lieux.
Je suis, quand je vous vois, plus vif et plus joyeux.
CLISTOREL, *fâché.* Bonjour, monsieur, bonjour.
GÉRONTE.              Si je m'y puis connaître,

Vous paraissez fâché. Quoi?

CLISTOREL.                 J'ai raison de l'être.

GÉRONTE. Qui vous a mis si fort la bile en
mouvement?

CLISTOREL. Qui me l'a mise?

GÉRONTE.                   Oui.

CLISTOREL.                 Vos sottises.

GÉRONTE.                   Comment?

CLISTOREL. Je viens, vraiment, d'apprendre
une belle nouvelle,
Qui me réjouit fort.

GÉRONTE. Eh! monsieur, quelle est-elle?

CLISTOREL. N'avez-vous point de honte, à
l'âge où vous voilà,
De faire extravagance égale à celle-là?

GÉRONTE. De quoi s'agit-il donc?

CLISTOREL.            Il vous faudrait encore,
Malgré vos cheveux gris, quelques grains
d'ellébore.
On m'a dit par la ville, et c'est un fait
certain,
Que de vous marier vous formez le dessein.

LISETTE. Quoi! ce n'est que cela?

CLISTOREL.       Comment donc? dans la vie
Peut-on faire jamais de plus haute folie?

GÉRONTE. Et quand cela serait, pourquoi
vous récrier,
Vous, que depuis un mois on vit rema-
rier?

CLISTOREL. Vraiment, c'est bien de même!
Avez-vous le courage
Et la mâle vigueur requis en mariage?
Je vous trouve plaisant, et vous avez
raison
De faire avecque moi quelque compa-
raison!
J'ai fait quatorze enfants à ma première
femme,
Madame Clistorel (Dieu veuille avoir son
âme):
Et si dans mes travaux la mort ne me
surprend,
J'espère à la seconde en faire encore
autant.

LISETTE. Ce sera très bien fait.

CLISTOREL.            Votre corps cacochyme
N'est point fait, croyez-moi, pour ce
genre d'escrime.
J'ai lu dans Hippocrate, il n'importe en
quel lieu,
Un aphorisme sûr; il n'est point de
milieu:
«Tout vieillard qui prend fille alerte et
trop fringante,
De son propre couteau sur ses jours il at-
tente.»
*Virgo libidinosa senem jugulat.*

1 tout un corps, *i e.*, tous les **apothicaires**

LISETTE. Quoi! monsieur Clistorel, vous
savez du latin!
Vous pourriez, dans un jour, vous faire
médecin.

CLISTOREL. Moi! le ciel m'en préserve! et ce
sont tous des ânes,
Ou du moins les trois quarts: ils m'ont
fait cent chicanes
Au procès qu'ils nous ont sottement intenté;
Moi seul j'ai fait bouquer toute la Fa-
culté.
Ils voulaient obliger tous les apothicaires
A faire et mettre en place eux-mêmes
leurs clystères,
Et que tous nos garçons ne fussent qu'as-
sistants.

LISETTE. Fi donc! ces médecins sont de
plaisantes gens!

CLISTOREL. Il m'aurait fait beau voir,
avecque des lunettes,
Faire, en jeune apprenti, ces fonctions
secrètes.
C'était, à soixante ans, nous mettre à
l'A B C.
Voyez, pour tout un corps,[1] quel affront
c'eût été!

GÉRONTE. Vous avez fort bien fait, dans
cette procédure,
D'avoir jusques au bout soutenu la gageure.

CLISTOREL. J'étais bien résolu, plutôt que
de plier,
D'y manger ma boutique et jusqu'à mon
mortier.

LISETTE. Leur dessein, en effet, était bien
ridicule.

CLISTOREL. Je suis, quand je m'y mets, plus
têtu qu'une mule.

GÉRONTE. C'est bien fait. Ces messieurs
voulaient vous offenser:
Mais que vous ai-je fait, moi, pour vous
courroucer?

CLISTOREL. Ce que vous m'avez fait? Vous
voulez prendre femme
Pour crever; et moi seul j'en aurai tout le
blâme.
Prendre une femme, vous! allez, vous êtes
fou.

GÉRONTE. Monsieur. . .

CLISTOREL. Il vaudrait mieux qu'on vous
tordît le cou.

GÉRONTE. Mais, monsieur. . .

CLISTOREL. Prenez-moi de bonnes médecines,
Avec de bons sirops et drogues anodines,
De bon catholicon. . .

GÉRONTE.                 Monsieur. . .

CLISTOREL. De bon séné,
De bon sel polychreste extrait et raf-
finé. . .
GÉRONTE. Monsieur, un petit mot.
CLISTOREL. De bon tartre émétique,
Quelque bon lavement fort et diurétique;
Voilà ce qu'il vous faut; mais une
femme! . . .
GÉRONTE. Mais. . .
CLISTOREL. Ma boutique pour vous est fer-
mée à jamais. . .
(À Lisette.)
S'il lui fallait. . .
LISETTE. Monsieur. . .
CLISTOREL. Dans un péril extrême,
Le moindre lénitif ou le moindre apo-
zème,
Une goutte de miel ou de décoction. . .
Je le verrais crever comme un vieux
mousqueton.
O le beau jouvenceau pour entrer en
ménage!
LISETTE. Mais, monsieur Clistorel. . .
CLISTOREL. Le plaisant mariage!
Le beau petit mignon!
LISETTE. Monsieur, écoutez-nous.
CLISTOREL. Non, non; je ne veux plus de
commerce avec vous.
Serviteur, serviteur.

## SCÈNE XI.

GÉRONTE, LISETTE.

LISETTE. Que le diable t'emporte!
Non, je ne vis jamais animal de la sorte:
A le bien mesurer, il n'est pas, que je
crois,
Plus haut que sa seringue, et glapit
comme trois.
Ces petits avortons ont tous l'humeur
mutine.
GÉRONTE. Il ne reviendra plus; son départ
me chagrine.
LISETTE. Pour un, vous en aurez mille tout
à la fois.
Un de mes bons amis, dont il faut faire
choix,
Qui s'est fait depuis peu passer apothi-
caire,
M'a promis qu'à bon prix il ferait votre
affaire,
Et qu'il aurait pour vous quelque sirop
à part,
Casse, séné, rhubarbe, et le tout de hasard,
Qui fera plus d'effet et de meilleur
ouvrage

Que ce qu'on vous vendait quatre fois
davantage.
GÉRONTE. Fais-le-moi donc venir.
LISETTE. Je n'y manquerai pas.
GÉRONTE. Allons nous reposer. Lisette, suis
mes pas.
Ce monsieur Clistorel m'a tout ému la
bile.
LISETTE. Souvenez-vous toujours, quand
vous serez tranquille,
Dans votre testament de me faire du bien.
GÉRONTE, bas, à part. Je t'en ferai, pourvu
qu'il ne m'en coûte rien.

## ACTE TROISIÈME

### SCÈNE PREMIÈRE.

GÉRONTE, LISETTE.

GÉRONTE. Éraste ne vient point me rendre
de réponse.
Qu'est-ce que ce délai me prédit et m'an-
nonce?
LISETTE. Et pourquoi, s'il vous plaît, vous
inquiéter tant?
Suffit que vous devez être de vous con-
tent:
Vous n'avez jamais fait rien de plus hé-
roïque
Que de rompre un hymen aussi tragi-
comique.
GÉRONTE. Je suis content de moi dans cette
occasion,
Et monsieur Clistorel a fort bonne raison.
C'était la pierre au cou, la tête la premi-
ère,
M'aller précipiter au fond de la rivière.
LISETTE. Bon! c'était cent fois pis encor
que tout cela.
Mais enfin tout va bien.

### SCÈNE II.

CRISPIN, en gentilhomme campagnard;
GÉRONTE, LISETTE.

CRISPIN, dehors, heurtant. Holà! quelqu'un,
holà!
Tout est-il mort ici, laquais, valet, servante?
J'ai beau heurter, crier; aucun ne se présente.
Le diable puisse-t-il emporter la maison!
LISETTE. Eh! qui diantre chez nous heurte
de la façon?

(Elle ouvre.)

Que voulez-vous, monsieur? quel démon
    vous agite?
Vient-on chez un malade ainsi rendre
    visite?
    (*Bas.*)
Dieu me pardonne! c'est Crispin; c'est
    lui, ma foi!
CRISPIN, *bas, à Lisette.* Tu ne te trompes
    pas, ma chère enfant, c'est moi.
    (*Haut.*)
Bonjour, bonjour, la fille. On m'a dit par
    la ville
Qu'un Géronte en ce lieu tenait son domi-
    cile;
Pourrait-on lui parler?
LISETTE.          Pourquoi non? le voilà.
CRISPIN, *lui secouant le bras.* Parbleu, j'en
    suis bien aise. Ah! monsieur, touchez
    là.
Je suis votre valet, ou le diable m'em-
    porte.
Touchez là derechef. Le plaisir me tran-
    sporte
Au point que je ne puis assez vous le
    montrer.
GÉRONTE. Cet homme assurément prétend
    me démembrer.
CRISPIN. Vous paraissez surpris autant
    qu'on le peut être.
Je vois que vous avez peine à me recon-
    naître;
Mes traits vous sont nouveaux; savez-
    vous bien pourquoi?
C'est que vous ne m'avez jamais vu.
GÉRONTE.              Je le crois.
CRISPIN. Mais feu monsieur mon père,
    Alexandre Choupille,
Gentilhomme normand, prit pour femme
    une fille
Qui fut, à ce qu'on dit, votre sœur autre-
    fois,
Et qui me mit au jour au bout de
    quatre mois.
Mon père se fâcha de cette diligence;
Mais un ami sensé lui dit en confidence
Qu'il est vrai que ma mère, en faisant ses
    enfants,
N'observait pas encore assez l'ordre des
    temps;
Mais qu'aux femmes l'erreur n'était pas
    inouïe,
Et qu'elles ne manquaient qu'à la chro-
    nologie.
GÉRONTE. A la chronologie?
LISETTE.           Une femme, en effet,
Ne peut pas calculer comme un homme
    aurait fait.
CRISPIN. Or donc cette femelle, à concevoir
    si prompte,

Qu'à tout considérer quelquefois j'en ai
    honte,
En me mettant au jour, soit disgrâce ou
    faveur,
M'a fait votre neveu, puisqu'elle est votre
    sœur.
GÉRONTE. Apprenez, mon neveu, si par
    hasard vous l'êtes,
Que vous êtes un sot, aux discours que
    vous faites;
Ma sœur fut sage; et nul ne peut lui re-
    procher
Que jamais sur l'honneur on l'ait pu voir
    broncher.
CRISPIN. Je le crois; cependant, tant qu'elle
    fut vivante,
On tient que sa vertu fut un peu chan-
    celante.
Quoi qu'il en soit enfin, légitime ou
    bâtard,
Soit qu'on m'ait mis au monde ou trop
    tôt ou trop tard,
Je suis votre neveu, quoi qu'en dise
    l'envie,
De plus votre héritier, venant de Nor-
    mandie
Exprès pour recueillir votre succession.
GÉRONTE. C'est bien fait, et je loue assez
    l'intention.
Quand vous en allez-vous?
CRISPIN.          Voudriez-vous me suivre?
Cela dépend du temps que vous avez à
    vivre.
Mon oncle, soyez sûr que je ne partirai
Qu'après vous avoir vu bien cloué, bien
    muré,
Dans quatre ais de sapin reposer à votre
    aise.
LISETTE, *bas, à Géronte.* Vous avez un
    neveu, monsieur, ne vous déplaise,
Qui dit ses sentiments en pleine liberté.
GÉRONTE, *bas, à Lisette.* A te dire le vrai,
    j'en suis épouvanté.
CRISPIN. Je suis persuadé, de l'humeur dont
    vous êtes,
Que la succession sera des plus com-
    plètes,
Que je vais manier de l'or à pleine
    main:
Car vous êtes, dit-on, un avare, un vilain.
Je sais que, pour un sou, d'une ardeur
    héroïque,
Vous vous feriez fesser dans la place
    publique.
Vous avez, dit-on même, acquis en plus
    d'un lieu
Le titre d'usurier et de fesse-mathieu.
GÉRONTE. Savez-vous, mon neveu, qui tenez
    ce langage,

Que, si de mes deux bras j'avais encor l'usage,
Je vous ferais sortir par la fenêtre.
CRISPIN. Moi ?
GÉRONTE. Oui, vous ; et dans l'instant sortez.
CRISPIN. Ah ! par ma foi,
Je vous trouve plaisant de parler de la sorte !
C'est à vous de sortir et de passer la porte.
La maison m'appartient : ce que je puis souffrir,
C'est de vous y laisser encor vivre et mourir.
LISETTE. Ah ! ciel ! quel garnement !
GÉRONTE, *bas*. Où suis-je ?
CRISPIN. Allons, ma mie,
Au bel appartement mène-moi, je te prie.
Est-il voisin du tien ? Je te trouve à mon gré :
Et nous pourrons, la nuit, converser de plain-pied.
Bonne chère, grand feu ; que la cave enfoncée
Nous fournisse à pleins brocs une liqueur aisée ;
Fais main basse sur tout : le bonhomme a bon dos ;
Et l'on peut hardiment le ronger jusqu'aux os.
Mon oncle, pour ce soir, il me faut, je vous prie,
Cent louis neufs comptant, en avance d'hoirie ; [1]
Sinon demain matin, si vous le trouvez bon,
Je mettrai de ma main le feu dans la maison.
GÉRONTE, *à part*. Grands dieux ! vit-on jamais insolence semblable ?
LISETTE, *bas, à Géronte*. Ce n'est pas un neveu, monsieur, mais c'est un diable.
Pour le faire sortir employez la douceur.
GÉRONTE. Mon neveu, c'est à tort qu'avec tant de hauteur
Vous venez tourmenter un oncle à l'agonie :
En repos laissez-moi finir ma triste vie,
Et vous hériterez au jour de mon trépas.
CRISPIN. D'accord. Mais quand viendra ce jour ?
GÉRONTE. A chaque pas
L'impitoyable mort s'obstine à me poursuivre ;
Et je n'ai, tout au plus, que quatre jours à vivre.

[1] inheritance (law-term).

CRISPIN. Je vous en donne six ; mais après, ventrebleu !
N'allez pas me manquer de parole : ou dans peu
Je vous fais enterrer mort ou vif. Je vous laisse.
Mon oncle, encore un coup, tenez votre promesse,
Ou je tiendrai la mienne.

## SCÈNE III.

### GÉRONTE, LISETTE.

LISETTE. Ah ! quel homme voilà !
Quel neveu vos parents vous ont-ils donné là ?
GÉRONTE. Ce n'est point mon neveu ; ma sœur était trop sage
Pour élever son fils dans un air si sauvage ;
C'est un fieffé brutal, un homme des plus fous.
LISETTE. Cependant, à le voir, il a quelque air de vous :
Dans ses yeux, dans ses traits, un je ne sais quoi brille :
Enfin on s'aperçoit qu'il tient de sa famille.
GÉRONTE. Par ma foi, s'il en tient, il lui fait peu d'honneur.
Ah ! le vilain parent !
LISETTE. Et vous auriez le cœur
De laisser votre bien, une si belle somme,
Vingt mille écus comptant, à ce beau gentilhomme.
GÉRONTE. Moi, lui laisser mon bien ! j'aimerais mieux cent fois
L'enterrer pour jamais.
LISETTE. Ma fois, ne m'aperçois
Que monsieur le neveu, si j'en crois mon présage,
N'aura pas trop gagné d'avoir fait son voyage ;
Et que le pauvre diable, arrivé d'aujourd'hui,
Aurait aussi bien fait de demeurer chez lui.
GÉRONTE. Si c'est sur mon bien seul qu'il fonde sa cuisine,
Je t'assure déjà qu'il mourra de famine,
Et qu'il n'aura pas lieu de rire à mes dépens.
LISETTE. C'est fort bien fait : il faut apprendre à vivre aux gens.
Voilà comme sont faits tous ces neveux avides,

Qui ne peuvent cacher leurs naturels per-
fides :
Quand ils n'assomment pas un oncle assez
âgé,
Il prétendent encor qu'il leur est obligé.
Mais Éraste revient : et nous allons ap-
prendre
Comment tout s'est passé.

### SCENE IV.

ÉRASTE, GÉRONTE, LISETTE.

GÉRONTE. Tu te fais bien attendre.
Tu m'as abandonné dans un grand em-
barras.
Un malheureux neveu m'est tombé sur les
bras.
ÉRASTE. Il vient de m'accoster là-bas tout
hors d'haleine,
Et m'a dit en deux mots le sujet qui
l'amène.
GÉRONTE. Que dis-tu de ses airs ?
ÉRASTE. Je les trouve étonnants.
Il peste, il jure, il veut mettre le feu
céans.
GÉRONTE. J'aurais bien eu besoin ici de ta
présence
Pour réprimer l'excès de son imperti-
nence.
Lisette en est témoin.
LISETTE. Ah le mauvais pendard,
A qui monsieur voulait de son bien faire
part !
GÉRONTE. J'ai bien changé d'avis : je te
donne parole
Qu'il n'aura de mon bien jamais la
moindre obole.
ÉRASTE. Je me suis acquitté de ma commis-
sion,
Et tout s'est fait au gré de votre inten-
tion.
Votre lettre a produit un effet qui m'en-
chante.
On a montré d'abord une âme indiffé-
rente :
D'un faux air de mépris voulant couvrir
leur jeu,
Elles me paraissaient s'en soucier fort
peu :
Mais quand je leur ai dit que vous vouliez
me faire
Aujourd'hui de vos biens unique légataire,
Car vous m'avez prescrit de parler sur ce
ton. . .
GÉRONTE. Oui, je te l'ai promis : c'est mon
intention.

ÉRASTE. Elles ont toutes deux témoigné des
surprises
Dont elles ne seront de six mois bien
remises.
GÉRONTE. J'en suis persuadé.
ÉRASTE. Mais écoutez ceci,
Qui doit bien vous surprendre, et m'a
surpris aussi.
C'est que madame Argante, aimant votre
famille,
M'a proposé tout franc de me donner sa
fille,
Et d'acquitter ainsi, par un commun
égard,
La parole donnée et d'une et d'autre part.
GÉRONTE. Et qu'as-tu su répondre à ces
belles pensées ?
ÉRASTE. Que je ne voulais point aller sur
vos brisées,
Sans avoir sur ce point su votre senti-
ment,
Et de plus obtenu votre censentement.
GÉRONTE. Ne t'embarrasse point encor de
mariage.
Que mon exemple ici serve à te rendre
sage.
LISETTE. Moi, j'approuverais fort cet hy-
men et ce choix :
Il est tel qu'il le faut, et j'y donne ma
voix.
Il convient à monsieur de suivre cette
envie,
Non à vous, qui devez renoncer à la vie.
GÉRONTE. A la vie ! et pourquoi ? Suis-je
mort, s'il vous plaît ?
LISETTE. Je ne sais pas, monsieur, au vrai
ce qu'il en est ;
Mais tout le monde croit, à votre air
triste et sombre,
Qu'errant près du tombeau, vous n'êtes plus
qu'une ombre,
Et que, pour des raisons qui vous font
différer,
Vous ne vous êtes pas encor fait enterrer.
GÉRONTE. Avec de tels discours et ton air
d'insolence,
Tu pourrais, à la fin, lasser ma patience.
LISETTE. Je ne sais point, monsieur, farder
la vérité,
Et dis ce que je pense avecque liberté.

### SCÈNE V.

GÉRONTE, ÉRASTE, LISETTE, LE LAQUAIS.

LE LAQUAIS. Une dame, là-bas, monsieur,
avec sa suite,
Qui porte le grand deuil, vient vous
rendre visite,

Et se dit votre nièce.

GÉRONTE.            Encore des parents!

LE LAQUAIS. La ferai-je monter?

GÉRONTE.         Non, je te le défends.

LISETTE. Gardez-vous bien, monsieur, d'en
user de la sorte,
Et vous ne devez pas lui refuser la porte.
(*Au laquais.*)
Va-t'en la faire entrer.
(*A Géronte.*)
          Contraignez-vous un peu:
La nièce aura l'esprit mieux fait que le
neveu.
Entre tant de parents, ce serait bien le
diable
S'il ne s'en trouvait pas quelqu'un de
raisonnable.

## SCÈNE VI.

CRISPIN, *en veuve, un petit dragon lui portant la queue;* GÉRONTE, ÉRASTE,
LISETTE, LE LAQUAIS *de Géronte.*

CRISPIN *fait des révérences au laquais de
Géronte, qui lui ouvre la porte.
Le petit dragon sort.*
(*A Géronte.*)
Permettez, s'il vous plaît, que cet embrassement
Vous témoigne ma joie et mon ravissement.
Je vois un oncle, enfin, mais un oncle que
j'aime,
Et que j'honore aussi cent fois plus que
moi-même.

LISETTE, *bas, à Éraste.* Monsieur, c'est là
Crispin.

ÉRASTE, *bas, à Lisette.* C'est lui, je le sais
bien;
Nous avons eu là-bas un moment d'entretien.

GÉRONTE, *à Éraste.* Elle a de la douceur et
de la politesse.
Qu'on donne promptement un fauteuil
à ma nièce.

CRISPIN, *au laquais de Géronte.* Ne bougez,
s'il vous plaît; le respect m'interdit. . .
(*A Géronte, avec le ton du respect.*)
Un fauteuil près mon oncle! un tabouret
suffit.
(*Le laquais donne un tabouret à Crispin.*)

GÉRONTE. Je suis assez content déjà de la
parente.

ÉRASTE. Elle sait vraiment vivre, et sa taille
est charmante.
(*Le laquais donne un fauteuil à
Géronte, une chaise à Éraste, un
tabouret à Lisette, et sort.*)

CRISPIN. Fi donc! vous vous moquez: je
suis à faire peur.
Je n'avais autrefois que cela de grosseur:
Mais vous savez l'effet d'un fécond mariage,
Et ce que c'est d'avoir des enfants en
bas âge:
Cela gâte la taille, et furieusement.

LISETTE. Vous passeriez encor pour fille assurément.

CRISPIN. J'ai fait du mariage une assez
triste épreuve:
A vingt ans mon mari m'a laissé mère et
veuve.
Vous vous doutez assez qu'après ce
prompt trépas,
Et faite comme on est, ayant quelques
appas,
On aurait pu trouver à convoler [1] de
reste;
Mais du pauvre défunt la mémoire funeste
M'oblige à dévorer en secret mes ennuis.
J'ai bien de fâcheux jours, et de plus
dures nuits:
Mais d'un veuvage affreux les tristes insomnies
Ne m'arracheront point de noires perfidies;
Et je veux chez les morts emporter, si
je peux,
Un cœur qui ne brûla que de ses premiers
feux.

ÉRASTE. On ne poussa jamais plus loin la
foi promise:
Voilà des sentiments dignes d'une Artémise. [2]

GÉRONTE, *à Crispin.* Votre époux, vous laissant mère et veuve à vingt ans,
Ne vous a pas laissé, je crois, beaucoup
d'enfants.

CRISPIN. Rien que neuf; mais, le cœur tout
gonflé d'amertume,
Deux ans encore après j'accouchai d'un
posthume.

LISETTE. Deux ans après! voyez quelle fidélité!
On ne le croira pas dans la postérité.

GÉRONTE, *à Crispin.* Peut-on vous demander, sans vous faire de peine,

---

[1] convoler, to remarry
[2] Artemisia II, queen of Halicarnassus, renowned in history for her extraordinary grief at
the death of her husband Mausolus (4th century B. C.)

Quel sujet si pressant vous fait quitter
le Maine ?

CRISPIN. Le désir de vous voir est mon
premier objet :
De plus, certain procès qu'on m'a sottement fait,
Pour certain four banal [1] sis en mon ter-
ritoire.
Je propose d'abord un bon déclinatoire :
On passe outre : je forme empêchement
formel ;
Et, sans nuire à mon droit, j'anticipe
l'appel.
La cause est au baillage ainsi revendi-
quée :
On plaide : et je me trouve enfin interloquée.

LISETTE. Interloquée ! ah ! ciel ! quel affront est-ce là !
Et vous avez souffert qu'on vous inter-
loquât !
Une femme d'honneur se voir interloquée !

ÉRASTE. Pourquoi donc de ce terme être si
fort piquée ?
C'est un mot du barreau.

LISETTE.                C'est ce qu'il vous plaira :
Mais juge de ses jours ne m'interloquera :
Le mot est immodeste, et le terme me
choque :
Et je ne veux jamais souffrir qu'on m'in-
terloque.

GÉRONTE, à Crispin. Elle est folle, et souvent il lui prend des accès. . .
Elle ne parle pas si bien que vos procès.

CRISPIN. Ce procès n'est pas seul le sujet
qui m'amène,
Et qui m'a fait quitter si brusquement le
Maine.
Ayant appris, monsieur, par gens dignes
de foi,
Qui m'ont fait un récit de vous, et que je
crois,
Que vous étiez un homme atteint de plus
d'un vice,
Un ivrogne, un joueur. . .

ÉRASTE.        Comment donc ? quel caprice !

CRISPIN. Qui hantiez certains lieux et le
jour et la nuit,
Où l'honnêteté souffre et la pudeur
gémit. . .

GÉRONTE. Est-ce à moi, s'il vous plaît, que
ce discours s'adresse ?

CRISPIN. Oui, mon oncle, à vous-même.
A-t-il rien qui vous blesse ?
Puisqu'il est copié d'après la vérité ?

GÉRONTE, à part. Je ne sais où j'en suis.

CRISPIN.              On m'a même ajouté
Que, depuis très longtemps avec made-
moiselle,
Vous meniez une vie indigne et criminelle,
Et que vous en aviez déjà plusieurs en-
fants.

LISETTE. Avec moi, juste ciel ! voyez les
médisants !
De quoi se mêlent-ils ? est-ce là leur affaire ?

GÉRONTE. Je ne sais qui retient l'effet de ma
colère.

CRISPIN. Ainsi, sur le rapport de mille honnêtes gens,
Nous avons fait, monsieur, assembler vos
parents ;
Et, pour vous empêcher, dans ce désordre
extrême,
De manger notre bien, et vous perdre
vous-même,
Nous avons résolu, d'une commune voix,
De vous faire interdire,[2] en observant les
lois.

GÉRONTE. Moi, me faire interdire !

LISETTE.              Ah ! ciel ! quelle famille !

CRISPIN. Nous savons votre vie avecque
cette fille,
Et voulons empêcher qu'il ne vous soit
permis
De faire un mariage un jour in extremis.

GÉRONTE, se levant. Sortez d'ici, madame,
et que de votre vie
D'y remettre le pied il ne vous prenne
envie ;
Sortez d'ici, vous dis-je, et sans vous arrêter. . .

CRISPIN. Comment, battre une veuve et la
violenter !
Au secours ! aux voisins ! au meurtre ! on
m'assassine !

GÉRONTE. Voilà, je vous l'avoue, une grande
coquine.

CRISPIN. Quoi ! contre votre sang vous osez
blasphémer !
Cela peut bien aller à vous faire enfermer.

LISETTE. Faire enfermer monsieur !

CRISPIN.              Ne faites point la fière :
On peut aussi vous mettre à la Salpêtrière.[3]

LISETTE. A la Salpêtrière !

CRISPIN.              Oui, ma mie, et sans bruit.
De vos déportements on n'est que trop
instruit.

ÉRASTE. Il faut développer le fond de ce
mystère.

[1] four banal, public bake-oven, which vassals were compelled to use
[2] interdire, declare incapable of managing one's affairs
[3] hospital for the insane, in Paris.

Que l'on m'aille à l'instant chercher un
    commissaire.
CRISPIN. Un commissaire, à moi! suis-je
    donc, s'il vous plaît,
Gibier à commissaire?
ÉRASTE.            On verra ce que c'est,
Et dans peu nous saurons, avec un tel
    tumulte,
Si l'on vient chez les gens ainsi leur faire
    insulte.
Vous, mon oncle, rentrez dans votre ap-
    partement,
Je vous rendrai raison de tout dans un
    moment.
GÉRONTE. Ouf! ce jour-ci sera le dernier de
    ma vie.
LISETTE, à Crispin. Misérable! tu mets un
    oncle à l'agonie!
La mauvaise famille et du Maine et de
    Caen!
Oui, tous ces parents-là méritent le car-
    can.

## SCÈNE VII.

### ÉRASTE, CRISPIN.

ÉRASTE. Est-il bien vrai, Crispin? et ton ar-
    deur sincère. . .
CRISPIN. Envoyez donc, monsieur, chercher
    un commissaire:
Je l'attends de pied ferme.
ÉRASTE.         Ah! juste ciel! c'est toi.
Je ne me trompe point.
CRISPIN.        Oui, ventrebleu! c'est moi.
Vous venez de me faire une rude alga-
    rade.
ÉRASTE. Ta pudeur a souffert d'une telle in-
    cartade.
CRISPIN. L'ardeur de vous servir m'a donné
    cet habit,
Et, comme vous voyez, mon projet réus-
    sit.
Avec de certains mots j'ai conjuré l'o-
    rage:
Ici des deux parents j'ai fait le person-
    nage,
Et j'ai dit, en leur nom, de telles du-
    retés,
Qu'ils seront, par ma foi, tous deux
    déshérités.
ÉRASTE. Quoi! . . .
CRISPIN. Si vous m'aviez vu tantôt faire
    merveille,
En noble campagnard, le plumet sur
    l'oreille,

Avec un feutre gris, longue brette [1] au
    côté,
Mon air de Bas-Normand vous aurait
    enchanté.
Mail il faut dire vrai: cette coiffe m'in-
    spire
Plus d'intrépidité que je ne puis vous
    dire:
Avec cet attirail j'ai vingt fois moins de
    peur;
L'adresse et l'artifice ont passé dans mon
    cœur.
Qu'on a, sous cet habit, et d'esprit et de
    ruse!
ÉRASTE. Enfin de ses neveux l'oncle se désa-
    buse:
Il fait un testament qui doit combler mes
    vœux.
Est-il dans l'univers un mortel plus heu-
    reux?

## SCÈNE VIII.

### ÉRASTE, CRISPIN, LISETTE.

LISETTE. Ah! monsieur! apprenez un ac-
    cident terrible:
Monsieur Géronte est mort.
ÉRASTE.          Ah ciel! est-il possible?
CRISPIN. Quoi! l'oncle de monsieur serait
    défunt?
LISETTE.        Hélas!
Il ne vaut guère mieux, tant le pauvre
    homme est bas!
Arrivant dans sa chambre, et se traî-
    nant à peine,
Il s'est mis sur son lit, sans force et sans
    haleine:
Et, raidissant les bras, la suffocation
A tout d'un coup coupé la respiration:
Enfin il est tombé, malgré mon assistance,
Sans voix, sans sentiment, sans pouls,
    sans connaissance.
ÉRASTE. Je suis au désespoir. C'est ce der-
    nier transport,
Où tu l'as mis, Crispin, qui causera sa
    mort.
CRISPIN. Moi, monsieur! de sa mort je ne
    suis point la cause;
Et le défunt, tout franc, a fort mal pris
    la chose.
Pourquoi se saisit-il si fort pour des dis-
    cours?
J'en voulais à son bien, et non pas à ses
    jours.
ÉRASTE. Ne désespérons point encore de sa
    vie:

1 brette, sword

Il tombe assez souvent dans une léthargie
Qui ressemble au trépas, et nous alarme
  fort.

LISETTE. Ah, monsieur! pour le coup il est
  à moitié mort;·
Et moi, qui m'y connais, je dis qu'il faut
  qu'il meure,
Et qu'il ne peut jamais aller encore une
  heure.

ÉRASTE. Ah, juste ciel! Crispin, quel triste
  événement!
Mon oncle mourra donc sans faire un
  testament:
Et je serai frustré, par cette mort cruelle,
De l'espoir d'obtenir la charmante Isabelle!
Fortune, je sens bien l'effet de ton courroux.

LISETTE. C'est à moi de pleurer, et je perds
  plus que vous.

CRISPIN. Allons, mes chers enfants, il faut
  agir de tête,
Et présenter un front digne de la tempête:
Il n'est pas temps ici de répandre des
  pleurs;
Faisons voir un courage au-dessus des
  malheurs.

ÉRASTE. Que nous sert le courage? et que
  pouvons-nous faire?

CRISPIN. Il faut premièrement, d'une ardeur salutaire,
Courir au coffre-fort, sonder les cabi-
  nets,
Démeubler la maison, s'emparer des effets.
Lisette, quelque temps, tiens la bouche
  cousue,
Si tu peux; va fermer la porte de la rue;
Empare-toi des clefs, de peur d'inva-
  sion.

LISETTE. Personne n'entrera sans ma permission.

CRISPIN. Que l'ardeur du butin et d'un riche
  pillage
N'emporte pas trop loin votre bouillant
  courage;
Surtout dans l'action gardons le jugement.
Le sort conspire en vain contre le testament:
Plutôt que tant de bien passe en des
  mains profanes,
De Géronte défunt j'évoquerai les
  mânes,
Et vous aurez pour vous, malgré les envieux,
Et Lisette, et Crispin, et l'enfer, et les
  dieux.

# ACTE QUATRIÈME

## SCÈNE PREMIÈRE.

### ÉRASTE, CRISPIN.

ÉRASTE, *tenant le portefeuille de Géronte.*
  Ah! mon pauvre Crispin, je perds
  toute espérance:
Mon oncle ne saurait reprendre connais-
  sance:
L'art et les médecins sont ici superflus;
Le pauvre homme n'a pas à vivre une
  heure au plus.
Le legs universel qu'il prétendait me
  faire,
Comme tu vois, Crispin, ne m'enrichira
  guère.

CRISPIN. Lisette et moi, monsieur, pour finir
  nos projets,
Nous comptions bien aussi sur quelque
  petit legs.

ÉRASTE. Quoiqu'un cruel destin, à nos dé-
  sirs contraire,
Épuise contre nous les traits de sa colère,
Nos soins ne seront pas infructueux et
  vains:
Quarante mille écus, que je tiens dans
  mes mains,
Triste et fatal débris d'un malheureux
  naufrage,
Seront mis, si je veux, à l'abri de l'orage.
Voilà tous bons billets que j'ai trouvés
  sur lui.

CRISPIN, *voulant prendre les billets.* Souffrez que je partage avec vous votre
  ennui:
Ce petit lénitif, en attendant le reste,
Pourra nous consoler d'un coup aussi
  funeste.

ÉRASTE. Il est vrai, cher Crispin; mais enfin tu sais bien
Que cela ne fait pas presque le quart du
  bien
Qu'en la succession mes soins pouvaient
  prétendre,
Et que le testament me donnait lieu d'attendre;
Des maisons à Paris, des terres, des contrats,
Offraient bien à mon cœur de plus charmants appas:
Non que l'ardeur du gain et la soif des
  richesses
Me fissent ressentir leurs indignes faiblesses;

C'est d'un plus noble feu que mon cœur
    est épris.
Je devais épouser Isabelle à ce prix;
Ce n'est qu'avec ce bien, qu'avec ces avan-
    tages,
Que je puis de sa mère obtenir les suf-
    frages;
Faute de testament, je perds, et pour
    toujours,
Un bien dont dépendait le bonheur de mes
    jours.
CRISPIN. J'entre dans vos raisons, elles
    sont très plausibles;
Mais ce sont de ces coups imprévus et
    terribles
Dont tout l'esprit humain demeure con-
    fondu,
Et qui mettent à bout la plus mâle vertu.
Pour marquer au vieillard sa dernière
    demeure,
O mort! tu devais bien attendre encore
    une heure:
Tu nous aurais tous mis dans un parfait
    repos,
Et le tout se serait passé bien à propos.
ÉRASTE. Faudra-t-il qu'un espoir fondé sur
    la justice
En stériles regrets passe et s'évanouisse?
Ne saurais-tu, Crispin, parer ce coup
    fatal,
Et trouver promptement un remède à
    mon mal?
Tantôt tu méditais un héroïque ouvrage:
C'est dans les grands dangers qu'on voit
    un grand courage.
CRISPIN. Oui, je croyais tantôt réparer cet
    échec;
Mais à présent j'échoue, et je demeure à
    sec:
Un autre en pareil cas serait aussi stérile.
S'il fallait, par hasard, d'un coup de
    main habile,
Soustraire, escamoter sans bruit un testa-
    ment
Où vous seriez traité peu favorable-
    ment,
Peut-être je pourrais, par quelque coup
    d'adresse,
Exercer mon talent et montrer ma prou-
    esse;
Mais en faire trouver alors qu'il n'en
    est point,
Le diable avec sa clique, et réduit à ce
    point,
Fort inutilement s'y casserait la tête;
Et cependant, monsieur, le diable n'est
    pas bête.
ÉRASTE. Tu veux donc me confondre et me
    désespérer?

## SCÈNE II.

LISETTE, ÉRASTE, CRISPIN.

LISETTE, à Éraste. Les notaires, monsieur,
    viennent là-bas d'entrer;
Je les ai mis tous deux dans cette salle
    basse:
Voyez; que voulez-vous, s'il vous plaît,
    qu'on en fasse?
ÉRASTE. Je vois à tous moments croître mon
    embarras.
Fais-en, ma pauvre enfant, tout ce que tu
    voudras.
Savent-ils que mon oncle a perdu con-
    naissance,
Et qu'il ne peut parler?
LISETTE.           Non, pas encor, je pense.
ÉRASTE. Crispin. . .
CRISPIN.    Monsieur?
ÉRASTE.          Hélas!
CRISPIN.             Hélas!
ÉRASTE.                Juste ciel!
CRISPIN.                   Ha!
ÉRASTE. Que ferons-nous, dis-moi?
CRISPIN.         Tout ce qu'il vous plaira.
ÉRASTE. Quoi! les renverrons-nous?
CRISPIN.       Eh! qu'en voulez-vous faire?
Qu'en pouvons-nous tirer qui nous soit
    salutaire?
LISETTE. Je vais donc leur marquer qu'ils
    n'ont qu'à s'en aller?
ÉRASTE, arrêtant Lisette. Attends encore un
    peu. Je me sens accabler.
Crispin, tu vas me voir expirer à ta vue.
CRISPIN. Je vous suivrai de près, et la
    douleur me tue.
LISETTE. Moi, je n'irai pas loin. Faut-il
    nous voir tous trois
Comme d'un coup de foudre écraser à la
    fois?
CRISPIN. Attendez. . . Il me vient. . . Le
    dessein est bizarre:
Il pourrait par hasard. . . J'entrevois. . .
    Je m'égare,
Et je ne vois plus rien que par confusion.
LISETTE. Peste soit l'animal avec sa vision!
ÉRASTE. Fais-nous part du dessein que ton
    cœur se propose.
LISETTE. Allons, mon cher Crispin, tâche
    à voir quelque chose.
CRISPIN. Laisse-moi donc rêver. . . Oui-
    da. . . Non. . . Si, pourtant. . .
Pourquoi non? . . . On pourrait. . .
LISETTE.         Ne rêve donc point tant:
Les notaires là-bas sont dans l'impati-
    ence:

Tout ici ne dépend que de la diligence.
CRISPIN. Il est vrai : mais enfin j'accouche
    d'un dessein
Qui passera l'effort de tout esprit hu-
    main.
Toi, qui parais dans tout si légère et si
    vive,
Exerce à ce sujet ton imaginative ;
Voyons ton bel esprit.
LISETTE.            Je t'en laisse l'emploi.
Qui peut en fourberie être si fort que toi ?
L'amour doit ranimer ton adresse passée.
CRISPIN. Paix. . . Silence. . . Il me vient
    un surcroît de pensée.
J'y suis, ventrebleu !
LISETTE.            Bon.
CRISPIN.            Dans un fauteuil assis. . .
LISETTE. Fort bien.
CRISPIN. Ne troublez pas l'enthousiasme où
    je suis.
Un grand bonnet fourré jusque sur les
    oreilles,
Les volets bien fermés. . .
LISETTE.            C'est penser à merveilles.
CRISPIN. Oui, monsieur, dans ce jour, au
    gré de vos souhaits,
Vous serez légataire, et je vous le pro-
    mets.
Allons, Lisette, allons, ranimons notre
    zèle ;
L'amour à ce projet nous guide et nous
    appelle.
Va de l'oncle défunt nous chercher quel-
    que habit :
Sa robe de malade et son bonnet de nuit :
Les dépouilles du mort feront notre vic-
    toire.
LISETTE. Je veux en élever un trophée à ta
    gloire ;
Et je cours te servir. Je reviens sur mes
    pas.

### SCÈNE III.

#### ÉRASTE, CRISPIN.

ÉRASTE. Tu m'arraches, Crispin, des portes
    du trépas.
Si ton dessein succède au gré de notre
    envie,
Je veux te rendre heureux le reste de ta
    vie.
Je serais légataire, et par même moyen
J'épouserais l'objet qui fait seul tout mon
    bien !
Ah ! Crispin !
CRISPIN. Cependant une terreur secrète
S'empare de mes sens, m'alarme et m'in-
    quiète :

Si la justice vient à connaître du fait,
Elle est un peu brutale, et saisit au collet.
Il faut faire un faux seing ; et ma main
    alarmée
Se refuse au projet dont mon âme est
    charmée.
ÉRASTE. Ton trouble est mal fondé : depuis
    deux ou trois mois
Géronte ne pouvait se servir de ses
    doigts :
Ainsi sa signature, ailleurs si nécessaire,
N'est point, comme tu vois, requise en
    cette affaire ;
Et tu déclareras que tu ne peux signer.
CRISPIN. A de bonnes raisons je me laisse
    gagner ;
Et je sens tout à coup renaître en mon
    courage
L'ardeur dont j'ai besoin pour un si
    grand ouvrage.

### SCÈNE IV.

#### LISETTE, apportant les hardes de Géronte ; ÉRASTE, CRISPIN.

LISETTE, jetant le paquet. Du bonhomme
    Géronte, en gros comme en détail,
Comme tu l'as requis, voilà tout l'at-
    tirail.
CRISPIN, se déshabillant. Ne perdons point
    de temps ; que l'on m'habille en hâte.
Monsieur, mettez la main, s'il vous plaît,
    à la pâte :
La robe ; dépêchons, passez-la dans mes
    bras.
Ah ! le mauvais valet ! Chaussez chacun
    un bas.
Çà, le mouchoir de cou. Mets-moi vite ce
    casque.
Les pantoufles. Fort bien. L'équipage est
    fantasque.
LISETTE. Oui, voilà le défunt ; dissipons
    notre ennui :
Géronte n'est point mort, puisqu'il revit
    en lui ;
Voilà son air, ses traits ; et l'on doit s'y
    méprendre.
CRISPIN. Mais, avec son habit, si son mal
    m'allait prendre ?
ÉRASTE. Ne crains rien, arme-toi de réso-
    lution.
CRISPIN. Ma foi, déjà je sens un peu d'émo-
    tion :
Je ne sais si la peur est un peu laxative,
Ou si cet habit a la vertu purgative.
LISETTE. Je veux te mettre encor ce vieux
    manteau fourré
Dont au jour de remède il était entouré.

* Phèdre - vers. après la mort supposée de Thésée.

CRISPIN. Tu peux quand tu voudras appeler les notaires ;
Me voilà maintenant en habits mortuaires.

LISETTE. Je vais dans un moment les amener ici.

CRISPIN. Secondez-moi bien tous dans cette affaire-ci.

## SCÈNE V.

### ÉRASTE, CRISPIN.

CRISPIN. Vous, monsieur, s'il vous plaît, fermez porte et fenêtre ;
Un éclat indiscret peut me faire connaître.
Avancez cette table. Approchez ce fauteuil.
Ce jour mal condamné me blesse encore l'œil.
Tirez bien les rideaux, que rien ne nous trahisse.

ÉRASTE. Fasse un heureux destin réussir l'artifice !
Si j'ose me porter à cette extrémité,
Malgré moi j'obéis à la nécessité.
J'entends du bruit.

CRISPIN, *se jetant brusquement sur un fauteuil.* Songeons à la cérémonie,
Et ne me quittez pas, monsieur, à l'agonie.
Un dieu dont le pouvoir sert d'excuse aux amants
Saura me disculper de ces emportements.

## SCÈNE VI.

### LISETTE, M. SCRUPULE, M. GASPARD, ÉRASTE, CRISPIN.

LISETTE, *aux notaires.* Entrez, messieurs, entrez. (*A Crispin.*) Voilà les deux notaires
Avec qui vous pouvez mettre ordre à vos affaires.

CRISPIN, *aux notaires.* Messieurs, je suis ravi, quoique à l'extrémité,
De vous voir tous les deux en parfaite santé.
Je voudrais bien encore être à l'âge où vous êtes :
Et, si je me portais aussi bien que vous faites,
Je ne songerais guère à faire un testament.

M. SCRUPULE. Cela ne vous doit point chagriner un moment :

Rien n'est désespéré : cette cérémonie
Jamais d'un testateur n'a raccourci la vie :
Au contraire, monsieur, la consolation
D'avoir fait de ses biens la distribution
Répand au fond du cœur un repos sympathique,
Certaine quiétude et douce et balsamique,
Qui, se communiquant après dans tous les sens,
Rétablit la santé dans quantité de gens.

CRISPIN. Que le ciel veuille donc me traiter de la sorte !
(*A Lisette.*)
Messieurs, asseyez-vous. Toi, va fermer la porte.

M. GASPARD. D'ordinaire, monsieur, nous apportons nos soins
Que ces actes secrets se passent sans témoins.
Il serait à propos que monsieur prît la peine
D'aller avec madame en la chambre prochaine.

LISETTE. Moi, je ne puis quitter monsieur un seul moment.

ÉRASTE. Mon oncle sur ce point dira son sentiment.

CRISPIN. Ces personnes, messieurs, sont sages et discrètes ;
Je puis leur confier mes volontés secrètes,
Et leur montrer l'excès de mon affection.

M. SCRUPULE. Nous ferons tout au gré de votre intention.
Le testament sera tel que l'on doit le faire,
Et l'on le réduira dans le style ordinaire.
(*Il dicte à M. Gaspard, qui écrit.*)
Par-devant. . . fut présent. . . Géronte. . . et cœtera.
(*A Géronte.*)
Dites-nous maintenant tout ce qu'il vous plaira.

CRISPIN. Je veux premièrement qu'on acquitte mes dettes.

ÉRASTE. Nous n'en trouverons pas, je crois, beaucoup de faites.

CRISPIN. Je dois quatre cents francs à mon marchand de vin,
Un fripon qui demeure au cabaret voisin.

M. SCRUPULE. Fort bien. Où voulez-vous, monsieur, qu'on vous enterre ?

CRISPIN. A dire vrai, messieurs, il ne m'importe guère.
Qu'on se garde surtout de me mettre trop près
De quelque procureur chicaneur et mauvais ;

Il ne manquerait pas de me faire querelle;
Ce serait tous les jours procédure nouvelle,
Et je serais encor contraint de déguer-
   pir.

ÉRASTE. Tout se fera, monsieur, selon votre
   désir.
J'aurai soin du convoi, de la pompe fu-
   nèbre,
Et n'épargnerai rien pour la rendre célèbre.

CRISPIN. Non, mon neveu, je veux que mon
   enterrement
Se fasse à peu de frais et fort modestement.
Il fait trop cher mourir, ce serait conscience:
Jamais de mon vivant je n'aimai la dépense:
Je puis être enterré fort bien pour un
   écu.

LISETTE, à part. Le pauvre malheureux
   meurt comme il a vécu.

M. GASPARD. C'est à vous maintenant, s'il
   vous plaît, de nous dire
Les legs qu'au testament vous voulez faire
   écrire.

CRISPIN. C'est à quoi nous allons nous em-
   ployer dans peu.
Je nomme, j'institue Éraste, mon neveu.
Que j'aime tendrement, pour mon seul
   légataire,
Unique, universel.

ÉRASTE, affectant de pleurer. O douleur trop
   amère!

CRISPIN. Lui laissant tout mon bien,
   meubles, propres, acquêts,
Vaisselle, argent comptant, contrats,
   maisons, billets;
Déshéritant, en tant que besoin pourrait
   être,
Parents, nièces, neveux, nés aussi bien
   qu'à naître;
Et même tous bâtards, à qui Dieu fasse
   paix,
S'il s'en trouvait aucuns au jour de mon
   décès.

LISETTE, affectant de la douleur. Ce discours me fend l'âme. Hélas! mon
   pauvre maître!
Il faudra donc vous voir pour jamais disparaître!

ÉRASTE, de même. Les biens que vous m'offrez n'ont pour moi nul appas
S'il faut les acheter avec votre trépas.

CRISPIN. Item. Je donne et lègue à Lisette
   présente. . .

LISETTE, de même. Ah!

CRISPIN. Qui depuis cinq ans me tient lieu
   de servante,
Pour épouser Crispin en légitime nœud,
Non autrement. . .

LISETTE, tombant comme évanouie. Ah! ah!

CRISPIN.           Soutiens-la, mon neveu.
Et, pour récompenser l'affection, le zèle
Que de tout temps pour moi je reconnus
   en elle. . .

LISETTE, affectant de pleurer. Le bon
   maître, grands dieux, que je vais
   perdre là!

CRISPIN. Deux mille écus comptant en espèce.

LISETTE, de même. Ah! ah! ah!

ÉRASTE, à part. Deux mille écus! Je crois
   que le pendard se moque.

LISETTE, de même. Je n'y puis résister, la
   douleur me suffoque.
Je crois que j'en mourrai.

CRISPIN.        Lesquels deux mille écus
Du plus clair de mon bien seront pris et
   perçus.

LISETTE, à Crispin. Le ciel vous fasse paix
   d'avoir de moi mémoire,
Et vous paye au centuple une œuvre méri-
   toire!
(A part.)
Il avait bien promis de ne pas m'oublier.

ÉRASTE, bas. Le fripon m'a joué d'un tour
   de son métier.
(Haut, à Crispin.)
Je crois que voilà tout ce que vous voulez
   dire.

CRISPIN. J'ai trois ou quatre mots encore à
   faire écrire.
Item. Je laisse et lègue à Crispin. . .

ÉRASTE, bas.           A Crispin!
Je crois qu'il perd l'esprit. Quel est donc
   son dessein?

CRISPIN. Pour les bons et loyaux services. . .

ÉRASTE, bas.    Ah! le traître!

CRISPIN. Qu'il a toujours rendus et doit
   rendre à son maître. . .

ÉRASTE. Vous ne connaissez pas, mon oncle,
   ce Crispin;
C'est un mauvais valet, ivrogne, libertin,
Méritant peu le bien que vous voulez lui
   faire.

CRISPIN. Je suis persuadé, mon neveu, du
   contraire;
Je connais ce Crispin mille fois mieux
   que vous:
Je lui veux donc léguer, en dépit des
   jaloux. . .

ÉRASTE, à part. Le chien!

CRISPIN. Quinze cents francs de rentes via-
gères ;
  Pour avoir souvenir de moi dans ses pri-
ères.
ÉRASTE, *à part.* Ah ! quelle trahison !
CRISPIN. Trouvez-vous, mon neveu,
  Le présent malhonnête, et que ce soit trop
peu ?
ÉRASTE. Comment ! quinze cents francs !
CRISPIN.     Oui ; sans laquelle clause
  Le présent testament sera nul, et pour
cause.
ÉRASTE. Pour un valet, mon oncle, a-t-on
fait un tel legs ?
  Vous n'y pensez donc pas ?
CRISPIN.     Je sais ce que je fais :
  Et je n'ai point l'esprit si faible et si dé-
bile.
ÉRASTE. Mais. . .
CRISPIN.     Si vous me fâchez, j'en
  laisserai deux mille.
ÉRASTE. Si. . .
LISETTE, *bas, à Éraste.* Ne l'obstinez pas : je
connais son esprit ;
  Il le ferait, monsieur, tout comme il vous
le dit.
ÉRASTE, *bas, à Lisette.* Soit, je ne dirai mot ;
cependant, de ma vie,
  Je n'aurai de parler une si juste envie.
CRISPIN. N'aurais-je point encor quelqu'un
de mes amis ?
  A qui je pourrais faire un fidéicommis ?
ÉRASTE, *bas.* Le scélérat encor rit de ma
retenue ;
  Il ne me laissera plus rien, s'il continue.
M. SCRUPULE, *à Crispin.* Est-ce fait ?
CRISPIN.     Oui, monsieur.
ÉRASTE, *à part.*     Le ciel en soit béni !
M. GASPARD. Voilà le testament heureuse-
ment fini :
  (*A Crispin.*)
  Vous plaît-il de signer ?
CRISPIN. J'en aurais grande envie :
  Mais j'en suis empêché par la paralysie
  Qui depuis quelques mois me tient sur
le bras droit.
M. GASPARD, *écrivant.* Et ledit testateur dé-
clare en cet endroit
  Que de signer son nom il est dans l'im-
puissance,
  De ce l'interpellant au gré de l'ordon-
nance.
CRISPIN. Qu'un testament à faire est un
pesant fardeau !
  M'en voilà délivré ; mais je suis tout en
eau.
M. SCRUPULE, *à Crispin.* Vous n'avez plus
besoin de notre ministère ?
CRISPIN, *à M. Scrupule.* Laissez-moi, s'il

  vous plaît, l'acte qu'on vient de faire.
M. SCRUPULE. Nous ne pouvons, monsieur ;
cet acte est un dépôt
  Qui reste dans nos mains ; je reviendrai
tantôt,
  Pour vous en apporter moi-même une
copie.
ÉRASTE. Vous nous ferez plaisir ; mon oncle
vous en prie,
  Et veut récompenser votre peine et vos
soins.
M. GASPARD. C'est maintenant, monsieur, ce
qui presse le moins.
CRISPIN. Lisette, conduis-les.

## SCÈNE VII.

ÉRASTE, CRISPIN.

CRISPIN, *remettant en place la table et les
chaises.* Ai-je tenu parole ?
  Et dans l'occasion, sais-je jouer mon rôle,
  Et faire un testament ?
ÉRASTE.     Trop bien pour ton profit.
  Dis-moi donc, malheureux, as-tu perdu
l'esprit,
  De faire un testament qui m'est si dom-
mageable ?
  De laisser à Lisette une somme sembla-
ble ?
CRISPIN. Ma foi, ce n'est pas trop.
ÉRASTE.     Deux mille écus comp-
tant !
CRISPIN. Il faut, en pareil cas, que chacun
soit content.
  Pouvais-je moins laisser à cette pauvre
fille ?
ÉRASTE. Comment donc ? traître !
CRISPIN.     Elle est un peu de la famille :
  Votre oncle, si l'on croit le lardon scan-
daleux,
  N'a pas été toujours impotent et gout-
teux ;
  Et j'ai dû lui laisser un peu de subsis-
tance
  Pour l'acquit de son âme et de ma con-
science.
ÉRASTE. Et de ta conscience ! Et ces quinze
cents francs
  De pension à toi payables tous les ans,
  Que tu t'es fait léguer avec tant de pru-
dence,
  Est-ce encor pour l'acquit de cette con-
science ?
CRISPIN. Il ne faut point, monsieur, s'esto-
maquer si fort ;
  On peut, en un moment, nous mettre tous
d'accord.

Puisque le testament que nous venons de
    faire,
Où je vous institue unique légataire.
Ne peut avoir l'honneur d'obtenir votre
    aveu,
Il faut le déchirer et le jeter au feu.
ÉRASTE. M'en préserve le ciel!
CRISPIN.       Sans former d'entreprise,
    Laissons la chose au point où votre oncle
    l'a mise.
ÉRASTE. Ce serait cent fois pis; j'en mour-
    rais de douleur.
CRISPIN. Il s'élève aussi bien dans le fond
    de mon cœur
Certain remords cuisant, certaine syn-
    dérèse,[1]
Qui furieusement sur l'estomac me pèse.
ÉRASTE. Rentrons, Crispin; je tremble, et
    suis persuadé
Que nous allons trouver mon oncle décédé,
Ou que, dans ce moment, pour le moins
    il expire.
CRISPIN. Hélas! il était temps, ma foi, de
    faire écrire.
ÉRASTE. Le laurier dont tu viens de couron-
    ner ton front
Ne peut avoir un prix ni trop grand ni
    trop prompt.
CRISPIN. Il faut donc, s'il vous plaît,
    m'avancer une année
De cette pension que je me suis donnée:
Vous ne sauriez me faire un plus char-
    mant plaisir.
ÉRASTE. C'est ce que nous verrons avec plus
    de loisir.

### SCÈNE VIII.

LISETTE, ÉRASTE, CRISPIN.

LISETTE, se jetant dans le fauteuil. Miséri-
    corde! ah ciel! je me meurs; je suis
    morte.
ÉRASTE, à Lisette. Qu'as-tu donc mon en-
    fant, à crier de la sorte?
LISETTE. J'étouffe. Ouf, ouf! la peur m'em-
    pêche de parler.
CRISPIN, à Lisette. Quel vertigo soudain a
    donc pu te troubler?
Parle donc, si tu veux. . .
LISETTE.       Géronte. . .
CRISPIN.       Eh bien, Géronte. . .
LISETTE, se levant brusquement. Ah! prenez
    garde à moi.
CRISPIN.       Veux-tu finir ton conte?
LISETTE. Un grand fantôme noir. . .
ÉRASTE.       Comment donc? que dis-tu?

LISETTE. Hélas! mon cher monsieur, je dis
    ce que j'ai vu.
Après avoir conduit ces messieurs dans la
    rue,
Où la mort du bonhomme est déjà ré-
    pandue,
Où même le crieur a voulu, malgré moi,
Faire entrer avec lui l'attirail d'un con-
    voi,
De la chambre où gisait votre oncle sans
    escorte,
Il m'a semblé d'abord entendre ouvrir la
    porte:
Et, montant l'escalier, j'ai trouvé nez
    pour nez,
Comme un grand revenant, Géronte sur
    ses pieds.
CRISPIN. De la crainte d'un mort ton âme
    possédée
T'abuse et te fait voir un fantôme en
    idée.
LISETTE. C'est lui, vous dis-je, il parle. . .
    (Elle se retourne, voit Crispin, qu'el-
    le prend pour Géronte, se lève
    et se sauve dans un coin en
    poussant un cri d'effroi.)
CRISPIN.       Et pourquoi ce grand cri?
LISETTE. Excuse, mon enfant; je te prenais
    pour lui.
Enfin, criant, courant, sans détourner la
    vue,
Essoufflée et tremblante, ici je suis venue
Vous dire que le mal de votre oncle,
    en ces lieux,
N'est qu'une léthargie, et qu'il n'en est
    que mieux.
ÉRASTE. Avec quelle constance, au branle de
    sa roue,
La fortune ennemie et me berce et me
    joue!
LISETTE. O trop flatteur espoir! projets si
    bien conçus,
Et mieux exécutés, qu'êtes-vous devenus?
CRISPIN. Voilà donc le défunt que le sort
    nous renvoie!
Et l'avare Achéron lâche encore sa proie!
Vous le voulez, grands dieux! ma con-
    stance est à bout.
Je ne sais où j'en suis, et j'abandonne
    tout.
ÉRASTE. Toi que j'ai vu tantôt si grand, si
    magnanime,
Un seul revers te rend faible et pusil-
    lanime!
Reprends des sentiments qui soient
    dignes de toi:
Offrons-nous aux dangers; viens signaler
    ta foi:

---

[1] theological term for *contrition*, used often in ascetic sense.

Quelque coup de hasard nous tirera d'affaire.

CRISPIN. Allons-nous abuser encor quelque notaire?

ÉRASTE. Je vais, sans perdre temps, remettre ces billets
Dans les mains d'Isabelle; ils feront leurs effets,
Et nous en tirerons peut-être un avantage
Qui pourrait bien servir à notre mariage.
Vous, rentrez chez mon oncle, et prenez bien le soin
D'appeler le secours dont il aura besoin.
Pour retourner plus tôt, je pars en diligence,
Et viens vous rassurer ici par ma présence.

## SCÈNE IX.

### LISETTE, CRISPIN.

CRISPIN. Ne me voilà pas mal avec mon testament!
Je vois ma pension payée en un moment.

LISETTE. Et mes deux mille écus pour prix de mon service!

CRISPIN. Juste ciel! sauve-moi des mains de la justice.
Tout ceci ne vaut rien et m'inquiète fort:
Je crains bien d'avoir fait mon testament de mort.

## ACTE CINQUIÈME

### SCÈNE PREMIÈRE.

#### MADAME ARGANTE, ISABELLE, ÉRASTE.

MADAME ARGANTE, à Éraste. Quel est votre dessein? et que voulez-vous faire?
Puis-je de ces billets être dépositaire?
On me soupçonnerait d'avoir prêté les mains
A faire réussir en secret vos desseins.
Maintenant que votre oncle a pu, malgré son âge,
Reprendre de ses sens heureusement l'usage,
Le parti le meilleur, sans user de délais,
Est de lui reporter vous-même ces billets.

ÉRASTE. Ce n'est pas d'aujourd'hui que je connais, madame,
Les nobles sentiments qui règnent dans votre âme:
Nous ne prétendons point, vous ni moi retenir
Un bien qui ne nous peut encore appartenir.

Mais gardez ces billets quelques moments, de grâce;
Le ciel m'inspirera ce qu'il faut que je fasse.
Je le prends à témoin, si, dans ce que j'ai fait,
L'amour n'a pas été mon principal objet.
Hélas! pour mériter la charmante Isabelle.
J'ai peut-être un peu trop fait éclater mon zèle:
Mais on pardonnera ces transports amoureux;
(A Isabelle.)
Mon excuse, madame, est écrite en vos yeux.

ISABELLE, à Éraste. Puisque pour notre hymen j'ai l'aveu de ma mère,
Je puis faire paraître un sentiment sincère.
Les biens dont vous pouvez hériter chaque jour
N'ont point du tout pour vous déterminé l'amour:
Votre personne seule est le bien qui me flatte;
Et tous les vains brillants dont la fortune éclate
Ne sauraient éblouir un cœur comme le mien.

ÉRASTE. Si je l'obtiens, ce cœur, non, je ne veux plus rien.

MADAME ARGANTE. Tous ces beaux sentiments sont fort bons dans un livre:
L'amour seul, quel qu'il soit, ne donne point à vivre;
Et je vous apprends, moi, que l'on ne s'aime bien,
Quand on est marié, qu'autant qu'on a du bien.

ÉRASTE. Mon oncle maintenant, par sa convalescence,
Fait revivre en mon cœur la joie et l'espérance;
Et je vais l'exciter à faire un testament.

MADAME ARGANTE. Mais ne craignez-vous rien de son ressentiment?
Ces billets détournés ne peuvent-ils point faire
Qu'il prenne à vos désirs un sentiment contraire?

ÉRASTE. Et voilà la raison qui me fait hasarder
A vouloir quelque temps encore les garder.
Pour revoir ce dépôt rentrer en sa puissance,
Il accordera tout sans trop de résistance.
Il faut, mademoiselle, en ce péril offert.

Etre un peu dans ce jour avec nous de concert.

Voilà tous bons billets qu'il faut, s'il vous plaît, prendre.

ISABELLE. Moi !

ÉRASTE. N'en rougissez point ; ce n'est que pour les rendre.

ISABELLE. Mais je ne sais, monsieur, en cette occasion,

Si je dois accepter cette commission.

De ces billets surpris on me croira complice :

En restitutions je suis encor novice.

ÉRASTE. Mais j'entends quelque bruit.

                C'est Crispin que je vois.

(*A Crispin.*)

A qui donc en as-tu ? te voilà hors de toi.

## SCÈNE II.

CRISPIN, MADAME ARGANTE, ISABELLE, ÉRASTE.

CRISPIN. Allons, monsieur, allons, en homme de courage,

Il faut ici, ma foi, soutenir l'abordage :

Monsieur Géronte approche.

ÉRASTE.             Oh ! ciel !

    (*A madame Argante et à Isabelle.*)

              En ce moment,

Souffrez que je vous mène à mon appartement.

J'ai de la peine encore à m'offrir à sa vue :

Laissons évaporer un peu sa bile émue :

Et quand il sera temps, tous unanimement,

Nous viendrons travailler ensemble au dénoûment.

    (*A Crispin.*)

Pour toi, reste ici ; vois l'humeur dont il peut être ;

Et tu m'informeras s'il est temps de paraître.

CRISPIN. Nous voilà, grâce au ciel, dans un grand embarras.

Dieu veuille nous tirer d'un aussi mauvais pas !

## SCÈNE III.

GÉRONTE, CRISPIN, LISETTE.

GÉRONTE, *appuyé sur Lisette.* Je ne puis revenir encor de ma faiblesse :

Je ne sais où je suis, l'éclat du jour me blesse ;

Et mon faible cerveau, de ce choc ébranlé,

Par de sombres vapeurs est encor tout troublé.

Ai-je été bien longtemps dans cette léthargie ?

LISETTE. Pas tant que nous croyions : mais votre maladie

Nous a tous mis ici dans un dérangement,

Une agitation, un soin, un mouvement,

Qu'il n'est pas bien aisé, dans le fond, de décrire :

Demandez à Crispin ; il pourra vous le dire.

CRISPIN. Si vous saviez, monsieur, ce que nous avons fait,

Lorsque de votre mal vous ressentiez l'effet,

La peine que j'ai prise, et les soins nécessaires

Pour pouvoir comme vous mettre ordre à vos affaires,

Vous seriez étonné, mais d'un étonnement

A n'en pas revenir sitôt, assurément.

GÉRONTE. Où donc est mon neveu ? son absence m'ennuie.

CRISPIN. Ah ! le pauvre garçon, je crois, n'est plus en vie.

GÉRONTE. Que dis-tu là ? Comment ?

CRISPIN.               Il s'est saisi si fort,

Quand il a vu vos yeux tourner droit à la mort,

Que, n'écoutant plus rien que sa douleur amère,

Il s'est allé jeter. . .

GÉRONTE.       Où donc ? Dans la rivière ?

CRISPIN. Non, monsieur, sur son lit, où baigné de ses pleurs,

L'infortuné garçon gémit de ses malheurs.

GÉRONTE. Va donc lui redonner et le calme et la joie,

Et dis-lui de ma part que le ciel lui renvoie

Un oncle toujours plein de tendresse pour lui,

Qui connaît son bon cœur, et qui veut aujourd'hui

Lui montrer des effets de sa reconnaissance.

CRISPIN. S'il n'est pas encor mort, en toute diligence

Je vous l'amène ici.

## SCÈNE IV.

GÉRONTE, LISETTE.

GÉRONTE.          Mais, à ce que je vois,

J'ai donc, Lisette, été plus mal que je ne crois ?

LISETTE. Nous vous avons cru mort pendant une heure entière.

GÉRONTE. Il faut donc expliquer ma volonté dernière,
Et sans perdre de temps, faire mon testament.
Les notaires sont-ils venus?

LISETTE. Assurément.

GÉRONTE. Qu'on aille de nouveau les chercher, et leur dire
Que dans le même instant je veux les faire écrire.

LISETTE. Ils reviendront dans peu.

### SCÈNE V.

ÉRASTE, GÉRONTE, CRISPIN, LISETTE.

CRISPIN, à Éraste. Le ciel vous l'a rendu.

ÉRASTE. Hélas! à ce bonheur me serais-je attendu?
Je revois mon cher oncle! et le ciel, par sa grâce,
Sensible à mes douleurs, permet que je l'embrasse!
Après l'avoir cru mort, il paraît à mes yeux!

GÉRONTE. Hélas! mon cher neveu, je n'en suis guère mieux:
Mais je rends grâce au ciel de prolonger ma vie,
Pour pouvoir maintenant exécuter l'envie
De te donner mon bien par un bon testament.

LISETTE. Ce garçon-là, monsieur, vous aime tendrement.
Si vous aviez pu voir les syncopes, les crises,
Dont par la sympathie il sentait les reprises,
Il vous aurait percé le cœur de part en part.

CRISPIN. Nous en avons tous trois eu notre bonne part.

LISETTE. Enfin, le ciel a pris pitié de nos misères.
(Bas, à Crispin.)
Mais j'aperçois quelqu'un. C'est un des deux notaires.

GÉRONTE. Bonjour, monsieur Scrupule.

CRISPIN, à part. Ah! me voilà perdu.

### SCÈNE VI.

M. SCRUPULE, GÉRONTE, ÉRASTE, LISETTE, CRISPIN.

GÉRONTE. Ici depuis longtemps vous êtes attendu.

M. SCRUPULE. Certes, je suis ravi, monsieur, qu'en moins d'une heure
Vous jouissiez déjà d'une santé meilleure.
Je savais bien qu'ayant fait votre testament,
Vous sentiriez bientôt quelque soulagement.
Le corps se porte mieux lorsque l'esprit se trouve
Dans un parfait repos.

GÉRONTE. Tous les jours je l'éprouve.

M. SCRUPULE. Voici donc le papier que, selon vos desseins,
Je vous avais promis de remettre en vos mains.

GÉRONTE. Quel papier, s'il vous plaît?
Pourquoi, pour quelle affaire?

M. SCRUPULE. C'est votre testament que vous venez de faire.

GÉRONTE. J'ai fait mon testament?

M. SCRUPULE. Oui, sans doute, monsieur.

LISETTE, bas. Crispin, le cœur me bat.

CRISPIN, bas. Je frissonne de peur.

GÉRONTE. Eh! parbleu, vous rêvez, monsieur: c'est pour le faire
Que j'ai besoin ici de votre ministère.

M. SCRUPULE. Je ne rêve, monsieur, en aucune façon;
Vous nous l'avez dicté, plein de sens et raison.
Le repentir sitôt saisirait-il votre âme?
Monsieur était présent, aussi bien que madame:
Ils peuvent là-dessus dire ce qu'ils ont vu.

ÉRASTE, bas. Que dire?

LISETTE bas. Juste ciel!

CRISPIN, bas. Me voilà confondu.

GÉRONTE. Éraste était présent?

M. SCRUPULE. Oui, monsieur, je vous jure!

GÉRONTE. Est-il vrai, mon neveu? Parle, je t'en conjure.

ÉRASTE. Ah! ne me parlez pas, monsieur, de testament,
C'est m'arracher le cœur trop tyranniquement.

GÉRONTE. Lisette, parle donc.

LISETTE. Crispin, parle en ma place;
Je sens dans mon gosier que ma voix s'embarrasse.

CRISPIN, à Géronte. Je pourrais là-dessus vous rendre satisfait;
Nul ne sait mieux que moi la vérité du fait.

GÉRONTE. J'ai fait mon testament!

CRISPIN. On ne peut pas vous dire
Qu'on vous l'ait vu tantôt absolument écrire:

Mais je suis très certain qu'aux lieux où
vous voilà,
Un homme, à peu près mis comme vous
êtes là,
Assis dans un fauteuil, auprès de deux
notaires,
A dicté mot à mot ses volontés dernières.
Je n'assurerai pas que ce fût vous : pourquoi ?
C'est qu'on peut se tromper ; mais c'était
vous ou moi.

M. Scrupule, à Géronte. Rien n'est plus
véritable ; et vous pouvez m'en
croire.

Géronte. Il faut donc que mon mal m'ait
ôté la mémoire,
Et c'est ma léthargie.

Crispin.            Oui, c'est elle, en effet.

Lisette. N'en doutez nullement ; et, pour
prouver le fait,
Ne vous souvient-il pas que, pour certaine affaire,
Vous m'avez dit tantôt d'aller chez le
notaire ?

Géronte. Oui.

Lisette. Qu'il est arrivé dans votre cabinet ;
Qu'il a pris aussitôt sa plume et son
cornet ;
Et que vous lui dictiez à votre fantaisie ? . . .

Géronte. Je ne m'en souviens point.

Lisette.            C'est votre léthargie.

Crispin. Ne vous souvient-il pas, monsieur,
bien nettement,
Qu'il est venu tantôt certain neveu normand,
Et certaine baronne, avec un grand tumulte
Et des airs insolents, chez vous vous faire
insulte ? . . .

Géronte. Oui.

Crispin. Que, pour vous venger de leur emportement,
Vous m'avez promis place en votre testament,
Ou quelque bonne rente au moins pendant ma vie ?

Géronte. Je ne m'en souviens point.

Crispin.            C'est votre léthargie.

Géronte. Je crois qu'ils ont raison, et mon
mal est réel.
Ne vous souvient-il pas que monsieur
Clistorel ? . . .

Éraste. Pourquoi tant répéter cet inter-
rogatoire ?
Monsieur convient de tout, du tort de sa
mémoire,
Du notaire mandé, du testament écrit.

Géronte. Il faut bien qu'il soit vrai, puisque chacun le dit :
Mais voyons donc enfin ce que j'ai fait
écrire.

Crispin. à part. Ah ! voilà bien le diable.

M. Scrupule.            Il faut donc vous le lire :
«Fut présent devant nous, dont les noms
sont au bas,
Maître Matthieu Géronte, en son fauteuil
à bras,
Étant en son bon sens, comme on a pu
connaître
Par le geste et maintien qu'il nous a fait
paraître,
Quoique de corps malade, ayant sain
jugement ;
Lequel, après avoir réfléchi mûrement
Que tout est ici-bas fragile et transi-
toire. . .»

Crispin. Ah ! quel cœur de rocher et quelle
âme assez noire
Ne se fendrait en quatre en entendant ces
mots ?

Lisette. Hélas ! je ne saurais arrêter mes
sanglots.

Géronte. En les voyant pleurer mon âme
est attendrie.
Là, là, consolez-vous ; je suis encore en
vie.

M. Scrupule, continuant de lire. «Considérant que rien ne reste en même état,
Ne voulant pas aussi décéder intestat. . .»

Crispin. Intestat ! . . .

Lisette. Intestat ! . . . ce mot me perce
l'âme.

M. Scrupule. Faîtes trêve un moment à vos
soupirs, madame.
«Considérant que rien ne reste en même
état,
Ne voulant pas aussi décéder intestat. . .»

Crispin. Intestat ! . . .

Lisette.            Intestat ! . . .

M. Scrupule. Mais laissez-moi donc lire :
Si vous pleurez toujours, je ne pourrai
rien dire.
«A fait, dicté, nommé, rédigé par écrit,
Son susdit testament en la forme qui
suit.»

Géronte. De tout ce préambule, et de cette
légende,
S'il m'en souvient d'un mot, je veux bien
qu'on me pende.

Lisette. C'est votre léthargie.

Crispin.            Ah ! je vous en répond.
Ce que c'est que de nous ! moi, cela me
confond.

M. Scrupule, lisant. «Je veux, premièrement, qu'on acquitte mes dettes.»

GÉRONTE. Je ne dois rien.

M. SCRUPULE. Voici l'aveu que vous en faites.

«Je dois quatre cents francs à mon marchand de vin,
Un fripon qui demeure au cabaret voisin.»

GÉRONTE. Je dois quatre cents francs! c'est une fourberie.

CRISPIN, à Géronte. Excusez-moi, monsieur, c'est votre léthargie.
Je ne sais pas au vrai si vous les lui devez,
Mais il me les a, lui, mille fois demandés.

GÉRONTE. C'est un maraud qu'il faut envoyer en galère.

CRISPIN. Quand ils y seraient tous, on ne les plaindrait guère.

M. SCRUPULE, lisant. «Je fais mon légataire unique, universel,
Éraste, mon neveu.»

ÉRASTE. Se peut-il? . . . Juste ciel!

M. SCRUPULE, lisant. «Déshéritant, en tant que besoin pourrait être,
Parents, nièces, neveux, nés aussi bien qu'à naître,
Et même tous bâtards, à qui Dieu fasse paix,
S'il s'en trouvait aucuns au jour de mon décès.»

GÉRONTE. Comment? moi, des bâtards!

CRISPIN, à Géronte. C'est style de notaire.

GÉRONTE. Oui, je voulais nommer Éraste légataire.
A cet article-là, je vois présentement
Que j'ai bien pu dicter le présent testament.

M. SCRUPULE, lisant. «Item. Je donne et lègue, en espèce sonnante,
A Lisette. . .»

LISETTE. Ah! grands dieux!

M. SCRUPULE, lisant. «Qui me sert de servante,
Pour épouser Crispin en légitime nœud,
Deux mille écus.»

CRISPIN, à Géronte. Monsieur. . . en vérité. . . pour peu. . .
Non. . . jamais. . . car enfin. . . ma bouche. . . quand j'y pense. . .
Je me sens suffoquer par la reconnaissance.
(A Lisette.)
Parle donc. . .

LISETTE, embrassant Géronte. Ah! monsieur. . .

GÉRONTE. Qu'est-ce à dire cela?
Je ne suis point l'auteur de ces sottises-là.

Deux mille écus comptant!

LISETTE. Quoi! déjà, je vous prie,
Vous repentiriez-vous d'avoir fait œuvre pie?
Une fille nubile, exposée au malheur,
Qui veut faire une fin en tout bien, tout honneur,
Lui refuseriez-vous cette petite grâce?

GÉRONTE. Comment! six mille francs! quinze ou vingt écus, passe.

LISETTE. Les maris, aujourd'hui, monsieur, sont si courus!
Et que peut-on, hélas! avoir pour vingt écus?

GÉRONTE. On a ce que l'on peut, entendez-vous, m'amie?
Il en est à tous prix. (Au notaire.)
Achevez, je vous prie.

M. SCRUPULE. «Item. Je donne et lègue. . .»

CRISPIN, à part. Ah! c'est mon tour enfin.
Et l'on va me jeter. . .

M. SCRUPULE. «A Crispin. . .»
(Crispin se fait petit.)

GÉRONTE, regardant Crispin. A Crispin!

M. SCRUPULE, lisant. «Pour tous les obligeants, bons et loyaux services
Qu'il rend à mon neveu dans divers exercices,
Et qu'il peut bien encore lui rendre à l'avenir. . .»

GÉRONTE. Où donc ce beau discours doit-il enfin venir?
Voyons.

M. SCRUPULE, lisant. «Quinze cents francs de rentes viagères,
Pour avoir souvenir de moi dans ses prières.»

CRISPIN, se prosternant aux pieds de Géronte. Oui, je vous le promets, monsieur, à deux genoux,
Jusqu'au dernier soupir, je prîrai Dieu pour vous.
Voilà ce qui s'appelle un vraiment honnête homme!
Si généreusement me laisser cette somme!

GÉRONTE. Non ferai-je, parbleu! Que veut dire ceci?
(Au notaire.)
Monsieur, de tous ces legs je veux être éclairci.

M. SCRUPULE. Quel éclaircissement voulez-vous qu'on vous donne?
Et je n'écris jamais que ce que l'on m'ordonne.

GÉRONTE. Quoi! moi, j'aurais légué, sans aucune raison,
Quinze cents francs de rente à ce maître fripon,

Qu'Éraste aurait chassé, s'il m'avait
    voulu croire!

CRISPIN, *toujours à genoux.* Ne vous re-
    pentez pas d'une œuvre méritoire.

Voulez-vous, démentant un généreux ef-
    fort,

Etre avaricieux, même après votre
    mort?

GÉRONTE. Ne m'a-t-on point volé mes bil-
    lets dans mes poches?

Je tremble du malheur dont je sens les
    approches.

Je n'ose me fouiller.

ÉRASTE, *à part.*    Quel funeste embarras!
    (*Haut à Géronte.*)

Vous les cherchez en vain; vous ne les
    avez pas.

GÉRONTE, *à Éraste.* Où sont-ils donc? ré-
    ponds.

ÉRASTE.    Tantôt, pour Isabelle,
Je les ai, par votre ordre exprès, portés
    chez elle.

GÉRONTE. Par mon ordre!

ÉRASTE.    Oui, monsieur.

GÉRONTE.    Je ne m'en souviens point.

CRISPIN. C'est votre léthargie.

GÉRONTE.    Oh! je veux, sur ce point,
Qu'on me fasse raison. Quelles fripon-
    neries!

Je suis las, à la fin, de tant de léthargies.
    (*A Éraste.*)

Cours chez elle: dis-lui que, quand j'ai
    fait ce don,

J'avais perdu l'esprit, le sens et la raison.

## SCÈNE VII.

MME. ARGANTE, ISABELLE, GÉRONTE,
ÉRASTE, LISETTE, CRISPIN, M.
SCRUPULE.

ISABELLE, *à Géronte.* Ne vous alarmez
    point, je viens pour vous les rendre.

GÉRONTE. Oh! ciel!

ÉRASTE. Mais sous des lois que nous osons
    prétendre.

GÉRONTE. Et quelles sont ces lois?

ÉRASTE.    Je vous prie humblement
De vouloir approuver le présent testa-
    ment.

GÉRONTE. Mais tu n'y penses pas: veux-tu
    donc que je laisse

A cette chambrière un legs de cette es-
    pèce?

LISETTE. Songez à l'intérêt que le ciel vous
    en rend:

Et plus le legs est gros, plus le mérite est
    grand.

GÉRONTE, *à Crispin.* Et ce maraud aurait
    cette somme en partage!

CRISPIN. Je vous promets, monsieur, d'en
    faire un bon usage;

De plus, ce legs ne peut en rien vous
    faire tort.

GÉRONTE. Il est vrai qu'il n'en doit jouir
    qu'après ma mort.

ÉRASTE. Ce n'est pas encor tout: regardez
    cette belle!

Vous savez ce qu'un cœur peut ressentir
    pour elle.

Vous avez éprouvé le pouvoir de ses
    coups;

Charmé de ses attraits, j'embrasse vos
    genoux,

Et je vous la demande en qualité de
    femme.

GÉRONTE. Ah! monsieur mon neveu. . .

ÉRASTE.    Je n'ai fait voir ma flamme
Que lorsqu'en écoutant un sentiment plus
    sain

Votre cœur moins épris a changé de des-
    sein.

MADAME ARGANTE. Je crois que vous et moi
    nous ne saurions mieux faire.

GÉRONTE. Nous verrons; mais, avant de con-
    clure l'affaire,

Je veux voir mes billets en entier.

ISABELLE.    Les voilà:
Tels que je les reçus, je les rends.
    (*Elle présente le portefeuille à Gé-
    ronte.*)

LISETTE, *prenant le portefeuille plus tôt
    que Géronte.*    Halte-là!
Convenons de nos faits avant que de rien
    rendre.

GÉRONTE. Si tu ne me les rends, je vous
    ferai tous pendre.

ÉRASTE, *se jetant à genoux.* Monsieur, vous
    me voyez embrasser vos genoux;

Voulez-vous aujourd'hui nous désespérer
    tous?

LISETTE, *à genoux.* Eh! monsieur. . .

CRISPIN, *à genoux.*    Eh! monsieur . .

GÉRONTE.    La tendresse m'accueille.
Dites-moi, n'a-t-on rien distrait du porte-
    feuille?

ISABELLE. Non, monsieur, je vous jure: il
    est en son entier;

Et vous retrouverez jusqu'au moindre
    papier.

GÉRONTE. Eh bien, s'il est ainsi, par-devant
    le notaire,

Pour avoir mes billets, je consens à tout
    faire:

Je ratifie en tout le présent testament,

Et donne à votre hymen un plein con-
sentement.
Mes billets?
LISETTE.          Les voilà.
ÉRASTE, à Géronte. Quelle action de
grâce!
GÉRONTE. De vos remercîments volontiers
je me passe.
Mariez-vous tous deux, c'est bien fait;
j'y consens:
Mais surtout au plus tôt procréez des en-
fants
Qui puissent hériter de vous en droite
ligne:
De tous collatéraux l'engeance est trop
maligne.
Détestez à jamais tous neveux bas-nor-
mands,
Et nièces que le diable amène ici du
Mans:
Fléaux plus dangereux, animaux plus
funestes
Que ne furent jamais les guerres ni les
pestes.

## SCÈNE VIII.

CRISPIN, LISETTE.

CRISPIN. Laissons-le dans l'erreur: nous
sommes héritiers.
Lisette, sur mon front viens ceindre
des lauriers;
Mais n'y mets rien de plus pendant le
mariage.
LISETTE. J'ai du bien maintenant assez
pour être sage.
CRISPIN, au parterre. Messieurs, j'ai, grâce
au ciel, mis ma barque à bon port.
En faveur des vivants, je fais revivre un
mort;
Je nomme, à mes désirs, un ample légataire;
J'acquiers quinze cents francs de rente
viagère,
Et femme au par-dessus; mais ce n'est
pas assez:
Je renonce à mon legs si vous n'applaudissez.

# TURCARET

*Comédie en cinq actes, en prose*

Représentée pour la première fois à la Comédie-Française
le 14 février 1709

# LE SAGE

Alain-René Le Sage (1668–1747) was born at Sarzeau, in Brittany, in 1668. Son of Claude Le Sage, a notary, and orphan at the age of fourteen, he came to Paris at the age of twenty-five to seek his fortune. He began to study law, but deserted it for literature. Under the influence of his friend the Abbé de Lyonne, he first devoted himself to Spanish literature, translating and imitating some of the Spanish masters. Father of the picaresque novel in France with *Gil Blas* (1715), and prophet of realism, he also made the nearest approach to Molière in real comedy. After a quarrel with the actors of the Comédie-Française, he devoted his energies to the Opéra-Comique and the Théâtre de la Foire, writing and collaborating in some hundred plays, all of which are forgotten. He married the daughter of a *maître menuisier* and was soon the father of a family, three sons and a daughter, to whom he was devoted. Unlike Regnard, who inherited riches, and Dancourt, who was a theatre-director and a friend of Louis XIV, he enjoyed neither fortune nor favor, but had to struggle for a livelihood and for recognition of his works. Although afflicted with deafness, he did not become morose, but counted it a blessing, for when he removed his ear-trumpet he could defy fools to bore him. Pressed by his needs and struggling against opposition, he did not attempt to curry favor, but hewed to the line. If he lost thereby in idealism, he at least gained in realism. No more in our day than in his own would he be a favorite with the classes. Notwithstanding his quarrels with the actors, two of his sons entered the profession, one the celebrated Montménil of the Comédie-Française; and the third was a priest with great histrionic gifts. It was with the last-named son that he passed his last years; he died in 1747 at Boulogne-sur-Mer.

Like Molière, Le Sage was forty years old when he won his first real successes in literature. In 1707 he produced his novel *le Diable boiteux,* and on the stage of the Comédie-Française his play *Crispin rival de son maître.* This play, a *lever de rideau* in one act and in prose, but a forerunner of his one great play, is the story of the valet substituted for the master. Such a substitution had already been used by Scarron in *le Maître Valet* and by Molière in *les Précieuses ridicules;* Marivaux used a similar device later in *le Jeu de l'amour et du hasard.* Crispin works on a larger, bolder scale and not only presages *Turcaret* two years later, but looks forward to Beaumarchais at the end of the century. The significant soliloquy of the valet is: "Que je suis las d'être valet! Ah! Crispin, . . . tu devrais briller dans la finance."

As with Dancourt and Regnard, so with Le Sage we are still in the reign of Louis XIV; but the latter years of his reign had already begun to show signs of the abuses that were so extreme during the Regency. These abuses Le Sage saw and recorded. As a result of his temperament and his experiences, his record was all the more biting. But his was not yet the age of the revolutionary philosophy of the eighteenth century. His comedy in this respect continues the classical type, in that it would correct the vices of society by ridicule in an orderly

manner from within, rather than in a revolutionary way from without. His is
a comedy of manners rather than of character, a social study and a picture of
contemporary society. Of this type, *Turcaret* (1709) is a masterpiece of dramatic
realism. Le Sage has given us a sordid picture of the new age that had been
depicted by Dancourt and others in a lighter vein. No longer is any attempt
made to distinguish the regular divisions of the society of the seventeenth century, but we have a general conglomeration of all classes. In this world is seen
the need of money at any price, the mad passion for gambling and luxury and
prodigality, greed for gain, the art of expedients, the absence of order, of
economy, of scruples, of all moral sense. Molière had touched these subjects only
lightly. As luxury and misery increased, attacks had become more numerous,
but not yet so caustic as Le Sage's. Business and finance are the highway upon
which everyone talks of launching out,—lords, valets, and peasants. But in the
fulness of time, when conditions were almost unbearable and a law had been
passed against the *traitants,* Le Sage immortalized them in the person of Turcaret. Although it is difficult to find an honorable trait in any of the characters,
Le Sage kept the play within the range of comedy and did not let it degenerate
into Juvenalian satire. Still, the general tone may almost be summed up in the
speech of Turcaret: "Trop bon, trop bon! hé! pourquoi diable s'est-il mis dans
les affaires! trop bon, trop bon!" Everybody steals from everybody, and this is
considered perfectly natural. Heartlessness and lack of scruple are the order
of the day. Only once does la Baronne begin to feel in spite of herself a little
pity for Turcaret and some scruples, and then she is told by Lisette that she
must stifle them.

Here is the forerunner of the revival of the money question in the nineteenth
century by Balzac in the novel and by Dumas fils on the stage in *la Question
d'argent;* and of the heartlessness of business by Henry Becque in *les Cor-
beaux* and by Octave Mirbeau in *les Affaires sont les affaires.* Turcaret the
man is the eternal personification of the tax-gatherer, the *traitant,* with his insolence and impudence and greed, as Harpagon and Tartuffe are the personification of the miser and the hypocrite. In this respect also Le Sage continued the
tradition of classical comedy. The portrayal is at the same time particular and
general, which makes it applicable in our own day; nor has its posterity sur-
passed it. With a vigorous, clear-cut dialogue, an air of frankness, a sincere
realism, a bit of mordant satire, a vibrant wit everywhere present even if con-
cealed, it preserves a character of modernity.

Bibliography: *Œuvres,* éd. Raynouard, 12 vols., Paris, 1821. BARBERET: *Le
Sage et le Théâtre de la Foire, Paris,* 1887. F. BRUNETIÈRE: *Époques du Théâtre
Français,* Paris, 1893. J. LEMAÎTRE: *La Comédie après Molière,* Paris, 1882.
C. LENIENT: *La Comédie au XVIII<sup>e</sup> siècle,* 2 vols., Paris, 1888. E. LINTILHAC:
*Le Sage,* Paris, 1893. P. PIERSON: *The Dramatic Works of Alain-René Lesage, an
analytical and comparative study* (Dissertation, to be published 1928.)

# TURCARET [1]

## Par ALAIN-RENÉ LE SAGE.

### PERSONNAGES.

M. TURCARET, *traitant, amoureux de la baronne.*
MADAME TURCARET, *épouse de M. Turcaret.*
MADAME JACOB, *revendeuse à la toilette et sœur de M. Turcaret.*
LA BARONNE, *jeune veuve, coquette.*
LE CHEVALIER ⎫ *petits-maîtres* [2]
LE MARQUIS ⎭
M. RAFLE, *commis de M. Turcaret.*

FLAMAND, *valet de M. Turcaret.*
MARINE ⎫ *suivantes de la baronne.*
LISETTE ⎭
JASMIN, *petit laquais de la baronne.*
FRONTIN, *valet du chevalier.*
M. FURET, *fourbe.*

La scène est à Paris, chez la baronne.

## ACTE PREMIER

### SCÈNE PREMIÈRE.

LA BARONNE, MARINE.

MARINE. Encore hier deux cents pistoles!
LA BARONNE. Cesse de me reprocher. . .
MARINE. Non, madame, je ne puis me taire; votre conduite est insupportable.
LA BARONNE. Marine. . . !
MARINE. Vous mettez ma patience à bout.
LA BARONNE. Hé! comment veux-tu donc que je fasse? Suis-je femme à thésauriser?
MARINE. Ce serait trop exiger de vous; et cependant je vous vois dans la nécessité de le faire.
LA BARONNE. Pourquoi?
MARINE. Vous êtes veuve d'un colonel étranger qui a été tué en Flandre l'année passée; vous aviez déjà mangé le petit douaire qu'il vous avait laissé en partant, et il ne vous restait plus que vos meubles, que vous auriez été obligée de vendre si la fortune propice ne vous eût fait faire la précieuse conquête de M. Turcaret le traitant. Cela n'est-il pas vrai, madame?
LA BARONNE. Je ne dis pas le contraire.

MARINE. Or, ce M. Turcaret, qui n'est pas un homme fort aimable, et qu'aussi vous n'aimez guère, quoique vous ayez dessein de l'épouser, comme il vous l'a promis; M. Turcaret, dis-je, ne se presse pas de vous tenir parole, et vous attendez patiemment qu'il accomplisse sa promesse, parce qu'il vous fait tous les jours quelque présent considérable; je n'ai rien à dire à cela; mais ce que je ne puis souffrir, c'est que vous vous soyez coiffée d'un petit chevalier joueur, qui va mettre à la réjouissance les dépouilles du traitant. Hé! que prétendez-vous faire de ce chevalier?
LA BARONNE. Le conserver pour ami. N'est-il pas permis d'avoir des amis?
MARINE. Sans doute, et de certains amis encore dont on peut faire son pis-aller. Celui-ci, par exemple, vous pourriez fort bien l'épouser, en cas que M. Turcaret vînt à vous manquer; car il n'est pas de ces chevaliers qui sont consacrés au célibat, et obligés de courir au secours de Malte: [3] c'est un chevalier de Paris; il fait ses caravanes dans les lansquenets. [4]
LA BARONNE. Oh! je le crois un fort honnête homme.
MARINE. J'en juge tout autrement. Avec ses airs passionnés, son ton radouci, sa face

[1] Text of Raynouard edition.
[2] petits-maîtres, fops, wits.
[3] to run to the aid of Malta, to enroll as a knight of St. John, an order later called Knights of Malta, celebrated military and religious order of the Middle Ages (1048–1798), whose members took the three monastic vows.
[4] lansquenet, a card game.

minaudière, je le crois un grand comédien; et ce qui me confirme dans mon opinion, c'est que Frontin, son bon valet Frontin, ne m'en a pas dit le moindre mal.

LA BARONNE. Le préjugé est admirable! Et tu conclus de là. . . ?

MARINE. Que le maître et le valet sont deux fourbes qui s'entendent pour vous duper; et vous vous laissez surprendre à leurs artifices, quoiqu'il y ait déjà du temps que vous les connaissiez. Il est vrai que, depuis votre veuvage, il a été le premier à vous offrir brusquement sa foi; et cette façon de sincérité l'a tellement établi chez vous, qu'il dispose de votre bourse comme de la sienne.

LA BARONNE. Il est vrai que j'ai été sensible aux premiers soins du chevalier. J'aurais dû, je l'avoue, l'éprouver avant que de lui découvrir mes sentiments; et je conviendrai de bonne foi que tu as peut-être raison de me reprocher tout ce que je fais pour lui.

MARINE. Assurément, et je ne cesserai point de vous tourmenter que vous ne l'ayez chassé de chez vous; car enfin, si cela continue, savez-vous ce qui en arrivera?

LA BARONNE. Hé! quoi?

MARINE. Que M. Turcaret saura que vous voulez conserver le chevalier pour ami; et il ne croit pas, lui, qu'il soit permis d'avoir des amis. Il cessera de vous faire des présents, il ne vous épousera point; et si vous êtes réduite à épouser le chevalier, ce sera un fort mauvais mariage pour l'un et pour l'autre.

LA BARONNE. Tes réflexions sont judicieuses, Marine; je veux songer à en profiter.

MARINE. Vous ferez bien; il faut prévoir l'avenir. Envisagez dès à présent un établissement solide; profitez des prodigalités de M. Turcaret, en attendant qu'il vous épouse. S'il y manque, à la vérité on en parlera un peu dans le monde; mais vous aurez, pour vous en dédommager, de bons effets, de l'argent comptant, des bijoux, de bons billets au porteur, des contrats de rente;[1] et vous trouverez alors quelque gentilhomme capricieux ou malaisé, qui réhabilitera votre réputation par un bon mariage.

LA BARONNE. Je cède à tes raisons, Marine; je veux me détacher du chevalier, avec qui je sens bien que je me ruinerais à la fin.

MARINE. Vous commencez à entendre

raison. C'est là le bon parti. Il faut s'attacher à M. Turcaret, pour l'épouser ou pour le ruiner. Vous tirerez du moins, des débris de sa fortune, de quoi vous mettre en équipage, de quoi soutenir dans le monde une figure brillante; et, quoi que l'on puisse dire, vous lasserez les caquets, vous fatiguerez la médisance, et l'on s'accoutumera insensiblement à vous confondre avec les femmes de qualité.

LA BARONNE. Ma résolution est prise; je veux bannir de mon cœur le chevalier; c'en est fait, je ne prends plus de part à sa fortune, je ne réparerai plus ses pertes, il ne recevra plus rien de moi.

MARINE. Son valet vient, faites-lui un accueil glacé: commencez par là le grand ouvrage que vous méditez.

LA BARONNE. Laisse-moi faire.

### SCÈNE II.

#### LA BARONNE, MARINE, FRONTIN.

FRONTIN, *à la baronne.* Je viens de la part de mon maître, et de la mienne, madame, vous donner le bonjour.

LA BARONNE, *d'un air froid.* Je vous en suis obligée, Frontin.

FRONTIN. Et mademoiselle Marine veut bien aussi qu'on prenne la liberté de la saluer?

MARINE, *d'un air brusque.* Bon jour et bon an.

FRONTIN, *à la baronne, en lui présentant un billet.* Ce billet, que M. le chevalier vous écrit, vous instruira, madame, de certaine aventure. . .

MARINE, *bas, à la baronne.* Ne le recevez pas.

LA BARONNE, *prenant le billet des mains de Frontin.* Cela n'engage à rien, Marine. Voyons, voyons ce qu'il me mande.

MARINE, *à part.* Sotte curiosité!

LA BARONNE, *lit.* «Je viens de recevoir le portrait d'une comtesse: je vous l'envoie et vous le sacrifie; mais vous me devez savoir me tenir compte de ce sacrifice, ma chère baronne: je suis si occupé, si possédé de vos charmes, que je n'ai pas la liberté de vous être infidèle. Pardonnez, mon adorable, si je ne vous en dis pas davantage; j'ai l'esprit dans un accablement mortel. J'ai perdu cette nuit tout mon argent, et Frontin vous dira le reste.

LE CHEVALIER.»

MARINE, *à Frontin.* Puisqu'il a perdu tout

---

[1] contrats de rente, guaranteed dividends.

son argent, je ne vois pas qu'il y ait du reste à cela.

FRONTIN. Pardonnez-moi. Outre les deux cents pistoles que madame eut la bonté de lui prêter hier, et le peu d'argent qu'il avait d'ailleurs, il a encore perdu mille écus sur parole : voilà le reste. Oh! diable, il n'y a pas un mot inutile dans les billets de mon maître.

LA BARONNE. Où est le portrait?

FRONTIN, *lui donnant un portrait.* Le voici.

LA BARONNE. Il ne m'a point parlé de cette comtesse-là, Frontin!

FRONTIN. C'est une conquête, madame, que nous avons faite sans y penser. Nous rencontrâmes l'autre jour cette comtesse dans un lansquenet.

MARINE. Une comtesse de lansquenet!

FRONTIN. Elle agaça mon maître : il répondit, pour rire, à ses minauderies. Elle, qui aime le sérieux, a pris la chose fort sérieusement; elle nous a, ce matin, envoyé son portrait; nous ne savons pas seulement son nom.

MARINE. Je vais parier que cette comtesse-là est quelque dame normande. Toute sa famille bourgeoise se cotise pour lui faire tenir à Paris une petite pension, que les caprices du jeu augmentent ou diminuent.

FRONTIN. C'est ce que nous ignorons.

MARINE. Oh! que non! vous ne l'ignorez pas. Peste! vous n'êtes pas gens à faire sottement des sacrifices! vous en connaissez bien le prix.

FRONTIN, *à la baronne.* Savez-vous bien, madame, que cette dernière nuit a pensé être une nuit éternelle pour M. le chevalier? En arrivant au logis, il se jette dans un fauteuil, et il commence par se rappeler les plus malheureux coups du jeu, assaisonnant ses réflexions d'épithètes et d'apostrophes énergiques.

LA BARONNE, *regardant le portrait.* Tu as vu cette comtesse, Frontin; n'est-elle pas plus belle que son portrait?

FRONTIN. Non, madame; et ce n'est pas, comme vous voyez, une beauté régulière; mais elle est assez piquante, ma foi, elle est assez piquante. Or, je voulus d'abord représenter à mon maître que tous ses jurements étaient des paroles perdues; mais, considérant que cela soulage un joueur désespéré, je le laissai s'égayer dans ses apostrophes.

LA BARONNE, *regardant toujours le portrait.* Quel âge a-t-elle, Frontin?

FRONTIN. C'est ce que je ne sais pas trop bien; car elle a le teint si beau, que je pour-

rais m'y tromper d'une bonne vingtaine d'années.

MARINE. C'est-à-dire qu'elle a pour le moins cinquante ans.

FRONTIN. Je le croirais bien, car elle en paraît trente. . . (*à la baronne*) Mon maître donc, après avoir réfléchi, s'abandonne à la rage : il demande ses pistolets.

LA BARONNE, *à Marine.* Ses pistolets, Marine! ses pistolets!

MARINE. Il ne se tuera point, madame, il ne se tuera point.

FRONTIN. Je les lui refuse; aussitôt il tire brusquement son épée.

LA BARONNE, *à Marine.* Ah! il s'est blessé, Marine, assurément.

MARINE. Hé! non, non; Frontin l'en aura empêché.

FRONTIN. Oui, je me jette sur lui à corps perdu. «Monsieur le chevalier, lui dis-je, qu'allez-vous faire? vous passez les bornes de la douleur du lansquenet. Si votre malheur vous fait haïr le jour, conservez-vous, du moins, vivez pour votre aimable baronne; elle vous a, jusqu'ici, tiré généreusement de tous vos embarras; et soyez sûr, ai-je ajouté, seulement pour calmer sa fureur, qu'elle ne vous laissera point dans celui-ci.»

MARINE, *bas, à la baronne.* L'entend-il, le maraud?

FRONTIN. «Il ne s'agit que de mille écus une fois; M. Turcaret a bon dos, il portera bien encore cette charge-là.»

LA BARONNE. Eh bien, Frontin?

FRONTIN. Eh bien! Madame, à ces mots, admirez le pouvoir de l'espérance, il s'est laissé désarmer comme un enfant; il s'est couché et s'est endormi.

MARINE, *ironiquement.* Le pauvre chevalier!

FRONTIN. Mais ce matin, à son réveil, il a senti renaître ses chagrins; le portrait de la comtesse ne les a point dissipés. Il m'a fait partir sur-le-champ pour venir ici, et il attend mon retour pour disposer de son sort. Que lui dirai-je, madame?

LA BARONNE. Tu lui diras, Frontin, qu'il peut toujours faire fond sur moi, et que, n'étant point en argent comptant. . .

(*Elle veut tirer son diamant de son doigt pour le lui donner.*)

MARINE, *la retenant.* Eh! madame, y songez-vous?

LA BARONNE, *à Frontin, remettant son diamant.* Tu lui diras que je suis touchée de son malheur.

MARINE, *à Frontin, ironiquement.* Et que je suis, de mon côté, très fâchée de son infortune.

FRONTIN. Ah! qu'il sera fâché, lui. . . ! (*à part.*) Maugrebleu de la soubrette!

LA BARONNE. Dis-lui bien, Frontin, que je suis sensible à ses peines.

MARINE, *à Frontin, ironiquement.* Que je sens vivement son affliction, Frontin.

FRONTIN, *à la baronne.* C'en est donc fait, madame, vous ne verrez plus M. le chevalier. La honte de ne pouvoir payer ses dettes va l'écarter de vous pour jamais; car rien n'est plus sensible pour un enfant de famille. Nous allons tout à l'heure prendre la poste.

LA BARONNE, *bas à Marine.* Prendre la poste, Marine.

MARINE, *à la baronne.* Ils n'ont pas de quoi la payer.

FRONTIN, *à la baronne.* Adieu, madame.

LA BARONNE, *tirant son diamant de son doigt.* Attends, Frontin.

MARINE, *à Frontin.* Non, non; va-t'en vite lui faire réponse.

LA BARONNE, *à Marine.* Oh! je ne puis me résoudre à l'abandonner. (*A Frontin, en lui donnant son diamant.*) Tiens, voilà un diamant de cinq cents pistoles que M. Turcaret m'a donné; va le mettre en gage et tire ton maître de l'affreuse situation où il se trouve.

FRONTIN. Je vais le rappeler à la vie. (*A Marine avec ironie.*) Je lui rendrai compte, Marine, de l'excès de ton affliction.

MARINE. Ah! que vous êtes tous deux bien ensemble, messieurs les fripons!

(*Frontin sort.*)

## SCÈNE III.

### LA BARONNE, MARINE.

LA BARONNE. Tu vas te déchaîner contre moi, Marine, t'emporter. . .

MARINE. Non, madame, je ne m'en donnerai pas la peine, je vous assure. Eh! que m'importe, après tout, que votre bien s'en aille comme il vient? Ce sont vos affaires; madame, ce sont vos affaires.

LA BARONNE. Hélas! je suis plus à plaindre qu'à blâmer: ce que tu me vois faire n'est point l'effet d'une volonté libre; je suis entraînée par un penchant si tendre, que je ne puis y résister.

MARINE. Un penchant tendre! Ces faiblesses-là vous conviennent-elles? Hé fi! vous aimez comme une vieille bourgeoise.

LA BARONNE. Que tu es injuste, Marine!

Puis-je ne pas savoir gré au chevalier du sacrifice qu'il me fait?

MARINE. Le plaisant sacrifice! Que vous êtes facile à tromper! Mort de ma vie! c'est quelque vieux portrait de famille; que sait-on? de sa grand'mère peut-être.

LA BARONNE, *regardant le portrait.* Non; j'ai quelque idée de ce visage-là, et une idée récente.

MARINE, *prenant le portrait.* Attendez. . . Ah! justement, c'est ce colosse de provinciale que nous vîmes au bal il y a trois jours, qui se fit tant prier pour ôter son masque, et que personne ne connut quand elle fut démasquée.

LA BARONNE. Tu as raison, Marine; cette comtesse-là n'est pas mal faite.

MARINE, *rendant le portrait à la baronne.* A peu près comme M. Turcaret. Mais si la comtesse était femme d'affaires, on ne vous la sacrifierait pas, sur ma parole.

LA BARONNE. Tais-toi, Marine, j'aperçois le laquais de M. Turcaret.

MARINE, *bas, à la baronne.* Oh; pour celui-ci, passe; il ne nous apporte que bonnes nouvelles. (*Regardant venir Flamand et le voyant chargé d'un petit coffre.*) Il tient quelque chose; c'est sans doute un nouveau présent que son maître vous fait.

## SCÈNE IV.

### LA BARONNE, FLAMAND, MARINE.

FLAMAND, *à la baronne en lui présentant un petit coffre.* M. Turcaret, madame, vous prie d'agréer ce petit présent. Serviteur, Marine.

MARINE. Tu sois le bien venu, Flamand! j'aime mieux te voir que ce vilain Frontin.

LA BARONNE, *montrant le coffre à Marine.* Considère, Marine, admire le travail de ce petit coffre: as-tu rien vu de plus délicat?

MARINE. Ouvrez, ouvrez, je réserve mon admiration pour le dedans; le cœur me dit que nous en serons plus charmées que du dehors.

LA BARONNE, *l'ouvre.* Que vois-je! un billet au porteur! l'affaire est sérieuse.

MARINE. De combien, madame?

LA BARONNE. De dix mille écus.

MARINE, *bas.* Bon, voilà la faute du diamant réparée.

LA BARONNE, *regardant dans le coffret.* Je vois un autre billet.

MARINE. Encore au porteur?

LA BARONNE. Non; ce sont des vers que M. Turcaret m'adresse.

MARINE. Des vers de M. Turcaret!

LA BARONNE, *lisant.* «À Philis. . . Quatrain. . . .» (*Interrompant sa lecture.*) Je suis la Philis, et il me prie en vers de recevoir son billet en prose.

MARINE. Je suis fort curieuse d'entendre des vers d'un auteur qui envoie de si bonne prose.

LA BARONNE. Les voici; écoute. (*Elle lit.*) «Recevez ce billet, charmante Philis,
Et soyez assurée que mon âme
Conservera toujours une éternelle flamme,
Comme il est certain que trois et trois font six.»

MARINE. Que cela est finement pensé!

LA BARONNE. Et noblement exprimé! Les auteurs se peignent dans leurs ouvrages. . . . Allez, portez ce coffre dans mon cabinet, Marine. (*Marine sort.*)

## SCÈNE V.

### LA BARONNE, FLAMAND.

LA BARONNE. Il faut que je te donne quelque chose, à toi, Flamand. Je veux que tu boives à ma santé.

FLAMAND. Je n'y manquerai pas, madame, et du bon encore.

LA BARONNE. Je t'y convie.

FLAMAND. Quand j'étais chez ce conseiller que j'ai servi ci-devant, je m'accommodais de tout; mais, depuis que je suis chez M. Turcaret, je suis devenu délicat, oui.

LA BARONNE. Rien n'est tel que la maison d'un homme d'affaires pour perfectionner le goût.

FLAMAND, *voyant paraître M. Turcaret.* Le voici, madame, le voici. (*Il sort.*)

## SCÈNE VI.

### M. TURCARET, LA BARONNE, MARINE.

LA BARONNE. Je suis ravie de vous voir, monsieur Turcaret, pour vous faire des compliments sur les vers que vous m'avez envoyés.

M. TURCARET, *riant.* Oh, Oh!

LA BARONNE. Savez-vous bien qu'ils sont du dernier galant? Jamais les Voiture [1] ni les Pavillon [2] n'en ont fait de pareils.

M. TURCARET. Vous plaisantez, apparemment?

LA BARONNE. Point du tout.

M. TURCARET. Sérieusement, madame, les trouvez-vous bien tournés?

LA BARONNE. Le plus spirituellement du monde.

M. TURCARET. Ce sont pourtant les premiers vers que j'aie faits de ma vie.

LA BARONNE. On ne le dirait pas.

M. TURCARET. Je n'ai pas voulu emprunter le secours de quelque auteur, comme cela se pratique.

LA BARONNE. On le voit bien: les auteurs de profession ne pensent et ne s'expriment pas ainsi; on ne saurait les soupçonner de les avoir faits.

M. TURCARET. J'ai voulu voir, par curiosité, si je serais capable d'en composer, et l'amour m'a ouvert l'esprit.

LA BARONNE. Vous êtes capable de tout, monsieur, et il n'y a rien d'impossible pour vous.

MARINE. Votre prose, monsieur, mérite aussi des compliments: elle vaut bien votre poésie, au moins.

M. TURCARET. Il est vrai que ma prose a son mérite; elle est signée et approuvée par quatre fermiers généraux.

MARINE, *à M. Turcaret.* Cette approbation vaut mieux que celle de l'Académie.

LA BARONNE. Pour moi, je n'approuve point votre prose, monsieur, et il me prend envie de vous quereller.

M. TURCARET. D'où vient?

LA BARONNE. Avez-vous perdu la raison, de m'envoyer un billet au porteur? Vous faites tous les jours quelques folies comme cela.

M. TURCARET. Vous vous moquez.

LA BARONNE. De combien est-il, ce billet? Je n'ai pas pris garde à la somme, tant j'étais en colère contre vous.

M. TURCARET. Bon! il n'est que de dix mille écus.

LA BARONNE. Comment, dix mille écus. Ah! si j'avais su cela, je vous l'aurais renvoyé sur-le-champ.

M. TURCARET. Fi donc!

LA BARONNE. Mais je vous le renverrai.

M. TURCARET. Oh! vous l'avez reçu, vous ne le rendrez point.

MARINE, *à part.* Oh! pour cela, non.

LA BARONNE. Je suis plus offensée du motif que de la chose même.

M. TURCARET. Eh! pourquoi?

LA BARONNE. En m'accablant tous les jours de présents, il semble que vous vous

---

[1] Voiture (1598–1648), a poet and wit who frequented the Hôtel de Rambouillet.
[2] Pavillon (1632–1705), a minor writer.

imaginiez avoir besoin de ces liens-là pour m'attacher à vous.

M. TURCARET. Quelle pensée! Non, madame, ce n'est point dans cette vue que. . .

LA BARONNE. Mais vous vous trompez, monsieur, je ne vous en aime pas davantage pour cela.

M. TURCARET, à part. Qu'elle est franche! qu'elle est sincère!

LA BARONNE. Je ne suis sensible qu'à vos empressements, qu'à vos soins. . .

M. TURCARET. Quel bon cœur!

LA BARONNE. Qu'au seul plaisir de vous voir.

M. TURCARET, à part. Elle me charme. . . (A la baronne.) Adieu, charmante Philis.

LA BARONNE. Quoi! vous sortez si tôt?

M. TURCARET. Oui, ma reine; je ne viens ici que pour vous saluer en passant. Je vais à une de nos assemblées, pour m'opposer à la réception d'un pied-plat, d'un homme de rien, qu'on veut faire entrer dans notre compagnie. Je reviendrai dès que je pourrai m'échapper.

(Il lui baise la main.)

LA BARONNE. Fussiez-vous déjà de retour!

MARINE, à M. Turcaret en faisant la révérence. Adieu, monsieur, je suis votre très humble servante.

M. TURCARET. A propos, Marine, il me semble qu'il y a longtemps que je ne t'ai rien donné. (Il lui donne une poignée d'argent.) Tiens, je donne sans compter, moi.

MARINE. Et moi, je reçois de même, monsieur. Oh! nous sommes tous deux des gens de bonne foi!

(M. Turcaret sort.)

## SCÈNE VII.

### LA BARONNE, MARINE.

LA BARONNE. Il s'en va fort satisfait de nous, Marine.

MARINE. Et nous demeurons fort contentes de lui, madame. L'excellent sujet! il a de l'argent, il est prodigue et crédule; c'est un homme fait pour les coquettes.

LA BARONNE. J'en fais assez ce que je veux, comme tu vois.

MARINE. Oui; mais, par malheur, je vois arriver ici des gens qui vengent bien M. Turcaret.

1 'That amounts to being tricked by rascals.'

## SCÈNE VIII.

### LE CHEVALIER, LA BARONNE, FRONTIN, MARINE.

LE CHEVALIER, à la baronne. Je viens, madame, vous témoigner ma reconnaissance; sans vous, j'aurais violé la foi des joueurs : ma parole perdait tout son crédit, et je tombais dans le mépris des honnêtes gens.

LA BARONNE. Je suis bien aise, chevalier, de vous avoir fait ce plaisir.

LE CHEVALIER. Ah! qu'il est doux de voir sauver son honneur par l'objet même de son amour!

MARINE, à part. Qu'il est tendre et passionné! Le moyen de lui refuser quelque chose!

LE CHEVALIER. Bonjour, Marine. (A la baronne, avec ironie.) Madame, j'ai aussi quelques grâces à lui rendre; Frontin m'a dit qu'elle s'est intéressée à ma douleur.

MARINE. Eh! oui, merci de ma vie! je m'y suis intéressée : elle nous coûte assez pour cela.

LA BARONNE. Taisez-vous, Marine; vous avez des vivacités qui ne me plaisent pas.

LE CHEVALIER. Eh! madame, laissez-la parler; j'aime les gens francs et sincères.

MARINE. Et moi, je hais ceux qui ne le sont pas.

LE CHEVALIER, à la baronne, ironiquement. Elle est toute spirituelle dans ses mauvaises humeurs; elle a des reparties brillantes qui m'enlèvent. Marine, au moins, j'ai pour vous ce qui s'appelle une véritable amitié; et je veux vous en donner des marques. (Il fait semblant de fouiller dans ses poches; à Frontin.) Frontin, la première fois que je gagnerai, fais-m'en ressouvenir.

FRONTIN, à Marine, ironiquement. C'est de l'argent comptant.

MARINE, à Frontin. J'ai bien affaire de son argent! Eh! qu'il ne vienne pas ici piller le nôtre.

LA BARONNE. Prenez garde à ce que vous dites, Marine.

MARINE. C'est voler au coin d'un bois.[1]

LA BARONNE. Vous perdez le respect.

LE CHEVALIER, à la baronne. Ne prenez point la chose sérieusement.

MARINE. Je ne puis me contraindre, madame; je ne puis voir tranquillement que vous soyez la dupe de monsieur, et que M. Turcaret soit la vôtre.

La Baronne. Marine. . . .

Marine. Eh! fi! fi! madame, c'est se moquer de recevoir d'une main pour dissiper de l'autre. La belle conduite! Nous en aurons toute la honte, et M. le chevalier tout le profit.

La Baronne. Oh! pour cela, vous êtes trop insolente; je n'y puis plus tenir.

Marine. Ni moi non plus.

La Baronne. Je vous chasserai.

Marine. Vous n'aurez pas cette peine-là, madame; je me donne mon congé moi-même: je ne veux pas qu'on dise dans le monde que je suis infructueusement complice de la ruine d'un financier.

La Baronne. Retirez-vous, impudente! Ne paraissez jamais devant moi que pour me rendre vos comptes.

Marine. Je les rendrai à M. Turcaret, madame; et, s'il est assez sage pour m'en croire, vous compterez aussi tous deux ensemble.

(*Elle sort.*)

## SCÈNE IX.

La Baronne, Le Chevalier, Frontin.

Le Chevalier, *à la baronne.* Voilà, je l'avoue, une créature impertinente: vous avez eu raison de la chasser.

Frontin, *à la baronne.* Oui, madame, vous avez eu raison: comment donc! mais c'est une espèce de mère que cette servante-là.

La Baronne, *à Frontin.* C'est un pédant éternel que j'avais aux oreilles.

Frontin. Elle se mêlait de vous donner des conseils; elle vous aurait gâtée à la fin.

La Baronne. Je n'avais que trop d'envie de m'en défaire; mais je suis femme d'habitude, et je n'aime point les nouveaux visages.

Le Chevalier. Il serait pourtant fâcheux que, dans le premier mouvement de sa colère, elle allât donner à M. Turcaret des impressions qui ne conviendraient ni à vous ni à moi.

Frontin, *à la baronne.* Oh! diable, elle n'y manquera pas: les soubrettes sont comme les bigotes: elles font des actions charitables pour se venger.

La Baronne, *au chevalier.* De quoi s'inquiéter? Je ne la crains point. J'ai de l'esprit, et M. Turcaret n'en a guère: je ne l'aime point, et il est amoureux. Je saurai me faire auprès de lui un mérite de l'avoir chassée.

Frontin. Fort bien, madame; il faut mettre tout à profit.

La Baronne. Mais je songe que ce n'est pas assez de nous être débarrassés de Marine, il faut encore exécuter une idée qui me vient dans l'esprit.

Le Chevalier. Quelle idée, madame?

La Baronne. Le laquais de M. Turcaret est un sot, un benêt, dont on ne peut tirer le moindre service; et je voudrais mettre à sa place quelque habile homme, quelqu'un de ces génies supérieurs, qui sont faits pour gouverner les esprits médiocres, et les tenir toujours dans la situation dont on a besoin.

Frontin. Quelqu'un de ces génies supérieurs! Je vous vois venir, madame, cela me regarde.

Le Chevalier, *à la baronne.* Mais, en effet, Frontin ne nous sera pas inutile auprès de notre traitant.

La Baronne. Je veux l'y placer.

Le Chevalier. Il nous en rendra bon compte (*à Frontin*), n'est-ce pas?

Frontin. Je suis jaloux de l'invention; on ne pouvait rien imaginer de mieux. Par ma foi, monsieur Turcaret, je vous ferai voir du pays, sur ma parole.

La Baronne, *au chevalier.* Il m'a fait présent d'un billet au porteur de dix mille écus; je veux changer cet effet-là en argent; il en faut faire de l'argent. Je ne connais personne pour cela, chevalier, chargez-vous de ce soin; je vais vous remettre le billet. Retirez ma bague, je suis bien aise de l'avoir, et vous me tiendrez compte du surplus.

Frontin. Cela est trop juste, madame; et vous n'avez rien à craindre de notre probité.

Le Chevalier. Je ne perdrai point de temps, madame; et vous aurez cet argent incessamment.

La Baronne. Attendez un moment, je vais vous donner le billet. (*Elle passe dans son cabinet.*)

## SCÈNE X.

Le Chevalier, Frontin.

Frontin. Un billet de dix mille écus! La bonne aubaine, et la bonne femme! Il faut être aussi heureux que vous l'êtes, pour en rencontrer de pareilles. Savez-vous que je la trouve un peu trop crédule pour une coquette?

Le Chevalier. Tu as raison.

Frontin. Ce n'est pas mal payer le sacrifice de notre vieille folle de comtesse, qui n'a pas le sou.

LE CHEVALIER. Il est vrai.

FRONTIN. Madame la baronne est persuadée que vous avez perdu mille écus sur votre parole, et que son diamant est en gage ; le lui rendrez-vous, monsieur, avec le reste du billet ?

LE CHEVALIER. Si je le lui rendrai ?

FRONTIN. Quoi ! tout entier, sans quelque nouvel article de dépense ?

LE CHEVALIER. Assurément ! je me garderai bien d'y manquer.

FRONTIN. Vous avez des moments d'équité ; je ne m'y attendais pas.

LE CHEVALIER. Je serais un grand malheureux de m'exposer à rompre avec elle à si bon marché.

FRONTIN. Ah ! je vous demande pardon : j'ai fait un jugement téméraire ; je croyais que vous vouliez faire les choses à demi.

LE CHEVALIER. Oh ! non. Si jamais je me brouille, ce ne sera qu'après la ruine totale de M. Turcaret.

FRONTIN. Qu'après sa destruction, là, son anéantissement ?

LE CHEVALIER. Je ne rends des soins à la coquette que pour ruiner le traitant.

*pas de raison pour cela*

FRONTIN. Fort bien : à ces sentiments généreux, je reconnais mon maître.

LE CHEVALIER, *voyant revenir la baronne.* Paix, Frontin, voici la baronne.

### SCÈNE XI.

LE CHEVALIER, LA BARONNE, FRONTIN.

LA BARONNE, *au chevalier, en lui donnant le billet au porteur.* Allez, chevalier, allez, sans tarder davantage, négocier ce billet, et me rendez ma bague le plus tôt que vous pourrez.

LE CHEVALIER. Madame, Frontin va vous la rapporter incessamment ; mais, avant que je vous quitte, souffrez que, charmé de vos manières généreuses, je vous fasse connaître. . . .

LA BARONNE, *l'interrompant.* Non, je vous le défends ; ne parlons point de cela.

LE CHEVALIER. Quelle contrainte pour un cœur aussi reconnaissant que le mien !

LA BARONNE, *en s'en allant.* Sans adieu, chevalier. Je crois que nous nous reverrons tantôt.

LE CHEVALIER, *en s'en allant aussi.* Pourrais-je m'éloigner de vous sans une si douce espérance ?

### SCÈNE XII.

FRONTIN, *seul.*

J'admire le train de la vie humaine ! Nous plumons une coquette, la coquette mange un homme d'affaires, l'homme d'affaires en pille d'autres : cela fait un ricochet de fourberies le plus plaisant du monde.

## ACTE DEUXIÈME

### SCÈNE PREMIÈRE.

LA BARONNE, FRONTIN.

FRONTIN, *lui donnant le diamant.* Je n'ai pas perdu de temps, comme vous voyez, madame ; voilà votre diamant ; l'homme qui l'avait en gage me l'a remis entre les mains dès qu'il a vu briller le billet au porteur, qu'il veut escompter moyennant un très honnête profit. Mon maître, que j'ai laissé avec lui, va venir vous en rendre compte.

LA BARONNE. Je suis enfin débarrassée de Marine ; elle a sérieusement pris son parti ; j'appréhendais que ce ne fût qu'une feinte ; elle est sortie. Ainsi, Frontin, j'ai besoin d'une femme de chambre ; je te charge de m'en chercher une autre.

FRONTIN. J'ai votre affaire en main ; c'est une jeune personne douce, complaisante, comme il vous la faut ; elle verrait tout aller sens dessus dessous dans votre maison sans dire une syllabe.

LA BARONNE. J'aime ces caractères-là. Tu la connais particulièrement ?

FRONTIN. Très particulièrement ; nous sommes même un peu parents.

LA BARONNE. C'est-à-dire que l'on peut s'y fier.

FRONTIN. Comme à moi-même ; elle est sous ma tutelle ; j'ai l'administration de ses gages et de ses profits, et j'ai soin de lui fournir tous ses petits besoins.

LA BARONNE. Elle sert sans doute actuellement ?

FRONTIN. Non ; elle est sortie de condition depuis quelques jours.

LA BARONNE. Et pour quel sujet ?

FRONTIN. Elle servait des personnes qui mènent une vie retirée, qui ne reçoivent que des visites sérieuses, un mari et une femme qui s'aiment, des gens extraordinaires ; enfin, c'est une maison triste : ma pupille s'y est ennuyée.

LA BARONNE. Où donc est-elle à l'heure qu'il est ?

FRONTIN. Elle est logée chez une vieille prude de ma connaissance, qui, par charité, retire des femmes de chambre hors de condition, pour savoir ce qui se passe dans les familles.

LA BARONNE. Je la voudrais avoir dès aujourd'hui ; je ne puis me passer de fille.

FRONTIN. Je vais vous l'envoyer, ou vous l'amener moi-même : vous en serez contente. Je ne vous ai pas dit toutes ses bonnes qualités : elle chante et joue à ravir de toutes sortes d'instruments.

LA BARONNE. Mais, Frontin, vous me parlez là d'un fort joli sujet.

FRONTIN. Je vous en réponds : aussi je la destine pour l'Opéra ; mais je veux auparavant qu'elle se fasse dans le monde ; car il n'en faut là que de toutes faites.

LA BARONNE. Je l'attends avec impatience.

(*Frontin sort.*)

### SCÈNE II.

LA BARONNE, *seule.*

Cette fille-là me sera d'un grand agrément ; elle me divertira par ses chansons, au lieu que l'autre ne faisait que me chagriner par sa morale. . . . (*Voyant entrer M. Turcaret qui paraît en colère.*) Mais je vois M. Turcaret : ah ! qu'il paraît agité ! Marine l'aura été trouver.

### SCÈNE III.

LA BARONNE, M. TURCARET.

M. TURCARET, *essoufflé.* Ouf ! je ne sais par où commencer, perfide !

LA BARONNE, *à part.* Elle lui a parlé.

M. TURCARET. J'ai appris de vos nouvelles, déloyale ! J'ai appris de vos nouvelles : on vient de me rendre compte de vos perfidies, de votre dérangement.

LA BARONNE. Le début est agréable ; et vous employez de fort jolis termes, monsieur.

M. TURCARET. Laissez-moi parler, je veux vous dire vos vérités ; Marine me les a dites. Ce beau chevalier, qui vient ici à toute heure, et qui ne m'était pas suspect sans raison, n'est pas votre cousin, comme vous me l'avez fait accroire : vous avez des vues pour l'épouser et pour me planter là, moi, quand j'aurai fait votre fortune.

LA BARONNE. Moi, monsieur, j'aimerais le chevalier !

M. TURCARET. Marine me l'a assuré, et qu'il ne faisait figure dans le monde qu'aux dépens de votre bourse et de la mienne, et que vous lui sacrifiez tous les présents que je vous fais.

LA BARONNE. Marine est une jolie personne ! Ne vous a-t-elle dit que cela, monsieur ?

M. TURCARET. Ne me répondez point, félonne ! j'ai de quoi vous confondre ; ne me répondez point. Parlez ; qu'est devenu, par exemple, ce gros brillant que je vous donnai l'autre jour ? Montrez-le tout à l'heure, montrez-le-moi.

LA BARONNE. Puisque vous le prenez sur ce ton-là, monsieur, je ne veux pas vous le montrer.

M. TURCARET. Eh ! sur quel ton, morbleu, prétendez-vous donc que je le prenne ? Oh ! vous n'en serez pas quitte pour des reproches ! Ne croyez pas que je sois assez sot pour rompre avec vous sans bruit. Je suis honnête homme, j'aime de bonne foi, je n'ai que des vues légitimes ; je ne crains pas le scandale, moi ! Ah ! vous n'avez point affaire à un abbé, je vous en avertis.

(*Il entre dans la chambre de la baronne.*)

### SCÈNE IV.

LA BARONNE, *seule.*

Non, j'ai affaire à un extravagant, un possédé. . . Oh bien ! faites, monsieur, tout ce qu'il vous plaira, je ne m'y opposerai point, je vous assure. . . Mais, qu'entends-je ? . . . Ciel ! quel désordre ! . . . Il est effectivement devenu fou . . . Monsieur Turcaret, Monsieur Turcaret, je vous ferai bien expier vos emportements.

### SCÈNE V.

LA BARONNE, M. TURCARET.

M. TURCARET. Me voilà à demi soulagé. J'ai déjà cassé la grande glace et les plus belles porcelaines.

LA BARONNE. Achevez, monsieur, que ne continuez-vous ?

M. TURCARET. Je continuerai quand il me plaira, madame. . . Je vous apprendrai à vous jouer à un homme comme moi. . . allons, ce billet au porteur, que je vous ai tantôt envoyé, qu'on me le rende.

LA BARONNE. Que je vous le rende ! et si je l'ai aussi donné au chevalier ?

M. Turcaret. Ah! si je le croyais!

La Baronne. Que vous êtes fou! En vérité, vous me faites pitié.

M. Turcaret. Comment donc! au lieu de se jeter à mes genoux et de me demander grâce, encore dit-elle que j'ai tort, encore dit-elle que j'ai tort!

La Baronne. Sans doute.

M. Turcaret. Ah! vraiment, je voudrais bien, par plaisir, que vous entreprissiez de me persuader cela!

La Baronne. Je le ferais, si vous étiez en état d'entendre raison.

M. Turcaret. Et que me pourriez-vous dire, traîtresse?

La Baronne. Je ne vous dirai rien. Ah! quelle fureur!

M. Turcaret, *essayant de se modérer*. Eh bien, parlez, madame, parlez; je suis de sang-froid.

La Baronne. Écoutez-moi donc. Toutes les extravagances que vous venez de faire sont fondées sur un faux rapport que Marine. . .

M. Turcaret, *interrompant*. Un faux rapport! ventrebleu! ce n'est point. . . .

La Baronne, *interrompant à son tour*. Ne jurez pas, monsieur, ne m'interrompez pas; songez que vous êtes de sang-froid.

M. Turcaret. Je me tais: il faut que je me contraigne.

La Baronne. Savez-vous bien pourquoi je viens de chasser Marine?

M. Turcaret. Oui, pour avoir pris trop chaudement mes intérêts.

La Baronne. Tout au contraire; c'est à cause qu'elle me reprochait sans cesse l'inclination que j'avais pour vous. «Est-il rien de si ridicule, me disait-elle à tous moments, que de voir la veuve d'un colonel songer à un monsieur Turcaret, un homme sans naissance, sans esprit, de la mine la plus basse. . . .»

M. Turcaret. Passons, s'il vous plaît, sur les qualités: cette Marine-là est une impudente.

La Baronne. «Pendant que vous pouvez choisir un époux entre vingt personnes de la première qualité; lorsque vous refusez votre aveu même aux pressantes instances de toute la famille d'un marquis dont vous êtes adorée, et que vous avez la faiblesse de sacrifier à ce monsieur Turcaret?»

M. Turcaret. Cela n'est pas possible.

La Baronne. Je ne prétends pas m'en faire un mérite, monsieur. Ce marquis est un jeune seigneur, fort agréable de sa personne, mais dont les mœurs et la conduite ne me conviennent point. Il vient ici quelquefois avec mon cousin le chevalier, son ami. J'ai découvert qu'il avait gagné Marine, et c'est pour cela que je l'ai congédiée. Elle a été vous débiter mille impostures pour se venger, et vous êtes assez crédule pour y ajouter foi! Ne deviez-vous pas, dans le moment, faire réflexion que c'était une servante passionnée qui vous parlait, et que, si j'avais eu quelque chose à me reprocher, je n'aurais pas été assez imprudente pour chasser une fille dont j'avais à craindre l'indiscrétion? Cette pensée, dites-moi, ne se présente-t-elle pas naturellement à l'esprit?

M. Turcaret. J'en demeure d'accord: mais. . .

La Baronne, *l'interrompant*. Mais, vous avez tort. Elle vous a donc dit, entre autres choses, que je n'avais plus ce gros brillant qu'en badinant vous me mîtes l'autre jour au doigt, et que vous me forçâtes d'accepter?

M. Turcaret. Oh! oui; elle m'a juré que vous l'avez donné aujourd'hui au chevalier, qui est, dit-elle, votre parent comme Jean de Vert.[1]

La Baronne. Et si je vous montrais tout à l'heure ce même diamant, que diriez-vous?

M. Turcaret. Oh! je dirais, en ce cas-là, que. . . Mais cela ne se peut pas.

La Baronne, *lui montrant son diamant*. Le voilà, monsieur; le reconnaissez-vous? Voyez le fond que l'on doit faire sur le rapport de certains valets.

M. Turcaret. Ah! que cette Marine-là est une grande scélérate! Je reconnais sa friponerie et mon injustice; pardonnez-moi, madame, d'avoir soupçonné votre bonne foi.

La Baronne. Non, vos fureurs ne sont point excusables: allez, vous êtes indigne de pardon.

M. Turcaret. Je l'avoue.

La Baronne. Fallait-il vous laisser si facilement prévenir contre une femme qui vous aime avec trop de tendresse?

M. Turcaret. Hélas, non! Que je suis malheureux!

La Baronne. Convenez que vous êtes un homme bien faible.

M. Turcaret. Oui, madame.

La Baronne. Une franche dupe.

M. Turcaret. J'en conviens. (*à part.*) Ah! Marine! coquine de Marine! (*à la baronne.*) Vous ne sauriez vous imaginer tous

---

[1] Jean de Vert, allusion to Jean de Wert, chef des Impériaux, who first terrified the French and was later captured by them (Larousse). The meaning here is *a very unlikely kinship*.

les mensonges que cette pendarde-là m'est venue conter: elle m'a dit que vous et M. le chevalier vous me regardiez comme votre vache à lait; et que si, aujourd'hui pour demain, je vous avais tout donné, vous me feriez fermer votre porte au nez.

LA BARONNE. La malheureuse!

M. TURCARET. Elle me l'a dit, c'est un fait constant; je n'invente rien, moi.

LA BARONNE. Et vous avez eu la faiblesse de la croire un seul moment!

M. TURCARET. Oui, madame, j'ai donné là-dedans comme un franc sot: où diable avais-je l'esprit?

LA BARONNE. Vous repentez-vous de votre crédulité?

M. TURCARET, *se mettant à genoux*. Si je m'en repens! Je vous demande mille pardons de ma colère.

LA BARONNE, *le relevant*. On vous la pardonne: levez-vous, monsieur. Vous auriez moins de jalousie si vous aviez moins d'amour; et l'excès de l'un fait oublier la violence de l'autre.

M. TURCARET. Quelle bonté! Il faut avouer que je suis un grand brutal!

LA BARONNE. Mais sérieusement, monsieur, croyez-vous qu'un cœur puisse balancer un instant entre vous et le chevalier?

M. TURCARET. Non, madame, je ne le crois pas; mais je le crains.

LA BARONNE. Que faut-il faire pour dissiper vos craintes?

M. TURCARET. Éloigner d'ici cet homme-là; consentez-y, madame: j'en sais les moyens.

LA BARONNE. Et quels sont-ils?

M. TURCARET. Je lui donnerai une direction en province.

LA BARONNE. Une direction!

M. TURCARET. C'est ma manière d'écarter les incommodes. Ah! combien de cousins, d'oncles et de maris j'ai faits directeurs en ma vie! J'en ai envoyé jusqu'en Canada.

LA BARONNE. Mais vous ne songez pas que mon cousin le chevalier est homme de condition,[1] et que ces sortes d'emplois ne lui conviennent pas. Allez, sans vous mettre en peine de l'éloigner de Paris, je vous jure que c'est l'homme du monde qui doit vous causer le moins d'inquiétude.

M. TURCARET. Ouf! j'étouffe d'amour et de joie; vous me dites cela d'une manière si naïve, que vous me le persuadez. Adieu, mon adorable, mon tout, ma déesse. . . Allez, allez, je vais bien réparer la sottise que je viens de faire. Votre grande glace n'était

[1] condition means here *quality* or *rank*.

pas tout à fait nette, au moins, je trouvais vos porcelaines assez communes.

LA BARONNE. Il est vrai.

M. TURCARET. Je vais vous en chercher d'autres.

LA BARONNE. Voilà ce que coûtent vos folies.

M. TURCARET. Bagatelle! . . . Tout ce que j'ai cassé ne valait plus de trois cents pistoles.

(*Il veut s'en aller, et la baronne l'arrête.*)

M. TURCARET. Une prière? Oh! donnez vos ordres.

LA BARONNE. Faites avoir une commission, pour l'amour de moi, à ce pauvre Flamand, votre laquais; c'est un garçon pour qui j'ai pris de l'amitié.

M. TURCARET. Je l'aurais déjà poussé, si je lui avais trouvé quelque disposition; mais il a l'esprit trop bonasse; cela ne vaut rien pour les affaires.

LA BARONNE. Donnez-lui un emploi qui ne soit pas difficile à exercer.

M. TURCARET. Il en aura dès aujourd'hui; cela vaut fait.

LA BARONNE. Ce n'est pas tout: je veux mettre auprès de vous Frontin, le laquais de mon cousin le chevalier; c'est aussi un très bon enfant.

M. TURCARET. Je le prends, madame, et vous promets de le faire commis au premier jour.

## SCÈNE VI.

LA BARONNE, M. TURCARET, FRONTIN.

FRONTIN, *à la baronne*. Madame, vous allez bientôt avoir la fille dont je vous ai parlé.

LA BARONNE, *à M. Turcaret*. Monsieur, voilà le garçon que je veux vous donner.

M. TURCARET, *à la baronne*. Il paraît un peu innocent.

LA BARONNE. Que vous vous connaissez bien en physionomies!

M. TURCARET. J'ai le coup d'œil infaillible. (*A Frontin.*) Approche, mon ami: dis-moi un peu, as-tu déjà quelques principes?

FRONTIN. Qu'appelez-vous des principes?

M. TURCARET. Des principes de commis, c'est-à-dire si tu sais comment on peut empêcher les fraudes ou les favoriser?

FRONTIN. Pas encore, monsieur; mais je sens que j'apprendrai cela fort facilement.

M. Turcaret. Tu sais du moins l'arithmétique; tu sais faire des comptes à parties simples?[1]

Frontin. Oh! oui, monsieur; je sais même faire des parties doubles: j'écris aussi de deux écritures, tantôt de l'une, tantôt de l'autre.

M. Turcaret. De la ronde, n'est-ce pas?

Frontin. De la ronde, de l'oblique.

M. Turcaret. Comment, de l'oblique?

Frontin. Eh! oui, d'une écriture que vous connaissez; là, d'une certaine écriture qui n'est pas légitime.

M. Turcaret, à la baronne. Il veut dire de la bâtarde.

Frontin. Justement; c'est ce mot-là que je cherchais.

M. Turcaret. Quelle ingénuité! Ce garçon-là, madame, est bien niais.

La Baronne. Il se déniaisera dans vos bureaux.

M. Turcaret, Oh! qu'oui, madame, oh! qu'oui; d'ailleurs, un bel esprit n'est pas nécessaire pour faire son chemin. Hors moi et deux ou trois autres, il n'y a parmi nous que des génies assez communs: il suffit d'un certain usage, d'une routine que l'on ne manque guère d'attraper. Nous voyons tant de gens! Nous nous étudions à prendre ce que le monde a de meilleur; voilà toute notre science.

La Baronne. Ce n'est pas la plus inutile de toutes.

M. Turcaret, à Frontin. Oh! çà, mon ami, tu es à moi, et tes gages courent dès ce moment.

Frontin. Je vous regarde donc, monsieur, comme mon nouveau maître; mais, en qualité d'ancien laquais de M. le chevalier, il faut que je m'acquitte d'une commission dont il m'a chargé: il vous donne, et à madame sa cousine, à souper ici ce soir.

M. Turcaret. Très volontiers.

Frontin. Je vais ordonner chez Fite toutes sortes de ragoûts, avec vingt-quatre bouteilles de vin de Champagne; et, pour égayer le repas, vous aurez des voix et des instruments.

La Baronne. De la musique, Frontin?

Frontin. Oui, madame; à telles enseignes que j'ai ordre de commander cent bouteilles de vin de Suresnes pour abreuver la symphonie.

La Baronne. Cent bouteilles!

Frontin. Ce n'est pas trop, madame; il y aura huit concertants, quatre Italiens de Paris, trois chanteuses et deux gros chantres.

M. Turcaret. Il a, ma foi, raison, ce n'est pas trop. Ce repas sera fort joli.

Frontin, à M. Turcaret. Oh! diable, quand M. le chevalier donne des soupers comme cela, il n'épargne rien, monsieur.

M. Turcaret. J'en suis persuadé.

Frontin. Il semble qu'il ait à sa disposition la bourse d'un partisan.[2]

La Baronne, à M. Turcaret. Il veut dire qu'il fait les choses fort magnifiquement.

M. Turcaret. Qu'il est ingénu! (A Frontin.) Eh bien, nous verrons cela tantôt. (A la baronne.) Et, pour surcroît de réjouissance, j'amènerai ici M. Gloutonneau, le poète; aussi bien, je ne saurais manger si je n'ai quelque bel esprit à ma table.

La Baronne. Vous me ferez plaisir. Cet auteur, apparemment, est fort brillant dans la conversation?

M. Turcaret. Il ne dit pas quatre paroles dans un repas; mais il mange et pense beaucoup: peste! c'est un homme bien agréable. . . . Oh! çà, je cours chez Dautel vous acheter une caisse de porcelaines de Saxe d'une beauté. . . .

La Baronne, l'interrompant. Prenez garde à ce que vous ferez, je vous en prie; ne vous jetez point dans une dépense. . . .

M. Turcaret, l'interrompant à son tour. Hé fi, madame, fi! vous vous arrêtez à des minuties. Sans adieu, ma reine.

La Baronne. J'attends votre retour impatiemment.

(M. Turcaret sort.)

## SCÈNE VII.

La Baronne, Frontin.

La Baronne. Enfin, te voilà en train de faire ta fortune.

Frontin. Oui, madame, et en état de ne pas nuire à la vôtre.

La Baronne. C'est à présent, Frontin, qu'il faut donner l'essor à ce génie supérieur. . . .

Frontin. On tâchera de vous prouver qu'il n'est pas médiocre.

La Baronne. Quand m'amènera-t-on cette fille?

Frontin. Je l'attends; je lui ai donné rendez-vous ici.

La Baronne. Tu m'avertiras quand elle sera venue.

(Elle passe dans sa chambre.)

[1] parties simples, single entry; parties doubles, double entry.

[2] partisan, contractor or revenue-farmer.

## SCÈNE VIII.

FRONTIN, *seul*.

Courage, Frontin, courage, mon ami; la fortune t'appelle: te voilà placé chez un homme d'affaires par le canal d'une coquette. Quelle joie! l'agréable perspective! Je m'imagine que toutes les choses que je vais toucher vont se convertir en or. . . . (*Voyant paraître Lisette.*) Mais j'aperçois ma pupille.

## SCÈNE IX.

LISETTE, FRONTIN.

FRONTIN. Tu sois la bienvenue, Lisette! on t'attend avec impatience dans cette maison.

LISETTE. J'y entre avec une satisfaction dont je tire un bon augure.

FRONTIN. Je t'ai mise au fait sur tout ce qui s'y passe, et sur tout ce qui s'y doit passer; tu n'as qu'à te régler là-dessus: souviens-toi seulement qu'il faut avoir une complaisance infatigable.

LISETTE. Il n'est pas besoin de me recommander cela.

FRONTIN. Flatte sans cesse l'entêtement que la baronne a pour le chevalier; c'est là le point.

LISETTE. Tu me fatigues de leçons inutiles.

FRONTIN, *voyant arriver le chevalier*. Le voici qui vient.

LISETTE, *examinant le chevalier*. Je ne l'avais pas encore vu. Ah! qu'il est bien fait, Frontin.

FRONTIN. Il ne faut pas être mal bâti pour donner de l'amour à une coquette.

## SCÈNE X.

LISETTE, FRONTIN, LE CHEVALIER.

LE CHEVALIER, *à Frontin, sans voir d'abord Lisette*. Je te rencontre à propos, Frontin, pour t'apprendre. . . . (*Apercevant Lisette.*) Mais que vois-je? Quelle est cette beauté brillante?

FRONTIN. *au chevalier*. C'est une fille que je donne à madame la baronne pour remplacer Marine.

LE CHEVALIER. Et c'est sans doute une de tes amies?

FRONTIN. Oui, monsieur; il y a longtemps que nous nous connaissons; je suis son répondant.

LE CHEVALIER. Bonne caution! c'est faire son éloge en un mot. Elle est, parbleu, charmante. Monsieur le répondant, je me plains de vous.

FRONTIN. D'où vient?

LE CHEVALIER. Je me plains de vous, vous dis-je; vous savez toutes mes affaires, et vous me cachez les vôtres; vous n'êtes pas un ami sincère.

FRONTIN. Je n'ai pas voulu, monsieur. . .

LE CHEVALIER, *l'interrompant*. La confiance pourtant doit être réciproque; pourquoi m'avoir fait mystère d'une si belle découverte?

FRONTIN. Ma foi, monsieur, je craignais. . .

LE CHEVALIER, *l'interrompant*. Quoi?

FRONTIN. Oh! monsieur, que diable! vous m'entendez de reste.

LE CHEVALIER, *à part*. Le maraud! Où a-t-il été déterrer ce petit minois-là? (*A Frontin.*) Frontin, M. Frontin, vous avez le discernement fin et délicat quand vous faites un choix pour vous-même, mais vous n'avez pas le goût si bon pour vos amis. Ah! la piquante représentation! l'adorable grisette!

LISETTE, *à part*. Que les jeunes seigneurs sont honnêtes!

LE CHEVALIER. Non, je n'ai jamais rien vu de si beau que cette créature-là.

LISETTE, *à part*. Que leurs expressions sont flatteuses! Je ne m'étonne plus que les femmes les courent.

LE CHEVALIER, *à Frontin*. Faisons un troc, Frontin; cède-moi cette fille-là, et je t'abandonne ma vieille comtesse.

FRONTIN. Non, monsieur: j'ai les inclinations roturières; je m'en tiens à Lisette, à qui j'ai donné ma foi.

LE CHEVALIER. Va, tu peux te vanter d'être le plus heureux faquin. (*A Lisette.*) Oui, belle Lisette, vous méritez. . .

LISETTE, *l'interrompant*. Trêve de douceurs, monsieur le chevalier; je vais me présenter à ma maîtresse, qui ne m'a point encore vue; vous pouvez venir, si vous voulez, continuer devant elle la conversation.

(*Elle passe dans la chambre de la baronne.*)

## SCÈNE XI.

### Le Chevalier, Frontin.

Le Chevalier. Parlons de choses sérieuses, Frontin. Je n'apporte point à la baronne l'argent de son billet.

Frontin. Tant pis.

Le Chevalier. J'ai été chercher un usurier qui m'a déjà prêté de l'argent; mais il n'est plus à Paris : des affaires qui lui sont survenues l'ont obligé d'en sortir brusquement; ainsi, je vais te charger du billet.

Frontin. Pourquoi?

Le Chevalier. Ne m'as-tu pas dit que tu connaissais un agent de change qui te donnerait de l'argent à l'heure même?

Frontin. Cela est vrai; mais que direzvous à madame la baronne? Si vous lui dites que vous avez encore son billet, elle verra bien que nous n'avions pas mis son brillant en gage; car, enfin, elle n'ignore pas qu'un homme qui prête ne se dessaisit pas pour rien de son nantissement.

Le Chevalier. Tu as raison. Aussi suis-je d'avis de lui dire que j'ai touché l'argent, qu'il est chez moi, et que demain matin tu le feras apporter ici. Pendant ce temps-là, cours chez ton agent de change, et fais porter au logis l'argent que tu en recevras; je vais t'y attendre, aussitôt que j'aurai parlé à la baronne.

(*Il entre dans la chambre de la baronne.*)

## SCÈNE XII.

### Frontin, *seul.*

Je ne manque pas d'occupation, Dieu merci. Il faut que j'aille chez le traiteur; de là, chez l'agent de change; de chez l'agent de change au logis; et puis il faudra que je revienne ici joindre M. Turcaret. Cela s'appelle ce me semble, une vie assez agissante; mais patience, après quelque temps de fatigue et de peine, je parviendrai enfin à un état d'aise : alors quelle satisfaction! quelle tranquillité d'esprit! je n'aurai plus à mettre en repos que ma conscience.

## ACTE TROISIÈME

### SCÈNE PREMIÈRE.

### La Baronne, Frontin, Lisette.

La Baronne. Eh bien, Frontin, as-tu commandé le souper? Fera-t-on grand'chère?

Frontin, *à la baronne.* Je vous en réponds, madame; demandez à Lisette de quelle manière je régale pour mon compte, et jugez par là de ce que je sais faire lorsque je régale aux dépens des autres.

Lisette, *à la baronne.* Il est vrai, madame; vous pouvez vous en fier à lui.

Frontin, *à la baronne.* M. le chevalier m'attend : je vais lui rendre compte de l'arrangement de son repas, et puis je viendrai ici prendre possession de M. Turcaret, mon nouveau maître.

(*Il sort.*)

## SCÈNE II.

### La Baronne, Lisette.

Lisette. Ce garçon-là est un garçon de mérite, madame.

La Baronne. Il me paraît que vous n'en manquez pas, vous, Lisette.

Lisette. Il a beaucoup de savoir-faire.

La Baronne. Je ne vous crois pas moins habile.

Lisette. Je serais bien heureuse, madame, si mes petits talents pouvaient vous être utiles.

La Baronne. Je suis contente de vous; mais j'ai un avis à vous donner : je ne veux pas qu'on me flatte.

Lisette. Je suis ennemie de la flatterie.

La Baronne. Surtout, quand je vous consulterai sur des choses qui me regarderont, soyez sincère.

Lisette. Je n'y manquerai pas.

La Baronne. Je vous trouve pourtant trop de complaisance.

Lisette. A moi, madame?

La Baronne. Oui; vous ne combattez pas assez les sentiments que j'ai pour le chevalier.

Lisette. Et pourquoi les combattre? Ils sont si raisonnables!

La Baronne. J'avoue que le chevalier me paraît digne de toute ma tendresse.

Lisette. J'en fais le même jugement.

La Baronne. Il a pour moi une passion véritable et constante.

Lisette. Un chevalier fidèle et sincère! on n'en voit guère comme cela!

La Baronne. Aujourd'hui même encore il m'a sacrifié une comtesse!

Lisette. Une comtesse!

La Baronne. Elle n'est pas, à la vérité, dans la première jeunesse.

Lisette. C'est ce qui rend le sacrifice

plus beau. Je connais messieurs les chevaliers; une vieille dame leur coûte plus
qu'une autre à sacrifier.

LA BARONNE. Il vient de me rendre
compte d'un billet que je lui ai confié. Que
je lui trouve de bonne foi!

LISETTE. Cela est admirable.

LA BARONNE. Il a une probité qui va
jusqu'au scrupule.

LISETTE. Mais, mais voilà un chevalier
unique en son espèce!

LA BARONNE. Taisons-nous; j'aperçois
M. Turcaret.

### SCÈNE III.

M. TURCARET, LA BARONNE, LISETTE.

M. TURCARET, *à la baronne.* Je viens, madame. . . (*Apercevant Lisette.*) Oh! oh!
vous avez une nouvelle femme de chambre.

LA BARONNE. Oui, monsieur; que vous
semble de celle-ci?

M. TURCARET, *examinant Lisette.* Ce qui
m'en semble? elle me revient assez; il
faudra que nous fassions connaissance.

LISETTE. La connaissance sera bientôt
faite, monsieur.

LA BARONNE, *à Lisette.* Vous savez qu'on
soupe ici; donnez ordre que nous ayons un
couvert propre, et que l'appartement soit
bien éclairé.               (*Lisette sort.*)

### SCÈNE IV.

M. TURCARET, LA BARONNE.

M. TURCARET. Je crois cette fille-là fort
raisonnable.

LA BARONNE. Elle est fort dans vos intérêts, du moins.

M. TURCARET. Je lui en sais bon gré. Je
viens, madame, de vous acheter pour dix
mille francs de glaces, de porcelaines et
de bureaux: ils sont d'un goût exquis, je
les ai choisis moi-même.

LA BARONNE. Vous êtes universel, monsieur; vous vous connaissez à tout.

M. TURCARET. Oui, grâce au ciel, et surtout en bâtiment. Vous verrez, vous verrez
l'hôtel que je vais faire bâtir.

LA BARONNE. Quoi! vous allez faire
bâtir un hôtel?

M. TURCARET. J'ai déjà acheté la place,
qui contient quatre arpents six perches
neuf toises trois pieds et onze pouces.
N'est-ce pas là une belle étendue?

LA BARONNE. Fort belle.

M. TURCARET. Le logis sera magnifique.

Je ne veux pas qu'il y manque un zéro,
je le ferais plutôt abattre deux ou trois
fois.

LA BARONNE. Je n'en doute pas.

M. TURCARET. Malepeste! je n'ai garde
de faire quelque chose de commun; je me
ferais siffler de tous les gens d'affaires.

LA BARONNE. Assurément.

M. TURCARET, *voyant entrer le marquis.*
Quel homme entre ici?

LA BARONNE, *bas.* C'est ce jeune marquis dont je vous ai dit que Marine avait
épousé les intérêts; je me passerais bien de
ses visites, elles ne me font aucun plaisir.

### SCÈNE V.

LE MARQUIS, *dans le fond;* M. TURCARET,
LA BARONNE.

LE MARQUIS, *à part.* Je parie que je ne
trouverai point encore ici le chevalier.

M. TURCARET, *à part.* Ah! morbleu! c'est
le marquis de la Tribaudière. La fâcheuse
rencontre.

LE MARQUIS, *à part.* Il y a près de deux
jours que je le cherche. (*Apercevant M.
Turcaret.*) Eh! que vois-je!. . . oui. . .
non. . . pardonnez-moi. . . justement. . .
c'est lui-même; c'est M. Turcaret.     (*A la
baronne.*) Que faites-vous de cet homme-là,
madame? Vous le connaissez! vous em-
pruntez sur gages? Palsambleu! il vous
ruinera.

LA BARONNE. Monsieur le marquis. . .

LE MARQUIS, *l'interrompant.* Il vous pil-
lera, il vous écorchera, je vous en avertis.
C'est l'usurier le plus juif! Il vend son
argent au poids de l'or.

M. TURCARET, *à part.* J'aurais mieux fait
de m'en aller.

LA BARONNE, *au marquis.* Vous vous
méprenez, monsieur le marquis; M. Turcaret passe dans le monde pour un homme
de bien et d'honneur.

LE MARQUIS. Aussi l'est-il madame, aussi
l'est-il; il aime le bien des hommes et l'honneur des femmes: il a cette réputation-là.

M. TURCARET. Vous aimez à plaisanter,
monsieur le marquis. (*A la baronne.*) Il est
badin, madame, il est badin; ne le connaissez-vous pas sur ce pied-là?

LA BARONNE. Oui, je comprends bien
qu'il badine ou qu'il est mal informé.

LE MARQUIS. Mal informé? morbleu!
Madame, personne ne saurait vous en
parler mieux que moi: il a de mes nippes
actuellement.

M. TURCARET. De vos nippes, monsieur?

Oh! je ferais bien serment du contraire.

LE MARQUIS. Ah! parbleu! vous avez raison. Le diamant est à vous à l'heure qu'il est, selon nos conventions; j'ai laissé passer le terme.

LA BARONNE. Expliquez-moi tous deux cette énigme.

M. TURCARET. Il n'y a point d'énigme là-dedans, madame; je ne sais ce que c'est.

LE MARQUIS, *à la baronne*. Il a raison, cela est fort clair; il n'y a point d'énigme. J'eus besoin d'argent il y a quinze mois; j'avais un brillant de cinq cents louis: on m'adressa à M. Turcaret; M. Turcaret me renvoya à un de ses commis, à un certain M. Ra—Ra—Rafle: c'est celui qui tient son bureau d'usure. Cet honnête M. Rafle me prêta sur ma bague onze cent trente-deux livres six sous huit deniers; il me prescrivit un temps pour la retirer. Je ne suis pas fort exact, moi; le temps est passé, mon diamant est perdu.

M. TURCARET. Monsieur le marquis, monsieur le marquis, ne me confondez point avec M. Rafle, je vous prie. C'est un fripon que j'ai chassé de chez moi: s'il a fait quelque mauvaise manœuvre, vous avez la voie de la justice. Je ne sais ce que c'est que votre brillant, je ne l'ai jamais vu ni manié.

LE MARQUIS. Il me venait de ma tante; c'était un des plus beaux brillants; il était d'une netteté, d'une forme, d'une grosseur à peu près comme. . . (*Regardant le diamant de la baronne.*) Eh! . . . le voilà, madame! Vous vous en êtes accommodée avec M. Turcaret, apparemment?

LA BARONNE. Autre méprise, monsieur; je l'ai acheté, assez cher même, d'une revendeuse à la toilette.

LE MARQUIS. Cela vient de lui, madame; il a des revendeuses à sa disposition, et, à ce qu'on dit, même dans sa famille.

M. TURCARET. Monsieur, monsieur!

LA BARONNE, *au marquis*. Vous êtes insultant, monsieur le marquis.

LE MARQUIS. Non, madame, mon dessein n'est pas d'insulter: je suis trop serviteur de M. Turcaret, quoiqu'il me traite durement. Nous avons eu autrefois ensemble un petit commerce d'amitié; il était laquais de mon grand-père, il me portait sur ses bras. Nous jouions tous les jours ensemble; nous ne nous quittions presque point: le petit ingrat ne s'en souvient plus.

M. TURCARET. Je me souviens, je me souviens. Le passé est passé, je ne songe qu'au présent.

LA BARONNE. De grâce, monsieur le marquis, changeons de discours. Vous cherchez M. le chevalier?

LE MARQUIS. Je le cherche partout, madame, aux spectacles, au cabaret, au bal, au lansquenet; je ne le trouve nulle part. Ce coquin-là se débauche; il devient libertin.

LA BARONNE. Je lui en ferai des reproches.

LE MARQUIS. Je vous en prie. Pour moi, je ne change point; je mène une vie réglée, je suis toujours à table; j'ai du crédit chez Fite et chez Larmorlière parce que l'on sait que je dois bientôt hériter d'une vieille tante, et que l'on me voit une disposition plus que prochaine à manger sa succession.

LA BARONNE. Vous n'êtes pas une mauvaise pratique pour les traiteurs.[1]

LE MARQUIS. Non, madame, ni pour les traitants; n'est-ce pas, monsieur Turcaret? Ma tante pourtant veut que je me corrige: et, pour lui faire accroire qu'il y a déjà du changement dans ma conduite, je vais la voir dans l'état où je suis. Elle sera tout étonnée de me trouver si raisonnable, car elle m'a presque toujours vu ivre.

LA BARONNE. Effectivement, monsieur le marquis, c'est une nouveauté de vous voir autrement: vous avez fait aujourd'hui un excès de sobriété.

LE MARQUIS. J'ai soupé hier avec trois des plus jolies femmes de Paris; nous avons bu jusqu'au jour; et j'ai été faire un petit somme chez moi, afin de pouvoir me présenter à jeun devant ma tante.

LA BARONNE. Vous avez bien de la prudence.

LE MARQUIS. Adieu, ma tout aimable! Dites au chevalier qu'il se rende un peu à ses amis; prêtez-le-nous quelquefois; ou je viendrai si souvent ici, que je le trouverai. Adieu, monsieur Turcaret; je n'ai point de rancune au moins, (*lui présentant la main*) touchez là, renouvelons notre ancienne amitié; mais dites un peu à votre âme damnée, à ce monsieur Rafle, qu'il me traite plus humainement la première fois que j'aurai besoin de lui. (*Il sort.*)

### SCÈNE VI.

#### M. TURCARET, LA BARONNE.

M. TURCARET. Voilà une mauvaise connaissance, madame; c'est le plus grand fou et le plus grand menteur que je connaisse.

[1] traiteur, eating-house keeper.

La Baronne. C'est en dire beaucoup.

M. Turcaret. Que j'ai souffert pendant cet entretien!

La Baronne. Je m'en suis aperçue.

M. Turcaret. Je n'aime point les malhonnêtes gens.

La Baronne. Vous avez bien raison.

M. Turcaret. J'ai été si surpris d'entendre les choses qu'il a dites, que je n'ai pas eu la force de répondre: ne l'avez-vous pas remarqué?

La Baronne. Vous en avez usé sagement; j'ai admiré votre modération.

M. Turcaret. Moi, usurier! Quelle calomnie!

La Baronne. Cela regarde plus M. Rafle que vous.

M. Turcaret. Vouloir faire aux gens un crime de leur prêter sur gages! Il vaut mieux prêter sur gages que prêter sur rien.

La Baronne. Assurément.

M. Turcaret. Me venir dire à mon nez que j'ai été laquais de son grand-père! Rien n'est plus faux; je n'ai jamais été que son homme d'affaires.

La Baronne. Quand cela serait vrai; le beau reproche! Il y a si longtemps! cela est prescrit.

M. Turcaret. Oui, sans doute.

La Baronne. Ces sortes de mauvais contes ne font aucune impression sur mon esprit; vous êtes trop bien établi dans mon cœur.

M. Turcaret. C'est trop de grâce que vous me faites.

La Baronne. Vous êtes un homme de mérite.

M. Turcaret. Vous vous moquez.

La Baronne. Un vrai homme d'honneur.

M. Turcaret. Oh! point du tout.

La Baronne. Et vous avez trop l'air et les manières d'une personne de condition, pour pouvoir être soupçonné de ne l'être pas.

## SCÈNE VII.

M. Turcaret, La Baronne, Flamand.

Flamand, à M. Turcaret. Monsieur!

M. Turcaret. Que me veux-tu?

Flamand. Il est là qui vous demande.

M. Turcaret. Qui? butor!

Flamand. Ce monsieur que vous savez; là, ce monsieur. . . monsieur Chose.

M. Turcaret. Monsieur Chose?

---

¹ drès que, dès que.
² tout fin dret, tout fin droit, exactly.

---

Flamand. Eh! oui, ce commis que vous aimez tant. Drès ¹ qu'il vient pour deviser avec vous, tout aussitôt vous faites sortir tout le monde, et ne voulez pas que personne vous écoute.

M. Turcaret. C'est M. Rafle, apparemment?

Flamand. Oui, tout fin dret,² monsieur, c'est lui-même.

M. Turcaret. Je vais le trouver: qu'il m'attende.

La Baronne. Ne disiez-vous pas que vous l'aviez chassé?

M. Turcaret. Oui, et c'est pour cela qu'il vient ici: il cherche à se raccommoder. Dans le fond, c'est un assez bon homme, homme de confiance. Je vais savoir ce qu'il me veut.

La Baronne. Eh! non, non. . . (A Flamand) Faites le monter, Flamand.

(Flamand sort.)

## SCÈNE VIII.

M. Turcaret, La Baronne.

La Baronne. Monsieur, vous lui parlerez dans cette salle. N'êtes-vous pas chez vous?

M. Turcaret. Vous êtes bien honnête, madame.

La Baronne. Je ne veux point troubler votre conversation; je vous laisse. N'oubliez pas la prière que je vous ai faite en faveur de Flamand.

M. Turcaret. Mes ordres sont déjà donnés pour cela; vous serez contente.

(La baronne rentre dans sa chambre )

## SCÈNE IX.

M. Turcaret, M. Rafle.

M. Turcaret. De quoi est-il question, monsieur Rafle? Pourquoi me venir chercher jusqu'ici? Ne savez-vous pas bien que, quand on vient chez les dames, ce n'est pas pour y entendre parler d'affaires?

M. Rafle. L'importance de celles que j'ai à vous communiquer doit me servir d'excuse.

M. Turcaret. Qu'est-ce que c'est donc que ces choses d'importance?

M. Rafle. Peut-on parler ici librement?

M. Turcaret. Oui, vous le pouvez; je suis le maître. Parlez.

M. Rafle, tirant des papiers de sa poche et regardant dans un bordereau. Premièrement. Cet enfant de famille à qui nous prêtâmes, l'année passée, trois mille livres, et à qui je fis faire un billet de neuf par votre ordre, se voyant sur le point d'être inquiété pour le payement, a déclaré la chose à son oncle le président, qui, de concert avec toute la famille, travaille actuellement à vous perdre.

M. TURCARET. Peine perdue que ce travail-là; laissons-les venir. Je ne prends pas facilement l'épouvante.

M. RAFLE, *après avoir regardé de nouveau dans son bordereau.* Ce caissier que vous avez cautionné, et qui vient de faire banqueroute de deux cent mille écus. . .

M. TURCARET, *l'interrompant.* C'est par mon ordre qu'il. . . Je sais où il est.

M. RAFLE. Mais les procédures se font contre vous; l'affaire est sérieuse et pressante.

M. TURCARET. On l'accommodera; j'ai pris mes mesures; cela sera réglé demain.

M. RAFLE. J'ai peur que ce ne soit trop tard.

M. TURCARET. Vous êtes trop timide. Avez-vous passé chez ce jeune homme de la rue Quincampoix à qui j'ai fait avoir une caisse?

M. RAFLE. Oui, monsieur. Il veut bien vous prêter vingt mille francs des premiers deniers qu'il touchera, à condition qu'il fera valoir à son profit ce qui pourra lui rester à la compagnie, et que vous prendrez son parti, si l'on vient à s'apercevoir de la manœuvre.

M. TURCARET. Cela est dans les règles, il n'y a rien de plus juste; voilà un garçon raisonnable. Vous lui direz, monsieur Rafle, que je le protégerai dans toutes ses affaires. Y a-t-il encore quelque chose?

M. RAFLE, *après avoir encore regardé dans le bordereau.* Ce grand homme sec, qui vous donna, il y a deux mois, deux mille francs pour une direction que vous lui avez fait avoir à Valognes.

M. TURCARET. Eh bien?

M. RAFLE. Il lui est arrivé un malheur.

M. TUCARET. Quoi?

M. RAFLE. On a surpris sa bonne foi; on lui a volé quinze mille francs. Dans le fond, il est trop bon.

M. TURCARET. Trop bon, trop bon! Eh! pourquoi diable s'est-il donc mis dans les affaires? Trop bon, trop bon!

M. RAFLE. Il m'a écrit une lettre fort touchante, par laquelle il vous prie d'avoir pitié de lui.

M. TURCARET. Papier perdu, lettre inutile.

M. RAFLE. Et de faire en sorte qu'il ne soit point révoqué.

M. TURCARET. Je ferai plutôt en sorte qu'il le soit: l'emploi me reviendra, je le donnerai à un autre pour le même prix.

M. RAFLE. C'est ce que j'ai pensé comme vous.

M. TURCARET. J'agirais contre mes intérêts; je mériterais d'être cassé à la tête de la compagnie.

M. RAFLE. Je ne suis pas plus sensible que vous aux plaintes des sots. . . Je lui ai déjà fait réponse, et lui ai mandé tout net qu'il ne devait point compter sur vous.

M. TURCARET. Non, parbleu!

M. RAFLE, *regardant pour la dernière fois dans son bordereau.* Voulez-vous prendre au denier quatorze [1] cinq mille francs qu'un honnête serrurier de ma connaissance a amassés par son travail et par ces épargnes?

M. TURCARET. Oui, oui, cela est bon: je lui ferai ce plaisir-là. Allez me le chercher. Je serai au logis dans un quart d'heure; qu'il apporte l'espèce. Allez, allez.

M. RAFLE, *faisant quelques pas pour sortir et revenant.* J'oubliais la principale affaire: je ne l'ai pas mise sur mon agenda.

M. TURCARET. Qu'est-ce que c'est que cette principale affaire?

M. RAFLE. Une nouvelle qui vous surprendra fort. Madame Turcaret est à Paris.

M. TURCARET, *à demi-voix.* Parlez bas, monsieur Rafle, parlez bas.

M. RAFLE, *à demi-voix.* Je la rencontrai hier dans un fiacre, avec une manière de jeune seigneur dont le visage ne m'est pas tout à fait inconnu, et que je viens de trouver dans cette rue-ci en arrivant.

M. TURCARET, *à demi-voix.* Vous ne lui parlâtes point?

M. RAFLE, *à demi-voix.* Non; mais elle m'a fait prier ce matin de ne vous en rien dire, et de vous faire souvenir seulement qu'il lui est dû quinze mois de la pension de quatre mille livres que vous lui donnez pour la tenir en province. Elle ne s'en retournera point qu'elle ne soit payée.

M. TURCARET, *à demi-voix.* Oh! ventrebleu! monsieur Rafle, qu'elle le soit: défaisons-nous promptement de cette créature-là. Vous lui porterez dès aujourd'hui les cinq cents pistoles du serrurier; mais qu'elle parte dès demain.

M. RAFLE, *à demi-voix.* Oh! elle ne de-

[1] denier quatorze, seven per cent.

mandera pas mieux. Je vais chercher le bourgeois et le mener chez vous.

M. Turcaret, *à demi-voix.* Vous m'y trouverez.

(*M. Rafle sort.*)

## SCÈNE X.

### M. Turcaret, *seul.*

Malepeste! ce serait une sotte aventure si madame Turcaret s'avisait de venir en cette maison; elle me perdrait dans l'esprit de ma baronne, à qui j'ai fait accroire que j'étais veuf.

## SCÈNE XI.

### M. Turcaret, Lisette.

Lisette. Madame m'a envoyée savoir, monsieur, si vous étiez encore ici en affaire.

M. Turcaret. Je n'en avais point, mon enfant; ce sont des bagatelles dont de pauvres diables de commis s'embarrassent la tête, parce qu'ils ne sont pas faits pour les grandes choses.

## SCÈNE XII.

### M. Turcaret, Lisette, Frontin.

Frontin, *à M. Turcaret.* Je suis ravi, monsieur, de vous trouver en conversation avec cette aimable personne: quelque intérêt que j'y prenne, je me garderai bien de troubler un si doux entretien.

M. Turcaret, *à Frontin.* Tu ne seras point de trop; approche, Frontin; je te regarde comme un homme tout à moi, et je veux que tu m'aides à gagner l'amitié de cette fille-là.

Lisette. Cela ne sera point difficile.

Frontin. Oh! pour cela, non. Je ne sais pas, monsieur, sous quelle heureuse étoile vous êtes né; mais tout le monde a naturellement un grand faible pour vous.

M. Turcaret. Cela ne vient point de l'étoile, cela vient des manières.

Lisette. Vous les avez si belles, si prévenantes! . . . .

M. Turcaret, *à Lisette.* Comment le sais-tu?

Lisette. Depuis le peu de temps que je suis ici, je n'entends dire autre chose à madame la baronne.

M. Turcaret. Tout de bon?

Frontin. Cette femme-là ne saurait

cacher sa faiblesse: elle vous aime si tendrement. . . ! Demandez, demandez à Lisette.

Lisette. Oh! c'est vous qu'il en faut croire, monsieur Frontin.

Frontin. Non, je ne comprends pas moi-même tout ce que je sais là-dessus; et ce qui m'étonne davantage, c'est l'excès où cette passion est parvenue, sans pourtant que M. Turcaret se soit donné beaucoup de peine pour chercher à le mériter.

M. Turcaret. Comment, comment l'entends-tu?

Frontin. Je vous ai vu vingt fois, monsieur, manquer d'attention pour certaines choses. . .

M. Turcaret, *l'interrompant.* Oh! parbleu! je n'ai rien à me reprocher là-dessus.

Lisette. Oh! non: je suis sûre que monsieur n'est pas homme à laisser échapper la moindre occasion de faire plaisir aux personnes qu'il aime. Ce n'est que par là qu'on mérite d'être aimé.

Frontin, *à M. Turcaret.* Cependant, monsieur ne le mérite pas autant que je le voudrais.

M. Turcaret. Explique-toi donc.

Frontin. Oui; mais ne trouvez-vous point mauvais qu'en serviteur fidèle et sincère, je prenne la liberté de vous parler à cœur ouvert?

M. Turcaret. Parle.

Frontin. Vous ne répondez pas assez à l'amour que madame la baronne a pour vous.

M. Turcaret, *à Frontin.* Je n'y réponds pas!

Frontin. Non, monsieur. (*A Lisette.*) Je t'en fais juge, Lisette. Monsieur, avec tout son esprit, fait des fautes d'attention.

M. Turcaret. Qu'appelles-tu donc des fautes d'attention?

Frontin. Un certain oubli, certaine négligence. . .

M. Turcaret. Mais encore?

Frontin. Par exemple, n'est-ce pas une chose honteuse que vous n'ayez pas encore songé à lui faire présent d'un équipage?

Lisette, *à M. Turcaret.* Ah! pour cela, monsieur, il a raison: vos commis en donnent bien à leurs maîtresses.

M. Turcaret. A quoi bon un équipage? N'a-t-elle pas le mien, dont elle dispose quand il lui plaît?

Frontin. Oh! monsieur, avoir un carrosse à soi, ou être obligé d'emprunter ceux de ses amis, cela est bien différent.

Lisette, *à M. Turcaret.* Vous êtes trop dans le monde pour ne le pas connaître: la plupart des femmes sont plus sensibles à la vanité d'avoir un équipage qu'au plaisir même de s'en servir.

M. Turcaret. Oui, je comprends cela.

Frontin. Cette fille-là, monsieur, est de fort bon sens; elle ne parle pas mal au moins.

M. Turcaret. Je ne te trouve pas si sot non plus que je t'ai cru d'abord, toi, Frontin.

Frontin. Depuis que j'ai l'honneur d'être à votre service, je sens de moment en moment que l'esprit me vient. Oh! je prévois que je profiterai beaucoup avec vous.

M. Turcaret. Il ne tiendra qu'à toi.

Frontin. Je vous proteste, monsieur, que je ne manque pas de bonne volonté. Je donnerais donc à madame la baronne un bon grand carrosse, bien étoffé.

M. Turcaret. Elle en aura un. Vos réflexions sont justes: elles me déterminent.

Frontin. Je savais bien que ce n'était qu'une faute d'attention.

M. Turcaret. Sans doute; et, pour marque de cela, je vais, de ce pas, commander un carrosse.

Frontin. Fi donc, monsieur! il ne faut pas que vous paraissiez là-dedans, vous; il ne serait pas honnête que l'on sût dans le monde que vous donnez un carrosse à madame la baronne. Servez-vous d'un tiers, d'une maison étrangère, mais fidèle. Je connais deux ou trois selliers qui ne savent point encore que je suis à vous; si vous voulez, je me chargerai du soin. . .

M. Turcaret, *l'interrompant.* Volontiers. Tu me parais assez entendu, je m'en rapporte à toi (*lui donnant sa bourse*). Voilà soixante pistoles que j'ai de reste dans ma bourse, tu les donneras à compte.

Frontin. Je n'y manquerai pas, monsieur. A l'égard des chevaux, j'ai un maître maquignon qui est mon neveu à la mode de Bretagne;[1] il vous en fournira de fort beaux.

M. Turcaret. Qu'il me vendra bien cher, n'est-ce pas?

Frontin. Non, monsieur; il vous les vendra en conscience.

M. Turcaret. La conscience d'un maquignon!

Frontin. Oh! je vous en réponds comme de la mienne.

M. Turcaret. Sur ce pied-là, je me servirai de lui.

Frontin. Autre faute d'attention. . .

M. Turcaret, *l'interrompant.* Oh! va te promener avec tes fautes d'attention. Ce coquin-là me ruinerait à la fin. Tu diras de ma part, à madame la baronne, qu'une affaire, qui sera bientôt terminée, m'appelle au logis. (*Il sort.*)

## SCÈNE XIII.

### Frontin, Lisette.

Frontin. Cela ne commence pas mal.

Lisette. Non, pour madame la baronne; mais pour nous?

Frontin, *lui remettant la bourse.* Voilà déjà soixante pistoles que nous pouvons garder: je les gagnerai bien sur l'équipage; serre-les: ce sont les premiers fondements de notre communauté.

Lisette. Oui; mais il faut promptement bâtir sur ces fondements-là, car je fais des réflexions morales, je t'en avertis.

Frontin. Peut-on les savoir?

Lisette. Je m'ennuie d'être soubrette.

Frontin. Comment, diable! tu deviens ambitieuse?

Lisette. Oui, mon enfant. Il faut que l'air qu'on respire dans une maison fréquentée par un financier soit contraire à la modestie; car, depuis le peu de temps que j'y suis, il me vient des idées de grandeur que je n'ai jamais eues. Hâte-toi d'amasser du bien; autrement, quelque engagement que nous ayons ensemble, le premier riche faquin qui se présentera pour m'épouser. . .

Frontin. Mais donne-moi donc le temps de m'enrichir.

Lisette. Je te donne trois ans: c'est assez pour un homme d'esprit.

Frontin. Je ne te demande pas davantage. C'est assez, ma princesse; je vais ne rien épargner pour vous mériter; et si je manque d'y réussir, ce ne sera pas faute d'attention.

## SCÈNE XIV.

### Lisette, *seule.*

Je ne saurais m'empêcher d'aimer ce Frontin; c'est mon chevalier, à moi; et, au train que je lui vois prendre, j'ai un secret pressentiment qu'avec ce garçon-là je deviendrai quelque jour femme de qualité.

---

[1] neveu à la mode de Bretagne, cousin once removed

# ACTE QUATRIÈME

## SCÈNE PREMIÈRE.

### Le Chevalier, Frontin.

Le Chevalier. Que fais-tu ici? Ne m'avais-tu pas dit que tu retournerais chez ton agent de change? Est-ce que tu ne l'aurais pas encore trouvé au logis?

Frontin. Pardonnez-moi, monsieur; mais il n'était pas en fonds; il n'avait pas chez lui toute la somme; il m'a dit de retourner ce soir. Je vais vous rendre le billet, si vous le voulez.

Le Chevalier. Eh! garde-le; que veux-tu que j'en fasse? La baronne est là-dedans; que fait-elle?

Frontin. Elle s'entretient avec Lisette d'un carrosse que je vais ordonner pour elle, et d'une certaine maison de campagne qui lui plaît, et qu'elle veut louer, en attendant que je lui en fasse faire l'acquisition.

Le Chevalier. Un carrosse, une maison de campagne! quelle folie!

Frontin. Oui; mais tout cela se doit faire aux dépens de M. Turcaret. Quelle sagesse!

Le Chevalier. Cela change la thèse.

Frontin. Il n'y a qu'une chose qui l'embarrassait.

Le Chevalier. Eh! quoi?

Frontin. Une petite bagatelle.

Le Chevalier. Dis-moi donc ce que c'est?

Frontin. Il faut meubler cette maison de campagne; elle ne savait comment engager à cela M. Turcaret; mais le génie supérieur qu'elle a placé auprès de lui s'est chargé de ce soin-là.

Le Chevalier. De quelle manière t'y prendras-tu?

Frontin. Je vais chercher un vieux coquin de ma connaissance qui nous aidera à tirer dix mille francs dont nous avons besoin pour nous meubler.

Le Chevalier. As-tu bien fait attention à ton stratagème?

Frontin. Oh! que oui, monsieur! C'est mon fort que l'attention: j'ai tout cela dans ma tête; ne vous mettez pas en peine. Un petit acte supposé. . . un faux exploit.

Le Chevalier, *l'interrompant*. Mais prends-y garde, Frontin; M. Turcaret sait les affaires.

---

¹ maisons du roi, prisons.

---

Frontin. Mon vieux coquin les sait encore mieux que lui: c'est le plus habile, le plus intelligent écrivain. . .

Le Chevalier. C'est une autre chose.

Frontin. Il a presque toujours eu son logement dans les maisons du roi,¹ à cause de ses écritures.

Le Chevalier. Je n'ai plus rien à te dire.

Frontin. Je sais où le trouver à coup sûr, et nos machines seront bientôt prêtes; adieu. Voilà M. le marquis qui vous cherche.

(*Il sort.*)

## SCÈNE II.

### Le Marquis, Le Chevalier.

Le Marquis. Ah! palsambleu, chevalier, tu deviens bien rare. On ne te trouve nulle part; il y a vingt-quatre heures que je te cherche pour te consulter sur une affaire de cœur.

Le Chevalier. Eh! depuis quand te mêles-tu de ces sortes d'affaires, toi?

Le Marquis. Depuis trois ou quatre jours.

Le Chevalier. Et tu m'en fais aujourd'hui la première confidence? Tu deviens bien discret.

Le Marquis. Je me donne au diable si j'y ai songé. Une affaire de cœur ne me tient au cœur que très faiblement, comme tu sais. C'est une conquête que j'ai faite par hasard, que je conserve par amusement, et dont je me déferai par caprice, ou par raison peut-être.

Le Chevalier. Voilà un bel attachement!

Le Marquis. Il ne faut pas que les plaisirs de la vie nous occupent trop sérieusement. Je ne m'embarrasse de rien, moi; elle m'avait donné son portrait, je l'ai perdue; un autre s'en pendrait, (*faisant le geste de montrer quelque chose qui n'a nulle valeur.*) je m'en soucie comme de cela.

Le Chevalier. Avec de pareils sentiments tu dois te faire adorer. Mais dis-moi un peu, qu'est-ce que c'est que cette femme-là?

Le Marquis. C'est une femme de qualité, une comtesse de province; car elle me l'a dit.

Le Chevalier. Eh! quel temps as-tu pris pour faire cette conquête-là? Tu dors tout le jour, et bois toute la nuit ordinairement.

Le Marquis. Oh! non pas, non pas, s'il vous plaît; dans ce temps-ci, il y a des heures de bal : c'est là qu'on trouve de bonnes occasions.

LE CHEVALIER. C'est-à-dire que c'est une connaissance de bal ?

LE MARQUIS. Justement : j'y allais l'autre jour, un peu chaud de vin ; j'étais en pointe, j'agaçais les jolis masques. J'aperçois une taille, un air de gorge, une tournure de hanches. J'aborde, je prie, je presse, j'obtiens qu'on se démasque ; je vois une personne. . .

LE CHEVALIER, *l'interrompant.* Jeune, sans doute.

LE MARQUIS. Non, assez vieille.

LE CHEVALIER. Mais belle encore, et des plus agréables ?

LE MARQUIS. Pas trop belle.

LE CHEVALIER. L'amour, à ce que je vois, ne t'aveugle pas.

LE MARQUIS. Je rends justice à l'objet aimé.

LE CHEVALIER. Elle a donc de l'esprit ?

LE MARQUIS. Ah ! pour de l'esprit, c'est un prodige ! Quel flux de pensées ! quelle imagination ! Elle me dit cent extravagances qui me charmèrent.

LE CHEVALIER. Quel fut le résultat de la conversation ?

LE MARQUIS. Le résultat ? Je la ramenai chez elle avec sa compagnie ; je lui offris mes services, et la vieille folle les accepta.

LE CHEVALIER. Tu l'as revue depuis ?

LE MARQUIS. Le lendemain au soir, dès que je fus levé, je me rendis à son hôtel.

LE CHEVALIER. Hôtel garni apparemment ?

LE MARQUIS. Oui, hôtel garni.

LE CHEVALIER. Eh bien ?

LE MARQUIS. Eh bien, autre vivacité de conversation, nouvelles folies, tendres protestations de ma part, vives reparties de la sienne. Elle me donna ce maudit portrait que j'ai perdu avant-hier. Je ne l'ai pas revue depuis. Elle m'a écrit, je lui ai fait réponse ; elle m'attend aujourd'hui ; mais je ne sais ce que je dois faire. Irai-je, ou n'irai-je pas ? Que me conseilles-tu ? C'est pour cela que je te cherche.

LE CHEVALIER. Si tu n'y vas pas, cela sera malhonnête.

LE MARQUIS. Oui ; mais si j'y vais aussi, cela paraîtra bien empressé ; la conjoncture est délicate. Marquer tant d'empressement, c'est courir après une femme ; cela est bien bourgeois ; qu'en dis-tu ?

LE CHEVALIER. Pour te donner conseil là-dessus, il faudrait connaître cette personne-là.

LE MARQUIS. Il faut te la faire connaître.

Je veux te donner ce soir à souper chez elle avec la baronne.

LE CHEVALIER. Cela ne se peut pas pour ce soir ; car je donne à souper ici.

LE MARQUIS. A souper ici ! je t'amène ma conquête.

LE CHEVALIER. Mais la baronne. . .

LE MARQUIS. Oh ! la baronne s'accommodera fort de cette femme-là ; il est bon même qu'elles fassent connaissance : nous ferons quelquefois de petites parties carrées.

LE CHEVALIER. Mais ta comtesse ne fera-t-elle pas difficulté de venir avec toi, tête-à-tête, dans une maison. . . ?

LE MARQUIS. Des difficultés ! Oh ! ma comtesse n'est pas difficultueuse ; c'est une personne qui sait vivre, une femme revenue des préjugés de l'éducation.

LE CHEVALIER. Eh bien, amène-la, tu nous feras plaisir.

LE MARQUIS. Tu en seras charmé, toi. Les jolies manières ! Tu verras une femme vive, pétulante, distraite, étourdie, dissipée, et toujours barbouillée de tabac. On ne la prendrait pas pour une femme de province.

LE CHEVALIER. Tu en fais un beau portrait ; nous verrons si tu n'es pas un peintre flatteur.

LE MARQUIS. Je vais la chercher. Sans adieu, chevalier.

LE CHEVALIER. Serviteur, marquis.

(*Le marquis sort.*)

## SCÈNE III.

LE CHEVALIER, *seul.*

Cette charmante conquête du marquis est apparemment une comtesse comme celle que j'ai sacrifiée à la baronne.

## SCÈNE IV.

LA BARONNE, LE CHEVALIER.

LA BARONNE. Que faites-vous donc là seul, chevalier ? Je croyais que le marquis était avec vous ?

LE CHEVALIER, *riant.* Il sort dans le moment, madame. . . Ah ! ah ! ah !

LA BARONNE. De quoi riez-vous donc ?

LE CHEVALIER. Ce fou de marquis est amoureux d'une femme de province, d'une comtesse qui loge en chambre garnie ; il est allé la prendre chez elle pour l'amener ici : nous en aurons le divertissement.

LA BARONNE. Mais, dites-moi, chevalier, les avez-vous priés à souper ?

Le Chevalier. Oui, madame; augmentation de convives, surcroît de plaisir: il faut amuser M. Turcaret, le dissiper. .

La Baronne. La présence du marquis le divertira mal: vous ne savez pas qu'ils se connaissent, ils ne s'aiment point; il s'est passé tantôt, entre eux, une scène ici. . .

Le Chevalier, *l'interrompant.* Le plaisir de la table raccommode tout. Ils ne sont peut-être pas si mal ensemble qu'il soit impossible de les réconcilier. Je me charge de cela: reposez-vous sur moi. M. Turcaret est un bon sot.

La Baronne, *voyant entrer M. Turcaret.* Taisez-vous; je crois que le voici; je crains qu'il ne vous ait entendu.

### SCÈNE V.

#### M. Turcaret, La Baronne, Le Chevalier.

Le Chevalier, *à M. Turcaret, en l'embrassant.* Monsieur Turcaret veut bien permettre qu'on l'embrasse, et qu'on lui témoigne la vivacité du plaisir qu'on aura tantôt à se trouver avec lui le verre à la main.

M. Turcaret, *au chevalier.* Le plaisir de cette vivacité-là. . . monsieur, sera. . . bien réciproque: l'honneur que je reçois d'une part. . . joint à. . . la satisfaction que. . . l'on trouve de l'autre. . . (*montrant la baronne*) avec madame, fait, en vérité, que, je vous assure. . . que. . . je suis fort aise de cette partie-là.

La Baronne. Vous allez, monsieur, vous engager dans des compliments qui embarrasseront aussi M. le chevalier; et vous ne finirez ni l'un ni l'autre.

Le Chevalier. Ma cousine a raison; supprimons la cérémonie, et ne songeons qu'à nous réjouir. Vous aimez la musique?

M. Turcaret. Si je l'aime? Malepeste! je suis abonné à l'Opéra.

Le Chevalier. C'est la passion dominante des gens du beau monde.

M. Turcaret. C'est la mienne.

Le Chevalier. La musique remue les passions.

M. Turcaret. Terriblement. Une belle voix, soutenue d'une trompette, cela jette dans une douce rêverie.

Le Chevalier. Oui, vraiment. Que je suis un grand sot de n'avoir pas songé à cet instrument-là! (*voulant sortir.*) Oh! parbleu, puisque vous êtes dans le goût des trompettes, je vais moi-même donner ordre. . .

M. Turcaret, *l'arrêtant.* Je ne souffrirai point cela, monsieur le chevalier; je ne prétends point que, pour une trompette. . . .

La Baronne, *bas, à M. Turcaret.* Laissez-le aller, monsieur.

(*Le Chevalier sort.*)

### SCÈNE VI.

#### M. Turcaret, La Baronne.

La Baronne. Et quand nous pouvons être seuls quelques moments ensemble, épargnons-nous, autant qu'il nous sera possible, la présence des importuns.

M. Turcaret. Vous m'aimez plus que je ne mérite, madame.

La Baronne. Qui ne vous aimerait pas? Mon cousin le chevalier lui-même a toujours eu un attachement pour vous. . .

M. Turcaret, *l'interrompant.* Je lui suis bien obligé.

La Baronne. Une attention pour tout ce qui peut vous plaire.

M. Turcaret, *l'interrompant.* Il me paraît fort bon garçon.

### SCÈNE VII.

#### La Baronne, M. Turcaret, Lisette.

La Baronne, *à Lisette.* Qu'y a-t-il, Lisette?

Lisette, *à la baronne.* Un homme vêtu de gris-noir, avec un rabat sale et une vieille perruque. (*Bas.*) Ce sont les meubles de la maison de campagne.

La Baronne. Qu'on fasse entrer. . .

### SCÈNE VIII.

#### La Baronne, M. Turcaret, Frontin, Lisette, M. Furet.

M. Furet, *à la baronne et à Lisette.* Qui de vous deux, mesdames, est la maîtresse de céans?

La Baronne. C'est moi: que voulez-vous?

M. Furet, *à la baronne.* Je ne répondrai point que, au préalable, je ne me sois donné l'honneur de vous saluer, vous, madame, et toute l'honorable compagnie, avec tout le respect dû et requis.

M. Turcaret, *à part.* Voilà un plaisant original!

Lisette, *à M. Furet.* Sans tant de façons, monsieur, dites-nous au préalable qui vous êtes?

M. Furet, *à Lisette.* Je suis huissier à verge, à votre service; et je me nomme M. Furet.

La Baronne. Chez moi un huissier!

Frontin. Cela est bien insolent.

M. Turcaret, *à la baronne.* Voulez-vous, madame, que je jette ce drôle-là par les fenêtres? Ce n'est pas le premier coquin que...

M. Furet, *l'interrompant.* Tout beau, monsieur! D'honnêtes huissiers comme moi ne sont point exposés à de pareilles aventures. J'exerce mon petit ministère d'une façon si obligeante, que toutes les personnes de qualité se font un plaisir de recevoir un exploit de ma main. (*Tirant un papier de sa poche.*) En voici un que j'aurai, s'il vous plaît, l'honneur (avec votre permission, monsieur), que j'aurai l'honneur de présenter respectueusement à madame.... sous votre bon plaisir, monsieur.

La Baronne. Un exploit à moi! (*A Lisette.*) Voyez ce que c'est, Lisette.

Lisette. Moi, madame, je n'y connais rien; je ne sais lire que des billets doux. (*A Frontin.*) Regarde, toi, Frontin.

Frontin. Je n'entends pas encore les affaires.

M. Furet, *à la baronne.* C'est pour une obligation que défunt M. le baron de Porcandorf, votre époux...

La Baronne, *l'interrompant.* Feu mon époux, monsieur? Cela ne me regarde point; j'ai renoncé à la communauté.

M. Turcaret. Sur ce pied-là, on n'a rien à vous demander.

M. Furet. Pardonnez-moi, monsieur, l'acte étant signé par madame....

M. Turcaret, *l'interrompant.* L'acte est donc solidaire?

M. Furet. Oui, monsieur, très solidaire, et même avec déclaration d'emploi; je vais vous en lire les termes; ils sont énoncés dans l'exploit.

M. Turcaret. Voyons si l'acte est en bonne forme.

M. Furet, *après avoir mis des lunettes, lisant son exploit.* «Par-devant, etc., furent présents en leurs personnes haut et puissant seigneur George-Guillaume de Porcandorf, et dame Agnès-Ildegonde de La Dolinvillière, son épouse, de lui dûment autorisée à l'effet des présentes, lesquels ont reconnu devoir à Eloi-Jérôme Poussif, marchand de chevaux, la somme de dix mille livres...»

La Baronne, *l'interrompant.* Dix mille livres!

Lisette. La maudite obligation!

M. Furet, *continuant à lire son exploit.* «Pour un équipage fourni par ledit Poussif, consistant en douzes mulets, quinze chevaux normands sous poil roux, et trois bardeaux d'Auvergne, ayant tous crins, queues et oreilles et garnis de leurs bâts, selles, brides et licols.»

Lisette, *l'interrompant.* Brides et licols! Est-ce à une femme de payer ces sortes de nippes-là?

M. Turcaret. Ne l'interrompons point. (*A M. Furet.*) Achevez, mon ami.

M. Furet, *achevant de lire son exploit.* «Au payement desquelles dix mille livres lesdits débiteurs ont obligé, affecté et hypothéqué généralement leurs biens présents et à venir, sans division ni discussion, renonçant auxdits droits; et, pour l'exécution des présentes, ont élu domicile chez Innocent-Blaise Le Juste, ancien procureur au Châtelet, demeurant rue du Bout-du-Monde. Fait et passé, etc.»

Frontin, *à M. Turcaret.* L'acte est-il en bonne forme, monsieur?

M. Turcaret, *à Frontin.* Je n'y trouve rien à redire que la somme.

M. Furet. Que la somme, monsieur! Oh! il n'y a rien à redire à la somme, elle est fort bien énoncée.

M. Turcaret, *à la baronne.* Cela est chagrinant.

La Baronne. Comment! chagrinant? Est-ce qu'il faudra qu'il m'en coûte sérieusement dix mille livres pour avoir signé?

Lisette. Voilà ce que c'est que d'avoir trop de complaisance pour un mari! Les femmes ne se corrigeront-elles jamais de ce défaut-là?

La Baronne. Quelle injustice! (*A M. Turcaret.*) N'y a-t-il pas moyen de revenir contre cet acte-là, monsieur Turcaret?

M. Turcaret. Je n'y vois point d'apparence. Si dans l'acte vous n'aviez pas expressément renoncé aux droits de division et de discussion, nous pourrions chicaner ledit Poussif.

La Baronne. Il faut donc se résoudre à payer, puisque vous m'y condamnez, monsieur; je n'appelle pas de vos décisions.

Frontin, *bas, à M. Turcaret.* Quelle déférence on a pour vos sentiments!

La Baronne, *à M. Turcaret.* Cela m'incommodera un peu; cela dérangera la destination que j'avais faite de certain billet au porteur que vous savez.

Lisette. Il n'importe, payons, madame; ne soutenons pas un procès contre l'avis de M. Turcaret.

La Baronne. Le ciel m'en préserve! Je vendrais plutôt mes bijoux et mes meubles.

Frontin, *bas, à M. Turcaret.* Vendre ses meubles, ses bijoux! et pour l'équipage d'un mari encore! La pauvre femme!

M. Turcaret, *à la baronne.* Non, madame, vous ne vendrez rien; je me charge de cette dette-là, j'en fais mon affaire.

La Baronne. Vous vous moquez; je me servirai de ce billet, vous dis-je.

M. Turcaret. Il faut le garder pour un autre usage.

La Baronne. Non, monsieur, non; la noblesse de votre procédé m'embarrasse plus que l'affaire même.

M. Turcaret. N'en parlons plus, madame; je vais tout de ce pas y mettre ordre.

Frontin. La belle âme! . . . (*A M. Furet.*) Suis-nous, sergent, on va te payer.

La Baronne, *à M. Turcaret.* Ne tardez pas, au moins; songez que l'on vous attend.

M. Turcaret. J'aurai promptement terminé cela, et puis je reviendrai des affaires aux plaisirs.

(*Il sort avec M. Furet et Frontin.*)

### SCÈNE IX.

La Baronne, Lisette.

Lisette, *à part.* Et nous vous renverrons des plaisirs aux affaires, sur ma parole. Les habiles fripons que MM. Furet et Frontin, et la bonne dupe que M. Turcaret!

La Baronne. Il me paraît qu'il l'est trop, Lisette.

Lisette. Effectivement, on n'a point assez de mérite à le faire donner dans le panneau.[1]

La Baronne. Sais-tu bien que je commence à le plaindre?

Lisette. Mort de ma vie! point de pitié indiscrète. Ne plaignons point un homme qui ne plaint personne.

La Baronne. Je sens naître, malgré moi, des scrupules.

Lisette. Il faut les étouffer.

La Baronne. J'ai peine à les vaincre.

Lisette. Il n'est pas encore temps d'en avoir; et il vaut mieux sentir quelque jour des remords pour avoir ruiné un homme d'affaires, que le regret d'en avoir manqué l'occasion.

### SCÈNE X.

La Baronne, Lisette, Jasmin.

Jasmin, *à la baronne.* C'est de la part de madame Dorimène.

La Baronne. Faites entrer.

(*Jasmin sort.*)

### SCÈNE XI.

La Baronne, Lisette.

La Baronne. Elle m'envoie peut-être proposer une partie de plaisir; mais. . .

### SCÈNE XII.

La Baronne, Lisette, Madame Jacob.

Madame Jacob, *à la baronne.* Je vous demande pardon, madame, de la liberté que je prends. Je revends à la toilette, et je me nomme madame Jacob. J'ai l'honneur de vendre quelquefois des dentelles et toutes sortes de pommades à madame Dorimène. Je viens de l'avertir que j'aurai tantôt un bon hasard; mais elle n'est point en argent, et elle m'a dit que vous pourriez vous en accommoder.

La Baronne. Qu'est-ce que c'est?

Madame Jacob. Une garniture de quinze cents livres, que veut revendre une fermière des regrats[2]; elle ne l'a mise que deux fois. La dame en est dégoûtée; elle la trouve trop commune; elle veut s'en défaire.

La Baronne. Je ne serais pas fâchée de voir cette coiffure.

Madame Jacob. Je vous l'apporterai dès que je l'aurai, madame; je vous en ferai avoir bon marché.

Lisette. Vous n'y perdrez pas; madame est généreuse.

Madame Jacob. Ce n'est pas l'intérêt qui me gouverne; et j'ai, Dieu merci, d'autres talents que de revendre à la toilette.

La Baronne. J'en suis persuadée.

Lisette, *à madame Jacob.* Vous en avez bien la mine.

Madame Jacob. Eh! vraiment, si je n'avais pas d'autre ressource, comment pourrais-je élever mes enfants aussi honnêtement que je fais? J'ai un mari, à la vérité, mais il ne sert qu'à faire grossir ma famille, sans m'aider à l'entretenir.

---

[1] donner dans le panneau, to trick, dupe

[2] une fermière des regrats, wife of a *fermier* controlling the sale of commodities such as salt, coal

LISETTE. Il y a bien des maris qui font tout le contraire.

LA BARONNE. Eh! que faites-vous donc, madame Jacob, pour fournir ainsi toute seule aux dépenses de votre famille?

MADAME JACOB. Je fais des mariages, ma bonne dame. Il est vrai que ce sont des mariages légitimes, il ne produisent pas tant que les autres; mais, voyez-vous, je ne veux avoir rien à me reprocher.

LISETTE. C'est fort bien fait.

MADAME JACOB. J'ai marié depuis quatre mois, un jeune mousquetaire avec la veuve d'un auditeur des comptes. La belle union! ils tiennent tous les jours table ouverte; ils mangent la succession de l'auditeur le plus agréablement du monde.

LISETTE. Ces deux personnes-là sont bien assorties.

MADAME JACOB. Oh! tous mes mariages sont heureux. . . (A la baronne) et si madame était dans le goût de se marier, j'ai en main le plus excellent sujet.

LA BARONNE. Pour moi, madame Jacob?

MADAME JACOB. C'est un gentilhomme limousin; la bonne pâte de mari; il se laissera mener par une femme comme un Parisien.

LISETTE, à la baronne. Voilà encore un bon hasard, madame.

LA BARONNE. Je ne me sens point en disposition d'en profiter; je ne veux pas sitôt me marier, je ne suis point encore dégoûtée du monde.

LISETTE, à madame Jacob. Oh! bien, je le suis, moi, madame Jacob; mettez-moi sur vos tablettes.

MADAME JACOB. J'ai votre affaire; c'est un gros commis qui a déjà quelque bien, mais peu de protection; il cherche une jolie femme pour s'en faire.

LISETTE. Le bon parti! voilà mon fait.

LA BARONNE, à madame Jacob. Vous devez être riche, madame Jacob?

MADAME JACOB. Hélas! Hélas! je devrais faire dans Paris une autre figure: je devrais rouler carrosse, ma chère dame, ayant un frère comme j'en ai un dans les affaires.

LA BARONNE. Vous avez un frère dans les affaires?

MADAME JACOB. Et dans les grandes affaires, encore: je suis sœur de M. Turcaret, puisqu'il faut vous le dire; il n'est pas que vous n'en ayez ouï parler.

LA BARONNE, avec étonnement. Vous êtes sœur de M. Turcaret?

MADAME JACOB. Oui, madame, je suis sa sœur de père et de mère même.

LISETTE, étonnée aussi. M. Turcaret est votre frère, madame Jacob?

MADAME JACOB. Oui, mon frère, mademoiselle, mon propre frère; et je n'en suis pas plus grande dame pour cela. Je vous vois toutes deux bien étonnées; c'est sans doute à cause qu'il me laisse prendre toute la peine que je me donne?

LISETTE. Eh! oui; c'est ce qui fait le sujet de notre étonnement.

MADAME JACOB. Il fait bien pis, le dénaturé qu'il est: il m'a défendu l'entrée de sa maison, et il n'a pas le cœur d'employer mon époux.

LA BARONNE. Cela crie vengeance.

LISETTE, à madame Jacob. Ah! le mauvais frère!

MADAME JACOB. Aussi mauvais frère que mauvais mari: n'a-t-il pas chassé sa femme de chez lui?

LA BARONNE. Ils faisaient donc mauvais ménage?

MADAME JACOB. Ils le font bien encore, madame; ils n'ont ensemble aucun commerce, et ma belle-sœur est en province.

LA BARONNE. Quoi! M. Turcaret n'est pas veuf?

MADAME JACOB. Bon! il y a dix ans qu'il est séparé de sa femme, à qui il fait tenir une pension à Valognes, afin de l'empêcher de venir à Paris.

LA BARONNE, bas, à Lisette. Lisette!

LISETTE, bas. Par ma foi, madame, voilà un méchant homme!

MADAME JACOB. Oh! le ciel le punira tôt ou tard, cela ne lui peut manquer; et j'ai déjà ouï dire dans une maison qu'il y avait du dérangement dans ses affaires.

LA BARONNE. Du dérangement dans ses affaires!

MADAME JACOB. Eh! le moyen qu'il n'y en ait pas? C'est un vieux fou qui a toujours aimé toutes les femmes, hors la sienne; il jette tout par les fenêtres dès qu'il est amoureux; c'est un panier percé.

LISETTE, bas, à elle-même. A qui le dit-elle? Qui le sait mieux que nous?

MADAME JACOB, à la baronne. Je ne sais à qui il est attaché présentement; mais il a toujours quelque demoiselle qui le plume, qui l'attrape; et il s'imagine les attraper, lui, parce qu'il leur promet de les épouser. N'est-ce pas là un grand sot? Qu'en dites-vous, madame?

LA BARONNE, déconcertée. Oui, cela n'est pas tout à fait. . .

MADAME JACOB, l'interrompant. Oh! que j'en suis aise! il le mérite bien, le malheureux! il le mérite bien. Si je connaissais sa maîtresse, j'irais lui conseiller de le piller, de le manger, de le ronger, de l'abîmer. (*A Lisette.*) N'en feriez-vous pas autant, mademoiselle?

LISETTE. Je n'y manquerais pas, madame Jacob.

MADAME JACOB, *à la baronne.* Je vous demande pardon de vous étourdir ainsi de mes chagrins; mais, quand il m'arrive d'y faire réflexion, je me sens si pénétrée, que je ne puis me taire. Adieu, madame; sitôt que j'aurai la garniture, je ne manquerai pas de vous l'apporter.

LA BARONNE. Cela ne presse pas, madame, cela ne presse pas.

(*Madame Jacob sort.*)

### SCÈNE XIII.

LA BARONNE, LISETTE.

LA BARONNE. Eh bien, Lisette!

LISETTE. Eh bien, madame!

LA BARONNE. Aurais-tu deviné que M. Turcaret eût eu une sœur revendeuse à la toilette?

LISETTE. Auriez-vous cru, vous, qu'il eût eu une vraie femme en province?

LA BARONNE. Le traître! il m'avait assuré qu'il était veuf, et je le croyais de bonne foi.

LISETTE. Ah! le vieux fourbe! . . . Mais qu'est-ce donc que cela? qu'avez-vous? Je vous vois toute chagrine; merci de ma vie! vous prenez la chose aussi sérieusement que si vous étiez amoureuse de M. Turcaret.

LA BARONNE. Quoique je ne l'aime pas, puis-je perdre sans chagrin l'espérance de l'épouser? Le scélérat! il a une femme! Il faut que je rompe avec lui.

LISETTE. Oui; mais l'intérêt de votre fortune veut que vous le ruiniez auparavant. Allons, madame, pendant que nous le tenons, brusquons son coffre-fort, saisissons ses billets, mettons M. Turcaret à feu et à sang, rendons-le enfin si misérable, qu'il puisse un jour faire pitié même à sa femme, et redevenir frère de madame Jacob.

## ACTE CINQUIÈME

### SCÈNE PREMIÈRE.

LISETTE, *seule.*

La bonne maison que celle-ci pour Fron-

¹ Guibray, a suburb of Falaise, in Normandy

tin et pour moi! Nous avons déjà soixante pistoles, et il nous en reviendra peut-être autant de l'acte solidaire. Courage! si nous gagnons souvent de ces petites sommes-là, nous en aurons à la fin une raisonnable.

### SCÈNE II.

LA BARONNE, LISETTE.

LA BARONNE. Il me semble que M. Turcaret devrait bien être de retour, Lisette.

LISETTE. Il faut qu'il lui soit survenu quelque nouvelle affaire. . . (*Voyant entrer Flamand, sans le reconnaître d'abord, car il n'est plus en livrée.*) Mais que veut ce monsieur?

### SCÈNE III.

LA BARONNE, LISETTE, FLAMAND.

LA BARONNE, *à Lisette.* Pourquoi laisse-t-on entrer sans avertir?

FLAMAND. Il n'y a pas de mal à cela, madame, c'est moi.

LISETTE, *à la baronne en reconnaissant Flamand.* Eh! c'est Flamand, madame! Flamand sans livrée! Flamand l'épée au côté! Quelle métamorphose!

FLAMAND. Doucement, mademoiselle, doucement, on ne doit plus, s'il vous plaît, m'appeler Flamand tout court. Je ne suis plus laquais de M. Turcaret, non! il vient de me faire donner un bon emploi! oui! je suis présentement dans les affaires, dà! et, par ainsi, il faut m'appeler monsieur Flamand, entendez-vous?

LISETTE. Vous avez raison, monsieur Flamand; puisque vous êtes devenu commis, on ne doit plus vous traiter comme un laquais.

FLAMAND, *montrant la baronne.* C'est à madame que j'en ai l'obligation, et je viens ici tout exprès pour la remercier; c'est une bonne dame, qui a bien de la bonté pour moi, de m'avoir fait bailler une bonne commission qui me vaudra bien cent bons écus par chacun an, et qui est dans un bon pays encore; car c'est à Falaise, qui est une si bonne ville, et où il y a, dit-on, de si bonnes gens.

LISETTE. Il y a bien du bon dans tout cela, monsieur Flamand.

FLAMAND. Je suis capitaine-concierge de la porte de Guibray,¹ j'aurai les clefs, et pourrai faire entrer et sortir tout ce qu'il me plaira; l'on m'a dit que c'était un bon droit que celui-là.

LISETTE. Peste.

FLAMAND. Oh! ce qu'il a de meilleur, c'est que cet emploi-là porte bonheur à ceux qui l'ont; car ils s'y enrichissent tretous.[1] M. Turcaret a, dit-on, commencé par là.

LA BARONNE. Cela est bien glorieux pour vous, monsieur Flamand, de marcher ainsi sur les pas de votre maître.

LISETTE, à Flamand. Et nous vous exhortons, pour votre bien, à être honnête homme comme lui.

FLAMAND, à la baronne. Je vous envoierai, madame, de petits présents de fois à autre.

LA BARONNE. Non, mon pauvre Flamand, je ne te demande rien.    .

FLAMAND. Oh! que si fait! Je sais bien comme les commis en usent avec les demoiselles qui les placent: mais tout ce que je crains, c'est d'être révoqué; car dans les commissions on est grandement sujet à ça, voyez-vous!

LISETTE. Cela est désagréable.

FLAMAND. Par exemple, le commis que l'on révoque aujourd'hui pour me mettre à sa place a eu cet emploi-là par le moyen d'une certaine dame que M. Turcaret a aimée, et qu'il n'aime plus. Prenez bien garde, madame, de me faire révoquer aussi.

LA BARONNE. J'y donnerai toute mon attention, monsieur Flamand.

FLAMAND. Je vous prie de plaire toujours à M. Turcaret, madame.

LA BARONNE. J'y ferai tout mon possible, puisque vous y êtes intéressé.

FLAMAND, s'approchant de la baronne. Mettez toujours de ce beau rouge pour lui donner dans la vue.

LISETTE, le repoussant. Allez, monsieur le capitaine-concierge, allez à votre porte de Guibray. Nous savons ce que nous avons à faire, oui; nous n'avons pas besoin de vos conseils, non; vous ne serez jamais qu'un sot: c'est moi qui vous le dis, dà; entendezvous?

(Flamand sort.)

## SCÈNE IV.

LA BARONNE, LISETTE.

LA BARONNE. Voilà le garçon le plus ingénu. . . .

LISETTE. Il y a pourtant longtemps qu'il est laquais; il devrait bien être déniaisé.

[1] tretous, for *tous*.

## SCÈNE V.

LA BARONNE, LISETTE, JASMIN.

JASMIN, à la baronne. C'est M. le marquis avec une grosse et grande madame.
(Il sort.)

## SCÈNE VI.

LA BARONNE, LISETTE.

LA BARONNE. C'est sa belle conquête; je suis curieuse de la voir.

LISETTE. Je n'en ai pas moins d'envie que vous; je m'en fais une plaisante image. . . .

## SCÈNE VII.

LA BARONNE, LE MARQUIS, MADAME TURCARET, LISETTE.

LE MARQUIS, à la baronne. Je viens, ma charmante baronne, vous présenter une aimable dame, la plus spirituelle, la plus galante, la plus amusante personne. . . . Tant de bonnes qualités, qui vous sont communes, doivent vous lier d'estime et d'amitié.

LA BARONNE. Je suis très disposée à cette union. . . . (Bas, à Lisette.) C'est l'original du portrait que le chevalier m'a sacrifié.

MADAME TURCARET, à la baronne. Je crains, madame, que vous ne perdiez bientôt ces bons sentiments. Une personne du grand monde, du monde brillant, comme vous, trouvera peu d'agréments dans le commerce d'une femme de province.

LA BARONNE. Ah! vous n'avez point l'air provincial, madame; et nos dames le plus de mode n'ont pas des manières plus agréables que les vôtres.

LE MARQUIS, en montrant madame Turcaret. Ah! palsambleu! non; je m'y connais, madame; et vous conviendrez avec moi, en voyant cette taille et ce visage-là, que je suis le seigneur de France du meilleur goût.

MADAME TURCARET. Vous êtes trop poli, monsieur le marquis; ces flatteries-là pourraient me convenir en province, où je brille assez, sans vanité. J'y suis toujours à l'affût des modes; on me les envoie toutes dès le moment qu'elles sont inventées, et je puis me vanter d'être la première qui ait porté des pretintailles dans la ville de Valognes.

LISETTE, *à part.* Quelle folle!

LA BARONNE. Il est beau de servir de modèle à une ville comme celle-là.

MADAME TURCARET. Je l'ai mise sur un pied! j'en ai fait un petit Paris par la belle jeunesse que j'y attire.

LE MARQUIS. Comment, un petit Paris! Savez-vous bien qu'il faut trois mois de Valognes pour achever un homme de cour?

MADAME TURCARET, *à la baronne.* Oh! je ne vis pas comme une dame de campagne, au moins, je ne me tiens point enfermée dans un château, je suis trop faite pour la société. Je demeure en ville, et j'ose dire que ma maison est une école de politesse et de galanterie pour les jeunes gens.

LISETTE. C'est une façon de collège pour toute la basse Normandie.[1]

MADAME TURCARET, *à la baronne.* On joue chez moi, on s'y rassemble pour médire; on y lit tous les ouvrages d'esprit qui se font à Cherbourg, à Saint-Lô, à Coutances, et qui valent bien les ouvrages de Vire et de Caen. J'y donne aussi quelquefois des fêtes galantes, des soupers-collations. Nous avons des cuisiniers qui ne savent faire aucun ragoût, à la vérité; mais ils tirent les viandes si à propos, qu'un tour de broche de plus ou de moins, elles seraient gâtées.

LE MARQUIS. C'est l'essentiel de la bonne chère. Ma foi, vive Valognes pour le rôti!

MADAME TURCARET. Et pour les bals, nous en donnons souvent. Que l'on s'y divertit! cela est d'une propreté! Les dames de Valognes sont les premières dames du monde pour savoir bien l'art de se masquer, et chacune a son déguisement favori. Devinez quel est le mien.

LISETTE. Madame se déguise en Amour, peut-être.

MADAME TURCARET. Oh! pour cela, non.

LA BARONNE. Vous vous mettez en déesse, apparemment, en Grâce?

MADAME TURCARET. En Vénus, ma chère, en Vénus.

LE MARQUIS, *ironiquement.* En Vénus! Ah! madame, que vous êtes bien déguisée!

LISETTE, *à madame Turcaret.* On ne peut pas mieux.

## SCÈNE VIII.

LA BARONNE, LE CHEVALIER, LE MARQUIS, MADAME TURCARET, LISETTE.

LE CHEVALIER, *à la baronne.* Madame, nous aurons tantôt le plus ravissant concert. . . (*A part, apercevant madame Turcaret.*) Mais que vois-je!

MADAME TURCARET, *à part.* O ciel!

LA BARONNE, *bas, à Lisette.* Je m'en doutais bien.

LE CHEVALIER. Est-ce là cette dame dont tu m'as parlé, marquis?

LE MARQUIS, *au chevalier.* Oui, c'est ma comtesse. Pourquoi cet étonnement?

LE CHEVALIER. Oh! parbleu! je ne m'attendais pas à celui-là.

MADAME TURCARET, *à part.* Quel contretemps!

LE MARQUIS, *au chevalier.* Explique-toi, chevalier: est-ce que tu connaîtrais ma comtesse?

LE CHEVALIER. Sans doute: il y a huit jours que je suis en liaison avec elle.

LE MARQUIS. Qu'entends-je? Ah! l'infidèle! l'ingrate!

LE CHEVALIER. Et, ce matin même, elle a eu la bonté de m'envoyer son portrait.

LE MARQUIS. Comment, diable! elle a donc des portraits à donner à tout le monde?

## SCÈNE IX.

MADAME JACOB, LA BARONNE, LE CHEVALIER, LE MARQUIS, MADAME TURCARET, LISETTE.

MADAME JACOB, *à la baronne.* Madame, je vous apporte la garniture que j'ai promis de vous faire voir.

LA BARONNE. Que vous prenez mal votre temps, madame Jacob! vous me voyez en compagnie. . .

MADAME JACOB. Je vous demande pardon, madame, je reviendrai une autre fois. . . (*Apercevant Madame Turcaret.*) Mais qu'est-ce que je vois? Ma belle-sœur ici! madame Turcaret!

LE CHEVALIER. Madame Turcaret!

LA BARONNE, *à madame Jacob.* Madame Turcaret!

---

[1] basse Normandie, Lower (i. e., western) Normandy. **Valognes is a small town near Cherbourg**; Saint-Lô, Coutances, Vire, and Caen, also Falaise and Domfront mentioned elsewhere in this act, are Norman towns southeast of Cherbourg.

LISETTE, *à madame Jacob.* Madame Turcaret!

LE MARQUIS, *à part.* Le plaisant incident!

MADAME JACOB, *à madame Turcaret.* Par quelle aventure, madame, vous rencontré-je en cette maison?

MADAME TURCARET, *à part.* Payons de hardiesse. (*A madame Jacob.*) Je ne vous connais pas, ma bonne.

MADAME JACOB. Vous ne connaissez pas madame Jacob? Tredame! est-ce à cause que depuis dix ans vous êtes séparée de mon frère, qui n'a pu vivre avec vous, que vous feignez de ne me pas connaître?

LE MARQUIS. Vous n'y pensez pas, madame Jacob; savez-vous bien que vous parlez à une comtesse?

MADAME JACOB, *au marquis.* A une comtesse! Eh! dans quel lieu, s'il vous plaît, est sa comté? Ah! vraiment, j'aime assez ces gros airs-là.

MADAME TURCARET. Vous êtes une insolente, ma mie.

MADAME JACOB. Une insolente! moi, je suis une insolente! Jour de Dieu! ne vous y jouez pas: s'il ne tient qu'à dire des injures, je m'en acquitterai aussi bien que vous.

MADAME TURCARET. Oh! je n'en doute pas: la fille d'un maréchal de Domfront ne doit point demeurer en reste de sottises.

MADAME JACOB. La fille d'un maréchal! Pardi! voilà une dame bien relevée, pour venir me reprocher ma naissance! Vous avez apparemment oublié que M. Briochais, votre père, était pâtissier dans la ville de Falaise. Allez, madame la comtesse, puisque comtesse y a, nous nous connaissons toutes deux: mon frère rira bien quand il saura que vous avez pris ce nom burlesque pour venir vous requinquer à Paris; je voudrais, par plaisir, qu'il vînt ici tout à l'heure.

LE CHEVALIER. Vous pourrez avoir ce plaisir-là, madame: nous attendons à souper M. Turcaret.

MADAME TURCARET, *à part.* Aïe!

LE MARQUIS, *à madame Jacob.* Et vous souperez aussi avec nous, madame Jacob; car j'aime les soupers de famille.

MADAME TURCARET, *à part.* Je suis au désespoir d'avoir mis le pied dans cette maison!

LISETTE, *à part.* Je le crois bien.

MADAME TURCARET, *à part, voulant sortir.* J'en vais sortir tout à l'heure.

LE MARQUIS, *l'arrêtant.* Vous ne vous en irez pas, s'il vous plaît, que vous n'ayez vu M. Turcaret.

MADAME TURCARET. Ne me retenez point, monsieur le marquis, ne me retenez point.

LE MARQUIS. Oh! palsambleu! mademoiselle Briochais, vous ne sortirez point, comptez là-dessus.

LE CHEVALIER. Eh! marquis, cesse de l'arrêter.

LE MARQUIS. Je n'en ferai rien. Pour la punir de nous avoir trompés tous deux, je la veux mettre aux prises avec son mari.

LA BARONNE. Non, marquis; de grâce, laissez-la sortir.

LE MARQUIS. Prière inutile: tout ce que je puis faire pour vous, madame, c'est de lui permettre de se déguiser en Vénus, afin que son mari ne la reconnaisse pas.

LISETTE, *voyant entrer M. Turcaret.* Ah! par ma foi, voici M. Turcaret.

MADAME JACOB, *à part.* J'en suis ravie.

MADAME TURCARET, *à part.* La malheureuse journée!

LA BARONNE. Pourquoi faut-il que cette scène se passe chez moi.

LE MARQUIS, *à part.* Je suis au comble de ma joie.

## SCÈNE X.

M. TURCARET, LA BARONNE, LE MARQUIS, LE CHEVALIER, MADAME TURCARET, MADAME JACOB, LISETTE.

M. TURCARET, *à la baronne.* J'ai renvoyé l'huissier, madame, et terminé. . . (*A part, apercevant sa sœur.*) Ah; en croirai-je mes yeux? ma sœur ici. . . ! (*Apercevant sa femme.*) et, qui pis est, ma femme!

LE MARQUIS. Vous voilà en pays de connaissance, monsieur Turcaret: vous voyez une belle comtesse dont je porte les chaînes; vous voulez bien que je vous la présente, sans oublier madame Jacob.

MADAME JACOB, *à M. Turcaret.* Ah! mon frère!

M. TURCARET. Ah! ma sœur! (*A part.*) Qui diable les a amenées ici?

LE MARQUIS. C'est moi, monsieur Turcaret, vous m'avez cette obligation-là; embrassez ces deux objets chéris. Ah! qu'il paraît ému! j'admire la force du sang et de l'amour conjugal.

M. TURCARET, *à part.* Je n'ose la regarder, je crois voir mon mauvais génie.

MADAME TURCARET, *à part.* Je ne puis l'envisager sans horreur.

LE MARQUIS, *à M. et à madame Turcaret.* Ne vous contraignez point, tendres époux, laissez éclater toute la joie que vous devez sentir de vous revoir après dix années de séparation.

La Baronne, *à M. Turcaret.* Vous ne vous attendiez pas, monsieur, à rencontrer ici madame Turcaret; et je conçois bien l'embarras où vous êtes; mais pourquoi m'avoir dit que vous étiez veuf?

Le Marquis. Il vous a dit qu'il était veuf! Eh! parbleu! sa femme m'a dit aussi qu'elle était veuve. Ils ont la rage tous deux de vouloir être veufs.

La Baronne, *à M. Turcaret.* Parlez: pourquoi m'avez-vous trompée?

M. Turcaret, *interdit.* J'ai cru, madame... qu'en vous faisant accroire que... je croyais être veuf... vous croiriez que... je n'aurais point de femme... (*à part.*) J'ai l'esprit troublé, je ne sais ce que je dis.

La Baronne. Je devine votre pensée, monsieur, et je vous pardonne une tromperie que vous avez crue nécessaire pour vous faire écouter; je passerai même plus avant: au lieu d'en venir aux reproches, je veux vous raccommoder avec madame Turcaret.

M. Turcaret. Qui? moi, madame! Oh! pour cela, non; vous ne la connaissez pas, c'est un démon; j'aimerais mieux vivre avec la femme du Grand Mogol.

Madame Turcaret. Oh! monsieur, ne vous en défendez pas tant: je n'en ai pas plus d'envie que vous, au moins; et je ne viendrais point à Paris troubler vos plaisirs, si vous étiez plus exact à payer la pension que vous me faites pour me tenir en province.

Le Marquis, *à M. Turcaret.* Pour la tenir en province! Ah! monsieur Turcaret, vous avez tort: madame mérite qu'on lui paye les quartiers d'avance.

Madame Turcaret. Il m'en est dû cinq; s'il ne me les donne pas, je ne pars point, je demeure à Paris pour le faire enrager: j'irai chez ses maîtresses faire un charivari; et je commencerai par cette maison-ci, j'en suis avertie.

M. Turcaret, *à part.* Ah! l'insolente!

Lisette, *à part.* La conversation finira mal.

La Baronne, *à madame Turcaret.* Vous m'insultez, madame.

Madame Turcaret. J'ai des yeux, Dieu merci, j'ai des yeux; je vois bien tout ce qui se passe en cette maison; mon mari est la plus grande dupe....

M. Turcaret, *l'interrompant.* Quelle impudence! Ah! ventrebleu! coquine, sans le respect que j'ai pour la compagnie....

Le Marquis, *l'interrompant.* Qu'on ne vous gêne point, monsieur Turcaret; vous êtes avec vos amis, usez-en librement.

Le Chevalier, *à M. Turcaret en se mettant entre lui et sa femme.* Monsieur...!

La Baronne, *à madame Turcaret.* Songez que vous êtes chez moi.

## SCÈNE XI.

M. Turcaret, La Baronne, Le Marquis, Le Chevalier, Madame Turcaret, Madame Jacob, Jasmin, Lisette.

Jasmin, *à M. Turcaret.* Il y a, dans un carrosse qui vient de s'arrêter à la porte, deux gentilshommes qui se disent de vos associés; ils veulent vous parler d'une affaire importante. (*Il sort.*)

## SCÈNE XII.

La Baronne, Le Marquis, Madame Turcaret, Le Chevalier, M. Turcaret, Madame Jacob, Lisette.

M. Turcaret, *à madame Turcaret.* Ah! Je vais revenir; je vous apprendrai, impudente, à respecter une maison....

Madame Turcaret, *l'interrompant.* Je crains peu vos menaces.

(*M. Turcaret sort.*)

## SCÈNE XIII.

La Baronne, Le Chevalier, Le Marquis, Madame Turcaret, Madame Jacob, Lisette.

Le Chevalier, *à madame Turcaret.* Calmez votre esprit agité, madame; que M. Turcaret vous retrouve adoucie.

Madame Turcaret. Oh! tous ses emportements ne m'épouvantent point.

La Baronne. Nous allons l'apaiser en votre faveur.

Madame Turcaret. Je vous entends, madame: vous voulez me réconcilier avec mon mari, afin que, par reconnaissance, je souffre qu'il continue à vous rendre des soins.

La Baronne. La colère vous aveugle; je n'ai pour objet que la réunion de vos cœurs; et je vous abandonne M. Turcaret, je ne veux le revoir de ma vie.

Madame Turcaret. Cela est trop généreux.

Le Marquis, *au chevalier en montrant la baronne.* Puisque madame renonce au mari, de mon côté je renonce à la femme : allons, renonces-y aussi, chevalier. Il est beau de se vaincre soi-même.

## SCÈNE XIV.

La Baronne, Le Chevalier, Le Marquis, Madame Turcaret, Madame Jacob, Frontin, Lisette.

Frontin, *à part*. O malheur imprévu ! ô disgrâce cruelle !

Le Chevalier. Qu'y a-t-il, Frontin ?

Frontin. Les associés de M. Turcaret ont mis garnison chez lui pour deux cent mille écus que leur emporte un caissier qu'il a cautionné. Je venais ici en diligence pour l'avertir de se sauver ; mais je suis arrivé trop tard, ses créanciers se sont déjà assurés de sa personne.

Madame Jacob, *à part*. Mon frère entre les mains de ses créanciers ! Tout dénaturé qu'il est, je suis touchée de son malheur : je vais employer pour lui tout mon crédit ; je sens que je suis sa sœur. (*Elle sort.*)

## SCÈNE XV.

La Baronne, Le Marquis, Madame Turcaret, Le Chevalier, Lisette, Frontin.

Madame Turcaret. Et moi, je vais le chercher pour l'accabler d'injures ; je sens que je suis sa femme. (*Elle sort.*)

## SCÈNE XVI.

La Baronne, Le Chevalier, Le Marquis, Frontin, Lisette.

Frontin, *au chevalier*. Nous envisagions le plaisir de le ruiner ; mais la justice est jalouse de ce plaisir-là ; elle nous a prévenus.

Le Marquis, *à Frontin*. Bon ! bon ; il a de l'argent de reste pour se tirer d'affaire.

Frontin, *au marquis*. J'en doute ; on dit qu'il a follement dissipé des biens immenses ; mais ce n'est pas ce qui m'embarrasse à présent. Ce qui m'afflige, c'est que j'étais chez lui quand ses associés y sont venus mettre garnison.

Le Chevalier, *à Frontin*. Eh bien ?

Frontin, *au chevalier*. Eh bien, monsieur, ils m'ont aussi arrêté et fouillé, pour voir si par hasard je ne serais point chargé de quelque papier qui pût tourner au profit des créanciers. (*Montrant la baronne.*) Ils se sont saisis, à telle fin que de raison, du billet de madame, que vous m'aviez confié tantôt.

Le Chevalier. Qu'entends-je ? juste ciel !

Frontin. Ils m'en ont pris encore un autre de dix mille francs que M. Turcaret avait donné pour l'acte solidaire, et que M. Furet venait de me remettre entre les mains.

Le Chevalier. Eh ! pourquoi, maraud, n'as-tu point dit que tu étais à moi ?

Frontin. Oh ! vraiment, monsieur, je n'y ai pas manqué : j'ai dit que j'appartenais à un chevalier ; mais quand ils ont vu les billets, ils n'ont pas voulu me croire.

Le Chevalier. Je ne me possède plus, je suis au désespoir.

La Baronne, *au chevalier*. Et moi, j'ouvre les yeux. Vous m'avez dit que vous aviez chez vous l'argent de mon billet ; je vois par là que mon brillant n'a point été mis en gage ; et je sais ce que je dois penser du beau récit que Frontin m'a fait de votre fureur d'hier au soir. Ah ! chevalier, je ne vous aurais pas cru capable d'un pareil procédé. J'ai chassé Marine à cause qu'elle n'était pas dans vos intérêts, et je chasse Lisette parce qu'elle y est. Adieu ; je ne veux de ma vie entendre parler de vous.

(*Elle se retire dans l'intérieur de son appartement.*)

## SCÈNE XVII.

Le Marquis, Le Chevalier, Frontin, Lisette.

Le Marquis, *riant, au chevalier qui a l'air tout déconcerté*. Ah, ah ! ma foi, chevalier, tu me fais rire ; ta consternation me divertit. Allons souper chez le traiteur, et passer la nuit à boire.

Frontin, *au chevalier*. Vous suivrai-je, monsieur ?

Le Chevalier. Non ; je te donne ton congé ; ne t'offre jamais à mes yeux.

(*Il sort avec le marquis.*)

## SCÈNE XVIII.

Lisette, Frontin.

Lisette. Et nous, Frontin, quel parti prendrons-nous ?

FRONTIN. J'en ai un à te proposer. Vive l'esprit, mon enfant! Je viens de payer d'audace; je n'ai point été fouillé.

LISETTE. Tu as les billets?

FRONTIN. J'en ai déjà touché l'argent, il est en sûreté; j'ai quarante mille francs.

Si ton ambition veut se borner à cette petite fortune, nous allons faire souche d'honnêtes gens.

LISETTE. J'y consens.

FRONTIN. Voilà le règne de M. Turcaret fini; le mien va commencer.

# RHADAMISTE ET ZÉNOBIE

*Tragédie en cinq actes, en vers*

Représentée pour la première fois à la Comédie-Française
le 23 janvier 1711

# CRÉBILLON

Prosper Jolyot de Crébillon (1674–1762) was born in Dijon, January 13, 1674, the son of a notary. Little is known of his early education, though it is supposed that he attended the Jesuit college in his native town. Later he studied law at Besançon and was admitted to the bar in Paris at some time between 1693 and 1700. Very soon he began to frequent Parisian literary circles. In his professional employment he was connected with the law office of Louis Prieur, a man much interested in the theatre. At his urging, Crébillon undertook to write a tragedy, *la Mort des enfants de Brutus,* which the Comédie-Française refused to accept. It was never published. Next Crébillon composed another tragedy, *Idomenée,* which had some slight success when performed in 1705 and gave promise of the author's ability as a dramatist. Then followed in 1707 the tragedy *Atrée.* Here Crébillon really found himself and showed his originality, especially in the introduction of the element of terror for which he became famous. This play gave him a place above his contemporaries as a writer of tragedy. On January 23, 1711, the Comédie-Française produced his *Rhadamiste et Zénobie,* which enjoyed thirty performances. It is the crowning point in his dramatic career, and was acclaimed a masterpiece. The two tragedies which followed, *Xerxès,* 1714, and *Sémiramis,* 1717, were unsuccessful. In the Law débacle Crébillon, who had taken to speculating, lost most of his small fortune. Burdened with debts and unable to rehabilitate himself, he dropped out of sight from 1721 to 1726. After nine years he once again came forward with a tragedy, *Pyrrhus,* 1726, a meritorious and successful effort. Five years later, 1731, he was elected to the Academy. In 1733 he was named royal censor and in 1735 was given the additional appointment of police censor. These positions he held until his death. As a censor of plays he came into conflict with Voltaire, and a lasting enmity ensued. The bad feeling and jealousy on Voltaire's part resulted in his attempting to dramatize the themes of some of Crébillon's tragedies in a manner which he thought would be so superior as to crush the latter's reputation. Thus he produced a *Sémiramis* (1748), the Electra theme in *Oreste* (1750), *Catalina* as *Rome sauvée* (1752), and *Atrée* as *les Pélopides* (1771). Crébillon, who disliked disputes, refused to be drawn into controversy. The last thirty years of his life he lived a commonplace and rather secluded existence, too indolent to take advantage of the fame which he had achieved. The esteem in which he was held in Court circles procured him several pensions and an appointment as one of the royal librarians. Furthermore, his works were published at the Louvre in 1750 at the king's expense. After twenty-two years of silence, upon the insistent urging of his friends, he finally produced *Catalina,* 1748. The royal treasury paid the cost of the luxurious staging of this tragedy, and its success was due in part to the splendor of the production. Taking advantage for a moment of the prestige of royal favor, Crébillon wrote his last tragedy, *le Triumvirat,* which had a *succès d'estime* when performed in 1754

From this time until his death at Paris, June 17, 1762, his life was marked by no
event of importance.

In the estimation of the majority of the Frenchmen of the eighteenth century,
Crébillon occupied a position second only to that of Corneille and Racine among
writers of tragedy. Modern criticism has been on the whole rather harsh and at
times unjust to him. Whatever his defects, he occupies a distinct place in the
evolution of the French drama. Like Voltaire, he seems to have realized that the
classical tragedy of the previous century was losing its appeal to the contemporary audience, and that this dramatic form required reinvigoration if it was
to survive. He accepted without question the framework of the tragedies of
Corneille and Racine and their rules of dramaturgy, and all his subjects are
taken from antiquity. Into this traditional form he attempted to infuse a few
new elements, and whatever originality he contributed to the evolution of the
drama lies here. These original contributions have been characterized by two
terms, not mutually exclusive: the *romanesque* and the *terrible*. By *romanesque*
is usually meant certain characteristics of the novel, especially of the French
novels of the seventeenth century, which depend for their motivating forces and
development upon such elements as disguises, mistaken identities, recognitions,
abductions, and the like. Crébillon complicates the simple form of classical
tragedy by the introduction of such elements. Five out of nine of his tragedies
contain cases of disguise and recognition. The *peripeteia* of his plays frequently
result from such devices. To these he adds the element of terror. He claimed that
in doing this he was merely producing pity through terror. In *Atrée* he came
close to approaching the horrible, with the cup of blood. On the whole, however,
he endeavors always to keep the terrible toned down so as to offer no offense to
his public. The latter was still a little too *sensible* (*i. e.,* sentimentally sensitive)
to fully tolerate these innovations, with which Crébillon was unwittingly helping to sow the seeds for the ruin of tragedy. During the eighteenth century the
*romanesque,* which is in certain respects synonymous with the realistic, grows
slowly but surely in the French drama, undermining the foundations of tragedy.
Finally the new elements which Crébillon had introduced came into full bloom
in the melodrama, and were carried over in part into Romantic drama. It is not
without reason that Crébillon has been called ''the father of melodrama.'' He
unfortunately came a century too early. The melodrama appeals to a popular
audience and not to one of the élite type for which he wrote. He failed to understand the fact that the *romanesque* always tends to the particular, and therefore
away from the universal at which classical tragedy aimed. Corneille and Racine
are not wholly free from it, but in their efforts at universality they keep it down
to a minimum.

Crébillon has been censured for his style. It has its defects and inequalities;
but it is not inferior to that of Voltaire, and at moments rises to heights
that parallel Corneille and Racine. In character-drawing also Crébillon is not
especially strong. The chief characters in *Rhadamiste et Zénobie* are among his
best efforts in this respect. He gives Pharasmane considerable individuality and
endows the jealous, impetuous, and barbaric Rhadamiste with many of the qualities of his father. Rhadamiste is nicely balanced by the figure of his wife,
Zénobie, who resembles Corneille's heroines in her calm, dutiful, and self-
possessed manner. The complications of the plot of this tragedy (whose chief

sources are Tacitus' *Annales,* Bk. xii, and Segrais' novel, *Bérénice,* 1648–51, 4 vols.) are characteristic of Crébillon. Thus we find Zénobie promised in marriage by her father, Mithridate, to her cousin, Rhadamiste, the son of Pharasmane. For political reasons, Mithridate is forced to change his mind and betroth her to another. Rhadamiste in a rage slays Mithridate, marries Zénobie, and flees with her. He is so closely pursued by his enemies that he fears that she will fall into another's hands; so he stabs her and throws her into a river. She is rescued still alive, and survives. Then after ten years of wandering under the name of Isménie, she arrives at the court of Pharasmane, her father-in-law. Both he and his son, Arsame, desire to marry her. She really loves Arsame. Then Rhadamiste appears under the guise of a Roman ambassador without his identity being known, and eventually finds his wife in the supposed Isménie. Thus a father and two sons are rivals for the same woman. About to carry off Zénobie, Rhadamiste is slain by his father who has not recognized him. Here are all the elements necessary for a typical melodrama. The developments in the plot result largely from melodramatic *coups de théâtre.* One needs but read this play to understand why Crébillon, considered by his admirers as the third great French writer of tragedies, has failed to maintain a rank beside the other two, or even beside Voltaire.

Bibliography: CRÉBILLON: *Rhadamiste et Zénobie,* Paris, 1711. J. DE CRÉBILLON: *Théâtre complet,* Paris, 1885 (with *Notice sur Crébillon* by A. Vitu). M. DUTRAIT: *Étude sur la vie et le théâtre de Crébillon,* Bordeaux, 1895. G. D'HUGUES: *Étude sur Crébillon le tragique.* Dijon, 1887. F. BRUNETIÈRE: *Les Époques du théâtre français,* Paris, 1892. G. LARROUMET: *Rhadamiste et Zénobie,* in *Revue des Cours et Conférences,* Paris, 1899–1900. C. DÉJOB: *De l'Émotion dramatique. "Rhadamiste et Zénobie,"* in *Revue des Cours et Conférences,* Paris, 1899–1900.

# RHADAMISTE ET ZÉNOBIE [1]

### Par PROSPER JOLYOT DE CRÉBILLON.

#### PERSONNAGES.

PHARASMANE, *roi d'Ibérie.*
RHADAMISTE, *roi d'Arménie, fils de Pharasmane.*
ZÉNOBIE, *femme de Rhadamiste, sous le nom d'Isménie.*
ARSAME, *frère de Rhadamiste.*
HIÉRON, *ambassadeur d'Arménie, et confident de Rhadamiste.*

MITRANE, *capitaine des gardes de Pharasmane.*
HYDASPE, *confident de Pharasmane.*
PHÉNICE, *confidente de Zénobie.*
GARDES.
La scène est dans Artanisse, capitale de l'Ibérie,[2] dans le palais de Pharasmane.

[1] Text of Vitu's edition of *Théâtre complet,* 1885
[2] Small kingdom between Black and Caspian Seas.

## ACTE PREMIER

### SCÈNE PREMIÈRE.

ZÉNOBIE, *sous le nom d'Isménie;* PHÉNICE.

ZÉNOBIE. Ah! laisse-moi, Phénice, à mes
  mortels ennuis;
Tu redoubles l'horreur de l'état où je
  suis:
Laisse-moi. Ta pitié, tes conseils et la
  vie,
Sont le comble des maux pour la triste
  Isménie.
Dieux justes! ciel vengeur, effroi des
  malheureux!
Le sort qui me poursuit est-il assez af-
  freux?
PHÉNICE. Vous verrai-je toujours, les
  yeux baignés de larmes,
Par d'éternels transports remplir mon
  cœur d'alarmes?
Le sommeil en ces lieux verse en vain
  ses pavots; [1]
La nuit n'a plus pour vous ni douceur ni
  repos.
Cruelle! si l'amour vous éprouve inflexi-
  ble,
A ma triste amitié soyez du moins sen-
  sible.
Mais quels sont vos malheurs? Captive
  dans des lieux
Où l'amour soumet tout au pouvoir de
  vos yeux,
Vous ne sortez des fers où vous fûtes
  nourrie,
Que pour vous asservir le grand roi
  d'Ibérie.
Et que demande encor ce vainqueur des
  Romains?
D'un sceptre redoutable il veut orner vos
  mains.
Si, rebuté des soins où son amour l'en-
  gage,
Il s'est enfin lassé d'un inutile hommage,
Par combien de mépris, de tourments, de
  rigueur,
N'avez-vous pas vous-même allumé sa
  fureur!
Flattez, comblez ses vœux, loin de vous
  en défendre,
Vous le verrez bientôt plus soumis et
  plus tendre.

ZÉNOBIE. Je connais mieux que toi ce bar-
  bare vainqueur,
Pour qui, mais vainement, tu veux fléchir
  mon cœur.
Quels que soient les grands noms qu'il
  tient de la victoire,
Et ce front si superbe où brille tant de
  gloire;
Malgré tous ses exploits, l'univers à mes
  yeux
N'offre rien qui me doive être plus
  odieux.
J'ai trahi trop longtemps ton amitié fi-
  dèle:
Il faut d'un autre prix reconnaître ton
  zèle,
Me découvrir. Du moins, quand tu sauras
  mon sort,
Je ne te verrai plus t'opposer à ma mort.
Phénice, tu m'as vue aux fers abandon-
  née,
Dans un abaissement où je ne suis point
  née.
Je compte autant de rois que je compte
  d'aïeux,
Et le sang dont je sors ne le cède qu'aux
  dieux.
Pharasmane, ce roi qui fait trembler
  l'Asie,
Qui brave des Romains la vaine jalousie,
Ce cruel dont tu veux que je flatte
  l'amour,
Est frère de celui qui me donna le jour.
Plût aux dieux qu'à son sang le destin
  qui me lie
N'eût point par d'autres nœuds attaché
  Zénobie!
Mais, à ces nœuds sacrés joignant des
  nœuds plus doux,
Le sort l'a fait encor père de mon
  époux,
De Rhadamiste enfin.
PHÉNICE.          Ma surprise est extrême:
Vous Zénobie! ô dieux!
ZÉNOBIE.          Oui, Phénice, elle-même,
  Fille de tant de rois, reste d'un sang
    fameux,
  Illustre, mais, hélas! encor plus mal-
    heureux.
  Après de longs débats, Mithridate [2] mon
    père
  Dans le sein de la paix vivait avec son
    frère.
  L'une et l'autre Arménie, [3] asservie à nos
    lois,

---

[1] pavots, poppies, here figuratively for *narcotic influence.*
[2] Mithridates of the dynasty of the Arsacidæ, was put to death by his nephew, Rhadimistus,
in A. D. 52.
[3] Armenia Major and Minor.

Mettait cet heureux prince au rang des
    plus grands rois.
Trop heureux en effet, si son frère per-
    fide
D'un sceptre si puissant eût été moins
    avide!
Mais le cruel, bien loin d'appuyer sa
    grandeur,
Le dévora bientôt dans le fond de son
    cœur.
Pour éblouir mon père, et pour mieux le
    surprendre,
Il lui remit son fils dès l'âge le plus ten-
    dre.
Mithridate charmé l'éleva parmi nous,
Comme un ami pour lui, pour moi comme
    un époux.
Je l'avouerai, sensible à sa tendresse ex-
    trême,
Je me fis un devoir d'y répondre de
    même,
Ignorant qu'en effet, sous des dehors
    heureux,
On pût cacher au crime un penchant dan-
    gereux.
PHÉNICE. Jamais roi cependant ne se fit
    dans l'Asie
Un nom plus glorieux et plus digne d'en-
    vie.
Déjà des autres rois devenu la ter-
    reur. . .
ZÉNOBIE. Phénice, il n'a que trop signalé sa
    valeur.
A peine je touchais à mon troisième lus-
    tre,
Lorsque tout fut conclu pour cet hymen
    illustre.
Rhadamiste déjà s'en croyait assuré,
Quand son père cruel, contre nous con-
    juré,
Entra dans nos États suivi de Tiridate,[1]
Qui brûlait de s'unir au sang de Mithri-
    date;
Et ce Parthe, indigné qu'on lui ravît ma
    foi,
Sema partout l'horreur, le désordre et
    l'effroi.
Mithridate, accablé par son perfide frère,
Fit tomber sur le fils les cruautés du
    père;
Et, pour mieux se venger de ce frère
    inhumain,
Promit à Tiridate et son sceptre et ma
    main.

Rhadamiste, irrité d'un affront si fu-
    neste,
De l'État à son tour embrasa tout le
    reste,
En dépouilla mon père, en repoussa le
    sien;
Et, dans son désespoir ne ménageant
    plus rien,
Malgré Numidius[2] et la Syrie entière,
Il força Pollion[3] de lui livrer mon père.
Je tentai, pour sauver un père malheu-
    reux,
De fléchir un amant que je crus géné-
    reux.
Il promit d'oublier sa tendresse offensée,
S'il voyait de ma main sa foi récom-
    pensée;
Qu'au moment que l'hymen l'engagerait
    à moi,
Il remettrait l'État sous sa première loi.
Sur cet espoir charmant aux autels en-
    traînée,
Moi-même je hâtais ce fatal hyménée;
Et mon parjure amant osa bien l'ache-
    ver,
Teint du sang qu'à ce prix je prétendais
    sauver.
Mais le ciel, irrité contre ces nœuds im-
    pies,
Éclaira notre hymen du flambeau des
    Furies.
Quel hymen, justes dieux! et quel bar-
    bare époux!
PHÉNICE. Je sais que tout un peuple in-
    digné contre vous,
Vous imputant du roi la triste destinée,
Ne vit qu'avec horreur ce coupable hy-
    ménée.
ZÉNOBIE. Les cruels, sans savoir qu'on me
    cachait son sort,
Osèrent bien sur moi vouloir venger sa
    mort.
Troublé de ses forfaits, dans ce péril ex-
    trême,
Rhadamiste en parut comme accablé lui-
    même.
Mais ce prince, bientôt rappelant sa fu-
    reur,
Remplit tout, à son tour, de carnage et
    d'horreur.
«Suivez-moi, me dit-il: ce peuple qui
    m'outrage
En vain à ma valeur croit fermer un
    passage:

---

[1] Tiridates I. Upon the death of Mithridates he took advantage of the distracted state of Armenia to have himself proclaimed king. He was driven out by Corbulo in A. D. 58.
[2] Ummidius Quadratus, governor of Syria, about A. D. 51–60.
[3] Pollio Cælius, Roman commander in Armenia, aided Rhadimistus in putting to death Mithridates and his family.

Suivez-moi.» Des autels s'éloignant à grands pas,
Terrible et furieux, il me prit dans ses bras,
Fuyant parmi les siens à travers Artaxate,[1]
Qui vengeait, mais trop tard, la mort de Mithridate.
Mon époux cependant, pressé de toutes parts,
Tournant alors sur moi de funestes regards. . .
Mais, loin de retracer une action si noire,
D'un époux malheureux respectons la mémoire :
Épargne à ma vertu cet odieux récit.
Contre un infortuné je n'en ai que trop dit.
Je ne puis me rappeler un souvenir si triste,
Sans déplorer encor le sort de Rhadamiste.
Qu'il te suffise enfin, Phénice, de savoir,
Victime d'un amour réduit au désespoir,
Que par une main chère, et de mon sang fumante,
L'Araxe dans ses eaux me vit plonger mourante.

PHÉNICE. Quoi ! ce fut votre époux. . .
Quel inhumain, grands dieux !

ZÉNOBIE. Les horreurs de la mort couvraient déjà mes yeux,
Quand le ciel, par les soins d'une main secourable,
Me sauva d'un trépas sans elle inévitable.
Mais, à peine échappée à des périls affreux,
Il me fallut pleurer un époux malheureux.
J'appris, non sans frémir, que son barbare père,
Prétextant sa fureur sur la mort de son frère,
De la grandeur d'un fils en effet trop jaloux,
Lui seul avait armé nos peuples contre nous ;
Qu'introduit en secret au sein de l'Arménie,
Lui-même de son fils avait tranché la vie.
A ma douleur alors laissant un libre cours,
Je détestai les soins qu'on prenait de mes jours,
Et, quittant sans regret mon rang et ma patrie,

Sous un nom déguisé j'errai dans la Médie.
Enfin, après dix ans d'esclavage et d'ennui,
Étrangère partout, sans secours, sans appui,
Quand j'espérais goûter un destin plus tranquille,
La guerre en un moment détruisit mon asile.
Arsame, conduisant la terreur sur ses pas,
Vint, la foudre à la main, ravager ces climats :
Arsame, né d'un sang à mes yeux si coupable,
Arsame cependant à mes yeux trop aimable,
Fils d'un père perfide, inhumain et jaloux,
Frère de Rhadamiste, enfin de mon époux.

PHÉNICE. Quel que soit le devoir du nœud qui vous engage,
Aux mânes d'un époux est-ce faire un outrage
Que de céder aux soins d'un prince généreux
Qui par tant de bienfaits a signalé ses feux ?

ZÉNOBIE. Encor si dans nos maux une cruelle absence
Ne nous ravissait point notre unique espérance ! . . .
Mais Arsame, éloigné par un triste devoir,
Dans mon cœur éperdu ne laisse plus d'espoir ;
Et, pour comble de maux, j'apprends que l'Arménie,
Qu'un droit si légitime accorde à Zénobie,
Va tomber au pouvoir du Parthe ou des Romains,
Ou peut-être passer en de moins dignes mains.
Dans son barbare cœur, flatté de sa conquête,
A quitter ces climats Pharasmane s'apprête.

PHÉNICE. Eh bien ! dérobez-vous à ses injustes lois.
N'avez-vous pas pour vous les Romains et vos droits ?
Par un ambassadeur parti de la Syrie,
Rome doit décider du sort de l'Arménie.
Reine de ces États, contre un prince inhumain

---

[1] Artaxata, capital of Armenia Major, situated on river Araxes.

Faites agir pour vous l'ambassadeur romain :
On l'attend aujourd'hui dans les murs
   d'Artanisse.
Implorez de César le secours, la justice ;
De son ambassadeur faites-vous un appui ;
Forcez-le à vous défendre, ou fuyez avec
   lui.
ZÉNOBIE. Comment briser les fers où je
   suis retenue ?
M'en croira-t-on d'ailleurs, fugitive, inconnue ?
Comment. . . Mais quel objet ! Arsame
   dans ces lieux ?

## SCÈNE II.

ZÉNOBIE, *sous le nom d'Isménie ;* ARSAME,
   PHÉNICE.

ARSAME. M'est-il encor permis de m'offrir
   à vos yeux ?
ZÉNOBIE. C'est vous-même, seigneur ? Quoi !
   déjà l'Albanie. . .
ARSAME. Tout est soumis, madame ; et la
   belle Isménie,
Quand la gloire paraît me combler de
   faveurs,
Semble seule vouloir m'accabler de rigueurs.
Trop sûr que mon retour d'un inflexible
   père
Va sur un fils coupable attirer la colère,
Jaloux, désespéré, j'ose, pour vous re-
   voir,
Abandonner des lieux commis à mon de-
   voir.
Ah ! madame, est-il vrai qu'un roi fier et
   terrible
Aux charmes de vos yeux soit devenu
   sensible ?
Que l'hymen aujourd'hui doive combler
   ses vœux ?
Pardonnez aux transports d'un amant
   malheureux.
Ma douleur vous aigrit : je vois qu'avec
   contrainte
D'un amour alarmé vous écoutez la
   plainte.
Ce n'est pas sans raison que vous la
   condamnez :
Le reproche ne sied qu'aux amants fortunés.
Mais moi, qui fus toujours à vos rigueurs en butte,[1]
Qu'un amour sans espoir dévore et per-
   sécute ;

Mais moi, qui fus toujours à vos lois si
   soumis,
Qu'ai-je à me plaindre, hélas ! et que
   m'a-t-on promis ?
Indigné cependant du sort qu'on vous
   prépare,
Je me plains et de vous et d'un rival
   barbare.
L'amour, le tendre amour qui m'anime
   pour vous,
Tout malheureux qu'il est, n'en est pas
   moins jaloux.
ZÉNOBIE. Seigneur, il est trop vrai qu'une
   flamme funeste
A fait parler ici des feux que je dé-
   teste :
Mais, quel que soit le rang et le pou-
   voir du roi,
C'est en vain qu'il prétend disposer de
   ma foi.
Ce n'est pas que, sensible à l'ardeur qui
   vous flatte,
J'approuve ces transports où votre
   amour éclate.
ARSAME. Ah ! malgré tout l'amour dont je
   brûle pour vous,
Faites-moi seul l'objet d'un injuste cour-
   roux :
Imposez à mes feux la loi la plus sévère,
Pourvu que votre main se refuse à mon
   père.
Si pour d'autres que moi votre cœur doit
   brûler,
Donnez-moi des rivaux que je puisse im-
   moler,
Contre qui ma fureur agisse sans mur-
   mure.
L'amour n'a pas toujours respecté la na-
   ture :
Je ne le sens que trop à mes transports
   jaloux.
Que sais-je, si le roi devenait votre
   époux,
Jusqu'où m'emporterait sa cruelle injus-
   tice ?
Ce n'est pas le seul bien que sa main me
   ravisse.
L'Arménie, attentive à se choisir un roi,
Par les soins d'Hiéron se déclare pour
   moi.
Ardent à terminer un honteux esclavage,
Je venais à mon tour vous en faire un
   hommage ;
Mais un père jaloux, un rival inhumain,
Veut me ravir encor ce sceptre et votre
   main.
Qu'il m'enlève à son gré l'une et l'autre
   Arménie,

---

[1] à vos rigueurs en butte, the victim of your inflexible severity.

Mais qu'il laisse à mes vœux la charmante Isménie.

Je faisais mon bonheur de plaire à ses beaux yeux,

Et c'est l'unique bien que je demande aux dieux.

ZÉNOBIE. Et pourquoi donc ici m'avez-vous amenée?

Quelle que fût ailleurs ma triste destinée,

Elle coulait du moins dans l'ombre du repos.

C'est vous, par trop de soins, qui comblez tous mes maux.

D'ailleurs, qu'espérez-vous d'une flamme si vive?

Tant d'amour convient-il au sort d'une captive?

Vous ignorez encor jusqu'où vont mes malheurs.

Rien ne saurait tarir la source de mes pleurs.

Ah! quand même l'amour unirait l'un et l'autre,

L'hymen n'unira point mon sort avec le vôtre.

Malgré tout son pouvoir, et son amour fatal,

Le roi n'est pas, seigneur, votre plus fier rival:

Un devoir rigoureux, dont rien ne me dispense,

Doit forcer pour jamais votre amour au silence.

J'entends du bruit; on ouvre. Ah, seigneur! c'est le roi.

Que je crains son abord et pour vous et pour moi!

## SCÈNE III.

PHARASMANE, ZÉNOBIE, *sous le nom d'Isménie;* ARSAME, MITRANE, HYDASPE, PHÉNICE, GARDES.

PHARASMANE. Que vois-je? c'est mon fils! Dans Artanisse, Arsame!

Quel dessein l'y conduit? Vous vous taisez, madame!

Arsame près de vous, Arsame dans ma cour,

Lorsque moi-même ici j'ignore son retour!

De ce trouble confus que faut-il que je pense?

(*A Arsame.*)

Vous à qui j'ai remis le soin de ma vengeance,

Que j'honorais enfin d'un choix si glorieux,

Parlez, prince; quel soin vous ramène en ces lieux?

Quel besoin, quel projet a pu vous y conduire,

Sans ordre de ma part, sans daigner m'en instruire?

ARSAME. Vos ennemis domptés, devais-je présumer

Que mon retour, seigneur, pourrait vous alarmer?

Ah! vous connaissez trop et mon cœur et mon zèle,

Pour soupçonner le soin qui vers vous me rappelle.

Croyez, après l'emploi que vous m'avez commis,

Puisque vous me voyez, que tout vous est soumis.

Lorsqu'au prix de mon sang je vous couvre de gloire,

Lorsque tout retentit du bruit de ma victoire,

Je l'avouerai, seigneur, pour prix de mes exploits,

Que je n'attendais pas l'accueil que je reçois.

J'apprends de toutes parts que Rome et la Syrie,

Que Corbulon [1] armé menacent l'Ibérie:

Votre fils se flattait, conduit par son devoir,

Qu'avec plaisir alors vous pourriez le revoir:

Je ne soupçonnais pas que mon impatience

Dût dans un cœur si grand jeter la défiance.

J'attendais qu'on ouvrît pour m'offrir à vos yeux,

Quand j'ai trouvé, seigneur, Isménie en ces lieux.

PHARASMANE. Je crains peu Corbulon, les Romains, la Syrie:

Contre ces noms fameux mon âme est aguerrie;

Et je n'approuve pas qu'un si généreux soin

Vous ait, sans mon aveu, ramené de si loin.

D'ailleurs qu'a fait de plus, qu'a produit ce grand zèle,

Que le devoir d'un fils et d'un sujet fidèle?

Doutez-vous, quels que soient vos services passés,

[1] Corbulo, Roman general. Voltaire used to scoffingly refer to Crébillon as Corbulon.

Qu'un retour criminel les ait tous effacés?

Sachez que votre roi ne s'en souvient encore

Que pour ne point punir des projets qu'il ignore.

Quoi qu'il en soit, partez avant la fin du jour,

Et courez à Colchos [1] étouffer votre amour.

Je vous defends surtout de revoir Isménie.

Apprenez qu'à mon sort elle doit être unie;

Que l'hymen dès ce jour doit couronner mes feux

Que cet unique objet de mes plus tendres vœux

N'a que trop mérité la grandeur souveraine;

Votre esclave autrefois, aujourd'hui votre reine:

C'est vous instruire assez que mes transports jaloux

Ne veulent point ici de témoins tels que vous.

Sortez.

## SCÈNE IV.

PHARASMANE, ZÉNOBIE, *sous le nom d'Isménie*, MITRANE, HYDASPE, PHÉNICE, GARDES.

ZÉNOBIE. Et de quel droit votre jalouse flamme

Prétend-elle à ses vœux assujettir mon âme?

Vous m'offrez vainement la suprême grandeur:

Ce n'est pas à ce prix qu'on obtiendra mon cœur.

D'ailleurs que savez-vous, seigneur, si l'hyménée

N'aurait point à quelque autre uni ma destinée?

Savez-vous si le sang à qui je dois le jour

Me permet d'écouter vos vœux et votre amour?

PHARASMANE. Je ne sais en effet quel sang vous a fait naître:

Mais fût-il aussi beau qu'il mérite de l'être,

Le nom de Pharasmane est assez glorieux

Pour oser s'allier au sang même des dieux.

[1] Colchis, country bordering Iberia on west.

En vain à vos rigueurs vous joignez l'artifice:

Vains détours, puisque enfin il faut qu'on m'obéisse.

Je n'ai rien oublié pour obtenir vos vœux;

Moins en roi qu'en amant j'ai fait parler mes feux:

Mais mon cœur, irrité d'une fierté si vaine,

Fait agir à son tour la grandeur souveraine;

Et, puisqu'il faut en roi m'expliquer avec vous,

Redoutez mon pouvoir, ou du moins mon courroux,

Et sachez que, malgré l'amour et sa puissance,

Les rois ne sont point faits à tant de résistance;

Quoi que de mes transports vous vous soyez promis

Que tout, jusqu'à l'amour, doit leur être soumis.

J'entrevois vos refus: c'est au retour d'Arsame

Que je dois le mépris dont vous payez ma flamme;

Mais craignez que vos pleurs, avant la fin du jour,

D'un téméraire fils ne vengent mon amour.

## SCÈNE V.

ZÉNOBIE, PHÉNICE.

ZÉNOBIE. Ah! tyran, puisqu'il faut que ma tendresse agisse,

Et que de tes fureurs ma haine te punisse,

Crains que l'amour, armé de mes faibles attraits,

Ne te rende bientôt tous les maux qu'il m'a faits.

Et qu'ai-je à ménager? Mânes de Mithridate,

N'est-il pas temps pour vous que ma vengeance éclate?

Venez à mon secours, ombre de mon époux

Et remplissez mon cœur de vos transports jaloux.

Vengez-vous par mes mains d'un ennemi funeste;

Vengeons-nous-en plutôt par le fils qui lui reste.

Le crime que sur vous votre père a com-
mis
Ne peut être expié que par son autre
fils.
C'est à lui que les dieux réservent son
supplice :
Armons son bras vengeur. Va le trouver,
Phénice :
Dis-lui qu'à sa pitié, qu'à lui seul j'ai
recours ;
Mais sans me découvrir implore son se-
cours.
Dis-lui, pour me sauver d'une injuste
puissance,
Qu'il intéresse Rome à prendre ma dé-
fense ;
De son ambassadeur qu'on attend au-
jourd'hui,
Dans ces lieux, s'il se peut, qu'il me
fasse un appui.
Fais briller à ses yeux le trône d'Ar-
ménie ;
Retrace-lui les maux de la triste Isménie ;
Par l'intérêt d'un sceptre ébranle son
devoir ;
Pour l'attendrir enfin peins-lui mon dé-
sespoir.
Puisque l'amour a fait les malheurs de
ma vie,
Quel autre que l'amour doit venger
Zénobie ?

## ACTE DEUXIÈME

### SCÈNE PREMIÈRE.

RHADAMISTE, HIÉRON.

HIÉRON. Est-ce vous que je vois ? en croirai-je mes yeux ?
Rhadamiste vivant ! Rhadamiste en ces
lieux !
Se peut-il que le ciel vous redonne à nos
larmes,
Et rende à mes souhaits un jour si plein
de charmes ?
Est-ce bien vous, seigneur ? et par quel
heureux sort
Démentez-vous ici le bruit de votre
mort ?
RHADAMISTE. Hiéron, plût aux dieux que
la main ennemie
Qui me ravit le sceptre eût terminé ma
vie !
Mais le ciel m'a laissé, pour prix de ma
fureur,
Des jours qu'il a tissus de tristesse et
d'horreur.
Loin de faire éclater ton zèle ni ta joie

Pour un roi malheureux que le sort te
renvoie,
Ne me regarde plus que comme un fu-
rieux,
Trop digne du courroux des hommes et
des dieux ;
Qu'a proscrit dès longtemps la ven-
geance céleste ;
De crimes, de remords assemblage fu-
neste ;
Indigne de la vie et de ton amitié ;
Objet digne d'horreur, mais digne de
pitié ;
Traître envers la nature, envers l'amour
perfide ;
Usurpateur ingrat, parjure, parricide.
Sans les remords affreux qui déchirent
mon cœur,
Hiéron, j'oublierais qu'il est un ciel ven-
geur.
HIÉRON. J'aime à voir ces regrets que la
vertu fait naître :
Mais le devoir, seigneur, est-il toujours
le maître ?
Mithridate lui-même, en vous manquant
de foi,
Semblait de vous venger vous imposer
la loi.
RHADAMISTE. Ah ! loin qu'en mes for-
faits ton amitié me flatte,
Peins-moi toute l'horreur du sort de
Mithridate ;
Rappelle-toi ce jour et ces serments af-
freux
Que je souillai du sang de tant de mal-
heureux :
S'il te souvient encor du nombre des
victimes,
Compte, si tu le peux, mes remords par
mes crimes.
Je veux que Mithridate, en trahissant
mes feux,
Fût digne même encor d'un sort plus
rigoureux,
Que je dusse son sang à ma flamme tra-
hie :
Mais à ce même amour qu'avait fait
Zénobie ?
Tu frémis, je le vois : ta main, ta propre
main
Plongerait un poignard dans mon per-
fide sein
Si tu pouvais savoir jusqu'où ma bar-
barie
De ma jalouse rage a porté la furie.
Apprends tous mes forfaits, ou plutôt
mes malheurs :
Mais, sans les retracer, juges-en par
mes pleurs.

HIÉRON. Aussi touché que vous du sort qui vous accable,
Je n'examine point si vous êtes coupable;
On est peu criminel avec tant de remords;
Et je plains seulement vos douloureux transports.
Calmez ce désespoir où votre âme se livre,
Et m'apprenez. . .
RHADAMISTE. Comment oserai-je poursuivre?
Comment de mes fureurs oser t'entretenir,
Quand tout mon sang se glace à ce seul souvenir?
Sans que mon désespoir ici le renouvelle,
Tu sais tout ce qu'a fait cette main criminelle:
Tu vis comme aux autels un peuple mutiné
Me ravit le bonheur qui m'était destiné;
Et, malgré les périls qui menaçaient ma vie,
Tu sais comme à leurs yeux j'enlevai Zénobie.
Inutiles efforts! je fuyais vainement.
Peins-toi mon désespoir dans ce fatal moment.
Je voulus m'immoler; mais Zénobie en larmes,
Arrosant de ses pleurs mes parricides armes,
Vingt fois pour me fléchir embrassant mes genoux,
Me dit ce que l'amour inspire de plus doux.
Hiéron, quel objet pour mon âme éperdue!
Jamais rien de si beau ne s'offrit à ma vue.
Tant d'attraits cependant, loin d'attendrir mon cœur,
Ne firent qu'augmenter ma jalouse fureur.
Quoi! dis-je en frémissant, la mort que je m'apprête
Va donc à Tiridate assurer sa conquête!
Les pleurs de Zénobie irritant ce transport,
Pour prix de tant d'amour je lui donnai la mort;
Et, n'écoutant plus rien que ma fureur extrême,

Dans l'Araxe aussitôt je la traînai moi-même.
Ce fut là que ma main lui choisit un tombeau,
Et que de notre hymen j'éteignis le flambeau.
HIÉRON. Quel sort pour une reine à vos jours si sensible!
RHADAMISTE. Après ce coup affreux, devenu plus terrible,
Privé de tous les miens, poursuivi, sans secours,
A mon seul désespoir j'abandonnai mes jours.
Je me précipitai, trop indigne de vivre,
Parmi des furieux, ardents à me poursuivre,
Qu'un père, plus cruel que tous mes ennemis,
Excitait à la mort de son malheureux fils.
Enfin, percé de coups, j'allais perdre la vie,
Lorsqu'un gros [1] de Romains, sorti de la Syrie,
Justement indigné contre ces inhumains,
M'arracha tout sanglant de leurs barbares mains.
Arrivé, mais trop tard, vers les murs d'Artaxate,
Dans le juste dessein de venger Mithridate,
Ce même Corbulon, armé pour m'accabler,
Conserva l'ennemi qu'il venait immoler.
De mon funeste sort touché sans me connaître,
Ou de quelque valeur que j'avais fait paraître,
Ce Romain, par des soins dignes de son grand cœur,
Me sauva malgré moi de ma propre fureur.
Sensible à sa vertu, mais sans reconnaissance,
Je lui cachai longtemps mon nom et ma naissance;
Traînant avec horreur mon destin malheureux,
Toujours persécuté d'un souvenir affreux,
Et, pour comble de maux, dans le fond de mon âme
Brûlant plus que jamais d'une funeste flamme,
Que l'amour outragé dans mon barbare cœur,

---

[1] gros, army.

Pour prix de mes forfaits rallume avec
fureur,
Ranimant, sans espoir, pour d'insensi-
bles cendres,
De la plus vive ardeur les transports les
plus tendres.
Ainsi dans les regrets, les remords et
l'amour,
Craignant également et la nuit et le jour,
J'ai traîné dans l'Asie une vie impor-
tune.
Mais au seul Corbulon attachant ma for-
tune,
Avide de périls, et, par un triste sort,
Trouvant toujours la gloire où j'ai cher-
ché la mort,
L'esprit sans souvenir de ma grandeur
passée,
Lorsque dix ans semblaient l'en avoir
effacée,
J'apprends que l'Arménie après diffé-
rents choix,
Allait bientôt passer sous d'odieuses
lois ;
Que mon père, en secret méditant sa
conquête,
D'un nouveau diadème allait ceindre sa
tête.
Je sentis à ce bruit ma gloire et mon
courroux
Réveiller dans mon cœur des sentiments
jaloux.
Enfin à Corbulon je me fis reconnaître :
Contre un père inhumain trop irrité
peut-être,
A mon tour en secret jaloux de sa grandeur,
Je me fis des Romains nommer l'ambassadeur.
Hiéron. Seigneur, et sous ce nom quelle
est votre espérance ?
Quels projets peut ici former votre vengeance ?
Avez-vous oublié dans quel affreux danger
Vous a précipité l'ardeur de vous venger ?
Gardez-vous d'écouter un transport téméraire.
Chargé de tant d'horreurs, que prétendez-vous faire ?
Rhadamiste. Et que sais-je, Hiéron ? furieux, incertain,
Criminel sans penchant, vertueux sans
dessein,
Jouet infortuné de ma douleur extrême,
Dans l'état où je suis, me connais-je
moi-même ?

Mon cœur, de soins divers sans cesse
combattu,
Ennemi du forfait sans aimer la vertu,
D'un amour malheureux déplorable vic-
time,
S'abandonne au remords sans renoncer
au crime.
Je cède au repentir, mais sans en pro-
fiter ;
Et je ne me connais que pour me dé-
tester.
Dans ce cruel séjour sais-je ce qui m'en-
traîne,
Si c'est le désespoir, ou l'amour, ou la
haine ?
J'ai perdu Zénobie : après ce coup af-
freux,
Peux-tu me demander encor ce que je
veux ?
Désespéré, proscrit, abhorrant la lu-
mière,
Je voudrais me venger de la nature en-
tière.
Je ne sais quel poison se répand dans
mon cœur ;
Mais, jusqu'à mes remords, tout y de-
vient fureur.
Je viens ici chercher l'auteur de ma mi-
sère,
Et la nature en vain me dit que c'est
mon père.
Mais c'est peut-être ici que le ciel irrité
Veut se justifier de trop d'impunité :
C'est ici que m'attend le trait inévi-
table
Suspendu trop longtemps sur ma tête
coupable.
Et plût aux dieux cruels que ce trait sus-
pendu
Ne fût pas en effet plus longtemps at-
tendu !
Hiéron. Fuyez, seigneur, fuyez de ce sé-
jour funeste,
Loin d'attirer sur vous la colère céleste.
Que la nature au moins calme votre
courroux :
Songez que dans ces lieux tout est sacré
pour vous ;
Que s'il faut vous venger, c'est loin de
l'Ibérie.
Reprenez avec moi le chemin d'Arménie.
Rhadamiste. Non, non, il n'est plus temps ;
il faut remplir mon sort,
Me venger, servir Rome, ou courir à la
mort.
Dans ses desseins toujours à mon père
contraire,
Rome de tous ses droits m'a fait déposi-
taire ;

Sûre, pour rétablir son pouvoir et le
  mien,
Contre un roi qu'elle craint, que je n'ou-
  blierai rien.
Rome veut éviter une guerre douteuse,
Pour elle contre lui plus d'une fois hon-
  teuse :
Conserver l'Arménie, ou, par des soins
  jaloux,
En faire un vrai flambeau de discorde
  entre nous.
Par un don de César je suis roi d'Ar-
  ménie,
Parce qu'il croit par moi détruire l'Ibé-
  rie.
Les fureurs de mon père ont assez éclaté
Pour que Rome entre nous ne craigne
  aucun traité.
Tels sont les hauts projets dont sa gran-
  deur se pique,
Des Romains si vantés telle est la po-
  litique :
C'est ainsi qu'en perdant le père par le
  fils,
Rome devient fatale à tous ses enne-
  mis.
Ainsi, pour affermir une injuste puis-
  sance,
Elle ose confier ses droits à ma ven-
  geance,
Et, sous un nom sacré, m'envoyer en ces
  lieux,
Moins comme ambassadeur que comme
  un furieux
Qui, sacrifiant tout au transport qui le
  guide,
Peut porter sa fureur jusques au par-
  ricide.
J'entrevois ses desseins : mais mon cœur
  irrité
Se livre au désespoir dont il est agité,
C'est ainsi qu'ennemi de Rome et des
  Ibères,
Je revois aujourd'hui le palais de mes
  pères.
HIÉRON. Député comme vous, mais par un
  autre choix,
L'Arménie à mes soins a confié ses
  droits :
Je venais de sa part offrir à votre frère
Un trône où malgré nous veut monter
  votre père ;
Et je viens annoncer à ce superbe roi
Qu'en vain à l'Arménie il veut donner
  la loi.
Mais ne craignez-vous pas que malgré
  votre absence. . .

RHADAMISTE. Le roi ne m'a point vu dès
  ma plus tendre enfance ;
Et la nature en lui ne parle point assez
Pour rappeler des traits dès longtemps
  effacés.
Je n'ai craint que tes yeux ; et sans mes
  soins peut-être,
Malgré ton amitié, tu m'allais mécon-
  naître.
Le roi vient. Que mon cœur, à ce fatal
  abord,
A de peine à dompter un funeste trans-
  port !
Surmontons cependant toute sa violence,
Et d'un ambassadeur employons la pru-
  dence.

### SCÈNE II.

PHARASMANE, RHADAMISTE, HIÉRON, MI-
  TRANE, HYDASPE, GARDES.

RHADAMISTE. Un peuple triomphant,
  maître de tant de rois,
Qui vers vous en ces lieux daigne emprunter ma voix,
De vos desseins secrets instruit comme
  vous-même,
Vous annonce aujourd'hui sa volonté su-
  prême.
Ce n'est pas que Néron, de sa grandeur
  jaloux,
Ne sache ce qu'il doit à des rois tels que
  vous :
Rome n'ignore pas à quel point la vic-
  toire
Parmi les noms fameux élève votre
  gloire ;
Ce peuple enfin si fier, et tant de fois
  vainqueur,
N'en admire pas moins votre haute va-
  leur.
Mais vous savez aussi jusqu'où va sa
  puissance.
Ainsi gardez-vous bien d'exciter sa ven-
  geance.
Alliée, ou plutôt sujette des Romains,
De leur choix l'Arménie attend ses sou-
  verains.
Vous le savez, seigneur ; et du pied du
  Caucase
Vos soldats cependant s'avancent vers le
  Phase ; [1]
Le Cyrus,[2] sur ses bords chargés de com-
  battants,
Fait voir de toutes parts vos étendards
  flottants.

[1] Phasis, river in Colchis emptying into Black Sea.
[2] Cyrus, river of Albania.

Rome, de tant d'apprêts qui s'indigne et se lasse,
N'a point accoutumé les rois à tant d'audace.
Quoique Rome, peut-être au mépris de ses droits
N'ait point interrompu le cours de vos exploits,
Qu'elle ait abandonné Tigrane [1] et la Médie,
Elle ne prétend point vous céder l'Arménie.
Je vous déclare donc que César ne veut pas
Que vers l'Araxe enfin vous adressiez vos pas.

PHARASMANE. Quoique d'un vain discours je brave la menace,
Je l'avouerai, je suis surpris de votre audace.
De quel front osez-vous, soldat de Corbulon,
M'apporter dans ma cour les ordres de Néron ?
Et depuis quand croit-il qu'au mépris de ma gloire,
A ne plus craindre Rome instruit par la victoire,
Oubliant désormais la suprême grandeur,
J'aurai plus de respect pour son ambassadeur ;
Moi qui, formant au joug des peuples invincibles,
Ai tant de fois bravé ces Romains si terribles ;
Qui fais trembler encor ces fameux souverains,
Ces Parthes aujourd'hui la terreur des Romains ?
Ce peuple triomphant n'a point vu mes images
A la suite d'un char en butte à ses outrages.
La honte que sur lui répandent mes exploits,
D'un airain orgueilleux a bien vengé des rois.
Mais quel soin vous conduit en ce pays barbare ?
Est-ce la guerre enfin que Néron me déclare ?
Qu'il ne s'y trompe pas : la pompe de ces lieux,
Vous le voyez assez, n'éblouit point les yeux :
Jusques aux courtisans qui me rendent hommage,

Mon palais, tout ici n'a qu'un faste sauvage :
La nature, marâtre en ces affreux climats,
Ne produit, au lieu d'or, que du fer, des soldats :
Son sein tout hérissé n'offre aux désirs de l'homme
Rien qui puisse tenter l'avarice de Rome.
Mais, pour trancher ici d'inutiles discours,
Rome de mes projets veut traverser le cours :
Et pourquoi, s'il est vrai qu'elle en soit informée,
N'a-t-elle pas encore assemblé son armée ?
Que font vos légions ? Ces superbes vainqueurs
Ne combattent-ils plus que par ambassadeurs ?
C'est la flamme à la main qu'il faut dans l'Ibérie
Me distraire du soin d'entrer dans l'Arménie,
Non par de vains discours indignes des Romains,
Quand je vais par le fer m'en ouvrir les chemins,
Et peut-être bien plus, dédaignant Artaxate,
Défier Corbulon jusqu'aux bords de l'Euphrate.

HIÉRON. Quand même les Romains, attentifs à vos lois,
S'en remettraient à nous pour le choix de nos rois,
Seigneur, n'espérez pas, au gré de votre envie,
Faire en votre faveur expliquer l'Arménie.
Les Parthes envieux, et les Romains jaloux,
De toutes parts bientôt armeraient contre nous.
L'Arménie, occupée à pleurer sa misère,
Ne demande qu'un roi qui lui serve de père :
Nos peuples désolés n'ont besoin que de paix ;
Et sous vos lois, seigneur, nous ne l'aurions jamais.
Vous avez des vertus qu'Artaxate respecte :
Mais votre ambition n'en est pas moins suspecte ;
Et nous ne soupirons qu'après des souverains

---

1 Tigranes IV, appointed king of Armenia by Corbulo, after latter had driven out Tiridates I.

Indifférents au Parthe et soumis aux
  Romains.
Sous votre empire enfin prétendre nous
  réduire,
C'est moins nous conquérir que vouloir
  nous détruire.
PHARASMANE. Dans ce discours rempli de
  prétextes si vains,
Dicté par la raison moins que par les
  Romains,
Je n'entrevois que trop l'intérêt qui vous
  guide.
Eh bien! puisqu'on le veut, que la guerre
  en décide.
Vous apprendrez bientôt qui de Rome
  ou de moi
Dut prétendre, seigneur, à vous donner
  la loi,
Et, malgré vos frayeurs et vos fausses
  maximes,
Si quelque autre eut sur vous des droits
  plus légitimes.
Et qui doit succéder à mon frère, à mon
  fils?
A qui des droits plus saints ont-ils été
  transmis?
RHADAMISTE. Quoi? vous, seigneur, qui
  seul causâtes leur ruine!
Ah! doit-on hériter de ceux qu'on assas-
  sine?
PHARASMANE. Qu'entends-je? dans ma
  cour on ose m'insulter!
Holà, gardes. . .
HIÉRON, à Pharasmane. Seigneur, qu'osez-
  vous attenter?
PHARASMANE, à Rhadamiste. Rendez
  grâces au nom dont Néron vous
  honore:
Sans ce nom si sacré, que je respecte en-
  core,
En dussé-je périr, l'affront le plus sang-
  lant
Me vengerait bientôt d'un ministre inso-
  lent.
Malgré la dignité de votre caractère,
Croyez-moi cependant, évitez ma co-
  lère.
Retournez dès ce jour apprendre à Cor-
  bulon
Comme on reçoit ici les ordres de Néron.

## SCÈNE III.

### RHADAMISTE, HIÉRON.

HIÉRON. Qu'avez-vous fait, seigneur,
  quand vous devez tout craindre?
RHADAMISTE. Hiéron, que veux-tu? je n'ai
  pu me contraindre.

D'ailleurs en l'aigrissant j'assure mes
  desseins:
Par un pareil éclat j'en impose aux Ro-
  mains.
Pour remplir les projets que Rome me
  confie,
Il ne me reste plus qu'à troubler l'Ibérie,
Qu'à former un parti qui retienne en
  ces lieux
Un roi que ses exploits rendent trop or-
  gueilleux.
Indociles au joug que Pharasmane im-
  pose,
Rebutés de la guerre où lui seul les ex-
  pose,
Ses sujets en secret sont tous ses en-
  nemis:
Achevons contre lui d'irriter les esprits;
Et, pour mieux me venger des fureurs
  de mon père,
Tâchons dans nos desseins d'intéresser
  mon frère.
Je sais un sûr moyen pour surprendre
  sa foi;
Dans le crime du moins engageons-le
  avec moi.
Un roi père cruel, et tyran tout ensemble,
Ne mérite en effet qu'un sang qui lui
  ressemble.

## ACTE TROISIÈME

### SCÈNE PREMIÈRE.

#### RHADAMISTE.

Mon frère me demande un secret entretien!
Dieux! me connaîtrait-il? Quel dessein
  est le sien?
N'importe, il faut le voir. Je sens que
  ma vengeance
Commence à se flatter d'une douce espérance.
Il ne peut en secret s'exposer à me voir,
Que réduit par un père à trahir son
  devoir.
On ouvre. . . Je le vois. . . malheureuse victime!
Je ne suis pas le seul qu'un roi cruel
  opprime.

## SCÈNE II.

### RHADAMISTE, ARSAME.

ARSAME. Si j'en crois le courroux qui se
  lit dans ses yeux,

Peu content des Romains le roi quitte
    ces lieux :
Je connais trop l'orgueil du sang qui
    m'a fait naître,
Pour croire qu'à son tour Rome ait su-
    jet de l'être.
Seigneur, sans abuser de votre dignité,
Puis-je sur ce soupçon parler en sûreté ?
Puis-je espérer que Rome exauce ma
    prière,
Et ne confonde point le fils avec le père ?
RHADAMISTE. Quoiqu'il ait violé le respect
    qui m'est dû,
Attendez tout de Rome et de votre
    vertu.
Ce n'est pas d'aujourd'hui que Rome la
    respecte.
ARSAME. Ah ! que cette vertu va vous être
    suspecte !
Que je crains de détruire en ce même
    entretien
Tout ce que vous pensez d'un cœur
    comme le mien !
En effet, quel que soit le regret qui m'ac-
    cable,
Je sens bien que ce cœur n'en est pas
    moins coupable,
Et, de quelques remords que je sois com-
    battu,
Qu'avec plus d'appareil c'est trahir ma
    vertu.
Dès qu'entre Rome et nous la guerre se
    déclare,
Que même avec éclat mon père s'y pré-
    pare,
Je sais que je ne puis vous parler ni
    vous voir,
Sans trahir à la fois mon père et mon
    devoir :
Je le sais ; cependant, plus criminel en-
    core,
C'est votre pitié seule aujourd'hui que
    j'implore.
Un père rigoureux, de mon bonheur
    jaloux,
Me force en ce moment d'avoir recours
    à vous.
Pour me justifier, lorsque tout me con-
    damne,
Je ne veux point, seigneur, vous pei-
    gnant Pharasmane,
Répandre sur sa vie un venin dangereux :
Non ; quoiqu'il soit pour moi si fier, si
    rigoureux,
Quoique de son courroux je sois seul la
    victime,
Il n'en est pas pour moi moins grand,
    moins magnanime.
La nature, il est vrai, d'avec ses ennemis

N'a jamais dans son cœur su distinguer
    ses fils.
Je ne suis pas le seul de ce sang invinci-
    ble
Qu'ait proscrit en naissant sa rigueur
    inflexible.
J'eus un frère, seigneur, illustre et gé-
    néreux,
Digne par sa valeur du sort le plus
    heureux.
Que je regrette encor sa triste destinée !
Et jamais il n'en fut de plus infortunée.
Un père, conjuré contre son propre
    sang,
Lui-même lui porta le couteau dans le
    flanc.
De ce jeune héros partageant la dis-
    grâce,
Peut-être qu'aujourd'hui même sort me
    menace :
Plus coupable en effet, n'en attends-je
    pas moins.
Mais ce n'est pas, seigneur, le plus
    grand de mes soins,
Non, la mort désormais n'a rien qui m'in-
    timide :
Qu'un soin bien différent et m'agite et
    me guide !
RHADAMISTE. Quels que soient vos desseins,
    vous pouvez sans effroi,
Sûr d'un appui sacré, vous confier à
    moi.
Plus indigné que vous contre un bar-
    bare père,
Je sens à son nom seul redoubler ma co-
    lère.
Touché de vos vertus, et tout entier à
    vous,
Sans savoir vos malheurs, je les partage
    tous.
Vous calmeriez bientôt la douleur qui
    vous presse,
Si vous saviez pour vous jusqu'où je
    m'intéresse.
Parlez, prince : faut-il contre un père
    inhumain
Armer avec éclat tout l'empire romain ?
Soyez sûr qu'avec vous mon cœur d'in-
    telligence
Ne respire aujourd'hui qu'une même
    vengeance.
S'il ne faut qu'attirer Corbulon en ces
    lieux,
Quels que soient vos projets, j'ose at-
    tester les dieux
Que nous aurons bientôt satisfait votre
    envie,
Fallût-il pour vous seul conquérir l'Ar-
    ménie.

ARSAME. Que me proposez-vous? quels
conseils! Ah! seigneur,
Que vous pénétrez mal dans le fond de
mon cœur!
Qui? moi! que, trahissant mon père et
ma patrie,
J'attire les Romains au sein de l'Ibérie!
Ah! si jusqu'à ce point il faut trahir ma
foi,
Que Rome en ce moment n'attende rien
de moi:
Je n'en exige rien, dès qu'il faut par un
crime
Acheter un bienfait que j'ai cru légi-
time;
Et je vois bien, seigneur, qu'il me faut
aujourd'hui
Pour des infortunés chercher un autre
appui.
Je croyais, ébloui de ses titres su-
prêmes,
Rome utile aux mortels autant que les
dieux mêmes;
Et pour en obtenir un secours géné-
reux,
J'ai cru qu'il suffisait que l'on fût mal-
heureux.
J'ose le croire encore; et, sur cette espérance,
Souffrez que des Romains j'implore l'assistance.
C'est pour une captive asservie à nos
lois,
Qui, pour vous attendrir, a recours à
ma voix:
C'est pour une captive aimable, infortunée,
Digne par ses appas d'une autre destinée.
Enfin, par ses vertus à juger de son
rang,
On ne sortit jamais d'un plus illustre
sang.
C'est vous instruire assez de sa haute
naissance,
Que d'intéresser Rome à prendre sa défense.
Elle veut même ici vous parler sans témoins;
Et jamais on ne fut plus digne de vos
soins.
Pharasmane, entraîné par un amour funeste,
Veut me ravir, seigneur, ce seul bien qui
me reste,
Le seul où je faisais consister mon bonheur,
Et le seul que pouvait lui disputer mon
cœur.

Ce n'est pas que, plus fier d'un secours
que j'espère,
Je prétende à mon tour l'enlever à mon
père:
Quand même il céderait sa captive à mes
feux,
Mon sort n'en serait pas plus doux ni
plus heureux.
Je ne veux qu'éloigner cet objet que
j'adore,
Et même sans espoir de le revoir encore.
RHADAMISTE. Suivi de peu des miens, sans
pouvoir où je suis,
Vous offrir un asile est tout ce que je
puis.
ARSAME. Et tout ce que je veux: mon âme
est satisfaite.
Je vais tout disposer, seigneur, pour sa
retraite.
Je ne sais; mais, pressé d'un mouvement
secret,
J'abandonne Isménie avec moins de regret.
Pour calmer la douleur de mon âme in-
quiète,
Il suffit qu'en vos mains Arsame la re-
mette:
Encor si je pouvais, aux dépens de mes
jours,
M'acquitter envers vous d'un généreux
secours!
Mais je ne puis offrir, dans mon malheur extrême,
Pour prix d'un tel bienfait, que le bienfait lui-même.
RHADAMISTE. Je n'en demande pas, cher
prince, un prix plus doux:
Il est digne de moi, s'il n'est digne de
vous.
Souffrez que désormais je vous serve de
frère.
Que je vous plains d'avoir un si barbare père!
Mais de ces vains transports pourquoi
vous alarmer?
Pourquoi quitter l'objet qui vous a su
charmer?
Daignez me confier et son sort et le
vôtre;
Dans un asile sûr suivez-moi l'un et
l'autre.
Sensible à ses malheurs, je ne puis sans
effroi
Abandonner Arsame aux fureurs de son
roi.
Prince, vous dédaignez un conseil qui
vous blesse:
Mais si vous connaissiez celui qui vous
en presse. . .

ARSAME. Donnez-moi des conseils qui soient plus généreux,
Dignes de mon devoir, et dignes de tous deux.
Le roi doit dès demain partir pour l'Arménie :
Il s'agit à ses vœux d'enlever Isménie.
Mon père en ce moment peut l'éloigner de nous,
Et sa captive en pleurs n'espère plus qu'en vous.
Déjà sur vos bontés pleine de confiance,
Elle attend votre vue avec impatience.
Adieu, seigneur, adieu : je craindrais de troubler
Des secrets qu'à vous seul elle veut révéler.

## SCÈNE III.

### RHADAMISTE.

Ainsi, père jaloux, père injuste et barbare,
C'est contre tout ton sang que ton cœur se déclare !
Crains que ce même sang, tant de fois dédaigné,
Ne se soulève enfin, de sa source indigné,
Puisque déjà l'amour, maître du cœur d'Arsame,
Y verse le poison d'une mortelle flamme.
Quel que soit le respect de ce vertueux fils,
Est-il quelques rivaux qui ne soient ennemis ?
Non, il n'est point de cœur si grand, si magnanime,
Qu'un amour malheureux n'entraîne dans le crime.
Mais je prétends en vain l'armer contre son roi :
Mon frère n'est point fait au crime comme moi.
Méritais-tu, barbare, un fils aussi fidèle ?
Ta rigueur semble encore en accroître le zèle :
Rien ne peut ébranler son devoir ni sa foi ;
Et toujours plus soumis. . . Quel exemple pour moi !
Dieux, de tant de vertus n'ornez-vous donc mon frère
Que pour me rendre seul trop semblable à mon père ?
Que prétend la fureur dont je suis combattu ?
D'un fils respectueux séduire la vertu ?
Imitons-la plutôt, cédons à la nature :

N'en ai-je pas assez étouffé le murmure ?
Que dis-je ? dans mon cœur, moins rebelle à ses lois,
Dois-je plutôt qu'un père en écouter la voix ?
Pères cruels, vos droits ne sont-ils pas les nôtres ?
Et nos devoirs sont-ils plus sacrés que les vôtres ?
On vient : c'est Hiéron.

## SCÈNE IV.

### RHADAMISTE, HIÉRON.

RHADAMISTE.          Cher ami, c'en est fait ;
Mes efforts redoublés ont été sans effet.
Tout malheureux qu'il est, le vertueux Arsame,
Presque sans murmurer, voit traverser sa flamme ;
Et qu'en attendre encor quand l'amour n'y peut rien ?
Hiéron, que son cœur est différent du mien !
J'ai perdu tout espoir de troubler l'Ibérie,
Et le roi va bientôt partir pour l'Arménie.
Devançons-y ses pas, et courons achever
Des forfaits que le sort semble me réserver.
Pour partir avec toi je n'attends qu'Isménie.
Tu sais qu'à Pharasmane elle doit être unie ?
HIÉRON. Quoi ! seigneur. . .
RHADAMISTE. Elle peut servir à mes desseins.
Elle est d'un sang, dit-on, allié des Romains.
Pourrais-je refuser à mon malheureux frère
Un secours qui commence à me la rendre chère ?
D'ailleurs, pour l'enlever, ne me suffit-il pas
Que mon père cruel brûle pour ses appas ?
C'est un garant pour moi : je veux ici l'attendre.
Daigne observer des lieux où l'on peut nous surprendre.
Adieu ; je crois la voir : favorise mes soins,
Et me laisse avec elle un moment sans témoins.

## SCÈNE V.

RHADAMISTE, ZÉNOBIE.

ZÉNOBIE. Seigneur, est-il permis à des in-
fortunées,
Qu'au joug d'un fier tyran le sort tient
enchaînées,
D'oser avoir recours, dans la honte des
fers,
A ces mêmes Romains maîtres de l'uni-
vers?
En effet, quel emploi pour ces maîtres
du monde
Que le soin d'adoucir ma misère pro-
fonde?
Le ciel, qui soumit tout à leurs augustes
lois. . .
RHADAMISTE. Que vois-je? Ah, malheu-
reux! quels traits! quel son de voix!
Justes dieux, quel objet offrez-vous à
ma vue?
ZÉNOBIE. D'où vient à mon aspect que
votre âme est émue,
Seigneur?
RHADAMISTE. Ah! si ma main n'eût pas
privé du jour. . .
ZÉNOBIE. Qu'entends-je? quels regrets? et
que vois-je à mon tour?
Triste ressouvenir! Je frémis, je fris-
sonne.
Où suis-je? et quel objet! La force m'a-
bandonne.
Ah! seigneur, dissipez mon trouble et
ma terreur:
Tout mon sang s'est glacé jusqu'au fond
de mon cœur.
RHADAMISTE. Ah! je n'en doute plus au
transport qui m'anime.
Ma main, n'as-tu commis que la moitié
du crime?
Victime d'un cruel contre vous conjuré,
Triste objet d'un amour jaloux, désespéré,
Que ma rage a poussé jusqu'à la bar-
barie,
Après tant de fureurs, est-ce vous, Zé-
nobie?
ZÉNOBIE. Zénobie! ah, grands dieux! Cruel,
mais cher époux,
Après tant de malheurs, Rhadamiste, est-
ce vous?
RHADAMISTE. Se peut-il que vos yeux puis-
sent le méconnaître?
Oui, je suis ce cruel, cet inhumain, ce
traître,
Cet époux meurtrier. Plût au ciel qu'au-
jourd'hui

Vous eussiez oublié ses crimes avec
lui!
O dieux! qui la rendez à ma douleur
mortelle,
Que ne lui rendez-vous un époux digne
d'elle!
Par quel bonheur le ciel, touché de mes
regrets,
Me permet-il encor de revoir tant d'at-
traits?
Mais, hélas! se peut-il qu'à la cour de
mon père
Je trouve dans les fers une épouse si
chère?
Dieux! n'ai-je pas assez gémi de mes
forfaits,
Sans m'accabler encor de ces tristes ob-
jets?
O de mon désespoir victime trop aima-
ble,
Que tout ce que je vois rend votre époux
coupable!
Quoi! vous versez des pleurs!
ZÉNOBIE.                Malheureuse! eh! comment
N'en répandrais-je pas dans ce fatal
moment?
Ah! cruel, plût aux dieux que ta main
ennemie
N'eût jamais attenté qu'aux jours de
Zénobie!
Le cœur à ton aspect désarmé de cour-
roux,
Je ferais mon bonheur de revoir mon
époux;
Et l'amour, s'honorant de ta fureur ja-
louse,
Dans tes bras avec joie eût remis ton
épouse.
Ne crois pas cependant que, pour toi
sans pitié,
Je puisse te revoir avec inimitié.
RHADAMISTE. Quoi! loin de m'accabler,
grands dieux! c'est Zénobie
Qui craint de me haïr, et qui s'en jus-
tifie!
Ah! punis-moi plutôt: ta funeste bonté,
Même en me pardonnant, tient de ma
cruauté.
N'épargne point mon sang, cher objet
que j'adore;
Prive-moi du bonheur de te revoir en-
core.
    (Il se jette à genoux.)
Faut-il, pour t'en presser, embrasser tes
genoux?
Songe au prix de quel sang je devins ton
époux:
Jusques à mon amour, tout veut que je
périsse.

Laisser le crime en paix, c'est s'en rendre
complice.
Frappe : mais souviens-toi que, malgré
ma fureur,
Tu ne sortis jamais un moment de mon
cœur ;
Que, si le repentir tenait lieu d'innocence,
Je n'exciterais plus ni haine ni vengeance ;
Que, malgré le courroux qui te doit animer,
Ma plus grande fureur fut celle de t'aimer.

ZÉNOBIE. Lève-toi : c'en est trop. Puisque
je te pardonne,
Que servent les regrets où ton cœur s'a-
bandonne ?
Va, ce n'est pas à nous que les dieux
ont remis
Le pouvoir de punir de si chers ennemis.
Nomme-moi les climats où tu souhaites
vivre :
Parle, dès ce moment je suis prête à te
suivre.
Sûre que les remords qui saisissent ton
cœur
Naissent de ta vertu plus que de ton
malheur.
Heureuse si pour toi les soins de Zénobie
Pouvaient un jour servir d'exemple à
l'Arménie,
La rendre comme moi soumise à ton
pouvoir,
Et l'instruire du moins à suivre son devoir !

RHADAMISTE. Juste ciel ! se peut-il que des
nœuds légitimes
Avec tant de vertus unissent tant de
crimes ;
Que l'hymen associe au sort d'un furieux
Ce que de plus parfait firent naître les
dieux ?
Quoi ! tu peux me revoir sans que la
mort d'un père,
Sans que mes cruautés, ni l'amour de
mon frère,
Ce prince, cet amant si grand, si généreux,
Te fassent détester un époux malheureux ?
Et je puis me flatter qu'insensible à sa
flamme
Tu dédaignes les vœux du vertueux Arsame ?

Que dis-je ? trop heureux que pour moi
dans ce jour
Le devoir dans ton cœur me tienne lieu
d'amour !

ZÉNOBIE. Calme les vains soupçons dont
ton âme est saisie,
Ou cache-m'en du moins l'indigne jalousie ;
Et souviens-toi qu'un cœur qui peut te
pardonner
Est un cœur que sans crime on ne peut
soupçonner.

RHADAMISTE. Pardonne, chère épouse, à
mon amour funeste ;
Pardonne des soupçons que tout mon
cœur déteste.
Plus ton barbare époux est indigne de
toi,
Moins tu dois t'offenser de son injuste
effroi.
Rends-moi ton cœur, ta main, ma chère
Zénobie ;
Et daigne dès ce jour me suivre en Ar-
ménie :
César m'en a fait roi. Viens me voir
désormais
A force de vertus effacer mes forfaits.
Hiéron est ici : c'est un sujet fidèle ;
Nous pouvons confier notre fuite à son
zèle.
Aussitôt que la nuit aura voilé les cieux,
Sûre de me revoir, viens m'attendre en
ces lieux.
Adieu : n'attendons pas qu'un ennemi
barbare,
Quand le ciel nous rejoint, pour jamais
nous sépare.
Dieux, qui me la rendez pour combler
mes souhaits,
Daignez me faire un cœur digne de vos
bienfaits !


# ACTE QUATRIÈME

## SCÈNE PREMIÈRE.

### ZÉNOBIE, PHÉNICE.

PHÉNICE. Ah ! madame, arrêtez. Quoi ! me
pourrai-je apprendre
Qui fait couler les pleurs que je vous
vois répandre ?
Après tant de secrets confiés à ma foi,
En avez-vous encor qui ne soient pas
pour moi ?
Arsame va partir : vous soupirez, madame !

# CREBILLON

Plaindriez-vous le sort du généreux Ar-
   same?
Fait-il couler les pleurs dont vos yeux
   sont baignés?
Il part; et, prévenu que vous le dédai-
   gnez,
Ce prince malheureux, banni de l'Ibérie,
Va pleurer à Colchos la perte d'Isménie.
ZÉNOBIE. Loin de te confier mes coupables
   douleurs,
Que n'en puis-je effacer la honte par
   mes pleurs!
Phénice, laisse-moi; je ne veux plus t'en-
   tendre.
L'ambassadeur romain près de moi va
   se rendre.
Laisse-moi seule.


## SCÈNE II.

### ZÉNOBIE.

Où vais-je? et quel est mon espoir?
Imprudente! où m'entraîne un aveugle
   devoir?
Je devance la nuit; pour qui? pour un
   parjure
Qu'a proscrit dans mon cœur la voix de
   la nature.
Ai-je donc oublié que sa barbare main
Fit tomber tous les miens sous un fer as-
   sassin? . . .
Que dis-je? Le cœur plein de feux il-
   légitimes,
Ai-je assez de vertu pour lui trouver des
   crimes?
Et me paraîtrait-il si coupable en ce
   jour,
Si je ne brûlais pas d'un criminel
   amour?
Étouffons sans regret une honteuse
   flamme;
C'est à mon époux seul à régner sur
   mon âme:
Tout barbare qu'il est, c'est un présent
   des dieux,
Qu'il ne m'est pas permis de trouver
   odieux.
Hélas! malgré mes maux, malgré sa barbarie,
Je n'ai pu le revoir sans en être attendrie.
Que l'hymen est puissant sur les cœurs
   vertueux!
On vient. Dieux! quel objet offrez-vous
   à mes yeux!

## SCÈNE III.

### ZÉNOBIE, ARSAME.

ARSAME. Eh quoi! je vous revois! c'est
   vous-même, madame!
Quel dieu vous rend aux vœux du mal-
   heureux Arsame?
ZÉNOBIE. Ah! fuyez-moi, seigneur; il y va
   de vos jours.
ARSAME. Dût mon père cruel en terminer
   le cours,
Hélas! quand je vous perds, adorable
   Isménie,
Voudrais-je prendre encor quelque part
   à la vie?
Accablé de mes maux, je ne demande
   aux dieux
Que la triste douceur d'expirer à vos
   yeux.
Le cœur aussi touché de perdre ce que
   j'aime,
Que si vous répondiez à mon amour ex-
   trême,
Je ne veux que mourir. Je vois couler
   des pleurs!
Madame, seriez-vous sensible à mes mal-
   heurs?
Le sort le plus affreux n'a plus rien qui
   m'étonne.
ZÉNOBIE. Ah! loin qu'à votre amour votre
   cœur s'abandonne,
Vous voyez et mon trouble et l'état où
   je suis.
Seigneur, ayez pitié de mes mortels ennuis:
Fuyez; n'irritez point le tourment qui
   m'accable.
Vous avez un rival, mais le plus redoutable.
Ah! s'il vous surprenait en ce funeste
   lieu,
J'en mourrais de douleur. Adieu, seigneur, adieu.
Si sur vous ma prière eut jamais quelque
   empire,
Loin d'en croire aux transports que
   l'amour vous inspire. . .
ARSAME. Quel est donc ce rival si terrible
   pour moi?
En ai-je à craindre encor quelque autre
   que le roi?
ZÉNOBIE. Sans vouloir pénétrer un si triste
   mystère,
N'en est-ce pas assez, seigneur, que votre
   père?
Fuyez, prince, fuyez; rendez-vous à mes
   pleurs:

Satisfait de me voir sensible à vos malheurs,
Partez, éloignez-vous, trop généreux Arsame.

ARSAME. Un infidèle ami trahirait-il ma
flamme?
Dieux! quel trouble s'élève en mon cœur
alarmé!
Quoi! toujours des rivaux, et n'être
point aimé!
Belle Isménie, en vain vous voulez que
je fuie;
Je ne le puis, dussé-je en perdre ici la
vie.
Je vois couler des pleurs qui ne sont
pas pour moi!
Quel est donc ce rival? Dissipez mon effroi.
D'où vient qu'en ce palais je vous retrouve encore?
Me refuserait-on un secours que j'implore?
Les perfides Romains m'ont-ils manqué
de foi?
Ah! daignez m'éclaircir du trouble où
je vous vois.
Parlez, ne craignez pas de lasser ma constance.
Quoi! vous ne rompez point ce barbare
silence?
Tout m'abandonne-t-il en ce funeste
jour?
Dieux! est-on sans pitié, pour être sans
amour?

ZÉNOBIE. Eh bien! seigneur, eh bien! il
faut vous satisfaire:
Je me dois plus qu'à vous cet aveu nécessaire.
Ce serait mal répondre à vos soins généreux,
Que d'abuser encor votre amour malheureux.
Le sort a disposé de la main d'Isménie.

ARSAME. Juste ciel!

ZÉNOBIE. Et l'époux à qui l'hymen me lie
Est ce même Romain dont vos soins aujourd'hui
Ont imploré pour moi le secours et l'appui.

ARSAME. Ah! dans mon désespoir, fût-ce
César lui-même. . .

ZÉNOBIE. Calmez de ce transport la violence extrême.
Mais c'est trop l'exposer à votre inimitié.
Moins digne de courroux que digne de
pitié,
C'est un rival, seigneur, quoique pour
vous terrible,

Qui n'éprouvera point votre cœur insensible,
Qui vous est attaché par les nœuds les
plus doux,
Rhadamiste, en un mot.

ARSAME.        Mon frère?

ZÉNOBIE.                Et mon époux.

ARSAME. Vous Zénobie? ô ciel! était-ce
dans mon âme
Où devait s'allumer une coupable
flamme?
Après ce que j'éprouve, ah! quel cœur
désormais
Osera se flatter d'être exempt de forfaits?
Madame, quel secret venez-vous de m'apprendre!
Réserviez-vous ce prix à l'amour le plus
tendre?

ZÉNOBIE. J'ai résisté, seigneur, autant que
je l'ai pu;
Mais, puisque j'ai parlé, respectez ma
vertu.
Mon nom seul vous apprend ce que
vous devez faire;
Mon secret échappé, votre amour doit
se taire.
Mon cœur de son devoir fut toujours
trop jaloux. . .
Quelqu'un vient. Ah! fuyez, seigneur;
c'est mon époux.

## SCÈNE IV.

RHADAMISTE, ZÉNOBIE, ARSAME, HIÉRON.

RHADAMISTE. (A part.) Que vois-je? Quoi!
mon frère. . . Hiéron, va m'attendre.
D'un trouble affreux mon cœur a peine
à se défendre.
Madame, tout est prêt: les ombres de la
nuit
Effaceront bientôt la clarté qui nous luit.

ZÉNOBIE. Seigneur, puisqu'à vos soins désormais je me livre,
Rien ne m'arrête ici; je suis prête à vous
suivre.
Seul maître de mon sort, quels que soient
les climats
Où le ciel avec vous veuille guider mes
pas,
Vous pouvez ordonner, je vous suis.

RHADAMISTE. (A part.)        Ah, perfide!
Prince, je vous ai cru parti pour la Col-
chide.
Trop instruit des transports d'un père
furieux,

Je ne m'attendais pas à vous voir en ces
    lieux :
Mais, si près de quitter pour jamais Is-
    ménie,
Vous vous occupez peu du soin de votre
    vie ;
Et, d'un père cruel quel que soit le cour-
    roux,
On s'oublie aisément en des moments si
    doux.
ARSAME. Lorsqu'il faut au devoir immoler
    sa tendresse,
Un cœur s'alarme peu du péril qui le
    presse :
Et ces moments si doux que vous me re-
    prochez
Coûtent bien cher aux cœurs que l'amour
    a touchés.
Je vois trop qu'il est temps que le mien
    y renonce :
Quoi qu'il en soit, du moins votre ac-
    cueil me l'annonce.
Mais, avant que la nuit vous éloigne de
    nous,
Permettez-moi, seigneur, de me plaindre
    de vous.
A quoi dois-je imputer un discours qui
    me glace ?
Qui peut d'un tel accueil m'attirer la dis-
    grâce ?
Ce jour même, ce jour, il me souvient
    qu'ici
Votre vive amitié ne parlait pas ainsi.
Ce rival qu'avec soin on me peint inflexi-
    ble
N'est pas de mes rivaux, seigneur, le
    plus terrible ;
Et, malgré son courroux, il en est au-
    jourd'hui,
Pour mes feux et pour moi, de plus
    cruels que lui.
Ce discours vous surprend : il n'est plus
    temps de feindre ;
La nature en mon cœur ne peut plus se
    contraindre.
Ah ! seigneur, plût aux dieux qu'avec la
    même ardeur
Elle eût pu s'expliquer au fond de votre
    cœur !
On ne m'eût point ravi, sous un cruel
    mystère,
La douceur de connaître et d'embrasser
    mon frère.
Ne vous dérobez point à mes embras-
    sements :
Pourquoi troubler, seigneur, de si ten-
    dres moments ?
Ah ! revenez à moi sous un front moins
    sévère,

Et ne m'accablez point d'une injuste co-
    lère.
Il est vrai, j'ai brûlé pour ses divins ap-
    pas ;
Mais, seigneur, mais mon cœur ne la con-
    naissait pas.
RHADAMISTE. Dieux ! qu'est-ce que j'en-
    tends ! Quoi ! prince, Zénobie
Vient de vous confier le secret de ma vie !
Ce secret de lui-même est assez impor-
    tant
Pour n'en point rendre ici l'aveu trop
    éclatant.
Vous connaissez le prix de ce qu'on vous
    confie,
Et je crois votre cœur exempt de per-
    fidie.
Je ne puis cependant approuver qu'à
    regret
Qu'on vous ait révélé cet important se-
    cret ;
Du moins sans mon aveu l'on n'a point
    dû le faire :
A mon exemple enfin on devait vous le
    taire ;
Et si j'avais voulu vous en voir éclair-
    ci,
Ma tendresse pour vous l'eût découvert
    ici.
Qui peut à mon secret devenir infidèle
Ne peut, quoi qu'il en soit, n'être point
    criminelle.
Je connais, il est vrai, toute votre ver-
    tu ;
Mais mon cœur de soupçons n'est pas
    moins combattu.
ARSAME. Quoi ! la noire fureur de votre
    jalousie,
Seigneur, s'étend aussi jusques à Zé-
    nobie !
Pouvez-vous offenser. . .
ZÉNOBIE.       Laissez agir, seigneur,
Des soupçons en effet si dignes de son
    cœur.
Vous ne connaissez pas l'époux de Zé-
    nobie,
Ni les divers transports dont son âme est
    saisie.
Pour oser cependant outrager ma vertu,
Réponds-moi, Rhadamiste : et de quoi te
    plains-tu ?
De l'amour de ton frère ? Ah, barbare !
    quand même
Mon cœur eût pu se rendre à son amour
    extrême,
Le bruit de ton trépas, confirmé tant de
    fois,
Ne me laissait-il pas maîtresse de mon
    choix ?

Que pouvaient te servir les droits d'un hyménée
Que vit rompre et former une même journée ?
Ose te prévaloir de ce funeste jour
Où tout mon sang coula pour prix de mon amour ;
Rappelle-toi le sort de ma famille entière ;
Songe au sang qu'a versé ta fureur meurtrière ;
Et considère après sur quoi tu peux fonder
Et l'amour et la foi que j'ai dû te garder.
Il est vrai que, sensible aux malheurs de ton frère,
De ton sort et du mien j'ai trahi le mystère.
J'ignore si c'est là le trahir en effet ;
Mais sache que ta gloire en fut le seul objet :
Je voulais de ses feux éteindre l'espérance,
Et chasser de son cœur un amour qui m'offense.
Mais, puisqu'à tes soupçons tu veux t'abandonner,
Connais donc tout ce cœur que tu peux soupçonner :
Je vais par un seul trait te le faire connaître,
Et de mon sort après je te laisse le maître.
Ton frère me fut cher, je ne le puis nier ;
Je ne cherche pas même à m'en justifier ;
Mais, malgré son amour, ce prince, qui l'ignore,
Sans tes lâches soupçons l'ignorerait encore.

*(A Arsame.)*

Prince, après cet aveu, je ne vous dis plus rien.
Vous connaissez assez un cœur comme le mien,
Pour croire que sur lui l'amour ait quelque empire :
Mon époux est vivant, ainsi ma flamme expire.
Cessez donc d'écouter un amour odieux,
Et surtout gardez-vous de paraître à mes yeux.

*(A Rhadamiste.)*

Pour toi, dès que la nuit pourra me le permettre,
Dans tes mains, en ces lieux, je viendrai me remettre.

Je connais la fureur de tes soupçons jaloux,
Mais j'ai trop de vertu pour craindre mon époux.

*(Elle sort.)*

RHADAMISTE. Barbare que je suis ! quoi ! ma fureur jalouse
Déshonore à la fois mon frère et mon épouse !
Adieu, prince ; je cours, honteux de mon erreur,
Aux pieds de Zénobie expier ma fureur.

## SCÈNE V.

### ARSAME.

Cher objet de mes vœux, aimable Zénobie,
C'en est fait, pour jamais vous m'êtes donc ravie !
Amour, cruel amour, pour irriter mes maux,
Devais-tu dans mon sang me choisir mes rivaux ?
Ah ! fuyons de ces lieux. Ciel ! que me veut Mitrane ?

## SCÈNE VI.

### ARSAME, MITRANE, GARDES.

MITRANE. J'obéis à regret, seigneur ; mais Pharasmane,
Dont en vain j'ai tenté de fléchir le courroux. . .
ARSAME. Hé bien !
MITRANE. Veut qu'en ces lieux je m'assure de vous.
Souffrez. .
ARSAME. Je vous entends. Et quel est donc mon crime ?
MITRANE. J'en ignore la cause, injuste ou légitime :
Mais je crains pour vos jours ; et les transports du roi
N'ont jamais dans nos cœurs répandu plus d'effroi.
Furieux, inquiet, il s'agite, il vous nomme ;
Il menace avec vous l'ambassadeur de Rome ;
On vous accuse enfin d'un entretien secret.
ARSAME. C'en est assez, Mitrane, et je suis satisfait.
O destin ! à tes coups j'abandonne ma vie ;
Mais sauve, s'il se peut, mon frère et Zénobie.

## ACTE CINQUIÈME

### SCÈNE PREMIÈRE.

PHARASMANE, HYDASPE, GARDES.

PHARASMANE. Hydaspe, il est donc vrai
que mon indigne fils,
Qu'Arsame est de concert avec mes en-
nemis?
Quoi! ce fils, autrefois si soumis, si fi-
dèle,
Si digne d'être aimé, n'est qu'un traître,
un rebelle!
Quoi! contre les Romains ce fils, tout
mon espoir,
A pu jusqu'à ce point oublier son de-
voir!
Perfide, c'en est trop que d'aimer Is-
ménie,
Et que d'oser trahir ton père et l'Ibérie,
Traverser à la fois et ma gloire et mes
feux. . .
Pour de moindres forfaits, ton frère
malheureux. . .
Mais en vain tu séduis un prince témé-
raire,
Rome; de mes desseins ne crois pas me
distraire;
Ma défaite ou ma mort peut seule les
troubler;
Un ennemi de plus ne me fait pas trembler.
Dans la juste fureur qui contre toi m'a-
nime,
Rome, c'est ne m'offrir de plus qu'une
victime.
C'est assez que mon fils s'intéresse pour
toi;
Dès qu'il faut me venger, tout est Romain pour moi.
Mais que dit Hiéron? T'es-tu bien fait
entendre?
Sait-il enfin de moi tout ce qu'il doit attendre
S'il veut dans l'Arménie appuyer mes
projets?
HYDASPE. Peu touché de l'espoir des plus
rares bienfaits,
A vos offres, seigneur, toujours plus inflexible,
Hiéron n'a fait voir qu'un cœur incorruptible;
Soit qu'il veuille en effet signaler son
devoir,
Ou soit qu'à plus haut prix il mette son
pouvoir,

Trop instruit qu'il peut seul vous servir
ou vous nuire.
Je n'ai rien oublié, seigneur, pour le
séduire.
PHARASMANE. Hé bien! c'est donc en vain
qu'on me parle de paix;
Dussé-je sans honneur succomber sous
le faix,
Jusque chez les Romains je veux porter
la guerre,
Et de ces fiers tyrans venger toute la
terre.
Que je hais les Romains! Je ne sais
quelle horreur
Me saisit au seul nom de leur ambas-
sadeur;
Son aspect a jeté le trouble dans mon âme.
Ah! c'est lui qui sans doute aura séduit
Arsame.
Tous deux en même jour arrivés dans
ces lieux. . .
Le traître! C'en est trop, qu'il paraisse
à mes yeux.
Il faut. . . mais je le vois.

### SCÈNE II.

PHARASMANE, ARSAME, HYDASPE, MI-
TRANE, GARDES.

PHARASMANE.        Fils ingrat et perfide,
Que dis-je? au fond du cœur peut-être
parricide,
Esclave de Néron, eh! quel est ton des-
sein?
(A Hydaspe.)
Qu'on m'amène en ces lieux l'ambassa-
deur romain.
Traître, c'est devant lui que je veux te
confondre.
Je veux savoir du moins ce que tu peux
répondre;
Je veux voir de quel œil tu pourras
soutenir
Le témoin d'un complot que j'ai su pré-
venir;
Et nous verrons après si ton lâche com-
plice
Soutiendra sa fierté jusque dans le sup-
plice.
Tu ne me vantes plus ton zèle ni ta foi!
ARSAME. Elle n'en est pas moins sincère
pour mon roi.
PHARASMANE. Fils indigne du jour, pour
me le faire croire,
Fais que de tes projets je perde la mémoire.
Grands dieux, qui connaissez ma haine
et mes desseins,

Ai-je pu mettre au jour un ami des Romains?

ARSAME. Ces reproches honteux dont en vain l'on m'accable
Ne rendront pas, seigneur, votre fils plus coupable.
Que sert de m'outrager avec indignité?
Donnez-moi le trépas si je l'ai mérité:
Mais ne vous flattez point que, tremblant pour ma vie,
Jusqu'à la demander la crainte m'humilie.
Qui ne cherche en effet qu'à me faire périr
En faveur d'un rival pourrait-il s'attendrir?
Je sais que près de vous, injuste ou légitime,
Le plus léger soupçon tint toujours lieu de crime;
Que c'est être proscrit que d'être soupçonné;
Que votre cœur enfin n'a jamais pardonné.
De vos transports jaloux qui pourrait me défendre,
Vous qui m'avez toujours condamné sans m'entendre?

PHARASMANE. Pour te justifier, eh! que me diras-tu?

ARSAME. Tout ce qu'a dû pour moi vous dire ma vertu;
Que ce fils si suspect, pour trahir sa patrie,
Ne vous fût pas venu chercher dans l'Ibérie.

PHARASMANE. D'où vient donc aujourd'hui ce secret entretien,
S'il est vrai qu'en ces lieux tu ne médites rien?
Quand je voue aux Romains une haine immortelle,
Voir leur ambassadeur est-ce m'être fidèle?
Est-ce pour le punir de m'avoir outragé,
Qu'à lui parler ici mon fils s'est engagé?
Car il n'a point dû voir l'ennemi qui m'offense,
Que pour venger ma gloire, ou trahir ma vengeance:
Un de ces deux motifs a dû seul le guider;
Et c'est sur l'un des deux que je dois décider.
Éclaircis-moi ce point, je suis prêt à t'entendre;
Parle.

ARSAME. Je n'ai plus rien, seigneur, à vous apprendre.
Ce n'est pas un secret qu'on puisse révéler:
Un intérêt sacré me défend de parler.

## SCÈNE III.

PHARASMANE, ARSAME, MITRANE, HYDASPE, GARDES.

HYDASPE. L'ambassadeur de Rome et celui d'Arménie. . .
PHARASMANE. Hé bien?
HYDASPE. De ce palais enlèvent Isménie.
PHARASMANE. Dieux! qu'est-ce que j'entends? Ah traître! en est-ce assez?
Qu'on rassemble en ces lieux mes gardes dispersés:
Allez; dès ce moment qu'on soit prêt à me suivre.
(A Arsame.)
Lâche! à cet attentat n'espère pas survivre.
HYDASPE. Vos gardes rassemblés, mais par divers chemins,
Déjà de toutes parts poursuivent les Romains.
PHARASMANE. Rome, que ne peux-tu, témoin de leurs supplices,
De ma fureur ici recevoir les prémices!
(Il veut sortir.)
ARSAME. Je ne vous quitte point, en dussé-je périr.
Eh bien! écoutez-moi, je vais tout découvrir.
Ce n'est pas un Romain que vous allez poursuivre:
Loin qu'à votre courroux sa naissance le livre,
Du plus illustre sang il a reçu le jour,
Et d'un sang respecté même dans cette cour.
De vos propres regrets sa mort serait suivie:
Ce ravisseur enfin est l'époux d'Isménie. . .
C'est. . .
PHARASMANE. Achève, imposteur: par de lâches détours,
Crois-tu de ma fureur interrompre le cours?
ARSAME. Ah! permettez du moins, seigneur, que je vous suive;
Je m'engage à vous rendre ici votre captive.
PHARASMANE. Retire-toi, perfide, et ne réplique pas.
(A une partie de sa garde.)

Mitrane, qu'on l'arrête. Et vous, suivez mes pas.

## SCÈNE IV.

### ARSAME, MITRANE, GARDES.

ARSAME. Dieux, témoins des fureurs que le cruel médite,
L'abandonnerez-vous au transport qui l'agite?
Par quel destin faut-il que ce funeste jour
Charge de tant d'horreurs la nature et l'amour?
Mais je devais parler; le nom de fils peut-être. . .
Hélas! que m'eût servi de le faire connaître?
Loin que ce nom si doux eût fléchi le cruel,
Il n'eût fait que le rendre encor plus criminel.
Que dis-je, malheureux? Que me sert de me plaindre?
Dans l'état où je suis, eh! qu'ai-je encor à craindre?
Mourons; mais que ma mort soit utile en ces lieux
A des infortunés qu'abandonnent les dieux.
Cher ami, s'il est vrai que mon père inflexible
Aux malheurs de son fils te laisse un cœur sensible,
Dans mes derniers moments à toi seul j'ai recours.
Je ne demande point que tu sauves mes jours;
Ne crains pas que pour eux j'ose rien entreprendre:
Mais si tu connaissais le sang qu'on va répandre,
Au prix de tout le tien tu voudrais le sauver.
Suis-moi; que ta pitié m'aide à le conserver.
Désarmé, sans secours, suis-je assez redoutable
Pour alarmer encor ton cœur inexorable?
Pour toute grâce enfin je n'exige de toi
Que de guider mes pas sur les traces du roi.
MITRANE. Je ne le nierai point, votre vertu m'est chère;
Mais je dois obéir, seigneur, à votre père:

Vous prétendez en vain séduire mon devoir.
ARSAME. Eh bien! puisque pour moi rien ne peut t'émouvoir. . .
Mais, hélas! c'en est fait, et je le vois paraître.
Justes dieux, de quel sang nous avez-vous fait naître!
(A part.)
Ah! mon frère n'est plus!

## SCÈNE V.

### PHARASMANE, ARSAME, MITRANE, HYDASPE, GARDES.

ARSAME.     Seigneur, qu'avez-vous fait?
PHARASMANE. J'ai vengé mon injure, et je suis satisfait.
Aux portes du palais j'ai trouvé le perfide,
Que son malheur rendait encor plus intrépide,
Un long rempart des miens expirés sous ses coups,
Arrêtant les plus fiers, glaçait les cœurs de tous.
J'ai vu deux fois le traître, au mépris de sa vie,
Tenter, même à mes yeux, de reprendre Isménie.
L'ardeur de recouvrer un bien si précieux
L'avait déjà deux fois ramené dans ces lieux.
A la fin indigné de son audace extrême,
Dans la foule des siens je l'ai cherché moi-même:
Ils en ont pâli tous; et, malgré sa valeur,
Ma main a dans son sein plongé ce fer vengeur.
Va le voir expirer dans les bras d'Isménie;
Va partager le prix de votre perfidie.
ARSAME Quoi! seigneur, il est mort! Après ce coup affreux,
Frappez, n'épargnez plus votre fils malheureux.
(A part.)
Dieux, ne me rendiez-vous mon déplorable frère
Que pour le voir périr par les mains de mon père?
Mitrane, soutiens-moi.
PHARASMANE. D'où vient donc que son cœur
Est si touché du sort d'un cruel ravisseur?

Le Romain dont ce fer vient de trancher la vie,
Si j'en crois ses discours, fut l'époux d'Isménie;
Et cependant mon fils, charmé de ses appas,
Quand son rival périt, gémit de son trépas!
Qui peut lui rendre encor cette perte si chère?
Des larmes de mon fils quel est donc le mystère?
Mais moi-même, d'où vient qu'après tant de fureur
Je me sens malgré moi partager sa douleur?
Par quel charme, malgré le courroux qui m'enflamme,
La pitié s'ouvre-t-elle un chemin dans mon âme?
Quelle plaintive voix trouble en secret mes sens,
Et peut former en moi de si tristes accents?
D'où vient que je frissonne? et quel est donc mon crime?
Me serais-je mépris au choix de la victime?
Ou le sang des Romains est-il si précieux
Qu'on n'en puisse verser sans offenser les dieux?
Par mon ambition, d'illustres destinées,
Sans pitié, sans regret, ont été terminées;
Et, lorsque je punis qui m'avait outragé,
Mon faible cœur craint-il de s'être trop vengé?
D'où peut naître le trouble où son trépas me jette?
Je ne sais; mais sa mort m'alarme et m'inquiète.
Quand j'ai versé le sang de ce fier ennemi,
Tout le mien s'est ému, j'ai tremblé, j'ai frémi.
Il m'a même paru que ce Romain terrible,
Devenu tout à coup à sa perte insensible,
Avare de mon sang quand je versais le sien,
Aux dépens de ses jours s'est abstenu du mien.
Je rappelle en tremblant ce que m'a dit Arsame.
Éclaircissez le trouble où vous jetez mon âme;

Écoutez-moi, mon fils, et reprenez vos sens.

ARSAME. Que vous servent, hélas! ces regrets impuissants?
Puissiez-vous, à jamais ignorant ce mystère,
Oublier avec lui de qui vous fûtes père!

PHARASMANE. Ah! c'est trop m'alarmer; expliquez-vous, mon fils.
De quel effroi nouveau frappez-vous mes esprits?
Mais pour le redoubler dans mon âme éperdue,
Dieux puissants, quel objet offrez-vous à ma vue!

## SCÈNE VI.

PHARASMANE, RHADAMISTE, *porté par des soldats;* ZÉNOBIE, ARSAME, HIÉRON, MITRANE, HYDASPE, PHÉNICE, GARDES.

PHARASMANE. Malheureux, quel dessein te ramène en ces lieux?
Que cherches-tu?

RHADAMISTE. Je viens expirer à vos yeux.

PHARASMANE. Quel trouble me saisit!

RHADAMISTE. Quoique ma mort approche,
N'en craignez pas, seigneur, un injuste reproche.
J'ai reçu par vos mains le prix de mes forfaits.
Puissent les justes dieux en être satisfaits!
Je ne méritais pas de jouir de la vie.
(*A Zénobie.*)
Sèche tes pleurs: adieu, ma chère Zénobie;
Mithridate est vengé.

PHARASMANE. Grands dieux! qu'ai-je entendu?
Mithridate! Ah! quel sang ai-je donc répandu?
Malheureux que je suis, puis-je le méconnaître?
Au trouble que je sens, quel autre pourrait-ce être?
Mais, hélas! si c'est lui, quel crime ai-je commis!
Nature, ah! venge-toi, c'est le sang de mon fils!

RHADAMISTE. La soif que votre cœur avait de le répandre
N'a-t-elle pas suffi, seigneur, pour vous l'apprendre?
Je vous l'ai vu poursuivre avec tant de courroux,
Que j'ai cru qu'en effet j'étais connu de vous.

PHARASMANE. Pourquoi me le cacher? Ah! père déplorable!

RHADAMISTE. Vous vous êtes toujours rendu si redoutable,
Que jamais vos enfants, proscrits et malheureux,
N'ont pu vous regarder comme un père pour eux.
Heureux, quand votre main vous immolait un traître,
De n'avoir point versé le sang qui m'a fait naître;
Que la nature ait pu, trahissant ma fureur,
Dans ce moment affreux s'emparer de mon cœur!
Enfin, lorsque je perds une épouse si chère,
Heureux, quoiqu'en mourant, de retrouver mon père!
Votre cœur s'attendrit, je vois couler vos pleurs.

*(A Arsame.)*

Mon frère, approchez-vous; embrassez-moi: je meurs.

ZÉNOBIE. S'il faut par des forfaits que ta justice éclate,
Ciel, pourquoi vengeais-tu la mort de Mithridate?

*(Elle sort.)*

PHARASMANE. O mon fils! O Romains! êtes-vous satisfaits?

*(A Arsame.)*

Vous, que pour m'en venger j'implore désormais,
Courez vous emparer du trône d'Arménie.
Avec mon amitié je vous rends Zénobie;
Je dois ce sacrifice à mon fils malheureux.
De ces lieux cependant éloignez-vous tous deux:
De mes transports jaloux mon sang doit se défendre;
Fuyez, n'exposez plus un père à le répandre.

# LE GLORIEUX

*Comédie en cinq actes, en vers*

Représentée pour la première fois à la Comédie-Française
le 18 janvier 1732

# DESTOUCHES

In the early part of his career, Philippe Néricault Destouches (1680–1754) set himself the task of replacing Molière on the stage as a writer of *comédies de caractère;* but other influences came to bear upon him later which greatly modified his type of comedy. Born at Tours in 1680, he came to Paris to complete his studies at the Collège des Quatre-Nations. Little is known of his early life, and accounts of it differ. According to d'Alembert, his parents wished him to enter the magistracy, but Destouches preferring the career of letters joined a provincial troupe of actors and became director of the theatre at Soleure in Switzerland. This story is denied by Destouches fils. It is said that the young man, having committed a youthful folly, had to leave Paris, and volunteered for the army. While he was in garrison at Huningen he wrote his first play, *le Curieux impertinent,* which was played in the salon of M. de Puysieux, the French ambassador to Switzerland. The latter made him his secretary, and later recommended him to the Regent, who sent him to England in 1717 as secretary to the Abbé Dubois, the ambassador. He soon replaced Dubois and remained in England as chargé d'affaires until 1723. He mingled with the best classes of society and the nobility, observing the manners and customs and acquainting himself with the literature. On his return to France, he was admitted to the Academy, and, out of the grant of a hundred thousand francs which he received from the Regent, he bought the domain of Fortoiseau near Melun. Here he devoted himself to a life of literature and retirement, and refused a diplomatic mission to Russia. He died in 1754.

Dancourt, Regnard, and Le Sage have been called the first generation of the heirs of Molière. They still retain a part of the native sap, the art of painting personages and absurdities, and infusing their plays with live, frank, and spontaneous gaiety. Destouches, Piron, and Gresset make up the second generation, in which the comic vein is weakened. The art of creating types that live in the minds of men is decreasing daily, and the best examples are only pale reflections of the masterpieces of Molière. Soon real types will disappear, not to appear again until the *Figaro* of Beaumarchais. After *le Glorieux* of Destouches, *la Métromanie* of Piron, and *le Méchant* of Gresset, all of them efforts to revive a *genre* which had become exhausted, and themselves by no means unadulterated character-studies of the Molière type, although their titles may suggest such, we shall have situations and conditions substituted for character.

The early period of Destouches embraced the years between his return from Switzerland to Paris and his visit to England in 1717. During this time he directed his energies largely to comedies of intrigue and character. He produced at Paris *le Curieux impertinent* in 1710, which was followed in 1712 by *l'Ingrat* and *l'Irrésolu,* comedies in five acts and in verse. The latter is an effort at real comedy, and contains the oft-quoted line, which is spoken after there has already been much hesitation in making a choice: "J'aurais mieux fait, je crois, d'épouser Celimène." This play was reworked later by Collin d'Harleville under the title of *l'Inconstant*. But Destouches is less satisfied with intrigue alone, and makes an effort to trace character. His next play is *le Médisant* (1715), showing a type of character which was better done later by Gresset in *le Méchant*. This play had the merit of its style, but not enough study of character. Then followed *le Triple Mariage* (1716), said to have been derived from an incident in the life of the Marquis de Saint-Aulaire, and *l'Obstacle imprévu* (1717).

With the exception of *le Philosophe marié* (1727), *les Philosophes amoureux* (1730), a mediocre affair, and *le Glorieux* (1732), his masterpiece, it is necessary only to mention the names of the works of Destouches, which continued to be produced one after the other until well after his death: *l'Ambitieux*, *l'Enfant gâté*, *l'Amour usé*, *le Trésor caché* (imitated from the *Trinumus* of Plautus), *la Force du naturel*, *le Dissipateur* (imitated from Shakespeare's *Timon of Athens*, and too mild to picture the dissipations of the time), *le Tambour nocturne* (imitated from Addison), *la Fausse Agnès*, reminding us of Regnard's *Folies amoureuses* and another of Destouches' few attempts in the really comic genre.

Destouches is less gay than Regnard, less witty than Dufresny, less natural than Dancourt, less profound than Le Sage. He is the representative of the saner, colder type of comedy, with excellent qualities of observation, style, and composition. He is more of the gentlemanly type of writer, a disciple of Boileau in regularity and correctness. In *le Glorieux* he comes nearest to the creation of a real character. All the qualities of the Comte de Tufière are degraded; all his defects are dominated by one particular vice, and this vice is continued up to the end in all his relations, when the heart gets the upper hand and he is converted. But this last expression suggests something quite different from the method of Molière, who had taken particular pains to see that the heart and tears and conversions should have no place in his comedies. He insisted that comedy must follow classical traditions and remain humorous, with no mingling of types. In *l'Avare*, when Anselme recognizes his long lost loved ones, there is an opportunity for tears, but old Harpagon remains comic up to the very last speech. And in *Tartuffe*, when Orgon feels himself moved at the pathetic appeal of Mariane, he checks himself up short: "Allons, ferme, mon cœur, point de faiblesse humaine." We have, therefore, arrived at the appearance of something new in comedy, the appearance of the type known as *comédie larmoyante*, in which the tearful and the pathetic predominate. This type, destined to modify the drama profoundly, will be discussed more fully under La Chaussée.

The vogue of moralizing in literature was no longer confined to fables and maxims, and the laity had begun to preach as well as the Church. A sentimental type of ethics, apparently derived, at least in part, from the essays of the Earl of Shaftesbury, and in conflict with traditional Christian doctrines, was gradually taking root and expressing itself in literature. Marivaux had already begun his moral teachings in his *Spectateur français*. Even before his literary career was interrupted by his diplomatic mission to England in 1717, Destouches had written in his *Prologue du Curieux impertinent*:

L'auteur de notre pièce, en tout ce qu'il écrit,
Évite des auteurs les écarts ordinaires:

Il a pour objet principal
*De prêcher la vertu,* de décrier le vice.

Destouches returned from England to France in 1723. He had produced nothing since 1717, but he had spent six years in a country where sentimentalism was rapidly advancing with the sentimental comedies of Cibber and others, with the sentimental tales of Steele, and with the sentimental philosophy of Shaftesbury. His next work was *le Philosophe marié* (1727). It was hardly possible that this should not be influenced by his experiences, especially since he had married an English wife (although he wished to keep the affair secret, at least for a time). The play is directed against the prejudice of the period that husband and wife should not love each other, or at least not let it be known. This theme is taken up again by La Chaussée in *le Préjugé à la mode.* Professor Bernbaum [1] maintains that this play of Destouches is the origin of sentimental comedy in France. Lanson,[1] although he states that the honor of the invention of *la comédie larmoyante* belongs to La Chaussée, at least acknowledges that the new taste made itself felt in the comedies of Destouches, and also that Piron might have claimed the honor of creating tearful comedy, in 1728, with *les Fils ingrats.* Here the father impoverishes himself for his children and receives only ingratitude and bad conduct. This bourgeois King Lear, this Père Goriot of the eighteenth century, might have made us weep, says Lanson, but for the effort of the author to make laughter dominate.

Destouches produced *le Glorieux* in 1732, a year before the appearance of La Chaussée's *la Fausse Antipathie.* It is a sentimental comedy, rather than a comedy of character, and looks forward to La Chaussée rather than backward to Molière. In the preface Destouches says: "J'ai toujours eu pour maxime incontestable, que, quelque amusante que puisse être une comédie, c'est un ouvrage imparfait et même dangereux, si l'auteur ne s'y propose pas de corriger les mœurs, de tomber sur le ridicule, de décrier le vice, et de mettre la vertu dans un si beau jour, qu'elle s'attire la vénération publique." Virtue is indeed put in a favorable and sparkling light: old Lisimon is not perfect, but he is a good, honest, sensible man; the vainglorious Tufière is made so only to disgust the public with this defect, and when he has displayed his haughtiness sufficiently he corrects himself by a sudden repentance; in the case of the other characters there is a perfect tournament of virtues,—in Philinte, in Valère, in Isabelle, in Pasquin even, the valet who is at bottom simple and good, in Lisette, who has too many virtues to be a simple *soubrette* and turns out to be the sister of *le Glorieux,* and finally in old Lycandre, the father, "vrai père larmoyant, proche parent du père du *Fils naturel,* qui a mêmes vertus et mêmes haillons" (Lanson). The rôles of Lisette and Lycandre are full of sentimental and pathetic passages. The tearful recognition scene of the father and daughter, the confusion of the haughty, and the triumph of love over vainglory, are all characteristics of sentimental comedy which Molière avoided.

"Toute la comédie larmoyante est donc dans *le Glorieux:* moralité, caractères vertueux, fictions romanesques, scènes touchantes; aucun élément ne manque. La Chaussée n'eut, semble-t-il, rien à inventer. Qu'eut-il donc à faire? Et comment l'honneur de l'invention lui revint-il? Destouches était arrivé au genre larmoyant, mais par la force des choses, et sans le vouloir. Il avait prétendu faire

[1] See Bibliography.

une comédie de caractère. S'il était plus sérieux que plaisant, il ne renonçait pas néanmoins à faire rire: il voulait être plaisant. La Chaussée n'aura qu'à renoncer aux prétentions de Destouches: le comique et les caractères. Il étendra le romanesque et la sensibilité sur toute la pièce; ce qui était épisodique deviendra le principal, et la comédie, renonçant au rire décent, au rire de l'âme, ne cherchera que l'émotion et les larmes. Le larmoyant était pour Destouches une exception, pour Piron un défaut dans la comédie: La Chaussée en fit l'essence et y fonda le mérite de son drame. En cela consiste son invention'' (Lanson).

Bibliography: *Œuvres*, Paris, 1754, 4 vols.; édition Crapelet, 6 vols., Paris, 1822. E. BERNBAUM: *The Drama of Sensibility*, New York, 1915. LANSON: *Nivelle de la Chaussée et la comédie larmoyante*, Paris, 1903. LENIENT: *La Comédie au XVIII° siècle*, Paris, 1888. HANKISS: *Philippe Néricault Destouches. L'homme et l'œuvre*, Debreczin, 1918.

# LE GLORIEUX [1]

## PAR PHILIPPE NERICAULT DESTOUCHES.

### PERSONNAGES.

LISIMON, *riche bourgeois anobli.*
ISABELLE, *fille de Lisimon.*
VALÈRE, *fils de Lisimon.*
LE COMTE DE TUFIÈRE, *amant d'Isabelle.*
PHILINTE, *autre amant d'Isabelle.*
LYCANDRE, *vieillard inconnu.*
M. JOSSE, *notaire.*

LISETTE, *femme de chambre d'Isabelle.*
PASQUIN, *valet de chambre du comte.*
LAFLEUR, *laquais du comte.*
UN LAQUAIS *de Lycandre.*
*Plusieurs autres laquais du comte.*

La scène est à Paris, dans un hôtel garni.

## ACTE PREMIER

### SCÈNE PREMIÈRE.

#### PASQUIN.

Lisette ne vient point. Je crois que la fri-
    ponne
A voulu se moquer un peu de ma per-
    sonne,
En me donnant tantôt un rendez-vous
    ici. . .
Pour le coup, je m'en vais. . . (*Aperce-
    vant Lisette.*) Ah! ma foi, la voici.

### SCÈNE II.

#### LISETTE, PASQUIN.

LISETTE. Mon cher monsieur Pasquin, je
    suis votre servante.

PASQUIN. Très humble serviteur à l'aimable
    suivante
D'une aimable maîtresse.
LISETTE.              Un si doux compliment
Mérite de ma part un long remercie-
    ment;
Mais pour m'en acquitter, je manque
    d'éloquence.
Vous vous contenterez de cette révé-
    rence. . .
(*Elle lui fait une grande révérence.*)
Je vous ai fait attendre?
PASQUIN.              A vous parler sans fard,
Ma reine, au rendez-vous vous venez un
    peu tard.
LISETTE. J'aurais voulu pouvoir un peu
    plus tôt m'y rendre.
PASQUIN. Autrefois j'étais vif, et j'en-
    rageais d'attendre.
Rien ne pouvait calmer mes désirs ex-
    cités;
Mais l'âge a mis un frein à mes vivacités.

---

[1] (a) Text of the 1822 edition. (b) Le Glorieux, the vain man. Throughout the play *gloire* is used in the sense of vanity.

LISETTE. Si bien que vous voilà devenu raisonnable?

PASQUIN. Et j'en suis bien honteux!

LISETTE.  Honteux d'être estimable?

PASQUIN. Oui, de l'être avec vous; et je lis dans vos yeux
Qu'avec moins de raison je vous plairais bien mieux!

LISETTE. A moi? . . . Je vous fuirais, si vous étiez moins sage!

PASQUIN. Me voilà donc **au fait**, et j'entends ce langage.
Vous me trouvez trop vieux pour être un favori;
Et de moi vous ferez un honnête mari.
Je me sens pour ce titre un fonds de patience
Dont vous pourrez bientôt faire l'expérience.

LISETTE. Vous vous trompez bien fort, car je ne veux de vous
Ni faire mon amant, ni faire mon époux.

PASQUIN. Que me voulez-vous donc? Quel sujet nous assemble?

LISETTE. Je veux que nous tenions ici conseil ensemble.

PASQUIN. Sur quoi?

LISETTE. Sur votre maître et ma maîtresse.

PASQUIN.  Eh bien?

LISETTE. Traitons cette matière, et ne nous cachons rien.
Tous deux à les servir étant d'intelligence,
Nous leur pourrons tous deux être utiles, je pense.

PASQUIN. Votre idée est très juste! Elle me plaît.

LISETTE.  Tant mieux!
Le comte, votre maître, est froid et sérieux;
Et depuis trois grands mois qu'avec nous il demeure,
Je n'ai pas encor pu lui parler un quart d'heure.
Quel est son caractère? Entre nous, j'entrevois
Que ma maîtresse l'aime; et cependant je crois
Qu'il ne doit pas longtemps compter sur sa tendresse,
Car avec de l'esprit, du sens, de la sagesse,
Des grâces, des attraits, elle n'a pas le don
D'aimer avec constance. Avant qu'aimer, dit-on,
Il faut connaître à fond; car l'Amour est bien traître!

Pour Isabelle, elle aime avant que de connaître;
Mais son penchant ne peut l'aveugler tellement,
Qu'il dérobe à ses yeux les défauts d'un amant.
Les cherchant avec soin, et les trouvant sans peine,
Après quelques efforts sa victoire est certaine.
Honteuse de son choix, elle reprend son cœur;
Et l'on voit à ses feux succéder la froideur.
Sur le point d'épouser, elle rompt sans mystère.

PASQUIN. Voilà, sur ma parole, un plaisant caractère!
Un cœur tendre et volage, un esprit vif, ardent
Jusqu'à l'étourderie, et toutefois prudent;
Coquette au par-dessus.

LISETTE.  Non, point capricieuse,
Point coquette, et surtout point artificieuse.
Elle aime tendrement et de très bonne foi;
Mais cela ne tient pas. Maintenant, dites-moi
Toutes les qualités du comte, votre maître.
C'est pour le mieux servir que je le veux connaître.
Sans deviner pourquoi, j'ai du penchant pour lui;
Et vous l'éprouverez même dès aujourd'hui.
S'il a quelques défauts, empêchons ma maîtresse
De s'en apercevoir, et fixons sa tendresse.
Mais découvrez-les-moi, pour me mettre en état
De faire que l'hymen prévienne cet éclat.

PASQUIN. Instruit de vos desseins, je parlerai sans craindre,
Et de la tête aux pieds je vais vous le dépeindre.
Ses bonnes qualités seront mon premier point;
Ses défauts mon second. Je ne vous cache point
Que je serai très court sur le premier chapitre;
Très long sur le dernier. Premièrement son titre
De comte de Tufière est un titre réel;

Et son air de grandeur est un air naturel.
Il est certainement d'une haute naissance.

LISETTE. C'est l'effet du hasard. Passons.

PASQUIN. Toute la France
Convient de sa valeur; et, brave con-
firmé,
Parmi les gens de guerre il est très es-
timé;
Il fera son chemin, à ce que l'on assure.
Il est homme d'honneur. On vante sa
droiture.
Quoique vif, pétulant, il a le cœur très
bon.
Voilà mon premier point.

LISETTE. Passons vite au second.

## SCÈNE III.

LAFLEUR, LISETTE, PASQUIN.

PASQUIN, à Lafleur. Ah! te voilà, Lafleur!
Que fait monsieur le comte?

LAFLEUR. Il joue; et, qui plus est, il y fait
bien son compte;
Car il va mettre à sec un franc provincial,
Au moins aussi nigaud qu'il me paraît
brutal.
Notre maître, tandis qu'il jure et se désole,
Embourse son argent sans dire une parole.

PASQUIN. Pourquoi viens-tu si tôt?

LAFLEUR. Pour un dessein que j'ai.

PASQUIN. Quel dessein?

LAFLEUR. Je vous viens demander mon
congé.

PASQUIN. A moi?

LAFLEUR. Sans doute. Autant que je puis
m'y connaître,
Vous êtes factotum de monsieur notre
maître.
On n'ose lui parler sans le mettre en
courroux.
Il faut par conséquent que l'on s'adresse
à vous.

PASQUIN. Tu me surprends, Lafleur, je te
croyais plus sage.
Servir monsieur le comte est un grand
avantage.
Pourquoi donc le quitter? Éclaircis-moi
ce point.

LAFLEUR. C'est que vous parlez trop, et
qu'il ne parle point.

LISETTE. Le trait est singulier, et la plainte
est nouvelle!

LAFLEUR. Tel que vous me voyez, ma chère
demoiselle,
Vous ne le croiriez pas, on me prend
pour un sot;
Et mon maître en trois mois ne m'a pas
dit un mot!

PASQUIN. Que t'importe cela?

LAFLEUR. Comment donc! que m'importe?
Peut-il avec ses gens en user de la sorte?
Que je sois tout un jour dans son ap-
partement,
Il ne daignera pas me gronder seule-
ment;
Et j'ai quitté pour lui la meilleure maî-
tresse. . .
Qui voulait qu'on parlât, et qui parlait
sans cesse.
On ne s'ennuyait point. Tous les jours,
tour à tour,
Elle nous chantait pouille [1] avant le
point du jour.
C'était un vrai plaisir!

LISETTE. Tu veux donc qu'on te gronde?

LAFLEUR. Je ne hais point cela, pourvu
que je réponde.
Répondre, c'est parler. Encor vit-on. . .
Mais, bon!
Avec monsieur le comte on ne dit oui ni
non.
Il ne dit pas lui-même une pauvre syl-
labe.
Oh! j'aimerais autant vivre avec un
Arabe.
Cela me fait sécher; cela me pousse à
bout,
Moi, qui dis volontiers mon sentiment
sur tout.
(Voyant rire Lisette et Pasquin.)
Le silence me tue; et. . . Vous riez?

LISETTE. Achève.

LAFLEUR, en pleurant. Si je reste céans,
il faudra que je crève!

LISETTE, à Pasquin. Que j'aime sa franchise et sa naïveté!

LAFLEUR. Foi de garçon d'honneur, je dis
la vérité!

PASQUIN. Notre maître à ses gens fait
garder le silence,
Mais ils sentent l'effet de sa magnificence;
Bien nourris, bien vêtus, et payés largement.

LAFLEUR. Et tout cela pour moi n'est point
contentement.

LISETTE, à Pasquin. Enfin il faut qu'il
parle; et c'est là sa folie.

LAFLEUR. Autrement je succombe à la
mélancolie.

---

[1] chanter pouille, to reproach in an insulting manner.

J'eus un maître autrefois que je regrette
    fort,
Et que je ne sers plus, attendu qu'il est
    mort.
Il ne me faisait pas de fort gros avan-
    tages;
Il me nourrissait mal, me payait mal mes
    gages.
Jamais aucuns profits, et souvent en
    hiver
Il me laissait aller presque aussi nu
    qu'un ver;
Mais je l'aimais. Pourquoi? C'est qu'il
    me faisait rire.
Et que de mon côté je pouvais tout lui
    dire.
Il m'appelait son cher, son ami, son
    mignon;
Et nous vivions tous deux de pair à
    compagnon.[1]
Mais pour monsieur le comte, au diantre
    si je l'aime!
Il est toujours gourmé,[2] renfermé dans
    lui-même,
Toujours portant au vent,[3] fier comme
    un Écossais.
Je ne puis le souffrir, à vous parler
    français;
Et, dût-il m'enrichir, que le diable m'em-
    porte
Si je voulais servir un maître de la
    sorte!
PASQUIN. Patience! à ta face on s'accou-
    tumera;
Et tu verras qu'un jour monsieur te
    parlera.
Mais ne t'échappe point. Attends l'heure
    propice.
Depuis dix ans au moins je suis à son
    service
Et n'ose lui parler que par occasion.
LISETTE. Ce pauvre garçon-là me fait com-
    passion!
Faites que l'on lui dise au moins quel-
    ques paroles.
LAFLEUR, à Pasquin. Tenez, j'aimerais
    mieux deux mots que deux pis-
    toles![4]
PASQUIN. J'y ferai de mon mieux.
LAFLEUR.        Enfin, point de milieu.
Il faut ou qu'on me parle, ou qu'on me
    chasse. . . Adieu.
Voilà mon dernier mot; c'est moi qui
    vous l'annonce:

Et je parlerai, moi, si je n'ai pas ré-
    ponse.
                  (Il sort.)

## SCÈNE IV.

### LISETTE, PASQUIN.

PASQUIN. J'ai pitié, comme vous, de ce
    pauvre Lafleur!
LISETTE. Le comte de Tufière est donc un
    fier seigneur?
PASQUIN. C'est là mon second point.
LISETTE.          Fort bien!
PASQUIN.              Sa politique
Est d'être toujours grave avec un do-
    mestique.
S'il lui disait un mot, il croirait s'abais-
    ser;
Et qu'un valet lui parle, il se fera chas-
    ser.
Enfin, pour ébaucher en deux mots sa
    peinture,
C'est l'homme le plus vain qu'ait pro-
    duit la nature.
Pour ses inférieurs plein d'un mépris
    choquant,
Avec ses égaux même il prend l'air im-
    portant.
Si fier de ses aïeux, si fier de sa noblesse,
Qu'il croit être ici-bas le seul de son
    espèce.
Persuadé d'ailleurs de son habileté,
Et décidant sur tout avec autorité,
Se croyant en tout genre un mérite su-
    prême,
Dédaignant tout le monde, et s'admi-
    rant lui-même;
En un mot, des mortels le plus impé-
    rieux,
Et le plus suffisant et le plus glorieux. . .
LISETTE. Ah! que nous allons rire!
PASQUIN.      Eh! de quoi donc?
LISETTE.                Son faste,
Sa fierté, ses hauteurs, font un parfait
    contraste
Avec les qualités de son humble rival,
Qui n'oserait parler de peur de parler
    mal,
Qui, par timidité, rougit comme une fille,
Et qui, quoique fort riche et de noble
    famille,
Toujours rampant, craintif, et toujours
    concerté,

---

[1] de pair à compagnon, on a footing of perfect equality.
[2] gourmé, pretending to be solemn, serious.
[3] portant au vent, disdainful.
[4] pistole, gold coin worth nearly ten francs.

Prodigue les excès de sa civilité,
Pour les moindres valets rempli de dé-
  férences
Et ne parlant jamais que par ses révérences.

PASQUIN. Oui, ma foi! le contraste est tout
  des plus parfaits;
Et nous en pourrons voir d'assez plaisants effets.
Ce doucereux rival, c'est Philinte sans
  doute?
Mon maître d'un regard doit le mettre
  en déroute.

LISETTE. Mais ce comte si fier est donc bien
  riche aussi?
Du moins il le paraît.

PASQUIN.                    Riche? Non, Dieu merci!
Car c'est là quelquefois ce qui rabat sa
  gloire;
Et tout son revenu, si j'ai bonne mé-
  moire,
Vient de sa pension et de son régiment.
Mais il sait tous les jeux, et joue heu-
  reusement.
C'est par là qu'il soutient un train si
  magnifique.

LISETTE. Et faites-vous fortune?

PASQUIN.                    Oui, par ma politique.
Avec moi quelquefois il prend des libertés.
Je le boude; il sourit. Mes dépits con-
  certés,
Un air froid et rêveur, quelques brusques paroles,
L'amènent où je veux. Par quatre ou
  cinq pistoles
Il cherche à m'apaiser, à me calmer l'esprit;
Et comme j'ai bon cœur, son argent
  m'attendrit.

LISETTE. Vous m'avez mise au fait, et je
  vais vous instruire
Le comte va bientôt lui-même se détruire
Dans l'esprit d'Isabelle; oui, soyez-en
  certain,
S'il ne lui cache pas son naturel hau-
  tain.
Elle est d'humeur liante, affable, sociable:
L'orgueil est à ses yeux un vice insupportable:
Et malgré les grands biens qui lui sont
  assurés,
Son air et ses discours sont simples,
  mesurés,
Honnêtes, prévenants, et pleins de modestie.

PASQUIN. Si bien qu'avec mon maître elle
  est mal assortie.

LISETTE. Il aura son congé s'il ne se contraint point.
Donnez-lui cet avis.

PASQUIN.          Il est haut à tel point. . .

LISETTE, l'interrompant. J'entends du
  bruit. . . Je crois que c'est notre
  vieux maître.
Ne me laissez pas seule avec lui.

PASQUIN.                    Ce vieux reître [1]
Est-il si dangereux?

LISETTE.          A cinquante-cinq ans,
Il est plus libertin que tous nos jeunes
  gens;
Et, ce qui me surprend, c'est que son
  fils Valère
A toute la sagesse et la vertu d'un père.


SCÈNE V.

LISIMON, LISETTE, PASQUIN.

LISIMON, courant à Lisette, en voulant
  l'embrasser. Bonjour, ma chère enfant! Embrasse-moi bien fort. . .
          (Lisette s'éloigne.)
Comment donc! tu me fuis?

LISETTE.          Réservez ce transport
Pour madame.

LISIMON. Eh! fi donc! Tu te moques, je
  pense.
J'arrive de campagne; et, plein d'impa-
  tience
De te revoir, j'accours. . . (Montrant
  Pasquin.) Quel est ce garçon-là?
Tête-à-tête tous deux! Je n'aime point
  cela.
Je gage qu'avec lui tu n'étais pas si
  fière.

LISETTE. Nous nous entretenions du comte
  de Tufière,
Son maître.

LISIMON, à Pasquin. Ce seigneur que l'on
  m'a proposé
Pour ma fille?

PASQUIN.          Oui, monsieur.

LISIMON.          Je suis très disposé,
Sur ce qu'on m'en écrit, à le choisir pour
  gendre.
On me le vante fort; et l'on me fait
  entendre
Qu'il est homme d'honneur, de grande
  qualité.
Mais est-il vif, alerte, étourdi, bien
  planté,

---

[1] reître, originally "German cavalryman," then "old stager, man of experience."

Bon vivant? Car je veux tout cela pour
  ma fille.
Pasquin. Vous faites son portrait; et c'est
  par là qu'il brille.
Lisimon. Bon! Aime-t-il la table, et boit-
  il largement?
Pasquin. Diable; il est le plus fort de
  tout le régiment.
Il a fait son chef-d'œuvre en Allemagne,
  en Suisse.
Lisimon. Voilà mon homme! Il faut que
  l'autre déguerpisse.
Lisette. Qui, Philinte?
Lisimon. Lui-même. Il me cajole en vain.
  C'est un homme qui met le tiers d'eau
    dans son vin.
Ce fade personnage, en ses façons dis-
    crètes,
Me donne la colique à force de cour-
    bettes.
Mon gendre buveur d'eau! Fût-il prince,
    morbleu!
Je le refuserais. Nous allons voir beau
    jeu!
Car ma femme, dit-on, le destine à ma
    fille.
Sait-elle que je suis le chef de ma fa-
    mille,
Le monarque absolu d'elle et de mes en-
    fants?
Que j'en veux disposer?... Mais est-
    elle céans?
Lisette. Oui, monsieur.
Lisimon. Tu diras à ma chère compagne
Qu'il faut que dès ce soir elle aille à la
    campagne.
Lisette. Eh! pourquoi donc?
Lisimon.          Pourquoi?... C'est que
    je suis ici.
Belle demande!
Lisette.          Mais...
Lisimon, l'interrompant. Dans cette mai-
    son-ci
Nous sommes à l'étroit et trop près l'un
    de l'autre,
Et l'on travaille à force à rebâtir la
    nôtre.
Mon hôtel sera vaste; et je prendrai
    grand soin
Que nos appartements se regardent de
    loin,
Afin qu'un même toit elle et moi nous
    assemble,
Sans nous apercevoir que nous logeons
    ensemble.
Lisette, voulant sortir. Je vais voir si ma-
    dame est visible.
Lisimon, la retenant. Non, non;
              (A Pasquin.)

J'ai deux mots à te dire... Et toi, sors,
  mon garçon.
Va-t'en chercher ton maître en toute dili-
  gence.
Il faut qu'incessamment nous fassions
  connaissance.
Lisette. Son maître va rentrer.
Pasquin, à Lisimon. Et je l'attends ici.
Lisimon, le poussant par les épaules jus-
  qu'à la porte. Va l'attendre dehors!
  Décampe!...

              (Pasquin sort.)


              SCÈNE VI.

         Lisimon, Lisette.

Lisimon.              Dieu merci,
  Nous sommes tête-à-tête; et ma vive ten-
    dresse...
  (Voyant que Lisette veut s'en aller.)
  Où vas-tu donc?
Lisette. Je vais rejoindre ma maîtresse;
  Elle m'appelle.
Lisimon, la retenant. Non.
Lisette.          Ne l'entendez-vous pas?
Lisimon. Moi? Point.
Lisette. Moi, je l'entends; et j'y cours de
  ce pas.
Lisimon. Qu'elle attende!
Lisette. Monsieur, voulez-vous qu'on me
  gronde?
Lisimon. Qui l'oserait céans? Je veux que
  tout le monde
T'y regarde en maîtresse et me respecte
  en toi;
Que femme, enfants, valets, tout t'obé-
  isse.
Lisette.              A moi,
Monsieur? Y pensez-vous?
Lisimon.              Oui, ma petite reine!
De mon cœur, de mes biens, je te rends
  souveraine.
Lisette. Ce langage est obscur, et je ne
  l'entends pas.
Lisimon. Je m'en vais m'expliquer.
  Charmé de tes appas,
J'ai conçu le dessein de faire ta for-
  tune.
Pour nous débarrasser d'une foule im-
  portune,
Je te veux à l'écart loger superbement.
Les soirs, j'irai chez toi souper secrète-
  ment.
Je ferai tous les frais d'un nombreux
  domestique,
D'un équipage leste autant que magni-
  fique:

Habits, ajustements, rien ne te manquera.
Et sur tous tes désirs mon cœur te pré-
  viendra.
M'entends-tu maintenant?

LISETTE.            Oui, monsieur, à merveille.

LISIMON. Et ce discours, je crois, te cha-
  touille l'oreille?
Que réponds-tu, ma chère, à ces conditions?

LISETTE. Je ne puis accepter vos propo-
  sitions,
Monsieur, sans consulter une très bonne
  dame,
Que j'honore.

LISIMON.          Eh! qui donc?

LISETTE.              Madame votre femme.

LISIMON.     Comment diable! ma femme?

LISETTE, *ironiquement.* Oui, monsieur, s'il
  vous plaît.
A ce qui me regarde elle prend intérêt;
Et je ne doute point qu'elle ne soit ravie
De me voir embrasser ce doux genre de
  vie!

LISIMON. Te moques-tu?

LISETTE, *ironiquement.* Je vais aussi prendre l'avis
De ma maîtresse, et puis de monsieur
  votre fils.
Tous trois édifiés, à ce que j'imagine,
Du soin que vous prenez d'une pauvre
  orpheline,
Seront touchés de voir que, lui prêtant
  la main,
Vous la mettiez, vous-même, en un si
  beau chemin,
Et qu'à votre âge, enfin, votre charité
  brille
Jusqu'à les ruiner pour placer une
  fille.

LISIMON. Tu le prends sur ce ton?

LISETTE, *avec chaleur.* Oui, monsieur; je
  l'y prends.
Apprenez, je vous prie, à connaître vos
  gens.
Un cœur tel que le mien méprise les
  richesses,
Quand il faut les gagner par de telles
  bassesses!
        (*Elle veut encore s'en aller.*)

LISIMON, *la poursuivant.* Oh! puisque mon
  amour, mes offres, mes discours,
Ne peuvent rien sur toi, je prétends...

LISETTE, *s'enfuyant, et appelant.* Au secours!

LISIMON. Quoi! friponne! me faire une
  telle incartade.

## SCÈNE VII.

VALÈRE, LISIMON, LISETTE.

VALÈRE, *accourant, à Lisimon.* Mon père,
  qu'avez-vous?

LISIMON.              Rien.

VALÈRE.              Etes-vous malade?

LISIMON. Non; je me porte bien... Que
  voulez-vous?

VALÈRE.              Qui, moi?
On criait au secours; et, plein d'un juste
  effroi,
Je suis vite accouru.

LISIMON.     C'est prendre trop de peine!
Lisette me suffit.

VALÈRE.          Mais...

LISIMON.              Votre aspect me gêne,
Sortez.

VALÈRE. Moi, vous quitter en ce pressant
  besoin?
          (*A Lisette.*)
Je n'ai garde, à coup sûr!... Lisette,
  j'aurai soin
De monsieur; sortez vite. Allez dire à
  ma mère
Qu'elle vienne, au plus tôt.

LISIMON.     Eh! je n'en ai que faire,
Bourreau!

LISETTE, *à Valère.* J'y vais.

LISIMON, *à Valère.* Demeure... Et toi,
  sors à l'instant.

VALÈRE. S'il ne tient qu'à cela pour vous
  rendre content,
Lisette restera. Mais aussi je vous jure
De ne vous point quitter dans cette con-
  joncture.
Vous voilà trop ému. Vos yeux sont tout
  en feu!
Je crains quelque accident. Asseyez-vous
  un peu.
Vous êtes, je le vois, fatigué du voy-
  age.
Il faut vous ménager un peu plus à votre
  âge.
Enverrai-je chercher le médecin?

LISIMON.              Tais-toi!...
Traître! tu le paieras!
                    (*Il sort.*)

## SCÈNE VIII.

VALÈRE, LISETTE.

LISETTE.          Vous voyez!

VALÈRE.              Oui, je voi
A quel indigne excès veut se porter mon
  père.

Quel exemple pour moi! Quel chagrin
pour ma mère!
Je ne m'étonne plus si sa faible santé
L'oblige à renoncer à la société,
Et si, toujours livrée à sa mélancolie,
Dans son appartement elle passe sa vie.

LISETTE. Je veux sortir d'ici.

VALÈRE. Non, non, ne craignez rien.
De mon père, après tout, nous vous dé-
fendrons bien!

LISETTE. Je le sais; mais enfin je veux sortir, vous dis-je.

VALÈRE. Songez-vous à quel point votre
discours m'afflige?
Oui, si vous nous quittez, je mourrai de
douleur!
Vous savez mon dessein.

LISETTE. Il ferait mon bonheur
S'il pouvait s'accomplir; mais il est impossible.
Je sens de vous à moi la distance terrible.
Un mariage en forme est ce que je prétends.
Vous me le promettez; mais en vain je
l'attends.
Chaque jour, chaque instant, détruit
mon espérance.
Vos parents sont puissants; une fortune
immense
Doit vous faire aspirer aux plus nobles
partis.
Jugez si vous et moi nous sommes as-
sortis!

VALÈRE. L'amour assortit tout; et mon âme
ravie
Trouve en vous ce qui fait le bonheur de
la vie.

LISETTE. Songez que je n'ai rien, et ne sais
d'où je sors.

VALÈRE. Esprit, grâces, beauté, ce sont là
vos trésors,
Vos titres, vos parents.

LISETTE. Vous flattez-vous, Valère,
De faire à notre hymen consentir votre
père?

VALÈRE. Nous nous passerons bien de son
consentement!

LISETTE. Oui, vous; mais non pas moi.

VALÈRE. Je puis secrètement...

LISETTE, l'interrompant. Non, non, ne
croyez pas qu'un vain espoir m'en-
dorme;
Je vous l'ai dit, je veux un mariage en
forme,
Et me garderai bien de courir le hasard...

VALÈRE, l'interrompant. (Apercevant Lycandre, qui s'approche.)

Vous n'avez rien à craindre, et... Que
veut ce vieillard?

LISETTE. Tout pauvre qu'il paraît, sa sa-
gesse est profonde,
Et c'est le seul ami qui me reste en ce
monde.
Depuis près de deux ans, cet ami ver-
tueux,
Sensible à mes besoins, empressé, gé-
néreux,
Fait de me secourir sa principale affaire.
Je trouve en sa personne un guide salu-
taire.
Laissez-nous un moment, s'il vous plaît.

VALÈRE. De bon cœur.
Mais revenez bientôt me joindre chez
ma sœur.

(Il sort.)

## SCÈNE IX.

### LYCANDRE, LISETTE.

LYCANDRE. Enfin, je vous revois! Cette
rencontre heureuse
Me comble de plaisir!

LISETTE. Moi, je suis bien honteuse
Que vous me retrouviez dans l'état où je
suis.

LYCANDRE. Que faites-vous ici?

LISETTE, hésitant. Je fais ce que je puis
Pour me le cacher; mais...

LYCANDRE. Quoi?

LISETTE. J'y suis en service.

LYCANDRE, à part. Juste ciel!... (A Lisette.) Eh! c'est donc pour ce vil
exercice
Que, sans m'en avertir, vous sortez du
couvent?

LISETTE. Autrefois pour m'y voir vous y
veniez souvent!
Mais, depuis quelque temps, vous m'avez
négligée.
De plus, ma mère est morte. Inquiète,
affligée,
N'entendant rien de vous, sans espoir,
sans appui,
Quelle ressource avais-je en ce cruel en-
nui?
La fille de céans, à présent ma maîtresse,
Mon amie au couvent, sensible à ma tris-
tesse,
Sur le point de sortir, m'offrit obligeam-
ment
De me prendre auprès d'elle. Elle me fit
serment
Que je serais plutôt compagne que sui-
vante.
Je ne pus résister à son offre pressante.

Ce ne fut pas pourtant sans verser bien
des pleurs;
Mais mon sort le voulut, et voilà mes
malheurs!

LYCANDRE, *à part.* O fortune cruelle! . . .
(*A Lisette.*) Et vous tient-on pa-
role?
Par de justes égards. . .

LISETTE. Oui.

LYCANDRE. 　　　　　Cela me console
D'un si triste incident, que j'aurais pré-
venu
Si mes infirmités ne m'eussent retenu,
Pendant près de six mois, dans la re-
traite obscure
Où je mène, moi-même, une vie assez
dure. . .
Si bien que vous voilà plus heureuse au-
jourd'hui?

LISETTE. Autant qu'on le peut l'être au
service d'autrui!

LYCANDRE, *à part.* Hélas!

LISETTE. Vous soupirez? Dans ma triste
aventure
Je ne sais quel espoir me soutient, me
rassure;
Mais je n'ai rien perdu de ma vivacité.

LYCANDRE. Votre espoir est fondé. Le moment souhaité
Peut arriver bientôt. La fortune se lasse
De vous persécuter. . . Mais, dites-moi,
de grâce,
A qui parliez-vous là quand je suis survenu?

LISETTE. Au fils de la maison. S'il vous
était connu,
Vous l'estimeriez fort!

LYCANDRE. 　　　　Il a donc votre estime?
(*Voyant rougir Lisette.*)
Vous rougissez?

LISETTE. Qui, moi? Me feriez-vous un
crime
De lui rendre justice?

LYCANDRE. 　　　Il est jeune, bien fait,
Riche; il vous voit souvent?

LISETTE. 　　　　Oui, souvent, en effet.

LYCANDRE. Vous êtes jeune, aimable, et
sans expérience;
Voilà bien des écueils!

LISETTE. 　　　　Soyez en assurance.
Mon cœur est au-dessus de ma condi-
tion.
J'ai des principes sûrs contre l'occasion.

LYCANDRE. J'y compte. . . Mais, enfin, que
vous dit ce jeune homme?

LISETTE. Il se nomme Valère.

LYCANDRE. Eh! mon Dieu! qu'il se nomme
Ou Valère, ou Cléon, que m'importe?
Il s'agit

De m'informer à fond des choses qu'il
vous dit.

LISETTE. Qu'il m'aime.

LYCANDRE. 　Est-ce là tout?

LISETTE. 　　　　Oui.

LYCANDRE. 　　　　　C'est tout?

LISETTE. 　　　　Oui, vous dis-je.

LYCANDRE. Vous me trompez!

LISETTE. 　　　　Eh! mais. . . ce reproche m'afflige.
Eh bien! donc, ce jeune homme, à ne
rien déguiser,
Si j'y veux consentir, m'offre de m'é-
pouser
En secret.

LYCANDRE. En secret? Il cherche à vous
surprendre!

LISETTE. Non; je réponds de lui. . . Mais,
bien loin de me rendre,
En acceptant son cœur, je refuse sa
main,
A moins que ses parents n'approuvent
son dessein.
Ils le rejetteront, je n'en suis que trop
sûre;
Et, pour fuir un éclat, monsieur, je vous
conjure
De me tirer d'ici dès demain, dès ce soir,
Pour que Valère et moi nous cessions de
nous voir.

LYCANDRE. D'un sort moins rigoureux, ô
fille vraiment digne!
Ce que vous exigez est une preuve in-
signe
Et de votre prudence et de votre vertu.
Il faut vous révéler ce que je vous ai
tu.
Vous pouvez aspirer à la main de Va-
lère
Et même l'épouser de l'aveu de son pere.

LISETTE. Moi, monsieur!

LYCANDRE. Je dis plus; ils se tiendront
heureux,
Dès qu'ils vous connaîtront, de former
ces beaux nœuds;
Et, respectant en vous une haute naissance,
Ils brigueront l'honneur d'une telle alliance.

LISETTE. Vous vous moquez de moi. . .
Pourquoi, jusqu'à sa mort,
Ma mère a-t-elle eu soin de me cacher
mon sort?
Mon père est-il vivant?

LYCANDRE. 　　　Il respire; il vous aime,
Et viendra de ce lieu vous retirer lui-
même.

LISETTE. Eh! pourquoi si longtemps m'a-
bandonner ainsi?

LYCANDRE. Vous saurez ses raisons. . .
Mais demeurez ici
Jusqu'à ce qu'il se montre, et gardez le
silence;
C'est un point capital.
LISETTE.          Moi, d'illustre naissance?
Ah! je ne vous crois point, si vous n'é-
claircissez
Tout ce mystère à fond.
LYCANDRE.          Non, j'en ai dit assez.
Pour savoir tout le reste attendez votre
père. . .
Adieu. . . Mais, dites-moi, le comte de
Tufière
Demeure-t-il céans?
LISETTE.          Oui, depuis quelques mois.
LYCANDRE. Il faut que je lui parle.
LISETTE.          Ah! monsieur, je prévois
Qu'il vous recevra mal, en ce triste équi-
page;
Car on me l'a dépeint d'un orgueil si
sauvage. . .
LYCANDRE, *l'interrompant.* Je saurai l'a-
baisser!
LISETTE.          Il vous insultera!
LYCANDRE. J'imagine un moyen qui le cor-
rigera. . .
Jusqu'au revoir. Songez qu'une nais-
sance illustre
Des sentiments du cœur reçoit son plus
beau lustre.
Pour les faire éclater il est de sûrs moy-
ens;
Et si le sort cruel vous a ravi vos biens,
D'un plus rare trésor enviant le par-
tage,
Soyez riche en vertu, c'est là votre apa-
nage.

## ACTE DEUXIÈME.

### SCÈNE PREMIÈRE.

#### LISETTE, *seule.*

Dois-je me réjouir? Dois-je m'inquiéter?
Ce que m'a dit Lycandre est bien prompt
à flatter
Mon petit amour-propre; et, pourtant,
plus j'y pense,
Et moins à son discours je trouve d'apparence.
Le bonhomme, à coup sûr, s'est diverti
de moi. . .
Mais non, il m'aime trop pour me railler. . . Je crois
Démêler sa finesse. Il veut me rendre
fière,

Afin que je me croie au-dessus de Va-
lère;
Et le vieillard adroit usant de ce détour
Arme la vanité pour combattre l'amour.
Oui, oui, tout bien pesé, m'en voilà con-
vaincue.
De toutes mes grandeurs je suis bientôt
déchue! ,
Je redeviens Lisette, et le sort conjuré. . .
Pauvre Lisette! hélas! ton règne a peu
duré!
Je me suis endormie et j'ai fait un beau
songe,
Mais dans mon triste état le réveil me
replonge!

### SCÈNE II.

#### VALÈRE, LISETTE.

VALÈRE. J'avais beau vous attendre! Eh!
quoi, seule, à l'écart?
Qu'y faites-vous?
LISETTE.          Je rêve.
VALÈRE.          Il faut que ce vieillard
Qui vous est venu voir vous ait dit quel-
que chose
D'affligeant!
LISETTE.          Au contraire.
VALÈRE.          Eh! quelle est donc la cause
De votre rêverie?
LISETTE.          Un fait qui sûrement
Devrait me réjouir; et c'est précisément
Ce qui m'afflige.
VALÈRE.          Oh! oh! le trait, sur ma parole,
Est des plus surprenants!
LISETTE.          Vous m'allez croire folle
Sur ce que je vous dis, et cependant ce
trait
D'un excès de sagesse est peut-être l'ef-
fet.
VALÈRE. Je ne vous comprends point. Ex-
pliquez ce mystère.
LISETTE. Cela m'est défendu; mais je ne
puis me taire;
Et, quoique l'on m'ordonne un silence
discret,
Je sens bien que pour vous je n'ai point
de secret.
Je soutiens avec peine un fardeau qui
me lasse.
VALÈRE. A la tentation succombez donc, de
grâce.
LISETTE. C'est le meilleur moyen de m'en
guérir, je crois. . .
Mais si je vais parler, vous vous rirez de
moi?
VALÈRE. Quoi! vous pouvez. . .

LISETTE, *l'interrompant.* Jurez que, quoi
　　que je vous dise,
Vous n'en raillerez point.
VALÈRE.　　　　　　J'en jure!
LISETTE.　　　　　　　　Ma franchise,
　　Ou si vous le voulez, mon indiscrétion,
　　Exige de ma part cette précaution.
　　Au surplus, vous pourrez m'éclaircir sur
　　　　un doute
　　Qui me tourmente fort. Or, écoutez.
VALÈRE.　　　　　　　　J'écoute.
LISETTE. (*Après un court silence.*) Ce bon
　　homme m'a dit. . . Vous allez vous
　　moquer?
VALÈRE. Eh! non, vous dis-je, non.
LISETTE.　　　　Avant de m'expliquer,
　　Valère, permettez que je vous interroge.
　　Répondez franchement, et surtout point
　　　　d'éloge.
VALÈRE. Voyons.
LISETTE.　　　　Me trouvez-vous l'air
　　de condition
　　Que donnent la naissance et l'éducation?
　　Et croyez-vous mes traits, mes façons,
　　　　mon langage
　　Propres à soutenir un noble person-
　　　　nage?
VALÈRE. Un amant sur ce point est un juge
　　suspect.
　　Mais vous m'avez d'abord inspiré le re-
　　　　spect,
　　La vénération. Qui les a pu produire?
　　Votre rang? Votre bien? Plût au ciel! Je
　　　　soupire
　　Lorsque je vois l'état où vous réduit le
　　　　sort.
　　Mais pour vous abaisser il fait un vain
　　　　effort,
　　Et, de quelques parents que vous soyez
　　　　issue,
　　Chacun remarque en vous, à la première
　　　　vue,
　　Certain air de grandeur qui frappe, qui
　　　　saisit,
　　Et ce que je vous dis tout le monde le
　　　　dit.
LISETTE. Ce discours est flatteur; mais est-
　　il bien sincère?
VALÈRE. Oui, foi de galant homme!
LISETTE.　　　　Apprenez donc, Valère,
　　Ce qu'on vient de me dire et ce qui m'est
　　　　bien doux,
　　Parce que son effet rejaillira sur vous.
　　Par de fortes raisons, qu'on doit bien-
　　　　tôt m'apprendre,
　　On m'a caché mon rang. J'ai l'honneur
　　　　de descendre
　　D'une famille illustre et de condition,
　　Si l'on n'a point voulu me faire illusion.

VALÈRE. Non; on vous a dit vrai: c'est moi
　　qui vous l'assure
　　Et j'en ferais serment.
LISETTE, *en riant.*　　Fort bien!
VALÈRE.　　　　　Je vous conjure,
　　(*Après un moment de silence.*)
　　Charmante Lis. . . O ciel! je ne sais
　　　　plus comment
　　Vous nommer; mais enfin, je vous prie
　　　　instamment,
　　Si vous m'aimez encor, d'être persuadée
　　Qu'on vous donne de vous une très juste
　　　　idée;
　　Et souffrez que l'amour, jaloux de votre
　　　　droit,
　　Vous rende le premier l'hommage qu'on
　　　　vous doit.
　　　　(*Il se jette à ses pieds.*)
LISETTE, *le relevant.* Valère, levez-vous. . .
　　Vous me rendez confuse!
VALÈRE. Quoi! vous, servir ma sœur! Ah!
　　déjà je m'accuse
　　D'avoir été trop lent à la désabuser.
　　A vous manquer d'égards je pourrais
　　　　l'exposer. . .
　　Mon père m'inquiète, et je sais que ma
　　　　mère
　　Quelquefois avec vous prend un ton trop
　　　　sévère. . .
　　　　(*Voulant sortir.*)
　　Je vais donc avertir ma famille; et je
　　　　crains. . .
LISETTE, *l'interrompant et le retenant.* Ah!
　　voilà mon secret en de fort bonnes
　　　　mains!
　　On me défend, surtout, de me faire con-
　　　　naître.
　　Si vous dites un mot à qui que ce puisse
　　　　être,
　　Bien loin de me servir. . .
VALÈRE, *l'interrompant.* Eh! bien, je me
　　tairai. . .
　　Je suis dans une joie. . . Oh! je me con-
　　　　traindrai. . .
　　Ne craignez rien!
LISETTE, *voyant paraître Isabelle.* Paix
　　donc, j'aperçois Isabelle.

## SCÈNE III.

VALÈRE, ISABELLE, LISETTE.

VALÈRE, *à Isabelle, en courant au-devant
　　d'elle.* Ma sœur, que je vous dise
　　une grande nouvelle!
LISETTE, *le retenant.* Eh bien! ne voilà pas
　　mon étourdi?
VALÈRE.　　　　　Mon cœur

Ne peut se contenir. . . Je sors. . .
(*A Isabelle.*) Adieu, ma sœur.
ISABELLE. Adieu ! . . . Vous moquez-vous ?
Dites-moi donc, mon frère,
Cette grande nouvelle.
VALÈRE.         Oh ! ce n'est rien.
ISABELLE.                       Valère,
Quoi ! Vous me plaisantez ?
VALÈRE. Non, non, quand vous saurez. . .
LISETTE, *l'interrompant bas.* Allez-vous-en.
VALÈRE, *faisant quelques pas pour sor-
tir, et revenant.* Ma sœur, lorsque
vous parlerez
A Lisette. . .
              (*Il hésite.*)
ISABELLE.  Eh bien ! donc ?
VALÈRE.          Ayez toujours pour elle
Le respect. . .
ISABELLE, *l'interrompant.* Le respect ?
VALÈRE.          Oui, car mademoiselle. . .
Je veux dire Lisette, a certainement lieu
De prétendre de vous et de nous
tous. . . Adieu.
                (*Il sort brusquement.*)

## SCÈNE IV.

### ISABELLE, LISETTE.

ISABELLE. Je ne sais que penser d'un dis-
cours aussi vague.
Qu'en dites-vous ? Je crois que mon frère
extravague ?
LISETTE. Quelque chose à peu près.
ISABELLE.          Moi, pour vous du respect ?
C'est aller un peu loin ! Ce discours
m'est suspect !
Oh çà, conviendrez-vous de ce que j'i-
magine ?
LISETTE. Quoi ?
ISABELLE. Mon frère vous aime. Oh ! oui,
oui, je devine.
Votre air embarrassé confirme mon
soupçon.
LISETTE. Eh ! quand il m'aimerait, serait-
ce un crime ?
ISABELLE.          Non,
Mais. . .
LISETTE, *l'interrompant.* Si je l'en veux
croire, il me trouve jolie.
Mais, bon ! je n'en crois rien.
ISABELLE.          Pourquoi ?
LISETTE.                    Pure saillie
De jeune homme qui sait prodiguer les
douceurs,
Et qui sans rien aimer en veut à tous les
cœurs.
ISABELLE. Non, mon frère n'est point de
ces conteurs volages

Qui d'objet en objet vont offrir leurs
hommages.
Je connais sa droiture et sa sincérité,
Et, s'il dit qu'il vous aime, il dit la vé-
rité.
LISETTE, *vivement.* Quoi ! sérieusement ?
ISABELLE.          Oui, la chose est certaine.
Je vois que ce discours ne vous fait
point de peine.
Ah ! ma bonne !
LISETTE.          Quoi donc ?
ISABELLE.                    Je pénètre aisément.
LISETTE. Quoi ! Que pénétrez-vous ?
ISABELLE.          Mon frère est votre amant ;
Et mon frère, à coup sûr, n'aime point
une ingrate.
Vous avez le cœur haut et l'âme délicate.
LISETTE. Voici le fait. Il dit que si je n'é-
tais point
Ce que je suis. . .
              (*Elle hésite.*)
ISABELLE.               Eh bien ?
LISETTE.               Il m'estime à tel point
Qu'il ferait son bonheur de m'obtenir
pour femme.
ISABELLE. (*Voyant l'embarras où est Li-
sette.*) Ensuite ? . . . Vous rêvez. . .
Je vous ouvre mon âme
En toute occasion ; Lisette, imitez-moi.
Que lui répondez-vous ? Parlez de bonne
foi.
LISETTE. Eh ! mais, je lui réponds. . .
Vous êtes curieuse
A l'excès !
ISABELLE.          Poursuivez.
LISETTE.               Que je serais heureuse
Si j'étais un parti qui lui pût convenir.
Voilà tout.
ISABELLE. Je le crois ! mais je crains l'a-
venir.
Votre amour vous rendra malheureux
l'un et l'autre.
LISETTE. Vous avez votre idée, et nous
avons la nôtre.
ISABELLE. Comment donc ?
LISETTE.          Quelque jour j'éclaircirai ceci.
Sur votre frère, enfin, n'ayez aucun
souci.
Ne vous alarmez point de ce que je ha-
sarde
Et venons maintenant à ce qui vous re-
garde.
ISABELLE. Volontiers.
LISETTE. De mon cœur vous connaissez
l'état :
Parlons un peu du vôtre. Inquiet, déli-
cat,
Aux révolutions il est souvent en proie.
Comment se porte-t-il ?

ISABELLE.                                    Mal!

LISETTE.                            J'en ai de la joie!
Il est donc bien épris?

ISABELLE.                            Oui, Lisette; si bien
Qu'il le sera toujours.

LISETTE.                            Oh! ne jurons de rien.

ISABELLE. J'en ferais bien serment.

LISETTE.                            Le ciel vous en préserve!

ISABELLE. Pourquoi donc?

LISETTE. Votre esprit a toujours en réserve
Quelques si, quelques mais, qui, malgré
      votre ardeur,
Pénètrent tôt ou tard au fond de votre
      cœur.
Le comte est sûrement d'une aimable
      figure;
Son mérite y répond ou du moins je
      l'augure;
Mais vous ne le voyez que depuis quel-
      ques mois.
Vous le connaissez peu; c'est pourquoi
      je prévois
Qu'avant qu'il soit huit jours, croyant le
      mieux connaître,
Quelque défaut en lui vous frappera
      peut-être.

ISABELLE. Cela ne se peut pas; c'est un
      homme accompli.
De ses perfections mon cœur est si rem-
      pli,
Qu'il le met à couvert de ma délicatesse.
S'il a quelque défaut, c'est son peu de
      tendresse.
Il me voit rarement.

LISETTE.                            C'est qu'il a du bon sens.
Qui se fait souhaiter se fait aimer long-
      temps;
Qui nous voit trop souvent voit bientôt
      qu'il nous lasse!

ISABELLE.     Vous l'excusez toujours. . .
      Mais dites-moi, de grâce,
Ne lui trouvez-vous point quelques dé-
      fauts?

LISETTE.          Qui, moi?
Pas le moindre.

ISABELLE.          Tant mieux.

LISETTE.                            Mais s'il en a, je croi
Qu'ils n'échapperont pas longtemps à
      votre vue;
Et c'est tant pis pour vous. Etes-vous
      résolue
De ne prendre qu'un homme accompli
      de tout point?
Cet homme est le phénix; il ne se trouve
      point.
Si le comte à vos yeux est ce rare mi-
      racle,
Croyez en votre cœur; que ce soit votre
      oracle.

Mettez l'esprit à part, suivez le senti-
      ment;
S'il vous trompe, du moins, c'est agré-
      ablement.
Il est bon quelquefois de s'aveugler soi-
      même,
Et bien souvent l'erreur est le bonheur
      suprême.

ISABELLE. Me voilà résolue à suivre vos
      avis.

LISETTE. Vous me remercîrez de les avoir
      suivis.
Mais que va devenir notre pauvre Phi-
      linte?
Son mérite autrefois a porté quelque at-
      teinte
A votre cœur.

ISABELLE. Je sens qu'il m'ennuie à mou-
      rir.
Je l'estime beaucoup, et ne puis le souf-
      frir.
Le moyen d'y durer? Toutes ses con-
      férences
Consistent en regards ou bien en révé-
      rences.
Dès qu'il parle, il s'égare, il se perd; en
      un mot,
Quoiqu'il ait de l'esprit on le prend pour
      un sot.

LISETTE, apercevant Philinte. Le voici

ISABELLE.          Que veut-il?

LISETTE.                            A votre esprit critique
Il vient fournir des traits pour son
      panégyrique.


### SCÈNE V.

PHILINTE, ISABELLE, LISETTE.


PHILINTE, à Isabelle, du fond du théâtre,
      après avoir fait plusieurs révé-
      rences. Madame. . . je crains bien
      de vous importuner.

LISETTE, bas, à Isabelle. Cet homme a sûre-
      ment le don de deviner.

ISABELLE, à Philinte. Un homme tel que
      vous. . .

PHILINTE, l'interrompant, en redoublant
      ses révérences. Ah! madame. . . de
      grâce,
Si je suis importun, punissez mon au-
      dace.

ISABELLE, lui faisant la révérence. Mon-
      sieur. . .

PHILINTE, l'interrompant. Et faites-moi
      l'honneur de me chasser.

ISABELLE. De ma civilité vous devez mieux
      penser.

PHILINTE, *lui faisant la révérence.* Madame, en vérité. . .

ISABELLE, *l'interrompant en la lui rendant.* J'ai pour votre personne
L'estime et les égards. . . (*Bas, à Lisette.*) Aidez-moi donc, ma bonne.

LISETTE, *à Philinte, après lui avoir fait plusieurs révérences, et lui présentant un siège.* Vous plaît-il vous asseoir?

PHILINTE, *vivement.* Que me proposez-vous? . . .
(*Montrant Isabelle.*)
O ciel! devant madame, il faut être à genoux.

LISETTE. A vous permis, monsieur! (*Bas, à Isabelle.*) Dites-lui quelque chose.

ISABELLE, *bas.* Je ne saurais.

LISETTE, *bas.* Fort bien! l'entretien se dispose
A devenir brillant! (*A Philinte.*) Monsieur, je m'aperçoi
Que vous faites façon de parler devant moi.
Je me retire.

PHILINTE, *la retenant.* Non: il n'est pas nécessaire,
Et je ne veux ici qu'admirer et me taire.

LISETTE. Vous vous contentez donc de lui parler des yeux?

PHILINTE. Je ne m'en lasse point.

LISETTE. Parlez de votre mieux;
Rien ne vous interrompt.

ISABELLE, *bas.* Oh! je perds contenance.

LISETTE, *bas.* Eh bien! interrogez-le; il répondra, je pense.

ISABELLE, *bas.* Vous-même, avisez-vous de quelque question.

LISETTE, *bas.* C'est à vous d'entamer la conversation.

ISABELLE, *à Philinte, après avoir un peu rêvé.* Quel temps fait-il, monsieur?

LISETTE, *à part.* Matière intéressante!

PHILINTE. Madame. . . en vérité. . . la journée est charmante!

ISABELLE. Monsieur, en vérité. . . j'en suis ravie!

LISETTE, *à Philinte.* Et moi,
J'en suis aussi charmée, en vérité. . .
(*A Isabelle.*) Mais quoi!
La conversation est donc déjà finie? . . .
Çà, pour la relever employons mon génie. . .
(*A Philinte.*)
Dit-on quelque nouvelle? (*A Isabelle.*) Enfin il parlera.

ISABELLE, *à Philinte.* N'avez-vous rien appris du nouvel opéra?

PHILINTE. On en parle assez mal!

LISETTE, *à part.* Cet homme est laconique!

ISABELLE, *à Philinte.* Qu'y désapprouvez-vous? les vers ou la musique?

PHILINTE. Je sais peu de musique et fais de méchants vers:
Ainsi j'en pourrais bien juger tout de travers.
Et d'ailleurs, j'avoûrai qu'au plus mauvais ouvrage
Bien souvent, malgré moi, je donne mon suffrage.
Un auteur, quel qu'il soit, me paraît mériter
Qu'aux efforts qu'il a faits on daigne se prêter.

LISETTE. Mais on dit qu'aux auteurs la critique est utile.

PHILINTE. La critique est aisée et l'art est difficile.
C'est là ce qui produit ce peuple de censeurs,
Et ce qui rétrécit les talents des auteurs. . .
(*A Isabelle, qui paraît rêveuse.*)
Mais vous êtes distraite et paraissez en peine?

ISABELLE. Je n'en puis plus!

PHILINTE. Bon Dieu! qu'avez-vous?

ISABELLE. La migraine.

PHILINTE, *s'en allant avec précipitation.* Je m'enfuis!

ISABELLE, *le retenant.* Non, restez.

PHILINTE. Quel excès de faveur!

ISABELLE. C'est moi qui vais m'enfuir. Je crains que ma douleur
Ne vous afflige trop. . . Je souffre le martyre!

PHILINTE. J'en suis au désespoir! . . . Je veux vous reconduire.
(*Il met ses gants avec précipitation.*)
Madame, vous plaît-il de me donner la main?

ISABELLE. Je n'en ai pas la force. . . Adieu, jusqu'à demain.

PHILINTE. A quelle heure, madame?

ISABELLE. Ah! Monsieur, à toute heure.
Mais ne me suivez point, de grâce!
(*Elle sort.*)

PHILINTE. . . Je demeure
Pour vous dire deux mots.

LISETTE, *embarrassée.* Monsieur. . . en vérité,
J'ai la migraine aussi. Vous aurez la bonté
De ne pas prendre garde à mon impolitesse,
Et mon devoir m'appelle auprès de ma maîtresse.

*(Philinte lui donne la main et la reconduit jusqu'à la porte de l'appartement, puis revient.)*

## SCÈNE VI.

### PHILINTE.

Cette migraine-là vient bien subitement!
C'est moi qui l'ai donnée indubitablement!
C'est ma timidité, que je ne saurais vaincre,
Qui me rend ridicule. On vient de m'en convaincre. . .
Que je suis malheureux! Des jeunes courtisans
Que n'ai-je le babil et les airs suffisants!
Quiconque s'est formé sur de pareils modèles
Est sûr de ne jamais rencontrer de cruelles.

## SCÈNE VII.

### PHILINTE, UN LAQUAIS, *mal vêtu.*

LE LAQUAIS, *présentant une lettre à Philinte.* Cette lettre, monsieur, s'adresse à vous, je crois.
PHILINTE, *prenant la lettre et en lisant le dessus.*
«Au comte de Tufière. . .» *(Après avoir lu.)* Elle n'est pas pour moi,
Mais il demeure ici.
LE LAQUAIS.          Pardonnez, je vous prie.
PHILINTE, *lui faisant la révérence.* Ah! monsieur. . . *(A part.)* C'est à lui que l'on me sacrifie.
Madame Lisimon n'y pourra consentir,
Et je veux lui parler avant que de sortir.
*(Il sort.)*

## SCÈNE VIII.

### LE LAQUAIS, *appelant;* PASQUIN.

LE LAQUAIS, Holà! quelqu'un des gens du comte de Tufière.
PASQUIN, *d'un ton arrogant.* Que voulez-vous?
LE LAQUAIS, *à part.* Cet homme a la parole fière!
PASQUIN. Parlez donc.
LE LAQUAIS. Est-ce vous qui vous nommez Pasquin?

PASQUIN. C'est moi-même, en effet. Mais apprenez, faquin!
Que le mot de monsieur n'écorche point la bouche.
LE LAQUAIS. Monsieur, je suis confus! Ce reproche me touche!
J'ignorais qu'il fallût vous appeler monsieur:
Mais vous me l'apprenez; j'y souscris de bon cœur!
PASQUIN, *d'un ton important.* Trêve de compliments.
LE LAQUAIS, *lui présentant la lettre.* Voudrez-vous bien remettre
Au comte, votre maître, un petit mot de lettre?
PASQUIN, *prenant la lettre.* Donnez. . . De quelle part?
LE LAQUAIS.          Je me tais sur ce point;
Elle est d'un inconnu qui ne se nomme point.
Adieu, monsieur Pasquin. . . Quoique mon ignorance
Ait pour monsieur Pasquin manqué de déférence,
Il verra désormais, à mon air circonspect,
Que pour monsieur Pasquin je suis plein de respect.
*(Il sort.)*

## SCÈNE IX.

### PASQUIN.

Ce maroufle me raille, et même je soupçonne
Qu'il n'a pas tort. Au fond, les airs que je me donne
Frisent[1] l'impertinent, le suffisant, le fat,
Et si, tout bien pesé, je ne suis qu'un pied plat,
Sans ce pauvre garçon, j'allais me méconnaître,
Et me gonfler d'orgueil aussi bien que mon maître.
Je sens qu'un glorieux est un sot animal. . .
*(Entendant du bruit dans l'appartement voisin.)*
Mais j'entends du fracas. . .
*(Apercevant le comte de Tufière.)*
          Ah! c'est l'original
De mes airs de grandeur, qui vient, tête levée. . .
Mon éclat emprunté[2] cesse à son arrivée.

---

[1] frisent, suggest.
[2] éclat emprunté, amusing reference to famous line in Racine's *Athalie*, II, 5: "Même elle avait encor cet éclat emprunté."

## SCÈNE X.

LE COMTE, LAFLEUR, CINQ AUTRES LAQUAIS, PASQUIN.

LE COMTE, *entrant, et en marchant à grands pas et la tête levée. Ses six laquais se rangent au fond du théâtre d'un air respectueux. Pasquin est un peu plus avancé.* L'impertinent !

PASQUIN, *au comte, en lui présentant la lettre.* Monsieur. . .

LE COMTE, *marchant toujours, et sans l'écouter.* Le fat !

PASQUIN.          Monsieur. . .

LE COMTE, *l'interrompant.* Tais-toi ! . . .
        (*A part.*)
Un petit campagnard s'emporter devant moi !
Me manquer de respect pour quatre cents pistoles !

PASQUIN. Il a tort ι

LE COMTE. Hein ? A qui s'adressent ces paroles ?

PASQUIN. Au petit campagnard.

LE COMTE Soit. . . Mais d'un ton plus bas,
S'il vous plaît. Vos propos ne m'intéressent pas. . .
Tenez, serrez cela.
        (*Il lui donne une grosse bourse.*)

PASQUIN, *à part.* Peste, qu'elle est dodue !
A ce charmant objet je me sens l'âme émue !
        (*Il ouvre la bourse et en tire quelques pièces.*)

LE COMTE, *le surprenant.* Que fais-tu ?

PASQUIN. Je veux voir si cet or est de poids.

LE COMTE, *lui reprenant la bourse.* Vous êtes curieux !
        (*Il fait plusieurs signes, et à mesure qu'il les fait, ses laquais le servent. Deux approchent une table, deux autres un fauteuil ; le cinquième apporte une écritoire et des plumes, et le sixième du papier. Ensuite il s'assied devant la table, et il se met à écrire.*)

PASQUIN, *lui présentant de nouveau la lettre.* Monsieur, je puis, je crois,
Sans manquer au respect, vous donner cette lettre
Que pour vous, à l'instant, on vient de me remettre.

LE COMTE, *continuant d'écrire, après avoir*

*pris la lettre sans la regarder.* Ah ! c'est du petit duc ?

PASQUIN.          Non, un homme est venu. . .

LE COMTE, *l'interrompant.* C'est donc de la princesse ?

PASQUIN.          Elle est d'un inconnu
Qui ne se nomme pas.

LE COMTE.          Et qui vous l'a remise ?

PASQUIN. Un laquais mal vêtu.

LE COMTE, *lui jetant la lettre.* C'est assez ;
        qu'on la lise,
Et qu'on m'en rende compte. . . Entendez-vous ?

PASQUIN, *ramassant la lettre.* J'entends.
        (*Il lit la lettre, bas.*)

LE COMTE, *toujours écrivant.* Monsieur Pasquin !

PASQUIN.          Monsieur,

LE COMTE.          Faites sortir mes gens.

PASQUIN, *d'un air suffisant, aux six laquais.* Sortez.
        (*Cinq laquais sortent.*)

LAFLEUR, *au comte.* Monsieur. . .

LE COMTE, *l'interrompant.* Comment ?

LAFLEUR.          Oserais-je vous dire ? . . .

LE COMTE, *à part.* Il me parle, je crois. . .
        (*A Pasquin, en montrant Lafleur.*)
Holà ! qu'il se retire ;
Qu'on lui donne congé.

PASQUIN, *à Lafleur.* Je te l'avais prédit !
Va-t'en ; je tâcherai de lui calmer l'esprit.

        (*Lafleur sort.*)

## SCÈNE XI.

LE COMTE, PASQUIN.

        (*Le comte relit bas ce qu'il a écrit, et Pasquin lit la lettre, bas aussi.*)

LE COMTE, *à part, après avoir lu ce qu'il écrivait.* Tu ne partiras point ; et c'est une bassesse,
Dans les gens de mon rang, d'outrer la politesse.
Un homme tel que moi se ferait déshonneur
Si sa plume à quelqu'un donnait du monseigneur. . .
Non, mon petit seigneur, vous n'aurez pas la gloire
De gagner sur la mienne une telle victoire.
Vous pourriez m'assurer un bonheur très complet ;
Mais si c'est à ce prix, je suis votre valet. .
        (*A Pasquin, en déchirant sa lettre.*)

Ote-moi cette table. . . Eh bien! que dit
   l'épître?

Pasquin. Elle roule, monsieur, sur un certain chapitre
Qui ne vous plaira point.

Le Comte. Pourquoi donc? Lis toujours.

Pasquin, *hésitant.* Vous me l'ordonnez,
   mais. . .

Le Comte.        Oh! trève de discours.

Pasquin, *lisant.* «Celui qui vous écrit. . .»

Le Comte, *l'interrompant.* Qui vous écrit!
Le style
Est familier!

Pasquin.     Il va vous échauffer la bile!
              *(Il lit.)*
«Celui qui vous écrit, s'intéressant à
   vous,
Monsieur, vous avertit, sans crainte et
   sans scrupule,
Que par vos procédés, dont il est en
   courroux,
Vous vous rendez très ridicule.»

Le Comte, *se levant brusquement.* Si je
   tenais le fat qui m'ose écrire
   ainsi. . .

Pasquin, *l'interrompant.* Poursuivrai-je?

Le Comte. Oui, voyons la fin de tout ceci.

Pasquin, *lisant.* «Vous ne manquez pas de
   mérite;
Mais. . .»

Le Comte, *l'interrompant.* Vous ne manquez pas? Ah! vraiment, je le croi!
Bel éloge! en parlant d'un homme tel
   que moi!

Pasquin, *lisant.* «Vous ne manquez pas
   de mérite;
Mais, bien loin de vous croire un prodige
   étonnant,
Apprenez que chacun s'irrite
De votre orgueil impertinent.»

Le Comte, *donnant un soufflet à Pasquin.*
   Comment? maraud!

Pasquin. Fort bien! le trait est impaya-
   ble!
De ce qu'on vous écrit suis-je donc res-
   ponsable?
Au diable l'écrivain avec ses vérités!
   *(Il jette la lettre sur la table.)*

Le Comte, *le menaçant.* Ah! je vous apprendrai. . .

Pasquin, *l'interrompant.* Quoi! Vous me
   maltraitez
Pour les fautes d'autrui? . . . Si jamais
   je m'avise
D'être votre lecteur! . . .

Le Comte, *l'interrompant, en lui donnant
       sa bourse.* Faut-il que je vous dise
Une seconde fois de serrer cet argent?
Tenez, voilà ma clef, et soyez diligent.

Pasquin, *prenant la bourse et la clef, fai-
       sant quelques pas pour sortir, et re-
       venant.* Savez-vous à combien cette
   somme se monte?

Le Comte, *se rasseyant.* Non, pas exactement.

Pasquin. Je vous en rendrai compte. . .
           *(A part.)*
Je m'en vais du soufflet me payer par
   mes mains!
              *(Il sort.)*

## SCÈNE XII.

### Le Comte.

Puissé-je devenir le plus vil des hu-
   mains
Si j'épargne celui qui m'a fait cette in-
   jure! . . .
Voyons si je pourrais connaître l'écri-
   ture.
     *(Il prend la lettre et la lit.)*
«L'ami de qui vous vient cette utile
   leçon
Emprunte une main étrangère. . .»
     *(Interrompant sa lecture.)*
Il fait fort bien! . . .
         «Mais il ne vous cache son nom
Que pour donner le temps à votre âme
   trop fière
De se prêter à la seule raison;
Et lui-même, ce soir, il viendra sans fa-
   çon
Vous demander si votre humeur altière
Aura baissé de quelque ton.»
         *(Il jette la lettre.)*
Voilà, sur ma parole, un hardi person-
   nage!
S'il vient, il paîra cher un si sensible
   outrage!
Qui peut m'avoir écrit ce libelle outra-
   geant?
Plus j'y pense. . .

## SCÈNE XIII.

### Le Comte, Pasquin.

Pasquin. Monsieur, j'ai compté cet argent.

Le Comte. Il se monte?

Pasquin. A trois cent quatre-vingt-dix
   pistoles.

Le Comte. Mais. . .

Pasquin, *l'interrompant.* Si vous y trouvez seulement deux oboles
De plus, je suis un fat.

Le Comte.       Mais cependant, mon gain

Montait à quatre cents, et j'en suis très
certain.

PASQUIN. C'est vous qui vous trompez ou
c'est moi qui vous trompe,
Et vous ne pensez pas que l'argent me
corrompe?

LE COMTE. Monsieur Pasquin?

PASQUIN. Monsieur.

LE COMTE. Vous êtes un fripon.

PASQUIN. Je vous respecte trop pour vous
dire que non;
Mais. . .

LE COMTE, l'interrompant. Brisons là-dessus.

PASQUIN. Oui; parlons d'Isabelle.
Vous vous refroidissez, ce me semble,
pour elle.
Elle s'en plaint du moins.

LE COMTE. Elle sait mon amour.
J'ai parlé; c'est assez.

PASQUIN. Son père est de retour.

LE COMTE. C'est à lui de venir et de m'offrir sa fille.

PASQUIN. Ah! monsieur, vous voulez qu'un
père de famille
Fasse les premiers pas?

LE COMTE. Oui, monsieur, je le veux.
Un homme de mon rang doit tout exiger
d'eux.

PASQUIN. Prenez une manière un peu
moins dédaigneuse;
Car Lisette m'a dit. . .

LE COMTE, l'interrompant. Petite raisonneuse,
Qui veut parler sur tout et ne dit jamais
rien.

PASQUIN. Pour une raisonneuse, elle raisonne bien!

LE COMTE. Et que dit-elle donc?

PASQUIN. Elle dit qu'Isabelle
A pour les glorieux une haine mortelle,
Et qu'à ses yeux le rang, la haute qua-
lité,
Perd beaucoup de son lustre où règne la
fierté.

LE COMTE, se levant. Que dites-vous?

PASQUIN. Moi, rien. C'est Lisette. . . J'espère. . .

LE COMTE, se rasseyant. On vient. . .
Voyez qui c'est.

PASQUIN. Ma foi! c'est le beau-père.

LE COMTE. J'étais bien assuré qu'il ferait
son devoir.

PASQUIN. Il faudrait vous lever pour l'aller recevoir.

LE COMTE. Je crois que ce coquin prétend
m'apprendre à vivre!

¹ verser rasade, fill the glass to the brim.

Allez, faites-le entrer, et moi, je vais
vous suivre.

## SCÈNE XIV.

LE COMTE, LISIMON, PASQUIN.

LISIMON, à Pasquin. Le comte de Tufière
est-il ici, mon cœur?

PASQUIN. Oui, monsieur, le voici.
(Le comte se lève nonchalamment,
et fait un pas au-devant de Lisimon, qui l'embrasse.)

LISIMON, au comte. Cher comte, serviteur.

LE COMTE, bas à Pasquin. Cher comte!
Nous voilà grands amis, ce me semble!

LISIMON. Ma foi! je suis ravi que nous
logions ensemble!

LE COMTE, froidement, en se rasseyant.
J'en suis fort aise aussi!

LISIMON. Parbleu! nous boirons bien!
Vous buvez sec, dit-on: moi, je n'y laisse
rien.
Je suis impatient de vous verser rasade,¹
(Remarquant la morgue du comte.)
Et ce sera bientôt. . . Mais êtes-vous
malade?
A votre froide mine, à votre sombre ac-
cueil. . .

LE COMTE, à Pasquin, qui présente une
chaise à Lisimon. Faites asseoir
monsieur. . . Non, offrez un fauteuil.
Il ne le prendra pas, mais. . .

LISIMON. Je vous fais excuse.
Puisque vous me l'offrez, trouvez bon
que j'en use,
Que je m'étale aussi; car je suis sans
façon,
Mon cher, et cela doit vous servir de le-
çon,
Et je veux qu'entre nous toute céré-
monie
Dès ce même moment pour jamais soit
bannie.
Oh! çà, mon cher garçon, veux-tu venir
chez moi?
Nous serons tous ravis de dîner avec toi!

LE COMTE. Me parlez-vous, monsieur?

LISIMON. A qui donc, je te prie?
A Pasquin?

LE COMTE. Je l'ai cru.

LISIMON. Tout de bon? Je parie
Qu'un peu de vanité t'a fait croire cela.

LE COMTE. Non, mais je suis peu fait à
ces manières-là.

LISIMON. Oh! bien, tu t'y feras, mon en-
    fant. Sur les tiennes,
A mon âge, crois-tu que je forme les
    miennes?
LE COMTE. Vous aurez la bonté d'y faire
    vos efforts.
LISIMON. Tiens, chez moi le dedans gou-
    verne le dehors.
Je suis franc.
LE COMTE. Quant à moi, j'aime la poli-
    tesse.
LISIMON. Moi, je ne l'aime point, car c'est
    une traîtresse
Qui fait dire souvent ce qu'on ne pense
    pas.
Je hais, je fuis ces gens qui font les
    délicats,
Dont la fière grandeur d'un rien se for-
    malise,
Et qui craint qu'avec elle on ne fa-
    miliarise;
Et ma maxime, à moi, c'est qu'entre
    bons amis
Certains petits écarts doivent être per-
    mis.
LE COMTE. D'amis avec amis on fait la
    différence.
LISIMON. Pour moi, je n'en fais point.
LE COMTE.        Les gens de ma naissance
Sont un peu délicats sur ces distinctions,
Et je ne suis ami qu'à ces conditions.
LISIMON. Ouais! vous le prenez haut! . . .
    Écoute, mon cher comte:
Si tu fais tant le fier, ce n'est pas là
    mon compte.
Ma fille te plaît fort, à ce que l'on m'a
    dit.
Elle est riche, elle est belle, elle a beau-
    coup d'esprit:
Tu lui plais; j'y souscris du meilleur de
    mon âme,
D'autant plus que par là je contredis ma
    femme
Qui voudrait m'engendrer d'un grand
    complimenteur,
Qui ne dit pas un mot sans dire une fa-
    deur.
Mais aussi si tu veux que je sois ton
    beau-père,
Il faut baisser d'un cran [1] et changer de
    manière;
Ou si non, marché nul.
LE COMTE, *bas à Pasquin, en se levant
    brusquement.* Je vais le prendre au
    mot.

PASQUIN, *bas,* Vous en mordrez vos doigts,
    ou je ne suis qu'un sot.
Pour un faux point d'honneur perdre
    votre fortune!
LE COMTE, *bas.* Mais si. . .
LISIMON, *l'interrompant.* Toute contrainte,
    en un mot, m'importune.
L'heure du dîner presse; allons, veux-tu
    venir?
Nous aurons le loisir de nous entretenir
Sur nos arrangements; mais commen-
    çons par boire.
Grand'soif, bon appétit, et surtout point
    de gloire;
C'est ma devise. On est à son aise chez
    moi,
Et vivre comme on veut c'est notre uni-
    que loi.
Viens, et sans te gourmer [2] avec moi de
    la sorte,
Laisse en entrant chez nous ta grandeur
    à la porte.
            (*Il sort et emmène le comte.*)

## SCÈNE XV.

PASQUIN.

Voilà mon glorieux bien tombé! Sa hau-
    teur
Avait, ma foi, besoin d'un pareil pré-
    cepteur,
Et si cet homme-là ne le rend pas trai-
    table,
Il faut que son orgueil soit un mal in-
    curable.


## ACTE TROISIÈME.

### SCÈNE PREMIÈRE.

LE COMTE, PASQUIN.

LE COMTE. Oui, quoiqu'à mes valets je
    parle rarement,
Je veux bien, en secret, m'abaisser un
    moment,
Et descendre avec toi jusqu'à la con-
    fiance.
De ton attachement j'ai fait l'expé-
    rience;
Je te vois attentif à tous mes intérêts,
Et tu seras charmé d'apprendre mes pro-
    grès.
PASQUIN. Je vois que vous avez empaumé [3]
    le beau-père.

---

[1] baisser d'un cran, to show less haughtiness.
[2] gourmer, to assume too serious a manner.
[3] empaumer, term taken from jeu de paume, to make a good return of the ball, and figuratively, to gain control of another's mind.

LE COMTE. Il m'adore à présent.

PASQUIN.                    J'en suis ravi!

LE COMTE.                              J'espère
Que, me connaissant mieux, il me res-
    pectera;
Et je te garantis qu'il se corrigera.

PASQUIN. Du moins pour le gagner vous
    avez fait merveilles,
Et vous avez vidé presque vos deux bou-
    teilles
Avec tant de sang-froid et d'intrépidité,
Que le futur beau-père en était enchanté.

LE COMTE. Il vient de me jurer que je se-
    rais son gendre.
Sa fille était ravie et me faisait entendre
Combien à ce discours son cœur prenait
    de part;
Et moi, j'ai bien voulu, par un tendre
    regard,
Partager le plaisir qu'elle laissait pa-
    raître.

PASQUIN. Quel excès de bonté!

LE COMTE.                    Si son père est le maître,
L'affaire ira grand train! Par mon air
    de grandeur
J'ai frappé le bonhomme: il contraint
    son humeur,
Et n'ose presque plus me tutoyer.

PASQUIN.                              Cet homme
Sent ce que vous valez; mais je veux
    qu'on m'assomme
Si vous venez à bout de le rendre poli!

LE COMTE. D'où vient?

PASQUIN. C'est qu'il est vieux, et qu'il a
    pris son pli.
D'ailleurs il compte fort que sa richesse
    immense
Est, du moins, comparable à la haute
    naissance.

LE COMTE. Il veut le faire croire, et pour-
    tant n'en croit rien.
Je vois clair; je suis sûr que malgré tout
    son bien,
Il sent qu'il a besoin de se donner du
    lustre
Et d'acheter l'éclat d'une alliance illus-
    tre.
De ces hommes nouveaux c'est là l'ambi-
    tion.
L'avarice est d'abord leur grande pas-
    sion;
Mais ils changent d'objet dès qu'elle est
    satisfaite,
Et courent les honneurs quand la for-
    tune est faite.
Lisimon, nouveau noble et fils d'un père
    heureux

Qui, le comblant de biens, n'a pu com-
    bler ses vœux,
Souhaite de s'enter sur [1] la vieille no-
    blesse;
Et sa fille, sans doute, a la même fai-
    blesse.
Un homme tel que moi flatte leur va-
    nité;
Et c'est là ce qui doit redoubler ma
    fierté.
Je veux me prévaloir du droit de ma
    naissance,
Et pour les amener à l'humble déférence
Qu'ils doivent à mon sang, je vais, dans
    le discours,
Leur donner à penser que mon père est
    toujours
Dans cet état brillant, superbe et ma-
    gnifique
Qui soutint si longtemps notre noblesse
    antique,
Et leur persuader que, par rapport au
    bien
Qui fait tout leur orgueil, je ne leur
    cède en rien.

PASQUIN. Mais ne pourront-ils point dé-
    couvrir le contraire?
Car un vieux serviteur de monsieur votre
    père
Autrefois m'a conté les cruels accidents
Qui lui sont arrivés; et peut-être. . .

LE COMTE, l'interrompant.          Le temps
Les a fait oublier. D'ailleurs notre pro-
    vince,
Où mon père autrefois tenait l'état d'un
    prince,
Est si loin de Paris qu'à coup sûr ces
    gens-ci
De nos adversités n'ont rien su jus-
    qu'ici,
Si ta discrétion. . .

PASQUIN, l'interrompant.          Croyez. . .

LE COMTE, l'interrompant à son tour.
    Point de harangue;
Les effets parleront.

PASQUIN.                    Disposez de ma langue.
Je la gouvernerai tout comme il vous
    plaira.

LE COMTE. Sur l'état de mes biens on t'in-
    terrogera.
Sans entrer en détail, réponds en as-
    surance,
Que ma fortune, au moins, égale ma
    naissance.
A Lisette, surtout, persuade-le bien.
Pour établir ce fait c'est le plus sûr
    moyen;

[1] s'enter sur, to marry into, become allied with.

Car elle a du crédit sur toute la famille.

PASQUIN. Ma foi! vous devriez ménager
cette fille.
Elle vous veut du bien, à ce qu'elle m'a
dit.

LE COMTE. D'une suivante, moi, ménager
le crédit!
J'aurais trop à rougir d'une telle bassesse!
Près d'elle, j'y consens, fais agir ton
adresse,
Sans dire que ce soit de concert avec
moi.
J'approuve ce commerce; il convient
d'elle à toi. . .
(*Entendant du bruit.*)
On vient. . . Sors, et surtout fais bien
ton personnage.

PASQUIN. Oh! quand il faut mentir nous
avons du courage.

(*Il sort.*)

## SCÈNE II.

LE COMTE, ISABELLE, LISETTE.

ISABELLE, *au comte.* Je vous trouve à propos, et mon père veut bien
Que nous ayons tous deux un moment
d'entretien.
Il me destine à vous; l'affaire est sérieuse!

LE COMTE. Et j'ose me flatter qu'elle n'est
pas douteuse,
Que par vous mon bonheur me sera confirmé.
J'aspire à votre main, mais je veux être
aimé.
A ce bonheur parfait oserais-je prétendre?
C'est un charmant aveu que je brûle
d'entendre.

LISETTE. Je sais ce qu'elle pense, et je
crois qu'en effet
Vous avez lieu, monsieur, d'en être satisfait.

LE COMTE, *à Isabelle, après avoir regardé
dédaigneusement Lisette.* Eh! faites-
moi l'honneur de répondre vous-
même.

LISETTE. Une fille, monsieur, ne dit point:
Je vous aime;
Mais garder le silence en cette occasion,
C'est assez bien répondre à votre ques-
tion.

LE COMTE, *à Isabelle.* Ne parlez-vous jamais que par une interprète?

ISABELLE. Comme elle est mon amie et
qu'elle est très discrète. . .

LE COMTE, *l'interrompant.* Votre amie?

ISABELLE. Oui, monsieur.

LE COMTE. Cette fille est à vous,
Ce me semble?

ISABELLE. Il est vrai; mais ne m'est-il pas
doux
D'avoir en sa personne une compagne
aimable,
Dont la société rend ma vie agréable?

LE COMTE. Quoi! Lisette avec vous est en
société?
Je ne vous croyais pas cet excès de
bonté!

ISABELLE. Eh! pourquoi non, monsieur?

LE COMTE. Chacun a sa manière
De penser, mais pour moi. . .

LISETTE, *à part.* Le comte de Tufière
Est un franc glorieux! On me l'avait
bien dit.

ISABELLE, *au comte.* Je lui trouve un bon
cœur, joint avec de l'esprit,
De la sincérité, de l'amitié, du zèle
Et je ne puis avoir trop de retour pour
elle;
Car enfin. . .

LE COMTE, *l'interrompant.* Votre père a-t-
il fixé le jour
Où je dois recevoir le prix de mon
amour?

ISABELLE. Vous allez un peu vite, et nous
devons, peut-être,
Avant le mariage un peu mieux nous
connaître,
Examiner à fond quels sont nos sentiments,
Et ne pas nous fier aux premiers mouvements.
C'est peu qu'à nous unir le penchant
nous anime,
Il faut que ce penchant soit fondé sur
l'estime,
Et. . .

LE COMTE, *l'interrompant.* J'attendais de
vous, à parler franchement,
Moins de précautions et plus d'empressement.
Je croyais mériter que d'une ardeur sincère
Votre cœur appuyât l'aveu de votre
père,
Et que, sur votre hymen, me voyant
vous presser,
Vous me fissiez l'honneur de ne pas balancer.

ISABELLE. Moi, j'ai cru mériter que, du
moins pour ma gloire,

Vous me fissiez l'honneur de ne pas tant
vous croire,
Que de votre personne osant moins présumer,
Vous parussiez moins sûr que l'on dût
vous aimer;
Et ce doute obligeant, qui ne pourrait
vous nuire,
Calmerait un soupçon que je voudrais
détruire.

LE COMTE. Quel soupçon, s'il vous plaît?

ISABELLE.               Le soupçon d'un défaut
Dont l'effet contre vous n'agirait que
trop tôt.

## SCÈNE III.

VALÈRE, ISABELLE, LE COMTE, LISETTE.

VALÈRE, *à Isabelle.* Dois-je croire, ma
sœur, ce qu'on vient de m'apprendre?

ISABELLE. Quoi?

VALÈRE, *montrant le comte.* Que vous
épousez monsieur?

LE COMTE.               J'ose m'attendre,
Monsieur, que son dessein aura votre
agrément.

VALÈRE. Je crois. . .

LE COMTE, *l'interrompant.* Et vous pouvez
m'en faire compliment.
J'en serai très flatté. . . (*Il veut sortir.*)
Je rejoins votre père,
Pour lui donner parole et conclure l'af-
faire.

VALÈRE, *le retenant.* Vous pourrez y
trouver quelque difficulté.

LE COMTE. Moi, monsieur?

VALÈRE               J'en ai peur.

LE COMTE.               Aurez-vous la bonté
De me faire savoir qui peut la faire
naître?
Qui me traversera?

VALÈRE. Mais. . . ma mère, peut-être.

LE COMTE. Votre mère?

VALÈRE.               Oui, monsieur.

LE COMTE, *riant.*               Cela serait plaisant!

ISABELLE, *bas, à Lisette.* Il prend avec mon
frère un ton bien suffisant!

LE COMTE, *à Valère.* Elle ne sait donc pas
que j'adore Isabelle,
Et qu'un ami commun m'a proposé pour
elle?

VALÈRE. Pardonnez-moi, monsieur.

LE COMTE.               Vous m'étonnez!

VALÈRE.               Pourquoi?

LE COMTE. C'est que j'avais compté
qu'elle serait pour moi,
J'avais imaginé que mon rang, ma naissance,

Méritaient des égards et de la déférence;
Que bien d'autres raisons, que je pourrais citer,
Si j'étais assez vain pour oser me vanter,
Feraient pencher pour moi madame
votre mère. . .
               (*Avec ironie.*)
Mais je me suis trompé; je le vois
bien. . . Qu'y faire?
Peut-être en ma faveur suis-je trop prévenu.
Oui, j'ai quelque défaut qui ne m'est pas
connu,
Et, loin que le mépris et m'offense et
m'irrite,
Je ne m'en prends jamais qu'à mon peu
de mérite.

VALÈRE. Qui, nous, vous mépriser? En
recherchant ma sœur,
Certainement, monsieur, vous nous faites
honneur.

LE COMTE, *avec un souris dédaigneux.* Ah!
mon Dieu! point du tout.

VALÈRE.               Mais, à parler sans feinte,
Depuis assez longtemps ma mère est
pour Philinte.
Elle a même avec lui quelques engagements,
Et l'amitié, l'estime, en sont les fondements.

LE COMTE, *d'un ton railleur.* Oh! je le
crois. Philinte est un homme admirable!

VALÈRE. Non, mais à dire vrai, c'est un
homme estimable.
Quoiqu'il ne soit plus jeune, il peut se
faire aimer;
Et riche, sans orgueil. . .

LE COMTE, *l'interrompant, avec ironie.*
Vous allez m'alarmer
Par le portrait brillant que vous en
voulez faire.
Je commence à sentir que je suis témé-
raire
D'entrer en concurrence avec un tel ri-
val,
Quoiqu'il soit, m'a-t-on dit, un franc
original.
Oui, oui, j'ouvre les yeux. Ma figure,
mon âge,
Tout ce qu'on vante en moi n'est qu'un
faible avantage,
Sitôt qu'avec Philinte on veut me com-
parer,
Et c'est lui faire tort que de délibérer!

LISETTE, *à Isabelle.* Quoi! n'admirez-vous
pas cette humble repartie?

Isabelle. Je n'en suis point la dupe; et cette modestie
N'est, selon mon avis, qu'un orgueil déguisé.

Le Comte, *avec ironie.* Madame, en vain pour vous je m'étais proposé.
Mon ardeur est trop vive et trop peu circonspecte;
On m'oppose un rival qu'il faut que je respecte.

Isabelle, *en souriant.* Philinte du respect veut bien vous dispenser.

Le Comte, *faisant la révérence.* Il me fait trop d'honneur!

Valère. Mais, sans vous offenser,
Il a cent qualités respectables. Du reste,
Plus on veut l'en convaincre et plus il est modeste.
Il se tait sur son rang, sur sa condition. . .

Le Comte. Et fait très sagement; car, sans prévention,
Il aurait un peu tort de vanter sa naissance.

Valère. Il est bien gentilhomme!

Le Comte. On a la complaisance
De le croire.

Valère. Et de plus il le prouve.

Le Comte. Ma foi!
C'est tout ce qu'il peut faire. A des gens tels que moi
Ce n'est pas là-dessus que l'on en fait accroire,
Et j'ose me vanter, sans me donner de gloire,
Car je suis ennemi de la présomption,
Que si Philinte était d'une condition
Et de quelque famille un peu considérable,
Nous n'aurions pas sur lui de dispute semblable,
Et bien sûrement il me serait connu.
Mais son nom jusqu'ici ne m'est pas parvenu;
Preuve que sa noblesse est de nouvelle date.

Valère. C'est ce qu'on ne dit pas dans le monde.

Le Comte. On le flatte.
Par exemple, monsieur, vous connaissiez mon nom
Avant de m'avoir vu?

Valère. Je vous jure que non.

Le Comte. Tant pis pour vous, monsieur; car le nom de Tufière
Nous ne le prenons pas d'une gentilhommière,[1]
Mais d'un château fameux. L'histoire en cent endroits
Parle de mes aïeux et vante leurs exploits.
Daignez la parcourir; vous verrez qui nous sommes,
Et qu'entre mes vassaux, j'ai trois cents gentilshommes
Plus nobles que Philinte.

Valère. Ah! monsieur, je le croi.

Le Comte. Les gens de qualité le savent mieux que moi.
Pour moi, je n'en dis rien; il faut être modeste.

Valère. C'est très bien fait à vous. L'orgueil. . .

Le Comte, *l'interrompant.* . Je le déteste.
Les grands perdent toujours à se glorifier,
Et rien ne leur sied mieux que de s'humilier. . .
(*Voyant que Valère veut s'en aller.*)
Vous sortez?

Valère, *avec ironie.* Oui, monsieur, je quitte la partie,
Et je sors enchanté de votre modestie.

Le Comte, *lui touchant dans la main.* Sommes-nous bons amis?

Valère. Ce m'est bien de l'honneur,
Et je. . .

Le Comte, *l'interrompant.* Parbleu! je suis votre humble serviteur.
Si vous voyez Philinte, engagez-le, de grâce,
A ne pas m'obliger à lui céder la place,
Il fera beaucoup mieux s'il renonce à l'espoir
D'épouser votre sœur et cesse de la voir.
Dites-lui que je crois qu'il aura la prudence
De ne me pas porter à quelque violence;
Car, je vous le déclare, en termes très exprès,
S'il l'emportait sur moi nous nous verrions de près.

Valère. A cet égard, monsieur, je ne puis rien vous dire;
Mais j'entends ce discours, et je vais l'en instruire.

(*Il sort.*)

## SCÈNE IV.

Le Comte, Isabelle, Lisette.

Isabelle. Vous traitez vos rivaux avec bien du mépris.

[1] gentilhommière, country house of a noble too poor to own a château.

LE COMTE. Personne, selon moi, n'en doit
 être surpris.
Je n'ai pas de fierté; mais, à parler sans
 feinte,
Je suis choqué de voir qu'on m'oppose
 Philinte.
Un rival comme lui n'est pas fait, que
 je crois,
Pour traverser les vœux d'un homme tel
 que moi!
ISABELLE. D'un homme tel que moi? Ce
 terme-là m'étonne!
Il me paraît bien fort!
LE COMTE.    C'est selon la personne.
Je conviens avec vous qu'il sied à peu
 de gens.
Mais je crois que l'on peut me le passer.
ISABELLE. J'entends.
Le ciel vous a fait naître avec tant
 d'avantage
Que tout le genre humain vous doit un
 humble hommage!
LE COMTE. Comment donc! d'un rival
 prenez-vous le parti?
ISABELLE. Non pas; mais, à présent que
 mon frère est sorti,
Souffrez que je vous parle avec moins
 de contrainte,
Et blâme vos hauteurs à l'égard de
 Philinte.
LE COMTE. J'en attendais de vous un plus
 juste retour,
Et ma vivacité vous prouve mon amour.
ISABELLE. Dites votre amour-propre. Oui,
 tout me le fait croire,
Vous avez moins d'amour que vous
 n'avez de gloire.
LE COMTE. L'un et l'autre m'anime, et la
 gloire que j'ai
Soutient les intérêts de l'amour outragé.
Elle n'a pu souffrir l'indigne préférence
Dont j'étais menacé, même en votre
 présence.
Vous dites qu'elle est fière et parle avec
 hauteur.
Mais qu'est-ce que ma gloire, après tout?
 C'est l'honneur.
Cet honneur, il est vrai, veut le respect,
 l'estime;
Mais il est généreux, sincère, magna-
 nime;
Et, pour dire en deux mots quelque chose
 de plus,
Il est et fut toujours la source des
 vertus.
ISABELLE. Des effets de l'honneur je suis
 persuadée;
Mais a-t-il de soi-même une si haute
 idée

Qu'il la laisse éclater en propos fas-
 tueux?
Le véritable honneur est moins pré-
 somptueux,
Il ne se vante point; il attend qu'on le
 vante;
Et c'est la vanité qui, lasse de l'attente,
Et qui, fière des droits qu'elle sait
 s'arroger,
Croit obtenir l'estime en osant l'exiger.
Mais, loin d'y réussir, elle offense, elle
 irrite,
Et ternit tout l'éclat du plus parfait
 mérite.
LE COMTE. De grâce, à quel propos cette
 distinction?
ISABELLE. Je vous laisse le soin de l'ap-
 plication;
Et, de la modestie embrassant la dé-
 fense,
Je soutiens que par elle on voit la dif-
 férence
Du mérite apparent au mérite parfait.
L'un veut toujours briller, l'autre brille,
 en effet,
Sans jamais y prétendre, et sans même
 le croire.
L'un est superbe et vain; l'autre n'a
 point de gloire;
Le faux aime le bruit; le vrai craint
 d'éclater;
L'un aspire aux égards, l'autre à les
 mériter.
Je dirai plus. Les gens nés d'un sang
 respectable
Doivent se distinguer par un esprit
 affable,
Liant, doux, prévenant; au lieu que la
 fierté
Est l'ordinaire effet d'un éclat emprunté.
La hauteur est partout odieuse, im-
 portune.
Avec la politesse un homme de fortune
Est mille fois plus grand qu'un grand
 toujours gourmé,
D'un limon précieux se présumant formé,
Traitant avec dédain, et même avec
 rudesse,
Tout ce qui lui paraît d'une moins noble
 espèce;
Croyant que l'on est tout quand on est
 de son sang,
Et croyant qu'on n'est rien au-dessous
 de son rang.
LE COMTE. Ce discours est fort beau! . . .
 Mais que voulez-vous dire?
ISABELLE. Lisette, mieux que moi, saura
 vous en instruire.
Je lui laisse le soin de vous interpréter

Un discours qui paraît déjà vous irri-
ter.
LE COMTE. Non, de grâce! avec vous souf-
frez que je m'explique.
Cette fille, après tout, est votre domes-
tique;
Ne me commettez pas. . .
ISABELLE, *l'interrompant.* Quand vous la
connaîtrez,
Des gens de son état vous la distin-
guerez;
Et vous me ferez voir une preuve fidèle
De vos égards pour moi dans vos égards
pour elle.
Elle connaît à fond mon esprit, mon hu-
meur.
Écoutez, profitez et méritez mon cœur,
Adieu.

*(Elle sort.)*


SCÈNE V.


LE COMTE, LISETTE.

LE COMTE. Vous restez donc?
LISETTE.            Excusez mon audace,
Et souffrez une fois que je me satisfasse.
Il faut que je vous parle: on me l'or-
donne; et moi
J'en meurs d'envie aussi; mais je ne sais
pourquoi.
LE COMTE. Votre ton familier m'importune
et me blesse!
LISETTE. Vous n'êtes occupé que de votre
noblesse;
Mais en interprétant ce que l'on vous a
dit,
Quand on fait trop le grand, on paraît
bien petit!
LE COMTE. Quoi! vous osez. . . ?
LISETTE, *l'interrompant.* Oui, j'ose; et votre
erreur extrême
Me force à vous prouver à quel point
je vous aime.
Vous vous perdez, monsieur.
LE COMTE.   Comment donc! je me perds?
LISETTE. Votre orgueil a percé. Vos hau-
teurs, vos grands airs
Vous décèlent d'abord, malgré la po-
litesse
Dont vous les décorez. La gloire est bien
traîtresse!
Le discours d'Isabelle était votre por-
trait,
Et son discernement vous a peint trait
pour trait.

Dût la gloire en souffrir, je ne saurais
me taire.
Je ne vous dirai pas: Changez de carac-
tère;
Car on n'en change point, je ne le sais
que trop.
Chassez le naturel, il revient au galop;
Mais du moins je vous dis: Songez à
vous contraindre,
Et devant Isabelle efforcez-vous de fein-
dre.
Paraissez quelque temps de l'humeur
dont elle est,
Et faites que l'orgueil se prête à l'in-
térêt;
Car, après tout, monsieur, l'éclat de la
richesse
Augmente encor celui de la haute no-
blesse.
Voilà mon sentiment. Profitez-en ou
non,
Mon cœur seul m'a dicté cette utile le-
çon . . .
*(Voyant qu'il l'écoute avec humeur.)*
Votre gloire irritée en paraît mécon-
tente;
Je lui baise les mains, et je suis sa servante.

*(Elle sort.)*


SCÈNE VI.


LE COMTE

Il n'est donc plus permis de sentir ce
qu'on vaut?
Savoir tenir son rang passe ici pour
défaut?
Et ces petits bourgeois traiteront d'arrogance
Les sentiments qu'inspire une haute naissance?
Si je m'en croyais . . . Non, je veux
prendre sur moi. . .
L'amour et l'intérêt m'en imposent la loi.
Oui, devant Isabelle il faudra me contraindre:
Mais l'indigne rival qu'on veut me faire
craindre
Va, dès ce même instant, me voir tel que
je suis,
S'il m'ose disputer l'objet que je poursuis.
Je veux connaître un peu ce petit personnage,
Et lui parler d'un ton à le rendre plus
sage!

## SCÈNE VII.

### PHILINTE, LE COMTE.

PHILINTE, *faisant plusieurs révérences.* Je
  ne viens vous troubler dans vos ré-
  flexions
Que pour vous assurer de mes soumis-
  sions,
Monsieur. Depuis longtemps je vous
  dois cet hommage,
Et je ne le saurais différer davantage.
LE COMTE. Très obligé, monsieur. D'où
  nous connaissons-nous?
PHILINTE. Si je n'ai pas l'honneur d'être
  connu de vous,
J'aurai bientôt celui de me faire con-
  naître.
Mon nom n'impose pas, mais . . .
LE COMTE, *l'interrompant.* Cela peut bien
  être.
PHILINTE. Tel qu'il est, puisqu'il faut
  qu'il vous soit décliné . . .
  (*En faisant une profonde révérence.*)
Je m'appelle Philinte.
LE COMTE.            Oh! j'ai donc deviné.
Je vous ai reconnu d'abord aux révé-
  rences.
PHILINTE, *d'un air très humble.* Je ne
  puis vous marquer par trop de défé-
  rences
Combien je vous honore!
LE COMTE.            Et vous avez raison.
Mais de quoi s'agit-il? Parlez-moi sans
  façon.
PHILINTE. Valère est mon ami; vous le
  savez, je pense?
LE COMTE. Que m'importe cela?
PHILINTE.            Tantôt, en sa présence,
Si j'en crois son rapport, et j'en suis
  peu surpris,
Vous m'avez honoré. . . d'un assez grand
  mépris?
LE COMTE. Il vous exaltait fort; moi, j'ai
  dit ma pensée.
Votre délicatesse en est-elle blessée?
PHILINTE, *faisant la révérence.* Ah! mon-
  sieur, point du tout; je me con-
  nais, je crois
Qu'on peut avec raison dire du mal de
  moi.
Mais on ajoute encore à l'égard d'Isa-
  belle
Que vous me défendez de revenir chez
  elle.
LE COMTE. Voilà précisément ce que j'ai
  prétendu
Qu'on vous dît.
PHILINTE.    Je croyais avoir mal entendu.

LE COMTE. Pourquoi?
PHILINTE.    Vous exigez un cruel sacrifice,
Et je doute bien fort que je vous obéisse!
LE COMTE, *d'un air railleur.* Vous en dou-
  tez, monsieur?
PHILINTE.            Jamais, jusqu'à ce jour,
Je ne me suis senti si plein de mon
  amour!
LE COMTE. Je vous en guérirai.
PHILINTE.            Monsieur, j'en désespère;
Et j'en viens d'assurer Isabelle et sa
  mère.
LE COMTE, *mettant son chapeau.* Et vous
  venez me faire un pareil compli-
  ment?
PHILINTE. Avec confusion, mais très dis-
  tinctement.
La nature, envers moi moins mère que
  marâtre,
M'a formé très rétif et très opiniâtre,
Surtout lorsque quelqu'un veut m'im-
  poser la loi.
LE COMTE. L'opiniâtreté ne tient point
  contre moi,
Je vous en avertis.
PHILINTE.            La mienne est bien mutine!
Plus on lui fait la guerre, et plus elle
  s'obstine;
Et jamais la hauteur ne pourra la domp-
  ter.
LE COMTE. Vous êtes bien hardi de venir
  m'insulter!
Un petit gentilhomme ose avoir cette
  audace?
PHILINTE. Moi, monsieur? Je vous viens
  demander une grâce.
LE COMTE. Eh! c'est?
PHILINTE. De m'accorder le plaisir et l'hon-
  neur. . .
De me couper la gorge avec vous.
LE COMTE.                    La faveur
Est bien grande, en effet! Vous êtes té-
  méraire!
Vous vous méconnaissez! . . . Mais il
  faut vous complaire.
L'honneur que vous avez d'être un de
  mes rivaux
Va vous faire monter au rang de mes
  égaux.
PHILINTE, *d'un air railleur, mettant ses
  gants.* Je suis reconnaissant de cette
  grâce insigne,
Et je vais vous prouver que mon cœur
  en est digne.
LE COMTE. Trève de compliments! . . .
  Moi, je vais vous prouver
Que l'on court un grand risque en osant
  me braver!
  (*Ils mettent l'épée à la main.*)

## SCÈNE VIII.

LISIMON, LE COMTE, PHILINTE.

LISIMON, *accourant.* Chez moi, morbleu!
 chez moi faire un pareil vacarme?
 Par la mort! le premier. . .
PHILINTE, *remettant son épée.* Le respect
 me désarme.
LISIMON. Ah! vous êtes mutin, monsieur le
 doucereux!
PHILINTE. Quelquefois.
LE COMTE, *à Lisimon, en remettant aussi
 son épée.* Par bonheur il n'est pas
 dangereux!
PHILINTE. C'est ce qu'il faudra voir. Du
 moins je vous assure
 Que de cette maison si quelqu'un peut
 m'exclure
 Ce ne sera pas vous.
LISIMON.                Non, mais ce sera moi.
PHILINTE. Je prends la liberté de vous
 dire. . .
LISIMON, *l'interrompant.* Je croi
 Qu'un père de famille en ce cas est le
 maître?
PHILINTE. J'en conviens.
LISIMON.   Et je prends la liberté de l'être,
 En dépit de ma femme et de ses ad-
 hérents!
 Si tu ne le sais pas, c'est moi qui te
 l'apprends!
 Le comte aime ma fille: il a droit d'y
 prétendre.
 J'ai pris la liberté de le choisir pour
 gendre.
 Ma fille en est d'accord, et prend la
 liberté
 De se soumettre en tout à mon autorité.
 Ainsi, sans te flatter contre toute ap-
 parence,
 En prenant ton congé, tire ta révérence.
PHILINTE. J'aurai l'honneur, monsieur, de
 répondre à cela
 Que madame n'est pas de ce sentiment-
 là.
LISIMON. Madame n'en est pas? J'ai donné
 ma parole.
 Si pour me chicaner madame est assez
 folle,
 Madame, sur-le-champ, par le pouvoir
 que j'ai,
 En même temps que toi recevra son
 congé.
PHILINTE. J'adore votre fille, et l'aveu de
 sa mère
 Me permet d'aspirer au bonheur de lui
 plaire.

Dès qu'elles m'excluront, je leur obéirai.
Jusque-là j'ai mes droits, et je les sou-
 tiendrai.
                                  (*Il sort.*)

## SCÈNE IX.

LE COMTE, LISIMON.

LISIMON. Quelle obstination!
LE COMTE.              Ceci vient de Valère;
 Et je m'en vengerais, si vous n'étiez son
 père!
LISIMON. Je veux le faire, moi, mourir sous
 le bâton,
 Ou le gueux, dès ce soir, quittera la
 maison.
 Il m'a joué d'un tour! . . . Eh! là, là;
 patience!
LE COMTE. C'est un petit monsieur rempli
 de suffisance!
LISIMON. Le portrait de sa mère, un sot, un
 freluquet,
 Qui fait le bel esprit, et n'a que du
 caquet!
 O la méchante femme! Avec son air af-
 fable,
 Composé, doucereux, c'est un tyran, un
 diable.
 De sang-froid, tout à l'heure, en termes
 éloquents
 Et tous bien de niveau, mais malins et
 piquants,
 Devant ma fille même elle m'a fait en-
 tendre
 Qu'elle me quittera si je vous prends
 pour gendre.
 Et moi, j'ai répondu que j'étais résigné
 A souffrir ce malheur dès qu'elle aurait
 signé;
 Qu'immédiatement après sa signature
 Elle pourrait aller à sa bonne aventure.
 Sur cela, force pleurs, évanouissements.
 Isabelle et Lisette, avec gémissements,
 L'ont vite secourue, et, par cérémonie,
 Toutes trois à présent pleurent de com-
 pagnie;
 Car qu'une femme pleure, une autre
 pleurera,
 Et toutes pleureront, tant qu'il en sur-
 viendra.
LE COMTE. Ainsi notre projet souffre de
 grands obstacles?
LISIMON. Pour en venir à bout je ferai
 des miracles!
 Ce que j'apprends de toi me réchauffe
 le cœur!
 Je ne te croyais pas un si puissant sei-
 gneur!

Comment diable! ton père, à ce que l'on
m'assure,
Fait dans sa baronnie une noble figure.
Le Comte, *lui frappant sur l'épaule.* Allez,
mon cher, allez, quand vous me con-
naîtrez,
De vos tons familiers vous vous corri-
gerez;
Vous ne tutoîrez plus un gendre de ma
sorte!
Lisimon. Ma foi! sans y penser l'habitude
m'emporte.
Au cérémonial en fin je me soumets.
Le Comte. Me le promettez-vous?
Lisimon.　　　　Oui, je te le promets.
Va, tu seras content.
Le Comte.　　　Fort bien! Belle manière
De se corriger!
Lisimon. Oh! trève à votre humeur fière,
Et consultons tous deux comment je m'y
prendrai
Pour finir.
Le Comte. Le conseil que je vous donnerai,
C'est de ne plus souffrir qu'ici l'on se
hasarde
A dire son avis sur ce qui me regarde.
Pour trancher, en un mot, toute difficulté,
Sachez vous prévaloir de votre autorité.
Lisimon. Si vous vouliez m'aider. . .
Le Comte, *l'interrompant.* Non, monsieur,
je vous jure!
Quand vous serez d'accord, je suis prêt
à conclure.

　　　　　　　　　　(*Il sort.*)

### SCÈNE X.

#### Lisimon.

Il faut que je sois bien possédé du démon
Pour souffrir les hauteurs d'un pareil
rodomon,[1]
Et que l'ambition m'ait bien tourné la
tête,
Puisque dans mon dépit son empire
m'arrête. . . !
Je vais rompre. . . Attendons. . . Si je
prends ce parti,
De mon autorité me voilà départi;
Je ferai triompher et mon fils et ma
femme,
Et monsieur, désormais, dépendra de
madame. . . !
Bel honneur que je fais à messieurs les
maris. . . !
Non, il n'en sera rien! . . . Le dépit
m'a surpris;

Mais l'honneur me réveille; il m'excite
à combattre,
Et je m'en vais pour lui faire le diable
à quatre!

## ACTE QUATRIÈME

### SCÈNE PREMIÈRE.

#### Lisette, Pasquin.

(*Ils entrent par deux différents côtés du
théâtre. Pasquin le premier, et marchant fort vite, sans la voir d'abord.*)

Lisette. Quoi! sans me regarder doubler
ainsi le pas?
Pasquin. Ah! ma reine, pardon, je ne vous
voyais pas.
Auriez-vous, par hasard, quelque chose
à me dire?
Lisette. Oui, sur de certains faits vou-
driez-vous m'instruire?
Pasquin. Le puis-je?
Lisette.　　　Assurément.
Pasquin.　　　　　Vous avez donc grand tort
D'en douter.
Lisette. Mais sur vous il faut faire un
effort.
Pasquin. Vous n'avez qu'à parler. Je suis
homme à tout faire
Pour vous marquer mon zèle et tâcher de
vous plaire.
Quel est ce grand effort que votre au-
torité
M'impose?
Lisette.　　　De me dire ici la vérité.
Pasquin. Rien ne me coûte moins.
Lisette.　　　　　　Pour entrer en matière,
Avez-vous jamais vu le château de Tu-
fière?
Pasquin. Si je l'ai vu? Cent fois. . . (*A
part.*) C'est mentir hardiment.
Lisette. Est-ce un si bel endroit qu'on nous
l'a dit?
Pasquin.　　　　　　　　　Comment!
C'est le plus beau château qui soit sur
la Garonne.
Vous le voyez de loin qui forme un pen-
tagone. . .
Lisette, *l'interrompant.* Pentagone. . . !
Bon dieu! quel grand mot est-ce là?
Pasquin. C'est un terme de l'art.
Lisette.　　　　　Je veux croire cela;
Mais expliquez-moi bien ce que ce mot
veut dire.
Pasquin. Cela m'est très facile, et je vais
vous décrire
Ce superbe château, pour que vous en
jugiez,

---
[1] rodomon, for Rodomont, boasting and insolent character in Ariosto's *Orlando Furioso* and
in various comedies.

Et même beaucoup mieux que si vous le
　　voyiez.
D'abord, ce sont sept tours. . . entre
　　seize courtines. . .
Avec deux tenaillons. . . placés sur trois
　　collines. . .
Qui forment un vallon. . . dont le som-
　　met s'étend
Jusque sur. . . un donjon. . . entouré
　　d'un étang. . .
Et ce donjon. . . placé justement. . .
　　sous la zone. . .
Par trois angles saillants. . . forme le
　　pentagone.[1]
LISETTE. Voilà, je vous l'avoue, un merveil-
　　leux château!
PASQUIN. Je crois, sans vanité, que vous le
　　trouvez beau!
LISETTE. Et c'est donc en ce lieu que le
　　père du comte
Tient sa cour?
PASQUIN. Oui, ma reine; et faites votre
　　compte
Que dans tout le royaume il n'est point
　　de seigneur
Qui soutienne son rang avec plus de
　　splendeur.
Meutes, chevaux, piqueurs,[2] superbes
　　équipages,
Table ouverte en tout temps, deux écu-
　　yers, six pages,
Domestiques sans nombre et bien en-
　　tretenus,
Tout cela ne saurait manger ses revenus.
LISETTE. Mais c'est donc un seigneur d'une
　　richesse immense?
PASQUIN. Vous en pouvez juger par sa
　　magnificence.
LISETTE. Je trouve en vos récits quelque
　　petit défaut.
Vous mentez à présent, ou vous mentiez
　　tantôt.
PASQUIN. Comment donc?
LISETTE. Un menteur qui n'a pas de mé-
　　moire
Se décèle d'abord.[3] Si je veux vous en
　　croire,
Le comte est grand seigneur. Dans un
　　autre entretien,
Vous m'avez assuré qu'il n'avait pas de
　　bien.
PASQUIN. Tout franc, votre argument me
　　paraît sans réplique. . .
Naturellement, moi, je suis très véridique.

Mais j'obéis. Au fond, les faits sont très
　　constants,
Et nous n'avons menti qu'en allongeant
　　le temps.
LISETTE. Rendez-moi, s'il vous plaît, cette
　　énigme plus claire.
PASQUIN. Quinze ans auparavant ce que
　　j'ai dit du père
Se trouvera très vrai. Depuis, tout a
　　changé.
Dans un piteux état le bonhomme est
　　plongé,
Et le pauvre seigneur traîne une vie ob-
　　scure.
Mais mon maître voulant qu'il fasse en-
　　cor figure,
Par un récit pompeux, fruit de sa
　　vanité,
Vient de le rétablir de son autorité.
Qu'entre nous, s'il vous plaît, la chose
　　soit secrète.
LISETTE. Allez, ne craignez rien. Si j'étais
　　indiscrète
Je ferais tort au comte; et si je fais des
　　vœux,
C'est pour pouvoir l'aider à devenir
　　heureux.
Valère à mes efforts sans relâche s'op-
　　pose:
Mais à les seconder je veux qu'il se dis-
　　pose. . .
　　　(*Voyant paraître Valère.*)
Il vient fort à propos.
PASQUIN　　　　　　　Fort à propos aussi
Je vais me retirer, puisqu'il vous cherche
　　ici.
　　　　　　　　　　(*Il sort.*)

## SCÈNE II.

### VALÈRE, LISETTE.

LISETTE, *d'un air dédaigneux.* Ah! vous
　　voilà, monsieur? Vraiment, j'en suis
　　ravie!
VALÈRE. Quoi! vous voulez gronder?
LISETTE.　　　　J'en aurais bien envie!
VALÈRE. Eh! sur quoi, s'il vous plaît?
LISETTE.　　　Mais sur vos beaux exploits.
Mes moindres volontés, dites-vous, sont
　　vos lois!
VALÈRE. Il est vrai.
LISETTE. Cependant, devant monsieur le
　　comte

---

[1] Pasquin uses technical terms borrowed from the science of fortifications. A courtine is a wall connecting bastions covering a fortification; tenaillon, salient angle; donjon, the great tower of a castle; zone, terrain within range of fire of fortification.

[2] piqueur, outrider (hunting term).

[3] cf. Corneille, *Le Menteur*, IV, 5: Il faut bonne mémoire après qu'on a menti.

Vous m'avez témoigné n'en faire pas
  grand compte;
Et, contre mon avis, votre zèle emporté
A su porter Philinte à toute extrémité.
VALÈRE. J'ai dit à mon ami qu'on avait eu
  l'audace
De risquer contre lui jusques à la menace.
Je n'ai rien dit de plus. C'est un homme
  de cœur,
Qui n'a dû sur le reste écouter que l'hon-
  neur.
LISETTE. Que l'honneur! Ce discours me
  fatigue et m'irrite.
VALÈRE. Mais par quelle raison? Philinte a
  du mérite.
LISETTE. Si vous n'employez pas vos soins
  avec ardeur
Pour faire que le comte épouse votre
  sœur,
Et pour bannir d'ici cet ennuyeux Phi-
  linte,
Je vous déclare, moi, sans mystère et sans
  feinte,
Que, demoiselle ou non, comme le ciel
  voudra,
Lisette de ses jours ne vous épousera.
J'ai conclu. C'est à vous maintenant de
  conclure.
VALÈRE. Par quel motif. . . ? (Bas, en
  voyant paraître Lycandre.) Eh!
  quoi, cette vieille figure
Viendra-t-elle toujours troubler nos en-
  tretiens?
LISETTE, bas. Il faut que je lui parle.
VALÈRE.                            Adieu donc.

## SCÈNE III.

### LYCANDRE, LISETTE.

LYCANDRE.                        Je reviens,
Et je vous trouve encore en même com-
  pagnie?
LISETTE. Oui; mais nous querellions. Va-
  lère a la manie
De vouloir empêcher que ce jeune sei-
  gneur
Qui demeure céans ne prétende à sa sœur.
LYCANDRE. Et vous, vous soutenez le comte
  de Tufière?
LISETTE. Oui, monsieur, contre tous, et de
  toute manière.
Il est vrai que le comte est si présomp-
  tueux
Qu'on ne peut se prêter à ses airs fas-
  tueux:
Il ne respecte rien, ne ménage personne,
Et plus je le connais, plus sa gloire
  m'étonne.

LYCANDRE. Ah! que vous m'affligez!
LISETTE. Eh! pourquoi, s'il vous plaît?
LYCANDRE. Mais, vous-même, pourquoi
  prenez-vous intérêt
A ce qui le concerne? Est-ce donc bien
  possible
Qu'à votre empressement il se montre
  sensible,
Jusques à vous marquer des égards, des
  bontés?
LISETTE. Il n'a payé mes soins que par des
  duretés.
Je ne puis y penser sans répandre des
  larmes.
N'importe; à le servir je trouve mille
  charmes!
LYCANDRE, à part. Qu'entends-je! Juste
  ciel! Quel bon cœur d'un côté!
De l'autre, quel excès d'insensibilité!
O détestable orgueil! . . . Non, il n'est
  point de vice
Plus funeste aux mortels, plus digne de
  supplice.
Voulant tout asservir à ses injustes
  droits,
De l'humanité même il étouffe la
  voix.
LISETTE. Je l'éprouve!
LYCANDRE. Pour vous, vous serez, je l'es-
  père,
La consolation d'un trop malheureux
  père!
LISETTE. A chaque instant, monsieur, vous
  me parlez de lui.
Il devait à mes yeux se montrer au-
  jourd'hui;
Mais il ne paraît point. Vous me trom-
  piez, peut-être?
LYCANDRE. Un peu de patience; il va bien-
  tôt paraître.
LISETTE. Pourquoi diffère-t-il de trop heu-
  reux moments?
Que ne vient-il s'offrir à mes embrasse-
  ments?
LYCANDRE. Malgré votre bon cœur, il
  craint que sa présence
Ne vous afflige.
LISETTE.   Moi! Se peut-il qu'il le pense?
LYCANDRE. Il craint que ses malheurs, trop
  dignes de pitié,
Ne refroidissent même un peu votre
  amitié.
LISETTE. Ah! qu'il me connaît mal!
LYCANDRE.         Enfin, avant qu'il vienne,
Sur sa triste aventure il veut qu'on vous
  prévienne.
Peut-être espérez-vous le voir dans son
  éclat?
Et vous le trouverez dans un cruel état.

LISETTE. Il m'en sera plus cher! et loin
    qu'il m'importune,
Il verra que mon cœur, plein de son in-
    fortune,
Redoublera pour lui de tendresse et
    d'amour.
Tout baigné de mes pleurs, avant la fin
    du jour,
Il sera possesseur du peu que je pos-
    sède.
Mon zèle à ses malheurs servira de
    remède.
Je ferai tout pour lui. Si je n'ai point
    d'argent,
J'ai de riches habits, dont on m'a fait
    présent.
Je garde un diamant que m'a laissé ma
    mère.
Je vais tout engager, tout vendre pour
    mon père.
Heureuse si je puis, et mille et mille
    fois,
Lui prouver que je l'aime autant que je
    le dois!
LYCANDRE. Arrêtez!... Laissez-moi res-
    pirer, je vous prie.
Donnez quelque relâche à mon âme at-
    tendrie.
Vous aimez votre père; il n'est plus mal-
    heureux.
LISETTE. Ah! puisqu'il est si lent à con-
    tenter mes vœux,
Apprenez-moi quel monstre a causé sa
    misère.
LYCANDRE. Quel monstre?
LISETTE.                    Oui.
LYCANDRE. L'orgueil... l'orgueil de votre
    mère.
Par son faste les biens se sont évanouis:
Son orgueil a causé des malheurs inouïs!
LISETTE. Eh! comment?
LYCANDRE. Une dame assez considérable,
Lui disputant le pas dans un lieu res-
    pectable,
En reçut un affront si sanglant, si cruel,
Qu'elle en fit éclater un déplaisir mortel.
L'époux de cette dame, enflammé de
    colère,
Pour venger cet affront attaqua votre
    père
Au retour d'une chasse, et prit si bien
    son temps,
Qu'ils se trouvèrent seuls pendant quel-
    ques instants.
D'un trop funeste effet sa fureur fut
    suivie.
Il voulait se venger; il y perdit la vie.
En un mot, votre père, en défendant
    ses jours,

Tua son ennemi; mais sans autre secours
Que celui de son bras, armé pour sa
    défense.
Les parents du défunt poussèrent la
    vengeance
Jusqu'à faire passer ce malheureux com-
    bat,
Pur effet du hasard, pour un assassinat.
Des témoins subornés soutiennent l'im-
    posture.
On les croit. Votre père, outré de cette
    injure,
Se défend: mais en vain. Il se cache.
    Aussitôt
Un arrêt le condamne; et, pour fuir l'é-
    chafaud,
Il passe en Angleterre, où, quelques
    jours ensuite,
Votre mère devient compagne de sa
    fuite,
Le rejoint avec vous qui sortiez du ber-
    ceau,
Et son orgueil puni la conduit au tom-
    beau.
LISETTE. Ciel! que m'apprenez-vous? Ce
    n'est donc pas ma mère
Que j'avais au couvent, et qui m'était si
    chère?
LYCANDRE. C'était votre nourrice. Elle vous
    ramena,
Suivit exactement l'ordre que lui don-
    na
Votre père, deux ans après sa déca-
    dence,
De venir dans ces lieux élever votre en-
    fance,
Se disant votre mère, et cachant votre
    nom.
LISETTE. Mais pourquoi ce secret? et par
    quelle raison
Me laisser ignorer de quel sang j'étais
    née?
LYCANDRE. Pour vous rendre modeste au-
    tant qu'infortunée;
Et pour vous épargner des regrets, des
    douleurs,
Jusqu'à ce que le ciel adoucît vos mal-
    heurs.
C'est ainsi que l'avait ordonné votre
    père;
Et sa précaution vous était nécessaire.
LISETTE. Je brûle de le voir; et je tremble
    pour lui.
Comment osera-t-il se montrer aujour-
    d'hui,
Après l'injuste arrêt...?
LYCANDRE, l'interrompant. Pendant sa
    longue absence,
De fidèles amis, sûrs de son innocence,

Et puissants à la cour, ont eu tant de
  succès
Qu'ils l'ont déterminée à revoir le pro-
  cès;
Et deux des faux témoins, prêts à per-
  dre la vie,
Ont enfin avoué leur noire calomnie.
Votre père, caché depuis près de deux
  ans,
Attendait les effets de ces secours puis-
  sants.
On vient de lui donner d'agréables nou-
  velles:
Il touche au terme heureux de ses peines
  mortelles.
LISETTE. Qu'il ne s'expose point. Je crains
  quelque accident,
Quelque piège caché. N'est-il pas plus
  prudent
Que nous l'allions chercher? Par notre
  diligence
Prévenons ses bontés et son impatience.
Sortons, monsieur; je veux embrasser
  ses genoux,
Et mourir de plaisir dans des transports
  si doux!
LYCANDRE. Vous n'irez pas bien loin pour
  goûter cette joie.
Vous voulez la chercher, et le ciel vous
  l'envoie.
Oui, ma fille, voici ce père malheureux!
Il vous voit, il vous parle, il est devant
  vos yeux.
LISETTE, se jetant à ses pieds. Quoi! c'est
  vous-même! O ciel! que mon âme
  est ravie!
Je goûte le moment le plus doux de ma
  vie!
LYCANDRE, la relevant. Ma fille, levez-vous.
  Je connais votre cœur;
Et, je vous l'ai prédit, vous ferez mon
  bonheur.
Mais, hélas! que je crains de revoir
  votre frère!
LISETTE. Mon frère! Eh! quel est-il?
LYCANDRE.        Le comte de Tufière.
LISETTE, toute troublée. Je ne sais où j'en
  suis, je ne respire plus.
Daignez me soutenir.
LYCANDRE.        Qu'il doit être confus
Quand il vous connaîtra!
LISETTE.      Moi, sa sœur?
LYCANDRE.        Oui, ma fille.
LISETTE. Sans doute, nous sortons de la
  même famille:
Oui, le comte est mon frère; et, dès que
  je l'ai vu,
A travers ses mépris, mon cœur l'a re-
  connu.

De mon faible pour lui je ne suis plus
  surprise!
LYCANDRE. Votre cœur le prévient, et l'in-
  grat vous méprise!
Ah! je veux profiter de cette occasion,
Pour jouir devant vous de sa confusion,
Quand le temps permettra de vous faire
  connaître.
LISETTE. Jusque-là devant lui ne dois-je
  plus paraître?
LYCANDRE. Non. Je vais le trouver. La con-
  versation
Sera vive, à coup sûr! et sa présomp-
  tion
Mérite qu'avec lui prenant le ton de
  père,
Je fasse à ses hauteurs une leçon sévère!
LISETTE. S'il ne vous connaît pas, vous les
  éprouverez.
LYCANDRE. Non. Nous nous sommes vus.
  Il me connaît. Rentrez,
Ma fille. . . (Entendant venir Pasquin.)
  Quelqu'un vient; gardez bien le si-
  lence.
LISETTE, lui baisant la main. Mon père, at-
  tendez tout de mon obéissance.
  (Elle rentre dans l'intérieur de la
  maison.)


SCÈNE IV.

PASQUIN, s'arrêtant à considérer Lycandre.
LYCANDRE.

LYCANDRE. Le comte de Tufière est-il chez
  lui?
PASQUIN, d'un ton brusque.    Pourquoi?
LYCANDRE. Je voudrais lui parler.
PASQUIN, le regardant du haut en bas. Lui
  parler? Qui? Vous?
LYCANDRE.        Moi.
PASQUIN, d'un air méprisant. Cela ne se
  peut pas.
LYCANDRE.    La raison, je vous prie?
PASQUIN. C'est qu'il est en affaire.
LYCANDRE.      Oh! je vous certifie,
Quelqu'occupé qu'il soit, que dès qu'il
  apprendra
Que je veux lui parler, il y consentira.
PASQUIN, fièrement. Eh! qu'êtes-vous?
LYCANDRE.      Je suis. . . , car je
  perds patience,
Un homme très choqué de votre imper-
  tinence!
PASQUIN, à part. Il a, ma foi! raison. Je
  retombe toujours,
Et je veux m'en punir. . . (A Lycan-
  dre.) Je vois que mon discours,

Monsieur, n'a pas le don de vous être
agréable :
Mais si je suis si fier, je suis très ex-
cusable.

Lycandre, *vivement.* Eh! par où, s'il vous
plaît?

Pasquin.　　　　Pour le dire en un mot,
Et sans trop me vanter, c'est que je suis
un sot.

Lycandre. Allez, on ne l'est point quand
on connaît sa faute.

Pasquin. Mon maître a très souvent la pa-
role si haute,
Il est si suffisant que, par occasion,
Je le deviens aussi, mais sans réflexion.
Heureusement pour moi, la raison, la
prudence,
Abrègent les accès de mon imperti-
nence.
Vous voyez que d'abord j'ai bien baissé
mon ton.
Mais daignez, s'il vous plaît, me dire
votre nom.

Lycandre. Mon enfant, dites-lui, s'il veut
bien le permettre,
Que je viens demander sa réponse à la
lettre
Que l'on vous a pour lui remise de ma
part.
L'a-t-il lue?

Pasquin. Oui, monsieur. Seriez-vous par
hasard
L'inconnu?

Lycandre.　　　Je le suis.

Pasquin.　　　　Moi, que je vous annonce!
　　(*Mettant sa main sur une de ses
　　joues qui a reçu un soufflet du
　　comte lorsqu'il lui a remis la
　　lettre de Lycandre.*)
Eh! vite, sauvez-vous. . . J'ai reçu sa
réponse,
Et je la sens encor.

Lycandre, *souriant.* Ne craignez rien pour
moi.
Il sera plus honnête en me répondant.

Pasquin.　　　　　　　Quoi!
Vous vous exposez? . . .

Lycandre, *l'interrompant.* Oui; j'en veux
courir le risque.

Pasquin. Pour jouer avec lui prenez mieux
votre bisque! [1]

Lycandre. Dépêchez-vous, de grâce!

Pasquin *fait quelques pas pour sortir et
revient.* En vérité, je crains. . .

Lycandre, *d'un air impatient.* Ah!

Pasquin. S'il vous en prend mal, je m'en
lave les mains.

(*Il entre dans l'appartement du
comte.*)

## SCÈNE V.

Lycandre.

Par les airs du valet on peut juger du
maître.
Ah! du moins, si mon fils pouvait se reconnaître,
Se blâmer quelquefois, comme fait ce
garçon,
Tôt ou tard sa fierté plierait sous sa
raison.
Mais je n'ose espérer. . .

## SCÈNE VI.

Le Comte, Lycandre, Pasquin.

Le Comte *entre en furieux.* Quel est le
téméraire,
Quel est l'audacieux qui m'ose? . . .
　　(*A part, et tout confus.*) Ah! c'est
mon père!

Lycandre. L'accueil est très touchant!
J'en suis édifié!

Pasquin, *à part, en regardant la confusion du comte.* Comment donc! le
voilà comme pétrifié!

Le Comte, *à Lycandre, en ôtant son chapeau.* Un premier mouvement quelquefois nous abuse.
Excusez-moi, monsieur.

Pasquin, *à part.* Il lui demande excuse!

Le Comte, *à Lycandre.* Je croyais. . . (*A
Pasquin.*) Sors, Pasquin.

Lycandre.　　　　Pourquoi le chassez-vous?
Laissez-le ici; je veux.

Le Comte, *à Pasquin, en le poussant dehors.* Sors, ou crains mon courroux!

Lycandre, *à Pasquin, en le retenant.*
Reste!

Pasquin, *s'enfuyant.* Il y fait trop chaud!
Je fais ce qu'on m'ordonne.

Le Comte. Si quelqu'un vient me voir, je
n'y suis pour personne.

(*Pasquin sort.*)

## SCÈNE VII.

Le Comte, Lycandre.

Lycandre. Que veut dire ceci?

Le Comte.　　　　J'ai mes raisons.

Lycandre.　　　　　　　Pourquoi

---

[1] bisque, term from jeu de paume: fifteen points advantage given by one player to another;
prendre sa bisque, profit by one's advantages.

Marquez-vous tant d'ardeur à l'éloigner
 de moi?

Le Comte. Aux regards d'un valet dois-je
 exposer mon père?

Lycandre. Vous craignez bien plutôt d'ex-
 poser ma misère!
Voilà votre motif; et loin d'être charmé
De me voir près de vous, votre orgueil
 alarmé
Rougit de ma présence. Il se sent au sup-
 plice.
De sa confusion votre cœur est complice;
Et, tout bouffi de gloire, il n'ose se prêter
Aux tendres mouvements qui devraient
 l'agiter.
Ah! je ne vois que trop, en cette con-
 joncture,
Qu'une mauvaise honte étouffe la nature!
C'est en vain qu'un billet vous avait pré-
 venu;
Et je me suis trompé croyant qu'un in-
 connu
Vous corrigerait mieux qu'un père mi-
 sérable,
Qu'à vos yeux la fortune a rendu mé-
 prisable.

Le Comte. Qui, moi je vous méprise! Osez-
 vous le penser?
Qu'un soupçon si cruel a droit de m'offenser!
Croyez que votre fils vous respecte, vous
 aime!

Lycandre. Vous! Prouvez-le-moi donc, et
 dans ce moment même.

Le Comte. Vous pouvez disposer de tout
 ce que je puis.
Parlez; qu'exigez-vous?

Lycandre.    Qu'en l'état où je suis
Vous vous fassiez honneur de bannir
 tout mystère,
Et de me reconnaître en qualité de père,
Dans cette maison-ci. Voyons si vous
 l'osez.

Le Comte. Songez-vous au péril où vous
 vous exposez?

Lycandre. Dois-je me défier d'une honnête
 famille?
Allons voir Lisimon. Menez-moi chez sa
 fille.

Le Comte. De grâce, à vous montrer ne
 soyez pas si prompt!
Vous les exposeriez à vous faire un affront!
Vous ne savez donc pas jusqu'où va l'arrogance
D'un bourgeois anobli, fier de son opulence?
Si le faste et l'éclat ne soutiennent le
 rang,

Il traite avec dédain le plus illustre sang.
Mesurant ses égards aux dons de la for-
 tune,
Le mérite indigent le choque, l'impor-
 tune,
Et ne peut l'aborder qu'en faisant mille
 efforts
Pour cacher ses besoins sous un brillant
 dehors.
Depuis votre malheur, mon nom et mon
 courage
Font toute ma richesse; et ce seul avan-
 tage,
Rehaussé par l'éclat de quelques actions,
M'a tenu lieu de biens et de protections.
J'ai monté par degrés; et, riche en ap-
 parence,
Je fais une figure égale à ma naissance,
Et sans ce faux relief ni mon rang, ni
 mon nom,
N'auraient pu m'introduire auprès de
 Lisimon.

Lycandre. On me l'a peint tout autre, et
 j'ai peine à vous croire.
Tout ce discours ne tend qu'à cacher
 votre gloire.
Mais pour moi qui ne suis ni superbe, ni
 vain,
Je prétends me montrer, et j'irai mon
 chemin.
      (*Il veut sortir.*)

Le Comte, *le retenant.* Différez quelques jours; la faveur n'est pas
 grande! . . .
(*Il se jette aux pieds de Lycandre.*)
Je me jette à vos pieds, et je vous la
 demande.

Lycandre. J'entends. La vanité me déclare,
 à genoux,
Qu'un père infortuné n'est pas digne de
 vous! . . .
Oui, oui, j'ai tout perdu par l'orgueil de
 ta mère;
Et tu n'as hérité que de son caractère!

Le Comte. Eh! compatissez donc à la noble fierté
Dont mon cœur, il est vrai, n'a que trop
 hérité!
Du reste, soyez sûr que ma plus forte envie
Serait de vous servir aux dépens de ma
 vie;
Mais du moins ménagez un honneur délicat:
Pour mon intérêt même évitons un éclat!

Lycandre. Vous me faites pitié! Je vois
 votre faiblesse,
Et veux, en m'y prêtant vous prouver
 ma tendresse;

*(Le comte se relève.)*
Mais à condition que si votre hauteur
Éclate devant moi, dès l'instant. . .

## SCÈNE VIII.

LE COMTE, LISIMON, LYCANDRE.

LISIMON, *au comte.*                    Serviteur.
Je vous cherchais, mon cher. Votre froi-
    deur m'étonne,
Car il est temps d'agir. Je crois, Dieu me
    pardonne,
Que ma femme devient raisonnable.
LE COMTE.                         Comment!
LISIMON. Elle n'a plus pour vous ce grand
    éloignement
Qu'elle a marqué d'abord. La bonne
    dame est sage;
Car j'allais, sans cela, faire un joli ta-
    page!
Je vais vous procurer un moment d'en-
    tretien
Avec ma digne épouse; et puis tout ira
    bien,
Pourvu que vous vouliez lui faire poli-
    tesse.
N'y manquez pas au moins, car c'est une
    princesse
Aussi fière que vous, et dont les pré-
    jugés. . .
LE COMTE, *l'interrompant.* Je suis ravi de
    voir que vous vous corrigez.
LISIMON, *se couvrant.* Tu le vois, mon en-
    fant, je cherche à te complaire.
LE COMTE, *ironiquement.* Fort bien!
LISIMON, *se découvrant.* Enfin, monsieur, le
    succès de l'affaire
Est en votre pouvoir. Ainsi donc, croyez-
    moi,
De ce que je vous dis faites-vous une loi.
LYCANDRE, *au comte.* Monsieur vous parle
    juste, et pour votre avantage.
Que votre unique objet soit votre ma-
    riage;
Et mettez à profit cet heureux incident.
LISIMON, *à demi-voix, au comte.* Quel est
    cet homme-là?
LE COMTE, *à demi-voix, en tirant Lisimon
    à part.* C'est. . . c'est mon inten-
    dant.
LISIMON, *à demi-voix.* Il a l'air bien grêlé!
    Selon toute apparence,
Cet homme n'a pas fait fortune à l'inten-
    dance!
LE COMTE, *à demi-voix.* C'est un homme
    d'honneur!
LISIMON, *à demi-voix.* Il y paraît!
LYCANDRE, *à part.*              Je vois

Qu'il trompe Lisimon, en lui parlant de
    moi.
Sa gloire est alarmée à l'aspect de son
    père.
LE COMTE, *à demi-voix, à Lisimon.* Sachez
    encore. . .
LISIMON, *à demi-voix.* (*Le comte parle
    bas à Lisimon.*) Eh bien?
LYCANDRE, *à part.* Je retiens ma colère,
Espérant que bientôt il me sera permis
De me faire connaître, et de punir mon
    fils;
Et mon juste dépit lui prépare une
    scène,
Où je veux mettre enfin son orgueil à la
    gêne!
LE COMTE, *à demi-voix, à Lycandre.* Con-
    traignez-vous, de grâce! et ne lui
    dites rien
Qui lui fasse augurer qui vous êtes.
LYCANDRE, *à demi-voix.*          Fort bien!
LE COMTE, *à demi-voix, à Lisimon.* C'est
    un homme économe, autant qu'il est
    fidèle!
LISIMON, *haut.* Oh çà! je vous ai dit une
    bonne nouvelle:
Ne la négligeons pas. Ma femme veut
    vous voir;
Pour gagner son esprit faites votre de-
    voir.
LE COMTE, *en souriant.* Mon devoir?
LISIMON.          Oui, vraiment.
LE COMTE.          L'expression est forte!
LYCANDRE, *au comte.* Quoi! faut-il pour un
    mot vous cabrer de la sorte?
LISIMON, *au comte, en montrant Lycandre.*
    Il parle de bon sens!
LYCANDRE, *au comte.* Il est bien question
De chicaner ici sur une expression!
LE COMTE, *d'un air un peu fier.* Mais,
    monsieur. . .
LYCANDRE, *l'interrompant d'un air impé-
    ricux.* Mais, monsieur, je dis ce qu'il
    faut dire.
Faites ce qu'il faut faire au plus tôt!
LE COMTE, *à part.*          Quel martyre!
Il va se découvrir.
LISIMON, *à demi-voix.* Ce vieillard est bien
    verd,
Ce me semble.
LE COMTE, *à demi-voix.* Il est vrai. . . (*A
    demi-voix, à Lycandre.*) Votre dis-
    cours me perd!
Devant cet homme, au moins, tâchez de
    vous contraindre.
LYCANDRE, *à demi-voix.* Faites ce qu'il dé-
    sire, ou je cesse de feindre.
LISIMON, *au comte.* Ma femme vous attend.
    Venez d'un air soumis,

Prévenant, la prier d'être de vos amis.

LYCANDRE, *au comte.* Soumis: vous entendez?

LE COMTE, *d'un air piqué.* Oui, j'entends
à merveille! . . .
    (*A part.*)
Ciel!

LISIMON, *à Lycandre.* Vous approuvez donc
ce que je lui conseille?
Bonhomme, expliquez-vous.

LYCANDRE.   Oui, je l'approuve fort!
Et s'il ne s'y rend pas il aura très grand
tort!
Vous lui donnez, monsieur, une leçon
très sage!
Il en avait besoin. Je le connais.

LE COMTE, *à part.*    J'enrage!

LISIMON, *à Lycandre.* Vous êtes donc à lui
depuis longtemps?

LE COMTE, *voulant emmener Lisimon.* Sortons.
Je regrette, monsieur, le temps que nous
perdons.

LISIMON. Un moment. . . (*A Lycandre.*)
A quoi vont les revenus du comte?

LYCANDRE. Je ne saurais vous dire à quoi
cela se monte.

LISIMON. Mais encor?

LE COMTE, *à demi-voix, à Lycandre.* Dites-
lui. . .

LYCANDRE, *à demi-voix.* Je ne veux point
mentir. . .
    (*A Lisimon.*)
Une affaire, monsieur, m'oblige de sortir.
Mais avant qu'il soit peu, je veux vous
satisfaire.
Vous pouvez, cependant, conclure votre
affaire;
Et j'ose me flatter qu'avec un peu de
temps
Vous aurez lieu, tous deux, d'en être
fort contents.
Adieu.
     (*Il sort.*)

## SCÈNE IX.

### LE COMTE, LISIMON.

LISIMON. Votre intendant avec vous fait
le maître.
Que veut dire cela? Hein!

LE COMTE.   Comme il m'a vu naître,
Avec moi bien souvent il prend ces libertés.

LISIMON. Allons trouver ma femme, et
trêve de fiertés.

LE COMTE. J'irai, si vous voulez. Mais que
faut-il lui dire?

LISIMON. Plaisante question! Quoi! faut-il
vous instruire?

LE COMTE. Mais je suis assez neuf sur ces
démarches-là.
Prier, solliciter; je n'entends point cela.
Je souhaite de faire avec vous alliance;
Mais songez aux égards qu'exige ma
naissance.
Parlez pour moi vous-même, et faites
bien ma cour.
Cela suffit, je crois.

LISIMON.    Est-ce là le retour
Dont vous payez mes soins? Suivi de ma
famille,
Dois-je venir ici vous présenter ma fille;
Vous priant, à genoux, de vouloir l'ac-
cepter? . . .
Si tu te l'es promis, tu n'as qu'à dé-
compter!
Ma fille vaut bien peu si l'on ne la de-
mande!
Je te baise les mains, et je me recom-
mande
A ta grandeur! Adieu.
     (*Il sort.*)

## SCÈNE X.

### LE COMTE.

    Que ces gens inconnus
Sont fiers! Voilà l'orgueil de tous nos
parvenus!
C'est pour qu'à leurs grands biens notre
gloire s'immole,
Il faut, pour les avoir, fléchir devant
l'idole.
Ah! maudite fortune, à quoi me réduis-
tu?
Si tes coups redoublés ne m'ont point
abattu,
Veux-tu m'humilier par l'appât des richesses?
Et n'a-t-on tes faveurs qu'à force de bassesses?

## ACTE CINQUIÈME.

### SCÈNE PREMIÈRE.

#### ISABELLE, LISETTE.

LISETTE. Oh çà! mademoiselle, expliquons-
nous un peu.
Nous pouvons librement nous parler en
ce lieu.

ISABELLE. Eh! sur quoi, s'il vous plaît?

LISETTE.                    Votre mère apaisée
A vos tendres désirs paraît moins op-
posée.
Vous pouvez espérer d'épouser votre
amant.
Mais loin de témoigner ce doux ravis-
sement
Que vous devez sentir sur le point d'être
heureuse,
Je ne vous vis jamais si triste et si rê-
veuse.
ISABELLE. Il est vrai.
LISETTE. Vous vouliez le comte pour époux.
Son amour à vos yeux s'est signalé pour
vous :
Il vous a demandée ; et cette âme si
fière
Vient de plier enfin.
ISABELLE.            Mais de quelle manière ?
De ses soumissions la choquante froideur,
Son souris [1] dédaigneux, son air fier et
moqueur,
Son silence affecté, tout me faisait com-
prendre
Que son cœur jusqu'à nous avait peine
à descendre.
Mon père avec ardeur sollicitait pour
lui :
A peine de deux mots lui prêtait-il l'ap-
pui ;
Et sans votre crédit sur l'esprit de mon
frère,
Qui s'est servi du sien pour ramener ma
mère,
Le comte a si bien fait que tout était
rompu.
Pour cacher mon dépit, j'ai fait ce que
j'ai pu.
Mais plus de cet instant j'occupe ma
pensée,
Plus je sens que j'en suis vivement of-
fensée.
Pour un cœur délicat quel triste évé-
nement !
LISETTE. Si bien que votre amour est mort
subitement ?
ISABELLE. Il est bien refroidi !
LISETTE.                  Parlez en conscience.
N'entre-t-il point ici quelque peu d'in-
constance ?
ISABELLE. Vous me connaissez mal !
LISETTE.            Oh ! que pardonnez-moi ;
Et s'il faut s'expliquer ici de bonne
foi. . .
                (Elle hésite.)
ISABELLE. Eh bien !
LISETTE.            D'aucun roman, à ce que
j'imagine,

[1] souris, old form for sourire.

Vous ne pourrez jamais devenir l'hé-
roïne.
ISABELLE. Croyez-vous m'amuser quand
vous me plaisantez ?
LISETTE. Je ne plaisante point, je dis vos
vérités.
Le soupçon d'un défaut vous trouble et
vous alarme.
Dès qu'il est confirmé, votre cœur se gen-
darme.
Trop de délicatesse est un autre défaut
Dont vous serez punie, et peut-être trop
tôt.
ISABELLE. Mais pouvez-vous blâmer cette
délicatesse ?
Loin de me témoigner un retour de ten-
dresse,
Le comte me désole à chaque occasion.
LISETTE. Quoi ! pour un peu de gloire et de
présomption ?
C'est là ce qui fait voir la grandeur de
son âme.
Il est fier à présent : mais devenez sa
femme,
L'amant fier deviendra mari tendre et
soumis.
ISABELLE. Un espoir si flatteur peut-il
m'être permis ?

### SCÈNE II.

VALÈRE, ISABELLE, LISETTE.

LISETTE, à Valère. Vous voilà bien rêveur ?
VALÈRE.            Et j'ai sujet de l'être !
Aux yeux de mon ami je n'ose plus pa-
raître.
J'ai servi son rival. Je ne puis m'em-
pêcher,
Même devant vous deux, de me le re-
procher.
C'est une trahison dont j'étais incapa-
ble,
Si l'amour n'eût voulu que j'en fusse
coupable.
LISETTE. Vous vous en repentez ?
VALÈRE.            Je m'en repentirais
Si je vous aimais moins. Mais enfin je
voudrais
Que vous déclarassiez le motif qui vous
porte
A marquer pour le comte une amitié si
forte.
LISETTE. Ce motif est très juste ; et quand
vous l'apprendrez,
Bien loin de m'en blâmer, vous m'en ap-
plaudirez.

VALÈRE. Je le veux croire ainsi; mais dai-
gnez m'en instruire.
LISETTE. Je l'ignorais tantôt, et ne pouvais
le dire.
Je le sais à présent, et ne le dirai point.
VALÈRE. Pourquoi vous obstiner à me
cacher ce point?
Quoi! faut-il qu'un amant vous trouve si
discrète?
ISABELLE. Mais c'est donc tout de bon que
vous aimez Lisette?
VALÈRE. Je l'aime, et m'en fais gloire.
ISABELLE.                    Un tel attachement
Prouve mieux que jamais votre discerne-
ment.
Mais quel en est l'objet? Quelle est votre
espérance?
LISETTE. Souffrez que là-dessus nous gar-
dions le silence.
ISABELLE. J'y veux bien consentir, et me
fais cet effort,
Jusqu'à ce que l'on ait décidé de mon
sort. Il est tout décidé.
VALÈRE. Il est tout décidé.
ISABELLE.                    Juste ciel!
VALÈRE.                        Et mon père
Pour dicter le contrat est chez notre no-
taire.
ISABELLE. Ma mère n'y met plus aucun em-
pêchement?
VALÈRE. Non; et vous me devez un si
prompt changement.

## SCÈNE III.

LISIMON, VALÈRE, ISABELLE, LISETTE.

LISIMON, à Isabelle. Çà, réjouissons-nous!
Enfin, vaille que vaille,
L'ennemi se soumet: j'ai gagné la ba-
taille;
Le champ m'est demeuré! Je craignais
un éclat;
Mais votre mère enfin va signer le con-
trat.
Elle a banni Philinte, et j'attends le no-
taire
Pour terminer enfin cette importante af-
faire.
Excepté quelques points, dont il faut
convenir,
Je ne prévois plus rien qui pût nous re-
tenir.
Tu seras dès ce soir madame la comtesse,
Ma fille.
ISABELLE.      Dès ce soir?
LISIMON.            Sans délai.

ISABELLE.                    Rien ne presse.
Cette affaire mérite un peu d'attention,
Et j'ai fait sur cela quelque réflexion.
LISIMON. Quelque réflexion? Comment!
mademoiselle,
Allez-vous nous donner une scène nou-
velle,
Et vous dédire ici, comme vous avez fait
Sur cinq ou six projets qui n'ont point
eu d'effet?
Pensez-vous que le comte entende rail
lerie,[1]
Et soit homme à souffrir votre bizar-
rerie?
VALÈRE. Mais, mon père, après tout. . .
LISIMON, l'interrompant. Mais après tout,
mon fils,
Croyez-vous que d'un fat j'écoute les
avis?
Quoi donc! j'aurai su faire un miracle
incroyable
En rendant aujourd'hui ma femme rai-
sonnable
(Chose qu'on n'a point vue et qu'on ne
verra plus),
Et mes enfants rendront mes travaux su-
perflus?
Un chef-d'œuvre si beau deviendrait inu-
tile?
Non, parbleu! Gardez-vous de m'échauf-
fer la bile,
Ou vous aurez sujet de vous en repentir,
Et mon juste courroux se fera ressentir.
LISETTE. Voilà parler, monsieur, en père
de famille.
Courage! Disposez enfin de votre fille;
Ne l'abandonnez plus à ses réflexions.
C'est à vous à trancher dans ces occa-
sions.
ISABELLE. Quoi! Lisette? . . .
LISETTE, l'interrompant. Monsieur a pro-
noncé l'oracle:
A l'accomplissement rien ne peut met-
tre obstacle.
S'il vous destine au comte, il faut que ce
dessein
S'exécute en dépit de tout le genre hu-
main!
LISIMON, à part. Cette fille me charme!
. . . (A Lisette.) Oui, ma chère Li-
sette. . .
          (A demi-voix.)
Tiens, sois un peu moins sage, et tu seras
parfaite!
LISETTE. L'avis est bon!
LISIMON, voulant l'embrasser. Le tien vient
de m'édifier;
Et je veux t'embrasser pour te remercier.

[1] entende raillerie. knows how to take a joke.

LISETTE, *le repoussant.* Réservez, s'il vous
  plaît, cette tendre saillie
Jusqu'à ce que je sois une fille accomplie.
LISIMON. J'attendrais trop longtemps !
  . . . Il faut absolument
Que ma reconnaissance éclate en ce mo-
  ment.
VALÈRE, *le retenant.* Vous vous échauf-
  ferez ; prenez garde, mon père !
LISIMON, *le repoussant.* Monsieur le méde-
  cin, ce n'est pas votre affaire.
Que je m'échauffe ou non, vous aurez la
  bonté
De ne vous plus charger du soin de ma
  santé . . .
    (*A part.*)
Je crois que ce coquin est jaloux de Li-
  sette,
Et je soupçonne entre eux quelque in-
  trigue secrète.
Je veux m'en éclaircir. . . . (*A Valère.*)
  Sachons un peu. . .
VALÈRE, *l'interrompant, en voyant paraître
  M. Josse.* Voici
Votre notaire.
LISIMON, *à part.* Ah ! bon. . . (*A Valère,
  qui veut sortir.*) Non, non, demeure
  ici.
Dans un petit moment nous compterons
  ensemble.


### SCÈNE IV.

M. JOSSE, LISIMON, VALÈRE, ISABELLE,
  LISETTE.


LISIMON, *à M. Josse.* Approche, monsieur
  Josse.
M. JOSSE.   Est-ce ici qu'on s'assemble ?
LISIMON. Oui.
M. JOSSE, *tirant un contrat de sa poche.*
  Lisons la minute. . . A trois arti-
  cles près,
Monsieur, j'ai stipulé vos communs in-
  térêts. . .
    (*Montrant Isabelle.*)
C'est donc là la future ?
LISIMON.   A peu près. C'est ma fille.
M. JOSSE, *la regardant avec ses lunettes.*
  Voilà de quoi former une belle fa-
  mille !
Où donc est le futur ?
ISABELLE.   Je n'en sais encor rien.
M. JOSSE. Comment ! se faire attendre ? O !
  cela n'est pas bien ;
Et vous méritez fort. . .

LISIMON, *l'interrompant, en voyant paraître le comte.* Le voici qui s'a-
  vance.
Assieds-toi, monsieur Josse. . . (*A Isabelle, et à Valère.*) et nous, prenons
  séance.
    (*Ils s'asseyent tous, excepté Lisette,
    et M. Josse se met devant une
    table.*)


### SCÈNE V.

LE COMTE, LISIMON, VALÈRE, ISABELLE,
  LISETTE, M. JOSSE.


  (*Le comte s'assied, en entrant.*)

M. JOSSE, *mettant ses lunettes, et lisant.*
  «Par-devant. . .»
LISIMON, *à Isabelle, qui parle bas à Li-
  sette.* Écoutez.
M. JOSSE, *lisant.* «Les conseillers du roi,
  Notaires, soussignés ; furent présents. . .»
LISIMON, *à Valère qui parle bas, mais avec
  action, à Lisette.* Eh quoi !
Vous ne vous tairez point ? Est-il temps
  que l'on cause ?
Valère, ici. Laissez cette fille ; et pour
  cause !
M. JOSSE, *au comte.* Votre nom, s'il vous
  plaît ; vos titres, votre rang.
Je ne les savais point ; ils sont restés en
  blanc.
LE COMTE. Je vais vous les dicter. N'ou-
  bliez rien, de grâce ! . . .
    (*Regardant le contrat.*)
Vous avez pour cela laissé bien peu de
  place !
M. JOSSE, *lui montrant la marge du con-
  trat.* La marge y suppléra. Voyez
  quelle largeur !
LE COMTE. Écrivez donc. . . «Très haut et
  très puissant seigneur. . .»
M. JOSSE, *se levant, et l'interrompant.*
  Monsieur, considérez qu'on ne se
  qualifie. . .
LE COMTE, *l'interrompant à son tour.* Point
  de raisonnements ; je vous le signi-
  fie !
M. JOSSE, *écrivant.* «Et très puissant sei-
  gneur. . .»
LE COMTE, *dictant.* «Monseigneur Carlo-
  man,
Alexandre, César, Henri, Jules, Armand,
Philogènes, Louis. . .»
M. JOSSE, *l'interrompant.* Oh ! quelle ky-
  rielle ! [1]

---

[1] kyrielle, from Greek kyrie, "lord", first word of a litany : long enumeration, as of saints'
names in litanies. Here applied scoffingly to excessive number of names and titles assumed by

Ma foi! sur tant de noms ma mémoire
chancelle. . .
(*Il répète.*)
«Philogènes, Louis. . .» Après?
LE COMTE, *dictant.* «De Mont-sur-Mont.»
M. JOSSE, *répétant.* «Sur-Mont.»
LE COMTE, *dictant.* «Chevalier. . .»
M. JOSSE, *répétant.* «Lier.»
LE COMTE. Continuez. . . «Baron
De Montorgueil.»
M. JOSSE. «Orgueil.»
LE COMTE, *d'un ton ampoulé.* Bon! . . .
«Marquis de Tufière.»
LISIMON. Quoi! vous êtes marquis?
LE COMTE. Proprement, *e*'est mon père;
Mais comme, après sa mort, j'aurai ce
marquisat,
J'en prends d'avance ici le titre en mon
contrat.
LISIMON, *lui frappant sur l'épaule.* C'est
bien fait, mon garçon; la chose t'est
permise! . . .
(*A Isabelle.*)
Je te fais compliment, madame la mar-
quise.
M. JOSSE, *au comte.* Est-ce tout?
LE COMTE, *se levant.* Comment! tout. . . ?
«Seigneur. . .»
M. JOSSE, *l'interrompant. Et cœtera . .*
Cette tirade-là jamais ne finira!
LE COMTE. Mettez. . . «Et d'autres lieux,»
en très gros caractères.
ISABELLE, *à demi-voix, à Lisette.* En lettres
d'or?
LISETTE, *à demi-voix.* Paix donc!
ISABELLE, *à demi-voix.* Je ne saurais me
taire.
Je ne puis me prêter à tant de vanité!
LISETTE, *à demi-voix.* C'est le faible com-
mun des gens de qualité.
Leurs titres bien souvent font tout leur
patrimoine!
M. JOSSE, *à Lisimon.* A vous présentement,
monsieur. . . (*Il lit.*) «Messire An-
toine
Lisimon. . .»
LE COMTE, *l'interrompant d'un air surpris.*
Antoine?
LISIMON. Oui.
LE COMTE. Quoi! c'est là votre nom?
Antoine? Est-il possible?

LISIMON. Eh! parbleu! pourquoi non?
LE COMTE. Ce nom est bien bourgeois!
LISIMON. Mais pas plus que
les autres.
Je crois que mon patron [1] valait bien tous
les vôtres.
LE COMTE, *d'un air dédaigneux.* Passons,
monsieur, passons. . . Vos titres?
C'est le point
Dont il s'agit ici.
LISIMON. Qui, moi? Je n'en ai point.
LE COMTE. Comment donc! Vous n'avez
aucune seigneurie?
LISIMON. Ah! je me souviens d'une. . . (*A
M. Josse.*) Écrivez, je vous prie. . .
(*Il dicte.*)
«Antoine Lisimon, écuyer.» [2]
LE COMTE. Rien de plus?
LISIMON. «Et seigneur suzerain. . . d'un
million d'écus.»
LE COMTE. Vous vous moquez, je crois?
L'argent est-il un titre?
LISIMON. Plus brillant que les tiens; et j'ai,
dans mon pupitre,
Des billets au porteur,[3] dont je fais
plus de cas
Que de vieux parchemins, nourriture des
rats.
M. JOSSE, *à part.* Il a raison.
LE COMTE. Pour moi, je tiens
que la noblesse. . .
M. JOSSE, *l'interrompant.* Oh! nous autres
bourgeois, nous tenons pour l'es-
pèce. . .[4]
(*A Lisimon.*)
Çà, stipulons la dot.
LISIMON. Le gendre que je prends
M'engage à la porter à neuf cent mille
francs.
M. JOSSE, *au comte.* Voilà pour la future
un titre magnifique,
Et qui soutiendra bien votre noblesse an-
tique.
LE COMTE, *bas.* Monsieur le garde-note,[5]
oui, l'argent nous soutient:
Mais nous purifions la source dont il
vient.
M. JOSSE. Eh! quel douaire [6] aura l'épouse
contractante?
LE COMTE. Quel douaire, monsieur? Vingt
mille francs de rente.

---

certain nobles, to many of which they frequently had no right. The titles of nobility in ascend-
ing order were: chevalier, baron, viscomte, comte, marquis, duc.
[1] mon patron, *i. e.*, the saint whose name he bears, St. Anthony.
[2] écuyer, title assumed in 18th century by those newly ennobled.
[3] billets au porteur, notes payable to bearer.
[4] espèce, specie.
[5] garde-note, notary.
[6] douaire, property which husband contracted to leave to wife in case she survived him.

LISETTE, à part. Mon frère est magnifique!
En tout cas, je sais bien
Que, s'il donne beaucoup, il ne s'engage
à rien.
M. JOSSE, au comte. Sur quoi l'assignez-
vous? [1]
LISIMON, au comte. Oui?
LE COMTE, dictant.            «Sur la baronnie
De Montorgueil.»
M. JOSSE, se levant après avoir écrit. Voilà
votre affaire finie.
(Tous les autres se lèvent aussi.)
LISIMON. Signons donc maintenant. . .
(Au comte.) La noce se fera
Aussitôt qu'à Paris ton père arrivera.
LE COMTE. Mon père, dites-vous? Il ne
faut point l'attendre.
Jamais en ce pays il ne pourra se ren-
dre.
La goutte le retient au lit, depuis six
mois.
LISETTE, à part. Mon frère, en vérité, ment
fort bien quelquefois.
LE COMTE, à Lisimon. Mais nous irons le
voir après le mariage.
LISIMON. Avec bien du plaisir je ferai le
voyage.


## SCÈNE VI.

LYCANDRE, LISIMON, LE COMTE, VALÈRE,
ISABELLE, LISFTTE, M. JOSSE.


LE COMTE, à part. Ah! le voici, lui-
même. . . O ciel! quel incident!
LISIMON, à Lycandre, sans le reconnaître
d'abord. Que voulez-vous. . . ?
(Le reconnaissant pour l'homme que
le comte lui avait dit être son
intendant.)
Parbleu! c'est monsieur l'intendant.
LYCANDRE, au comte. Je viens savoir, mon
fils. . .
VALÈRE et ISABELLE, ensemble et l'un à
l'autre. Son fils!
LE COMTE, à part.      Je meurs de honte!
LISIMON. Vous m'aviez donc trompé? Ré-
pondez, mon cher comte.
LE COMTE, bas, à Lycandre. Eh quoi! dans
cet état osez-vous vous montrer?
LYCANDRE. Superbe, mon aspect, ne peut
que t'honorer.
Mon arrivée ici t'alarme et t'importune;
Mais apprends que mes droits vont de-
vant ta fortune.
Rends-leur hommage, ingrat, par un plus
tendre accueil.

LE COMTE. Eh! le puis-je, au moment? . . .
LISIMON, l'interrompant. Baron de Mon-
torgueil,
C'est donc là ce superbe et brillant équi-
page
Dont tu faisais tantôt un si bel étalage?
LYCANDRE. L'état où je parais, et sa con-
fusion,
D'un excessif orgueil sont la punition.
Je la lui réservais. . . (Au comte.) Je
bénis ma misère,
Puisqu'elle t'humilie et qu'elle venge un
père.
Ah! bien loin de rougir, adoucis mes
malheurs,
Parle; reconnais-moi.
ISABELLE, à Lisette qu'elle voit pleurer.
Vous voilà tout en pleurs.
Lisette.
LISETTE. Vous allez en apprendre la cause.
LYCANDRE, au comte. Je vois qu'à ton
penchant ta vanité s'oppose;
Mais je veux la dompter. Redoute mon
courroux,
Ma malédiction, ou tombe à mes genoux.
LE COMTE. Je ne puis résister à ce ton res-
pectable.
Eh bien! vous le voulez, rendez-moi mé-
prisable.
Jouissez du plaisir de me voir si con-
fus.
Mon cœur, tout fier qu'il est, ne vous
méconnaît plus.
Oui, je suis votre fils, et vous êtes mon
père.
Rendez votre tendresse à ce retour sin-
cère! . . .
(Il se jette aux pieds de Lycandre.)
Il me coûte assez cher pour avoir mérité
D'éprouver désormais toute votre bonté!
LISIMON, à Lycandre. Il a, ma foi, raison.
Par ce qu'il vient de faire,
Je jugerais, morbleu! que vous êtes son
père.
LYCANDRE, au comte, en le relevant et l'em-
brassant. En sondant votre cœur,
j'ai frémi, j'ai tremblé. . .
Mais, malgré votre orgueil, la nature a
parlé.
Qu'en ce moment pour moi ce triomphe a
de charmes!
Je dois donc maintenant terminer vos
alarmes,
Oublier vos écarts, qui sont assez punis;
Mon fils, rassurez-vous. Nos malheurs
sont finis.
Le ciel enfin, pour nous devenu plus pro-
pice,

---

[1] l'assignez-vous? from what revenues do you guarantee payment?

A de mes ennemis confondu la malice.
Notre auguste monarque, instruit de mes
 malheurs,
Et des noirs attentats de mes persécu-
 teurs,
Vient, par un juste arrêt, de finir ma misère.
Il me rend mon honneur, à vous il rend
 un père,
Rétabli dans ses droits, dans ses biens,
 dans son rang,
Enfin dans tout l'éclat qui doit suivre
 mon sang.
J'en reçois la nouvelle; et ma joie est extrême
De pouvoir à présent vous l'annoncer
 moi-même.

LE COMTE, *à part.* Qu'entends-je? . . .
 Juste ciel! . . . Fortune, ta faveur
Au mérite, aux vertus égale le bon-
 heur!
Oui, tu me rends mes biens, mon rang,
 et ma naissance;
Et j'en ai désormais la pleine jouis-
 sance!

LYCANDRE. Devenez plus modeste en devenant heureux.

LISIMON. C'est bien dit. . . Je vous fais
 compliment à tous deux!
Je n'ai pas attendu ce que je viens d'apprendre
Pour choisir votre fils en qualité de gendre,
Parce qu'à l'orgueil près, il est joli garçon. . .
 (*Montrant le contrat de mariage du
 comte et d'Isabelle.*)
Voici notre contrat; signez-le sans façon.

LYCANDRE. Quoique notre fortune ait bien
 changé de face,
De vos bontés pour lui je dois vous rendre grâce;
Et, pour m'en acquitter encor plus dignement,
Je prétends avec vous m'allier doublement.

LISIMON. Comment?

LYCANDRE. Pour votre fils, je vous offre ma
 fille.

VALÈRE, *bas, à Lisette.* Je suis perdu!

LISIMON, *à Lycandre.* L'honneur est grand
 pour ma famille.
Très agréablement vous me voyez sur-
 pris!
J'accepte le projet. . . Mais est-elle à
 Paris,
Votre fille?

LYCANDRE. Sans doute. . . (*A Lisette.*)

Approchez-vous, Constance;
Et recevez l'époux. . .

LISIMON, *l'interrompant.* Vous vous moquez, je pense?
C'est Lisette.

LYCANDRE. Ce nom a causé votre erreur. . .
 (*A Lisette.*)
Venez, ma fille. . . (*Au comte.*) Comte,
 embrassez votre sœur.

LISIMON, *à part.* Sa sœur, femme de chambre!

LYCANDRE.     Une telle aventure
Des jeux de la fortune est une preuve
 sûre! . . .
 (*Au comte.*)
Grâce au ciel, votre sœur est digne de
 son sang!
Sa vertu, plus que moi, la remet dans
 son rang.

VALÈRE, *à part.* Quel heureux dénoûment!
 Je vais mourir de joie!

ISABELLE, *à Lisette.* Je prends part au bonheur que le ciel vous envoie!

LISETTE, *au comte.* En me reconnaissant,
 confirmez mon bonheur!

LE COMTE. Je m'en fais un plaisir. . . Je
 m'en fais un honneur!

LISIMON, *à Lycandre.* Et moi, de mon côté,
 je veux que ma famille
Puisse donner un rang sortable à votre
 fille;
Car avec de l'argent on acquiert de l'é-
 clat,
Et je suis en marché d'un très beau mar-
 quisat,
Dont je veux que mon fils décore sa fu-
 ture.
 (*A M. Josse.*)
Dès ce soir, monsieur Josse, il faudra le
 conclure.
Allez voir le vendeur; et que demain
 mon fils
Ne se réveille point sans se trouver mar-
 quis. . .
 (*Au comte.*)
Êtes-vous satisfait?

LE COMTE.     On ne peut davantage.

LISIMON. Bon! nous allons donc faire un
 double mariage?

ISABELLE, *au comte.* Mon cœur parle pour
 vous, mais je crains vos hauteurs.

LE COMTE. L'amour prendra le soin d'assortir nos humeurs.
Comptez sur son pouvoir, que faut-il
 pour vous plaire?
Vos goûts, vos sentiments feront mon
 caractère.

LYCANDRE, *à Isabelle*. Mon fils est glorieux;
  mais il a le cœur bon.
Cela répare tout.
LISIMON.            Oui, vous avez raison;
  Et s'il reste entiché d'un peu de vaine
    gloire,
  Avec tant de mérite on peut s'en faire
    accroire.
LE COMTE. Non, je n'aspire plus qu'à
    triompher de moi;

Du respect, de l'amour je veux suivre la
    loi.
Ils m'ont ouvert les yeux; qu'ils m'aident
    à me vaincre.
Il faut se faire aimer: on vient de m'en
    convaincre;
Et je sens que la gloire et la présomp-
    tion
N'attirent que la haine et l'indigna-
    tion.

# ZAÏRE

*Tragédie en cinq actes, en vers*

Représentée pour la première fois à la Comédie-Française
le 13 août 1732

# VOLTAIRE

Voltaire (François-Marie Arouet), a bold, inquisitive mind, of unusual suppleness, was born in Paris, November 21, 1694, and died there in 1778. He carried on his studies under the Jesuits, frequented the society of the Temple, and was thrown into the Bastille for a satire that was unjustly attributed to him. On his release he spent more than two years in England (1726–29), during which time he mastered the language and devoted himself to the study of English literature and philosophy. Returning to France, he went to live at Cirey at the home of Mme. du Châtelet (1734–49). In 1750 he went to Berlin at the invitation of Frederick II, but quarreled with him and returned to France (1753); thereafter he spent the greater part of his life at Ferney, near Geneva. Here even up to an extreme old age he poured forth literary productions hardly if ever equaled by any other writer in amount and variety. On March 30, 1778, while he was in Paris by invitation to witness the performance of his tragedy *Irène* and his comedy *Nanine* on the stage of the Comédie-Française, an actor placed a crown of laurel on his head in his box at the theatre. During the intermission between the two plays, the bust of the author was placed on the stage and crowned by all the artists. The strain of his receptions and honors was too much for his strength, and he died in Paris on May 30. His remains were transferred to the Panthéon in 1791.

He cultivated all types of literature, and was hardly mediocre in any so far as the standards of his century are concerned. In tragedy he produced *Zaïre, la Mort de César, Mérope, Mahomet,* etc.; in history, *Histoire de Charles XII, le Siècle de Louis XIV, Essai sur les mœurs,* etc.; in the *conte, Candide, Zadig, l'Ingénu, Micromégas,* etc.; in literary criticism, *le Temple du goût, Remarques sur les pensées de Pascal,* etc.; in the epic, *la Henriade, Poème de Fontenoy;* in philosophy, *Lettres philosophiques, Dictionnaire philosophique,* etc.; and in his correspondence we have more than twelve thousand letters. His literary and social influence was enormous, as well as the energy that he expended in fighting against intolerance. No writer was more French in the limpidity, the elegance, the witty precision and the purity of his style; none more human in the general tendencies of his philosophy: respect for conscience and individual liberty, unshakable belief in progress.

Towards the end of the seventeenth century a few attempts were made to employ modern and French historical material in tragedy. These efforts met with such an unfavorable reception that during the first thirty years of the eighteenth century no French tragedy was written based on national historical material. Voltaire in *Zaïre* (first performance August 13, 1732) was the first to reintroduce French history into French tragedy. He, like Crébillon, was convinced that tragedy needed reinvigoration through the infusion of new elements. He observed how opera and comedy were profiting by the new interest in the exotic to employ an element of the spectacular and colorful. How to reconcile such elements with classical tragedy, to whose forms he was ever loyal, was a problem of which Voltaire could see no solution. His acquaintance with English drama, especially Shakespeare's, during his stay in England may have suggested to him certain possible steps in this direction. The amount of action in English drama also attracted his interest, and he came to the conclusion that French tragedy suffered from too much talk and too little action. Within three years after his return from England he produced three tragedies, *Brutus* (1730), *Ériphyle* (1732), *Zaïre* (1732), each of which contains some reminiscence of Shakespeare, though perhaps no direct influence. Already in the first of these there is noticeable an effort to speed up the action, and a slight attempt at local color. From now on Voltaire was interested in striking the eye as well as the ear of the spectator. By the time that he wrote *Tancrède*, in 1761, he had gone as far in this direction as the classical form to which he adhered would permit. Unconsciously he was helping to prepare the way for the extensive vogue of the spectacular on the French stage in the last quarter of the century.

In *Zaïre*, Voltaire introduced an innovation by presenting a number of French historical characters. This, he stated, was due to the inspiration of English tragedy which had used national historical material with much success. But in this particular play he is far from producing an historical drama. The only historical element in it is the period chosen, and here Voltaire exercises great liberty; the rest is pure invention. What interested him most was a portrayal of the contrast between Mohammedan and Christian *mœurs*, of which he knew little. He did not fail to insinuate, as was his wont, references to certain of the enlightened ideas of his time, especially that of tolerance. There is no attempt to portray accurately a period of history. The local color is thinly washed over the surface. What we really have is a Racinian love plot in which sentiments general rather than particular are presented. Such a plot does not admit of precision in local color. Reminiscences of Shakespeare's *Othello* and *King Lear* have been detected in this tragedy, but they are merely coincidental; the treatment of the material is purely French. *Zaïre* was a success because it was the best tragedy that had appeared in a long time. It is usually considered Voltaire's best effort in this type of drama, and the outstanding French tragedy of the century. Twice again did Voltaire use national historical material in tragedies: in *Adélaïde du Guesclin* (1734) and in *Tancrède* (1761). In both of these plays all of the characters are Frenchmen, but as in *Zaïre*, the form is too classical to mark much progress in the historical drama.

Of the more than fifty plays which Voltaire wrote, more than half were so-called tragedies.[1] In theory, his ideal is still Racine at his best, and he does not set out to invent a new type of tragedy. But in practice he varied widely from the ideal standards of the classical school, and made decided progress in tragedy beyond the seventeenth-century type. Not being a great poet, he depended much on action for the interest; and his natural gifts in dramatic perception and his experience as actor and amateur manager often carried him into genuine melodrama. The unities were often troublesome to him, and he used various devices to get around them, rivaling Corneille in this respect. Voltaire departs from the simplicity of Racine in choosing his subjects and plots at will from all ages and from all countries, from the legends of antiquity to adventures in the newly discovered lands, from China to the new world. Add to these an admixture of philosophical tirades and contemporary allusions, along with some slight attempts at

---

[1] For Voltaire's contribution to comedy, see introduction to *Nanine*, p. 349 ff.

modernization on the part of some of his actors, and the fact that the noblemen who formerly encumbered the stage had been banished from it, and we have a step toward the romantic school of the nineteenth century.

Bibliography: *Œuvres complètes de Voltaire,* édition L. Moland, Paris, 1877–85, 52 vols. *Œuvres choisies de Voltaire: Théâtre,* édition G. Bengesco, Paris, 1887. H. LION: *Les Tragédies et les théories dramatiques de Voltaire,* Paris, 1895. E. DESCHANEL: *Le Théâtre de Voltaire,* Paris, 1886. F. BRUNETIÈRE: *Les Époques du théâtre français,* Paris, 1892, E. J. DUBEDOUT: *Shakespeare et Voltaire: "Othello et Zaïre,"* in *Modern Philology,* Vol. III, 1905–06. T. R. LOUNSBURY: *Shakespeare and Voltaire,* New York, 1902. *Mérope,* edited with introduction, etc., by T. E. OLIVER, New York, 1925. G. R. HAVENS: *Selections from Voltaire,* New York, 1925. J. MORLEY: *Voltaire,* London, 1874. R. ALDINGTON: *Voltaire,* New York, 1926. C. B. CHASE: *The Young Voltaire,* New York, 1926.

# ZAÏRE [1]

## Par VOLTAIRE.

### PERSONNAGES.

OROSMANE, *soudan de Jérusalem.*
LUSIGNAN, *prince du sang des rois de Jé- rusalem.*
ZAÏRE, }
FATIME, } *esclaves du soudan.*
NÉRESTAN, }
CHATILLON, } *chevaliers français.*

CORASMIN, }
MÉLÉDOR, } *officiers du soudan.*
UN ESCLAVE.
SUITE.

La scène est au sérail de Jérusalem.

## ACTE PREMIER.

### SCÈNE PREMIÈRE.

#### ZAÏRE, FATIME.

FATIME. Je ne m'attendais pas, jeune et
   belle Zaïre,
Aux nouveaux sentiments que ce lieu
   vous inspire.
Quel espoir si flatteur, ou quels heureux
   destins
De vos jours ténébreux ont fait des jours
   sereins?
La paix de votre cœur augmente avec
   vos charmes.
Cet éclat de vos yeux n'est plus terni de
   larmes;
Vous ne les tournez plus vers ces heureux climats
Où ce brave Français devait guider nos
   pas!
Vous ne me parlez plus de ces belles
   contrées

Où d'un peuple poli les femmes adorées
Reçoivent cet encens que l'on doit à vos
   yeux;
Compagnes d'un époux et reines en tous
   lieux,
Libres sans déshonneur, et sages sans
   contrainte,
Et ne devant jamais leurs vertus à la
   crainte!
Ne soupirez-vous plus pour cette liberté?
Le sérail d'un soudan, sa triste aus-
   térité,
Ce nom d'esclave enfin, n'ont-ils rien qui
   vous gêne?
Préférez-vous Solyme [2] aux rives de la
   Seine?
ZAÏRE. On ne peut désirer ce qu'on ne con-
   naît pas.
Sur les bords du Jourdain le ciel fixa
   nos pas.
Au sérail des soudans dès l'enfance en-
   fermée,
Chaque jour ma raison s'y voit accoutu-
   mée.

[1] Text of Moland edition.
[2] Solyme, Jerusalem.

Le reste de la terre, anéanti pour moi,
M'abandonne au soudan qui nous tient
    sous sa loi;
Je ne connais que lui, sa gloire, sa puis-
    sance:
Vivre sous Orosmane est ma seule es-
    pérance;
Le reste est un vain songe.

FATIME.            Avez-vous oublié
Ce généreux Français, dont la tendre
    amitié
Nous promit si souvent de rompre notre
    chaîne?
Combien nous admirions son audace
    hautaine!
Quelle gloire il acquit dans ces tristes
    combats
Perdus par les chrétiens sous les murs de
    Damas![1]
Orosmane vainqueur, admirant son cou-
    rage,
Le laissa sur sa foi partir de ce rivage.
Nous l'attendons encor; sa générosité
Devait payer le prix de notre liberté:
N'en aurions-nous conçu qu'une vaine
    espérance?

ZAÏRE. Peut-être sa promesse a passé sa
    puissance.
Depuis plus de deux ans il n'est point
    revenu.
Un étranger, Fatime, un captif incon-
    nu,
Promet beaucoup, tient peu, permet à
    son courage
Des serments indiscrets pour sortir d'es-
    clavage.
Il devait délivrer dix chevaliers chré-
    tiens,
Venir rompre leurs fers, ou reprendre
    les siens:
J'admirai trop en lui cet inutile zèle;
Il n'y faut plus penser.

FATIME.         Mais, s'il était fidèle,
S'il revenait enfin dégager ses ser-
    ments,
Ne voudriez-vous pas?...

ZAÏRE.      Fatime, il n'est plus temps.
Tout est changé...

FATIME. Comment? que prétendez-vous
    dire?

ZAÏRE. Va, c'est trop te céler le destin de
    Zaïre;
Le secret du soudan doit encor se cacher;
Mais mon cœur dans le tien se plaît à
    s'épancher.
Depuis près de trois mois qu'avec d'au-
    tres captives

On te fit du Jourdain abandonner les
    rives,
Le ciel, pour terminer les malheurs de
    nos jours,
D'une main plus puissante a choisi le
    secours.
Ce superbe Orosmane...

FATIME.          Eh bien!

ZAÏRE.         Ce soudan même,
Ce vainqueur des chrétiens... chère
    Fatime... il m'aime...
Tu rougis... je t'entends... garde-toi
    de penser
Qu'à briguer ses soupirs je puisse m'a-
    baisser,
Que d'un maître absolu la superbe ten-
    dresse
M'offre l'honneur honteux du rang de
    sa maîtresse,
Et que j'essuie enfin l'outrage et le dan-
    ger
Du malheureux éclat d'un amour pas-
    sager.
Cette fierté qu'en nous soutient la mo-
    destie,
Dans mon cœur à ce point ne s'est pas
    démentie.
Plutôt que jusque-là j'abaisse mon or-
    gueil,
Je verrais sans pâlir les fers et le cer-
    cueil.
Je m'en vais t'étonner; son superbe cou-
    rage
A mes faibles appas présente un pur
    hommage:
Parmi tous ces objets[2] à lui plaire em-
    pressés,
J'ai fixé ses regards à moi seule adres-
    sés;
Et l'hymen, confondant leurs intrigues
    fatales,
Me soumettra bientôt son cœur et mes
    rivales.

FATIME. Vos appas, vos vertus, sont dignes
    de ce prix;
Mon cœur en est flatté plus qu'il n'en
    est surpris.
Que vos félicités, s'il se peut, soient par-
    faites.
Je me vois avec joie au rang de vos su-
    jettes.

ZAÏRE. Sois toujours mon égale, et goûte
    mon bonheur:
Avec toi partagé, je sens mieux sa dou-
    ceur.

FATIME. Hélas! puisse le ciel souffrir cet
    hyménée!

---

[1] Damas, Damascus, where Christians were defeated in 1148.

[2] objets, beautiful ladies, "objects" of affection.

Puisse cette grandeur qui vous est des-
    tinée,
Qu'on nomme si souvent du faux nom de
    bonheur,
Ne point laisser de trouble au fond de
    votre cœur!
N'est-il point en secret de frein qui vous
    retienne?
Ne vous souvient-il plus que vous fûtes
    chrétienne?

ZAÏRE. Ah! que dis-tu? pourquoi rappeler
    mes ennuis?
Chère Fatime, hélas, sais-je ce que je
    suis?
Le ciel m'a-t-il jamais permis de me con-
    naître?
Ne m'a-t-il pas caché le sang qui m'a
    fait naître?

FATIME. Nérestan, qui naquit non loin de
    ce séjour,
Vous dit que d'un chrétien vous reçûtes
    le jour.
Que dis-je? cette croix qui sur vous fut
    trouvée,
Parure de l'enfance, avec soin conservée,
Ce signe des chrétiens, que l'art dérobe
    aux yeux
Sous le brillant éclat d'un travail pré-
    cieux;
Cette croix, dont cent fois mes soins
    vous ont parée,
Peut-être entre vos mains est-elle de-
    meurée
Comme un gage secret de la fidélité
Que vous deviez au Dieu que vous avez
    quitté.

ZAÏRE. Je n'ai point d'autre preuve; et mon
    cœur qui s'ignore
Peut-il admettre un Dieu que mon amant
    abhorre?
La coutume, la loi plia mes premiers
    ans
A la religion des heureux musulmans.
Je le vois trop: les soins qu'on prend
    de notre enfance
Forment nos sentiments, nos mœurs,
    notre croyance.
J'eusse été près du Gange esclave des
    faux dieux,
Chrétienne dans Paris, musulmane en
    ces lieux.
L'instruction fait tout; et la main de
    nos pères
Grave en nos faibles cœurs ces premiers
    caractères
Que l'exemple et le temps nous viennent
    retracer,
Et que peut-être en nous Dieu seul peut
    effacer.

Prisonnière en ces lieux, tu n'y fus ren-
    fermée
Que lorsque ta raison, par l'âge con-
    firmée,
Pour éclairer ta foi te prêtait son flam-
    beau:
Pour moi, des Sarrasins esclave en mon
    berceau,
La foi de nos chrétiens me fut trop tard
    connue.
Contre elle cependant, loin d'être pré-
    venue,
Cette croix, je l'avoue, a souvent malgré
    moi
Saisi mon cœur surpris de respect et
    d'effroi:
J'osais l'invoquer même avant qu'en ma
    pensée
D'Orosmane en secret l'image fût tracée.
J'honore, je chéris ces charitables lois
Dont ici Nérestan me parla tant de fois;
Ces lois qui, de la terre écartant les
    misères,
Des humains attendris font un peuple
    de frères;
Obligés de s'aimer, sans doute ils sont
    heureux.

FATIME. Pourquoi donc aujourd'hui vous
    déclarer contre eux?
A la loi musulmane à jamais asservie,
Vous allez des chrétiens devenir l'enne-
    mie;
Vous allez épouser leur superbe vain-
    queur.

ZAÏRE. Qui lui refuserait le présent de son
    cœur?
De toute ma faiblesse il faut que je con-
    vienne;
Peut-être sans l'amour j'aurais été chré-
    tienne;
Peut-être qu'à ta loi j'aurais sacrifié:
Mais Orosmane m'aime, et j'ai tout
    oublié.
Je ne vois qu'Orosmane, et mon âme eni-
    vrée
Se remplit du bonheur de s'en voir
    adorée.
Mets-toi devant les yeux sa grâce, ses
    exploits;
Songe à ce bras puissant, vainqueur de
    tant de rois,
A cet aimable front que la gloire en-
    vironne:
Je ne te parle point du sceptre qu'il me
    donne;
Non, la reconnaissance est un faible re-
    tour,
Un tribut offensant, trop peu fait pour
    l'amour:

Mon cœur aime Orosmane, et non son
    diadème ;
Chère Fatime, en lui je n'aime que lui-
    même.
Peut-être j'en crois trop un penchant si
    flatteur ;
Mais si le ciel, sur lui déployant sa ri-
    gueur,
Aux fers que j'ai portés eût condamné
    sa vie,
Si le ciel sous mes lois eût rangé la
    Syrie,
Ou mon amour me trompe, ou Zaïre au-
    jourd'hui
Pour l'élever à soi descendrait jusqu'à lui.
FATIME. On marche vers ces lieux ; sans
    doute c'est lui-même.
ZAÏRE. Mon cœur, qui le prévient, m'an-
    nonce ce que j'aime.
Depuis deux jours, Fatime, absent de ce
    palais,
Enfin son tendre amour le rend à mes
    souhaits.


### SCÈNE II.

#### OROSMANE, ZAÏRE, FATIME.

OROSMANE. Vertueuse Zaïre, avant que
    l'hyménée
Joigne à jamais nos cœurs et notre des-
    tinée,
J'ai cru, sur mes projets, sur vous, sur
    mon amour,
Devoir en musulman vous parler sans
    détour.
Les soudans qu'à genoux cet univers con-
    temple,
Leurs usages, leurs droits, ne sont point
    mon exemple ;
Je sais que notre loi, favorable aux
    plaisirs,
Ouvre un champ sans limite à nos vastes
    désirs ;
Que je puis à mon gré, prodiguant mes
    tendresses,
Recevoir à mes pieds l'encens de mes
    maîtresses ;
Et tranquille au sérail, dictant mes
    volontés,
Gouverner mon pays du sein des voluptés.
Mais la mollesse est douce, et sa suite est
    cruelle ;

Je vois autour de moi cent rois vaincus
    par elle ;
Je vois de Mahomet ces lâches succes-
    seurs,
Ces califes tremblants dans leurs tristes
    grandeurs,
Couchés sur les débris de l'autel et du
    trône,
Sous un nom sans pouvoir languir dans
    Babylone :
Eux qui seraient encore, ainsi que leurs
    aïeux,
Maîtres du monde entier s'ils l'avaient
    été d'eux.
Bouillon [1] leur arracha Solyme et la
    Syrie ;
Mais bientôt, pour punir une secte en-
    nemie,
Dieu suscita le bras du puissant Sala-
    din ; [2]
Mon père, après sa mort, asservit le
    Jourdain ;
Et moi, faible héritier de sa grandeur
    nouvelle,
Maître encore incertain d'un État qui
    chancelle,
Je vois ces fiers chrétiens, de rapine al-
    térés,
Des bords de l'Occident vers nos bords
    attirés ;
Et lorsque la trompette et la voix de la
    guerre
Du Nil au Pont-Euxin font retentir la
    terre,
Je n'irai point, en proie à de lâches
    amours,
Aux langueurs d'un sérail abandonner
    mes jours.
J'atteste ici la gloire, et Zaïre, et ma
    flamme,
De ne choisir que vous pour maîtresse
    et pour femme,
De vivre votre ami, votre amant, votre
    époux,
De partager mon cœur entre la guerre et
    vous.
Ne croyez pas non plus que mon hon-
    neur confie
La vertu d'une épouse à ces monstres
    d'Asie, [3]
Du sérail des soudans gardes injurieux,
Et des plaisirs d'un maître esclaves
    odieux.
Je sais vous estimer autant que je vous
    aime,
Et sur votre vertu me fier à vous-même.

[1] Bouillon, Godefroy de Bouillon (1058–1100), leader of first Crusade.
[2] Saladin (1137–1193), sultan of Egypt and Syria.
[3] monstres d'Asie, eunuchs.

Après un tel aveu, vous connaissez mon
  cœur;
Vous sentez qu'en vous seule il a mis son
  bonheur.
Vous comprenez assez quelle amertume
  affreuse
Corromprait de mes jours la durée
  odieuse,
Si vous ne receviez les dons que je vous
  fais
Qu'avec ces sentiments que l'on doit aux
  bienfaits.
Je vous aime, Zaïre, et j'attends de votre
  âme
Un amour qui réponde à ma brûlante
  flamme.
Je l'avouerai, mon cœur ne veut rien
  qu'ardemment;
Je me croirais haï d'être aimé faiblement.
De tous mes sentiments tel est le caractère.
Je veux avec excès vous aimer et vous
  plaire.
Si d'un égal amour votre cœur est
  épris,
Je viens vous épouser, mais c'est à ce
  seul prix;
Et du nœud de l'hymen l'étreinte dangereuse
Me rend infortuné s'il ne vous rend heureuse.

ZAÏRE. Vous, seigneur, malheureux! Ah! si
  votre grand cœur
A sur mes sentiments pu fonder son bonheur,
S'il dépend en effet de mes flammes secrètes,
Quel mortel fut jamais plus heureux que
  vous l'êtes?
Ces noms chers et sacrés, et d'amant, et
  d'époux,
Ces noms nous sont communs: et j'ai
  par-dessus vous
Ce plaisir si flatteur à ma tendresse extrême,
De tenir tout, seigneur, du bienfaiteur
  que j'aime;
De voir que ses bontés font seules mes
  destins;
D'être l'ouvrage heureux de ses augustes
  mains;
De révérer, d'aimer un héros que j'admire.
Oui, si parmi les cœurs soumis à votre
  empire
Vos yeux ont discerné les hommages du
  mien,
Si votre auguste choix. . .

## SCÈNE III.

OROSMANE, ZAÏRE, FATIME, CORASMIN.

CORASMIN.                Cet esclave chrétien
Qui sur sa foi, seigneur, a passé dans la
  France,
Revient au moment même, et demande
  audience.
FATIME. O ciel!
OROSMANE. Il peut entrer. Pourquoi ne
  vient-il pas?
CORASMIN. Dans la première enceinte il
  arrête ses pas.
Seigneur, je n'ai pas cru qu'aux regards
  de son maître,
Dans ces augustes lieux un chrétien pût
  paraître.
OROSMANE. Qu'il paraisse. En tous lieux,
  sans manquer de respect,
Chacun peut désormais jouir de mon as-
  pect.
Je vois avec mépris ces maximes terribles
Qui font de tant de rois des tyrans in-
  visibles.

## SCÈNE IV.

OROSMANE, ZAÏRE, FATIME, CORASMIN,
  NÉRESTAN.

NÉRESTAN. Respectable ennemi qu'estiment
  les chrétiens,
Je reviens dégager mes serments et les
  tiens;
J'ai satisfait à tout; c'est à toi d'y sous-
  crire;
Je te fais apporter la rançon de Zaïre,
Et celle de Fatime, et de dix chevaliers,
Dans les murs de Solyme illustres prison-
  niers.
Leur liberté, par moi trop longtemps re-
  tardée,
Quand je reparaîtrais leur dut être ac-
  cordée:
Sultan, tiens ta parole; ils ne sont plus
  à toi,
Et dès ce moment même ils sont libres
  par moi.
Mais, grâces à mes soins, quand leur
  chaîne est brisée,
A t'en payer le prix ma fortune épuisée,
Je ne le cèle pas, m'ôte l'espoir heureux
De faire ici pour moi ce que je fais pour
  eux.
Une pauvreté noble est tout ce qui me
  reste.

J'arrache des chrétiens à leur prison
    funeste;
Je remplis mes serments, mon honneur,
    mon devoir;
Il me suffit: je viens me mettre en ton
    pouvoir;
Je me rends prisonnier, et demeure en
    otage.
OROSMANE. Chrétien, je suis content de ton
    noble courage;
Mais ton orgueil ici se serait-il flatté
D'effacer Orosmane en générosité?
Reprends ta liberté, remporte tes riches-
    ses,
A l'or de ces rançons joins mes justes
    largesses:
Au lieu de dix chrétiens que je dus t'ac-
    corder,
Je t'en veux donner cent; tu les peux
    demander.
Qu'ils aillent sur tes pas apprendre à
    ta patrie
Qu'il est quelques vertus au fond de la
    Syrie;
Qu'ils jugent en partant qui méritait le
    mieux,
Des Français ou de moi, l'empire de ces
    lieux.
Mais parmi ces chrétiens que ma bonté
    délivre,
Lusignan ne fut point réservé pour te
    suivre:
De ceux qu'on peut te rendre il est seul
    excepté;
Son nom serait suspect à mon autorité:
Il est du sang français qui régnait à
    Solyme;
On sait son droit au trône, et ce droit
    est un crime;
Du destin qui fait tout tel est l'arrêt
    cruel;
Si j'eusse été vaincu, je serais criminel.
Lusignan dans les fers finira sa carri-
    ère,
Et jamais du soleil ne verra la lumière.
Je le plains, mais pardonne à la néces-
    sité
Ce reste de vengeance et de sévérité.
Pour Zaïre, crois-moi, sans que ton cœur
    s'offense,
Elle n'est pas d'un prix qui soit en ta
    puissance;
Tes chevaliers français, et tous leurs
    souverains,
S'uniraient vainement pour l'ôter de mes
    mains.
Tu peux partir.

NÉRESTAN. Qu'entends-je? Elle naquit
    chrétienne.
J'ai pour la délivrer ta parole et la
    sienne;
Et quant à Lusignan, ce vieillard mal-
    heureux,
Pourrait-il. . . ?
OROSMANE. Je t'ai dit, chrétien, que je le
    veux.
J'honore ta vertu; mais cette humeur
    altière,
Se faisant estimer, commence à me dé-
    plaire:
Sors, et que le soleil, levé sur mes États
Demain près du Jourdain ne te retrouve
    pas.
                    (Nérestan sort.)
FATIME. O Dieu, secourez-nous!
OROSMANE.             Et vous, allez, Zaïre,
Prenez dans le sérail un souverain em-
    pire;
Commandez en sultane: et je vais or-
    donner
La pompe d'un hymen qui vous doit
    couronner.

### SCÈNE V.[1]

OROSMANE, CORASMIN.

OROSMANE. Corasmin, que veut donc cet
    esclave infidèle?
Il soupirait. . . ses yeux se sont tour-
    nés vers elle;
Les as-tu remarqués?
CORASMIN.          Que dites-vous, seigneur?
De ce soupçon jaloux écoutez-vous l'er-
    reur?
OROSMANE. Moi, jaloux! qu'à ce point ma
    fierté s'avilisse!
Que j'éprouve l'horreur de ce honteux
    supplice!
Moi! que je puisse aimer comme l'on sait
    haïr?
Quiconque est soupçonneux invite à le
    trahir.
Je vois à l'amour seul ma maîtresse as-
    servie;
Cher Corasmin, je l'aime avec idolâtrie:
Mon amour est plus fort, plus grand que
    mes bienfaits.
Je ne suis point jaloux. . . si je l'étais
    jamais. . .
Si mon cœur. . . Ah! chassons cette
    importune idée!
D'un plaisir pur et doux mon âme est
    possédée.

[1] There is little to support the assertion often made that *Othello*, III, 3, is the model for
this scene.

Va, fais tout préparer pour ces moments heureux
Qui vont joindre ma vie à l'objet de mes
vœux.
Je vais donner une heure aux soins de
mon empire,
Et le reste du jour sera tout à Zaïre.

## ACTE DEUXIÈME.

### SCÈNE PREMIÈRE.

NÉRESTAN, CHATILLON.

CHATILLON. O brave Nérestan, chevalier
généreux,
Vous qui brisez les fers de tant de malheureux,
Vous, sauveur des chrétiens, qu'un Dieu
sauveur envoie,
Paraissez, montrez-vous, goûtez la douce
joie
De voir nos compagnons, pleurant à vos
genoux,
Baiser l'heureuse main qui nous délivre
tous.
Aux portes du sérail, en foule, ils vous
demandent;
Ne privez point leurs yeux du héros qu'ils
attendent,
Et qu'unis à jamais sous notre bien-
faiteur. . .
NÉRESTAN. Illustre Chatillon, modérez cet
honneur;
J'ai rempli d'un Français le devoir or-
dinaire.
J'ai fait ce qu'à ma place on vous aurait
vu faire.
CHATILLON. Sans doute; et tout chrétien,
tout digne chevalier,
Pour sa religion se doit sacrifier;
Et la félicité des cœurs tels que les nôtres
Consiste à tout quitter pour le bonheur
des autres.
Heureux, à qui le ciel a donné le pouvoir
De remplir comme vous un si noble de-
voir!
Pour nous, tristes jouets du sort qui
nous opprime,
Nous, malheureux Français, esclaves dans
Solyme,
Oubliés dans les fers, où longtemps, sans
secours,
Le père d'Orosmane abandonna nos
jours,
Jamais nos yeux sans vous ne reverraient
la France.

NÉRESTAN. Dieu s'est servi de moi, sei-
gneur: sa providence
De ce jeune Orosmane a fléchi la rigueur.
Mais quel triste mélange altère ce bon-
heur!
Que de ce fier soudan la clémence
odieuse
Répand sur ses bienfaits une amertume
affreuse!
Dieu me voit et m'entend; il sait si dans
mon cœur
J'avais d'autres projets que ceux de sa
grandeur.
Je faisais tout pour lui; j'espérais de lui
rendre
Une jeune beauté, qu'à l'âge le plus
tendre
Le cruel Noradin fit esclave avec moi,
Lorsque les ennemis de notre auguste
foi,
Baignant de notre sang la Syrie enivrée,
Surprirent Lusignan vaincu dans Césa-
rée.
Du sérail des sultans sauvé par des
chrétiens,
Remis depuis trois ans dans mes pre-
miers liens,
Renvoyé dans Paris sur ma seule parole,
Seigneur, je me flattais, espérance fri-
vole!
De ramener Zaïre à cette heureuse cour
Où Louis [1] des vertus a fixé le séjour.
Déjà même la reine, à mon zèle propice,
Lui tendait de son trône une main pro-
tectrice.
Enfin, lorsqu'elle touche au moment sou-
haité,
Qui la tirait du sein de la captivité,
On la retient. . . Que dis-je? . . . Ah!
Zaïre elle-même
Oubliant les chrétiens pour ce soudan
qui l'aime. . .
N'y pensons plus. . . Seigneur, un refus
plus cruel
Vient m'accabler encor d'un déplaisir
mortel;
Des chrétiens malheureux l'espérance est
trahie.
CHATILLON. Je vous offre pour eux ma
liberté, ma vie;
Disposez-en, seigneur, elle vous appar-
tient.
NÉRESTAN. Seigneur, ce Lusignan, qu'à So-
lyme on retient,
Ce dernier d'une race en héros si féconde,
Ce guerrier dont la gloire avait rempli
le monde,

[1] Louis IX, Saint Louis.

Ce héros malheureux, de Bouillon des-
cendu,
Aux soupirs des chrétiens ne sera point
rendu.
CHATILLON. Seigneur, s'il est ainsi, votre
faveur est vaine :
Quel indigne soldat voudrait briser sa
chaîne,
Alors que dans les fers son chef est
retenu ?
Lusignan, comme à moi, ne vous est pas
connu.
Seigneur, remerciez le ciel, dont la clé-
mence
A pour votre bonheur placé votre nais-
sance
Longtemps après ces jours à jamais dé-
testés,
Après ces jours de sang et de calamités,
Où je vis sous le joug de nos barbares
maîtres
Tomber ces murs sacrés conquis par nos
ancêtres.
Ciel ! si vous aviez vu ce temple aban-
donné,
Du Dieu que nous servons le tombeau
profané,
Nos pères, nos enfants, nos filles et nos
femmes,
Au pied de nos autels expirant dans les
flammes,
Et notre dernier roi, courbé du faix des
ans,
Massacré sans pitié sur ses fils expi-
rants !
Lusignan, le dernier de cette auguste
race,
Dans ces moments affreux ranimant notre
audace,
Au milieu des débris des temples renver-
sés,
Des vainqueurs, des vaincus, et des morts
entassés,
Terrible, et d'une main reprenant cette
épée,
Dans le sang infidèle à tout moment
trempée,
Et de l'autre à nos yeux montrant avec
fierté
De notre sainte foi le signe redouté,
Criant à haute voix : «Français, soyez
fidèles. . .»
Sans doute en ce moment, le couvrant
de ses ailes,
La vertu du Très-Haut, qui nous sauve
aujourd'hui,
Aplanissait sa route, et marchait de-
vant lui ;
Et des tristes chrétiens la foule délivrée

Vint porter avec nous ses pas dans Césarée.
Là, par nos chevaliers, d'une commune
voix,
Lusignan fut choisi pour nous donner
des lois.
O mon cher Nérestan ! Dieu, qui nous
humilie,
N'a pas voulu sans doute, en cette courte
vie,
Nous accorder le prix qu'il doit à la
vertu ;
Vainement pour son nom nous avons
combattu.
Ressouvenir affreux, dont l'horreur me
dévore !
Jérusalem en cendre, hélas ! fumait en-
core,
Lorsque dans notre asile attaqués et tra-
his,
Et livrés par un Grec à nos fiers en-
nemis,
La flamme, dont brûla Sion désespérée,
S'étendit en fureur aux murs de Césarée :
Ce fut là le dernier de trente ans de re-
vers ;
Là, je vis Lusignan chargé d'indignes
fers :
Insensible à sa chute, et grand dans ses
misères,
Il n'était attendri que des maux de ses
frères.
Seigneur, depuis ce temps, ce père des
chrétiens,
Resserré loin de nous, blanchi dans ses
liens,
Gémit dans un cachot, privé de la lu-
mière,
Oublié de l'Asie et de l'Europe entière.
Tel est son sort affreux : qui pourrait au-
jourd'hui,
Quand il souffre pour nous, se voir heu-
reux sans lui ?
NÉRESTAN. Ce bonheur, il est vrai, serait
d'un cœur barbare.
Que je hais le destin qui de lui nous
sépare !
Que vers lui vos discours m'ont sans
peine entraîné !
Je connais ses malheurs, avec eux je suis
né ;
Sans un trouble nouveau je n'ai pu les
entendre ;
Votre prison, la sienne, et Césarée en
cendre,
Sont les premiers objets, sont les pre-
miers revers
Qui frappèrent mes yeux à peine encore ouverts.

Je sortais du berceau ; ces images san-
    glantes
Dans vos tristes récits me sont encore
    présentes.
Au milieu des chrétiens dans un temple
    immolés,
Quelques enfants, seigneur, avec moi ras-
    semblés,
Arrachés par des mains de carnage fu-
    mantes
Aux bras ensanglantés de nos mères
    tremblantes,
Nous fûmes transportés dans ce palais
    des rois,
Dans ce même sérail, seigneur, où je
    vous vois.
Noradin m'éleva près de cette Zaïre,
Qui depuis. . . pardonnez si mon cœur
    en soupire !
Qui depuis, égarée en ce funeste
    lieu,
Pour un maître barbare abandonna son
    Dieu.
CHATILLON. Telle est des musulmans la
    funeste prudence.
De leurs chrétiens captifs ils séduisent
    l'enfance ;
Et je bénis le ciel, propice à nos des-
    seins,
Qui dans vos premiers ans vous sauva
    de leurs mains.
Mais, seigneur, après tout, cette Zaïre
    même,
Qui renonce aux chrétiens, pour le sou-
    dan qui l'aime,
De son crédit au moins nous pourrait
    secourir :
Qu'importe de quel bras Dieu daigne se
    servir ?
M'en croirez-vous ? Le juste, aussi bien
    que le sage,
Du crime et du malheur sait tirer avan-
    tage.
Vous pourriez de Zaïre employer la fa-
    veur
A fléchir Orosmane, à toucher son grand
    cœur,
A nous rendre un héros que lui-même a
    dû plaindre,
Que sans doute il admire, et qui n'est
    plus à craindre.
NÉRESTAN. Mais ce même héros, pour briser
    ses liens,
Voudra-t-il qu'on s'abaisse à ces honteux
    moyens ?
Et quand il le voudrait, est-il en ma puis-
    sance
D'obtenir de Zaïre un moment d'au-
    dience ?

Croyez-vous qu'Orosmane y daigne con-
    sentir ?
Le sérail à ma voix pourra-t-il se rou-
    vrir ?
Quand je pourrais enfin paraître devant
    elle,
Que faut-il espérer d'une femme infidèle,
A qui mon seul aspect doit tenir lieu
    d'affront,
Et qui lira sa honte écrite sur mon front ?
Seigneur, il est bien dur, pour un cœur
    magnanime,
D'attendre des secours de ceux qu'on
    mésestime :
Leurs refus sont affreux, leurs bienfaits
    font rougir.
CHATILLON. Songez à Lusignan, songez à
    le servir.
NÉRESTAN. Eh bien ! . . . Mais quels che-
    mins jusqu'à cette infidèle
Pourront. . . ? On vient à nous. Que
    vois-je ? ô ciel ! c'est elle !

## SCÈNE II.

ZAÏRE, CHATILLON, NÉRESTAN.

ZAÏRE, *à Nérestan.* C'est vous, digne Fran-
    çais, à qui je viens parler.
Le soudan le permet, cessez de vous
    troubler ;
Et rassurant mon cœur, qui tremble à
    votre approche,
Chassez de vos regards la plainte et le
    reproche.
Seigneur, nous nous craignons, nous rou-
    gissons tous deux ;
Je souhaite et je crains de rencontrer
    vos yeux.
L'un à l'autre attachés depuis notre nais-
    sance,
Une affreuse prison renferma notre en-
    fance ;
Le sort nous accabla du poids des mêmes
    fers,
Que la tendre amitié nous rendait plus
    légers.
Il me fallut depuis gémir de votre ab-
    sence ;
Le ciel porta vos pas aux rives de la
    France :
Prisonnier dans Solyme, enfin je vous
    revis ;
Un entretien plus libre alors m'était per-
    mis.
Esclave dans la foule, où j'étais con-
    fondue,
Aux regards du soudan je vivais incon-
    nue :

Vous daignâtes bientôt, soit grandeur,
   soit pitié,
Soit plutôt digne effet d'une pure amitié,
Revoyant des Français le glorieux em-
   pire,
Y chercher la rançon de la triste Zaïre :
Vous l'apportez : le ciel a trompé vos
   bienfaits ;
Loin de vous, dans Solyme, il m'arrête
   à jamais.
Mais quoi que ma fortune ait d'éclat et
   de charmes,
Je ne puis vous quitter sans répandre des
   larmes.
Toujours de vos bontés je vais m'entre-
   tenir,
Chérir de vos vertus le tendre souvenir,
Comme vous, des humains soulager la
   misère,
Protéger les chrétiens, leur tenir lieu de
   mère ;
Vous me les rendez chers, et ces infor-
   tunés. . .
NÉRESTAN. Vous, les protéger ! vous, qui les
   abandonnez !
Vous, qui des Lusignan foulant aux pieds
   la cendre. . .
ZAÏRE. Je la viens honorer, seigneur, je
   viens vous rendre
Le dernier de ce sang, votre amour,
   votre espoir :
Oui, Lusignan est libre, et vous l'allez
   revoir.
CHATILLON. O ciel ! nous reverrions notre
   appui, notre père !
NÉRESTAN. Les chrétiens vous devraient une
   tête si chère !
ZAÏRE. J'avais sans espérance osé la deman-
   der :
Le généreux soudan veut bien nous l'ac-
   corder :
On l'amène en ces lieux.
NÉRESTAN.      Que mon âme est émue !
ZAÏRE. Mes larmes, malgré moi, me déro-
   bent sa vue ;
Ainsi que ce vieillard, j'ai langui dans
   les fers ;
Qui ne sait compatir aux maux qu'on a
   soufferts !
NÉRESTAN. Grand Dieu ! que de vertu dans
   une âme infidèle !

## SCÈNE III.

ZAÏRE, LUSIGNAN, CHATILLON, NÉRESTAN,
   PLUSIEURS ESCLAVES CHRÉTIENS.

LUSIGNAN. Du séjour du trépas quelle voix
   me rappelle ?

Suis-je avec des chrétiens ? . . . Guidez
   mes pas tremblants.
Mes maux m'ont affaibli plus encor que
   mes ans.
     (En s'asseyant.)
Suis-je libre en effet ?
ZAÏRE.      Oui, seigneur, oui, vous
   l'êtes.
CHATILLON. Vous vivez, vous calmez nos
   douleurs inquiètes.
Tous nos tristes chrétiens. . .
LUSIGNAN.      O jour ! ô douce voix !
Chatillon, c'est donc vous ? c'est vous
   que je revois !
Martyr, ainsi que moi, de la foi de nos
   pères,
Le Dieu que nous servons finit-il nos
   misères ?
En quels lieux sommes-nous ? Aidez mes
   faibles yeux.
CHATILLON. C'est ici le palais qu'ont bâti
   vos aïeux ;
Du fils de Noradin c'est le séjour pro-
   fane.
ZAÏRE. Le maître de ces lieux, le puissant
   Orosmane,
Sait connaître, seigneur, et chérir la
   vertu.
     (En montrant Nérestan.)
Ce généreux Français, qui vous est in-
   connu,
Par la gloire amené des rives de la
   France,
Venait de dix chrétiens payer la déli-
   vrance ;
Le soudan, comme lui, gouverné par
   l'honneur,
Croit, en vous délivrant, égaler son
   grand cœur.
LUSIGNAN. Des chevaliers français tel est
   le caractère ;
Leur noblesse en tout temps me fut utile
   et chère.
Trop digne chevalier, quoi ! vous passez
   les mers
Pour soulager nos maux et pour briser
   nos fers ?
Ah ! parlez, à qui dois-je un service si
   rare ?
NÉRESTAN. Mon nom est Nérestan ; le sort,
   longtemps barbare,
Qui dans les fers ici me mit presque en
   naissant,
Me fit quitter bientôt l'empire du Croissant.
A la cour de Louis, guidé par mon courage,
De la guerre sous lui j'ai fait l'apprentissage ;

Ma fortune et mon rang sont un don de ce roi,
Si grand par sa valeur, et plus grand par sa foi.
Je le suivis, seigneur, au bord de la Charente,[1]
Lorsque du fier Anglais la valeur menaçante,
Cédant à nos efforts trop longtemps captivés,
Satisfit en tombant aux lis [2] qu'ils ont bravés.
Venez, prince, et montrez au plus grand des monarques
De vos fers glorieux les vénérables marques :
Paris va révérer le martyr de la croix,
Et la cour de Louis est l'asile des rois.[3]
LUSIGNAN. Hélas! de cette cour j'ai vu jadis la gloire,
Quand Philippe à Bovine [4] enchaînait la victoire,
Je combattais, seigneur, avec Montmorenci,
Melun, d'Estaing, de Nesle et ce fameux Couci.[5]
Mais à revoir Paris je ne dois plus prétendre :
Vous voyez qu'au tombeau je suis prêt à descendre :
Je vais au Roi des rois demander aujourd'hui
Le prix de tous les maux que j'ai soufferts pour lui.
Vous, généreux témoins de mon heure dernière,
Tandis qu'il en est temps, écoutez ma prière :
Nérestan, Chatillon, et vous. . . de qui les pleurs
Dans ces moments si chers honorent mes malheurs,
Madame, ayez pitié du plus malheureux père
Qui jamais ait du ciel éprouvé la colère,
Qui répand devant vous des larmes que le temps
Ne peut encor tarir dans mes yeux expirants.

Une fille, trois fils, ma superbe espérance,
Me furent arrachés dès leur plus tendre enfance :
O mon cher Chatillon, tu dois t'en souvenir!
CHATILLON. De vos malheurs encor vous me voyez frémir.
LUSIGNAN. Prisonnier avec moi dans Césarée en flamme,
Tes yeux virent périr mes deux fils et ma femme.
CHATILLON. Mon bras chargé de fers ne les put secourir.
LUSIGNAN. Hélas! et j'étais père, et je ne pus mourir!
Veillez du haut des cieux, chers enfants que j'implore,
Sur mes autres enfants, s'ils sont vivants encore.
Mon dernier fils, ma fille, aux chaînes réservés,
Par de barbares mains pour servir conservés,
Loin d'un père accablé, furent portés ensemble
Dans ce même sérail où le ciel nous rassemble.
CHATILLON. Il est vrai, dans l'horreur de ce péril nouveau,
Je tenais votre fille à peine en son berceau :
Ne pouvant la sauver, seigneur, j'allais moi-même
Répandre sur son front l'eau sainte du baptême,
Lorsque les Sarrasins, de carnage fumants,
Revinrent l'arracher à mes bras tout sanglants.
Votre plus jeune fils, à qui les destinées
Avaient à peine encore accordé quatre années,
Trop capable déjà de sentir son malheur,
Fut dans Jérusalem conduit avec sa sœur.
NÉRESTAN. De quel ressouvenir mon âme est déchirée!

---

[1] refers to French victories in battle of Taillebourg, on banks of the Charente (1242), and at Saintes.
[2] the lily is the French royal symbol.
[3] anachronistic reference to court of Louis XIV, where several banished rulers found refuge.
[4] Philippe-Auguste defeated Emperor Otto at battle of Bouvines, 1214.
[5] French nobles who distinguished themselves in battle of Bouvines. "C'est au théâtre anglais que je dois la hardiesse que j'ai eue de mettre sur la scène les noms des rois et des anciennes familles du royaume." Voltaire, Œuvres, II, p. 542. The author hoped that the mention of these illustrious nobles, whose descendants were among the leading families of France, would arouse a certain amount of enthusiasm in his audience. See Œuvres, XXXIII, p. 272.

A cet âge fatal j'étais dans Césarée;
Et tout couvert de sang, et chargé de liens,
Je suivis en ces lieux la foule des chrétiens.

LUSIGNAN. Vous. . . seigneur! . . . Ce sérail éleva votre enfance? . . .
(*En les regardant.*)
Hélas! de mes enfants auriez-vous connaissance?
Ils seraient de votre âge, et peut-être mes yeux. . .
Quel ornement, madame, étranger en ces lieux?
Depuis quand l'avez-vous?[1]

ZAÏRE. Depuis que je respire.
Seigneur. . . eh quoi! d'où vient que votre âme soupire?
(*Elle lui donne la croix.*)

LUSIGNAN. Ah! daignez confier à mes tremblantes mains. . .

ZAÏRE. De quel trouble nouveau tous mes sens sont atteints!
(*Il l'approche de sa bouche en pleurant.*)
Seigneur, que faites-vous?

LUSIGNAN. O ciel! ô Providence!
Mes yeux, ne trompez point ma timide espérance;
Serait-il bien possible? oui, c'est elle, je vois
Ce présent qu'une épouse avait reçu de moi,
Et qui de mes enfants ornait toujours la tête,
Lorsque de leur naissance on célébrait la fête;
Je revois. . . je succombe à mon saisissement.

ZAÏRE. Qu'entends-je? et quel soupçon m'agite en ce moment?
Ah! seigneur! . . .

LUSIGNAN Dans l'espoir dont j'entrevois les charmes,
Ne m'abandonnez pas, Dieu qui voyez mes larmes!
Dieu mort sur cette croix, et qui revis pour nous,
Parle, achève, ô mon Dieu! ce sont là de tes coups.[2]
Quoi! madame, en vos mains elle était demeurée?
Quoi! tous les deux captifs, et pris dans Césarée?

ZAÏRE. Oui, seigneur.

NÉRESTAN. Se peut-il?

LUSIGNAN. Leur parole, leurs traits,
De leur mère en effet sont les vivants portraits.
Oui, grand Dieu! tu le veux, tu permets que je voie!
Dieu, ranime mes sens trop faibles pour ma joie!
Madame. . . Nérestan. . . soutiens-moi, Chatillon. . .
Nérestan, si je dois vous nommer de ce nom,
Avez-vous dans le sein la cicatrice heureuse
Du fer dont à mes yeux une main furieuse. . .

NÉRESTAN. Oui, seigneur, il est vrai.

LUSIGNAN. Dieu juste! heureux moments!

NÉRESTAN, *se jetant à genoux.* Ah! seigneur! ah! Zaïre!

LUSIGNAN. Approchez, mes enfants.

NÉRESTAN. Moi, votre fils!

ZAÏRE. Seigneur!

LUSIGNAN. Heureux jour qui m'éclaire!
Ma fille! mon cher fils! embrassez votre père.

CHATILLON. Que d'un bonheur si grand mon cœur se sent toucher!

LUSIGNAN. De vos bras, mes enfants, je ne puis m'arracher.
Je vous revois enfin, chère et triste famille,
Mon fils, digne héritier. . . vous. . . hélas! vous, ma fille,
Dissipez mes soupçons, ôtez-moi cette horreur,
Ce trouble qui m'accable au comble du bonheur.
Toi qui seul as conduit sa fortune et la mienne,
Mon Dieu qui me la rends, me la rends-tu chrétienne?
Tu pleures, malheureuse, et tu baisses les yeux!
Tu te tais! je t'entends! ô crime! ô justes cieux!

ZAÏRE. Je ne puis vous tromper: sous les lois d'Orosmane. . .
Punissez votre fille. . . elle était musulmane.

LUSIGNAN. Que la foudre en éclats ne tombe que sur moi!
Ah! mon fils! à ces mots j'eusse expiré sans toi.
Mon Dieu! j'ai combattu soixante ans pour ta gloire,

---

[1] The idea of the cross is said to be borrowed from Richard Steel's *The Conscious Lovers*.
[2] decrees.

J'ai vu tomber ton temple, et périr ta
mémoire;
Dans un cachot affreux abandonné vingt
ans,
Mes larmes t'imploraient pour mes tristes
enfants;
Et lorsque ma famille est par toi réunie,
Quand je trouve une fille, elle est ton en-
nemie!
Je suis bien malheureux. . . C'est ton
père, c'est moi,
C'est ma seule prison qui t'a ravi ta foi.
Ma fille, tendre objet de mes dernières
peines,
Songe au moins, songe au sang qui coule
dans tes veines;
C'est le sang de vingt rois, tous chrétiens
comme moi;
C'est le sang des héros, défenseurs de ma
loi;
C'est le sang des martyrs. . . O fille en-
cor trop chère!
Connais-tu ton destin? sais-tu quelle est
ta mère?
Sais-tu bien qu'à l'instant que son flanc
mit au jour
Ce triste et dernier fruit d'un malheu-
reux amour,
Je la vis massacrer par la main forcenée,
Par la main des brigands à qui tu t'es
donnée!
Tes frères, ces martyrs égorgés à mes
yeux,
T'ouvrent leurs bras sanglants, tendus
du haut des cieux!
Ton Dieu que tu trahis, ton Dieu que tu
blasphèmes,
Pour toi, pour l'univers, est mort en ces
lieux mêmes;
En ces lieux où mon bras le servit tant
de fois,
En ces lieux où son sang te parle par ma
voix.
Vois ces murs, vois ce temple envahi par
tes maîtres;
Tout annonce le Dieu qu'ont vengé tes
ancêtres.
Tourne les yeux, sa tombe est près de
ce palais;
C'est ici la montagne où, lavant nos forfaits,
Il voulut expirer sous les coups de l'impie;
C'est là que de sa tombe il rappela sa
vie.
Tu ne saurais marcher dans cet auguste
lieu,
Tu n'y peux faire un pas, sans y trouver
ton Dieu;

Et tu n'y peux rester sans renier ton
père,
Ton honneur qui te parle, et ton Dieu
qui t'éclaire.
Je te vois dans mes bras, et pleurer, et
frémir;
Sur ton front pâlissant Dieu met le re-
pentir;
Je vois la vérité dans ton cœur descendue;
Je retrouve ma fille après l'avoir perdue;
Et je reprends ma gloire et ma félicité
En dérobant mon sang à l'infidélité.
NÉRESTAN. Je revois donc ma sœur! . . .
Et son âme. . .
ZAÏRE.                    Ah! mon père!
Cher auteur de mes jours, parlez, que
dois-je faire?
LUSIGNAN. M'ôter, par un seul mot, ma
honte et mes ennuis,
Dire: «Je suis chrétienne.»
ZAÏRE.     Oui. . . seigneur. . . je le suis.
LUSIGNAN. Dieu, reçois son aveu du sein de
ton empire!

## SCÈNE IV.

ZAÏRE, LUSIGNAN, CHATILLON, NÉRESTAN,
CORASMIN.

CORASMIN. Madame, le soudan m'ordonne
de vous dire
Qu'à l'instant de ces lieux il faut vous
retirer,
Et de ces vils chrétiens surtout vous
séparer.
Vous, Français, suivez-moi: de vous je
dois répondre.
CHATILLON. Où sommes-nous, grand Dieu!
Quel coup vient nous confondre!
LUSIGNAN. Notre courage, amis, doit ici
s'animer.
ZAÏRE. Hélas, seigneur!
LUSIGNAN.     O vous que je n'ose nommer,
Jurez-moi de garder un secret si funeste.
ZAÏRE. Je vous le jure.
LUSIGNAN.          Allez, le ciel fera le reste.

# ACTE TROISIÈME.

## SCÈNE PREMIÈRE.

OROSMANE, CORASMIN.

OROSMANE. Vous étiez, Corasmin, trompé
par vos alarmes;
Non, Louis contre moi ne tourne point
ses armes;
Les Français sont lassés de chercher
désormais

Des climats que pour eux le destin n'a
point faits ;
Ils n'abandonnent point leur fertile pa-
trie,
Pour languir aux déserts de l'aride Ara-
bie,
Et venir arroser de leur sang odieux
Ces palmes, que pour nous Dieu fait
croître en ces lieux.
Ils couvrent de vaisseaux la mer de la
Syrie.
Louis, des bords de Chypre, épouvante
l'Asie ;
Mais j'apprends que ce roi s'éloigne de
nos ports ;
De la féconde Égypte il menace les
bords ;
J'en reçois à l'instant la première nou-
velle ;
Contre les mamelucs [1] son courage l'ap-
pelle :
Il cherche Mélédin, mon secret ennemi ;
Sur leurs divisions mon trône est af-
fermi.
Je ne crains plus enfin l'Égypte ni la
France.
Nos communs ennemis cimentent ma
puissance,
Et, prodigues d'un sang qu'ils devraient
ménager,
Prennent en s'immolant le soin de me
venger.
Relâche ces chrétiens, ami, je les dé-
livre ;
Je veux plaire à leur maître, et leur per-
mets de vivre :
Je veux que sur la mer on les mène à
leur roi,
Que Louis me connaisse, et respecte ma
foi.
Mène-lui Lusignan ; dis-lui que je lui
donne
Celui que la naissance allie à sa cou-
ronne ;
Celui que par deux fois mon père avait
vaincu,
Et qu'il tint enchaîné, tandis qu'il a vécu.
CORASMIN. Son nom cher aux chrétiens. . .
OROSMANE. Son nom n'est
point à craindre.
CORASMIN. Mais, seigneur, si Louis. . .
OROSMANE. Il n'est plus
temps de feindre,
Zaïre l'a voulu ; c'est assez : et mon cœur,
En donnant Lusignan, le donne à mon
vainqueur.

Louis est peu pour moi ; je fais tout
pour Zaïre ;
Nul autre sur mon cœur n'aurait pris
cet empire.
Je viens de l'affliger, c'est à moi d'adou-
cir
Le déplaisir mortel qu'elle a dû ressentir
Quand, sur les faux avis des desseins de
la France,
J'ai fait à ces chrétiens un peu de violence.
Que dis-je ? ces moments, perdus dans
mon conseil,
Ont de ce grand hymen suspendu l'ap-
pareil :
D'une heure encore, ami, mon bonheur
se diffère ;
Mais j'emploierai du moins ce temps à
lui complaire.
Zaïre ici demande un secret entretien
Avec ce Nérestan, ce généreux chré-
tien. . .
CORASMIN. Et vous avez, seigneur, encor
cette indulgence ?
OROSMANE. Ils ont été tous deux esclaves
dans l'enfance ;
Ils ont porté mes fers, ils ne se verront
plus ;
Zaïre enfin de moi n'aura point un re-
fus.
Je ne m'en défends point ; je foule aux
pieds pour elle
Des rigueurs du sérail la contrainte cru-
elle.
J'ai méprisé ces lois dont l'âpre austé-
rité
Fait d'une vertu triste une nécessité.
Je ne suis point formé du sang asia-
tique :
Né parmi les rochers, au sein de la Tau-
rique,[2]
Des Scythes mes aïeux je garde la fierté,
Leurs mœurs, leurs passions, leur gé-
nérosité :
Je consens qu'en partant Nérestan la re-
voie ;
Je veux que tous les cœurs soient heu-
reux de ma joie.
Après ce peu d'instants, volés à mon
amour,
Tous ses moments, ami, sont à moi sans
retour.
Va, ce chrétien attend, et tu peux l'in-
troduire.
Presse son entretien, obéis à Zaïre.

[1] Mamelukes, Turkish mercenaries.
[2] the region of Mt. Taurus, north-east of Syria.

## SCÈNE II.

CORASMIN, NÉRESTAN.

CORASMIN. En ces lieux, un moment, tu
  peux encor rester.
Zaïre à tes regards viendra se présenter.

## SCÈNE III.

NÉRESTAN.

En quel état, ô ciel! en quels lieux je la
  laisse!
O ma religion! ô mon père! ô tendresse!
Mais je la vois.

## SCÈNE IV.

ZAÏRE, NÉRESTAN.

NÉRESTAN.          Ma sœur, je puis
  donc vous parler;
Ah! dans quel temps le ciel nous voulut
  rassembler!
Vous ne reverrez plus un trop malheu-
  reux père.
ZAÏRE. Dieu! Lusignan?. . .
NÉRESTAN. Il touche à son heure dernière.
Sa joie, en nous voyant, par de trop
  grands efforts
De ses sens affaiblis a rompu les res-
  sorts;
Et cette émotion, dont son âme est rem-
  plie,
A bientôt épuisé les sources de sa vie.
Mais, pour comble d'horreurs, à ces der-
  niers moments
Il doute de sa fille et de ses sentiments;
Il meurt dans l'amertume, et son âme in-
  certaine
Demande en soupirant si vous êtes chré-
  tienne.
ZAÏRE. Quoi! je suis votre sœur, et vous
  pouvez penser
Qu'à mon sang, à ma loi j'aille ici re-
  noncer?
NÉRESTAN. Ah! ma sœur, cette loi n'est pas
  la vôtre encore;
Le jour qui vous éclaire est pour vous
  à l'aurore;
Vous n'avez point reçu ce gage pré-
  cieux [1]

Qui nous lave du crime, et nous ouvre
  les cieux.
Jurez par nos malheurs, et par votre
  famille,
Par ces martyrs sacrés de qui vous êtes
  fille,
Que vous voulez ici recevoir aujourd'hui
Le sceau du Dieu vivant qui nous at-
  tache à lui.
ZAÏRE. Oui, je jure en vos mains, par ce
  Dieu que j'adore,
Par sa loi que je cherche, et que mon
  cœur ignore,
De vivre désormais sous cette sainte
  loi. . .
Mais, mon cher frère. . . hélas! que
  veut-elle de moi?
Que faut-il?
NÉRESTAN. Détester l'empire de vos maî-
  tres,
Servir, aimer ce Dieu qu'ont aimé nos
  ancêtres,
Qui, né près de ces murs, est mort ici
  pour nous,
Qui nous a rassemblés, qui m'a conduit
  vers vous.
Est-ce à moi d'en parler? Moins instruit
  que fidèle,
Je ne suis qu'un soldat, et je n'ai que
  du zèle.
Un pontife sacré viendra jusqu'en ces
  lieux
Vous apporter la vie, et dessiller vos
  yeux. [2]
Songez à vos serments, et que l'eau du
  baptême
Ne vous apporte point la mort et l'ana-
  thème.
Obtenez qu'avec lui je puisse revenir.
Mais à quel titre, ô ciel! faut-il donc
  l'obtenir?
A qui le demander dans ce sérail pro-
  fane?. . .
Vous, le sang de vingt rois, esclave
  d'Orosmane!
Parente de Louis, fille de Lusignan!
Vous chrétienne, et ma sœur, esclave
  d'un soudan!
Vous m'entendez. . . je n'ose en dire da-
  vantage:
Dieu, nous réserviez-vous à ce dernier
  outrage?
ZAÏRE. Ah, cruel! poursuivez; vous ne con-
  naissez pas
Mon secret, mes tourments, mes vœux,
  mes attentats.

[1] baptism.
[2] cf. Corneille's *Polyeucte*, I, 1.

Mon frère, ayez pitié d'une sœur éga-
    rée,
Qui brûle, qui gémit, qui meurt désespé-
    rée.
Je suis chrétienne, hélas!... j'attends
    avec ardeur
Cette eau sainte, cette eau qui peut gué-
    rir mon cœur.
Non, je ne serai point indigne de mon
    frère,
De mes aïeux, de moi, de mon malheu-
    reux père.
Mais parlez à Zaïre, et ne lui cachez
    rien;
Dites... quelle est la loi de l'empire
    chrétien?...
Quel est le châtiment pour une infor-
    tunée
Qui, loin de ses parents, aux fers aban-
    donnée,
Trouvant chez un barbare un généreux
    appui,
Aurait touché son âme, et s'unirait à
    lui?
NÉRESTAN. O ciel! que dites-vous? Ah! la
    mort la plus prompte
Devrait...
ZAÏRE. C'en est assez; frappe, et préviens
    ta honte.
NÉRESTAN. Qui? vous? ma sœur!
ZAÏRE.     C'est moi que je viens d'accuser.
Orosmane m'adore... et j'allais l'épou-
    ser.
NÉRESTAN. L'épouser! est-il vrai, ma sœur?
    est-ce vous-même?
Vous, la fille des rois?
ZAÏRE.     Frappe, dis-je; je l'aime.
NÉRESTAN. Opprobre malheureux du sang
    dont vous sortez,
Vous demandez la mort, et vous la mé-
    ritez:
Et si je n'écoutais que ta honte et ma
    gloire,
L'honneur de ma maison, mon père, sa
    mémoire,
Si la loi de ton Dieu, que tu ne connais
    pas,
Si ma religion ne retenait mon bras,
J'irais dans ce palais, j'irais, au moment
    même,
Immoler de ce fer un barbare qui t'aime,
De son indigne flanc le plonger dans le
    tien,
Et ne l'en retirer que pour percer le
    mien.
Ciel! tandis que Louis, l'exemple de la
    terre,
Au Nil épouvanté ne va porter la guerre

Que pour venir bientôt, frappant des
    coups plus sûrs,
Délivrer ton Dieu même, et lui rendre ces
    murs:
Zaïre, cependant,[1] ma sœur, son alliée,
Au tyran d'un sérail par l'hymen est
    liée!
Et je vais donc apprendre à Lusignan
    trahi
Qu'un Tartare est le dieu que sa fille a
    choisi!
Dans ce moment affreux, hélas! ton père
    expire,
En demandant à Dieu le salut de Zaïre.
ZAÏRE. Arrête, mon cher frère... arrête,
    connais-moi;
Peut-être que Zaïre est digne encor de
    toi.
Mon frère, épargne-moi cet horrible lan-
    gage;
Ton courroux, ton reproche est un plus
    grand outrage,
Plus sensible pour moi, plus dur que
    ce trépas
Que je te demandais, et que je n'obtiens
    pas.
L'état où tu me vois accable ton cou-
    rage;
Tu souffres, je le vois; je souffre da-
    vantage.
Je voudrais que du ciel le barbare se-
    cours
De mon sang, dans mon cœur, eût ar-
    rêté le cours,
Le jour qu'empoisonné d'une flamme
    profane,
Ce pur sang des chrétiens brûla pour
    Orosmane,
Le jour que de ta sœur Orosmane char-
    mé...
Pardonnez-moi, chrétiens; qui ne l'aurait
    aimé?
Il faisait tout pour moi; son cœur m'a-
    vait choisie;
Je voyais sa fierté pour moi seule adou-
    cie.
C'est lui qui des chrétiens a ranimé l'es-
    poir;
C'est à lui que je dois le bonheur de te
    voir;
Pardonne; ton courroux, mon père, ma
    tendresse,
Mes serments, mon devoir, mes remords,
    ma faiblesse,
Me servent de supplice, et ta sœur en ce
    jour
Meurt de son repentir, plus que de son
    amour.

---

[1] meanwhile.

NÉRESTAN. Je te blâme, et te plains; crois-
moi, la Providence
Ne te laissera point périr sans inno-
cence:
Je te pardonne, hélas! ces combats
odieux;
Dieu ne t'a point prêté son bras victo-
rieux.
Ce bras, qui rend la force aux plus fai-
bles courages,
Soutiendra ce roseau plié par les ora-
ges.
Il ne souffrira pas qu'à son culte en-
gagé,
Entre un barbare et lui ton cœur soit
partagé.
Le baptême éteindra ces feux dont il
soupire,
Et tu vivras fidèle, ou périras martyre.
Achève donc ici ton serment commencé:
Achève, et dans l'horreur dont ton cœur
est pressé,
Promets au roi Louis, à l'Europe, à ton
père,
Au Dieu qui déjà parle à ce cœur si sin-
cère,
De ne point accomplir cet hymen odieux
Avant que le pontife ait éclairé tes yeux,
Avant qu'en ma présence il te fasse chré-
tienne,
Et que Dieu par ses mains t'adopte et te
soutienne.
Le promets-tu, Zaïre?
ZAÏRE.            Oui, je te le promets:
Rends-moi chrétienne et libre; à tout je
me soumets.
Va, d'un père expirant va fermer la pau-
pière;
Va, je voudrais te suivre, et mourir la
première.
NÉRESTAN. Je pars; adieu, ma sœur, adieu:
puisque mes vœux
Ne peuvent t'arracher à ce palais hon-
teux,
Je reviendrai bientôt par un heureux
baptême
T'arracher aux enfers, et te rendre à toi-
même.

## SCÈNE V.

### ZAÏRE.

Me voilà seule, ô Dieu! que vais-je devenir?
Dieu, commande à mon cœur de ne te
point trahir!
Hélas! suis-je en effet Française, ou
musulmane?

Fille de Lusignan, ou femme d'Orosmane?
Suis-je amante, ou chrétienne? O serments que j'ai faits!
Mon père, mon pays, vous serez satisfaits!
Fatime ne vient point. Quoi! dans ce
trouble extrême,
L'univers m'abandonne! on me laisse à
moi-même!
Mon cœur peut-il porter, seul et privé
d'appui,
Le fardeau des devoirs qu'on m'impose
aujourd'hui?
A ta loi, Dieu puissant! oui, mon âme
est rendue;
Mais fais que mon amant s'éloigne de ma
vue.
Cher amant! ce matin l'aurais-je pu prévoir,
Que je dusse aujourd'hui redouter de te
voir?
Moi qui, de tant de feux justement pos-
sédée,
N'avais d'autre bonheur, d'autre soin,
d'autre idée,
Que de t'entretenir, d'écouter ton amour,
Te voir, te souhaiter, attendre ton retour,
Hélas! et je t'adore, et t'aimer est un
crime!

## SCÈNE VI.

### ZAÏRE, OROSMANE.

OROSMANE. Paraissez, tout est prêt, et l'ardeur qui m'anime
Ne souffre plus, madame, aucun retarde-
ment;
Les flambeaux de l'hymen brillent pour
votre amant:
Les parfums de l'encens remplissent la
mosquée;
Du Dieu de Mahomet la puissance invo-
quée
Confirme mes serments, et préside à mes
feux.
Mon peuple prosterné pour vous offre
ses vœux.
Tout tombe à vos genoux; vos superbes
rivales,
Qui disputaient mon cœur, et marchaient
vos égales,
Heureuses de vous suivre et de vous
obéir,
Devant vos volontés vont apprendre à
fléchir.
Le trône, les festins, et la cérémonie,

Tout est prêt: commencez le bonheur de
ma vie.

ZAÏRE. Où suis-je malheureuse? ô tendresse! ô douleur!

OROSMANE. Venez.

ZAÏRE.                    Où me cacher?

OROSMANE.                Que dites-vous?

ZAÏRE.                        Seigneur!

OROSMANE. Donnez-moi votre main; daignez, belle Zaïre. . .

ZAÏRE. Dieu de mon père, hélas! que pourrai-je lui dire?

OROSMANE. Que j'aime à triompher de ce
tendre embarras!

Qu'il redouble ma flamme et mon bonheur!

ZAÏRE.                        Hélas!

OROSMANE. Ce trouble à mes désirs vous
rend encor plus chère;

D'une vertu modeste il est le caractère.

Digne et charmant objet de ma constante
foi,

Venez, ne tardez plus.

ZAÏRE.        Fatime, soutiens-moi. . .
Seigneur. . .

OROSMANE.      O ciel! eh quoi!

ZAÏRE.            Seigneur, cet hyménée
Était un bien suprême à mon âme étonnée.

Je n'ai point recherché le trône et la
grandeur:

Qu'un sentiment plus juste occupait tout
mon cœur!

Hélas! j'aurais voulu qu'à vos vertus
unie,

Et méprisant pour vous les trônes de
l'Asie,

Seule et dans un désert, auprès de mon
époux,

J'eusse pu sous mes pieds les fouler avec
vous.

Mais. . . seigneur. . . ces chrétiens. . .

OROSMANE. Ces chrétiens. . . Quoi! madame,

Qu'auraient donc de commun cette secte
et ma flamme?

ZAÏRE. Lusignan, ce vieillard accablé de
douleurs,

Termine en ces moments sa vie et ses
malheurs.

OROSMANE. Eh bien! quel intérêt si puissant et si tendre

A ce vieillard chrétien votre cœur peut-il
prendre?

Vous n'êtes point chrétienne; élevée en
ces lieux,

Vous suivez dès longtemps la foi de mes
aïeux.

Un vieillard qui succombe au poids de
ses années

Peut-il troubler ici vos belles destinées?

Cette aimable pitié, qu'il s'attire de vous,

Doit se perdre avec moi dans des moments si doux.

ZAÏRE. Seigneur, si vous m'aimez, si je vous
étais chère. . .

OROSMANE. Si vous l'êtes, ah! Dieu!

ZAÏRE.            Souffrez que l'on diffère. . .
Permettez que ces nœuds, par vos mains
assemblés. . .

OROSMANE. Que dites-vous? ô ciel! est-ce
vous qui parlez?

Zaïre!

ZAÏRE.        Je ne puis soutenir sa colère.

OROSMANE. Zaïre!

ZAÏRE. Il m'est affreux, seigneur, de vous
déplaire;

Excusez ma douleur. . . Non, j'oublie à
la fois

Et tout ce que je suis, et tout ce que je
dois.

Je ne puis soutenir cet aspect qui me
tue.

Je ne puis. . . Ah! souffrez que loin de
votre vue,

Seigneur, j'aille cacher mes larmes, mes
ennuis,

Mes vœux, mon désespoir, et l'horreur
où je suis.

*(Elle sort.)*

## SCÈNE VII.

### OROSMANE, CORASMIN.

OROSMANE. Je demeure immobile, et ma
langue glacée

Se refuse aux transports de mon âme
offensée.

Est-ce à moi que l'on parle? Ai-je bien
entendu?

Est-ce moi qu'elle fuit? O ciel! et qu'ai-
je vu?

Corasmin, quel est donc ce changement
extrême?

Je la laisse échapper! Je m'ignore moi-
même.

CORASMIN. Vous seul causez son trouble, et
vous vous en plaignez!

Vous accusez, seigneur, un cœur où vous
régnez!

OROSMANE. Mais pourquoi donc ces pleurs,
ces regrets, cette fuite,

Cette douleur si sombre en ses regards
écrite?

Si c'était ce Français. . . ! quel soupçon! quelle horreur!

Quelle lumière affreuse a passé dans mon
    cœur!
Hélas! je repoussais ma juste défiance:
Un barbare, un esclave aurait cette in-
    solence!
Cher ami, je verrais un cœur comme le
    mien
Réduit à redouter un esclave chrétien!
Mais, parle; tu pouvais observer son
    visage,
Tu pouvais de ses yeux entendre le lan-
    gage;
Ne me déguise rien: mes feux sont-ils
    trahis?
Apprends-moi    mon    malheur. . . Tu
    trembles. . . tu frémis. . .
    C'en est assez.
CORASMIN. Je crains d'irriter vos alarmes.
Il est vrai que ses yeux ont versé quel-
    ques larmes;
Mais, seigneur, après tout, je n'ai rien
    observé
Qui doive. . .
OROSMANE. A cet affront je serais réservé!
Non, si Zaïre, ami, m'avait fait cette of-
    fense,
Elle eût avec plus d'art trompé ma con-
    fiance.
Le déplaisir secret de son cœur agité,
Si ce cœur est perfide, aurait-il éclaté?
Écoute, garde-toi de soupçonner Zaïre.
Mais, dis-tu, ce Français gémit, pleure,
    soupire:
Que m'importe après tout le sujet de ses
    pleurs?
Qui sait si l'amour même entre dans ses
    douleurs?
Et qu'ai-je à redouter d'un esclave in-
    fidèle,
Qui demain pour jamais se va séparer
    d'elle?
CORASMIN. N'avez-vous pas, seigneur, per-
    mis, malgré nos lois,
Qu'il jouît de sa vue une seconde fois?
Qu'il revînt en ces lieux?
OROSMANE.     Qu'il revînt? lui, ce traître!
Qu'aux yeux de ma maîtresse il osât re-
    paraître?
Oui, je le lui rendrais, mais mourant,
    mais puni,
Mais versant à ses yeux le sang qui m'a
    trahi;
Déchiré devant elle; et ma main dégout-
    tante
Confondrait dans son sang le sang de
    son amante. . .
Excuse les transports de ce cœur of-
    fensé;
Il est né violent, il aime, il est blessé.

Je connais mes fureurs, et je crains ma
    faiblesse;
A des troubles honteux je sens que je
    m'abaisse;
Non, c'est trop sur Zaïre arrêter un
    soupçon;
Non, son cœur n'est point fait pour une
    trahison.
Mais, ne crois pas non plus que le mien
    s'avilisse
A souffrir des rigueurs, à gémir d'un
    caprice,
A me plaindre, à reprendre, à redonner
    ma foi;
Les éclaircissements sont indignes de
    moi.
Il vaut mieux sur mes sens reprendre un
    juste empire;
Il vaut mieux oublier jusqu'au nom de
    Zaïre.
Allons, que le sérail soit fermé pour ja-
    mais;
Que la terreur habite aux portes du pa-
    lais;
Que tout ressente ici le frein de l'escla-
    vage.
Des rois de l'Orient suivons l'antique
    usage.
On peut, pour son esclave oubliant sa
    fierté,
Laisser tomber sur elle un regard de
    bonté;
Mais il est trop honteux de craindre une
    maîtresse;
Aux mœurs de l'Occident laissons cette
    bassesse.
Ce sexe dangereux, qui veut tout asser-
    vir,
S'il règne dans l'Europe, ici doit obéir.

## ACTE QUATRIÈME

### SCÈNE PREMIÈRE.

ZAÏRE, FATIME.

FATIME. Que je vous plains, madame, et
    que je vous admire!
C'est le Dieu des chrétiens, c'est Dieu qui
    vous inspire;
Il donnera la force à vos bras languis-
    sants
De briser des liens si chers et si puis-
    sants
ZAÏRE. Eh! pourrai-je achever ce fatal sac-
    rifice?
FATIME. Vous demandez sa grâce, il vous
    doit sa justice:

De votre cœur docile il doit prendre le
  soin.
ZAÏRE. Jamais de son appui je n'eus tant
  de besoin.
FATIME. Si vous ne voyez plus votre au-
  guste famille,
Le Dieu que vous servez vous adopte
  pour fille;
Vous êtes dans ses bras, il parle à votre
  cœur;
Et quand ce saint pontife, organe du
  Seigneur,
Ne pourrait aborder dans ce palais pro-
  fane. . .
ZAÏRE. Ah! j'ai porté la mort dans le sein
  d'Orosmane.
J'ai pu désespérer le cœur de mon
  amant!
Quel outrage, Fatime, et quel affreux
  moment!
Mon Dieu, vous l'ordonnez!... j'eusse
  été trop heureuse...
FATIME. Quoi! regretter encor cette chaîne
  honteuse!
Hasarder la victoire, ayant tant com-
  battu!
ZAÏRE. Victoire infortunée! inhumaine
  vertu!
Non, tu ne connais pas ce que je sacrifice.
Cet amour si puissant, ce charme de ma
  vie,
Dont j'espérais, hélas! tant de félicité,
Dans toute son ardeur n'avait point
  éclaté.
Fatime, j'offre à Dieu mes blessures
  cruelles,
Je mouille devant lui de larmes crimi-
  nelles
Ces lieux où tu m'as dit qu'il choisit son
  séjour;
Je lui crie en pleurant: «Ote-moi mon
  amour,
Arrache-moi mes vœux, remplis-moi de
  toi-même;»
Mais, Fatime, à l'instant les traits de ce
  que j'aime,
Ces traits chers et charmants, que tou-
  jours je revoi,
Se montrent dans mon âme entre le ciel
  et moi.
Eh bien! race des rois, dont le ciel me
  fit naître,
Père, mère, chrétiens, vous mon Dieu,
  vous mon maître,
Vous qui de mon amant me privez aujourd'hui,
Terminez donc mes jours, qui ne sont
  plus pour lui!

Que j'expire innocente, et qu'une main
  si chère
De ces yeux qu'il aimait ferme au moins
  la paupière!
Ah! que fait Orosmane? Il ne s'informe
  pas
Si j'attends loin de lui la vie ou le trépas;
Il me fuit, il me laisse, et je n'y peux
  survivre.
FATIME. Quoi! vous! vous! fille des rois, que
  vous prétendez suivre,
Vous, dans les bras d'un Dieu, votre éter-
  nel appui. . .
ZAÏRE. Eh! pourquoi mon amant n'est-il
  pas né pour lui?
Orosmane est-il fait pour être sa vic-
  time?
Dieu pourrait-il haïr un cœur si magna-
  nime?
Généreux, bienfaisant, juste, plein de
  vertus,
S'il était né chrétien, que serait-il de
  plus?
Et plût à Dieu du moins que ce saint in-
  terprète,
Ce ministre sacré que mon âme souhaite,
Du trouble où tu me vois vînt bientôt
  me tirer!
Je ne sais, mais enfin j'ose encore es-
  pérer
Que ce Dieu, dont cent fois on m'a peint
  la clémence,
Ne réprouverait point une telle alliance:
Peut-être, de Zaïre en secret adoré,
Il pardonne aux combats de ce cœur dé-
  chiré;
Peut-être, en me laissant au trône de Sy-
  rie,
Il soutiendrait par moi les chrétiens de
  l'Asie.
Fatime, tu le sais, ce puissant Saladin,
Qui ravit à mon sang l'empire du Jour-
  dain,
Qui fit comme Orosmane admirer sa clé-
  mence,
Au sein d'une chrétienne il avait pris
  naissance.
FATIME. Ah! ne voyez-vous pas que pour
  vous consoler. . .
ZAÏRE. Laisse-moi; je vois tout; je meurs
  sans m'aveugler:
Je vois que mon pays, mon sang, tout me
  condamne;
Que je suis Lusignan, que j'adore Orosmane;
Que mes vœux, que mes jours à ses jours
  sont liés.

Je voudrais quelquefois me jeter à ses
    pieds,
De tout ce que je suis faire un aveu sin-
    cère.
FATIME. Songez que cet aveu peut perdre
    votre frère,
Expose les chrétiens, qui n'ont que vous
    d'appui,
Et va trahir le Dieu qui vous rappelle
    à lui.
ZAÏRE. Ah! si tu connaissais le grand cœur
    d'Orosmane!
FATIME. Il est le protecteur de la loi mu-
    sulmane,
Et plus il vous adore, et moins il peut
    souffrir
Qu'on vous ose annoncer un Dieu qu'il
    doit haïr.
Le pontife à vos yeux en secret va se
    rendre,
Et vous avez promis. . .
ZAÏRE.      Eh bien! il faut l'attendre.
J'ai promis, j'ai juré de garder ce se-
    cret:
Hélas! qu'à mon amant je le tais à re-
    gret!
Et pour comble d'horreur je ne suis plus
    aimée.

### SCÈNE II.

#### OROSMANE, ZAÏRE.

OROSMANE. Madame, il fut un temps où
    mon âme charmée,
Écoutant sans rougir des sentiments trop
    chers,
Se fit une vertu de languir dans vos fers.
Je croyais être aimé, madame, et votre
    maître,
Soupirant à vos pieds, devait s'attendre
    à l'être:
Vous ne m'entendrez pas, amant faible
    et jaloux,
En reproches honteux éclater contre
    vous;
Cruellement blessé, mais trop fier pour
    me plaindre,
Trop généreux, trop grand pour m'a-
    baisser à feindre,
Je viens vous déclarer que le plus froid
    mépris
De vos caprices vains sera le digne prix.
Ne vous préparez point à tromper ma
    tendresse,
A chercher des raisons dont la flatteuse
    **adresse**,

A mes yeux éblouis colorant vos refus,
Vous ramène un amant qui ne vous con-
    naît plus,
Et qui, craignant surtout qu'à rougir on
    l'expose,
D'un refus outrageant veut ignorer la
    cause.
Madame, c'en est fait, une autre va
    monter
Au rang que mon amour vous daignait
    présenter;
Une autre aura des yeux, et va du moins
    connaître
De quel prix mon amour et ma main de-
    vaient être.
Il pourra m'en coûter, mais mon cœur
    s'y résout.
Apprenez qu'Orosmane est capable de
    tout;
Que j'aime mieux vous perdre, et, loin
    de votre vue
Mourir désespéré de vous avoir perdue,
Que de vous posséder, s'il faut qu'à votre
    foi
Il en coûte un soupir qui ne soit pas
    pour moi.
Allez, mes yeux jamais ne reverront vos
    charmes.
ZAÏRE. Tu m'as donc tout ravi, Dieu témoin
    de mes larmes!
Tu veux commander seul à mes sens
    éperdus. . .
Eh bien! puisqu'il est vrai que vous ne
    m'aimez plus,
Seigneur. . .
OROSMANE. Il est trop vrai que l'honneur
    me l'ordonne,
Que je vous adorai, que je vous aban-
    donne,
Que je renonce à vous, que vous le dé-
    sirez,
Que sous une autre loi. . . Zaïre, vous
    pleurez?
ZAÏRE. Ah! seigneur! ah! du moins, gardez
    de jamais croire
Que du rang d'un soudan je regrette la
    gloire:
Je sais qu'il faut vous perdre, et mon
    sort l'a voulu,
Mais, seigneur, mais mon cœur ne vous
    est pas connu;
Me punisse à jamais ce ciel qui me con-
    damne,
Si je regrette rien que le cœur l'Oros-
    mane!
OROSMANE. Zaïre, vous m'aimez!
ZAÏRE.      Dieu! si je l'aime, hélas!
OROSMANE. Quel caprice étonnant, que je
    ne conçois pas!

Vous m'aimez! Eh! pourquoi vous forcez-vous, cruelle,
A déchirer le cœur d'un amant si fidèle?
Je me connaissais mal; oui, dans mon désespoir,
J'avais cru sur moi-même avoir plus de pouvoir.
Va, mon cœur est bien loin d'un pouvoir si funeste.
Zaïre, que jamais la vengeance céleste
Ne donne à ton amant, enchaîné sous ta loi,
La force d'oublier l'amour qu'il a pour toi!
Qui? moi? que sur mon trône une autre fût placée!
Non, je n'en eus jamais la fatale pensée.
Pardonne à mon courroux, à mes sens interdits,[1]
Ces dédains affectés, et si bien démentis;
C'est le seul déplaisir que jamais, dans ta vie,
Le ciel aura voulu que ta tendresse essuie.
Je t'aimerai toujours... Mais d'où vient que ton cœur,
En partageant mes feux, différait mon bonheur?
Parle. Était-ce un caprice? est-ce crainte d'un maître,
D'un soudan, qui pour toi veut renoncer à l'être?
Serait-ce un artifice? épargne-toi ce soin;
L'art n'est pas fait pour toi, tu n'en as pas besoin:
Qu'il ne souille jamais le saint nœud qui nous lie!
L'art le plus innocent tient de la perfidie.
Je n'en connus jamais, et mes sens déchirés,
Pleins d'un amour si vrai...

ZAÏRE.                    Vous me désespérez.
Vous m'êtes cher, sans doute, et ma tendresse extrême
Est le comble des maux pour ce cœur qui vous aime.

OROSMANE. O ciel! expliquez-vous. Quoi! toujours me troubler?
Se peut-il...?

ZAÏRE.                    Dieu puissant, que ne puis-je parler!

OROSMANE. Quel étrange secret me cachez-vous, Zaïre?

Est-il quelque chrétien qui contre moi conspire?
Me trahit-on? parlez.

ZAÏRE.               Eh! peut-on vous trahir?
Seigneur, entre eux et vous vous me verriez courir:
On ne vous trahit point, pour vous rien n'est à craindre;
Mon malheur est pour moi, je suis la seule à plaindre.

OROSMANE. Vous, à plaindre! grand Dieu!

ZAÏRE.               Souffrez qu'à vos genoux
Je demande en tremblant une grâce de vous.

OROSMANE. Une grâce! ordonnez, et demandez ma vie.

ZAÏRE. Plût au ciel qu'à vos jours la mienne fût unie!

Orosmane... Seigneur... permettez qu'aujourd'hui,
Seule, loin de vous-même, et toute à mon ennui,[2]
D'un œil plus recueilli contemplant ma fortune,
Je cache à votre oreille une plainte importune...
Demain, tous mes secrets vous seront révélés.

OROSMANE. De quelle inquiétude, ô ciel! vous m'accablez!
Pouvez-vous...?

ZAÏRE. Si pour moi l'amour vous parle encore,
Ne me refusez pas la grâce que j'implore.

OROSMANE Eh bien! il faut vouloir tout ce que vous voulez;
J'y consens; il en coûte à mes sens désolés.
Allez, souvenez-vous que je vous sacrifie
Les moments les plus beaux, les plus chers de ma vie.

ZAÏRE. En me parlant ainsi, vous me percez le cœur.

OROSMANE. Eh bien! vous me quittez, Zaïre?

ZAÏRE.          Hélas! seigneur!

## SCÈNE III.

OROSMANE, CORASMIN.

OROSMANE. Ah! c'est trop tôt chercher ce solitaire asile,
C'est trop tôt abuser de ma bonté facile;

---

[1] interdits, stunned.

[2] toute à mon ennui, entirely given over to my grief.

Et plus j'y pense, ami, moins je puis concevoir
Le sujet si caché de tant de désespoir.
Quoi donc! par ma tendresse élevée à l'empire,
Dans le sein du bonheur que son âme désire,
Près d'un amant qu'elle aime, et qui brûle à ses pieds,
Ses yeux, remplis d'amour, de larmes sont noyés!
Je suis bien indigné de voir tant de caprices:
Mais moi-même, après tout, eus-je moins d'injustices?
Ai-je été moins coupable à ses yeux offensés?
Est-ce à moi de me plaindre? on m'aime, c'est assez.
Il me faut expier, par un peu d'indulgence,
De mes transports jaloux l'injurieuse offense.
Je me rends: je le vois, son cœur est sans détours;
La nature naïve anime ses discours.
Elle est dans l'âge heureux où règne l'innocence;
A sa sincérité je dois ma confiance.
Elle m'aime sans doute; oui, j'ai lu devant toi,
Dans ses yeux attendris, l'amour qu'elle a pour moi;
Et son âme, éprouvant cette ardeur qui me touche,
Vingt fois pour me le dire a volé sur sa bouche.
Qui peut avoir un cœur assez traître, assez bas,
Pour montrer tant d'amour, et ne le sentir pas?

## SCÈNE IV.[1]

### OROSMANE, CORASMIN, MÉLÉDOR.

MÉLÉDOR. Cette lettre, seigneur, à Zaïre adressée,
Par vos gardes saisie, et dans mes mains laissée. . .
OROSMANE. Donne. . . Qui la portait? Donne.
MÉLÉDOR.          Un de ces chrétiens
Dont vos bontés, seigneur, ont brisé les liens:

Au sérail, en secret, il allait s'introduire;
On l'a mis dans les fers.
OROSMANE.          Hélas! que vais-je lire?
Laisse-nous. . . je frémis.

## SCÈNE V.

### OROSMANE, CORASMIN.

CORASMIN.          Cette lettre, seigneur,
Pourra vous éclaircir, et calmer votre cœur.
OROSMANE. Ah! lisons: ma main tremble, et mon âme étonnée
Prévoit que ce billet contient ma destinée.
Lisons. . . *Chère Zaïre, il est temps de nous voir;*
*Il est vers la mosquée une secrète issue,*
*Où vous pouvez sans bruit, et sans être aperçue,*
*Tromper vos surveillants, et remplir notre espoir:*
*Il faut tout hasarder; vous connaissez mon zèle:*
*Je vous attends; je meurs, si vous n'êtes fidèle.*
Eh bien! cher Corasmin, que dis-tu?
CORASMIN.          Moi, seigneur?
Je suis épouvanté de ce comble d'horreur.
OROSMANE. Tu vois comme on me traite.
CORASMIN.          O trahison horrible!
Seigneur, à cet affront vous êtes insensible?
Vous, dont le cœur tantôt, sur un simple soupçon,
D'une douleur si vive a reçu le poison!
Ah! sans doute, l'horreur d'une action si noire
Vous guérit d'un amour qui blessait votre gloire.
OROSMANE. Cours chez elle à l'instant, va, vole, Corasmin:
Montre-lui cet écrit. . . Qu'elle tremble. . . et soudain,
De cent coups de poignard que l'infidèle meure,
Mais avant de frapper. . . Ah! cher ami, demeure,
Demeure, il n'est pas temps. Je veux que ce chrétien
Devant elle amené. . . non. . . je ne veux plus rien. . .

---

[1] Racine's *Bajazet*, IV, 5, has been suggested as a much more plausible model for this scene than *Othello*, III, 3.

Je me meurs. . . je succombe à l'excès
de ma rage.

CORASMIN. On ne reçut jamais un si sanglant outrage.

OROSMANE. Le voilà donc connu, ce secret
plein d'horreur!
Ce secret qui pesait à son infâme cœur!
Sous le voile emprunté d'une crainte in-
génue,
Elle veut quelque temps se soustraire à
ma vue.
Je me fais cet effort, je la laisse sortir;
Elle part en pleurant. . . et c'est pour
me trahir.
Quoi! Zaïre!

CORASMIN. Tout sert à redoubler son crime.
Seigneur, n'en soyez pas l'innocente victime,
Et de vos sentiments rappelant la grandeur. . .

OROSMANE. C'est là ce Nérestan, ce héros
plein d'honneur,
Ce chrétien si vanté, qui remplissait Solyme
De ce faste imposant de sa vertu sublime!
Je l'admirais moi-même, et mon cœur
combattu
S'indignait qu'un chrétien m'égalât en
vertu.
Ah! qu'il va me payer sa fourbe abominable!
Mais Zaïre, Zaïre est cent fois plus coupable.
Une esclave chrétienne, et que j'ai pu
laisser
Dans les plus vils emplois languir sans
l'abaisser!
Une esclave! elle sait ce que j'ai fait
pour elle!
Ah! malheureux!

CORASMIN. Seigneur, si vous souffrez mon
zèle,
Si, parmi les horreurs qui doivent vous
troubler,
Vous vouliez. . .

OROSMANE. Oui, je veux la voir et lui parler.
Allez, volez, esclave, et m'amenez Zaïre.

CORASMIN. Hélas! en cet état que pourrez-
vous lui dire?

OROSMANE. Je ne sais, cher ami, mais je
prétends la voir.

CORASMIN. Ah! seigneur, vous allez, dans
votre désespoir,
Vous plaindre, menacer, faire couler ses
larmes,
Vos bontés contre vous lui donneront des
armes;

Et votre cœur séduit, malgré tous vos
soupçons,
Pour la justifier cherchera des raisons.
M'en croirez-vous? cachez cette lettre à
sa vue,
Prenez pour la lui rendre une main inconnue:
Par là, malgré la fraude et les déguise-
ments,
Vos yeux démêleront ses secrets sentiments,
Et des plis de son cœur verront tout l'artifice.

OROSMANE. Penses-tu qu'en effet Zaïre me
trahisse? . . .
Allons, quoi qu'il en soit, je vais tenter
mon sort,
Et pousser la vertu jusqu'au dernier effort.
Je veux voir à quel point une femme
hardie
Saura de son côté pousser la perfidie.

CORASMIN. Seigneur, je crains pour vous
ce funeste entretien;
Un cœur tel que le vôtre. . .

OROSMANE.          Ah! n'en redoute rien:
A son exemple, hélas! ce cœur ne saurait feindre.
Mais j'ai la fermeté de savoir me contraindre:
Oui, puisqu'elle m'abaisse à connaître
un rival. . .
Tiens, reçois ce billet à tous trois si fatal:
Va, choisis pour le rendre un esclave
fidèle:
Mets en de sûres mains cette lettre cruelle;
Va, cours. . . Je ferai plus, j'éviterai
ses yeux;
Qu'elle n'approche pas. . . C'est elle,
justes cieux!

### SCÈNE VI.

#### OROSMANE, ZAÏRE.

ZAÏRE. Seigneur, vous m'étonnez; quelle
raison soudaine,
Quel ordre si pressant près de vous me
ramène?

OROSMANE. Eh bien madame, il faut que
vous m'éclaircissiez:
Cet ordre est important plus que vous
ne croyez;
Je me suis consulté . . . Malheureux
l'un par l'autre,

Il faut régler d'un mot, et mon sort, et
le vôtre.
Peut-être qu'en effet ce que j'ai fait pour
vous,
Mon orgueil oublié, mon sceptre à vos
genoux,
Mes bienfaits, mon respect, mes soins,
ma confiance,
Ont arraché de vous quelque reconnais-
sance.
Votre cœur, par un maître attaqué cha-
que jour,
Vaincu par mes bienfaits, crut l'être par
l'amour.
Dans votre âme, avec vous, il est temps
que je lise ;
Il faut que ses replis s'ouvrent à ma
franchise ;
Jugez-vous : répondez avec la vérité
Que vous devez au moins à ma sincérité.
Si de quelque autre amour l'invincible
puissance
L'emporte sur mes soins, ou même les
balance,
Il faut me l'avouer, et dans ce même in-
stant,
Ta grâce est dans mon cœur ; prononce,
elle t'attend ;
Sacrifie à ma foi l'insolent qui t'adore :
Songe que je te vois, que je te parle en-
core,
Que ma foudre à ta voix pourra se dé-
tourner,
Que c'est le seul moment où je peux
pardonner.

ZAÏRE. Vous, seigneur ! vous osez me tenir
ce langage !
Vous, cruel ! Apprenez que ce cœur qu'on
outrage,
Et que par tant d'horreurs le ciel veut
éprouver,
S'il ne vous aimait pas, est né pour vous
braver.
Je ne crains rien ici que ma funeste
flamme ;
N'imputez qu'à ce feu qui brûle encor
mon âme,
N'imputez qu'à l'amour, que je dois
oublier,
La honte où je descends de me justifier.
J'ignore si le ciel, qui m'a toujours tra-
hie,
A destiné pour vous ma malheureuse vie.
Quoi qu'il puisse arriver, je jure par
l'honneur,
Qui, non moins que l'amour, est gravé
dans mon cœur,

Je jure que Zaïre, à soi-même rendue,
Des rois les plus puissants détesterait la
vue ;
Que tout autre, après vous, me serait
odieux.
Voulez-vous plus savoir, et me connaître
mieux ?
Voulez-vous que ce cœur, à l'amertume
en proie,
Ce cœur désespéré devant vous se dé-
ploie ?
Sachez donc qu'en secret il pensait malgré lui
Tout ce que devant vous il déclare aujourd'hui ;
Qu'il soupirait pour vous, avant que vos
tendresses
Vinssent justifier mes naissantes faiblesses ;
Qu'il prévint vos bienfaits, qu'il brûlait
à vos pieds,
Qu'il vous aimait enfin, lorsque vous
m'ignoriez ;
Qu'il n'eut jamais que vous, n'aura que
vous pour maître.
J'en atteste le ciel, que j'offense peut-
être ;
Et si j'ai mérité son éternel courroux,
Si mon cœur fut coupable, ingrat, c'é-
tait pour vous.

OROSMANE. Quoi ! des plus tendres feux sa
bouche encor m'assure !
Quel excès de noirceur ! Zaïre ! . . . Ah !
la parjure !
Quand de sa trahison j'ai la preuve en
ma main ! [1]

ZAÏRE. Que dites-vous ? Quel trouble agite
votre sein ?

OROSMANE. Je ne suis point troublé. Vous
m'aimez ?

ZAÏRE.                    Votre bouche
Peut-elle me parler avec ce ton farouche
D'un feu si tendrement déclaré chaque
jour ?
Vous me glacez de crainte en me parlant
d'amour.

OROSMANE. Vous m'aimez ?

ZAÏRE.                         Vous pouvez douter
de ma tendresse !
Mais, encore une fois, quelle fureur vous
presse ?
Quels regards effrayants vous me lancez !
hélas !
Vous doutez de mon cœur ?

OROSMANE.                 Non, je n'en doute pas.
Allez, rentrez, madame.

[1] compare this scene with *Othello*, V, 2.

## SCÈNE VII.

 OROSMANE, CORASMIN.

OROSMANE. Ami, sa perfidie
Au comble de l'horreur ne s'est pas démentie ;
Tranquille dans le crime, et fausse avec douceur,
Elle a jusques au bout soutenu sa noirceur.
As-tu trouvé l'esclave ? as-tu servi ma rage ?
Connaîtrai-je à la fois son crime et mon outrage ?
CORASMIN. Oui, je viens d'obéir ; mais vous ne pouvez pas
Soupirer désormais pour ses traîtres appas ;
Vous la verrez sans doute avec indifférence,
Sans que le repentir succède à la vengeance ;
Sans que l'amour sur vous en repousse les traits.
OROSMANE. Corasmin, je l'adore encor plus que jamais.
CORASMIN. Vous ? ô ciel ! vous ?
OROSMANE. Je vois un rayon d'espérance.
Cet odieux chrétien, l'élève de la France,
Est jeune, impatient, léger, présomptueux ;
Il peut croire aisément ses téméraires vœux :
Son amour indiscret, et plein de confiance,
Aura de ses soupirs hasardé l'insolence !
Un regard de Zaïre aura pu l'aveugler :
Sans doute il est aisé de s'en laisser troubler.
Il croit qu'il est aimé, c'est lui seul qui m'offense ;
Peut-être ils ne sont point tous deux d'intelligence.
Zaïre n'a point vu ce billet criminel,
Et j'en croyais trop tôt mon déplaisir mortel.
Corasmin, écoutez. . . dès que la nuit plus sombre
Aux crimes des mortels viendra prêter son ombre,
Sitôt que ce chrétien chargé de mes bienfaits,
Nérestan, paraîtra sous les murs du palais,
Ayez soin qu'à l'instant ma garde le saisisse ;

Qu'on prépare pour lui le plus honteux supplice,
Et que chargé de fers il me soit présenté.
Laissez surtout, laissez Zaïre en liberté.
Tu vois mon cœur, tu vois à quel excès je l'aime !
Ma fureur est plus grande, et j'en tremble moi-même.
J'ai honte des douleurs où je me suis plongé ;
Mais malheur aux ingrats qui m'auront outragé !

## ACTE CINQUIÈME.

### SCÈNE PREMIÈRE.

OROSMANE, CORASMIN, UN ESCLAVE.

OROSMANE. On l'a fait avertir, l'ingrate va paraître.
Songe que dans tes mains est le sort de ton maître ;
Donne-lui le billet de ce traître chrétien ;
Rends-moi compte de tout, examine-la bien :
Porte-moi sa réponse. On approche. . . c'est elle.
(A Corasmin.)
Viens, d'un malheureux prince ami tendre et fidèle,
Viens m'aider à cacher ma rage et mes ennuis.

### SCÈNE II.

ZAÏRE, FATIME, L'ESCLAVE.

ZAÏRE. Eh ! qui peut me parler dans l'état où je suis ?
A tant d'horreurs, hélas ! qui pourra me soustraire ?
Le sérail est fermé ! Dieu ! si c'était mon frère !
Si la main de ce Dieu, pour soutenir ma foi,
Par des chemins cachés le conduisait vers moi !
Quel esclave inconnu se présente à ma vue ?
L'ESCLAVE. Cette lettre, en secret dans mes mains parvenu,
Pourra vous assurer de ma fidélité.
ZAÏRE. Donne.
(Elle lit.)
FATIME, à part, pendant que Zaïre lit.

Dieu tout-puissant! éclate en ta
bonté;
Fais descendre ta grâce en ce séjour
profane!
Arrache ma princesse au barbare Orosmane!

ZAÏRE, à Fatime. Je voudrais te parler.

FATIME, à l'esclave.    Allez, retirez-vous;
On vous rappellera, soyez prêt; laissez-
nous.

## SCÈNE III.

### ZAÏRE, FATIME.

ZAÏRE. Lis ce billet; hélas! dis-moi ce qu'il
faut faire;
Je voudrais obéir aux ordres de mon
frère.

FATIME. Dites plutôt, madame, aux ordres
éternels
D'un Dieu qui vous demande au pied de
ses autels.
Ce n'est point Nérestan, c'est Dieu qui
vous appelle.

ZAÏRE. Je le sais, à sa voix je ne suis point
rebelle,
J'en ai fait le serment: mais puis-je
m'engager,
Moi, les chrétiens, mon frère, en un si
grand danger?

FATIME. Ce n'est point leur danger dont
vous êtes troublée;
Votre amour parle seul à votre âme
ébranlée.
Je connais votre cœur; il penserait
comme eux,
Il hasarderait tout, s'il n'était amoureux.
Ah! connaissez du moins l'erreur qui
vous outrage!
Vous tremblez d'offenser l'amant qui
vous outrage!
Quoi! ne voyez-vous pas toutes ses cruau-
tés,
Et l'âme d'un Tartare à travers ses
bontés?
Ce tigre, encor farouche au sein de sa
tendresse,
Même en vous adorant, menaçait sa maî-
tresse. . .
Et votre cœur encor ne s'en peut dé-
tacher?
Vous soupirez pour lui?

ZAÏRE.        Qu'ai-je à lui reprocher?
C'est moi qui l'offensais, moi qu'en cette
journée
Il a vu souhaiter ce fatal hyménée;
Le trône était tout prêt, le temple était
paré,

Mon amant m'adorait, et j'ai tout dif-
féré.
Moi, qui devais ici trembler sous sa puis-
sance,
J'ai de ses sentiments bravé la violence;
J'ai soumis son amour, il fait ce que je
veux,
Il m'a sacrifié ses transports amoureux.

FATIME. Ce malheureux amour, dont votre
âme est blessée,
Peut-il en ce moment remplir votre pensée?

ZAÏRE. Ah! Fatime, tout sert à me désespérer:
Je sais que du sérail rien ne peut me
tirer;
Je voudrais des chrétiens voir l'heureuse
contrée,
Quitter ce lieu funeste à mon âme
égarée;
Et je sens qu'à l'instant, prompte à me
démentir,
Je fais des vœux secrets pour n'en jamais
sortir.
Quel état! quel tourment! Non, mon âme
inquiète
Ne sait ce qu'elle doit, ni ce qu'elle sou-
haite;
Une terreur affreuse est tout ce que je
sens.
Dieu! détourne de moi ces noirs pres-
sentiments;
Prends soin de nos chrétiens, et veille
sur mon frère!
Prends soin, du haut des cieux, d'une
tête si chère!
Oui, je le vais trouver, je lui vais obéir:
Mais dès que de Solyme il aura pu par-
tir,
Par son absence alors à parler enhardie,
J'apprends à mon amant le secret de ma
vie:
Je lui dirai le culte où mon cœur est
lié;
Il lira dans ce cœur, il en aura pitié.
Mais, dussé-je au supplice être ici con-
damnée,
Je ne trahirai point le sang dont je suis
née.
Va, tu peux amener mon frère dans ces
lieux.
Rappelle cet esclave.

## SCÈNE IV.

### ZAÏRE.

                        O Dieu de mes aïeux!
Dieu de tous mes parents, de mon malheureux père,

Que ta main me conduise, et que ton œil
   m'éclaire !

## SCÈNE V.

### ZAÏRE, L'ESCLAVE.

ZAÏRE. Allez dire au chrétien qui marche
   sur vos pas,
Que mon cœur aujourd'hui ne le trahira
   pas,
Que Fatime en ces lieux va bientôt l'introduire.
     (A part.)
Allons, rassure-toi, malheureuse Zaïre !


## SCÈNE VI.

### OROSMANE, CORASMIN, L'ESCLAVE.

OROSMANE. Que ces moments, grand Dieu,
   sont lents pour ma fureur !
     (A l'esclave.)
Eh bien ! que t'a-t-on dit ? réponds, parle.
L'ESCLAVE.           Seigneur,
On n'a jamais senti de si vives alarmes :
Elle a pâli, tremblé, ses yeux versaient
   des larmes ;
Elle m'a fait sortir, elle m'a rappelé,
Et d'une voix tremblante, et d'un cœur
   tout troublé,
Près de ces lieux, seigneur, elle a promis
   d'attendre
Celui qui cette nuit à ses yeux doit se
   rendre.
OROSMANE, à l'esclave. Allez, il me suffit...
     (A Corasmin.) Ote-toi de mes yeux,
Laisse-moi : tout mortel me devient
   odieux.
Laisse-moi seul, te dis-je, à ma fureur
   extrême ;
Je hais le monde entier, je m'abhorre
   moi-même.


## SCÈNE VII.

### OROSMANE.

Où suis-je ? ô ciel ! où suis-je ? ou porté-
   je mes vœux ?
Zaïre, Nérestan, couple ingrat, couple
   affreux !
Traîtres, arrachez-moi ce jour que je
   respire,
Ce jour souillé par vous !... Misérable
   Zaïre,
Tu ne jouiras pas... Corasmin, revenez.

## SCÈNE VIII.

### OROSMANE, CORASMIN.

OROSMANE. Ah ! trop cruel ami, quoi ! vous
   m'abandonnez !
Venez ; a-t-il paru, ce rival, ce coupable ?
CORASMIN. Rien ne paraît encore.
OROSMANE.      Ô nuit ! nuit effroyable !
Peux-tu prêter ton voile à de pareils for-
   faits ?
Zaïre !... l'infidèle !... après tant de
   bienfaits !
J'aurais d'un œil serein, d'un front in-
   altérable,
Contemplé de mon rang la chute épou-
   vantable ;
J'aurais su, dans l'horreur de la cap-
   tivité,
Conserver mon courage et ma tranquil-
   lité :
Mais me voir à ce point trompé par ce
   que j'aime !
CORASMIN. Eh ! que prétendez-vous dans
   cette horreur extrême ?
Quel est votre dessein ?
OROSMANE.    N'entends-tu pas des cris ?
CORASMIN. Seigneur...
OROSMANE.       Un bruit affreux a
   frappé mes esprits.
On vient.
CORASMIN. Non, jusqu'ici nul mortel ne
   s'avance ;
Le sérail est plongé dans un profond
   silence ;
Tout dort, tout est tranquille ; et l'ombre
   de la nuit...
OROSMANE. Hélas ! le crime veille, et son
   horreur me suit.
A ce coupable excès porter sa hardiesse !
Tu ne connaissais pas mon cœur et ma
   tendresse !
Combien je t'adorais ! quels feux ! ah !
   Corasmin,
Un seul de ses regards aurait fait mon
   destin ;
Je ne puis être heureux, ni souffrir que
   par elle.
Prends pitié de ma rage. Oui, cours...
   Ah ! la cruelle !
CORASMIN. Est-ce vous qui pleurez ? vous,
   Orosmane ? ô cieux !
OROSMANE. Voilà les premiers pleurs qui
   coulent de mes yeux.
Tu vois mon sort, tu vois la honte où
   je me livre :
Mais ces pleurs sont cruels, et la mort
   va les suivre !

Plains Zaïre, plains-moi; l'heure approche; ces pleurs
Du sang qui va couler sont les avant-coureurs.
CORASMIN. Ah! je tremble pour vous.
OROSMANE.       Frémis de mes souffrances,
Frémis de mon amour, frémis de mes vengeances.
Approche, viens, j'entends. . . je ne me trompe pas.
CORASMIN. Sous les murs du palais quelqu'un porte ses pas.
OROSMANE. Va saisir Nérestan; va, dis-je, qu'on l'enchaîne:
Que tout chargé de fers à mes yeux on l'entraîne!

## SCÈNE IX.

OROSMANE, ZAÏRE ET FATIME (*marchant pendant la nuit dans l'enfoncement du théâtre*).

ZAÏRE. Viens, Fatime.
OROSMANE. Qu'entends-je! Est-ce là cette voix
Dont les sons enchanteurs m'ont séduit tant de fois?
Cette voix qui trahit un feu si légitime?
Cette voix infidèle, et l'organe du crime?
Perfide! . . . vengeons-nous. . . Quoi! c'est elle? ô destin!
(*Il tire son poignard.*)
Zaïre! ah! Dieu! . . . ce fer échappe de ma main.
ZAÏRE, *à Fatime.* C'est ici le chemin; viens, soutiens mon courage.
FATIME. Il va venir.
OROSMANE.      Ce mot me rend toute ma rage.
ZAÏRE. Je marche en frissonnant, mon cœur est éperdu . . .
Est-ce vous, Nérestan, que j'ai tant attendu?
OROSMANE, *courant à Zaïre.* C'est moi que tu trahis; tombe à mes pieds, parjure!
ZAÏRE, *tombant dans la coulisse.* Je me meurs, ô mon Dieu!
OROSMANE.      J'ai vengé mon injure.
Otons-nous de ces lieux. Je ne puis. . . Qu'ai-je fait? . . .
Rien que de juste. . . Allons, j'ai puni son forfait.
Ah! voici son amant que mon destin m'envoie,
Pour remplir ma vengeance et ma cruelle joie.

## SCÈNE X.

OROSMANE, ZAÏRE, NÉRESTAN, CORASMIN, FATIME, ESCLAVES.

OROSMANE. Approche, malheureux, qui viens de m'arracher,
De m'ôter pour jamais ce qui me fut si cher;
Méprisable ennemi, qui fais encor paraître
L'audace d'un héros avec l'âme d'un traître;
Tu m'imposais ici pour me déshonorer.
Va, le prix en est prêt, tu peux t'y préparer.
Tes maux vont égaler les maux où tu m'exposes,
Et ton ingratitude, et l'horreur que tu causes.
Avez-vous ordonné son supplice?
CORASMIN.           Oui, seigneur.
OROSMANE. Il commence déjà dans le fond de ton cœur.
Tes yeux cherchent partout, et demandent encore
La perfide qui t'aime, et qui me déshonore.
Regarde, elle est ici.
NÉRESTAN.      Que dis-tu? Quelle erreur?
OROSMANE. Regarde-la, te dis-je.
NÉRESTAN. Ah! que vois-je! Ah! ma sœur!
Zaïre. . . elle n'est plus! Ah! monstre! Ah! jour horrible!
OROSMANE. Sa sœur! Qu'ai-je entendu? Dieu! serait-il possible?
NÉRESTAN. Barbare, il est trop vrai: viens épuiser mon flanc
Du reste infortuné de cet auguste sang.
Lusignan, ce vieillard, fut son malheureux père;
Il venait dans mes bras d'achever sa misère,
Et d'un père expiré j'apportais en ces lieux
La volonté dernière, et les derniers adieux;
Je venais, dans un cœur trop faible et trop sensible,
Rappeler des chrétiens le culte incorruptible.
Hélas! elle offensait notre Dieu, notre loi;
Et ce Dieu la punit d'avoir brûlé pour toi.
OROSMANE. Zaïre! . . . Elle m'aimait? Est-il bien vrai, Fatime?
Sa sœur? . . . J'étais aimé?

FATIME.                    Cruel ! voilà son crime.
 Tigre altéré de sang, tu viens de mas-
  sacrer
 Celle qui, malgré soi constante à t'adorer,
 Se flattait, espérait que le Dieu de ses
  pères
 Recevrait le tribut de ses larmes sin-
  cères,
 Qu'il verrait en pitié cet amour mal-
  heureux,
 Que peut-être il voudrait vous réunir tous
  deux.
 Hélas ! à cet excès son cœur l'avait trom-
  pée ;
 De cet espoir trop tendre elle était oc-
  cupée ;
 Tu balançais son Dieu dans son cœur
  alarmé.
OROSMANE. Tu m'en as dit assez. O ciel !
  j'étais aimé !
 Va, je n'ai pas besoin d'en savoir davan-
  tage. . .
NÉRESTAN. Cruel ! qu'attends-tu donc pour
  assouvir ta rage ?
 Il ne reste que moi de ce sang glorieux
 Dont ton père et ton bras ont inondé
  ces lieux ;
 Rejoins un malheureux à sa triste fa-
  mille,
 Au héros dont tu viens d'assassiner la
  fille.
 Tes tourments sont-ils prêts ? Je puis
  braver tes coups ;
 Tu m'as fait éprouver le plus cruel de
  tous.
 Mais la soif de mon sang, qui toujours
  te dévore,
 Permet-elle à l'honneur de te parler en-
  core ?
 En m'arrachant le jour, souviens-toi des
  chrétiens
 Dont tu m'avais juré de briser les
  liens ;
 Dans sa férocité, ton cœur impitoyable
 De ce trait généreux serait-il bien ca-
  pable ?
 Parle ; à ce prix encor je bénis mon tré-
  pas.
OROSMANE, *allant vers le corps de Zaïre.*
  Zaïre !
CORASMIN. Hélas ! seigneur, où portez-vous
  vos pas ?
 Rentrez, trop de douleur de votre âme
  s'empare ;
 Souffrez que Nérestan. . .
NÉRESTAN.          Qu'ordonnes-tu, barbare ?
OROSMANE, *après une longue pause.* Qu'on

---

 détache ses fers. Écoutez, Coras-
  min ;
 Que tous ses compagnons soient délivrés
  soudain.
 Aux malheureux chrétiens prodiguez mes
  largesses ;
 Comblés de mes bienfaits, chargés de mes
  richesses,
 Jusqu'au port de Joppé [1] vous conduirez
  leurs pas.
CORASMIN. Mais, seigneur. . .
OROSMANE.        Obéis, et ne réplique pas ;
 Vole, et ne trahis point la volonté su-
  prême
 D'un soudan qui commande, et d'un ami
  qui t'aime ;
 Va, ne perds point de temps, sors,
  obéis. . .
                *(A Nérestan.)*
                              Et toi,
 Guerrier infortuné, mais moins encor
  que moi,
 Quitte ces lieux sanglants, remporte en
  ta patrie
 Cet objet que ma rage a privé de la vie.
 Ton roi, tous tes chrétiens, apprenant tes
  malheurs,
 N'en parleront jamais sans répandre des
  pleurs.
 Mais si la vérité par toi se fait con-
  naître,
 En détestant mon crime, on me plaindra
  peut-être.
 Porte aux tiens ce poignard, que mon
  bras égaré
 A plongé dans un sein qui dut m'être
  sacré ;
 Dis-leur que j'ai donné la mort la plus
  affreuse
 A la plus digne femme, à la plus ver-
  tueuse,
 Dont le ciel ait formé les innocents ap-
  pas ;
 Dis-leur qu'à ses genoux j'avais mis mes
  États ;
 Dis-leur que dans son sang cette main
  s'est plongée ;
 Dis que je l'adorais, et que je l'ai vengée.
              *(Aux siens.)*
 Respectez ce héros, et conduisez ses pas.
              *(Il se tue.)*
NÉRESTAN. Guide-moi, Dieu puissant ! je ne
  me connais pas.
 Faut-il qu'à t'admirer ta fureur me con-
  traigne,
 Et que dans mon malheur ce soit moi
  qui te plaigne !

---

[1] Joppé, **Jaffa** (in English Bible, Joppa).

# LE JEU DE L'AMOUR ET DU HASARD

*Comédie en trois actes, en prose*

Représentée pour la première fois par les Comédiens Italiens ordinaires du Roi
le 23 janvier 1730

# MARIVAUX

Pierre Carlet de Chamblain de Marivaux (1688–1763) was born at Paris in 1688. His father, a Norman, moved to Riom in Auvergne when the son was quite young, and thence to Limoges, where he was connected with the treasury department. Marivaux received the best educational advantages to be had in these towns, and prepared himself for the legal profession. He must have returned to Paris about 1706. He had mingled in the best society of Limoges, and with his training and wealth he soon found a place in Parisian society, for we find him admitted to the very correct salon of Mme. de Lambert, in company with such men as Fontenelle, d'Argenson, Sainte-Aulaire, La Motte, and Président Hénault. He was later received in the salon of Mme. de Tencin, mother of d'Alembert, a very brilliant woman. It was to her influence that Marivaux owed his election to the Academy in 1743. After the death of Mme. de Lambert in 1733 and Mme. de Tencin in 1749, Marivaux frequented the salon of Mme. Geoffrin, where he came in contact with the philosophers and encyclopedists; but he did not join their ranks. He was fond of dress and good living, and had a great passion for charity. Of a sensitive, retiring disposition, he preferred the society of women to that of men, as his association with the celebrated women of the day indicates. On account of the loss of his fortune in the failure of John Law's bank, he was forced to work steadily at literary tasks; he was, however, fond of ease and leisure, a fact that is indicated in the desultory, unfinished character of many of his undertakings. Notwithstanding his numerous writings, he was usually in financial straits, on account of his poor business sense and his charitable expenditures. Consequently he was forced to accept gifts and annuities from his friends when the proper amount of secrecy and cleverness accompanied them. In his last years he was cared for by his devoted friend, Mlle. de Saint-Jean, and he died in Paris in 1763 at the age of seventy-five years.

Marivaux began his career as a writer in 1706 with a one-act comedy in verse, *le Père prudent et équitable,* written before his return to Paris, to prove his assertion that it was not a difficult thing to write a comedy. He began in 1712 the writing of several mediocre novels: *le Don Quichotte moderne, les Effets surprenants de la sympathie, la Voiture embourbée.* He made some improvement in 1717 with *le Triomphe de Bilboquet.* In 1717 he contributed articles to *le Nouveau Mercure,* and wrote parodies of Homer and Fénelon, on the side of the *Modernes* against the *Anciens.* In 1722 he began the publication of *le Spectateur français,* in imitation of Addison's *Spectator;* it continued for two years. Two other attempts at journalism were made with *l'Indigent philosophe* (1728) and *le Cabinet du philosophe* (1734). In 1731 he began the publication of his sentimental novel *Marianne,* which was not completed, or rather ended, in its eleven parts until 1741. Critics disagree as to its possible influence on Richardson and the English novel. His other great work in the novel, *le Paysan parvenu,* appeared in 1735. Both of these works are sentimental psychological studies of the middle classes, while his comedies are studies of the upper classes.

In 1720 Marivaux produced at the Théâtre-Italien an unsuccessful comedy, *l'Amour et la Vérité*, in collaboration with the Chevalier de Saint-Jory; and, following the vogue of the day, he tried his hand at an unsuccessful tragedy, *Annibal*, on the stage of the Comédie-Française in December of the same year. He had just had an immense success with the fairy play *Arlequin poli par l'Amour*, presented by the Théâtre-Italien (October, 1720). At last he had found his place. Thenceforth he adopted prose for the exploitation of his own peculiar style, which achieved recognition under the name *marivaudage;* and he distinguished himself by a succession of love-comedies of a new type, in which the delicacy of his portrayal of feminine psychology is notable. On account of their freedom from the conventions of the stage of the Comédie-Française, it was the Italian actors who were the more successful in interpreting Marivaux to the public. Out of thirty plays, twenty were first presented by the Théâtre-Italien and ten by the Comédie-Française.

The similarity of the long train of comedies that now follow, with the predominance of the theme of the *surprise de l'Amour,* gave rise to the criticism that his plays were nothing but one continual *surprise de l'Amour.* Although this theme does predominate, yet it is by no means the only one. There is an abundance of fanciful material which reminds one of Shakespeare; there is a trace of the study of character and manners, although Molière is not the model of Marivaux; and following the lead of Montesquieu's *Lettres Persanes* and Delisle's *Arlequin sauvage, l'Ile des esclaves* is an interesting philosophical treatment of ideal social conditions.

It is difficult to define the thing called *marivaudage,* that *dialogue psychologique et métaphysique.* "Il semble que ce soit comme un jeu d'amour, une passe amoureuse, où les personnages, l'œil fixé sur leurs adversaires et sur eux-mêmes, observant tout, notant tous les degrés de ces multiples inclinations qui ne cessent d'agir et de réagir les unes sur les autres, rivalisent entre eux à coups d'analyses pénétrantes, de perspicaces examens, de chicanes de sentiments—et cela dans un langage dont la souplesse, la ténuité, la vivacité pittoresque et imagée, la naïveté fine et subtile s'unissent pour peindre ces infiniment petits qui, sans échapper à l'analyse, échappaient jusqu'alors à l'expression" (Lion). It proceeds from a combination of preciosity, sentimentalism, and Marivaux's own peculiar disposition, in the environment of the dissolute, overrefined society of the eighteenth century. Preciosity had lost its power in Paris, but was never completely smothered in the provinces. It now had a partial revival through Marivaux and a group of provincials assembled at the capital. Sentimentalism was born in the early part of the eighteenth century, and increased its sway as the period advanced.[1]

The philosophy of Marivaux is of the humane type, coming out of the goodness of his own nature, which suffered when he saw suffering and inequalities of opportunity about him. He was by nature religious, stood for purity of family life, and was opposed to the materialism of his time. Although the germs of the revolutionary philosophy of the encyclopedists, of Rousseau and of Beaumarchais, may be found in his works, as in other early representatives of the century, he believed that reform should come through evolution. He would have evils correct themselves in an orderly manner. When oppressors were shown the error

---

[1] For a more complete discussion of sentimentalism, see under La Chaussée.

of their ways, they should be allowed to repent, be forgiven, and regain their position in society. Such is the theme and philosophy of the "petite comédie satirico-sociale," *l'Île des esclaves*. It is a sketch of the inequality of conditions long before Rousseau, but done without hatred or violence, and with a peaceful conclusion. After masters have been forced to take the place of slaves, they are allowed to regain their place in society when they learn to recognize the rights of others.

Marivaux's novels as well as his plays aided the advancement of sentimentalism, and he really founded the modern drawing-room comedy, as later represented in the work of Musset and Pailleron. In comedy he is not directly connected with any of his predecessors, and he declared that he never imitated them. He reproduces only the *bonnes mœurs* and not the decadent morals of his period. He presents the side of society that is refined, witty, gallant, restrained, whose favorite pastime is conversation. Like Watteau on canvas, he eliminates all that is vulgar and adds a sentiment of delicateness and charm, the result of which seems to be almost an enchanted world. Marivaux is not as universal as Molière, because he is so much of his period. He is rather a miniature Racine. As in the latter's tragedies, love is the mainspring of his comedies; and that is why women, as in Racine, occupy an equal or greater place than men. It is with Marivaux that women begin to occupy this place in French comedy. But love here is restrained, timid and shy; it never asserts itself fully until the end of the play. There is no overpowering passion, and most of the obstacles in its way are not external, but in the minds of the characters. Marivaux attaches little importance to plot development. His comedies are more usually studies of manners in dialogue, and the interest more philosophical than dramatic. The action is deliberate, the exposition seems to run through most of the play, and we have a series of imperceptible transitions rather than incidents. Such action means a curious kind of characters whose traits are presented slowly, not all at once at the beginning of the play. In them everything is moderation, they never get excited, and they excel in "skirmishes of sentiment." They always guard against expressing too much exultation, because they fear ridicule.

*Le Jeu de l'amour et du hasard* (1730) is considered the masterpiece of Marivaux, although it is not in the list of the author's favorite plays, which includes: *la Double inconstance*, the two *Surprises de l'Amour, la Mère confidente, les Serments indiscrets, les Sincères* and *l'Île des esclaves*. The play is, however, the one which the public enjoys most today; and it is representative of the great innovation of Marivaux in comedy, in which we see on the stage real love, expressed in a charming, delicate manner, and rewarded with marriage at the end of an interesting and sufficiently complicated plot. The scheme of the interchange of master and valet is not new, for it had been used by Scarron and Molière; but here the purpose is different, and the valets and maids are of a higher order, showing their rise in the social scale, and foreshadowing, perhaps, the complete upheaval at the end of the century.

Among the plays of Marivaux not mentioned above are the following: *la Nouvelle colonie* (1729); *l'École des mères* (1732); *le Legs* (1736); *les Fausses confidences* (1737); *l'Épreuve* (1740); *le Préjugé vaincu* (1746).

Bibliography: *Œuvres de théâtre*, Paris, 1732, 1740, 1758. *Œuvres complètes*, Paris, 1781–82, 1825–30. G. LARROUMET: *Marivaux, sa vie et ses œuvres*, Paris,

1882, 1894. J. LEMAÎTRE: *Impressions de théâtre*, Paris, 1888 and 1890. C. LENI-ENT: *La Comédie en France au XVIII<sup>e</sup> siècle*, Paris, 1888. H. LION: in PETIT DE JULLEVILLE: *Histoire de la langue et de la littérature française*, Tome VI, Paris, 1900. G. LARROUMET: *Marivaux*, in *Revue des Cours et Conférences*, Paris, 1899–1900.

# LE JEU DE L'AMOUR ET DU HASARD [1]

## Par PIERRE DE MARIVAUX

### PERSONNAGES.

M. ORGON  
MARIO  
SILVIA  
DORANTE  

LISETTE, *femme de chambre de Silvia.*  
ARLEQUIN, *valet de Dorante.*  
UN LAQUAIS  

La scène est à Paris.

## ACTE PREMIER.

### SCÈNE PREMIÈRE.

#### SILVIA, LISETTE.

SILVIA. Mais, encore une fois, de quoi vous mêlez-vous? Pourquoi répondre de mes sentiments?

LISETTE. C'est que j'ai cru que dans cette occasion-ci, vos sentiments ressembleraient à ceux de tout le monde. Monsieur votre père me demande si vous êtes bien aise qu'il vous marie, si vous en avez quelque joie. Moi, je lui réponds que oui, cela va tout de suite; [2] et il n'y a peut-être que vous de fille au monde pour qui ce *oui*-là ne soit pas vrai. Le *non* n'est pas naturel.

SILVIA. Le *non* n'est pas naturel? Quelle sotte naïveté! Le mariage aurait donc de grands charmes pour vous?

LISETTE. Eh bien! c'est encore *oui*, par exemple.

SILVIA. Taisez-vous; allez répondre vos impertinences ailleurs, et sachez que ce n'est pas à vous à juger de mon cœur par le vôtre.

LISETTE. Mon cœur est fait comme celui de tout le monde. De quoi le vôtre s'avise-t-il de n'être fait comme celui de personne?

SILVIA. Je vous dis que, si elle osait, elle m'appellerait une originale.

LISETTE. Si j'étais votre égale, nous verrions.

SILVIA. Vous travaillez à me fâcher, Lisette.

LISETTE. Ce n'est pas mon dessein. Mais, dans le fond, voyons, quel mal ai-je fait de dire à monsieur Orgon que vous étiez bien aise d'être mariée?

SILVIA. Premièrement, c'est que tu n'as pas dit vrai: je ne m'ennuie pas d'être fille.

LISETTE. Cela est encore tout neuf.

SILVIA. C'est qu'il n'est pas nécessaire que mon père croie me faire tant de plaisir en me mariant, parce que cela le fait agir avec une confiance qui ne servira peut-être de rien.

LISETTE. Quoi! Vous n'épouserez pas celui qu'il vous destine?

SILVIA. Que sais-je? Peut-être ne me conviendra-t-il point, et cela m'inquiète.

LISETTE. On dit que votre futur est un des plus honnêtes hommes du monde; qu'il est bien fait, aimable, de bonne mine; qu'on ne peut pas avoir plus d'esprit; qu'on ne saurait être d'un meilleur caractère. Que voulez-vous de plus? Peut-on se figurer de mariage plus doux, d'union plus délicieuse?

SILVIA. Délicieuse? Que tu es folle, avec tes expressions!

LISETTE. Ma foi! Madame, c'est qu'il est heureux qu'un amant de cette espèce-là

---

[1] Text of first collective edition of Marivaux' dramatic works, 1732.  
[2] that is a matter of course.

veuille se marier dans les formes ; il n'y a presque point de fille, s'il lui faisait la cour, qui ne fût en danger de l'épouser sans cérémonie. Aimable, bien fait, voilà de quoi vivre pour l'amour ; sociable et spirituel, voilà pour l'entretien de la société. Pardi ! tout en sera bon dans cet homme-là ; l'utile et l'agréable, tout s'y trouve.

SILVIA. Oui, dans le portrait que tu en fais, et on dit qu'il y ressemble ; mais c'est un on-dit, et je pourrais bien n'être pas de ce sentiment-là, moi. Il est bel homme, dit-on, et c'est presque tant pis.

LISETTE. Tant pis ! Tant pis ! Mais voilà une pensée bien hétéroclite !

SILVIA. C'est une pensée de très bon sens. Volontiers, un bel homme est fat ; je l'ai remarqué.

LISETTE. Oh ! il a tort d'être fat, mais il a raison d'être beau.

SILVIA. On ajoute qu'il est bien fait ; passe.

LISETTE. Oui-da, cela est pardonnable.

SILVIA. De beauté et de bonne mine, je l'en dispense ; ce sont là des agréments superflus.

LISETTE. Vertuchoux ! Si je me marie jamais, ce superflu-là sera mon nécessaire.

SILVIA. Tu ne sais ce que tu dis. Dans le mariage, on a plus souvent affaire à l'homme raisonnable qu'à l'aimable homme : en un mot, je ne lui demande qu'un bon caractère, et cela est plus difficile à trouver qu'on ne pense. On loue beaucoup le sien ; mais qui est-ce qui a vécu avec lui ? Les hommes ne se contrefont-ils pas, surtout quand ils ont de l'esprit ? N'en ai-je pas vu, moi, qui paraissaient, avec leurs amis, les meilleures gens du monde ? C'est la douceur, la raison, l'enjouement même ; il n'y a pas jusqu'à leur physionomie qui ne soit garante de toutes les bonnes qualités qu'on leur trouve. Monsieur un tel a l'air d'un galant homme, d'un homme bien raisonnable, disait-on tous les jours d'Ergaste. Aussi l'est-il, répondait-on ; je l'ai répondu moi-même. Sa physionomie ne vous ment pas d'un mot. Oui, fiez-vous-y à cette physionomie si douce, si prévenante, qui disparaît un quart d'heure après, pour faire place à un visage sombre, brutal, farouche, qui devient l'effroi de toute une maison. Ergaste s'est marié ; sa femme, ses enfants, son domestique, ne lui connaissent encore que ce visage-là, pendant qu'il promène partout ailleurs cette physionomie si aimable que nous lui voyons, et qui n'est qu'un masque qu'il prend au sortir de chez lui.

LISETTE. Quel fantasque avec ses deux visages !

SILVIA. N'est-on pas content de Léandre, quand on le voit ? Eh bien ! chez lui, c'est un homme qui ne dit mot, qui ne rit ni qui ne gronde : c'est une âme glacée, solitaire, inaccessible. Sa femme ne la connaît point, n'a point de commerce avec elle ; elle n'est mariée qu'avec une figure qui sort d'un cabinet, qui vient à table, et qui fait expirer de langueur, de froid et d'ennui tout ce qui l'environne. N'est-ce pas là un mari bien amusant ?

LISETTE. Je gèle au récit que vous m'en faites. Mais Tersandre, par exemple ?

SILVIA. Oui, Tersandre ! Il venait l'autre jour de s'emporter contre sa femme. J'arrive, on m'annonce : je vois un homme qui vient à moi les bras ouverts, d'un air serein, dégagé ; vous auriez dit qu'il sortait de la conversation la plus badine ; sa bouche et ses yeux riaient encore. Le fourbe ! Voilà ce que c'est que les hommes. Qui est-ce qui croit que sa femme est à plaindre avec lui ? Je la trouvai tout abattue, le teint plombé, avec des yeux qui venaient de pleurer ; je la trouvai comme je serais peut-être : voilà mon portrait à venir ; je vais, du moins, risquer d'en être une copie. Elle me fit pitié, Lisette ; si j'allais te faire pitié aussi ? Cela est terrible ! Qu'en dis-tu ? Songe à ce que c'est qu'un mari.

LISETTE. Un mari ? c'est un mari. Vous ne deviez pas finir par ce mot-là ; il me raccommode avec tout le reste.

### SCÈNE II.

M. ORGON, SILVIA, LISETTE.

M. ORGON. Eh ! bonjour, ma fille. La nouvelle que je viens t'annoncer te fera-t-elle plaisir ? Ton prétendu arrive aujourd'hui ; son père me l'apprend par cette lettre-ci. Tu ne me réponds rien ; tu me parais triste. Lisette de son côté baisse les yeux. Qu'est-ce que cela signifie ? Parle donc, toi ; de quoi s'agit-il ?

LISETTE. Monsieur, un visage qui fait trembler, un autre qui fait mourir de froid, une âme gelée qui se tient à l'écart ; et puis le portrait d'une femme qui a le visage abattu, un teint plombé, des yeux bouffis et qui viennent de pleurer ; voilà, monsieur, tout ce que nous considérons avec tant de recueillement.

M. ORGON. Que veut dire ce galimatias ? Une âme, un portrait ! Explique-toi donc : je n'y entends rien.

SILVIA. C'est que j'entretenais Lisette du malheur d'une femme maltraitée par son mari; je lui citais celle de Tersandre, que je trouvai l'autre jour fort abattue, parce que son mari venait de la quereller; et je faisais là-dessus mes réflexions.

LISETTE. Oui, nous parlions d'une physionomie qui va et qui vient; nous disions qu'un mari porte un masque avec le monde, et une grimace avec sa femme.

M. ORGON. De tout cela, ma fille, je comprends que le mariage t'alarme, d'autant plus que tu ne connais point Dorante.

LISETTE. Premièrement, il est beau; et c'est presque tant pis.

M. ORGON. Tant pis! Rêves-tu, avec ton tant pis?

LISETTE. Moi, je dis ce qu'on m'apprend: c'est la doctrine de Madame; j'étudie sous elle.

M. ORGON. Allons, allons, il n'est pas question de tout cela. Tiens, ma chère enfant, tu sais combien je t'aime. Dorante vient pour t'épouser. Dans le dernier voyage que je fis en province, j'arrêtai ce mariage-là avec son père, qui est mon intime et mon ancien ami; mais ce fut à condition que vous vous plairiez à tous deux et que vous auriez entière liberté de vous expliquer là-dessus. Je te défends toute complaisance à mon égard. Si Dorante ne te convient point, tu n'as qu'à le dire, et il repart; si tu ne lui convenais pas, il repart de même.

LISETTE. Un *duo* de tendresse en décidera, comme à l'Opéra: «Vous me voulez, je vous veux; vite un notaire»! ou bien: «M'aimez-vous? non; ni moi non plus, vite à cheval»!

M. ORGON. Pour moi, je n'ai jamais vu Dorante: il était absent quand j'étais chez son père; mais, sur tout le bien qu'on m'en a dit, je ne saurais craindre que vous vous remerciiez [1] ni l'un ni l'autre.

SILVIA. Je suis pénétrée de vos bontés, mon père. Vous me défendez toute complaisance, et je vous obéirai.

M. ORGON. Je te l'ordonne.

SILVIA. Mais, si j'osais, je vous proposerais, sur une idée qui me vient, de m'accorder une grâce qui me tranquilliserait tout à fait.

M. ORGON. Parle. . . Si la chose est faisable, je te l'accorde.

SILVIA. Elle est très faisable; mais je crains que ce ne soit abuser de vos bontés.

M. ORGON. Eh bien! abuse. Va, dans ce

monde, il faut être un peu trop bon pour l'être assez.

LISETTE. Il n'y a que le meilleur de tous les hommes qui puisse dire cela.

M. ORGON. Explique-toi, ma fille.

SILVIA. Dorante arrive ici aujourd'hui. . . Si je pouvais le voir, l'examiner un peu sans qu'il me connût! Lisette a de l'esprit, Monsieur; elle pourrait prendre ma place pour un peu de temps, et je prendrais la sienne.

M. ORGON, *à part.* Son idée est plaisante. (*Haut.*) Laisse-moi rêver un peu à ce que tu me dis là. (*A part.*) Si je la laisse faire, il doit arriver quelque chose de bien singulier. Elle ne s'y attend pas elle-même. . . (*Haut.*) Soit, ma fille, je te permets le déguisement. Es-tu bien sûr de soutenir le tien, Lisette?

LISETTE. Moi, Monsieur? Vous savez qui je suis; essayez de m'en conter, et manquez de respect, si vous l'osez, à cette contenance-ci. Voilà un échantillon des bons airs avec lesquels je vous attends. Qu'en dites-vous? Hem? retrouvez-vous Lisette?

M. ORGON. Comment donc! Je m'y trompe actuellement moi-même. Mais il n'y a point de temps à perdre: va t'ajuster suivant ton rôle. Dorante peut nous surprendre. Hâtez-vous, et qu'on donne le mot à toute la maison.

SILVIA. Il ne me faut presque qu'un tablier.

LISETTE. Et moi, je vais à ma toilette. Venez m'y coiffer, Lisette, pour vous accoutumer à vos fonctions. . . Un peu d'attention à votre service, s'il vous plaît.

SILVIA. Vous serez contente, marquise. Marchons!

## SCÈNE III.

### MARIO, M. ORGON, SILVIA.

MARIO. Ma sœur, je te félicite de la nouvelle que j'apprends. . . Nous allons voir ton amant, dit-on.

SILVIA. Oui, mon frère; mais je n'ai pas le temps de m'arrêter: j'ai des affaires sérieuses, et mon père vous les dira. Je vous quitte.

## SCÈNE IV.

### M. ORGON, MARIO.

M. ORGON. Ne l'amusez pas,[2] Mario; venez, vous saurez de quoi il s'agit.

---

[1] refuse or reject.

[2] amuser, in the sense of detain.

MARIO. Qu'y a-t-il de nouveau, Monsieur?

M. ORGON. Je commence par vous recommander d'être discret sur ce que je vais vous dire, au moins.

MARIO. Je suivrai vos ordres.

M. ORGON. Nous verrons Dorante aujourd'hui: mais nous ne le verrons que déguisé.

MARIO. Déguisé! Viendra-t-il en partie de masque? lui donnerez-vous le bal?

M. ORGON. Écoutez l'article de la lettre du père. Hum!... *Je ne sais, au reste, ce que vous penserez d'une imagination qui est venue à mon fils: elle est bizarre, il en convient lui-même; mais le motif est pardonnable et même délicat: c'est qu'il m'a prié de lui permettre de n'arriver d'abord chez vous que sous la figure de son valet, qui, de son côté, fera le personnage de son maître.*

MARIO. Ah! ah! cela sera plaisant.

M. ORGON. Écoutez le reste: *Mon fils sait combien l'engagement qu'il va prendre est sérieux, et il espère, dit-il, sous ce déguisement de peu de durée, saisir quelques traits du caractère de notre future et la mieux connaître, pour se régler ensuite sur ce qu'il doit faire, suivant la liberté que nous sommes convenus de leur laisser. Pour moi, qui m'en fie bien à ce que vous m'avez dit de votre aimable fille, j'ai consenti à tout, en prenant la précaution de vous avertir, quoiqu'il m'ait demandé le secret de votre côté. Vous en userez là-dessus avec la future comme vous le jugerez à propos...* Voilà ce que le père m'écrit. Ce n'est pas le tout; voici ce qui arrive: c'est que votre sœur, inquiète de son côté sur le chapitre de Dorante, dont elle ignore le secret, m'a demandé de jouer ici la même comédie, et cela précisément pour observer Dorante, comme Dorante veut l'observer. Qu'en dites-vous? Savez-vous rien de plus particulier que cela? Actuellement la maîtresse et la suivante se travestissent. Que me conseillez-vous, Mario? Avertirai-je votre sœur, ou non?

MARIO. Ma foi, Monsieur, puisque les choses prennent ce train-là, je ne voudrais pas les déranger, et je respecterais l'idée qui leur est inspirée à l'un et à l'autre. Il faudra bien qu'ils se parlent souvent tous deux sous ce déguisement. Voyons si leur cœur ne les avertirait pas de ce qu'ils valent. Peut-être que Dorante prendra du goût pour ma sœur, toute soubrette qu'elle sera, et cela serait charmant pour elle.

M. ORGON. Nous verrons un peu comment elle se tirera d'intrigue.

MARIO. C'est une aventure qui ne saurait manquer de nous divertir. Je veux me trouver au début et les agacer tous deux.

### SCÈNE V.

#### SILVIA, M. ORGON, MARIO.

SILVIA. Me voilà, Monsieur; ai-je mauvaise grâce en femme de chambre? Et vous, mon frère, vous savez de quoi il s'agit, apparemment... Comment me trouvez-vous?

MARIO. Ma foi, ma sœur, c'est autant de pris que le valet;[1] mais tu pourrais bien aussi escamoter Dorante à ta maîtresse.

SILVIA. Franchement, je ne haïrais pas de lui plaire sous le personnage que je joue; je ne serais pas fâchée de subjuguer sa raison, de l'étourdir un peu sur la distance qu'il y aura de lui à moi. Si mes charmes font ce coup-là, ils me feront plaisir; je les estimerai. D'ailleurs, cela m'aiderait à démêler Dorante. A l'égard de son valet, je ne crains pas ses soupirs: ils n'oseront m'aborder; il y aura quelque chose dans ma physionomie qui inspirera plus de respect que d'amour à ce faquin-là.

MARIO. Allons, doucement, ma sœur: ce faquin-là sera votre égal...

M. ORGON. Et ne manquera pas de t'aimer.

SILVIA. Eh bien! l'honneur de lui plaire ne me sera pas inutile. Les valets sont naturellement indiscrets; l'amour est babillard et j'en ferai l'historien de son maître.

UN VALET. Monsieur, il vient d'arriver un domestique qui demande à vous parler; il est suivi d'un crocheteur qui porte une valise.

M. ORGON. Qu'il entre: c'est sans doute le valet de Dorante. Son maître peut être resté au bureau pour affaires. Où est Lisette?

SILVIA. Lisette s'habille, et dans son miroir nous trouve très imprudents de lui livrer Dorante; elle aura bientôt fait.

M. ORGON. Doucement! on vient.

### SCÈNE VI.

#### DORANTE, *en valet*, M. ORGON, SILVIA, MARIO.

DORANTE. Je cherche M. Orgon: n'est-ce

[1] the valet is just as good as caught.

pas à lui que j'ai l'honneur de faire la révérence?

M. Orgon. Oui, mon ami, c'est à lui-même.

Dorante. Monsieur, vous avez sans doute reçu de nos nouvelles; j'appartiens à M. Dorante, qui me suit, et qui m'envoie toujours [1] devant, vous assurer de ses respects, en attendant qu'il vous en assure lui-même.

M. Orgon. Tu fais la commission de fort bonne grâce. Lisette, que dis-tu de ce garçon-là?

Silvia. Moi, Monsieur, je dis qu'il est bien venu, et qu'il promet.

Dorante. Vous avez bien de la bonté; je fais du mieux qu'il m'est possible.

Mario. Il n'est pas mal tourné, au moins: ton cœur n'a qu'à se bien tenir, Lisette.

Silvia. Mon cœur! c'est bien des affaires.[2]

Dorante. Ne vous fâchez pas, Mademoiselle; ce que dit Monsieur ne m'en fait point accroire.[3]

Silvia. Cette modestie-là me plaît; continuez de même.

Mario. Fort bien! Mais il me semble que ce nom de Mademoiselle qu'il te donne est bien sérieux. Entre gens comme vous, le style des compliments ne doit pas être si grave; vous seriez toujours sur le qui-vive: allons, traitez-vous plus commodément. Tu as nom Lisette: et toi, mon garçon, comment t'appelles-tu?

Dorante. Bourguignon, Monsieur, pour vous servir.

Silvia. Eh bien! Bourguignon, soit.

Dorante. Va donc pour Lisette; je n'en serai pas moins votre serviteur.

Mario. Votre serviteur! Ce n'est point encore là votre jargon: c'est "ton serviteur" qu'il faut dire.

M. Orgon. Ah! Ah! Ah! Ah!

Silvia, bas à Mario. Vous me jouez, mon frère.

Dorante. A l'égard du tutoiement, j'attends les ordres de Lisette.

Silvia. Fais comme tu voudras, Bourguignon; voilà la glace rompue, puisque cela divertit ces messieurs.

Dorante. Je t'en remercie, Lisette; et je réponds sur-le-champ à l'honneur que tu me fais.

M. Orgon. Courage, mes enfants! Si vous commencez à vous aimer, vous voilà débarrassés des cérémonies.

Mario. Oh! doucement! S'aimer, c'est une autre affaire: vous ne savez peut-être

pas que j'en veux au cœur de Lisette, moi qui vous parle. Il est vrai qu'il m'est cruel; mais je ne veux pas que Bourguignon aille sur mes brisées.

Silvia. Oui! le prenez-vous sur ce ton-là? Et moi, je veux que Bourguignon m'aime.

Dorante. Tu te fais tort de dire «je veux,» belle Lisette; tu n'as pas besoin d'ordonner pour être servie.

Mario. Monsieur Bourguignon, vous avez pillé cette galanterie-là quelque part.

Dorante. Vous avez raison, Monsieur, c'est dans ses yeux que je l'ai prise.

Mario. Tais-toi, c'est encore pis; je te défends d'avoir tant d'esprit.

Silvia. Il ne l'a pas à vos dépens, et, s'il en trouve dans mes yeux, il n'a qu'à prendre.

M. Orgon. Mon fils, vous perdrez votre procès; retirons-nous. Dorante va venir, allons le dire à ma fille; et vous, Lisette, montrez à ce garçon l'appartement de son maître. Adieu, Bourguignon.

Dorante. Monsieur, vous me faites trop d'honneur.

### SCÈNE VII.

#### Silvia, Dorante.

Silvia, à part. Ils se donnent la comédie; n'importe, mettons tout à profit. Ce garçon-ci n'est pas sot, et je ne plains pas la soubrette qui l'aura. Il va m'en conter: laissons-le dire, pourvu qu'il m'instruise.

Dorante, à part. Cette fille-ci m'étonne! Il n'y a point de femme au monde à qui sa physionomie ne fît honneur: lions connaissance avec elle. . . (Haut.) Puisque nous sommes dans le style amical, et que nous avons abjuré les façons, dis-moi, Lisette, ta maîtresse te vaut-elle? Elle est bien hardie d'oser avoir une femme de chambre comme toi!

Silvia. Bourguignon, cette question-là m'annonce que, suivant la coutume, tu arrives avec l'intention de me dire des douceurs: n'est-il pas vrai?

Dorante. Ma foi, je n'étais pas venu dans ce dessein-là, je te l'avoue; tout valet que je suis, je n'ai jamais eu de grande liaison avec les soubrettes: je n'aime pas l'esprit domestique; mais, à ton égard, c'est une autre affaire. Comment donc! je te soumets; je suis presque timide; ma familiarité n'oserait s'apprivoiser avec toi;

---

[1] meanwhile.      [2] nonsense.      [3] overrate.

j'ai toujours envie d'ôter mon chapeau de dessus ma tête, et, quand je te tutoie, il me semble que je joue: enfin j'ai un penchant à te traiter avec des respects qui te feraient rire. Quelle espèce de suivante es-tu donc, avec ton air de princesse?

SILVIA. Tiens, tout ce que tu dis avoir senti en me voyant est précisément l'histoire de tous les valets qui m'ont vue.

DORANTE. Ma foi, je ne serais pas surpris quand ce serait aussi l'histoire de tous les maîtres.

SILVIA. Le trait est joli, assurément; mais, je te le répète encore, je ne suis pas faite aux cajoleries de ceux dont la garde-robe ressemble à la tienne.

DORANTE. C'est-à-dire que ma parure ne te plaît pas?

SILVIA. Non, Bourguignon; laissons là l'amour, et soyons bons amis.

DORANTE. Rien que cela? Ton petit traité n'est composé que de deux clauses impossibles.

SILVIA, *à part.* Quel homme pour un valet! (*Haut.*) Il faut pourtant qu'il s'exécute; on m'a prédit que je n'épouserai jamais qu'un homme de condition, et j'ai juré depuis de n'en écouter jamais d'autres.

DORANTE. Parbleu! cela est plaisant. Ce que tu as juré pour homme, je l'ai juré pour femme, moi: j'ai fait serment de n'aimer sérieusement qu'une fille de condition.

SILVIA. Ne t'écarte donc pas de ton projet.

DORANTE. Je ne m'en écarte peut-être pas tant que nous le croyons: tu as l'air bien distingué, et l'on est quelquefois fille de condition sans le savoir.

SILVIA. Ah! ah! ah! Je te remercierais de ton éloge si ma mère n'en faisait pas les frais.

DORANTE. Eh bien! venge-t'en sur la mienne, si tu me trouves assez bonne mine pour cela.

SILVIA, *à part.* Il le mériterait. (*Haut.*) Mais ce n'est pas là de quoi il est question; trêve de badinage. C'est un homme de condition qui m'est prédit pour époux, et je n'en rabattrai rien.

DORANTE. Parbleu! si j'étais tel, la prédiction me menacerait; j'aurais peur de la vérifier. Je n'ai pas de foi à l'astrologie, mais j'en ai beaucoup à ton visage.

SILVIA, *à part.* Il ne tarit point. . . (*Haut.*) Finiras-tu? Que t'importe la prédiction, puisqu'elle t'exclut?

DORANTE. Elle n'a pas prédit que je ne t'aimerais point.

SILVIA. Non, mais elle a dit que tu n'y gagnerais rien; et moi, je te le confirme.

DORANTE. Tu fais fort bien, Lisette: cette fierté-là te va à merveille, et, quoiqu'elle me fasse mon procès,[1] je suis pourtant bien aise de te la voir; je te l'ai souhaitée d'abord que[2] je t'ai vue: il te fallait encore cette grâce-là, et je me console d'y perdre, parce que tu y gagnes.

SILVIA, *à part.* Mais, en vérité, voilà un garçon qui me surprend, malgré que j'en aie. . . (*Haut.*) Dis-moi, qui es-tu, toi qui me parles ainsi?

DORANTE. Le fils d'honnêtes gens qui n'étaient pas riches.

SILVIA. Va, je te souhaite de bon cœur une meilleure situation que la tienne, et je voudrais pouvoir y contribuer: la fortune a tort avec toi.

DORANTE. Ma foi! l'amour a plus de torts qu'elle: j'aimerais mieux qu'il me fût permis de te demander ton cœur que d'avoir tous les biens du monde.

SILVIA, *à part.* Nous voilà, grâce au Ciel, en conversation réglée. (*Haut.*) Bourguignon, je ne saurais me fâcher des discours que tu me tiens; mais, je t'en prie, changeons d'entretien. Venons à ton maître. Tu peux te passer de me parler d'amour, je pense?

DORANTE. Tu pourrais bien te passer de m'en faire sentir, toi.

SILVIA. Ah! je me fâcherai; tu m'impatientes. Encore une fois, laisse là ton amour.

DORANTE. Quitte donc ta figure.

SILVIA, *à part.* A la fin, je crois qu'il m'amuse. . . (*Haut.*) Eh bien! Bourguignon, tu ne veux donc pas finir? Faudra-t-il que je te quitte? (*A part.*) Je devrais déjà l'avoir fait.

DORANTE. Attends, Lisette, je voulais moi-même te parler d'autre chose; mais je ne sais plus ce que c'est.

SILVIA. J'avais de mon côté quelque chose à te dire, mais tu m'as fait perdre mes idées aussi, à moi.

DORANTE. Je me rappelle de t'avoir demandé si ta maîtresse te valait.

SILVIA. Tu reviens à ton chemin par un détour: adieu.

DORANTE. Eh! non, te dis-je, Lisette; il ne s'agit ici que de mon maître.

SILVIA. Eh bien! soit: je voulais te parler de lui aussi, et j'espère que tu voudras bien me dire confidemment ce qu'il est. Ton

---

[1] injures my suit.

[2] d'abord que, aussitôt que.

attachement pour lui m'en donne bonne opinion: il faut qu'il ait du mérite, puisque tu le sers.

DORANTE. Tu me permettras peut-être bien de te remercier de ce que tu me dis là, par exemple?

SILVIA. Veux-tu bien ne prendre pas garde à l'imprudence que j'ai eue de le dire?

DORANTE. Voilà encore de ces réponses qui m'emportent! Fais comme tu voudras, je n'y résiste point, et je suis bien malheureux de me trouver arrêté par tout ce qu'il y a de plus aimable au monde.

SILVIA. Et moi je voudrais bien savoir comment il se fait que j'ai la bonté de t'écouter, car, assurément, cela est singulier!

DORANTE. Tu as raison, notre aventure est unique.

SILVIA, à part. Malgré tout ce qu'il m'a dit, je ne suis point partie, je ne pars point, me voilà encore, et je réponds! En vérité, cela passe la raillerie. (Haut.) Adieu.

DORANTE. Achevons donc ce que nous voulions dire.

SILVIA. Adieu, te dis-je; plus de quartier. Quand ton maître sera venu, je tâcherai, en faveur de ma maîtresse, de le connaître par moi-même, s'il en vaut la peine. En attendant, tu vois cet appartement: c'est le vôtre.

DORANTE. Tiens! voici mon maître.

## SCÈNE VIII.

### DORANTE, SILVIA, ARLEQUIN.

ARLEQUIN. Ah! te voilà, Bourguignon? mon porte-manteau et toi, avez-vous été bien reçus ici?

DORANTE. Il n'était pas possible qu'on nous reçût mal, Monsieur.

ARLEQUIN. Un domestique là-bas m'a dit d'entrer ici, et qu'on allait avertir mon beau-père, qui était avec ma femme.

SILVIA. Vous voulez dire monsieur Orgon et sa fille, sans doute, Monsieur?

ARLEQUIN. Eh oui, mon beau-père et ma femme, autant vaut. Je viens pour épouser, et ils m'attendent pour être mariés: cela est convenu; il ne manque plus que la cérémonie qui est une bagatelle.

SILVIA. C'est une bagatelle qui vaut bien la peine qu'on y pense.

ARLEQUIN. Oui; mais, quand on y a pensé, on n'y pense plus.

SILVIA, bas à Dorante. Bourguignon, on est homme de mérite à bon marché chez vous, ce me semble.

ARLEQUIN. Que dites-vous là à mon valet, la belle?

SILVIA. Rien: je lui dis seulement que je vais faire descendre monsieur Orgon.

ARLEQUIN. Et pourquoi ne pas dire mon beau-père, comme moi?

SILVIA. C'est qu'il ne l'est pas encore.

DORANTE. Elle a raison, Monsieur: le mariage n'est pas fait.

ARLEQUIN. Eh bien! me voilà pour le faire.

DORANTE. Attendez donc qu'il soit fait.

ARLEQUIN. Pardi! voilà bien des façons pour un beau-père de la veille ou du lendemain!

SILVIA. En effet, quelle si grande différence y a-t-il entre être mariée ou ne l'être pas? Oui, Monsieur, nous avons tort, et je cours informer votre beau-père de votre arrivée.

ARLEQUIN. Et ma femme aussi, je vous prie. Mais, avant que de partir, dites-moi une chose: vous qui êtes si jolie, n'êtes-vous pas la soubrette de l'hôtel?

SILVIA. Vous l'avez dit.

ARLEQUIN. C'est fort bien fait; je m'en réjouis. Croyez-vous que je plaise ici? Comment me trouvez-vous?

SILVIA. Je vous trouve. . . plaisant.

ARLEQUIN. Bon, tant mieux; entretenez-vous dans ce sentiment-là, il pourra trouver sa place.

SILVIA. Vous êtes bien modeste de vous en contenter. Mais je vous quitte: il faut qu'on ait oublié d'avertir votre beau-père, car assurément il serait venu, et j'y vais.

ARLEQUIN. Dites-lui que je l'attends avec affection.

SILVIA, à part. Que le sort est bizarre! Aucun de ces deux hommes n'est à sa place.

## SCÈNE IX.

### DORANTE, ARLEQUIN.

ARLEQUIN. Eh bien! Monsieur, mon commencement va bien: je plais déjà à la soubrette.

DORANTE. Butor que tu es!

ARLEQUIN. Pourquoi donc! Mon entrée est si gentille!

DORANTE. Tu m'avais tant promis de laisser là tes façons de parler sottes et triviales! Je t'avais donné de si bonnes instructions! Je ne t'avais recommandé que d'être sérieux. Va, je vois bien que je suis un étourdi de m'en être fié à toi.

ARLEQUIN. Je ferai encore mieux dans les suites, et, puisque le sérieux n'est pas suffisant, je donnerai du mélancolique; je pleurerai, s'il le faut.

DORANTE. Je ne sais plus où j'en suis; cette aventure-ci m'étourdit. Que faut-il que je fasse?

ARLEQUIN. Est-ce que la fille n'est pas plaisante?

DORANTE. Tais-toi: voici monsieur Orgon qui vient.

### SCÈNE X.

#### M. ORGON, DORANTE, ARLEQUIN.

M. ORGON. Mon cher Monsieur, je vous demande mille pardons de vous avoir fait attendre; mais ce n'est que de cet instant que j'apprends que vous êtes ici.

ARLEQUIN. Monsieur, mille pardons, c'est beaucoup trop, et il n'en faut qu'un quand on n'a fait qu'une faute: au surplus, tous mes pardons sont à votre service.

M. ORGON. Je tâcherai de n'en avoir pas besoin.

ARLEQUIN. Vous êtes le maître, et moi votre serviteur.

M. ORGON. Je suis, je vous assure, charmé de vous voir, et je vous attendais avec impatience.

ARLEQUIN. Je serais d'abord venu ici avec Bourguignon; mais, quand on arrive de voyage, vous savez qu'on est si mal bâti! et j'étais bien aise de me présenter dans un état plus ragoûtant.

M. ORGON. Vous y avez fort bien réussi. Ma fille s'habille; elle a été un peu indisposée. En attendant qu'elle descende, voulez-vous vous rafraîchir?

ARLEQUIN. Oh! je n'ai jamais refusé de trinquer avec personne.

M. ORGON. Bourguignon, ayez soin de vous, mon garçon.

ARLEQUIN. Le gaillard est gourmet: il boira du meilleur.

M. ORGON. Qu'il ne l'épargne pas.

## ACTE DEUXIÈME.

### SCÈNE PREMIÈRE.

#### LISETTE, M. ORGON.

M. ORGON. Eh bien! que me veux-tu, Lisette?

LISETTE. J'ai à vous entretenir un moment.

M. ORGON. De quoi s'agit-il?

LISETTE. De vous dire l'état où sont les choses, parce qu'il est important que vous en soyez éclairci, afin que vous n'ayez point à vous plaindre de moi.

M. ORGON. Ceci est donc bien sérieux?

LISETTE. Oui, très sérieux. Vous avez consenti au déguisement de mademoiselle Silvia; moi-même je l'ai trouvé d'abord sans conséquence, mais je me suis trompée.

M. ORGON. Et de quelle conséquence est-il donc?

LISETTE. Monsieur, on a de la peine à se louer soi-même; mais, malgré toutes les règles de la modestie, il faut pourtant que je vous dise que, si vous ne mettez ordre à ce qui arrive, votre prétendu gendre n'aura plus de cœur à donner à mademoiselle votre fille. Il est temps qu'elle se déclare, cela presse: car, un jour plus tard, je n'en réponds plus.

M. ORGON. Eh! d'où vient qu'il ne voudra plus de ma fille? Quand il la connaîtra, te défies-tu de ses charmes?

LISETTE. Non; mais vous ne vous méfiez pas assez des miens. Je vous avertis qu'ils vont leur train, et que je ne vous conseille pas de les laisser faire.

M. ORGON. Je vous en fais mes compliments, Lisette. (*Il rit.*) Ah! ah! ah!

LISETTE. Nous y voilà: vous plaisantez, Monsieur, vous vous moquez de moi. J'en suis fâchée, car vous y serez pris.

M. ORGON. Ne t'en embarrasse pas, Lisette; va ton chemin.

LISETTE. Je vous le répète encore, le cœur de Dorante va bien vite. Tenez, actuellement je lui plais beaucoup, ce soir il m'aimera, il m'adorera demain. Je ne le mérite pas, il est de mauvais goût, vous en direz ce qu'il vous plaira; mais cela ne laissera pas que d'être.[1] Voyez-vous, demain je me garantis adorée.

M. ORGON. Eh bien! que vous importe? S'il vous aime tant, qu'il vous épouse.

LISETTE. Quoi! vous ne l'en empêcheriez pas?

M. ORGON. Non, d'homme d'honneur, si tu le mènes jusque-là.

LISETTE. Monsieur, prenez-y garde. Jusqu'ici je n'ai pas aidé à mes appas, je les ai laissé faire tout seuls, j'ai ménagé sa tête: si je m'en mêle, je la renverse, il n'y aura plus de remède.

M. ORGON. Renverse, ravage, brûle, enfin épouse, je te le permets, si tu le peux.

[1] it will be so, nevertheless.

LISETTE. Sur ce pied-là, je compte ma fortune faite.

M. ORGON. Mais, dis-moi, ma fille, t'a-t-elle parlé? Que pense-t-elle de son prétendu?

LISETTE. Nous n'avons encore guère trouvé le moment de nous parler, car ce prétendu m'obsède; mais, à vue de pays, je ne la crois pas contente; je la trouve triste, rêveuse, et je m'attends bien qu'elle me priera de la rebuter.

M. ORGON. Et moi, je te le défends. J'évite de m'expliquer avec elle; j'ai mes raisons pour faire durer ce déguisement: je veux qu'elle examine son futur plus à loisir. Mais le valet, comment se gouverne-t-il? ne se mêle-t-il pas d'aimer ma fille?

LISETTE. C'est un original: j'ai remarqué qu'il fait l'homme de conséquence avec elle, parce qu'il est bien fait; il la regarde, et soupire.

M. ORGON. Et cela la fâche.

LISETTE. Mais. . . elle rougit.

M. ORGON. Bon, tu te trompes: les regards d'un valet ne l'embarrassent pas jusque-là.

LISETTE. Monsieur, elle rougit.

M. ORGON. C'est donc d'indignation.

LISETTE. A la bonne heure.

M. ORGON. Eh bien! quand tu lui parleras, dis-lui que tu soupçonnes ce valet de la prévenir contre son maître; et, si elle se fâche, ne t'en inquiète point: ce sont mes affaires. Mais voici Dorante, qui te cherche apparemment.

### SCÈNE II.

#### LISETTE, ARLEQUIN, M. ORGON.

ARLEQUIN. Ah! je vous trouve, merveilleuse dame! Je vous demandais à tout le monde. Serviteur, cher beau-père, ou peu s'en faut.

M. ORGON. Serviteur. Adieu, mes enfants: je vous laisse ensemble; il est bon que vous vous aimiez un peu avant que de vous marier.

ARLEQUIN. Je ferais bien ces deux besognes-là à la fois, moi.

M. ORGON. Point d'impatience. Adieu.

### SCÈNE III.

#### LISETTE, ARLEQUIN.

ARLEQUIN. Madame, il dit que je ne m'impatiente pas; il en parle bien à son aise, le bonhomme!

LISETTE. J'ai de la peine à croire qu'il vous en coûte tant d'attendre, monsieur; c'est par galanterie que vous faites l'impatient: à peine êtes-vous arrivé. Votre amour ne saurait être bien fort: ce n'est tout au plus qu'un amour naissant.

ARLEQUIN. Vous vous trompez, prodige de nos jours: un amour de votre façon ne reste pas longtemps au berceau; votre premier coup d'œil a fait naître le mien, le second lui a donné des forces, et le troisième l'a rendu grand garçon. Tâchons de l'établir au plus vite; ayez soin de lui, puisque vous êtes sa mère.

LISETTE. Trouvez-vous qu'on le maltraite? est-il si abandonné?

ARLEQUIN. En attendant qu'il soit pourvu, donnez-lui seulement votre belle main blanche pour l'amuser un peu.

LISETTE. Tenez donc, petit importun, puisqu'on ne saurait avoir la paix qu'en vous amusant.

ARLEQUIN, *lui baisant la main.* Cher joujou de mon âme! cela me réjouit comme du vin délicieux. Quel dommage de n'en avoir que roquille![1]

LISETTE. Allons, arrêtez-vous; vous êtes trop avide.

ARLEQUIN. Je ne demande qu'à me soutenir, en attendant que je vive.

LISETTE. Ne faut-il pas avoir de la raison?

ARLEQUIN. De la raison! Hélas! je l'ai perdue: vos beaux yeux sont les filous qui me l'ont volée.

LISETTE. Mais est-il possible que vous m'aimiez tant? Je ne saurais me le persuader.

ARLEQUIN. Je ne me soucie pas de ce qui est possible, moi, mais je vous aime comme un perdu, et vous verrez bien dans votre miroir que cela est juste.

LISETTE. Mon miroir ne servirait qu'à me rendre plus incrédule.

ARLEQUIN. Ah! mignonne, adorable! votre humilité ne serait donc qu'une hypocrite!

LISETTE. Quelqu'un vient à nous: c'est votre valet.

### SCÈNE IV.

#### DORANTE, ARLEQUIN, LISETTE.

DORANTE. Monsieur, pourrais-je vous entretenir un moment?

ARLEQUIN. Non: maudite soit la valetaille qui ne saurait nous laisser en repos!

[1] small measure.

LISETTE. Voyez ce qu'il vous veut, monsieur.

DORANTE. Je n'ai qu'un mot à vous dire.

ARLEQUIN. Madame, s'il en dit deux, son congé sera le troisième. Voyons!

DORANTE, *bas à Arlequin.* Viens donc, impertinent!

ARLEQUIN, *bas à Dorante.* Ce sont des injures, et non pas de mots, cela. . . (*A Lisette.*) Ma reine, excusez.

LISETTE. Faites, faites.

DORANTE. Débarrasse-moi de tout ceci. Ne te livre point; parais sérieux et rêveur, et même mécontent: entends-tu?

ARLEQUIN. Oui, mon ami; ne vous inquiétez pas, et retirez-vous.

## SCÈNE V.

### ARLEQUIN, LISETTE.

ARLEQUIN. Ah! madame! sans lui j'allais vous dire de belles choses, et je n'en trouverai plus que de communes à cette heure, hormis mon amour, qui est extraordinaire. Mais, à propos de mon amour, quand est-ce que le vôtre lui tiendra compagnie?

LISETTE. Il faut espérer que cela viendra.

ARLEQUIN. Et croyez-vous que cela vienne?

LISETTE. La question est vive: savez-vous bien que vous m'embarrassez?

ARLEQUIN. Que voulez-vous? je brûle, et je crie au feu.

LISETTE. S'il m'était permis de m'expliquer si vite. . .

ARLEQUIN. Je suis du sentiment que vous le pouvez en conscience.

LISETTE. La retenue de mon sexe ne le veut pas.

ARLEQUIN. Ce n'est donc pas la retenue d'à présent, qui donne bien d'autres permissions.

LISETTE. Mais que me demandez-vous?

ARLEQUIN. Dites-moi un petit brin que vous m'aimez. Tenez, je vous aime, moi. Faites l'écho: répétez, Princesse.

LISETTE. Quel insatiable! Eh bien! Monsieur, je vous aime.

ARLEQUIN. Eh bien! Madame, je me meurs, mon bonheur me confond, j'ai peur d'en courir les champs.[1] Vous m'aimez! cela est admirable!

LISETTE. J'aurais lieu, à mon tour, d'être étonnée de la promptitude de votre hommage. Peut-être m'aimerez-vous moins quand nous nous connaîtrons mieux.

ARLEQUIN. Ah! Madame, quand nous en serons là, j'y perdrai beaucoup, il y aura bien à décompter.

LISETTE. Vous me croyez plus de qualités que je n'en ai.

ARLEQUIN. Et vous, Madame, vous ne savez pas les miennes, et je ne devrais vous parler qu'à genoux.

LISETTE. Souvenez-vous qu'on n'est pas les maîtres de son sort.

ARLEQUIN. Les pères et mères font tout à leur tête.

LISETTE. Pour moi, mon cœur vous aurait choisi, dans quelque état que vous eussiez été.

ARLEQUIN. Il a beau jeu[2] pour me choisir encore.

LISETTE. Puis-je me flatter que vous êtes de même à mon égard?

ARLEQUIN. Hélas! quand vous ne seriez que Perrette ou Margot, quand je vous aurais vue, le martinet à la main, descendre à la cave, vous auriez toujours été ma princesse.

LISETTE. Puissent de si beaux sentiments être durables!

ARLEQUIN. Pour les fortifier de part et d'autre, jurons-nous de nous aimer toujours, en dépit de toutes les fautes d'orthographe que vous aurez faites sur mon compte.

LISETTE. J'ai plus d'intérêt à ce serment-là que vous, et je le fais de tout mon cœur.

ARLEQUIN *se met à genoux.* Votre bonté m'éblouit et je me prosterne devant elle.

LISETTE. Arrêtez-vous! Je ne saurais vous souffrir dans cette posture-là; je serais ridicule de vous y laisser: levez-vous. Voilà encore quelqu'un.

## SCÈNE VI.

### LISETTE, ARLEQUIN, SILVIA.

LISETTE. Que voulez-vous, Lisette?

SILVIA. J'aurais à vous parler, Madame.

ARLEQUIN. Ne voilà-t-il pas![3] Hé! ma mie, revenez dans un quart d'heure, allez: les femmes de chambre de mon pays n'entrent point qu'on ne les appelle.

SILVIA. Monsieur, il faut que je parle à Madame.

ARLEQUIN. Mais voyez l'opiniâtre soubrette! Reine de ma vie, renvoyez-la. Retournez-vous-en, ma fille: nous avons or-

---

[1] lose my reason.   [2] has a good opportunity.   [3] just listen to that! how impudent!

dre de nous aimer avant qu'on nous marie; n'interrompez point nos fonctions.

LISETTE. Ne pouvez-vous pas revenir dans un moment, Lisette?

SILVIA. Mais, Madame. . .

ARLEQUIN. Mais, ce mais-là n'est bon qu'à me donner la fièvre.

SILVIA, *à part*. Ah! le vilain homme! (*Haut.*) Madame, je vous assure que cela est pressé.

LISETTE. Permettez donc que je m'en défasse, Monsieur.

ARLEQUIN. Puisque le diable le veut, et elle aussi. . . Patience. . . je me promènerai en attendant qu'elle ait fait. Ah! les sottes gens que nos gens.

## SCÈNE VII.

### SILVIA, LISETTE.

SILVIA. Je vous trouve admirable de ne pas le renvoyer tout d'un coup et de me faire essuyer les brutalités de cet animal-là.

LISETTE. Pardi! Madame, je ne puis pas jouer deux rôles à la fois: il faut que je paraisse ou la maîtresse ou la suivante, que j'obéisse ou que j'ordonne.

SILVIA. Fort bien; mais, puisqu'il n'y est plus, écoutez-moi comme votre maîtresse. Vous voyez bien que cet homme-là ne me convient point.

LISETTE. Vous n'avez pas eu le temps de l'examiner beaucoup.

SILVIA. Etes-vous folle, avec votre examen? Est-il nécessaire de le voir deux fois pour juger du peu de convenance? En un mot, je n'en veux point. Apparemment que mon père n'approuve pas la répugnance qu'il me voit, car il me fuit et ne me dit mot. Dans cette conjoncture, c'est à vous de me tirer tout doucement d'affaire en témoignant adroitement à ce jeune homme que vous n'êtes pas dans le goût de l'épouser.

LISETTE. Je ne saurais, Madame.

SILVIA. Vous ne sauriez? Et qu'est-ce qui vous en empêche.

LISETTE. Monsieur Orgon me l'a défendu.

SILVIA. Il vous l'a défendu! Mais je ne reconnais point mon père à ce procédé-là!

LISETTE. Positivement défendu.

SILVIA. Eh bien! je vous charge de lui dire mes dégoûts et de l'assurer qu'ils sont invincibles. Je ne saurais me persuader qu'après cela il veuille pousser les choses plus loin.

LISETTE. Mais, Madame, le futur, qu'a-t-il donc de si désagréable, de si rebutant?

SILVIA. Il me déplaît, vous dis-je, et votre peu de zèle aussi.

LISETTE. Donnez-vous le temps de voir ce qu'il est: voilà tout ce qu'on vous demande.

SILVIA. Je le hais assez sans prendre le temps pour le haïr davantage.

LISETTE. Son valet, qui fait l'important, ne vous aurait-il point gâté l'esprit sur son compte?

SILVIA. Hum! la sotte! son valet a bien à faire ici!

LISETTE. C'est que je me méfie de lui, car il est raisonneur.

SILVIA. Finissez vos portraits, on n'en a que faire. J'ai soin que ce valet me parle peu, et, dans le peu qu'il m'a dit, il ne m'a jamais rien dit que de très sage.

LISETTE. Je crois qu'il est homme à vous avoir conté des histoires maladroites pour faire briller son bel esprit.

SILVIA. Mon déguisement ne m'expose-t-il pas à m'entendre dire de jolies choses! A qui en avez-vous? D'où vous vient la manie d'imputer à ce garçon une répugnance à laquelle il n'a point de part? Car enfin vous m'obligez à le justifier; il n'est pas question de le brouiller avec son maître, ni d'en faire un fourbe pour me faire une imbécile, moi qui écoute ses histoires.

LISETTE. Oh! Madame, dès que vous le défendez sur ce ton-là, et que cela va jusqu'à vous fâcher, je n'ai plus rien à dire.

SILVIA. Dès que je le défends sur ce ton-là! Qu'est-ce que c'est que le ton dont vous dites cela vous-même? Qu'entendez-vous par ce discours? Que se passe-t-il dans votre esprit?

LISETTE. Je dis, Madame, que je ne vous ai jamais vue comme vous êtes, et que je ne conçois rien à votre aigreur. Eh bien! si ce valet n'a rien dit, à la bonne heure; il ne faut pas vous emporter pour le justifier; je vous crois, voilà qui est fini; je ne m'oppose pas à la bonne opinion que vous en avez, moi.

SILVIA. Voyez-vous le mauvais esprit! comme elle tourne les choses! Je me sens dans une indignation. . . qui va. . . jusqu'aux larmes.

LISETTE. En quoi donc, Madame? Quelle finesse entendez-vous à ce que je dis?

SILVIA. Moi, j'y entends finesse! moi, je vous querelle pour lui! j'ai bonne opinion de lui! Vous me manquez de respect jusque-là! Bonne opinion, juste ciel! bonne opinion! Que faut-il que je réponde à cela? Qu'est-ce que cela veut dire? A qui parlez-vous? Qui est-ce qui est à l'abri de ce qui m'arrive? Où en sommes-nous?

LISETTE. Je n'en sais rien; mais je ne reviendrai de longtemps de la surprise où vous me jetez.

SILVIA. Elle a des façons de parler qui me mettent hors de moi. Retirez-vous, vous m'êtes insupportable; laissez-moi, je prendrai d'autres mesures.

## SCÈNE VIII.

### SILVIA.

Je frissonne encore de ce que je lui ai entendu dire. Avec quelle impudence les domestiques ne nous traitent-ils pas dans leur esprit! Comme ces gens-là vous dégradent! Je ne saurais m'en remettre; je n'oserais songer aux termes dont elle s'est servie: ils me font toujours peur. Il s'agit d'un valet! Ah! l'étrange chose! Écartons l'idée dont cette insolente est venue me noircir l'imagination. Voici Bourguignon, voilà cet objet en question pour lequel je m'emporte; mais ce n'est pas sa faute, le pauvre garçon! et je ne dois pas m'en prendre à lui.

## SCÈNE IX.

### DORANTE, SILVIA.

DORANTE. Lisette, quelque éloignement que tu aies pour moi, je suis forcé de te parler; je crois que j'ai à me plaindre de toi.

SILVIA. Bourguignon, ne nous tutoyons plus, je t'en prie.

DORANTE. Comme tu voudras.

SILVIA. Tu n'en fais pourtant rien.

DORANTE. Ni toi non plus; tu me dis: «Je t'en prie.»

SILVIA. C'est que cela m'est échappé.

DORANTE. Eh bien! crois-moi, parlons comme nous pourrons: ce n'est pas la peine de nous gêner pour le peu de temps que nous avons à nous voir.

SILVIA. Est-ce que ton maître s'en va? Il n'y aurait pas grande perte.

DORANTE. Ni à moi non plus n'est-il pas vrai? J'achève ta pensée.

SILVIA. Je l'achèverais bien moi-même, si j'en avais envie; mais je ne songe pas à toi.

DORANTE. Et moi, je ne te perds point de vue.

SILVIA. Tiens, Bourguignon, une bonne fois pour toutes, demeure, va-t'en, reviens, tout cela doit m'être indifférent, et me l'est en effet: je ne te veux ni bien ni mal; je ne te hais, ni ne t'aime, ni ne t'aimerai, à moins que l'esprit ne me tourne. Voilà mes dispositions; ma raison ne m'en permet point d'autres, et je devrais me dispenser de te le dire.

DORANTE. Mon malheur est inconcevable: tu m'ôtes peut-être tout le repos de ma vie.

SILVIA. Quelle fantaisie il s'est allé mettre dans l'esprit! Il me fait de la peine. Reviens à toi. Tu me parles, je te réponds: c'est beaucoup, c'est trop même, tu peux m'en croire, et, si tu étais instruit, en vérité, tu serais content de moi; tu me trouverais d'une bonté sans exemple, d'une bonté que je blâmerais dans une autre. Je ne me la reproche pourtant pas; le fond de mon cœur me rassure: ce que je fais est louable, c'est par générosité que je te parle; mais il ne faut pas que cela dure: ces générosités-là ne sont bonnes qu'en passant, et je ne suis pas faite pour me rassurer toujours sur l'innocence de mes intentions. A la fin, cela ne ressemblerait plus à rien.[1] Ainsi, finissons, Bourguignon; finissons, je t'en prie. Qu'est-ce que cela signifie? C'est se moquer. Allons, qu'il n'en soit plus parlé.

DORANTE. Ah! ma chère Lisette, que je souffre!

SILVIA. Venons à ce que tu voulais me dire. Tu te plaignais de moi quand tu es entré: de quoi était-il question?

DORANTE. De rien, d'une bagatelle; j'avais envie de te voir, et je crois que je n'ai pris qu'un prétexte.

SILVIA, à part. Que dire à cela? Quand je m'en fâcherais, il n'en serait ni plus ni moins.

DORANTE. Ta maîtresse, en partant, a paru m'accuser de t'avoir parlé au désavantage de mon maître.

SILVIA. Elle se l'imagine, et, si elle t'en parle encore, tu peux le nier hardiment; je me charge du reste.

DORANTE. Eh! ce n'est pas cela qui m'occupe.

SILVIA. Si tu n'as que cela à me dire,

---

[1] my attitude towards you would be so extraordinary that it might become compromising (Larroumet, quoted by Olmsted).

nous n'avons plus que faire ensemble.

Dorante. Laisse-moi du moins le plaisir de te voir.

Silvia. Le beau motif qu'il me fournit là! J'amuserai la passion de Bourguignon! Le souvenir de tout ceci me fera bien rire un jour.

Dorante. Tu me railles, tu as raison: je ne sais ce que je dis ni ce que je te demande. Adieu.

Silvia. Adieu: tu prends le bon parti. . . Mais, à propos de tes adieux, il me reste encore une chose à savoir. Vous partez, m'as-tu dit. . . Cela est-il sérieux?

Dorante. Pour moi, il faut que je parte, ou que la tête me tourne.

Silvia. Je ne t'arrêtais pas pour cette réponse-là, par exemple.

Dorante. Et je n'ai fait qu'une faute: c'est de n'être pas parti dès que je t'ai vue.

Silvia, à part. J'ai besoin à tout moment d'oublier que je l'écoute.

Dorante. Si tu savais, Lisette, l'état où je me trouve. . .

Silvia. Oh! il n'est pas si curieux à savoir que le mien, je t'en assure.

Dorante. Que peux-tu me reprocher? Je ne me propose pas de te rendre sensible.

Silvia, à part. Il ne faudrait pas s'y fier.

Dorante. Et que pourrais-je espérer en tâchant de me faire aimer? Hélas! quand même j'aurais ton cœur. . .

Silvia. Que le Ciel m'en préserve! Quand tu l'aurais, tu ne le saurais pas, et je ferais si bien que je ne le saurais pas moi-même. Tenez, quelle idée il lui vient là!

Dorante. Il est donc bien vrai que tu ne me hais, ni ne m'aimes, ni ne m'aimeras?

Silvia. Sans difficulté.

Dorante. Sans difficulté! Qu'ai-je donc de si affreux?

Silvia. Rien: ce n'est pas là ce qui te nuit.

Dorante. Eh bien! chère Lisette, dis-le-moi cent fois, que tu ne m'aimeras point.

Silvia. Oh! je te l'ai assez dit! Tâche de me croire.

Dorante. Il faut que je le croie! Désespère une passion dangereuse, sauve-moi des effets que j'en crains; tu ne me hais, ni ne m'aimes, ni ne m'aimeras! Accable mon cœur de cette certitude-là! J'agis de bonne foi, donne-moi du secours contre moi-même: il m'est nécessaire, je te le demande à genoux. (*Il se jette à genoux. Dans ce moment, M. Orgon et Mario entrent, et ne disent mot.*)

## SCÈNE X.

M. Orgon, Mario, Silvia, Dorante.

Silvia. Ah! nous y voilà! il ne manquait plus que cette façon-là à mon aventure! Que je suis malheureuse! C'est ma facilité qui le place là. Lève-toi donc Bourguignon, je t'en conjure: il peut venir quelqu'un. Je dirai ce qu'il te plaira. Que me veux-tu? Je ne te hais point. Lève-toi; je t'aimerais si je pouvais: tu ne me déplais point, cela doit te suffire.

Dorante. Quoi! Lisette, si je n'étais pas ce que je suis, si j'étais riche, d'une condition honnête, et que je t'aimasse autant que je t'aime, ton cœur n'aurait point de répugnance pour moi?

Silvia. Assurément.

Dorante. Tu ne me haïrais pas? tu me souffrirais?

Silvia. Volontiers. . . Mais lève-toi.

Dorante. Tu parais le dire sérieusement, et, si cela est, ma raison est perdue.

Silvia. Je dis ce que tu veux, et tu ne te lèves point!

M. Orgon, s'approchant. C'est bien dommage de vous interrompre: cela va à merveille, mes enfants; courage.

Silvia. Je ne saurais empêcher ce garçon de se mettre à genoux, Monsieur; je ne suis pas en état de lui en imposer, je pense?

M. Orgon. Vous vous convenez parfaitement bien tous deux; mais j'ai à te dire un mot, Lisette, et vous reprendrez votre conversation quand nous serons partis. Vous le voulez bien, Bourguignon?

Dorante. Je me retire, Monsieur.

M. Orgon. Allez, et tâchez de parler de votre maître avec un peu plus de ménagement que vous ne faites.

Dorante. Moi, Monsieur?

Mario. Vous-même, monsieur Bourguignon; vous ne brillez pas trop dans le respect que vous avez pour votre maître, dit-on.

Dorante. Je ne sais ce qu'on veut dire.

M. Orgon. Adieu, adieu; vous vous justifierez une autre fois.

## SCÈNE XI.

Silvia, Mario, M. Orgon.

M. Orgon. Eh bien! Silvia, vous ne nous regardez pas; vous avez l'air tout embarrassé.

SILVIA. Moi, mon père! et où serait le motif de mon embarras? Je suis, grâce au Ciel, comme à mon ordinaire; je suis fâchée de vous dire que c'est une idée.

MARIO. Il y a quelque chose, ma sœur, il y a quelque chose.

SILVIA. Quelque chose dans votre tête, à la bonne heure, mon frère; mais, pour dans la mienne, il n'y a que l'étonnement de ce que vous dites.

M. ORGON. C'est donc ce garçon qui vient de sortir qui t'inspire cette extrême antipathie que tu as pour son maître?

SILVIA. Qui? le domestique de Dorante?

M. ORGON. Oui, le galant Bourguignon.

SILVIA. Le galant Bourguignon, dont je ne savais pas l'épithète, ne me parle pas de lui.

M. ORGON. Cependant on prétend que c'est lui qui le détruit auprès de toi, et c'est sur quoi j'étais bien aise de te parler.

SILVIA. Ce n'est pas la peine, mon père, et personne au monde que son maître ne m'a donné l'aversion naturelle que j'ai pour lui.

MARIO. Ma foi, tu as beau dire, ma sœur, elle est trop forte pour être si naturelle, et quelqu'un y a aidé.

SILVIA, *avec vivacité.* Avec quel air mystérieux vous me dites cela, mon frère! Et qui est donc ce quelqu'un qui y a aidé? Voyons.

MARIO. Dans quelle humeur es-tu, ma sœur? Comme tu t'emportes!

SILVIA. C'est que je suis bien lasse de mon personnage, et je me serais déjà démasquée si je n'avais pas craint de fâcher mon père.

M. ORGON. Gardez-vous-en bien, ma fille; je viens ici pour vous le recommander. Puisque j'ai eu la complaisance de vous permettre votre déguisement, il faut, s'il vous plaît, que vous ayez celle de suspendre votre jugement sur Dorante, et de voir si l'aversion qu'on vous a donnée pour lui est légitime.

SILVIA. Vous ne m'écoutez donc point, mon père? . . . Je vous dis qu'on ne me l'a point donnée.

MARIO. Quoi? ce babillard qui vient de sortir ne t'a pas un peu dégoûtée de lui?

SILVIA, *avec feu.* Que vos discours sont désobligeants! M'a dégoûtée de lui! Dégoûtée! J'essuie des expressions bien étranges, je n'entends plus que des choses inouïes, qu'un langage inconcevable: j'ai l'air embarrassé, il y a quelque chose, et puis c'est le galant Bourguignon qui m'a

dégoûtée. C'est tout ce qui vous plaira; mais je n'y entends rien.

MARIO. Pour le coup, c'est toi qui es étrange. A qui en as-tu donc? D'où vient que tu es si fort sur le qui-vive? Dans quelle idée nous soupçonnes-tu?

SILVIA. Courage, mon frère. . . Par quelle fatalité aujourd'hui ne pouvez-vous me dire un mot qui ne me choque? Quel soupçon voulez-vous qui me vienne? Avez-vous des visions?

M. ORGON. Il est vrai que tu es si agitée que je ne te reconnais point non plus. Ce sont, apparemment, ces mouvements-là qui sont cause que Lisette nous a parlé comme elle a fait. Elle accusait ce valet de t'avoir pas entretenue à l'avantage de son maître, «et Madame, nous a-t-elle dit, l'a défendu contre moi avec tant de colère que j'en suis encore toute surprise»; et c'est sur ce mot de «surprise» que nous l'avons querellée. Mais ces gens-là ne savent pas la conséquence d'un mot.

SILVIA. L'impertinente! Y a-t-il rien de plus haïssable que cette fille-là? J'avoue que je m'en suis fâchée, par un esprit de justice pour ce garçon.

MARIO. Je ne vois point de mal à cela.

SILVIA. Y a-t-il rien de plus simple? Quoi! Parce que je suis équitable, que je veux qu'on ne nuise à personne, que je veux sauver un domestique du tort qu'on peut lui faire auprès de son maître, on dit que j'ai des emportements, des fureurs dont on est surprise! Un moment après, un mauvais esprit raisonne; il faut se fâcher, il faut la faire taire et prendre mon parti contre elle, à cause de la conséquence de ce qu'elle dit! Mon parti! J'ai donc besoin qu'on me défende, qu'on me justifie? On peut donc mal interpréter ce que je fais? Mais que fais-je? De quoi m'accuse-t-on? Instruisez-moi, je vous en conjure: cela est sérieux? Me joue-t-on? Se moque-t-on de moi? Je ne suis pas tranquille.

M. ORGON. Doucement donc!

SILVIA. Non, Monsieur, il n'y a point de douceur qui tienne. Comment donc? Des surprises, des conséquences! Eh! qu'on s'explique: que veut-on dire? On accuse ce valet, et on a tort; vous vous trompez tous, Lisette est une folle, il est innocent, et voilà qui est fini. Pourquoi donc m'en reparler encore? Car je suis outrée!

M. ORGON. Tu te retiens, ma fille; tu aurais grande envie de me quereller aussi. Mais faisons mieux: il n'y a que ce valet qui est suspect ici. Dorante n'a qu'à le chasser.

SILVIA. Quel malheureux déguisement! Surtout, que Lisette ne m'approche pas! Je la hais plus que Dorante.

M. ORGON. Tu la verras si tu veux; mais tu dois être charmée que ce garçon s'en aille, car il t'aime, et cela t'importune assurément.

SILVIA. Je n'ai point à m'en plaindre: il me prend pour une suivante, et il me parle sur ce ton-là; mais il ne me dit pas ce qu'il veut, j'y mets bon ordre.

MARIO. Tu n'en es pas tant la maîtresse que tu le dis bien.

M. ORGON. Ne l'avons-nous pas vu se mettre à genoux malgré toi? N'as-tu pas été obligée, pour le faire lever, de lui dire qu'il ne te déplaisait pas?

SILVIA, à part. J'étouffe.

MARIO. Encore a-t-il fallu, quand il t'a demandé si tu l'aimerais, que tu aies tendrement ajouté: «Volontiers»; sans quoi il y serait encore.

SILVIA. L'heureuse apostille, mon frère! Mais, comme l'action m'a déplu, la répétition n'en est pas aimable. Ah çà, parlons sérieusement: quand finira la comédie que vous vous donnez sur mon compte?

M. ORGON. La seule chose que j'exige de toi, ma fille, c'est de ne te déterminer à le refuser qu'avec connaissance de cause. Attends encore. Tu me remercieras du délai que je demande, je t'en réponds.

MARIO. Tu épouseras Dorante, et même avec inclination, je te le prédis. . . Mais, mon père, je vous demande grâce pour le valet.

SILVIA. Pourquoi grâce? Et moi, je veux qu'il sorte.

M. ORGON. Son maître en décidera. Allons-nous-en.

MARIO. Adieu, adieu, ma sœur, sans rancune.

## SCÈNE XII.

SILVIA, *seule;* DORANTE, *qui vient peu après.*

SILVIA. Ah! que j'ai le cœur serré! Je ne sais ce qui se mêle à l'embarras où je me trouve: toute cette aventure-ci m'afflige; je me défie de tous les visages; je ne suis contente de personne, je ne le suis pas de moi-même.

DORANTE. Ah! je te cherchais, Lisette.

SILVIA. Ce n'était pas la peine de me trouver, car je te fuis, moi.

DORANTE, *l'empêchant de sortir.* Arrête donc, Lisette! J'ai à te parler pour la dernière fois. Il s'agit d'une chose de conséquence qui regarde tes maîtres.

SILVIA. Va la dire à eux-mêmes: je ne te vois jamais que tu ne me chagrines; laisse-moi.

DORANTE. Je t'en offre autant, mais écoute-moi, te dis-je: tu vas voir les choses bien changer de face par ce que je te vais dire.

SILVIA. Eh bien! parle donc; je t'écoute, puisqu'il est arrêté que ma complaisance pour toi sera éternelle.

DORANTE. Me promets-tu le secret?

SILVIA. Je n'ai jamais trahi personne.

DORANTE. Tu ne dois la confidence que je vais te faire qu'à l'estime que j'ai pour toi.

SILVIA. Je le crois, mais tâche de m'estimer sans me le dire, car cela sent le prétexte.

DORANTE. Tu te trompes, Lisette. Tu m'as promis le secret: achevons. Tu m'as vu dans de grands mouvements; je n'ai pu me défendre de t'aimer.

SILVIA. Nous y voilà. Je me défendrai bien de t'entendre, moi! Adieu.

DORANTE. Reste: ce n'est plus Bourguignon qui te parle.

SILVIA. Eh! qui es-tu donc?

DORANTE. Ah! Lisette, c'est ici où tu vas juger des peines qu'a dû ressentir mon cœur!

SILVIA. Ce n'est pas à ton cœur à qui je parle: c'est à toi.

DORANTE. Personne ne vient-il?

SILVIA. Non.

DORANTE. L'état où sont les choses me force à te le dire; je suis trop honnête homme pour n'en pas arrêter le cours.

SILVIA. Soit.

DORANTE. Sache que celui qui est avec ta maîtresse n'est pas ce qu'on pense.

SILVIA, *vivement.* Qui est-il donc?

DORANTE. Un valet.

SILVIA. Après?

DORANTE. C'est moi qui suis Dorante.

SILVIA, *à part.* Ah! je vois clair dans mon cœur.

DORANTE. Je voulais sous cet habit pénétrer un peu ce que c'était que ta maîtresse avant que de l'épouser. Mon père, en partant, me permit ce que j'ai fait, et l'événement m'en paraît un songe: je hais la maîtresse, dont je devais être l'époux, et j'aime la suivante, qui ne devait trouver en moi qu'un nouveau maître. Que faut-il que je fasse à présent? Je rougis pour elle de le dire; mais ta maîtresse a si peu de goût qu'elle est éprise de mon valet, au point qu'elle l'épousera si on la laisse faire. Quel parti prendre?

SILVIA, *à part.* Cachons-lui qui je suis. . . (*Haut.*) Votre situation est neuve, assurément! Mais, Monsieur, je vous fais d'abord mes excuses de tout ce que mes discours ont pu avoir d'irrégulier dans nos entretiens.

DORANTE, *vivement.* Tais-toi, Lisette; tes excuses me chagrinent: elles me rappellent la distance qui nous sépare, et ne me la rendent que plus douloureuse.

SILVIA. Votre penchant pour moi est-il si sérieux? m'aimez-vous jusque-là?

DORANTE. Au point de renoncer à tout engagement, puisqu'il ne m'est pas permis d'unir mon sort au tien; et, dans cet état, la seule douceur que je pouvais goûter, c'était de croire que tu ne me haïssais pas.

SILVIA. Un cœur qui m'a choisie dans la condition où je suis est assurément bien digne qu'on l'accepte, et je le payerais volontiers du mien si je ne craignais pas de le jeter dans un engagement qui lui ferait tort.

DORANTE. N'as-tu pas assez de charmes, Lisette? y ajoutes-tu encore la noblesse avec laquelle tu me parles?

SILVIA. J'entends quelqu'un. Patientez encore sur l'article de votre valet; les choses n'iront pas si vite: nous nous reverrons, et nous chercherons les moyens de vous tirer d'affaire.

DORANTE. Je suivrai tes conseils.

*(Il sort.)*

SILVIA. Allons, j'avais grand besoin que ce fût là Dorante.

## SCÈNE XIII.

### SILVIA, MARIO.

MARIO. Je viens te retrouver, ma sœur. Nous t'avons laissée dans des inquiétudes qui me touchent: je veux t'en tirer: écoute-moi.

SILVIA, *vivement.* Ah! vraiment, mon frère, il y a bien d'autres nouvelles!

MARIO. Qu'est-ce que c'est?

SILVIA. Ce n'est point Bourguignon, mon frère: c'est Dorante.

MARIO. Duquel parlez-vous donc?

SILVIA. De lui, vous dis-je; je viens de l'apprendre tout à l'heure. Il sort; il me l'a dit lui-même.

MARIO. Qui donc?

SILVIA. Vous ne m'entendez donc pas?

MARIO. Si j'y comprends rien, je veux mourir.

SILVIA. Venez, sortons d'ici; allons trouver mon père: il faut qu'il le sache. J'aurai besoin de vous aussi, mon frère. Il me vient de nouvelles idées. Il faudra feindre de m'aimer: vous en avez déjà dit quelque chose en badinant; mais surtout gardez bien le secret, je vous prie.

MARIO. Oh! je le garderai bien, car je ne sais ce que c'est.

SILVIA. Allons, mon frère, venez; ne perdons point de temps. Il n'est jamais rien arrivé d'égal à cela!

MARIO. Je prie le Ciel qu'elle n'extravague pas.

## ACTE TROISIÈME.

### SCÈNE PREMIÈRE.

#### DORANTE, ARLEQUIN.

ARLEQUIN. Hélas! monsieur, mon très honoré maître, je vous en conjure. . .

DORANTE. Encore!

ARLEQUIN. Ayez compassion de ma bonne aventure; ne portez point guignon à mon bonheur, qui va son train si rondement; ne lui fermez point le passage.

DORANTE. Allons donc, misérable! je crois que tu te moques de moi! Tu mériterais cent coups de bâton.

ARLEQUIN. Je ne les refuse point si je les mérite; mais quand je les aurai reçus, permettez-moi d'en mériter d'autres. Voulez-vous que j'aille chercher le bâton?

DORANTE. Maraud!

ARLEQUIN. Maraud soit; mais cela n'est point contraire à faire fortune.

DORANTE. Ce coquin! quelle imagination il lui prend!

ARLEQUIN. Coquin est encore bon, il me convient aussi: un maraud n'est point déshonoré d'être appelé coquin; mais un coquin peut faire un bon mariage.

DORANTE. Comment, insolent, tu veux que je laisse un honnête homme dans l'erreur, et que je souffre que tu épouses sa fille sous mon nom? Écoute, si tu me parles encore de cette impertinence-là, dès que j'aurai averti monsieur Orgon de ce que tu es, je te chasse, entends-tu?

ARLEQUIN. Accommodons-nous. Cette demoiselle m'adore, elle m'idolâtre. . . Si je lui dis mon état de valet, et que nonobstant son tendre cœur soit toujours friand de la noce avec moi, ne laisserez-vous pas jouer les violons?

DORANTE. Dès qu'on te connaîtra, je ne m'en embarrasse plus.

ARLEQUIN. Bon! et je vais de ce pas prévenir cette généreuse personne sur mon habit de caractère. J'espère que ce ne sera pas un galon de couleur [1] qui nous brouillera ensemble, et que son amour me fera passer à la table, en dépit du sort, qui ne m'a mis qu'au buffet.

## SCÈNE II.

DORANTE, *seul, et ensuite* MARIO.

DORANTE. Tout ce qui se passe ici, tout ce qui m'y est arrivé à moi-même, est incroyable. . . Je voudrais pourtant bien voir Lisette, et savoir le succès de ce qu'elle m'a promis de faire auprès de sa maîtresse pour me tirer d'embarras. Allons voir si je pourrai la trouver seule.

MARIO. Arrêtez, Bourguignon! j'ai un mot à vous dire.

DORANTE. Qu'y a-t-il pour votre service, monsieur?

MARIO. Vous en contez à Lisette?

DORANTE. Elle est si aimable qu'on aurait de la peine à ne lui pas parler d'amour.

MARIO. Comment reçoit-elle ce que vous lui dites?

DORANTE. Monsieur, elle en badine.

MARIO. Tu as de l'esprit. Ne fais-tu pas l'hypocrite?

DORANTE. Non; mais qu'est-ce que cela vous fait? Supposé que Lisette eût du goût pour moi. . .

MARIO. Du goût pour lui! Où prenez-vous vos termes? Vous avez le langage bien précieux pour un garçon de votre espèce!

DORANTE. Monsieur, je ne saurais parler autrement.

MARIO. C'est apparemment avec ces petites délicatesses-là que vous attaquez Lisette? Cela imite l'homme de condition.

DORANTE. Je vous assure, monsieur, que je n'imite personne; mais sans doute que vous ne venez pas exprès pour me traiter de ridicule, et vous aviez autre chose à me dire. Nous parlions de Lisette, de mon inclination pour elle, et de l'intérêt que vous y prenez.

MARIO. Comment, morbleu! il y a déjà un ton de jalousie dans ce que tu me réponds! Modère-toi un peu. Eh bien! tu me disais qu'en supposant que Lisette eût du goût pour toi. . . Après?

[1] livery.

DORANTE. Pourquoi faudrait-il que vous le sussiez, monsieur?

MARIO. Ah! le voici: c'est que, malgré le ton badin que j'ai pris tantôt, je serais très fâché qu'elle t'aimât; c'est que, sans autre raisonnement, je te défends de t'adresser davantage à elle, non pas, dans le fond, que je craigne qu'elle t'aime: elle me paraît avoir le cœur trop haut pour cela; mais c'est qu'il me déplaît, à moi, d'avoir Bourguignon pour rival.

DORANTE. Ma foi, je vous crois: car Bourguignon, tout Bourguignon qu'il est, n'est pas même content que vous soyez le sien.

MARIO. Il prendra patience.

DORANTE. Il faudra bien. Mais, monsieur, vous l'aimez donc beaucoup!

MARIO. Assez pour m'attacher sérieusement à elle dès que j'aurai pris de certaines mesures. Comprends-tu ce que cela signifie?

DORANTE. Oui, je crois que je suis au fait. Et sur ce pied-là vous êtes aimé sans doute?

MARIO. Qu'en penses-tu, est-ce que je ne vaux pas la peine de l'être?

DORANTE. Vous ne vous attendez pas à être loué par vos propres rivaux, peut-être?

MARIO. La réponse est de bon sens, je te la pardonne; mais je suis bien mortifié de ne pouvoir pas dire qu'on m'aime, et je ne le dis pas pour t'en rendre compte, comme tu le crois bien; mais c'est qu'il faut dire la vérité.

DORANTE. Vous m'étonnez, Monsieur: Lisette ne sait donc pas vos desseins?

MARIO. Lisette sait tout le bien que je lui veux, et n'y paraît pas sensible; mais j'espère que la raison me gagnera son cœur. Adieu, retire-toi sans bruit: son indifférence pour moi, malgré tout ce que je lui offre, doit te consoler du sacrifice que tu me feras. . . Ta livrée n'est pas propre à faire pencher la balance en ta faveur, et tu n'es pas fait pour lutter contre moi.

## SCÈNE III.

SILVIA, DORANTE, MARIO.

MARIO. Ah! te voilà, Lisette?

SILVIA. Qu'avez-vous, Monsieur? vous me paraissez ému.

MARIO. Ce n'est rien : je disais un mot à Bourguignon.

SILVIA. Il est triste : est-ce que vous le querelliez ?

DORANTE. Monsieur m'apprend qu'il vous aime, Lisette. . .

SILVIA. Ce n'est pas ma faute.

DORANTE. Et me défend de vous aimer.

SILVIA. Il me défend donc de vous paraître aimable ?

MARIO. Je ne saurais empêcher qu'il ne t'aime, belle Lisette ; mais je ne veux pas qu'il te le dise.

SILVIA. Il ne me le dit plus, il ne fait que me répéter.

MARIO. Du moins ne te le répétera-t-il pas quand je serai présent. Retirez-vous, Bourguignon.

DORANTE. J'attends qu'elle me l'ordonne.

MARIO. Encore !

SILVIA. Il dit qu'il attend : ayez donc patience.

DORANTE. Avez-vous de l'inclination pour Monsieur ?

SILVIA. Quoi ! de l'amour ? Oh ! je crois qu'il ne sera pas nécessaire qu'on me le défende.

DORANTE. Ne me trompez-vous pas ?

MARIO. En vérité, je joue ici un joli personnage ! Qu'il sorte donc ! A qui est-ce que je parle ?

DORANTE. A Bourguignon, voilà tout.

MARIO. Eh bien ! qu'il s'en aille !

DORANTE, à part. Je souffre.

SILVIA. Cédez, puisqu'il se fâche.

DORANTE, bas à Silvia. Vous ne demandez peut-être pas mieux ?

MARIO. Allons, finissons.

DORANTE. Vous ne m'aviez pas dit cet amour-là, Lisette.

## SCÈNE IV.

### M. ORGON, MARIO, SILVIA.

SILVIA. Si je n'aimais pas cet homme-là, avouons que je serais bien ingrate.

MARIO, riant. Ah ! ah ! ah ! ah !

M. ORGON. De quoi riez-vous, Mario ?

MARIO. De la colère de Dorante, qui sort, et que j'ai obligé de quitter Lisette.

SILVIA. Mais que vous a-t-il dit dans le petit entretien que vous avez eu tête à tête avec lui ?

MARIO. Je n'ai jamais vu d'homme ni plus intrigué ni de plus mauvaise humeur.

M. ORGON. Je ne suis pas fâché qu'il soit la dupe de son propre stratagème ; et d'ailleurs, à le bien prendre, il n'y a rien de plus flatteur ni de plus obligeant pour lui que tout ce que tu as fait jusqu'ici, ma fille. Mais en voilà assez.

MARIO. Mais où en est-il précisément, ma sœur ?

SILVIA. Hélas ! mon frère, je vous avoue que j'ai lieu d'être contente.

MARIO. «Hélas ! mon frère,» me dit-elle. Sentez-vous cette paix douce qui se mêle à ce qu'elle dit ?

M. ORGON. Quoi ! ma fille, tu espères qu'il ira jusqu'à t'offrir sa main dans le déguisement où te voilà ?

SILVIA. Oui, mon cher père, je l'espère.

MARIO. Friponne que tu es, avec ton «cher père !» Tu ne nous grondes plus à présent, tu nous dis des douceurs.

SILVIA. Vous ne me passez rien.

MARIO. Ah ! ah ! je prends ma revanche. Tu m'as tantôt chicané sur les expressions : il faut bien, à mon tour, que je badine un peu sur les tiennes ; ta joie est bien aussi divertissante que l'était ton inquiétude.

M. ORGON. Vous n'aurez point à vous plaindre de moi, ma fille : j'acquiesce à tout ce qui vous plaît.

SILVIA. Ah ! Monsieur, si vous saviez combien je vous aurai d'obligation ! Dorante et moi nous sommes destinés l'un à l'autre ; il doit m'épouser. Si vous saviez combien je lui tiendrai compte de ce qu'il fait aujourd'hui pour moi, combien mon cœur gardera le souvenir de l'excès de tendresse qu'il me montre ! Si vous saviez combien tout ceci va rendre notre union aimable ! Il ne pourra jamais se rappeler notre histoire sans m'aimer ; je n'y songerai jamais que je ne l'aime. Vous avez fondé notre bonheur pour la vie en me laissant faire : c'est un mariage unique ; c'est une aventure dont le seul récit est attendrissant ; c'est le coup de hasard le plus singulier, le plus heureux, le plus. . .

MARIO. Ah ! ah ! ah ! que ton cœur a de caquet, ma sœur ! quelle éloquence !

M. ORGON. Il faut convenir que le régal que tu te donnes est charmant, surtout si tu achèves.

SILVIA. Cela vaut fait, Dorante est vaincu : j'attends mon captif.

MARIO. Ses fers seront plus dorés qu'il ne pense. Mais je lui crois l'âme en peine, et j'ai pitié de ce qu'il souffre.

SILVIA. Ce qui lui en coûte à se déterminer ne me le rend que plus estimable : il pense qu'il chagrinera son père en m'épousant ; il croit trahir sa fortune et sa naissance. Voilà de grands sujets de réflexion: je serai charmée de triompher. Mais il faut que j'arrache ma victoire, et non pas qu'il me la donne: je veux un combat entre l'amour et la raison.

Mario. Et que la raison y périsse.

M. Orgon. C'est-à-dire que tu veux qu'il sente toute l'étendue de l'impertinence qu'il croira faire. Quelle insatiable vanité d'amour-propre!

Mario. Cela, c'est l'amour-propre d'une femme, et il est tout au plus uni.[1]

## SCÈNE V.

### M. Orgon, Silvia, Mario, Lisette.

M. Orgon. Paix! voici Lisette. Voyons ce qu'elle nous veut.

Lisette. Monsieur, vous m'avez dit tantôt que vous m'abandonniez Dorante, que vous livriez sa tête à ma discrétion: je vous ai pris au mot, j'ai travaillé comme pour moi, et vous verrez de l'ouvrage bien fait, allez; c'est une tête bien conditionnée.[2] Que voulez-vous que j'en fasse, à présent? Madame me le cède-t-elle?

M. Orgon. Ma fille, encore une fois, n'y prétendez-vous rien?

Silvia. Non: je te le donne, Lisette; je te remets tous mes droits, et, pour dire comme toi, je ne prendrai jamais de part à un cœur que je n'aurai pas conditionné moi-même.

Lisette. Quoi! vous voulez bien que je l'épouse? Monsieur le veut bien aussi?

M. Orgon. Oui, qu'il s'accommode. Pourquoi t'aime-t-il?

Mario. J'y consens aussi, moi.

Lisette. Moi aussi, et je vous en remercie tous.

M. Orgon. Attends; j'y mets pourtant une petite restriction: c'est qu'il faudrait, pour nous disculper de ce qui arrivera, que tu lui dises un peu qui tu es.

Lisette. Mais, si je le lui dis un peu, il le saura tout à fait.

M. Orgon. Eh bien! cette tête en si bon état ne soutiendra-t-elle pas cette secousse-là? Je ne le crois pas de caractère à s'effaroucher là-dessus.

Lisette. Le voici qui me cherche; ayez donc la bonté de me laisser le champ libre: il s'agit ici de mon chef-d'œuvre.

M. Orgon. Cela est juste; retirons-nous.

Silvia. De tout mon cœur.

Mario. Allons.

## SCÈNE VI.

### Lisette, Arlequin.

Arlequin. Enfin, ma reine, je vous vois, et je ne vous quitte plus, car j'ai trop pâti d'avoir manqué de votre présence, et j'ai cru que vous esquiviez la mienne.

Lisette. Il faut vous avouer, Monsieur, qu'il en était quelque chose.

Arlequin. Comment donc! ma chère âme, élixir de mon cœur, avez-vous entrepris la fin de ma vie?

Lisette. Non, mon cher, la durée m'en est trop précieuse.

Arlequin. Ah! que ces paroles me fortifient!

Lisette. Et vous ne devez point douter de ma tendresse.

Arlequin. Je voudrais bien pouvoir baiser ces petits mots-là, et les cueillir sur votre bouche avec la mienne.

Lisette. Mais vous me pressiez sur notre mariage, et mon père ne m'avait pas encore permis de vous répondre. Je viens de lui parler, et j'ai son aveu pour vous dire que vous pouvez lui demander ma main quand vous voudrez.

Arlequin. Avant que je la demande à lui, souffrez que je la demande à vous: je veux lui rendre mes grâces de la charité qu'elle aura de vouloir bien entrer dans la mienne, qui en est véritablement indigne.

Lisette. Je ne refuse pas de vous la prêter un moment, à condition que vous la prendrez pour toujours.

Arlequin. Chère petite main rondelette et potelée, je vous prends sans marchander; je ne suis pas en peine de l'honneur que vous me ferez, il n'y a que celui que je vous rendrai qui m'inquiète.

Lisette. Vous m'en rendrez plus qu'il ne m'en faut.

Arlequin. Ah! que nenni: vous ne savez pas cette arithmétique-là aussi bien que moi.

Lisette. Je regarde pourtant votre amour comme un présent du Ciel.

Arlequin. Le présent qu'il vous a fait ne le ruinera pas; il est bien mesquin.

Lisette. Je ne le trouve que trop magnifique.

Arlequin. C'est que vous ne le voyez pas au grand jour.

Lisette. Vous ne sauriez croire combien votre modestie m'embarrasse.

[1] it is the most ordinary kind.

[2] arranged to suit me.

ARLEQUIN. Ne faites point dépense d'embarras: je serais bien effronté si je n'étais pas modeste.

LISETTE. Enfin, Monsieur, faut-il vous dire que c'est moi que votre tendresse honore?

ARLEQUIN. Aïe! aïe! je ne sais plus où me mettre.

LISETTE. Encore une fois, Monsieur, je me connais.

ARLEQUIN. Hé! je me connais bien aussi; et je n'ai pas là une fameuse connaissance, ni vous non plus, quand vous l'aurez faite; mais c'est là le diable que de me connaître: vous ne vous attendez pas au fond du sac.

LISETTE, à part. Tant d'abaissement n'est pas naturel! (Haut.) D'où vient me dites-vous cela?

ARLEQUIN. Et voilà où gît le lièvre.

LISETTE. Mais encore? Vous m'inquiétez: est-ce que vous n'êtes pas. . .

ARLEQUIN. Aïe! aïe! vous m'ôtez ma couverture.

LISETTE. Sachons de quoi il s'agit.

ARLEQUIN, à part. Préparons un peu cette affaire-là. . . (Haut.) Madame, votre amour est-il d'une constitution bien robuste? soutiendra-t-il bien la fatigue que je vais lui donner? Un mauvais gîte lui fait-il peur? je vais le loger petitement.

LISETTE. Ah! tirez-moi d'inquiétude. En un mot, qui êtes-vous?

ARLEQUIN. Je suis. . . N'avez-vous jamais vu de fausse monnaie? Savez-vous ce que c'est qu'un louis d'or faux? Eh bien, je ressemble assez à cela.

LISETTE. Achevez donc. Quel est votre nom?

ARLEQUIN. Mon nom! (A part.) Lui dirai-je que je m'appelle Arlequin? Non: cela rime trop avec coquin.

LISETTE. Eh bien?

ARLEQUIN. Ah, dame! il y a un peu à tirer ici.[1] Haïssez-vous la qualité de soldat?

LISETTE. Qu'appelez-vous un soldat?

ARLEQUIN. Oui, par exemple, un soldat d'antichambre.

LISETTE. Un soldat d'antichambre! Ce n'est donc point Dorante à qui je parle enfin?

ARLEQUIN. C'est lui qui est mon capitaine.

LISETTE. Faquin!

ARLEQUIN, à part. Je n'ai pu éviter la rime.

LISETTE. Mais voyez ce magot, tenez!

ARLEQUIN. La jolie culbute que je fais là!

LISETTE. Il y a une heure que je lui demande grâce et que je m'épuise en humilités pour cet animal-là.

ARLEQUIN. Hélas! Madame, si vous préfériez l'amour à la gloire, je vous ferais bien autant de profit qu'un monsieur.

LISETTE, riant. Ah! ah! ah! je ne saurais pourtant m'empêcher d'en rire, avec sa gloire! et il n'y a plus que ce parti-là à prendre. . . Va, va, ma gloire te pardonne; elle est de bonne composition.

ARLEQUIN. Tout de bon, charitable dame? Ah! que mon amour vous promet de reconnaissance!

LISETTE. Touche là, Arlequin; je suis prise pour dupe: le soldat d'antichambre de Monsieur vaut bien la coiffeuse de Madame.

ARLEQUIN. La coiffeuse de Madame!

LISETTE. C'est mon capitaine, ou l'équivalent.

ARLEQUIN. Masque![2]

LISETTE. Prends ta revanche.

ARLEQUIN. Mais voyez cette magote, avec qui, depuis une heure, j'entre en confusion de ma misère!

LISETTE. Venons au fait. M'aimes-tu?

ARLEQUIN. Pardi, oui: en changeant de nom, tu n'as pas changé de visage, et tu sais bien que nous nous sommes promis fidélité en dépit de toutes les fautes d'orthographe.

LISETTE. Va, le mal n'est pas grand, consolons-nous; ne faisons semblant de rien, et n'apprêtons point à rire. Il y a apparence que ton maître est encore dans l'erreur à l'égard de ma maîtresse: ne l'avertis de rien; laissons les choses comme elles sont. Je crois que le voici qui entre. Monsieur, je suis votre servante.

ARLEQUIN. Et moi votre valet, Madame. (Riant.) Ah! ah! ah!

## SCÈNE VII.

### DORANTE, ARLEQUIN.

DORANTE. Eh bien, tu quittes la fille d'Orgon: lui as-tu dit qui tu étais?

ARLEQUIN. Pardi, oui. La pauvre enfant! j'ai trouvé son cœur plus doux qu'un agneau: il n'a pas soufflé. Quand je lui ai dit que je m'appelais Arlequin et que j'avais un habit d'ordonnance: «Eh bien, mon ami, m'a-t-elle dit, chacun a son nom dans

[1] this is a little embarrassing.

[2] deceitful one.

la vie, chacun a son habit; le vôtre ne vous coûte rien.» Cela ne laisse pas d'être gracieux.

DORANTE. Quelle sorte d'histoire me contes-tu là?

ARLEQUIN. Tant y a que je vais la demander en mariage.

DORANTE. Comment! elle consent à t'épouser?

ARLEQUIN. La voilà bien malade!

DORANTE. Tu m'en imposes: elle ne sait pas qui tu es.

ARLEQUIN. Par la ventrebleu! voulez-vous gager que je l'épouse avec la casaque sur le corps, avec une souquenille, si vous me fâchez? Je veux bien que vous sachiez qu'un amour de ma façon n'est point sujet à la casse,[1] que je n'ai pas besoin de votre friperie pour pousser ma pointe, et que vous n'avez qu'à me rendre la mienne.

DORANTE. Tu es un fourbe. Cela n'est pas concevable, et je vois bien qu'il faudra que j'avertisse monsieur Orgon.

ARLEQUIN. Qui, notre père? Ah! le bon homme! nous l'avons dans notre manche. C'est le meilleur humain, la meilleure pâte d'homme. . . Vous m'en direz des nouvelles.

DORANTE. Quel extravagant! As-tu vu Lisette?

ARLEQUIN. Lisette! non; peut-être a-t-elle passé devant mes yeux; mais un honnête homme ne prend pas garde à une chambrière; je vous cède ma part de cette attention-là.

DORANTE. Va-t'en, la tête te tourne.

ARLEQUIN. Vos petites manières sont un peu aisées; mais c'est la grande habitude qui fait cela. Adieu. Quand j'aurai épousé, nous vivrons but à but. Votre soubrette arrive. Bonjour, Lisette; je vous recommande Bourguignon: c'est un garçon qui a quelque mérite.

## SCÈNE VIII.

### DORANTE, SILVIA.

DORANTE, à part. Qu'elle est digne d'être aimée! Pourquoi faut-il que Mario m'ait prévenu?

SILVIA. Où étiez-vous donc, Monsieur? Depuis que j'ai quitté Mario, je n'ai pu vous retrouver pour vous rendre compte de ce que j'ai dit à monsieur Orgon.

DORANTE. Je ne me suis pourtant pas éloigné. Mais de quoi s'agit-il?

SILVIA, à part. Quelle froideur! (Haut.) J'ai eu beau décrier votre valet et prendre sa conscience à témoin de son peu de mérite, j'ai eu beau lui représenter qu'on pouvait du moins reculer le mariage, il ne m'a pas seulement écoutée. Je vous avertis même qu'on parle d'envoyer chez le notaire, et qu'il est temps de vous déclarer.

DORANTE. C'est mon intention. Je vais partir incognito, et je laisserai un billet qui instruira monsieur Orgon de tout.

SILVIA, à part. Partir! ce n'est pas là mon compte.

DORANTE. N'approuvez-vous pas mon idée?

SILVIA. Mais. . . pas trop.

DORANTE. Je ne vois pourtant rien de mieux dans la situation où je suis, à moins que de parler moi-même; et je ne saurais m'y résoudre. J'ai d'ailleurs d'autres raisons qui veulent que je me retire; je n'ai plus que faire ici.

SILVIA. Comme je ne sais pas vos raisons, je ne puis ni les approuver ni les combattre, et ce n'est pas à moi à vous les demander.

DORANTE. Il vous est aisé de les soupçonner, Lisette.

SILVIA. Mais je pense, par exemple, que vous avez du goût pour la fille de monsieur Orgon.

DORANTE. Ne voyez-vous que cela?

SILVIA. Il y a bien encore certaines choses que je pourrais supposer; mais je ne suis pas folle, et je n'ai pas la vanité de m'y arrêter.

DORANTE. Ni le courage d'en parler, car vous n'auriez rien d'obligeant à me dire. Adieu, Lisette.

SILVIA. Prenez garde: je crois que vous ne m'entendez pas, je suis obligée de vous le dire.

DORANTE. A merveille, et l'explication ne me serait pas favorable. Gardez-moi le secret jusqu'à mon départ.

SILVIA. Quoi! Sérieusement, vous partez?

DORANTE. Vous avez bien peur que je ne change d'avis.

SILVIA. Que vous êtes aimable d'être si bien au fait!

DORANTE. Cela est bien naïf. Adieu. (Il s'en va.)

SILVIA, à part. S'il part, je ne l'aime plus, je ne l'épouserai jamais. (Elle le regarde s'en aller.) Il s'arrête pourtant; il rêve, il regarde si je tourne la tête. Je ne

---

[1] breakage.

saurais le rappeler, moi. . . Il serait pourtant singulier qu'il partît, après tout ce que j'ai fait ! . . . Ah ! voilà qui est fini : il s'en va ; je n'ai pas tant de pouvoir sur lui que je le croyais. Mon frère est un maladroit, il s'y est mal pris : les gens indifférents gâtent tout. Ne suis-je pas bien avancée ? Quel dénouement ! . . . Dorante reparaît pourtant ; il me semble qu'il revient ; je me dédis donc, je l'aime encore. . . Feignons de sortir, afin qu'il m'arrête : il faut bien que notre réconciliation lui coûte quelque chose.

DORANTE, *l'arrêtant*. Restez, je vous prie ; j'ai encore quelque chose à vous dire.

SILVIA. A moi, Monsieur ?

DORANTE. J'ai de la peine à partir sans vous avoir convaincue que je n'ai pas tort de le faire.

SILVIA. Eh ! Monsieur, de quelle conséquence est-il de vous justifier auprès de moi ? Ce n'est pas la peine : je ne suis qu'une suivante, et vous me le faites bien sentir.

DORANTE. Moi, Lisette ? Est-ce à vous à vous plaindre, vous qui me voyez prendre mon parti sans me rien dire ?

SILVIA. Hum ! Si je voulais, je vous répondrais bien là-dessus.

DORANTE. Répondez donc : je ne demande pas mieux que de me tromper. Mais que dis-je ? Mario vous aime.

SILVIA. Cela est vrai.

DORANTE. Vous êtes sensible à son amour, je l'ai vu par l'extrême envie que vous aviez tantôt que je m'en allasse : ainsi vous ne sauriez m'aimer.

SILVIA. Je suis sensible à son amour ! Qui est-ce qui vous l'a dit ? Je ne saurais vous aimer ! Qu'en savez-vous ? Vous décidez bien vite.

DORANTE. Eh bien, Lisette, par tout ce que vous avez de plus cher au monde, instruisez-moi de ce qui en est, je vous en conjure.

SILVIA. Instruire un homme qui part !

DORANTE. Je ne partirai point.

SILVIA. Laissez-moi. Tenez, si vous m'aimez, ne m'interrogez point : vous ne craignez que mon indifférence, et vous êtes trop heureux que je me taise. Que vous importent mes sentiments ?

DORANTE. Ce qu'ils m'importent, Lisette ? Peux-tu douter encore que je ne t'adore ?

SILVIA. Non, et vous me le répétez si souvent que je vous crois ; mais pourquoi m'en persuadez-vous ? Que voulez-vous que je fasse de cette pensée-là, Monsieur ? Je vais vous parler à cœur ouvert. Vous m'aimez ; mais votre amour n'est pas une chose bien sérieuse pour vous. Que de ressources n'avez-vous pas pour vous en défaire ? La distance qu'il y a de vous à moi, mille objets que vous allez trouver sur votre chemin, l'envie qu'on aura de vous rendre sensible, les amusements d'un homme de votre condition, tout va vous ôter cet amour dont vous m'entretenez impitoyablement. Vous en rirez peut-être au sortir d'ici, et vous aurez raison. Mais moi, Monsieur, si je m'en ressouviens, comme j'en ai peur, s'il m'a frappée, quel secours aurai-je contre l'impression qu'il m'aura faite ? Qui est-ce qui me dédommagera de votre perte ? Qui voulez-vous que mon cœur mette à votre place ? Savez-vous bien que, si je vous aimais, tout ce qu'il y a de plus grand dans le monde ne me toucherait plus. Jugez donc de l'état où je resterais ; ayez la générosité de me cacher votre amour. Moi qui vous parle, je me ferais un scrupule de vous dire que je vous aime dans les dispositions où vous êtes : l'aveu de mes sentiments pourrait exposer votre raison ; et vous voyez bien aussi que je vous les cache.

DORANTE. Ah ! ma chère Lisette, que viens-je d'entendre ! Tes paroles ont un feu qui me pénètre ; je t'adore, je te respecte. Il n'est ni rang, ni naissance, ni fortune, qui ne disparaisse devant une âme comme la tienne ; j'aurais honte que mon orgueil tînt encore contre toi, et mon cœur et ma main t'appartiennent.

SILVIA. En vérité, ne mériteriez-vous pas que je les prisse ? Ne faut-il pas être bien généreuse pour vous dissimuler le plaisir qu'ils me font ? et croyez-vous que cela puisse durer ?

DORANTE. Vous m'aimez donc ?

SILVIA. Non, non ; mais, si vous me le demandez encore, tant pis pour vous.

DORANTE. Vos menaces ne me font point de peur.

SILVIA. Et Mario, vous n'y songez donc plus ?

DORANTE. Non, Lisette ; Mario ne m'alarme plus : vous ne l'aimez point ; vous ne pouvez plus me tromper ; vous avez le cœur vrai ; vous êtes sensible à ma tendresse, je ne saurais en douter au transport qui m'a pris ; j'en suis sûr, et vous ne sauriez plus m'ôter cette certitude-là.

SILVIA. Oh ! je n'y tâcherai point ; gardez-la, nous verrons ce que vous en ferez.

DORANTE. Ne consentez-vous pas d'être à moi ?

SILVIA. Quoi ! vous m'épouserez malgré

ce que vous êtes, malgré la colère d'un père, malgré votre fortune?

DORANTE. Mon père me pardonnera dès qu'il vous aura vue; ma fortune nous suffit à tous deux, et le mérite vaut bien la naissance. Ne disputons point, car je ne changerai jamais.

SILVIA. Il ne changera jamais! Savez-vous bien que vous me charmez, Dorante.

DORANTE. Ne gênez donc plus votre tendresse et laissez-la répondre. . .

SILVIA. Enfin, j'en suis venue à bout: vous. . . vous ne changerez jamais?

DORANTE. Non, ma chère Lisette.

SILVIA. Que d'amour!

## SCÈNE IX.

M. ORGON, SILVIA, DORANTE, LISETTE, ARLEQUIN, MARIO.

SILVIA. Ah! mon père, vous avez voulu que je fusse à Dorante: venez voir votre fille vous obéir avec plus de joie qu'on n'en eut jamais.

DORANTE. Qu'entends-je! vous, son père, Monsieur?

SILVIA. Oui, Dorante. La même idée de nous connaître nous est venue à tous deux; après cela, je n'ai plus rien à vous dire. Vous m'aimez, je n'en saurais douter; mais, à votre tour, jugez de mes sentiments pour vous; jugez du cas que j'ai fait de votre cœur par la délicatesse avec laquelle j'ai tâché de l'acquérir.

M. ORGON. Connaissez-vous cette lettre-là? Voilà par où j'ai appris votre déguisement, qu'elle n'a pourtant su que par vous.

DORANTE. Je ne saurais vous exprimer mon bonheur, Madame; mais ce qui m'enchante le plus, ce sont les preuves que je vous ai données de ma tendresse.

MARIO. Dorante me pardonne-t-il la colère où j'ai mis Bourguignon?

DORANTE. Il ne vous la pardonne pas, il vous en remercie.

ARLEQUIN. De la joie, Madame: vous avez perdu votre rang; mais vous n'êtes point à plaindre, puisqu'Arlequin vous reste.

LISETTE. Belle consolation! il n'y a que toi qui gagne à cela.

ARLEQUIN. Je n'y perds pas. Avant notre reconnaissance, votre dot valait mieux que vous; à présent, vous valez mieux que votre dot. Allons, saute, marquis!

# LE PRÉJUGÉ À LA MODE

*Comédie en cinq actes, en vers*

Représentée pour la première fois à la Comédie-Française
le 3 février 1735

# LA CHAUSSÉE

Pierre-Claude Nivelle de La Chaussée (1692–1754) was descended from an old and rich bourgeois family who were probably tax-gatherers. He was born in Paris in 1692, but little is known of his early life, except that he received his elementary training at the Jesuit Collège Louis-le-Grand and his rhetoric and philosophy at Plessis. In 1711 he is known to have associated with M. de Caumartin, one of the most illustrious men of the robe, in whose house he doubtless came in contact with Voltaire. In 1720 he spent several months in Amsterdam, probably for commercial purposes. But business bored him, and his letters to his friends in Paris, full of jokes and obscenities, indicate that he longed to be back to ''pantagruelize'' with them. He had, however, a passion for literature, and asked for news especially about the stage. He said that it was absolutely necessary that he rhyme, and satire was his first temptation. His family connections gave him entrance to the best society, and he was received in numerous circles, but kept himself free from all literary cliques. His preference was for association with libertine groups and *gens du monde*. For a long time he was an amateur of letters rather than a practitioner, and only late in life did he become an active producer. He was elected to the Academy in 1736. He had lost most of his fortune in the failure of the Law Bank, but had enough left to live comfortably in his last years. Living in his little home in the faubourg, he caught cold one evening after working strenuously in his garden and died within a few days at the age of sixty-two years.

La Chaussée produced no important work before *la Fausse antipathie* in 1733. In 1719 he had printed privately *Lettres de Mme. la Marquise de L.*, an unsigned attack on the *Fables* of La Motte. During the period from 1720 to 1730 he frequented the very licentious society which retained the tone of the Regency, and it was for this group that he wrote his *Contes*. He was a member of the *bande joyeuse* that made fashionable the *parade*, a sort of farce that is distinguished by its immorality. This author, who made women weep at his sentimental productions, had no scruples in his personal relations with them, and his treatment of them marks him as the accomplished model of the *Méchant*. In 1731, after the death of La Motte, he published his poem, *l'Epître de Clio à M. de B.* This was a defense of poetry against its detractor La Motte. Such were the literary, social, and moral preparations of the preacher of morals and sentiment, ''le Révérend Père La Chaussée,'' who was to popularize, as no one had done before him, *la comédie larmoyante*, beginning with *la Fausse antipathie* and continuing through the mid-century.

What is known as *sensibilité* does not begin with La Chaussée. ''La chose et le mot firent leur apparition dans les dernières années du XVII⁰ siècle. Confusion de l'amour sensuel et de l'amour du bien dans un même enthousiasme expansif et bavard, expression des émotions opposées, joyeuses ou tristes, par des larmes toujours abondantes et prêtes, correspondance immédiate des émotions à des idées abstraites, effort continu de la réflexion pour en noter l'existence, de l'énergie pour en développer l'intensité, tous ces traits de la sensibilité du XVIIIᵉ siècle se manifestent dès lors, plus ou moins épars, plus ou moins précis'' (Lanson). La Présidente Ferrand, the Abbé de Saint Pierre, Fénelon, presented earlier manifestations of it. La Motte in his *Astrée* and Massillon in his sermons showed signs of it. Marivaux in his *Spectateur français* imitated the moral essays of Addison's *Spectator,* even before he wrote his comedies. The sentimental ethic in Shaftesbury's *Essays* was spread abroad through French translations in the first decade of the century. Very early the theatre was opened to this new state of soul. In comedy, Destouches, after his six years' stay in England, set out in the new path, and Piron was tempted in *les Fils ingrats* and Marivaux in *le Jeu de l'amour et du hasard.* Comedy as well as tragedy aims hereafter at the pathetic. *Sensibilité* had therefore invaded the stage, and once introduced it remained. La Chaussée made it supreme.

La Chaussée had no previous training or disposition for moral comedy, but rather exploited public taste by scenting the wind and following it. If he was the father of *la comédie larmoyante,* a fact which is disputed, he was so by force of circumstances. He simply increased the dose of the pathetic and the *romanesque.* If it is not true that he wrote pathetic comedies because he was unable to write tragedies or comedies proper, at least he had no rules or theories, no rigid system to which he sacrificed everything. He was not a conscious innovator. His appeal was to the emotions and he made excuses for lacking a sense of the comic. These characteristics appear in *la Fausse antipathie* in 1733, and go on increasing in *le Préjugé à la mode,* the subject of which was suggested by Mlle. Quinault. Profiting by the work of Campistron and Destouches, he attacked by emotion the prejudice that it was unbecoming and *bourgeois* for a husband to appear to love his wife. The public wept, and the play was a success, notwithstanding the improbability of the plot, the vague pretentious style, and the rather dull poetry. And they wept at *l'École des mères,* and still more at *Mélanide,* which was a real triumph, as well as at *la Gouvernante.*

Consequently there arose the memorable quarrel concerning the *mélange des genres,* which was later taken up by Diderot and spread over into Germany with Lessing. Writers and public were divided into two camps, calling upon antiquity for justification or condemnation. But the *genre* remained and flourished, and this very success justified the new comedy in the eyes of d'Alembert, the head of the moderates. He took a middle ground, and defended the *comédie larmoyante* because comedy of character had already been brought to its apogee by Molière, because the original characters and types, being necessarily limited in number, had already been described, and because there was need of rejuvenating the art by new conceptions and combinations. The fact is that comedy as represented by Molière, which had struggled along in the hands of lesser geniuses and had lost one by one its Molièresque qualities, is finally dead; emotion has been substituted for laughter, and situations and conditions for character.

The influence of La Chaussée in making tearful comedy more popular with authors and public was great, and it is only this influence that preserves his works today. Hereafter sentimentality pervades literature and life, with an occasional protest on the part of a belated defender of the comic. Destouches and Piron, who had anticipated La Chaussée, object to the complete overthrow of *le rire.* Marivaux continues sentimentality, Gresset turns aside to write his *Sidney*, imitated from the English, and Mme. de Graffigny writes her *Cénie.* Even Voltaire falls into line and gives us his contribution, *Nanine.* The way has been prepared for Diderot and his theories, which produced Sedaine and the *drame.*

Bibliography: *Œuvres dramatiques*, édition Sablier, 5 vols., Paris, 1762. E BERNBAUM: *The Drama of Sensibility*, New York, 1915. G. LANSON: *Nivelle de La Chaussée et la Comédie larmoyante*, 2e édition, Paris, 1903. DESNOIRESTERRES: *La Comédie satirique*, Paris, 1885.

# LE PRÉJUGÉ À LA MODE [1]

## PAR NIVELLE DE LA CHAUSSÉE

### PERSONNAGES.

CONSTANCE.
DURVAL, *époux de Constance.*
ARGANT, *père de Constance.*
SOPHIE, *nièce d'Argant.*
DAMON, *ami de Durval, amant de Sophie.*

CLITANDRE }
DAMIS } *marquis.*
FLORINE, *suivante de Constance.*
HENRI, *valet de chambre de Durval.*

La scène est au château de Durval.

## ACTE PREMIER.

### SCÈNE PREMIÈRE.

#### CONSTANCE, DAMON.

DAMON. Ah! Constance, est-ce à vous de
    prendre ma défense,
Et celle de l'hymen, vous?
CONSTANCE.        Ce doute m'offense.
Vous me connaissez peu, si vous me
    soupçonnez
De penser autrement.
DAMON.        Madame, pardonnez. . . .
    (*A part.*)
Épouse vertueuse autant qu'infortunée!
CONSTANCE. Si je fais quelques vœux, c'est
    pour votre hyménée:
Damon, soyez-en sûr; croyez qu'il m'est
    bien doux
De servir un ami si cher à mon époux.
DAMON. C'est l'étroite amitié dont votre
    époux m'honore
Qui me perd dans l'esprit de celle que
    j'adore.
CONSTANCE. Quoi! votre liaison. . . ?
DAMON.        M'expose à son courroux.
Tout le monde n'est pas aussi juste que
    vous.

CONSTANCE. Je ne reconnais point Sophie
    à ce caprice;
Vous m'étonnez. D'où vient cette ex-
    trême injustice?
Elle ne vous hait point.
DAMON.        Inutile bonheur!
Peut-être elle me rend justice au fond
    du cœur,
Mais j'y vois encor plus de frayeurs et
    d'alarmes!
Elle outrage à la fois mon amour et ses
    charmes.
On se trompe, en jugeant trop générale-
    ment.
Elle croit que l'hymen est un engagement
Dont son sexe est toujours l'innocente
    victime:
Tel est son sentiment, qu'elle croit légi-
    time.
Je ne sais quel exemple, ou plutôt quelle
    erreur,
Autorise encor plus son injuste terreur.
Vous ferai-je un aveu, peut-être inex-
    cusable?
Elle vous trouve à plaindre, et m'en rend
    responsable.
Enfin, elle me croit complice d'un
    époux. . .
CONSTANCE. Monsieur, elle se trompe, et
    nous offense tous.

[1] Text of 1777 edition.

DAMON. Aux chagrins les plus grands elle
vous croit en proie.

CONSTANCE. Damon, il n'en est rien.

DAMON.    Vous voulez qu'on vous croie.

CONSTANCE. Brisons là, je vous prie.
Avant notre départ,
Sophie à mes conseils aura peut-être
égard;
Fiez-vous-en à moi.

DAMON.        C'est en vous que j'espère,
Vous savez que son sort dépend de votre
père.

CONSTANCE. J'attends Argant; je vais hâter votre bonheur.

DAMON. Je suis confus...

CONSTANCE. Allez, je me fais un honneur
De la faire changer d'idée et de langage.
Surtout, que mon époux ignore cet outrage.

DAMON, *à part, en sortant.* Quelle épouse
peut rendre un époux plus heureux?
Que Durval devrait bien y borner tous
ses vœux!

## SCÈNE II.

### CONSTANCE.

Faut-il que mon époux ne fasse aucun
usage
Des conseils d'un ami si fidèle et si sage!
Me verrai-je toujours dans l'embarras
cruel
D'affecter un bonheur qui n'a rien de
réel?...
Oui, je dois m'imposer cette loi rigou-
reuse;
Le devoir d'une épouse est de paraître
heureuse.
L'éclat ne servirait encor qu'à me trahir;
D'un ingrat qui m'est cher je me ferais
haïr;
Du moins n'ajoutons pas ce supplice à
ma peine:
Son inconstance est moins affreuse que
sa haine.

## SCÈNE III.

### CONSTANCE, ARGANT.

CONSTANCE. Vous m'avez ordonné de vous
attendre ici,
Sans quoi je vous aurais prévenu.

ARGANT, *d'un ton fâché.*    Me voici.

CONSTANCE. Vous paraissez ému!

ARGANT.        Je suis même en colère.

Je sors de chez Sophie; elle tient de sa
mère.
L'entretien que je viens d'avoir à soutenir
Me fait prévoir celui que vous m'allez
tenir;
Je vais de point en point y répondre
d'avance.

CONSTANCE. Quoi! vous savez...?

ARGANT. Ma fille, un peu de complaisance:
Que je parle d'abord à mon tour.

CONSTANCE.                J'obéis.

ARGANT. Durval est à peu près ce que je
fus jadis;
Ce temps n'est pas si loin que je ne m'en
souvienne.
Ma jeunesse fut vive encor plus que la
sienne.
On me maria donc, et me voilà rangé,
Si bien qu'on me trouva totalement
changé:
Et, véritablement, une union si belle,
Si ma femme eût voulu, devait être éter-
nelle.
Bien du temps se passa, mais beaucoup,
presque un an,
Sans que rien de ma part troublât notre
roman;
Mais auprès d'une femme on a beau se
contraindre:
Bon! naturellement le sexe aime à se
plaindre.
Or comme enfin l'amour se change en
amitié...
C'est justement de quoi se fâcha ma moi-
tié.
Elle ne savait pas, ni vous non plus, ma-
dame,
Que sans amour on peut très bien aimer
sa femme;
Elle crut perdre au change; elle dis-
simula
Peut-être près d'un mois; après cet
effort-là,
Il survint entre nous un terrible gra-
buge;
Madame se plaignit, et mon père en fut
juge.
Le bonhomme autrefois fut dans le
même cas.
Mon fils a tort, dit-il, je ne l'excuse pas.
Puisqu'il ne veut pas prendre un autre
train de vie,
Je vois bien qu'il faudra que je me re-
marie...
Je répondrais de même, et j'irais en
avant.

CONSTANCE. Quand on croit deviner, on
se trompe souvent.

ARGANT. La contradiction me ravit et m'enchante. . .

Eh! bien, madame, soit; vous êtes très contente. . .

Oui. . . très heureuse. . . très. . . .

CONSTANCE.     Monsieur, en doutez-vous?

ARGANT. Et vous dites partout du bien de votre époux. . .

CONSTANCE. Puis-je faire autrement?

ARGANT.               Et que le mariage
N'est pas toujours un triste et cruel esclavage. . .

CONSTANCE. Je l'imagine.

ARGANT. Et que. . . J'enrage de bon cœur. . .

Mais, de grâce, achevez de me tirer d'erreur;
Ma nièce est votre amie, et je lui sers de père.

CONSTANCE. Elle mérite bien de nous être aussi chère.

ARGANT. Oui; mais on a pris soin de lui gâter l'esprit.

Damon et votre époux en sont dans un dépit. . .

Qui peut donc avoir mis dans son cœur trop crédule
Cet effroi mal fondé, ce dégoût ridicule,
Cette aversion folle, et ces airs de mépris,
Qu'elle a pour l'hyménée? Où les a-t-elle pris?

A son âge on n'a point de chimères pareilles
A celles dont elle a fatigué mes oreilles.
Au contraire, une Agnès se fait illusion,
Et savoure à longs traits la douce impression
Que son cœur enchanté reçoit de la nature;
Elle ne voit l'hymen que sous une figure
Qui, loin de l'effrayer, irrite ses désirs;
Et ce portrait est fait par la main des plaisirs.

Mais toutefois Sophie en est intimidée.

Madame, si ma nièce en prend une autre idée,
C'est l'effet des sujets de chagrin et d'ennui
Que vous lui débitez contre votre mari.

CONSTANCE, à part. Mon malheur ne m'épargne aucune circonstance.

(Haut.)

Apprenez donc, monsieur, la façon dont je pense,
Et vous persisterez après, si vous l'osez,
Dans l'accusation que vous me supposez.

Je n'ai qu'à me louer d'un heureux hyménée;
Je ne méritais pas d'être si fortunée;
Mais enfin, si mon sort cessait d'être aussi doux,
Si j'avais à pleurer le cœur de mon époux,
Je cacherais ma honte en me rendant justice,
Et je me garderais d'augmenter mon supplice.
Un éclat indiscret ne fait qu'aliéner
Un cœur que la douceur aurait pu ramener.
Si quelque occasion peut mieux faire connaître,
Et sentir de quel prix une épouse peut être,
Si quelque épreuve sert à le mieux découvrir,
C'est lorsqu'elle est à plaindre, et qu'elle sait souffrir.
Voilà mes sentiments, tirez la conséquence.

ARGANT. On n'agit pas toujours aussi bien que l'on pense:
Un beau raisonnement ne détruit pas un fait.
Enfin, si vous voulez me convaincre en effet,
Concourez avec moi pour marier ma nièce;
Otez-lui de l'esprit ce travers qui me blesse;
Et que bientôt Damon. . .

CONSTANCE.               C'est justement de quoi
J'avais à vous parler.

ARGANT.               Il me convient, à moi.

CONSTANCE. Je n'imagine pas qu'il déplaise à Sophie.

ARGANT. Ma nièce l'aimerait?

CONSTANCE.               Du moins je m'en défie.[1]
Oui, je crois qu'en secret elle y prend intérêt.

ARGANT. Pourquoi refuse-t-elle un homme qui lui plaît?

CONSTANCE. Ce n'est point un refus; c'est de l'incertitude.
On ne s'engage point sans quelque inquiétude.
En cela j'aurais tort de la désapprouver:
Peut-être auparavant elle veut s'éprouver;
Peut-être qu'elle cherche, autant qu'il est possible,
A s'assurer du cœur qu'elle a rendu sensible.

[1] I suspect as much.

ARGANT. Voilà bien des façons qui ne
servent à rien.
(*Sophie paraît.*)
Bon. La voici, je vais commencer l'entretien.

## SCÈNE IV.

SOPHIE, CONSTANCE, ARGANT.

ARGANT, *à Sophie.* Ma nièce, comment donc
entendez-vous la chose?
SOPHIE, *en regardant Constance.* Vous a-t-
on dit vrai?
ARGANT. Mais, ma foi, je le suppose.
SOPHIE. Après ce que madame a dû vous
confier,
Votre dessein n'est plus de me sacrifier.
ARGANT. Moi, te sacrifier! quand je veux
au contraire
Te donner pour époux quelqu'un qui t'a
su plaire;
Damon.
SOPHIE. Qui vous a fait ces confidences-là?
ARGANT. Hé! c'est apparemment madame
que voilà,
Qui t'approuve, et qui croit qu'une fille
à ton âge
Doit commencer d'abord par un bon
mariage.
SOPHIE. Oui, s'il en était un.
ARGANT. Parbleu, c'est pour ton bien,
Pour te faire jouir d'un sort pareil au
sien.
SOPHIE. Quoi! vous me souhaitez un sem-
blable partage?
(*En montrant Constance.*)
Madame est donc heureuse?
ARGANT. On ne peut davantage.
SOPHIE. Est-ce elle qui le dit?
CONSTANCE. Je dois en convenir.
SOPHIE. Voilà des nouveautés qu'on ne peut
prévenir.[1]
Ma crainte cependant n'est pas moins
légitime.
Je veux bien pour Damon avoir un peu
d'estime,
Plus que je n'en avoue, et que je ne m'en
crois:
Peut-être, si mon sexe, abusé tant de fois,
Pouvait espérer d'être heureux en ma-
riage,
Je choisirais Damon. . . L'exemple me
rend sage:
Madame, j'ai des yeux, et je vois assez
clair.

[1] wrongly used for prévoir.

Je remarque aujourd'hui qu'il n'est plus
du bon air
D'aimer une compagne à qui l'on s'as-
socie.
Cet usage n'est plus que chez la bour-
geoisie:
Mais ailleurs on a fait de l'amour con-
jugal
Un parfait ridicule, un travers sans
égal.
Un époux à présent n'ose plus le paraî-
tre;
On lui reprocherait tout ce qu'il vou-
drait être.
Il faut qu'il sacrifie au préjugé cruel
Les plaisirs d'un amour permis et mu-
tuel.
En vain il est épris d'une épouse qui
l'aime;
La mode le subjugue en dépit de lui-
même,
Et le réduit bientôt à la nécessité
De passer de la honte à l'infidélité.
ARGANT. Où peut-elle avoir pris une idée
aussi creuse?
SOPHIE, *en montrant Constance.* Sur tout
ce que je vois.
ARGANT. Elle se dit heureuse.
SOPHIE. Constance, heureuse! elle?
CONSTANCE, *avec vivacité.* Oui, madame, je
le suis.
SOPHIE, *avec vivacité.* Non, vous ne l'êtes
pas.
CONSTANCE. Madame, je vous dis. . .
SOPHIE. Avec tant de douceur, de charmes
et de grâces,
Deviez-vous éprouver de pareilles dis-
grâces?
Elle a dit mon secret; je vais dire le
sien.
ARGANT. Qui croire des deux?
SOPHIE. Moi.
ARGANT. Je n'y connais plus rien.
CONSTANCE. Me suis-je jamais plainte?
SOPHIE. En rien, et je vous blâme.
CONSTANCE. M'avez-vous jamais vue. . . ?
SOPHIE. Oui, malgré vous, madame,
J'ai vu. . . j'ai reconnu les traces de vos
pleurs;
Au fond de votre cœur j'ai surpris vos
douleurs.
Mais que dis-je? J'y vois, malgré sa vio-
lence,
Le désespoir réduit à garder le silence.
ARGANT. L'une se dit heureuse, et l'autre
la dément!
Celle-ci ne veut pas épouser son amant;

Sans faire, en dépit d'elle, un nécessaire
éclat :
J'ai vengé sa vertu.

DURVAL. Madame est bonne amie!

SOPHIE. De grâce, épargnez-nous cette
froide ironie.

FLORINE, *avec vivacité.* Quand même vous
seriez encor mieux son époux,
C'est que vous devriez filer un peu plus
doux,
Et baiser tous les pas par où madame
passe ;
Mais vous n'en ferez rien.

CONSTANCE, *avec fierté.* Florine, je vous
chasse ;
Sortez.

FLORINE, *à Constance.* Moi ?

DURVAL, *en ramenant Florine.* Révoquez
un arrêt si cruel ;
Cette fille vous aime, il est bien naturel.
(*A Florine.*)
Viens, cet avis mérite une autre récom-
pense ;
Tiens, prends. . .

FLORINE, *en recevant quelques louis.* Je
n'ai pas cru vous induire en dépense.

DURVAL, *à Constance.* Madame, faites grâce
à ses vivacités.

FLORINE, *à Durval.* Ah ! puisque vous
payez si bien vos vérités,
Une autre fois j'aurai le reste de la
bourse.
(*Durval la lui donne.*)

SOPHIE. La plaisanterie est d'une grande
ressource.

DURVAL, *à Constance, d'un air plus enjoué.*
C'est assez. . . Savez-vous l'étiquette du
jour ?
Car il faut amuser ceux qui vous font
leur cour.

FLORINE, *à part.* Oui, c'est bien là de quoi
madame s'embarrasse !

DURVAL. Vous avez aujourd'hui le plaisir
de la chasse,
Grande musique ensuite, et bal toute la
nuit.
Ne déconcertez point le plaisir qui vous
suit,
Madame ; on partira lorsque vous serez
prête. . .
(*En la regardant.*)
Vous avez un habit convenable à la
fête. . .

CONSTANCE, *avec embarras.* Monsieur. . .

DURVAL, *vivement.* Le rendez-vous est au
milieu du bois :

De là vous pourrez être au lancer, aux
abois,[1]
Avec cette calèche et ce double attelage,
Dont vous avez refait enfin votre équi-
page.
Votre écuyer laissait dépérir votre train ;
Même il vous manque encor quelques
chevaux de main. . .
(*Constance se trouble, et paraît interdite.*)
Madame, ce discours semble vous inter-
dire !
A ces dépenses-là je ne vois rien à dire :
Dépensez hardiment, et vous aurez rai-
son.

FLORINE, *à part.* Cet époux a pourtant
quelque chose de bon.

CONSTANCE. Ce que vous m'apprenez a lieu
de me surprendre. . .
Il m'est bien douloureux d'avoir à vous
apprendre
Le trop juste sujet de ma confusion.
Que je suis malheureuse !

DURVAL. A quelle occasion ?

CONSTANCE. Ah ! je n'aurais jamais prévu,
lorsque j'y pense,
Que l'on pût avec moi prendre tant de
licence.

DURVAL, *contrefaisant l'étonné.* Vous parlez de licence ! en quoi donc, s'il
vous plaît ?

CONSTANCE. J'ignore absolument. . . Je ne
sais ce que c'est. . .
En un mot. . .

DURVAL. Achevez. . . Mais qui vous en empêche ?

CONSTANCE. Cet habit. . . ces chevaux avec
cette calèche. . .

DURVAL. Eh bien ?

CONSTANCE. S'ils sont chez moi. . .

DURVAL. C'est une vérité.

CONSTANCE. Quelqu'un aura sans doute eu
la témérité. . .
Mais c'est assez ; je crois que vous devez m'entendre.

DURVAL. Oui, madame, il n'est pas difficile
à comprendre
Que ce sont des présents qui vous ont
été faits.

CONSTANCE. J'ignore à qui je dois ces indignes bienfaits.

DURVAL. Et vous ne daignez pas chercher à
le connaître. . . ?

FLORINE, *à part.* J'aurais déjà tout fait
sauter par la fenêtre.

DURVAL. Mais sur qui vos soupçons pour-
raient-ils s'arrêter ?

---

[1] être au lancer, aux abois (hunting terms), to be present when the stag is started up and
**at** his last stand.

CONSTANCE. Je laisse dans l'oubli ce qui
doit y rester.

DURVAL, *à part.* Se peut-il que je sois si
loin de sa pensée?

CONSTANCE. Je voudrais ignorer que je
suis offensée.

DURVAL, *à part.* N'importe, donnons-lui de
violents soupçons.
               (*Haut.*)
Madame, cependant j'ai de fortes raisons
Pour oser vous presser, et même avec in-
stance,
D'éclaircir ce mystère. . . il nous est
d'importance,
Plus que je n'ose dire. . . et que vous
ne croyez;
Je vous en saurai gré si vous me l'oc-
troyez.
Voyez, examinez. . . découvrez. . . je
vous prie,
Qui peut avoir risqué cette galanterie. . .
De plus. . . présents ou non. . . ma-
dame, vous pouvez. . .
Oui, vous m'obligerez si vous vous en
servez.

             (*Il sort.*)

## SCÈNE VIII.

### CONSTANCE, SOPHIE, FLORINE.

SOPHIE, *à Constance.* Eh bien! que dites-
vous de cette complaisance?

FLORINE. Cet époux dans la vie apporte assez d'aisance.

CONSTANCE, *après avoir rêvé.* N'est-ce point
mon époux qui m'a fait ces pré-
sents?

FLORINE. Des époux ne font pas des tours
aussi plaisants: [1]
Pour qui les prenez-vous? Ne croyez
point, madame,
Qu'un mari soit jamais prodigue envers
sa femme;
Il lui donne à regret, toujours moins
qu'il ne faut,
Et lui fait tout valoir cent fois plus qu'il
ne vaut.
Mais nous avons ici Damis avec Clitandre,
Galants déterminés, prêts à tout entreprendre:
Je crois qu'on en pourrait accuser ces
messieurs.

SOPHIE. As-tu quelque soupçon?

FLORINE.          J'en ai même plusieurs.

[1] plaisant used here in sense of qui plaît.

SOPHIE. Je ne puis rien comprendre à cette
indifférence.
Se peut-il qu'un époux ait tant de tolé-
rance?

CONSTANCE. Eh! n'empoisonnez pas en-
core mes douleurs.
Hélas! je sens assez le poids de mes mal-
heurs:
Daignez au moins cacher ma nouvelle
disgrâce.
Je vais me renfermer. . . (*A Sophie.*)
Allez, suivez la chasse.

SOPHIE. Je ne vous quitte point.

CONSTANCE.      Vous prenez trop de part
A l'état où je suis. . . Laissez-moi, par
égard.
Profitez du plaisir que l'on offre à vos
charmes:
Je n'ai plus que celui de répandre des
larmes.

            (*Elle sort.*)

SOPHIE, *en la regardant aller.* Quel état!
Et l'on veut que je prenne un
époux?
Qu'on ne m'en parle plus; ils se res-
semblent tous.

## ACTE DEUXIÈME.

### SCÈNE PREMIÈRE.

#### DURVAL, DAMON.

DURVAL, *paraît rêveur; il va et vient.* Notre
cerf n'a pas fait assez de résistance.

DAMON. Il est vrai: mais entrons un moment chez Constance.

DURVAL, *toujours distrait.* Mon équipage
est bon: j'imagine qu'ailleurs
Il serait malaisé d'en trouver de meilleurs.

DAMON. Constance en devait être, elle n'est
point venue.

DURVAL. Je devine à peu près ce qui l'a
retenue.

DAMON. Entrons chez elle. . . Allons; c'est
une attention
Dont elle vous aura de l'obligation.

DURVAL. Oui; mais je ne vais guère en visite chez elle.
On y peut envoyer.

DAMON.         Quelle excuse cruelle!
Du sort de ton épouse adoucis la rigueur:
L'esprit doit réparer les caprices du
cœur.

C'est trop d'y joindre encore un mépris manifeste :
Souvent les procédés font excuser le reste.

DURVAL, *après avoir regardé partout.* Je crois tous nos chasseurs dans son appartement. . .
Pour nous entretenir choisissons ce moment.

(*Il soupire.*)
Cher ami, qu'envers toi je me trouve coupable !
Je t'ai fait un secret dont la charge m'accable ;
Je t'ai craint ; j'ai prévu tes conseils, des discours,
Que ma faible raison me rappelle toujours.
Quand j'ai voulu parler, la honte m'a fait taire ;
Et je crains qu'entre nous l'amitié ne s'altère.

DAMON. Durval, j'ai des défauts, et même des plus grands ;
Mais je n'ai pas celui d'être de ces tyrans
Qui font de leurs amis de malheureux esclaves ;
Leur pénible amitié n'est que fers et qu'entraves :
Toujours jaloux, et prêts à se formaliser,
Il leur faut des sujets qu'ils puissent maîtriser.
Mais la vraie amitié n'est point impérieuse ;
C'est une liaison libre et délicieuse,
Dont le cœur et l'esprit, la raison et le temps,
Ont ensemble formé les nœuds toujours charmants ;
Et sa chaîne, au besoin, plus souple et plus liante,
Doit prêter de concert, sans qu'on la violente.
Voilà ce qu'avec vous jusqu'ici j'ai trouvé,
Et qu'avec moi, je crois, vous avez éprouvé.

DURVAL, *d'un air pénétré.* Eh bien ! sois donc enfin le seul dépositaire
D'un secret dont je vais t'avouer le mystère ;
Que du fond de mon cœur il passe au fond du tien ;
Qu'il y reste caché comme il l'est dans le mien.
Mes inclinations, ami, sont bien changées ;

Mes infidélités vont être bien vengées. . .
J'aime. . . Hélas ! que ce terme exprime faiblement
Un feu. . . qui n'est pourtant qu'un renouvellement,
Qu'un retour de tendresse imprévue, inouïe,
Mais qui va décider du reste de ma vie !

DAMON, *avec étonnement.* Quoi ! ton volage cœur se livrera toujours
A des feux étrangers, à de folles amours !
Ces ardeurs autrefois si pures et si tendres
Ne pourront-elles plus renaître de leurs cendres ?
Tu perds tous les plaisirs que tu cherches ailleurs ;
L'inconstance est souvent un des plus grands malheurs.

DURVAL. Apprends quel est l'objet qui cause mon supplice.

DAMON. Non ; je suis ton ami, mais non pas ton complice.

DURVAL. Ne m'abandonne pas dans mes plus grands besoins ;
Permets-moi d'achever : je compte sur tes soins.

DAMON, *en s'éloignant.* Je ne veux point entrer dans cette confidence.

DURVAL, *en le ramenant.* Je puis t'en informer sans aucune imprudence.
Cet objet si charmant dont je reprends les lois,
Mais que je crois aimer pour la première fois,
Cette femme adorable à qui je rends les armes,
Qui du moins à mes yeux a repris tant de charmes. . .
C'est la mienne.

DAMON. Constance !

DURVAL. Elle-même.

DAMON. Ah ! Durval,
A mon ravissement rien ne peut être égal. . .
N'est-ce point un dépit, un goût faible et volage,
Un accès peu durable, un retour de passage ?

DURVAL. Tu le crains, et Constance en pourra craindre autant.
Qu'il est triste d'avoir été trop inconstant ! . . .
Le véritable amour se prouve de lui-même.
Déjà, pour l'assurer de ma tendresse extrême,

J'ai, par mille moyens qu'invente mon amour,
Rassemblé les plaisirs dans cet heureux séjour.
Apprends donc que je suis cet amant qu'on ignore,
Qui procure sans cesse à l'objet que j'adore
Tous ces amusements imprévus et nouveaux,
Dont tout le monde ici soupçonne des rivaux,
Assez vains pour nourrir une erreur si grossière.
Je lui fais des présents de la même manière. . .
On s'attache encor plus par ses propres bienfaits;
Je le sens, je l'en veux accabler désormais.
On s'enrichit du bien qu'on fait à ce qu'on aime.

DAMON. Mais tu dois lui causer un embarras extrême.
Que peut-elle penser. . . ? Durval, y songes-tu?

DURVAL. Oui! je viens de jouir de toute sa vertu.
J'ai vu le trouble affreux dont son âme est atteinte;
Cependant je feignais en écoutant sa plainte;
J'affectais un air libre, et vingt fois j'ai pensé
Me déclarer. . . Tu vas me traiter d'insensé.
Malgré tout cet amour dont je t'ai rendu compte,
Je me sens retenu par une fausse honte.
Un préjugé, fatal au bonheur des époux,
Me force à lui cacher un triomphe si doux.
Je sens le ridicule où cet amour m'expose.

DAMON. Comment du ridicule. . . ? Et quelle en est la cause?
Quoi! d'aimer sa femme?

DURVAL.                    Oui; le point est délicat:
Pour plus d'une raison je ne veux point d'éclat;
Je n'ai déjà donné sur moi que trop de prise.
Ce raccommodement devient une entreprise. . .
J'avais imaginé d'obtenir de la cour
Un congé pour passer deux mois dans ce séjour,
Sous prétexte de faire ici ton mariage.

Damon, voilà pourquoi Constance est du voyage:
J'y croyais être libre et seul avec les miens;
Je comptais y trouver en secret des moyens
Pour pouvoir sans éclat renouer notre chaîne;
Mais pour les malheureux la prévoyance est vaine.
Ma maison est ouverte à tous les survenants,
Mon rang m'attire ici mille respects gênants. . .
Clitandre avec Damis, sans que je les en prie,
Ne se sont-ils pas mis aussi de la partie?
Tu les connais, ce sont d'assez mauvais railleurs;
Alors contre moi seul ils deviendront meilleurs.
Ainsi des autres; c'est à quoi je dois m'attendre. . .
Je ne pourrai jamais soutenir cette esclandre;
Il faudra tout quitter: j'irai me séquestrer,
Ou, pour mieux dire, ici je viendrai m'enterrer
Avec des campagnards dont tu connais l'espèce,
Sans que dans mon désert un seul ami paraisse.
Et véritablement quelle société
Que celle d'un mari de sa femme entêté,
Qui n'a des yeux, des soins, des égards que pour elle,
Et que, pour ainsi dire, elle tient en tutelle!

DAMON, froidement. Tout bien examiné, vous verrez qu'un mari
Ne doit jamais aimer que la femme d'autrui.

DURVAL. Tu ris. Suis-je venu pour mettre la réforme?

DAMON, ironiquement. Le serment de s'aimer n'est donc que pour la forme?
L'intérêt le fait taire; il ne tient qu'un moment. . .
(Vivement.)
Dis-moi, trahirais-tu tout autre engagement?
Oserais-tu produire une excuse aussi folle?
Au dernier des humains tu tiendrais ta parole;
Il saurait t'y forcer aussi bien que les lois.
(Tendrement.)

Mais une femme n'a, pour soutenir ses
    droits,
Que sa fidélité, sa faiblesse et ses larmes;
Un époux ne craint point de si fragiles
    armes.
Ah! peut-on faire ainsi, sans le moindre
    remord,
Un abus si cruel de la loi du plus fort?
DURVAL. Je suis désespéré; mais je cède à
    l'usage.
Suis-je le seul? Tu sais que l'homme le
    plus sage
Doit s'en rendre l'esclave.
DAMON, *vivement*. Oui, lorsqu'il ne s'agit
Que d'un goût passager, d'un meuble ou
    d'un habit:
Mais la vertu n'est point sujette à ses
    caprices,
La mode n'a point droit de nous don-
    ner des vices,
Ou de légitimer le crime au fond des
    cœurs.
Il suffit qu'un usage intéresse les mœurs,
Pour qu'on ne doive plus en être la vic-
    time;
L'exemple ne peut pas autoriser un
    crime.
Faisons ce qu'on doit faire, et non pas ce
    qu'on fait.
DURVAL. Mais enfin je me sens assez fort
    en effet
Pour sacrifier tout, sans que je le re-
    grette;
Pour aller vivre ensemble au fond d'une
    retraite.
DAMON. Mais voilà le parti d'un vrai dés-
    espéré.
DURVAL. Et c'est pourtant le seul que j'au-
    rais préféré.
Un inconvénient, sans doute inévi-
    table,
M'imprime une terreur encor plus véri-
    table.
Si j'apprends à Constance un triomphe
    si doux,
Si ma femme me voit tomber à ses ge-
    noux,
Comment daignera-t-elle user de sa vic-
    toire?
Je crains de lui donner moins d'amour
    que de gloire,
Je crains que sa fierté ne surcharge mes
    fers.
On en voit tous les jours mille exemples
    divers.
DAMON. On en trouve toujours de toutes
    les espèces,
Surtout lorsque l'on cherche à flatter ses
    faiblesses.

Ce soupçon pour Constance est trop in-
    jurieux.
DURVAL. Tu ne le connais pas, ce sexe im-
    périeux:
Dans notre abaissement il met son bien
    suprême;
Il veut régner, il veut maîtriser ce qu'il
    aime,
Et ne croit point jouir du plaisir d'être
    aimé,
S'il n'est pas le tyran du cœur qu'il a
    charmé.
DAMON. Ce reproche convient à l'un tout
    comme à l'autre.
Eh! pourquoi voulons-nous qu'il soit sou-
    mis au nôtre?
Mais le traitons-nous mieux quand nous
    l'avons séduit?
Notre empire commence où le sien est
    détruit.
Nous plaindrons-nous toujours, injustes
    que nous sommes,
De ce sexe qui n'a que le défaut des
    hommes?
Quel ridicule orgueil nous fait mésesti-
    mer
Ce que nous ne pouvons nous empêcher
    d'aimer?
DURVAL. Constance aura de plus à punir
    mes parjures,
A redouter encor de nouvelles injures,
A craindre une rechute, un nouvel aban-
    don;
Constance doit me faire acheter mon par-
    don.
Que de soins, de soupirs, de regrets et
    de larmes,
Faudra-t-il que j'oppose à ses justes
    alarmes!
Plus je vais employer de faiblesse et
    d'amour,
Et plus son ascendant croîtra de jour en
    jour.
    (*Il rêve.*)
Ah! c'en est trop, il faut suivre ma des-
    tinée,
La résolution en est déterminée. . . .
DAMON, *en l'embrassant*. Ah! cher ami, re-
    çois le prix de ta vertu.
Que ce retour heureux va causer. . . !
DURVAL.               Que dis-tu?
Quelle méprise!
DAMON. Au pieds d'une épouse adorable,
Ne vas-tu pas reprendre une chaîne du-
    rable?
DURVAL. Au contraire.
DAMON.            Quoi donc?
DURVAL.               Je vais me dérober
Au danger évident où j'allais succomber.

Je renonce aux projets dont je viens de
t'instruire.

Laisse-moi, tes conseils ont pensé me séduire.

DAMON. Mais songe donc aux biens où tu
vas renoncer.

Sais-tu bien quel arrêt tu viens de prononcer ?

Il faut donc que Constance expire dans
les larmes,

Lorsqu'elle eût pu te faire un sort si
plein de charmes ?

Que d'attraits, que d'amour, que de plaisirs perdus !

Si tu la haïssais, que ferais-tu de plus ?

DURVAL, *d'un ton pénétré.* Hélas ! il faut
se rendre, et lui sauver la vie.

C'en est fait, pour jamais ma honte est
asservie. . .

Sois content, mon cœur cède et se rend
à l'amour.

Viens être le témoin du plus tendre retour.

(*Il fait quelques pas pour sortir;
Constance arrive, il se trouble.*)

Quelle rencontre, ô ciel ! C'est elle qui
s'avance. . .

Ne ferai-je pas mieux d'éviter sa présence ?

(*Il veut s'en aller, Damon le retient.*)

## SCÈNE II.

CONSTANCE, DURVAL, DAMON.

DURVAL, *après quelque résistance, se rapproche avec Damon.* (*A Constance.*)
Je retenais Damon, qui voulait s'en
aller :

Je crois que devant lui nous pouvons
nous parler ?

CONSTANCE. Il n'est jamais de trop.

DURVAL.                    On vous a demandée.

DAMON. L'on a dit que madame était incommodée.

CONSTANCE, *à Durval.* Je l'ai feint, et je
viens vous en rendre raison.

DURVAL, *avec douceur.* Vous ne m'en devez
rendre en aucune façon.

CONSTANCE. Hélas ! j'avais besoin d'un peu
de solitude.

Vous savez le sujet de mon inquiétude ;

Elle augmente sans cesse, et je crains
tous les yeux.

Depuis que l'on m'a fait ces dons injurieux,

Je n'en puis sans douleur envisager la
suite ;

Je crains d'autoriser une indigne poursuite. . .

DURVAL. Est-ce pour ces présents ? On
saura vos refus.

CONSTANCE. Ah ! j'étais respectée, et je
ne le suis plus.

DURVAL *l'embrasse, et tendrement.* Rassurez-vous, c'est moi. . . qui. . . me
charge du blâme.

CONSTANCE. J'en mourrai de douleur.

DURVAL, *avec trouble.* Cela suffit, madame. . .

(*A Damon.*)

Je ne sais où j'en suis.

DAMON, *bas, à Durval.* Il faut t'aider un
peu.

DURVAL, *bas et vivement, à Damon.* Cher
ami, n'en fais rien, ou crains mon
désaveu.

CONSTANCE, *étonnée, s'approchant d'eux.*
Qu'avez-vous ?

DURVAL, *un peu remis.* Ce n'est rien. J'ai
peine à le réduire. . .

C'est à votre sujet. . . il faut vous en
instruire. . .

Sachez donc un secret. . . vous ne le
croirez pas. . .

Vous voyez devant vous. . .

CONSTANCE.            Eh bien ?

DURVAL.                    Notre embarras. . .

Oui, vous voyez. . . quelqu'un qui n'ose
plus attendre. . .

Qui craint de compromettre un amour
aussi tendre. . .

Mais. . . que ne pouvez-vous lire au
fond de son cœur. . . ?

CONSTANCE. Vous parlez de Damon ?

DURVAL, *vivement.*            Justement.

DAMON.                    Quelle erreur !

En vérité, madame, il parle de lui-même.

DURVAL. Non, il me fait parler. . . Voyez
son trouble extrême. . .

Il est timide, il craint de vous trop ra-
baisser. . .

Il n'ose vous prier de vous intéresser
A son bonheur.

DAMON.        Bourreau !

CONSTANCE.            Sa crainte est indiscrète.

DURVAL. Je le disais.

CONSTANCE. Il sait combien je le souhaite.

DURVAL. Ah ! vous me ravissez : prêtez-lui
votre appui.

CONSTANCE. Damon y peut compter.

DURVAL.            Moi, je réponds pour lui ;

Je me rends le garant d'une flamme si
belle.

DAMON, *bas, à Durval.* Morbleu ! parlez
pour vous.

CONSTANCE, *bas.* Quel garant infidèle !

DURVAL. Otez donc à Sophie un préjugé fatal
Qu'elle a contre l'hymen. Ah! qu'elle en juge mal!
Qu'au contraire leur sort sera digne d'envie!
Non, il n'est point d'état plus heureux dans la vie,
Pour ceux que la raison et l'amour ont unis.
L'hymen seul peut donner des plaisirs infinis;
On en jouit sans peine et sans inquiétude:
On se fait l'un pour l'autre une heureuse habitude
D'égards, de complaisance et de soins les plus doux.
S'il est un sort heureux, c'est celui d'un époux
Qui rencontre à la fois dans l'objet qui l'enchante
Une épouse chérie, une amie, une amante.
Quel moyen de n'y pas fixer tous ses désirs!
Il trouve son devoir dans le sein des plaisirs.

CONSTANCE, *tendrement.* Je sens que ce portrait devrait être fidèle.

DURVAL, *en la regardant de même.* Madame, on en pourrait trouver plus d'un modèle.

## SCÈNE III.

CLITANDRE, DAMIS, ARGANT, CONSTANCE, DURVAL, DAMON.

CLITANDRE, *aux autres, en entrant.* Voilà ce que jamais on n'aurait attendu.

DURVAL, *troublé, à Damon.* C'est Clitandre et Damis; m'auraient-ils entendu?

CLITANDRE, *en riant.* Venez, rassemblons-nous; la scène est impayable. . .
Si risible, en un mot, qu'elle en est incroyable.
(*Il rit.*)
Laisse-moi rire encore.

ARGANT.                   Allons, rions. De quoi?

CLITANDRE, *à Durval.* On m'écrit. . . Tu riras.

DURVAL, *froidement.* Peut-être.

CLITANDRE.                  Oh! par ma foi,
Nous ne le craindrons plus cet aimable volage,
Ce célèbre coquet, ce galant de notre âge,
Qui fut le plus heureux de tous les inconstants;

Nous le connaissons tous, et même à nos dépens:
Sainfar.

ARGANT. Je le connais: son père fut de même;
Il était en amour d'une fortune extrême.
Il faut qu'à son sujet je vous. . . Non, poursuivez;
Voyons, quels contre-temps lui sont donc arrivés?

DAMON. Peut-être quelque époux, d'humeur moins pacifique,
En a fait le héros d'une histoire tragique?

ARGANT. Est-ce que pour si peu l'on traite ainsi les gens?

CLITANDRE. Non, il n'en a jamais trouvé que d'indulgents.

CONSTANCE. Aurait-il fait au jeu quelque dette importune?

CLITANDRE. Non, le jeu n'a jamais dérangé sa fortune.

DURVAL. Se serait-il battu?

DAMIS.                Ce n'est pas son **défaut.**

DAMON. Est-il disgrâcié?

CLITANDRE.            Bien pis.

ARGANT.                  Mort?

CLITANDRE.                        Autant vaut;
Il est amoureux fou.

TOUS, *c'est-à-dire Durval, Argant, Damon.*
                   De qui?

CLITANDRE.             C'est lettres closes.
Devine si tu peux, et choisis si tu l'oses:
Je vous le donne en cent. Qui l'aurait jamais cru?

DURVAL. Il est audacieux.

CLITANDRE.              Il en a rabattu.

DAMON. Une franche coquette a-t-elle su lui plaire?

CLITANDRE. Eh mais, une coquette est un choix ordinaire.

ARGANT. Est-ce cette marquise assez bien en appas,
Mais qui ne plaît qu'alors qu'elle n'y pense pas?

CLITANDRE. Non.

ARGANT. A-t-il entrepris le cœur de quelque prude?
En tout cas, je le plains; l'esclavage en est rude;
Il faut trop les aimer, et trop correctement.

CLITANDRE. Non.

ARGANT.      C'est donc cette actrice?

CLITANRE.              Eh non, aucunement.

CONSTANCE. Mais ne serait-ce point son épouse qu'il aime?

ARGANT. Sa femme!

CLITANDRE. Et vraiment oui, c'est sa femme elle-même. . .

ARGANT. Ce sont contes en l'air qu'il vient vous faire ici.

CLITANDRE. Pardonnez-moi.

DURVAL, à Damon. Sainfar aime sa femme aussi.

DAMIS, à Constance. On vous en avait dit quelque mot à l'oreille ;
On ne devine pas une énigme pareille.

CONSTANCE, avec un peu de fierté. Pour peu qu'on soit sensé, l'on devine le bien. . .
Mais vous vous étonnez fort à propos de rien :
C'est un cœur égaré que le devoir ramène,
Que l'amour fait rentrer dans sa première chaîne,
Qui n'a jamais trouvé de vrais plaisirs ailleurs,
Et qui veut être heureux en dépit des railleurs.
Je crains que ma présence ici ne vous déplaise :
Je vous laisse railler et médire à votre aise.

## SCÈNE IV.

ARGANT, DURVAL, DAMON, CLITANDRE, DAMIS.

CLITANDRE. Constance prend la chose affirmativement.

ARGANT. Bon ! bon ! c'est pour la forme.

DAMON. Elle a grand tort, vraiment.

ARGANT. Je suis sûr qu'elle en rit dans le fond de son âme. . .
Eh bien, notre galant aime jusqu'à sa femme !
C'est avoir pour le sexe un furieux penchant.

DURVAL, à Clitandre. Et que dit-on partout d'un retour si touchant ?

DAMIS. A ton avis, Durval ? L'enquête me fait rire.

CLITANDRE. Parbleu ! cette sottise en a fait beaucoup dire.
A la cour, à la ville, on l'a tant blasonné,
Hué, sifflé, berné, brocardé, chansonné,
Qu'enfin, ne pouvant plus tenir tête à l'orage,
Avec sa Pénélope il a plié bagage :
En fin fond de province il l'a contrainte à fuir ;
Ils sont allés s'aimer, et bientôt se haïr.

ARGANT. C'est un enlèvement.

DAMIS. Qui n'est pas fort d'usage.

ARGANT. Ce n'est point là le but que le sexe envisage :
Lorsqu'au nôtre il veut bien se laisser assortir,
C'est d'entrer dans le monde, et non pas d'en sortir.

DURVAL. Ils jouissent, sans doute, au fond de leur retraite,
D'une félicité qui doit être parfaite.

CLITANDRE. Sainfar n'a de ses jours été si malheureux ;
Il adore en esclave un tyran dédaigneux,
Un maître dont il est le premier domestique,
Qui, trop sûr à présent d'un pouvoir despotique,
Le punit du passé, se venge de l'ennui
De se voir enterré de la sorte avec lui.

DAMIS. Sa femme l'a remis à son apprentissage.

CLITANDRE. C'est à recommencer.

ARGANT. Sans doute c'est l'usage. . .
Cet homme est possédé du démon conjugal.

CLITANDRE. Possédé de sa femme. . . Eh ! ris-en donc, Durval.

DURVAL. Oui. . . rien n'est plus plaisant . . . (A Damon.) Quelle épreuve . . . ! J'enrage.

CLITANDRE. C'est un homme perdu, noyé dans son ménage.

ARGANT. Abîmé.

CLITANDRE. Confisqué.

DAMIS. Nul.

DURVAL, à Damon. Ami, quel propos !

DAMIS, à Durval. Depuis quand n'oses-tu rire aux dépens des sots ?

DURVAL, avec embarras. Moi ? point du tout ; j'en ris autant qu'il m'est possible.

DAMON, avec indignation. Pour qui donc cette histoire est-elle si risible ?
Pour des évaporés, des gens avantageux,
Qui croiraient composer tout le public entre eux,
Et qui ne sont pour lui qu'un sujet de scandale.
Mais je vous crois, messieurs, un peu plus de morale :
Non, vous ne pensez pas ce que vous avancez.
A tous autres qu'à vous, à des gens moins sensés,
Je dirais, indigné de tout ce badinage :
Si l'amour du devoir n'est pas à votre usage,
Laissez-le pratiquer sans y prendre intérêt ;

Oui, laissez la vertu du moins pour ce
qu'elle est.

DAMIS, *à Damon.* Je n'ai jamais douté de
ta philosophie;
Nous en ferons ta cour à l'aimable Sophie.

DAMON. Que ceux à qui je parle en fassent
leur profit;
Du reste, je vous suis obligé.

DAMIS.                    C'est bien dit.
Moi, je crois qu'on peut rire, et même
sans scrupule,
D'un amour que le monde a jugé ridi-
cule.
Sainfar est dans le cas: on en est con-
venu.
Il a pris un travers assez bien reconnu,
Puisque son aventure est mise en comé-
die.

ARGANT. Tout de bon?

DAMIS. J'ai la pièce; on l'a fort applaudie:
Nous sommes dans le goût d'en jouer entre nous;
Nous jouerons celle-ci. . . Messieurs,
qu'en dites-vous?

ARGANT. Volontiers.

DURVAL, *froidement.* Si l'on veut.

DAMON, *avec colère.* C'est une farce infâme.

DAMIS. On la nomme *l'Époux amoureux
de sa femme.*

ARGANT. Bon! c'est un des travers qu'on
doit moins épargner:
Il n'est pas fort commun, mais il pour-
rait gagner;
Et la société n'y ferait pas son compte.
Combien il est d'époux retenus par la
honte!
Tant mieux. . . Aurai-je un rôle?

DAMIS.            Oui, sans doute.

ARGANT.                    Fort bien.

DAMIS. Les dames y joueront; Constance
aura le sien,
Elle sera l'épouse aimée à toute ou-
trance:
Durval contrefera l'amoureux de Con-
stance:
Damon aura tout juste un rôle de Ca-
ton;
(*A Clitandre.*)
Toi celui d'étourdi.

ARGANT.            L'arrangement est bon.

DAMIS. Il nous faut un valet: qui pourrait
bien le faire. . . ?
(*A Durval.*)
Ah! ton valet de chambre, Henri; c'est
notre affaire.
Ainsi du reste.

DAMON. Oui; mais ne comptez pas sur moi.

DAMIS. Durval, tu te fais fort apparemment. . . ?

DURVAL, *froidement.*            De quoi?

DAMIS. C'est d'engager Constance à jouer
dans la pièce.

ARGANT. Je vais la prévenir, aussi bien
que ma nièce.
(*Il sort.*)

DAMIS, *à Durval.* Détermine Damon: quant
à toi, tu sais bien
Que l'on doit se prêter; tu ne risqueras
rien.

(*Ils sortent.*)

## SCÈNE V.

### DURVAL, DAMON.

DURVAL, *d'un air ironique.* En est-ce assez? Dis-moi, que pourrais-tu répondre?
Il fallait cet exemple, afin de te confondre.
Où m'allais-je embarquer? . . . Ne me
presse donc plus:
Tes conseils désormais deviendraient superflus.

DAMON. Vous permettez qu'on joue une
farce indiscrète,
Et vous y prenez même un rôle!

DURVAL.            Oui, je m'y prête.
A ma femme du moins je parlerai
d'amour;
Je verrai ses beaux yeux y répondre à
leur tour;
J'en jouirai sans risque, et sans me com-
promettre.
Hélas! c'est un plaisir qu'on doit bien
me permettre. . .
J'aurais dû refuser. . . Oui, je me tra-
hirai:
On verra que je sens tout ce que je dirai.
Je mettrai, malgré moi, trop d'amour
dans mon rôle;
Je me perdrais: je vais retirer ma pa-
role.

DAMON. Est-il temps? Il fallait ne pas tant
s'avancer.
Constance est prévenue, elle pourra pen-
ser
Que tu n'as refusé que par mépris pour
elle.
(*A part.*)
Il le faut embarquer.

DURVAL, *après avoir rêvé.* Ta remarque
est cruelle. . .
Je ferai beaucoup mieux de tout abandonner,

De prétexter un ordre, et de m'en retour-
  ner.
Je le vais annoncer, et partir tout de
  suite.
      (*Il va pour sortir, et revient.*)
DAMON. Quelle faiblesse !
DURVAL. Écoute : avant que je les quitte,
J'ai fait peindre Constance en secret, et
  je crois
Que son portrait est fait ; car c'est de-
  puis un mois
Qu'on est après. Le peintre est dans le
  voisinage :
Vois si par aventure il a fini l'ouvrage.
C'est un soulagement dont mes yeux ont
  besoin,
Je voudrais l'emporter.
DAMON.      Va, je prendrai ce soin.
Mais tu ne partiras peut-être pas si vite ?
DURVAL. Dès ce soir même.
                  (*Il sort.*)
DAMON.    Il faut que j'empêche sa fuite.
Si la mode empoisonne un naturel heu-
  reux,
A quoi sert le bonheur d'être né ver-
  tueux ?

## ACTE TROISIÈME.

### SCÈNE PREMIÈRE.

#### DAMON.

Enfin Durval nous reste, et j'en ai sa
  parole ;
Je crois avoir détruit son préjugé frivole.
C'est un retour heureux qui n'est dû qu'à
  mes soins ;
Sophie a contre moi ce prétexte de
  moins.
Sachons s'il est le seul qui me reste à
  détruire. . .
Mais devrais-je chercher à vouloir m'en
  instruire. . . ?

### SCÈNE II.

#### SOPHIE, DAMON.

SOPHIE, *en traversant le théâtre.* Ah ! vous
  voici, monsieur ! Entrez-vous au concert ?
DAMON. Je vous suis.
SOPHIE. A propos, est-il vrai qu'on vous
  perd ?
DAMON. Ce terme est trop flatteur ; mais je
  sais le réduire
A sa juste valeur.

SOPHIE.      Eh ! tâchez de m'instruire.
DAMON. Durval devait partir, un contre-
  ordre est venu ;
C'est par ce contre-temps que je suis re-
  tenu.
SOPHIE. Un contre-temps, monsieur ?
DAMON.      Qui fait que j'offre encore
Un objet qui déplaît à celui que j'a-
  dore.
Mais, par votre ordre enfin, j'ai reçu
  mon arrêt ;
Je l'exécuterai, tout injuste qu'il est. . .
Pardonnez ce murmure, il est bien légi-
  time
Au malheureux à qui l'on va chercher un
  crime
Au fond d'un avenir qui n'est pas fait
  pour lui :
On me punit de ceux dont on soupçonne
  autrui.
SOPHIE. Je vois qu'on vous a fait un rap-
  port trop fidèle ;
On pouvait l'adoucir.
DAMON.      Il est donc vrai, cruelle ?
Un autre plus heureux, plus digne ap-
  paremment. . .
SOPHIE *vivement.* Me ferait encor moins
  changer de sentiment.
DAMON. Ai-je pu m'attirer un refus légi-
  time ?
J'aurais eu votre cœur, si j'avais votre
  estime.
SOPHIE. Puisque vous en tirez cette con-
  clusion,
Je n'ai rien à répondre en cette occasion.
Quoi ! faut-il vous aimer pour vous ren-
  dre justice ?
DAMON. C'est exiger de vous un trop
  grand sacrifice.
Vous aimez votre erreur.
SOPHIE.      Non. . . j'en voudrais guérir.
DAMON. Mais enfin, si celui qui sert à la
  nourrir,
Si Durval. . .
SOPHIE. Je connais jusqu'où va votre zèle :
Que vous justifiez cet époux infidèle.
DAMON. Madame, supposons qu'il soit. . .
SOPHIE.      Oui, tel qu'il est.
DAMON. Eh bien ! en convenant de tout ce
  qui vous plaît. . .
SOPHIE. Vous aurez tort ; et moi j'ai de
  justes alarmes. . .
Vous m'allez opposer des discours pleins
  de charmes,
Me jurer un amour qui durera toujours.
Constance fut séduite avec ces beaux dis-
  cours.
Qu'elle en a fait depuis une épreuve
  cruelle !

Vous la voyez: elle est étrangère chez
elle;
Une personne à charge, et sans auto-
rité;
Exposée au mépris, à la témérité;
Réduite, pour tout bien, au nom qu'elle
partage
Avec un infidèle: inutile avantage!
Sans l'amour d'un époux, nous sommes
sans éclat:
Son cœur fait notre titre, et nous donne
un état.

DAMON. Mais cet homme, en un mot, que
vous jugez coupable,
D'un généreux retour est-il donc incapable?

SOPHIE. Il est accoutumé; cela ne se peut
pas.

DAMON. Quand on s'égare, on peut revenir
sur ses pas.

SOPHIE. Il ne reviendra point, j'en suis
trop assurée:
Son humeur inconstante est trop bien
avérée:
Son exemple, en un mot. . . Eh! croyez-
vous. . . ? Mais non. . .

DAMON. Quoi?

SOPHIE. Ce que je voulais dire est hors
de saison.

DAMON. Je suis trop malheureux pour
avoir rien à craindre.
Parlez, de grâce.

SOPHIE.            Il est inutile de feindre.
Écoutez: je suis franche, et vous l'allez
bien voir.
Oui, je sens tout le prix que vous pou-
vez valoir;
Je crois connaître à fond votre heureux
caractère;
Autant que votre amour, votre vertu
m'est chère:
Peut-être l'on pourrait vivre heureuse
avec vous,
Si la constance était au pouvoir d'un
époux:
Mais la fatalité que l'hyménée en-
traîne. . .
Durval vous ressemblait.

DAMON.        Mais s'il reprend sa chaîne. . .

SOPHIE. Lorsque l'on craint pour vous
vous répondez d'autrui.
Damon, vous me perdrez si vous comptez sur lui.

DAMON. Mais du moins laissez-moi cette
unique espérance;
Promettez de vous rendre à ma persévé-
rance,
Si Durval. . .

SOPHIE.            En ce cas. . .

DAMON.            Achevez, prononcez. . .
Hé quoi! vous hésitez?

SOPHIE.            Mais vous m'embarrassez.

DAMON. Quel risque courez-vous, si vous
êtes si sûre
Que Durval, dites-vous, sera toujours
parjure?

SOPHIE. A quoi servira-t-il de nourrir votre
amour?
(Tendrement.)
Le croyez-vous bien sûr, ce prétendu retour?

DAMON. On pourrait l'espérer.

SOPHIE.            Eh bien! il faut l'attendre.

DAMON. Comment?

SOPHIE. Jusqu'à ce temps je ne veux rien
entendre
Qui puisse m'exposer en aucunes façons.

DAMON. Vous exposer!

SOPHIE.            Suffit.

DAMON.            En quoi?

SOPHIE.            J'ai mes raisons.
En un mot, je prétends. . .

DAMON.            Imposez sans réserve:
Il n'est point de traité qu'avec vous je
n'observe.

SOPHIE. Je ne m'engage à rien.

DAMON.            Moi, je m'engage à tout.

SOPHIE. Peut-être.

DAMON.            En doutez-vous?

SOPHIE.            Écoutez jusqu'au bout.
J'exige. . . Vous m'aimez?

DAMON.            Ah! si je vous adore! . . .

SOPHIE. Eh bien! je vous défends de m'en
parler encore.
Supprimez désormais ces discours séducteurs,
Ces soupirs, ces regards, et ces soins enchanteurs,
Dont tout autre que moi se laisserait surprendre.
Enfin, je ne veux plus avoir à me défendre.

DAMON. De quel soulagement voulez-vous
me priver?

SOPHIE. Ce bienheureux retour peut ne pas
arriver.

DAMON. Je vous adorerais sans pouvoir
vous le dire!

SOPHIE. Vous n'avez que trop pris le soin
de m'en instruire.

DAMON. Vous voulez l'oublier; dois-je
vous obéir?

SOPHIE. Damon, vous voulez donc me contraindre à vous fuir?
(Elle veut sortir.)

DAMON. Mon malheureux amour se fera
violence;

Je vais le condamner au plus cruel silence.

SOPHIE. De plus je vous défends jusques au mot d'amour.

DAMON. Il faut s'y conformer jusques à ce retour.

Oui, cruelle, malgré tout l'amour qui me presse,

Comptez sur un respect égal à ma tendresse. . .

Je vous promets bien plus que je ne puis tenir.

(*Il lui prend la main.*)

Oui, ma bouche et mes yeux sauront se contenir.

(*Il se jette à ses genoux. Il lui baise la main.*)

J'en jure à vos genoux: si jamais je m'oublie. . .

(*Il continue à lui baiser la main.*)

SOPHIE, *interdite.* Damon, est-ce donc là le serment qui vous lie?

DAMON, *étonné.* Me serais-je échappé?

(*Il recommence.*)

SOPHIE, *en voulant se débarrasser.* Je le crois. . . Au surplus. . .

Encore. . . Une autre fois ne nous oublions plus.

(*Elle sort.*)

## SCÈNE III.

### DAMON.

Je serai donc heureux, et je le suis d'avance;

Je jouis des plaisirs que donne l'espérance.

Durval m'a tout promis, allons le retrouver:

Dans le bosquet prochain il s'occupe à rêver.

## SCÈNE IV.

DAMIS, DAMON, *rencontré par Damis.*

DAMIS. Damon, voilà ton rôle.

DAMON. Oh! faites-moi la grâce

De ne pas m'en charger! Que quelqu'autre le fasse.

(*Il sort.*)

## SCÈNE V.

### DAMIS, CLITANDRE.

DAMIS. On le lui fera prendre. . . (*A Clitandre.*) Ah! je te cherche aussi.

C'était pour te donner ton rôle; le voici.

Tu sors de chez Constance?

CLITANDRE. Oui, j'étais chez les dames,

Où je viens d'obliger au moins cinq ou six femmes.

DAMIS. Peut-on savoir comment?

CLITANDRE. J'ai joué, j'ai perdu.

DAMIS. C'est bien faire ta cour.

CLITANDRE. N'est-ce pas? Qu'en dis-tu?

DAMIS. Voilà le vrai moyen d'être un homme adorable.

Je n'ai pas, comme toi, ce secret admirable.

CLITANDRE. Marquis, tu n'es pas moins un homme merveilleux.

DAMIS. Ah! merveilleux toi-même.

CLITANDRE. Ami, j'ai de bons yeux:

Et celle à qui l'on donne ici toutes ces fêtes

Sera-t-elle bientôt au rang de tes conquêtes?

DAMIS. C'est de toi qu'il faudrait avoir pris des leçons.

CLITANDRE. Quoi! tu voudrais sur moi détourner les soupçons?

DAMIS. Tant de discrétion m'alarme et m'épouvante.

CLITANDRE. Jamais je ne me vante.

DAMIS. Eh! qui diable se vante?

Des sots.

CLITANDRE. Sans contredit.

DAMIS. Des têtes à l'évent.

Quand j'en trouve (cela m'arrive assez souvent),

Mon plus grand plaisir est de leur rompre en visière.

CLITANDRE. Je les traite à peu près de la même manière.

A propos, sais-tu bien. . . ?

DAMIS. Non.

CLITANDRE. Que sans y songer. . .

DAMIS. Quoi?

CLITANDRE. Nous pourrions nous nuire? Il faudrait s'arranger,

Et nous concilier dans certaine occurence,

Pour ne nous pas trouver tous deux en concurrence.

DAMIS. Je t'entends. (*A part.*) C'est un fat que je veux dérouter.

(*A Clitandre.*)

Nous sommes l'un pour l'autre assez à redouter.

CLITANDRE. Oui, c'est le mot. Ainsi, dans nos galanteries,

Entendons-nous; surtout point de supercheries:

Entre nous seulement soyons honnêtes gens:

Nous sommes en amour assez intelli-
gents ;
Nous avons sous la main vingt conquêtes
pour une.

DAMIS. Il est vrai.

CLITANDRE. Partageons entre nous la fortune :
Établis ton quartier.

DAMIS.                    Le mien sera partout.

CLITANDRE. Tu ris. Ne cherchons point à
nous pousser à bout :
Il faut rouler, il faut avancer : le temps
passe ;
Nous en perdrions trop devant la même
place. . .
D'ailleurs, certain égard nous convient à
tous deux.
Si la même maîtresse est l'objet de nos
vœux,
L'embarras de choisir la rendra trop per-
plexe.
Ma foi, marquis, il faut avoir pitié du
sexe,
Et lui faciliter sa gloire et ses plaisirs :
C'est pourquoi convenons.

DAMIS.                    Je cède à tes désirs.

CLITANDRE. Eh bien ! quel est le cœur où
tu veux t'introduire ?

DAMIS. Et toi, quel est celui que tu voudrais séduire ?

CLITANDRE. Quant à moi, c'en est un de
difficile accès.

DAMIS. Mon choix n'annonçait pas un facile succès.
Es-tu bien avancé ?

CLITANDRE, *mystérieusement.* J'espère.

DAMIS, *le contrefaisant.* Et moi de
même. . .

CLITANDRE. Nous espérons tous deux, ma
joie en est extrême ;
Nous ne nous croisons pas.

DAMIS.                    Je t'en fais compliment.

CLITANDRE. Ma concurrence eût pu te nuire
également.
Je vais pousser ma chance ; et toi, songe
à la tienne.
Dans peu je te rendrai bon compte de la
mienne.

(*Il sort.*)

## SCÈNE VI.

DAMIS *se met à rire en le voyant aller.*

Va, c'est où je t'attends. Je rabattrai les
airs
Du fat le plus parfait qui soit dans l'u-
nivers.

Oh, parbleu ! nous verrons qui s'en fait
plus accroire.
Je ne puis être aimé ; mais j'en aurai
la gloire.
Il en veut à Constance indubitablement ;
C'est, aussi bien que moi, fort inutile-
ment.
Nous nous sommes joués, il trouvera son
maître :
On n'est heureux qu'autant qu'on se
donne pour l'être.
(*Il tire un portrait.*)
Je sais me fabriquer des preuves de bon-
heur :
J'ai là certain portrait qui doit me faire
honneur. . .

## SCÈNE VII.

DAMIS, DURVAL, DAMON.

DAMIS. Durval, voilà ton rôle et celui de
Constance.
Pour Damon, je n'ai pu vaincre sa ré-
sistance :
Je te laisse ce soin.

DURVAL.                    Donne, il le voudra bien.

DAMIS. Je vais chercher Argant, et lui
donner le sien.

(*Il sort.*)

## SCÈNE VIII.

DURVAL, DAMON.

(*Durval a les yeux fixés sur les rôles qu'il
tient à la main.*)

DAMON. A quoi t'amuses-tu ? Vas-tu lire
ces rôles ?
Eh ! morbleu ! laisse là des choses aussi
folles.

DURVAL. Je regardais sans voir : mon esprit
occupé
Du pas que je vais faire, est encore frappé :
De toutes mes terreurs, il m'en reste encore une,
Qui malheureusement est la plus importune.
Me garantiras-tu. . . ? Mais tu ne le peux
pas. . .
En renouant des nœuds pour moi si
pleins d'appas
Retrouverai-je encor sa première tendresse,
Cette conformité, cette même faiblesse.

Ce penchant naturel, ce rapport enchanteur
Que le ciel pour moi seul avait mis dans
son cœur,
Et que je trouve encor dans le fond de
mon âme?
J'ai cessé trop longtemps d'entretenir sa
flamme.
Eh! de quoi son amour se serait-il nourri?
Dans le fond de son cœur il doit avoir
péri.
Ce soupçon est fondé sur trop de circonstances.
Vois comme elle a souffert de toutes mes
instances!
Non, de si grands chagrins ne sont point
si secrets;
Ils s'exhalent en pleurs, en soupirs, en
regrets.
M'a-t-elle seulement honoré de ses
larmes?
En a-t-elle perdu le moindre de ses
charmes?
DAMON. Ah! ne t'y trompes pas; c'est un
calme apparent,
Et d'un cœur vertueux c'est l'effort le
plus grand.
On ménage un ingrat qu'on trouve en-
core aimable.
Peut-être que d'ailleurs cette épouse es-
timable
Ne sait pas à quel point ses malheurs ont
été;
Tous tes égarements n'ont point trop
éclaté.
Une femme sensée est fort peu curieuse
De ce qui peut la rendre encor plus mal-
heureuse.
En tout cas, sa vertu te répond. . .
DURVAL.                              Quel espoir!
Quel amour que celui qu'on ne doit qu'au
devoir!
N'importe. Va trouver ton aimable So-
phie;
Annonce-lui qu'enfin je me réconcilie;
Vante-lui mon amour, pour avancer le
tien. . .
Mais non; attends encor, ami: ne lui dis
rien.
Je crois qu'il vaudra mieux que Con-
stance lui dise. . .
Va, je vais achever cette grande entre-
prise.
DAMON. Pour la dernière fois je puis donc
y compter?
DURVAL. Cher ami, tu me fais injure d'en
douter.

*(Damon sort.)*

## SCÈNE IX.

### DURVAL, HENRI.

DURVAL. Ai-je là quelqu'un. . . ? Hé. . . !
va-t'en, et reviens vite.
HENRI. Lequel des deux? De quoi faut-il
que je m'acquitte?
DURVAL. Va voir si quelqu'un est dans mon
appartement:
Va, cours, vole, et reviens le dire promptement.
*(Henri reste.)*
Que fais-tu là, planté contre cette mu-
raille?
HENRI. A quel appartement, monsieur,
faut-il que j'aille?
DURVAL. Plaît-il? Une autre fois tâchez de
m'écouter.
HENRI. Ce que l'on n'a point dit peut bien
se répéter.
DURVAL. Qu'on sache si madame a du
monde chez elle.
HENRI. Chez madame? Ma foi, l'ambassade
est nouvelle.

## SCÈNE X.

### DURVAL.

Pourvu qu'elle soit seule. . . Aurai-je ce
bonheur?
Pourrai-je, sans témoins, débarrasser
mon cœur
D'un secret dont le poids sans cesse se
redouble. . . ?
Mais il ne revient point. . . Le voici. . .
Je me trouble. . .
Que va-t-il m'annoncer?

## SCÈNE XI.

### DURVAL, HENRI.

HENRI.                    Monsieur, présentement
Clitandre et Damis. . .
DURVAL.          Sont chez elle apparemment?
Que je suis malheureux! Remettons la
partie.
HENRI. Oui; mais la compagnie à l'instant
est sortie;
En sorte que madame est seule en ce
moment.
DURVAL. Comment! madame est seule?
HENRI.                    Oui, seule, absolument.
DURVAL. Est-il sûr? L'as-tu vu?
HENRI.                    Le rapport est fidèle.

Oui, monsieur, elle n'a que Florine avec
elle.

*(Il s'éloigne.)*

DURVAL. Florine, me dis-tu? Mais. . . c'est
toujours quelqu'un. . .
Je pourrai renvoyer ce témoin importun. . .
Allons. . . il faut aller. . . puisque tout
me seconde.
Mais je ne songe pas qu'il peut entrer
du monde.
Je suis trop obsédé. . . Ne pourrai-je
jamais
Disposer d'un moment au gré de mes sou-
haits. . . ?
Quel contre-temps s'oppose à ce que je
désire. . . ?
Oui : car, pour expliquer ce qui me reste
à dire,
Il me faut. . . Je n'aurai qu'un entre-
tien en l'air. . .
Irai-je commencer, et fuir comme un
éclair?
Je ne puis m'enfermer sans que l'on en
raisonne. . .
Que faire. . . ? Aussi, d'où vient que
Damon m'abandonne. . . ?
Je ne puis le risquer. . . Il faut y re-
noncer. . .
Il me vient dans l'esprit. . . Oui, c'est
bien mieux penser.
Assurément. . . sans doute. . . Aussi bien
sa présence. . .
Ses charmes. . . ses regards, dont je sais
la puissance. . .
Mes remords. . . mon amour, dans ce
terrible instant,
Causeraient dans mes sens un désordre
trop grand.
Ah! qu'il est malaisé, quand l'amour est
extrême,
De parler aussi bien qu'on pense à ce
qu'on aime. . . !

*(A Henri.)*

Approche cette table. . . Un fauteuil. . .
Est-ce fait. . . ?
Ai-je là ce qu'il faut. . . ? Une lettre,
en effet,
Préparera bien mieux ma première vi-
site.
Le plus fort sera fait; le reste ira de
suite.

*(Il se met à écrire.)*

HENRI. C'est affaire de cœur. Parbleu, depuis longtemps,
Le patron reprenait haleine à mes dépens. . .
Tant mieux : plus un maître aime, et plus
un valet gagne.

Allons, apprêtons-nous à battre la campagne.
J'ai bien l'air de coucher hors d'ici.

DURVAL.                              Sûrement
Je n'aurai de ma vie écrit si tendrement.
Je prépare à Constance une aimable sur-
prise.

*(Il continue d'écrire.)*

HENRI, *tirant son rôle.* J'ai là certains
papiers, il faut que je les lise.
Voyons, tandis qu'il fait éclore son poulet,
Quel est mon rôle. A moi, le rôle de valet !
Mais cela ne va point avec mon ministère :
Je suis homme de chambre, et presque
secrétaire.
A quelqu'un de nos gens il pourrait convenir. . .
Sachons donc à qui j'ai l'honneur d'appartenir. . .

*(Il feuillette et retourne son rôle de
tous côtés.)*

Je veux être pendu si j'entends cette
gamme. . .
Ah! je sers un époux amoureux de sa
femme.
Ventrebleu, le sot maître à qui l'on m'a
donné!
Oui-dà! le personnage est bien imaginé.

DURVAL. Ce maraud me distrait. C'est son
rôle, je gage.

HENRI. Monsieur, je m'entretiens avec mon
personnage. . .
Peste! en voici bien long tout d'un article écrit !
Voyons : c'est moi qui parle; aurai-je de
l'esprit?

*(Il lit.)*

«Oui, Nérine, je suis à l'imbécile maître
Qui s'est accoquiné, dans ce taudis cham-
pêtre,
A la triste moitié dont il s'est empêtré;
Son ridicule amour ici l'a séquestré :
C'est un oison bridé tapi dans sa re-
traite,
Qui n'a plus que l'instinct que sa femme
lui prête.»
Le bel équivalent, au lieu du sens com-
mun !

DURVAL, *impatient.* Faquin! . . . Conte-
nons-nous. . . Chassons cet importun.

*(A Henri.)*

Vous plairait-il d'aller un peu plus loin
attendre?
Aurais-je dû le dire? Ayez soin de m'entendre

Lorsque j'appellerai; que l'on se tienne
prêt.

HENRI. Allons; hé! qu'on me selle un coureur vif et frais.

(*Il sort.*)

## SCÈNE XII.

DURVAL.

(*Il se lève.*)

Le parti que je prends est donc bien
ridicule,

Si jusqu'à des valets. . . Étouffons ce
scrupule. . .

(*Il se remet.*)

Ce coquin sortira. . . Je ne sais où j'en
suis. . .

Continuons pourtant. . . Achevons, si je
puis.

(*Il écrit.*)

Puissé-je en voir l'effet que j'ose m'en
promettre!

Holà! . . . Henri! . . . Voyons, reli-
sons cette lettre.

(*Il lit.*)

«C'est trop entretenir vos mortelles douleurs;

L'ingrat que vous pleurez ne fait plus
vos malheurs. . .»

(*Il lit bas.*)

Je la puis envoyer. . . Mettons ma signature. . .

(*En signant.*)

Je voudrais me pouvoir trouver à la lecture.

Ah! j'oubliais d'y joindre aussi ces diamants.

(*Il tire un écrin.*)

Constance est peu sensible à ces vains
ornements,

Mais je me satisfais, j'embellis ce que
j'aime.

Henri! . . . Les valets sont d'une len-
teur extrême.

## SCÈNE XIII.

DURVAL, HENRI, *en équipage de postillon.*

HENRI. Monsieur, me voilà prêt; vous
n'avez qu'à parler.

DURVAL. Quel est cet équipage? Où crois-tu
donc aller?

HENRI. A Paris. . . C'est, je crois, vers
certaine duchesse. . .

Vous vous reprenez donc pour elle de
tendresse?

DURVAL, *en cachetant la lettre.* Tu n'iras
pas si loin.

HENRI. Ma foi, monsieur, tant pis.

Elle se vengera, je vous en avertis.

La duchesse se plaint que, pour rompre
avec elle,

Et lui mieux déguiser une intrigue nouvelle,

Avec madame vous. . . feignez de renouer.

Je ne sais pas quel tour elle veut vous
jouer;

Mais. . . tout franc, convenez que votre
amour la traite

Comme je traiterais une simple soubrette.

DURVAL, *en donnant la lettre et l'écrin.* Va
chercher la réponse, et donne cet
écrin.

HENRI. Et des bijoux aussi! L'affaire ira
grand train.

DURVAL. Finissons ces discours; va-t'en où
je t'envoie:

Je t'attends. Que surtout personne ne te
voie.

(*Henri sort.*)

## SCÈNE XIV.

DURVAL, *rêvant.*

D'un terrible fardeau me voilà soulagé. . .

Ne me serai-je pas un peu trop engagé?

Je le crains: cependant l'affaire est em-
barquée.

Oui, mon impatience est un peu trop
marquée. . .

Il est bien dangereux de montrer tant
d'amour.

Mais qu'y faire à présent. . . ? Te voilà
de retour?

## SCÈNE XV.

DURVAL, HENRI.

DURVAL. Eh bien! quelle réponse?

HENRI. Elle est encore à faire,

Un petit mot d'adresse eût été nécessaire.

DURVAL, *reprenant la lettre.* Étourdi!

HENRI. Regardez. . . Parmi tant de beautés

Que le bal nous attire ici de tous côtés

Je n'ai pu démêler quelle est la favorite.

DURVAL. N'ai-je pas dit l'adresse?

HENRI. Ah! si vous l'aviez dite?

Durval, *à part.* Non ? Tant mieux ! ce co-
quin ignore mon secret.
Cette lettre est de trop ; j'en avais du
regret.
Cet écrin peut suffire : il faut que je le
mette
Moi-même adroitement tantôt sur sa toi-
lette.
Constance, avec raison, viendra me con-
fier
Cette insulte nouvelle, et s'en justifier :
Notre explication sera plus naturelle,
Et je serai bien moins compromis avec
elle.
  (*Il reprend l'écrin, et met la lettre
  dans sa poche.*)
C'est bien dit ; je m'en tiens à ce dernier
moyen :
Damon l'approuverait. (*A Henri.*) Je
n'ai besoin de rien.
                                   (*Il sort.*)

## SCÈNE XVI.

Henri, *en le voyant aller.*

Je suis perdu, s'il fait lui-même ses affaires.
Diable ! ceci m'aurait donné des hono-
raires. . .
Dans le premier mémoire il faudra les
compter.
Item, pour un présent que j'aurais dû
porter,
Qui m'aurait dû valoir en espèce cou-
rante,
Combien ? Dix, vingt louis ? ma foi, met-
tons-en trente.

# ACTE QUATRIEME.

## SCÈNE PREMIÈRE.

Constance, Florine.

Constance, *avec un paquet de lettres et
l'écrin à la main.* Durval n'est point
ici : va, ne perds point de temps.
Tâche de le trouver, dis-lui que je l'attends.
Mais ne lui parle point du sujet qui
m'agite ;
Il ne daignerait pas me rendre une
visite.
Fais en sorte, en un mot, que je puisse
le voir.
Florine. J'y cours ; mais je ne sais si j'aurai ce pouvoir.

## SCÈNE II.

Constance.

Eh quoi ! de tous côtés la fortune ennemie
S'obstine à traverser ma déplorable vie !
Au moment que je prends un trop cré-
dule espoir,
On vient me l'arracher par le trait le
plus noir.
  (*En montrant un paquet de lettres.*)
Un inconnu m'apporte une preuve trop
sûre
Des mépris d'un ingrat et d'un nouveau
parjure.
Une rivale indigne, et barbare à la fois,
M'avertit que Durval, qui vivait sous
ses lois,
La quitte, la trahit pour prendre d'autres
chaînes. . .
Est-ce elle qu'il trahit ? Et, pour surcroît
de peines,
Il semble qu'on se plaise encore à re-
doubler
  (*En montrant l'écrin.*)
Ces indignes présents, dont on veut m'ac-
cabler.

## SCÈNE III.

Constance, Florine.

Constance. As-tu trouvé Durval ?
Florine.      Non, ma recherche est vaine.
Constance. Quel fâcheux contre-temps !
Florine.      On dit qu'il se promène.
Constance. Je l'attendrai. Je veux m'ex-
pliquer avec lui :
Je ne puis plus souffrir l'excès de mon
ennui.
Florine. Oui, madame, éclatez, cessez de
vous contraindre :
Quand on n'est plus aimée, il faut se
faire craindre.
Constance, *tendrement.* Quand on n'est
plus aimée !
Florine.            On peut le mener loin.
Moi, je déposerais, s'il en était besoin.
Constance. Je ne veux employer que mes
uniques armes.
Florine. Eh ! qui sont-elles donc ?
Constance.      Les soupirs et les larmes.
Florine. Bon ! il vous laissera gémir et
soupirer.
On croit nous faire grâce, en nous fai-
sant pleurer :
On ne convient jamais des chagrins qu'on
nous donne ;

On croit que dans nos cœurs le plaisir
   s'empoisonne;
Que le sexe se fait lui-même son tourment,
Et qu'il n'a pas l'esprit d'être jamais
   content.
Servez-vous contre lui de ces lettres
   fatales
Que vous a fait remettre une de vos
   rivales.
Que j'aurais de plaisir à confondre un
   ingrat!

CONSTANCE, *remettant les lettres dans sa
   poche.* Je me garderai bien de faire
   cet éclat.
Il ne saura jamais, si j'en suis la maîtresse,
Que je sais à quel point il trahit ma
   tendresse.
Je ne veux point aigrir son cœur et son
   esprit,
Ni détruire un espoir que mon amour
   nourrit.
En feignant d'ignorer, et de vivre tranquille,
J'assure à mon volage un retour plus
   facile:
Je lui donne un moyen de me mieux
   abuser,
Et, quand il le voudra, de se mieux excuser.
Je veux lui demander ce qu'il faut que
   je fasse
Des présents qu'on m'a faits, et qu'il
   m'en débarrasse:
Je veux entre ses mains remettre cet
   écrin.

FLORINE. Vous en aurez, madame, encore
   du chagrin;
Ce ne sera pour lui que des galanteries:
Il vous éconduira par des plaisanteries,
Comme il a déjà fait: vous aurez la
   douleur
De ne le pas trouver sensible à son hon-
   neur.

CONSTANCE. Tu le crois. . . ? Il est vrai. . .
   j'y serais trop sensible;
Mon cœur, que je contiens dans un calme
   pénible,
Pour la première fois ne m'obéirait plus,
Et j'en aurais après des regrets superflus.
Fuyons l'occasion, peut-être inévitable,
De trouver mon époux encore plus cou-
   pable.
Je ne le verrai point. . . Je m'en prive
   à regret. . .
Et toi, prends cet écrin; tu connais l'in-
   discret. . .
Que je le hais!

FLORINE.         Lequel?
CONSTANCE.         Ah! tu me désespères!
FLORINE. Je vous l'ai dit, madame, ils sont
   deux téméraires.
CONSTANCE. Que ce soit l'un ou l'autre, il
   n'importe. Au surplus,
Fais comme tu voudras; mais ne m'en
   parle plus.
Que cette indignité ne blesse plus ma
   vue.
               *(Elle sort.)*
FLORINE. Allons, madame, quitte à faire
   une bévue.

## SCÈNE IV.

### FLORINE.

Voyons, pourtant. A qui remettrai-je
   l'écrin?
Entre nos deux marquis le choix est in-
   certain;
Gens de même acabit, personnages fri-
   voles,
Fiers d'avoir peut-être eu le cœur de
   quelques folles,
Étourdis par instinct et par réflexion,
Effrontés sans succès et sans confusion,
Impudents, toujours pleins d'un espoir
   téméraire,
Qu'on éconduit toujours sans pouvoir
   s'en défaire,
Satisfaits sans sujet, indiscrets sans fa-
   veurs,
Jaloux de nos vertus, ravis de nos mal-
   heurs,
Scélérats en amour, dont les langues
   traîtresses
Nous font bien plus de tort que toutes
   nos faiblesses:
Voilà les compagnons dont le couple in-
   discret
M'a vingt fois confié leur risible secret.
Quel est celui des deux qui s'est mis en
   dépense? . . .
Comment le démêler? . . . C'est en vain
   que j'y pense.
C'est l'un ou l'autre: mais de quel côté
   pencher? . . .
Il faut pourtant résoudre. . . Attendez:
   pour trancher,
Si j'empochais l'écrin? . . . J'en aurais
   pour ma vie. . .
Ce n'est pas l'intérêt qui m'en donne l'en-
   vie:
Oh! non; c'est seulement pour finir ce
   tracas,
Et tirer ma maîtresse avec moi d'embarras. . .

Ne nous y jouons point: l'intention est
  pure;
On y pourrait donner tout une autre
  tournure.
  (*Elle voit Clitandre et Damis.*)
Mais la fortune ici les amène tous deux
Fort à propos. Partez, bijoux trop dan-
  gereux.

## SCÈNE V.

DAMIS, CLITANDRE, FLORINE.

FLORINE. Reprenez votre enjeu, la boëte est
  complète;
  Ma maîtresse, à ce prix, ne veut point
  faire emplette.
  Consolez-vous, une autre en fera plus
  d'état:
  Vous savez ce que c'est; entre vous le
  débat.
                          (*Elle sort.*)

## SCÈNE VI.

DAMIS, CLITANDRE, *recevant l'écrin.*

DAMIS. Eh! c'est à toi, marquis, que tes
  présents reviennent.
CLITANDRE. A moi! c'est bien à toi, par-
  bleu, qu'ils appartiennent.
DAMIS. Tu veux par vanité me les aban-
  donner.
CLITANDRE. Le change me paraît difficile à
  donner.
DAMIS. La gloire. . .
CLITANDRE.                  Le dépit. . .
DAMIS.     Prends toujours, à bon compte;
  Je m'engage au secret.
CLITANDRE.              Je cacherai ta honte.
DAMIS. Que ne me disais-tu. . . ?
CLITANDRE.            Tu devais m'avouer. . .
DAMIS. Je t'aurais, à coup sûr, empêché
  d'échouer.
  Voyons donc à quel prix tu mettais ta
  conquête.
          (*Il ouvre l'écrin.*)
  Comment, diable! Ah! marquis. . . le
  présent est honnête.
CLITANDRE. Une cruelle est rare; on en
  trouve si peu,
  Qu'elle n'a point de prix. Retire ton en-
  jeu.
DAMIS. C'est le tien. L'art de plaire épargne
  bien la bourse.
CLITANDRE. Auprès du sexe aussi c'est toute
  ma ressource.
  Te voilà bien piqué.
DAMIS.              Te voilà bien confus

De ce qu'en ma présence on te les a
  rendus.
  On avait ses raisons.
CLITANDRE.                  Finis ce badinage.
DAMIS. Va, je te trouve encor bien plus
  heureux que sage.
CLITANDRE. Voici Durval.
DAMIS.  Qu'importe? Il peut être présent,
  En ne nommant personne.
CLITANDRE.      Oui. Le tour est plaisant!

## SCÈNE VII.

DURVAL, DAMIS, CLITANDRE.

DURVAL, *à part, en entrant.* Que vois-je?
  Mon écrin!
CLITANDRE, *à Durval.* Nous disputons en-
  semble.
DAMIS, *en montrant l'écrin.* En voici le
  sujet.
DURVAL.      Oui, c'est ce qu'il me semble.
          (*A part.*)
  Constance aura pensé qu'il venait de l'un
  d'eux.
DAMIS. Clitandre est mon rival.
DURVAL, *ironiquement.* C'est être coura-
  geux.
CLITANDRE. A peu près comme lui.
DAMIS.            Passons, je te l'accorde.
      (*En lui montrant l'écrin.*)
  Durval, je te remets la pomme de dis-
  corde.
DURVAL. Vous ne pouviez la mettre en
  de plus sûres mains.
DAMIS. Mais ce n'est qu'un dépot.
DURVAL.          Soyez-en bien certains.
DAMIS. Ce n'est que pour le rendre à son
  propriétaire.
DURVAL. C'est comme s'il l'avait.
DAMIS.          Apprends donc ce mystère.
CLITANDRE. Nous ne nommerons pas.
DURVAL.          Il n'en est pas besoin.
DAMIS. Certaine dame à qui nous rendons
  quelque soin,
  Nous a fait de sa part, sans désigner
  personne,
  Renvoyer cet écrin.
DURVAL.          C'est ce que je soupçonne.
DAMIS, *en regardant Clitandre.* Un de nous
  l'a donné.
CLITANDRE, *en regardant Damis.* Oui, rien
  n'est plus constant.
DAMIS. Mais aucun n'en convient.
DURVAL.              J'en ferais bien autant.
CLITANDRE. Damis, par vanité, n'ose le re-
  connaître.
DAMIS. Il aime mieux le perdre.

DURVAL, *ironiquement.* Eh! mais vous pourriez être

Bien plus honnêtes gens que vous ne
vous croyez.

DAMIS. Durval, à qui crois-tu qu'on les ait
renvoyés?

DURVAL. Messieurs, en supposant, mais sans
que je le croie,

Que, pour plaire, un de vous ait tenté
cette voie,

Qu'il ait donné l'écrin, de grâce, dites-
moi

Quelle conclusion tirez-vous du renvoi?

DAMIS. On ne refuse rien de quelqu'un qui
sait plaire.

CLITANDRE. Ce n'est donc point de moi? La
conséquence est claire.

DAMIS, *en frappant sur l'épaule de Durval.* Si je l'avais donné, crois qu'on
l'aurait gardé.

DURVAL. Tiens, marquis, cet espoir lui
paraît hasardé.

Son désaveu peut être aussi vrai que le
vôtre;

Vous pourriez n'être pas plus heureux
l'un que l'autre.

Qui sait si quelque tiers, qu'on n'imagine
pas,

N'a point secrètement causé cet embarras?

Quelque autre pourrait être épris des
mêmes charmes.

Bornez-vous sur vous seuls la force de
leurs armes?

DAMIS. Oh! qu'il paraisse donc, ce rival
ténébreux!

En tout cas, que celui qui fait le généreux

Cherche quelque autre objet ailleurs qui
le console.

Quand je le dis, on peut m'en croire à
ma parole.

DURVAL. Clitandre veut encore une autre
caution.

CLITANDRE. Oui.

DAMIS. Ne me fais point faire une indiscrétion.

CLITANDRE. De grâce, fais-en une; il y va
de ta gloire;

Sans quoi, Durval et moi, nous n'osons
pas te croire.

DAMIS. Il faut vous satisfaire.

DURVAL. En puis-je être témoin?

DAMIS, *à Durval.* En t'éloignant un peu;
car il n'est pas besoin

Que tu sois plus avant dans cette confidence.

(*Il le place au fond du théâtre.*)

Te voilà bien. . . (*A Clitandre, à demi*
*bas.*) Et toi, surtout, point d'imprudence.

(*Il tire un portrait. Clitandre se*
*trouble.*)

Tiens, considère un peu. . . (*A Dur-*
*val.*) Vois sa confusion.

(*A Clitandre.*)

Est-ce là le portrait de celle. . . en question. . .

De la dame à l'écrin? . . . Eh bien?

CLITANDRE, *avec confusion.* Ah! l'infidèle!

(*Il sort.*)


SCÈNE VIII.

DAMIS, DURVAL.

DAMIS, *en regardant Clitandre.* Infidèle.
Est-ce ainsi qu'on nomme une cruelle?

(*A Durval.*)

Mais c'est encore un trait de vanité.
Pour toi,

Durval, une autre fois, pense un peu
mieux de moi.


SCÈNE IX.

DURVAL.

Est-ce une illusion. . . ? Est-ce un songe
funeste. . . ?

Quel rapport. . . ! Ah! cruels, achevez
donc le reste.

La vie, après les biens que vous m'avez
ôtés. . .

Je ne saurais forcer mes esprits ré-
voltés. . .

Le doute. . . la fureur. . . O ciel. . . !
Ah! malheureuse. . .

Est-ce à moi qu'ils ont fait leur confidence affreuse. . . ?

Constance, est-il possible. . . ? Ai-je
bien entendu?

Ton faible cœur s'est-il lassé de sa
vertu?

Que dis-je? Elle n'en eut jamais que
l'apparence.

Était-ce à moi d'y prendre une folle
assurance?

Mais ma crédulité se laisse empoisonner

Par des convictions que je dois soupçonner.

Rejetons loin de nous. . . Le puis-je?

Quand j'y songe!

Quoi! d'une vérité puis-je faire un mensonge. . . ?

Douce sécurité, préjugé si flatteur,

Que sa fausse vertu nourrissait dans mon
  cœur!
Ah! pourquoi n'ai-je plus ton voile sa-
  lutaire?
L'affreuse vérité découvre ce mystère. . .
Voilà donc le sujet de sa tranquillité,
De ce calme trop vrai, que je crus af-
  fecté.
Elle ne se faisait aucune violence.
Tout ce que je croyais le fruit de sa
  prudence,
L'effet de son amour, l'effort de sa rai-
  son,
Ne l'a jamais été que de sa trahison.

## SCÈNE X.

### DURVAL, DAMON.

DAMON, *en suivant Durval.* Sans doute que
  l'écrin aura fait des merveilles?
De ce récit charmant enchante mes
  oreilles.
DURVAL, *avec un regard fixe sur Damon.*
  Il a bien réussi.
DAMON.          Je m'en étais douté:
Tu ne te repens plus de m'avoir écouté?
DURVAL, *en prenant la main de Damon.*
  Constance a surpassé ton attente et la
  mienne.
DAMON. Tant mieux!
DURVAL, *avec fureur.* Holà. . . ! Quel-
  qu'un. . . Ma femme, qu'elle vienne.
DAMON. Tu ne l'as donc pas vue?
DURVAL.          Ami, je vais la voir.
DAMON. Je ne sais que penser, je ne sais
  que prévoir
Du trouble où je te vois.
DURVAL.    Sa cause est imprévue.
Tu vas être témoin d'une étrange en-
  trevue.
Quel aveu différent de celui. . . !
DAMON.          Quel courroux!
DURVAL. Je suis désespéré.
DAMON.          Quoi! serais-tu jaloux?
DURVAL. Je ne le fus jamais; j'estimais
  trop Constance:
Je serais trop heureux dans cette cir-
  constance. . .
Estime, amour, il faut tout changer en
  fureur.
Ah! quel supplice entraîne après lui
  plus d'horreur,
Que de se voir forcé de haïr ce qu'on
  aime?
DAMON. On soupçonne aisément, on accuse
  de même.
DURVAL, *avec fureur.* J'ai des rivaux heu-
  reux. . . L'un d'eux a son portrait,

Et l'autre avait son cœur: c'est l'aveu
  qu'on m'a fait. . .
C'est un mystère affreux.
DAMON.          Que je ne saurais croire.
Constance absolument n'a point trahi sa
  gloire.
DURVAL. Ne prends plus sa défense; il n'est
  aucun moyen.
Que fera l'amitié, quand l'amour ne peut
  rien?
DAMON, *en apercevant Constance.* Modérez-
  vous du moins; la voilà qui s'approche.

## SCÈNE XI.

### CONSTANCE, DURVAL, DAMON.

DURVAL, *avec un air un peu plus modéré.*
  Madame, épargnons-nous la plainte et le
  reproche:
Il faut nous séparer, pour ne nous voir
  jamais.
Voyez où vous voulez vous fixer dé-
  sormais,
Jusqu'à ce que le ciel, au gré de votre
  envie,
Termine, mais trop tard, ma déplorable
  vie.
Vivez, et reprenez ce que je tiens de
  vous:
Je n'excepte qu'un bien, que je préfère
  à tous,
Ce fruit de mon amour, si cher à ma ten-
  dresse,
C'est, de tous vos bienfaits, le seul qui
  m'intéresse.
CONSTANCE. Disposez de mon sort au gré
  de vos souhaits;
Je n'examine rien, puisque je vous dé-
  plais.
Daignez déterminer ma dernière de-
  meure:
Où faut-il que je vive, ou plutôt que je
  meure?
DURVAL. Eh! madame, vivez.
CONSTANCE.          Vous ne le voulez plus.
Mais vous serez bientôt satisfait. Au
  surplus,
Jouissez de ces biens que vous voulez me
  rendre;
De vos seules bontés je veux toujours
  dépendre.
A l'égard de ma fille. . . il m'eût été bien
  doux
De garder le seul bien qui me reste de
  vous!
Puisse-t-elle éviter les malheurs de sa
  mère,

N'être pas moins fidèle, et vous être plus chère !

DURVAL, *avec fureur.* Je ne puis supporter cette témérité :

Perfide ! il vous sied bien ce langage affecté !

CONSTANCE. Ah ! quel titre odieux ! Est-ce à moi qu'il s'adresse ?

DURVAL. Oui, madame.

CONSTANCE. Est-ce là le prix de ma tendresse ?

Hé quoi ! de quels transports êtes-vous enflammé ?

Doit-on déshonorer ce qu'on a tant aimé ?

DURVAL. Il fallait savoir mieux conserver mon estime.

CONSTANCE. Pourquoi ne l'ai-je plus ? Apprenez-moi mon crime.

Qu'ai-je fait ?

DURVAL. Vous osez encor me défier ?

CONSTANCE. Hélas ! dois-je mourir sans me justifier ?

Que je sache du moins ce qui m'ôte la vie. . .

J'y succombe. . . Je meurs. . .

DAMON. Elle est évanouie.

(*Constance se laisse aller dans un fauteuil ; et, en tirant son mouchoir, elle laisse tomber un paquet de lettres que Damon veut ramasser furtivement ; mais il est aperçu par Durval, qui les saisit.*)

DURVAL, *en saisissant le paquet de lettres.* Donne, donne. A quoi sert tant de discrétion ?

Sans doute, ce sera quelque conviction

Des affronts que m'a faits une épouse infidèle.

DAMON. Il faut la secourir ; permettez que j'appelle.

(*Il sort.*)

## SCÈNE XII.

DURVAL, CONSTANCE, *presque évanouie.*

DURVAL. Que m'importe le soin de ses jours et des miens ?

Je vais donc la convaincre ; en voici les moyens.

Ah, ciel ! quelle ressource accablante et funeste !

L'espoir de la confondre est tout ce qui me reste.

CONSTANCE, *ouvrant les yeux.* Ah ! que tenez-vous là ? Je voulais les brûler.

DURVAL. S'ils ne vous chargent point, pourquoi tant vous troubler ?

Ils s'adressent à vous.

CONSTANCE. Hélas ! qu'allez-vous faire ?

DURVAL. Plus vous craignez, et plus je veux me satisfaire.

CONSTANCE. Sur ces tristes écrits ne portez point vos yeux ;

Durval. . . ce n'est qu'à moi qu'ils sont injurieux.

De grâce. . . écoutez-moi.

DURVAL. Je ne veux rien entendre.

CONSTANCE. Puisque nous sommes seuls, je vais. . .

DURVAL. Il faut attendre.

A des discours sans preuve on aurait répondu ;

Mais je prétends qu'ici chacun soit confondu.

CONSTANCE. Je me jette à vos pieds ; souffrez que je vous presse.

DURVAL. Vous vous justifierez.

## SCÈNE XIII.

SOPHIE, ARGANT, DAMON, DURVAL, CONSTANCE, FLORINE.

FLORINE, *en courant à Constance.* Ah ! ma chère maîtresse,

Dans quel abaissement. . .

SOPHIE, *à Durval.* Constance à vos genoux !

(*Ils la relèvent et la mettent dans un fauteuil.*)

DURVAL. Reconnaissez l'erreur qui vous prévenait tous

En faveur d'une femme instruite en l'art de feindre :

Jugez qui de nous deux était le plus à plaindre.

(*A Argant.*)

Damon vous aura dit ce qui se passe ici ?

ARGANT. C'est un fait important qui doit être éclairci.

DURVAL. Il va l'être à l'instant ; je vous en fais arbitre.

ARGANT. Outre ce qu'on m'a dit, vous avez quelque titre ?

DURVAL, *distribuant des lettres.* En voici ; lisez donc ces coupables écrits.

Que je me trouve heureux de les avoir surpris !

SOPHIE, *en prenant un billet.* Moi, je les tiens faux.

DURVAL. Je vois ce qu'elles craignent :

Je la veux accabler devant ceux qui la plaignent.

CONSTANCE. Je vous conjure encore en cette occasion. . .

Monsieur, épargnez-vous cette confusion.

ARGANT, *surpris, en ouvrant les billets.*
Diable! Allons doucement; ceci change
la thèse.
Ce billet-là. . .
DURVAL.        Quoi donc?
ARGANT.            Eh! mais, par parenthèse,
Il est de votre main.
SOPHIE.                Le mien en est aussi.
DURVAL. De mon écriture?
ARGANT.        Oui.
DURVAL.            Que veut dire ceci?
ARGANT. Mais voyez.
DURVAL, *en regardant, reconnaît son écri-
ture.* Juste ciel!
ARGANT.        Parbleu, c'est de vous-même.
FLORINE. Et celui-ci, monsieur?
SOPHIE.            Ma joie en est extrême.
ARGANT, *en lui rendant le sien.* N'allons
pas plus avant; le reste est super-
flu.
SOPHIE. Nous lirons, s'il vous plaît; c'est
lui qui l'a voulu.
            (*Elle lit.*)
«Que je suis offensé de toutes vos
alarmes!
S'il est vrai qu'à mes yeux Constance
ait eu des charmes,
Ils ont fait, dans leur temps, leur effet
sur mon cœur.
Vous allumez des feux qui ne peuvent
s'éteindre:
Une épouse n'est point une rivale à
craindre.
Puis-je vous préférer un semblable vain-
queur?
Madame, en vérité, c'est trop d'être incrédule,
Et de me soupçonner d'un si grand
ridicule.»
Le style est obligeant.
ARGANT.            Ne nous épargnez pas:
Nos fautes ont pour vous de furieux
appas.
Vous nous ressemblez peu, vous triom-
phez des nôtres,
Et nous ne demandons qu'à partager les
vôtres.
SOPHIE. Fort bien.
FLORINE, *s'avance pour lire la sienne.* Au-
tre lecture. . . Enfin. . . Oh! par ma
foi,
Celui-ci me paraît un peu trop fort pour
moi.
            (*Elle rend le billet.*)
Monsieur, en vérité, l'on ne peut mieux
écrire;
C'est dommage pourtant qu'on ne puisse
vous lire.
            (*Damon reprend les billets.*)

DURVAL, *en revenant de son étonnement.*
Mais enfin le portrait. . .
SOPHIE.            Quoi! vous récriminez!
FLORINE. C'est une trahison que vous
imaginez.
SOPHIE. Vous voulez joindre encor l'in-
sulte à la blessure?
C'est être trop cruel.
FLORINE, *vivement.* C'est un traître, un
parjure,
Qu'un autre traiterait de la bonne façon.
SOPHIE. Venez: pour vous venger, laissez-
lui son soupçon. (*Elles enlèvent
Constance.*)
CONSTANCE, *entraînée malgré elle.* Je ne
puis. . . Permettez. . . Quoi! ne
pourrai-je apprendre. . . ?
SOPHIE. Non. Ce n'est plus à vous, ma-
dame, à vous défendre.
FLORINE. Il ne mérite pas ce que vous de-
mandez.
SOPHIE, *en se retournant vers Damon.*
Voilà ce beau retour. . . Damon, vous
m'entendez.
            (*Elles sortent.*)
DAMON. O ciel!

## SCÈNE XIV.

ARGANT, DURVAL, DAMON.

ARGANT, *à Durval.* Vous avez fait une rude
entreprise;
Vous n'y reviendrez plus, votre bisque
est mal prise.
Pour convaincre une femme, il faut bien
du bonheur;
Rarement un époux en vient à son hon-
neur.
Quant on veut s'embarquer dans ces sor-
tes d'affaires,
On ne saurait avoir des preuves assez
claires;
Et, par malheur pour vous, vous ne les
avez point.
Les femmes sont d'ailleurs terribles sur
ce point:
Elles ne s'aiment pas; mais accusez-en
une,
L'émeute est générale, et la cause est com-
mune.
Vous verrez aussitôt le peuple féminin
S'élever à grands cris, et sonner le toc-
sin;
Protéger l'accusée, et s'enflammer pour
elle;
Se prendre aveuglément de tendresse et
de zèle;
Passer de la pitié jusques à la fureur,

Et traiter un époux de calomniateur. . .

Tenez, voilà pourquoi, sans accuser la
vôtre,

J'ai toujours cru ma femme aussi sage
qu'une autre.

Je vous plains; mais que faire? Elle a
barre sur vous:

Il faut, en attendant, se taire, et filer
doux.

(Il sort.)

## SCÈNE XV.

### Durval, Damon.

Durval. Tu me vois pénétré de douleur
et de rage.

Je ne m'attendais pas à ce nouvel
orage. . .

Quelle vengeance affreuse exerce contre
moi

Cet objet étranger dont j'ai quitté la
loi. . . !

Que m'importe, après tout, qu'une épouse
volage

Sache de sa rivale à quel point je l'outrage? . . .

Cependant je l'accuse, et je suis confondu.

Damon. N'est-tu pas plus heureux que
d'être convaincu?

Durval. En suis-je moins certain? L'injure
est manifeste.

Va, je ne cherchais plus que le plaisir
funeste

De la rendre odieuse autant que je la
hais;

Mais sa fausse vertu couvre tous ses forfaits.

Damon. J'ignore les détails de cette perfidie;

Mais je connais Constance, et je mettrais ma vie. . .

Durval. Tu la perdrais. . . Constance. . .
O regret superflu!

J'ai creusé cet abîme où son cœur s'est
perdu;

Mon exemple a causé la chute qui m'accable.

Est-ce une autorité qu'un exemple coupable?

Damon. Ne le suivez donc plus, comme
vous avez fait,

Puisque vous convenez d'un si funeste effet.

Si tu voulais pourtant m'instruire davantage,

Ton repos deviendrait peut-être mon
ouvrage:

Tu n'as que trop suivi ton premier
mouvement.

Durval. Je le paie assez cher, hélas! en ce
moment.

J'avais beau m'enflammer et m'irriter
contre elle,

J'ai frémi du danger où j'ai mis l'infidèle;

Et je mourais du coup que j'allais lui
porter.

Damon. J'ai des pressentiments que je ne
puis m'ôter.

Durval. Ils sont faux; mais enfin je cède à
ta prière:

Suis-moi, je t'en ferai la confidence entière.

Mais ce n'est point l'espoir d'être désabusé

Qui m'arrache un récit que j'aurais refusé.

Je te veux inspirer la fureur qui m'anime:

Tu sens que j'ai besoin de plus d'une
victime;

Puisque j'ai des rivaux, je dois compter
sur toi,

Et tu vas t'engager à te perdre avec moi.

## ACTE CINQUIÈME

### SCÈNE PREMIÈRE.

#### Durval, Damon, en domino.

(Il paraît dans le fond du théâtre des
girandoles allumées.)

Durval. Viens; tandis que le bal, dans cette
galerie,

Occupe tout le monde, achève, je te prie.
Que veut dire ce peintre?

Damon.                A l'égard du portrait,
C'est un vol; et voici comme on te l'a
soustrait.

Damis a chez ce peintre été par aventure;

Il l'a vu travaillant à cette miniature:
Alors notre marquis a formé le dessein
De se l'approprier, et d'en faire un lar-
cin.

Un de ses gens, qu'il a couvert de ta
livrée,

L'est allé demander: le peintre l'a livrée,
Croyant que ce portrait devait t'être remis.

C'est ce que j'en ai su, sans t'avoir compromis;

Car je viens de trouver ce peintre chez
Constance:

J'ignore à quel sujet, je n'ai point fait
d'instance.

DURVAL. Quelle scélératesse. . . ! Ah! permets, cher ami. . .

DAMON. Attends; je ne sais pas les choses
à demi.

Dans un endroit du parc j'ai détourné
mes traîtres;

D'abord ils ont voulu faire les petits
maîtres;

Mais je leur ai serré de si près le bouton,

Qu'il a fallu, morbleu, qu'ils changeas-
sent de ton.

J'en ai tiré l'aveu de leurs forfante-
ries:

Ils s'étaient faits tous deux autant de
menteries.

Le renvoi de l'écrin leur a fait inventer

Le bonheur dont ces fats ont osé se
vanter.

Après leur avoir fait la leçon assez forte,
(*En lui donnant le portrait.*)

J'ai repris le portrait, et je te le rapporte.

Je n'imagine pas qu'ils en osent parler;

Et même tous les deux viennent de s'en
aller.

DURVAL, *abattu*. Dans quel excès m'a fait
tomber leur imprudence!

Et, d'un autre côté, quelle affreuse vengeance!

DAMON. Mais tu me parais peu sensible à
ce succès.

DURVAL. Hélas! reproche-moi plutôt un autre excès.

Je me trouve, au milieu de mon bonheur extrême,

Un traître, un malheureux en horreur
à lui-même,

Indigne désormais de ma félicité;

Et l'on m'accuse encor d'insensibilité,

Lorsque je vais périr accablé sous la
honte

Où m'a plongé l'accès d'une fureur trop
prompte!

DAMON. Je vois à tes regrets. . .

DURVAL.             Dis à mon désespoir.

DAMON. Mais au sort de Constance il est
temps de pourvoir.

DURVAL, *attendri, et les larmes aux yeux*.
Que fait-elle à présent? . . . Que faut-il
que j'espère?

Dis-moi. . . qu'est devenue une épouse
si chère? . . .

Ah! je suis son bourreau plutôt que son
époux.

Pourra-t-elle survivre à de si rudes
coups?

Sa blessure est mortelle, et j'en mourrai
moi-même.

DAMON. Rien n'est désespéré dans ce malheur extrême.

Constance t'a sauvé la honte de l'éclat:

Elle en impose à tous, et cache son état:

Son courage surpasse encor son infortune;

Elle fait les honneurs d'une fête importune,

Dont elle ne croit pas être l'objet secret.

Il est vrai qu'en passant, mais sans être
indiscret,

Je l'ai calmée un peu; j'ai caché tout le
reste.

Viens, un plus long délai lui deviendrait
funeste.

Son courage est peut-être à son dernier
effort.

DURVAL. Cher ami, je te rends le maître
de mon sort.

Sois mon unique appui, ma ressource auprès d'elle;

Peins-lui mon désespoir. Ah! quel que
soit ton zèle

Tu ne pourras jamais en peindre la moitié:

Ne me ménage plus, implore sa pitié.

DAMON. Tu sauras mieux que moi persuader Constance:

Je lui serais suspect dans cette circonstance.

Pourquoi te refuser ce plaisir si flatteur,

D'aller à ses genoux lui reporter ton
cœur?

DURVAL. Me refuserais-tu d'achever ton
ouvrage?

DAMON, *avec vivacité*. Tu n'es impétueux
que pour faire un outrage.

DURVAL. Tu veux qu'un furieux qui sort
de son accès,

Qui vient de se porter au plus coupable
excès,

Qui vient d'accumuler blessure sur blessure,

Opprobre sur opprobre, injure sur injure,

Aille aussitôt braver l'objet de sa fureur,

Et s'offrir à des yeux qu'il a remplis
d'horreur!

La honte me retient. . .

DAMON.             Durval, elle t'abuse:

La honte est dans l'offense, et non pas
dans l'excuse.

DURVAL. Puis-je désavouer ces malheureux
écrits

Où je jure à Constance un éternel mépris?

Peut-elle désormais prendre aucune as-
　surance,
Compter sur des serments que j'ai dé-
　truits d'avance?
DAMON. L'amour pardonne tout. Mais je
　t'ouvre un moyen;
Je dois avec Constance avoir un entre-
　tien;
C'est sans doute au sujet de tout ce qui
　se passe:
C'est elle qui m'a fait demander cette
　grâce;
Pendant le bal, j'espère en trouver le
　moment.
Nous sommes convenus de ce déguise-
　ment;
Je dois rester masqué.
DURVAL.　　　　Si je prenais ta place?
DAMON. Durval, tu me préviens.
DURVAL.　　　　En parlant à voix basse,
Je pourrai la tromper; j'éclaircirai mon
　sort,
Je lirai dans son cœur.
DAMON.　　　　Je parlerai d'abord,
Afin de lui donner une pleine assurance;
Tu nous observeras alors avec pru-
　dence,
Et tu pourras bientôt trouver l'heureux
　moment
De te substituer près d'elle adroitement.
DURVAL, après avoir rêvé. Ma curiosité me
　fait trop entreprendre.
DAMON. J'aurai tout préparé, tu n'auras
　qu'à l'entendre.
DURVAL. J'aurais trop à souffrir... En
　croyant te parler,
Constance contre moi peut et doit ex-
　haler
Ces reproches qu'elle a condamnés au
　silence:
Ce serait essuyer toute leur violence;
Ce serait m'exposer à ses premiers
　transports;
Et j'ai, pour en mourir, assez de mes re-
　mords.
DAMON. Ce qui vient d'arriver te prouve
　le contraire;
La douceur de Constance a dû te satis-
　faire.
Quelle autre aurait ainsi ménagé son
　époux?
Je suis sûr que vos cœurs s'entendent
　mieux que vous.
DURVAL. Trop de timidité me punit et la
　venge.
DAMON. C'est une cruauté...
DURVAL.　　　　Ma faiblesse est étrange:
Mais enfin... Quelqu'un vient. C'est
　Florine, je crois?

Je te laisse; sers-moi pour la dernière
　fois.

(Il sort.)

## SCÈNE II.

### DAMON, FLORINE, éloignée.

DAMON. Que l'amour-propre abonde en
　mauvaises défaites,
Quand il faut réparer les fautes qu'on a
　faites!...
S'il me désavouait?... Ah! trop cruel
　ami!...
N'importe, il faut encor faire un effort
　pour lui.
FLORINE. Madame vous attend, lui tien-
　drez-vous parole?
Elle est impatiente.
DAMON.　　　　Oui, Florine, j'y vole.

## SCÈNE III.

### FLORINE.

Quelle sera la fin de cet événement?
Gare le cloître! il fait un triste dénoû-
　ment.
S'aller claquemurer, c'est ce qui m'in-
　quiète;
Car enfin je n'ai pas le goût de la re-
　traite:
Prendre congé du siècle à l'âge de vingt
　ans;
Il nous quitte assez tôt, sans prévenir
　ce temps.
Passe, quand jusqu'au bout on a joué
　son rôle;
Du moins le souvenir du passé vous con-
　sole;
On l'emporte avec soi, cela sert de sou-
　tien:
Mais pour moi, Dieu merci, je suis ré-
　duite à rien:
Car ce que j'ai vécu ne s'appelle pas
　vivre.
Que faire dans l'exil où je m'en vais la
　suivre?
Me plaindre que le temps coule trop
　lentement;
N'avoir que mon ennui pour tout amuse-
　ment.
Le monde a ses chagrins: eh bien! on
　les essuie;
On s'accoutume, on roule, et l'on pousse
　la vie;
On va, l'on vient, on voit, on babille, on
　se plaint;

On s'agite, on se flatte, on espère, et l'on
 craint;
Il vient un bon moment, car il faut qu'il
 en vienne:
On en fait son profit, afin qu'on s'en
 souvienne.

## SCÈNE IV.

CONSTANCE, *en domino, démasquée;*
FLORINE.

CONSTANCE, *en regardant derrière elle.* Damon suivait mes pas. . . et je ne le
 vois plus;
Mais il ne peut tarder. Nous sommes
 convenus
De nous réfugier dans ce lieu plus tranquille;
Notre entretien sera plus sûr et plus
 facile.

## SCÈNE V.

CONSTANCE, UN HOMME DÉGUISÉ.

CONSTANCE *congédie Florine.*

Vous voici. . . Reprenons le fil de ce dis-
 cours,
Dont on nous empêchait de poursuivre
 le cours.
Damon, permettez-moi de répandre des
 larmes
Dans le sein d'un ami sensible à mes
 alarmes;
Aux yeux de tout le monde elles m'al-
 laient trahir:
C'est encor un motif qui m'a contrainte
 à fuir.
 (*Elle essuie ses yeux.*)
Je rappelais un temps bien cher à ma
 mémoire:
Quand Durval commença mon bonheur
 et ma gloire,
Mon cœur sembla pour lui prévenir sa
 saison.
Aurais-je mieux choisi dans l'âge de raison?
Notre hymen se conclut. Aurais-je dû
 m'attendre,
Pouvais-je imaginer qu'un cœur déjà si
 tendre
Le serait encor plus? Je vis, de jour en
 jour,
Qu'on ne saurait donner de bornes à
 l'amour.
Quel que fût le progrès de ma tendresse
 extrême,

Mon bonheur fut plus grand, puisqu'on
 m'aima de même.
Qu'est devenu ce temps? Vous ne croirez
 jamais
D'où vient le changement d'un sort si
 plein d'attraits.
Un revers imprévu détruisit ma fortune;
Ma tendresse bientôt lui devint impor-
 tune;
L'excès de mon amour lui parut indiscret:
Je le vis; il fallut le rendre plus secret.
Le refroidissement, bien plus terrible
 encore,
Vint éteindre l'amour d'un époux que
 j'adore,
Et bientôt loin de moi l'entraîna tour à
 tour.
Je crus perdre la vie en perdant son
 amour.
J'eusse été trop heureuse! En ce malheur
 extrême,
Je sentis qu'on ne vit que pour l'objet
 qu'on aime;
Qu'on perd tout en perdant ces trans-
 ports mutuels,
Ces égards si flatteurs, ces soins con-
 tinuels,
Cet ascendant si cher, et cette complai-
 sance,
Cet intérêt si tendre, et cette confiance,
Qu'on trouve dans un cœur que l'on tient
 sous ses lois.
Cependant je vécus pour mourir mille
 fois.
Je joignis à mes maux celui de me con-
 traindre:
Je me suis toujours fait un crime de me
 plaindre.
C'est la première fois; dans l'état où je
 suis,
Je ne vous aurais pas parlé de mes en-
 nuis;
Je m'épanche avec vous, je ne dois rien
 vous taire,
Puisque je vous demande un conseil
 salutaire.
Je ne prétends point faire un détail
 superflu,
Ni rappeler ici ce que vous avez vu.
Vous êtes le témoin de ce dernier
 orage. . .
Vous vous attendrissez. . . Est-ce un
 heureux présage?
Enfin, est-il bien vrai que Durval ait
 rendu
Justice à son épouse? Ai-je bien entendu?
C'est beaucoup. N'avait-il rien de plus à
 me rendre?

Vous-même n'avez-vous rien de plus à
　　m'apprendre?

Mais comment puis-je avoir révolté mon
　　époux?

Un cœur indifférent peut-il être jaloux?

Je m'y perds. . . Cependant je lis dans
　　sa pensée. . .

Se pardonnera-t-il de m'avoir offensée?

Je souffre, plus que lui, du juste repen-
　　tir

Que sans doute à présent il en doit res-
　　sentir.

Je crains (s'il ne m'estime autant que
　　je l'adore)

Que sa confusion ne l'aliène encore;

Que sa honte, offensante et cruelle pour
　　moi,

Ne l'empêche à jamais de me rendre sa
　　foi.

Ah! peut-être j'étais dans cette conjonc-
　　ture;

Ce qui m'est revenu flattait ma conjec-
　　ture.

Je le désire trop pour ne pas l'espé-
　　rer. . .

Vous ne me dites mot? . . . Que dois-je
　　en augurer?

Mais si je n'ai point pris une fausse es-
　　pérance,

Si son heureux retour avait quelque ap-
　　parence,

Qui peut le retarder? . . . Si mes jours
　　lui sont chers,

Qu'il vienne en sûreté. . . mes bras lui
　　sont ouverts. . .

S'il voyait les transports que mon cœur
　　vous déploie. . .

Ah! qu'il ne craigne rien que l'excès de
　　ma joie! . . .

Que dis-je? S'il le faut, j'irai le pré-
　　venir:

C'est sur quoi je cherchais à vous entre-
　　tenir.

Je ne puis à présent être trop circon-
　　specte;

Un pardon trop aisé doit me rendre sus-
　　pecte.

Que pourra-t-il penser de ma faci-
　　lité? . . .

Mais n'importe! malgré cette fatalité,

Autant que mon amour, mon devoir m'y
　　convie;

Il faut que j'aille perdre ou reprendre
　　la vie. . .

Ah! daignez, par pitié. . .Vous soupi-
　　rez tous bas. . .

Je ne puis donc m'aller jeter entre ses
　　bras? . . .

J'entends ce que veut dire un si cruel
　　silence;

Vous n'osez. . .

LE MASQUE, *à part.* Ah! c'est trop me faire
　　violence!

CONSTANCE. Qu'avez-vous dit? . . . Par-
　　lez. . . Quel funeste regret. . . ?
　　(*Elle voit un portrait entre ses
　　mains.*)

Mais. . . Qu'ai-je vu? Comment? D'où
　　vous vient mon portrait?

Vous n'en êtes chargé que pour me le
　　remettre.

LE MASQUE, *en lui présentant une lettre.*
　　Il faut. . .

CONSTANCE.          Que m'offrez-vous? . . .

LE MASQUE.          Voyez. . .

CONSTANCE.          C'est une lettre.

Vous tremblez. . . Je frémis. . . On ne
　　veut plus me voir.

C'est le coup de la mort que je vais re-
　　cevoir. . .

　　　　　(*Elle ouvre le billet.*)

De la main de Durval ces lignes sont
　　tracées.

Mais que vois-je? Des pleurs les ont
　　presque effacées.

(*Elle lit.*)

«C'est trop entretenir vos mortelles dou-
　　leurs;

L'ingrat que vous pleurez ne fait plus
　　vos malheurs.

Chère épouse, il n'est rien que votre
　　époux ne fasse

Pour tarir à jamais la source de vos
　　pleurs.

Vous avez rallumé ses premières ar-
　　deurs:

Trop heureux s'il expire en obtenant sa
　　grâce! . . .»

Ah! pourquoi n'ai-je pas prévenu mon
　　époux?

Conduisez-moi, courons. . .

DURVAL, *démasqué, à ses pieds.* Il est à vos
　　genoux. . .

C'est où je dois mourir. . . Laissez-moi
　　dans les larmes

Expier mes excès, et venger tous vos
　　charmes.

CONSTANCE. Cher époux, lève-toi. Va, je
　　reçois ton cœur:

Je reprends avec lui ma vie et mon bon-
　　heur.

DURVAL. Quoi! vous me pardonnez l'ou-
　　trage et le parjure?

CONSTANCE. Oui; laisse-moi goûter une
　　joie aussi pure.

DURVAL. Vengez-vous.

CONSTANCE. Eh! de qui? C'est un songe
    passé;
  Ton retour me suffit.
DURVAL.           Il n'a rien effacé.
CONSTANCE. Si tu veux me prouver com-
    bien je te suis chère,
  Oublions qu'autrefois j'ai cessé de te
    plaire.
DURVAL. Je veux m'en souvenir, pour le
    mieux réparer.
      (*On entend du monde; Constance
         paraît inquiète.*)
  Devant tout l'univers je vais me décla-
    rer. . .

## SCÈNE VI.

CONSTANCE, DURVAL, SOPHIE, ARGANT,
DAMON, FLORINE.

ARGANT. Comment, diable! La scène a bien
    changé de face.
  Ah! ah! mon gendre en conte à sa
    femme. . . Il l'embrasse!
  Mais est-ce tout de bon?
FLORINE.        Certes, l'effort est grand.
SOPHIE, *ironiquement, à Damon*. Monsieur
    a du bonheur dans ce qu'il entre-
    prend.
DURVAL, *avec véhémence*. Oui, je ne pré-
    tends plus que **personne** l'ignore;

C'est ma femme, en un mot, c'est elle
    que j'adore.
Que l'on m'approuve ou non, mon bon-
    heur me suffit.
Peut-être mon exemple aura plus de cré-
    dit:
On pourra m'imiter. Non, il n'est pas
    possible
Qu'un préjugé si faux soit toujours in-
    vincible.
ARGANT. Ce n'est pas que je trouve à re-
    dire à cela;
  Mais c'est qu'on n'est pas fait à ces in-
    cidents-là.
  Lorsqu'une femme plaît, quoiqu'elle soit
    la nôtre,
  Je crois qu'on peut l'aimer, même encor
    mieux qu'une autre.
DAMON, *à Sophie*. Oserais-je, à mon tour,
    sans indiscrétion,
  Vous faire souvenir d'une convention?
SOPHIE. Damon, je m'en souviens. (*A Con-
    stance.*) Ah! ma chère Constance. . .
    (*Elle l'embrasse.*)
  Mais conseillez-moi donc dans cette cir-
    constance. . .
ARGANT, *en lui prenant la main et la met-
    tant dans celle de Damon*. Oui, con-
    seillez un cœur déjà déterminé. . .
  Le conseil en est pris, quand l'amour l'a
    donné.

# LE MÉCHANT

*Comédie en cinq actes, en vers*

Représentée pour la première fois à la Comédie-Française,
**le 27 avril 1747**

# GRESSET

Jean-Baptiste-Louis Gresset (1709–1777) was born at Amiens. In the local school of the Jesuits he did so well that the Society decided to attach him to the order. He began his novitiate at the age of sixteen and accepted the offer of the Society to send him to Paris in 1726 to study at the Collège Louis-le-Grand. Here as a pupil and apprentice teacher he read and imitated Plautus, Terence, Molière, and Regnard, and developed an ambition for literature and society. He taught in the Jesuit colleges of Moulins, Tours, and Rouen. At Rouen he wrote his poem *Vert-Vert*, published in 1734. Having returned to Paris to study theology, he was relegated to la Flèche on account of the malice of his verse, and was expelled from the order in 1735. Of this latter event, Voltaire said: "One more poet and one less Jesuit is a very good thing for the world." He continued to write various sorts of poetry, twice refused invitations from Frederick II to come to Berlin (1736–40), but accepted membership in the Academy of Berlin. After the presentation of *le Méchant* (1747), he was elected to the French Academy in 1748. In 1749 he retired to his native town of Amiens, married, settled there for life and organized the Academy of Sciences, Arts, and Belles-Lettres. Henceforth he gave himself entirely to religion, renounced the stage, destroyed several comedies, and wrote his *Lettre sur la comédie* which attracted the jokes and epigrams of Voltaire and Piron. Louis XVI bestowed on him titles of nobility for the wise use he had always made of his talents. He died at Amiens in 1777.

In 1731 Gresset published a first collection of poems, which was followed in 1734 by *Vert-Vert*. Next came *le Carême impromptu* and *le Lutrin vivant*, *contes* in verse. His *Épître de la Chartreuse*, a description of his cell at college, was completed by *les Ombres*. During his stay in Paris he was the protégé of the Chauvelins and frequented the Hôtel de Chaulnes; from this time date his épîtres: *A ma Muse, Au comte de Tressan, Au P. Bougeant, A ma sœur, Sur ma convalescence*. In 1740 he wrote a tragedy, *Édouard III;* in 1741, *l'Abbaye*, a pamphlet against the monks; then the comedies, *Sidney* (1745), *les Bourgeois* (1747), *le Méchant* (1747, his masterpiece), *les Parvenus* (1748), *l'Esprit à la mode* and *l'École de l'amour-propre* (1751).

The little poem *Vert-Vert*, the first work to bring fame to its author, is still regarded as a masterpiece of *poésie légère*, reminding us in tone of Marot and La Fontaine. The story is that of a parrot who was reared in all decency in one nunnery and was destined to make a visit to display his piety in another, but before arriving fell into bad company, with amusing results. The poet becomes a painter of manners of the small convent world. In tragedy, his *Édouard III* was a complete failure. He then turned to comedy. *Sidney* (1745) was his attempt at sentimental comedy. The scene of this play is laid in England, and the principal trait of the hero is suicidal melancholy.

Gresset reversed the process of Molière, who used his twelve years in the provinces to get material which he made use of more than once on the Parisian stage. Gresset came from his province, and in his quiet, unassuming way set himself to observe the characters and manners of Parisian society, taking Molière for his model. It was this idle, refined, witty, slanderous society that furnished the background for *le Méchant*, and was responsible for producing such a character. Gresset has been criticized for trying to crowd into one personage so many types of wickedness, producing thereby a too complex character, lacking the vigor and unity of the powerful types of Molière which stand out in bold relief, such as the miser, the hypocrite, etc. But it is a long way from Molière and the more strenuous, vigorous age of Louis XIV. Society has degenerated as well as comedy, and Gresset has depicted very well, in this five-act play in verse, the character of the *Méchant*, who is born of the many little meannesses of society, at a time when sentimental comedy was already in vogue. Rousseau wrote that when *le Méchant* was played for the first time, Cléon did not seem to any one to correspond to the epithet *méchant*, for such was the condition of society that the hero was a common type, just like everybody else. Gresset depicts in this play a cold, calculated, dilettante sort of meanness, the basis of which was selfishness and vanity. It is somewhat the same theme as in *le Médisant* of Destouches. The meanness of the hero Cléon is especially displayed in an effort to prevent the marriage of Valère and Chloé, and he stands ready to marry either the sister Florise or the niece Chloé of his old friend Géronte, who had entire confidence in him until at the end he found that Cléon was preparing to slander him also. Cléon hesitates before no scruple, he tortures character and virtue for pleasure and by habit, and when he is finally driven out of the house, he is by no means humiliated but goes away with a sneer and a threat. With a more lively plot and a more abundant verve the play would not have been unworthy of Molière. But we have now reached the end of attempts at classical comedy, for no longer do we find efforts at painting great types, and comedies of character disappear with *le Méchant*.

Bibliography: *Œuvres*, London, 1758, 2 vols.; Paris, 3 vols., 1804, 1811. J. WOGUE: *Essai sur la vie et les œuvres de Gresset*, Paris, 1894. C. LENIENT: *La Comédie au XVIII° siècle*, Paris, 1888. D. C. STUART: *The Source of Gresset's Méchant*, in *Modern Language Notes*, February, 1912. J. LEMAÎTRE: *Théories et impressions*, Paris, 1903.

# LE MÉCHANT [1]

### Par JEAN-BAPTISTE-LOUIS GRESSET.

#### PERSONNAGES.

CLÉON, *méchant.*
GÉRONTE, *frère de Florise.*
FLORISE, *mère de Chloé.*
CHLOÉ.
ARISTE, *ami de Géronte.*

VALÈRE, *amant de Chloé.*
LISETTE, *suivante.*
FRONTIN, *valet de Cléon.*
UN LAQUAIS.

La scène est à la campagne, dans un château de Géronte.

## ACTE PREMIER

### SCÈNE PREMIÈRE.

#### LISETTE, FRONTIN.

FRONTIN. Te voilà de bonne heure, et toujours plus jolie.
LISETTE. Je n'en suis pas plus gaie.
FRONTIN.        Eh pourquoi, je te prie?
LISETTE. Oh! pour bien des raisons.
FRONTIN.        Es-tu folle? Comment!
On prépare une noce, une fête. . .
LISETTE.        Oui vraiment,
Crois cela; mais pour moi, j'en suis bien convaincue,
Nos affaires vont mal, et la noce est rompue.
FRONTIN. Pourquoi donc?
LISETTE. Oh! pourquoi? Dans toute la maison
Il règne un air d'aigreur et de division
Qui ne le dit que trop. Au lieu de cette aisance
Qu'établissait ici l'entière confiance,
On se boude, on s'évite, on bâille, on parle bas,
Et je crains que demain on ne se parle pas.
Va, la noce est bien loin, et j'en sais trop la cause:
Ton maître sourdement. . .
FRONTIN.        Lui! bien loin qu'il s'oppose
Au choix qui doit unir Valère avec Chloé,
Je puis te protester qu'il l'a fort appuyé,

Et qu'au bon homme d'oncle il répète sans cesse
Que c'est le seul parti qui convienne à sa nièce.
LISETTE. S'il s'en mêle, tant pis; car, s'il fait quelque bien,
C'est que, pour faire mal, il lui sert de moyen.
Je sais ce que je sais; et je ne puis comprendre
Que, connaissant Cléon, tu veuilles le défendre.
Droit, franc comme tu l'es, comment estimes-tu
Un fourbe, un homme faux, déshonoré, perdu,
Qui nuit à tout le monde et croit tout légitime?
FRONTIN. Oh! quand on est fripon, je rabats de l'estime.
Mais autant qu'on peut voir, et que je m'y connais,
Mon maître est honnête homme, à quelque chose près.
La première vertu qu'en lui je considère,
C'est qu'il est libéral; excellent caractère!
Un maître, avec cela, n'a jamais de défaut;
Et de sa probité c'est tout ce qu'il me faut.
Il me donne beaucoup, outre de fort bons gages.
LISETTE. Il faut, puisqu'il te fait de si grands avantages,
Que de ton savoir-faire il ait souvent besoin.

[1] Text of 1758 edition.

Mais tiens, parle-moi vrai, nous sommes
sans témoin :
Cette chanson qui fit une si belle histoire. . .

FRONTIN. Je ne me pique pas d'avoir de la
mémoire.
Les rapports font toujours plus de mal
que de bien :
Et de tout le passé je ne sais jamais
rien.

LISETTE. Cette méthode est bonne, et j'en
veux faire usage.
Adieu, monsieur Frontin.

FRONTIN.          Quel est donc ce langage ?
Mais, Lisette, un moment.

LISETTE.               Je n'ai que faire ici.

FRONTIN. As-tu donc oublié, pour me traiter ainsi,
Que je t'aime toujours, et que tu dois
m'en croire ?

LISETTE. Je ne me pique pas d'avoir de la
mémoire.

FRONTIN. Mais que veux-tu ?

LISETTE.      Je veux que, sans autre façon,
Si tu veux m'épouser, tu laisses là Cléon.

FRONTIN. Oh ! le quitter ainsi, c'est de l'ingratitude ;
Et puis, d'ailleurs, je suis animal d'habitude.
Où trouverais-je mieux ?

LISETTE.          Ce n'est pas l'embarras.
Si, malgré ce qu'on voit, et ce qu'on ne
voit pas,
La noce en question parvenait à se faire,
Je pourrais, par Chloé, te placer chez
Valère.
Mais à propos de lui, j'apprends avec
douleur
Qu'il connaît fort ton maître, et c'est un
grand malheur.
Valère, à ce qu'on dit, est aimable, sin-
cère,
Plein d'honneur, annonçant le meilleur
caractère ;
Mais, séduit par l'esprit ou la fatuité,
Croyant qu'on réussit par la méchan-
ceté,
Il a choisi, dit-on, Cléon pour son mo-
dèle ;
Il est son complaisant,[1] son copiste fi-
dèle. . .

FRONTIN. Mais tu fais des malheurs et des
monstres de tout.
Mon maître a de l'esprit, des lumières,
du goût,
L'air et le ton du monde ; et le bien qu'il
peut faire

Est au-dessus du mal que tu crains pour
Valère.

LISETTE. Si pourtant il ressemble à ce qu'on
dit de lui,
Il changera de guide ; il arrive aujour-
d'hui :
Tu verras ; les méchants nous appren-
nent à l'être ;
Par d'autres, ou par moi, je lui peindrai
ton maître.
Au reste, arrange-toi, fais tes réflexions :
Je t'ai dit ma pensée et mes conditions :
J'attends une réponse, et positive, et
prompte.
Quelqu'un vient, laisse-moi. . . Je crois
que c'est Géronte.
Comment ; il parle seul !

## SCÈNE II.

### GÉRONTE, LISETTE.

GÉRONTE, *sans voir Lisette.* Ma foi, je tiendrai bon.
Quand on est bien instruit, bien sûr
d'avoir raison,
Il ne faut pas céder. Elle suit son caprice :
Mais moi, je veux la paix, le bien et la
justice.
Valère aura Chloé.

LISETTE.          Quoi ! sérieusement ?

GÉRONTE. Comment ! tu m'écoutais ?

LISETTE.               Tout naturellement.
Mais n'est-ce point un rêve, une plaisan-
terie ?
Comment, monsieur ! j'aurais, une fois
en ma vie,
Le plaisir de vous voir, en dépit des ja-
loux,
De votre sentiment et d'un avis à vous ?

GÉRONTE. Qui m'en empêcherait ? je tien-
drai ma promesse,
Sans l'avis de ma sœur, je marierai ma
nièce :
C'est sa fille, il est vrai ; mais les biens
sont à moi ;
Je suis le maître enfin. Je te jure ma
foi
Que la donation, que je suis prêt à faire,
N'aura lieu pour Chloé qu'en épousant
Valère :
Voilà mon dernier mot.

LISETTE.          Voilà parler, cela !

GÉRONTE. Il n'est point de parti meilleur
que celui-là.

[1] son complaisant, his flatterer.

LISETTE. Assurément.

GÉRONTE. C'était pour traiter cette affaire
Qu'Ariste vint ici la semaine dernière.
La mère de Valère, entre tous ses amis,
Ne pouvait mieux choisir pour proposer
son fils.
Ariste est honnête homme, intelligent et
sage :
L'amitié qui nous lie est, ma foi, de notre
âge,[1]
Il est parti muni de mon consentement,
Et l'affaire sera finie incessamment ;
Je n'écouterai plus aucun avis contraire,
Pour la conclusion l'on n'attend que Va-
lère :
Il a dû revenir de Paris ces jours-ci,
Et ce soir au plus tard je les attends
ici.

LISETTE. Fort bien.

GÉRONTE. Toujours plaider m'ennuie et me
ruine ;
Des terres du futur cette terre est voi-
sine,
Et, confondant nos droits, je finis des
procès
Qui, sans cette union, ne finiraient jamais.

LISETTE. Rien n'est plus convenable.

GÉRONTE. Et puis d'ailleurs, ma nièce
Ne me dédira point, je crois, de ma pro-
messe,
Ni Valère non plus. Avant nos diffé-
rends,
Ils se voyaient beaucoup, n'étant encor
qu'enfants,
Ils s'aimaient ; et souvent cet instinct de
l'enfance
Devient un sentiment quand la raison
commence.
Depuis près de six ans qu'il demeure à
Paris,
Ils ne se sont pas vus : mais je serais
surpris
Si, par ses agréments et son bon carac-
tère,
Chloé ne retrouvait tout le goût de Va-
lère.

LISETTE. Cela n'est pas douteux.

GÉRONTE. Encore une raison
Pour finir : j'aime fort ma terre, ma maison ;
Leur embellissement fit toujours mon
étude.
On n'est pas immortel : j'ai quelque inquiétude
Sur ce qu'après ma mort tout ceci deviendra.

Je voudrais mettre au fait celui qui me
suivra,
Lui laisser mes projets. J'ai vu naître
Valère :
J'aurai, pour le former, l'autorité d'un
père.

LISETTE. Rien de mieux : mais. . .

GÉRONTE. Quoi, mais ? J'aime qu'on parle
net.

LISETTE. Tout cela serait beau : mais cela
n'est pas fait.

GÉRONTE. Eh pourquoi donc ?

LISETTE. Pourquoi ? pour une bagatelle
Qui fera tout manquer. Madame y con-
sent-elle ?
Si j'ai bien entendu, ce n'est pas son
avis.

GÉRONTE. Qu'importe ? ses conseils ne seront pas suivis.

LISETTE. Ah ! vous êtes bien fort, mais c'est
loin de Florise.
Au fond, elle vous mène en vous sem-
blant soumise,
Et, par malheur pour vous et toute la
maison,
Elle n'a pour conseil que ce monsieur
Cléon,
Un mauvais cœur, un traître, enfin un
homme horrible,
Et pour qui votre goût m'est incompré-
hensible.

GÉRONTE. Ah ! te voilà toujours. On ne sait
pas pourquoi
Il te déplaît si fort.

LISETTE. Oh ! je le sais bien, moi.
Ma maîtresse autrefois me traitait à merveille,
Et ne peut me souffrir depuis qu'il la
conseille.
Il croit que de ses tours je ne soupçonne
rien ;
Je ne suis point ingrate, et je lui rendrai bien. . .
Je vous l'ai déjà dit, vous n'en voulez
rien croire,
C'est l'esprit le plus faux et l'âme la
plus noire,
Et je ne vois que trop que ce qu'on m'en
a dit. . .

GÉRONTE. Toujours la calomnie en veut aux
gens d'esprit.
Quoi donc ! parce qu'il sait saisir le ridicule,
Et qu'il dit tout le mal qu'un flatteur
dissimule,
On le prétend méchant ! c'est qu'il est
naturel :

_____

[1] de notre âge, born at the same time that we were.

Au fond, c'est un bon cœur, un homme
    essentiel.[1]

LISETTE. Mais je ne parle pas seulement de
    son style.

S'il n'avait de mauvais que le fiel qu'il
    distille,

Ce serait peu de chose, et tous les mé-
    disants

Ne nuisent pas beaucoup chez les hon-
    nêtes gens.

Je parle de ce goût de troubler, de dé-
    truire,

Du talent de brouiller, et du plaisir de
    nuire :

Semer l'aigreur, la haine et la division,

Faire du mal enfin, voilà votre Cléon ;

Voilà le beau portrait qu'on m'a fait de
    son âme

Dans le dernier voyage où j'ai suivi ma-
    dame.

Dans votre terre ici fixé depuis long-
    temps,

Vous ignorez Paris et ce qu'on dit des
    gens.

Moi, le voyant là-bas s'établir chez Flo-
    rise,

Et lui trouvant un ton suspect à ma
    franchise,

Je m'informai de l'homme, et ce qu'on
    m'en a dit

Est le tableau parfait du plus méchant
    esprit ;

C'est un enchaînement de tours, d'hor-
    reurs secrètes,

De gens qu'il a brouillés, de noirceurs
    qu'il a faites,

Enfin, un caractère effroyable, odieux.

GÉRONTE. Fables que tout cela, propos des
    envieux.

Je le connais, je l'aime, et je lui rends
    justice.

Chez moi, j'aime qu'on rie et qu'on me
    divertisse ;

Il y réussit mieux que tout ce que je
    vois.

D'ailleurs, il est toujours de même avis
    que moi ;

Preuve que nos esprits étaient faits l'un
    pour l'autre,

Et qu'une sympathie, un goût comme le
    nôtre,

Sont pour durer toujours : et puis, j'aime
    ma sœur,

Et quiconque lui plaît convient à mon
    humeur :

Elle n'amène ici que bonne compagnie ;

Et, grâce à ses amis, jamais je ne m'en-
    nuie.

Quoi ! si Cléon était un homme décrié,

L'aurais-je ici reçu ? l'aurait-elle prié ?

Mais quand il serait tel qu'on te l'a voulu
    peindre,

Faux, dangereux, méchant, moi, qu'en
    aurais-je à craindre ?

Isolé dans nos bois, loin des sociétés,

Que me font les discours et les méchan-
    cetés ?

LISETTE. Je ne jurerais pas qu'en attendant
    pratique [2]

Il ne divisât tout dans votre domestique.

Madame me paraît déjà d'un autre avis

Sur l'établissement que vous avez pro-
    mis,

Et d'une... Mais enfin je me serai mé-
    prise,

Vous en êtes content ; madame en est
    éprise.

Je croirais même assez...

GÉRONTE.         Quoi ? qu'elle aime Cléon ?

LISETTE. C'est vous qui l'avez dit, et c'est
    avec raison

Que je le pense, moi ; j'en ai la preuve
    sûre.

Si vous me permettez de parler sans fi-
    gure,

J'ai déjà vu madame avoir quelques
    amants ;

Elle en a toujours pris l'humeur, les sen-
    timents,

Le différent esprit. Tour à tour je l'ai
    vue

Ou folle ou de bon sens, sauvage ou ré-
    pandue,[3]

Six mois dans la morale, et six dans les
    romans,

Selon l'amant du jour et la couleur du
    temps ;

Ne pensant, ne voulant, n'étant rien
    d'elle-même,

Et n'ayant d'âme enfin que par celui
    qu'elle aime.

Or, comme je la vois, de bonne qu'elle
    était,

N'avoir qu'un ton méchant, ton qu'elle
    détestait,

Je conclus que Cléon est assez bien chez
    elle.

Autre conclusion tout aussi naturelle :

Elle en prendra conseil ; vous en croirez
    le sien

Pour notre mariage, et nous ne tenons
    rien.

---

[1] un homme essentiel, a sincere friend whom one can count on.
[2] en attendant pratique = en attendant l'occasion d'agir sérieusement.
[3] répandue = aimant à sortir, mondaine.

GÉRONTE. Ah! je voudrais le voir! corbleu!
    tu vas connaître
Si je ne suis qu'un sot, ou si je suis le
    maître.
J'en vais dire deux mots à ma très chère
    sœur,
Et la faire expliquer. J'ai déjà sur le
    cœur
Qu'elle s'est peu prêtée à bien traiter
    Ariste,
Tu m'y fais réfléchir: outre un accueil
    fort triste,
Elle m'avait tout l'air de se moquer de
    lui,
Et ne lui répondait qu'avec un ton d'en-
    nui:
Oh! par exemple, ici tu ne peux pas me
    dire
Que Cléon ait montré le moindre goût
    de nuire,
Ni de choquer Ariste, ou de contrarier
Un projet dont ma sœur paraissait s'en-
    nuyer,
Car il ne disait mot.
LISETTE.          Non: mais à la sourdine,
Quand Ariste parlait, Cléon faisait la
    mine;
Il animait madame en l'approuvant tout
    bas;
Son air, des demi-mots que vous n'en-
    tendiez pas,
Certain ricanement, un silence perfide;
Voilà comme il parlait, et tout cela dé-
    cide.
Vraiment il n'ira pas se montrer tel qu'il
    est,
Vous présent: il entend trop bien son
    intérêt;
Il se sert de Florise, et sait se satisfaire
Du mal qu'il ne fait point par le mal
    qu'il fait faire.
Enfin, à me prêcher vous perdez votre
    temps:
Je ne l'aimerai pas, j'abhorre les mé-
    chants:
Leur esprit me déplaît comme leur carac-
    tère;
Et les bons cœurs ont seuls le talent de
    me plaire.
Vous, monsieur, par exemple, à parler
    sans façon,
Je vous aime; pourquoi? c'est que vous
    êtes bon.
GÉRONTE. Moi! je ne suis pas bon. Et c'est
    une sottise
Que pour un compliment. . .
LISETTE.          Oui, bonté c'est bêtise,
Selon ce beau docteur: mais vous en
    reviendrez.

En attendant, en vain vous vous en dé-
    fendrez,
Vous n'êtes pas méchant, et vous ne pou-
    vez l'être.
Quelquefois, je le sais, vous voulez le
    paraître;
Vous êtes comme un autre, emporté, vio-
    lent,
Et vous vous fâchez même assez honnête-
    ment.
Mais au fond la bonté fait votre carac-
    tère,
Vous aimez qu'on vous aime, et je vous
    en révère.
GÉRONTE. Ma sœur vient: tu vas voir si j'ai
    tant de douceur,
Et si je suis si bon.
LISETTE.          Voyons.

### SCÈNE III.

FLORISE, GÉRONTE, LISETTE.

GÉRONTE, *d'un ton brusque.* Bonjour, ma
    sœur.
FLORISE. Ah dieux! parlez plus bas, mon
    frère, je vous prie.
GÉRONTE. Eh! pourquoi, s'il vous plaît?
FLORISE.          Je suis anéantie:
Je n'ai pas fermé l'œil, et vous criez si
    fort. . .
GÉRONTE, *bas à Lisette.* Lisette, elle est
    malade.
LISETTE, *bas à Géronte.* Et vous, vous êtes
    mort.
Voilà donc ce courage?
FLORISE.          Allez savoir, Lisette,
Si l'on peut voir Cléon. . . Faut-il que
    je répète?

### SCÈNE IV.

FLORISE, GÉRONTE.

FLORISE. Je ne sais ce que j'ai, tout m'ex-
    cède aujourd'hui:
Aussi c'est vous. . . hier. . .
GÉRONTE.          Quoi donc?
FLORISE.          Oui, tout l'ennui
Que vous m'avez causé sur ce beau ma-
    riage,
Dont je ne vois pas bien l'important
    avantage,
Tous vos propos sans fin m'ont occupé
    l'esprit
Au point que j'ai passé la plus mauvaise
    nuit.
GÉRONTE. Mais, ma sœur, ce parti. . .
FLORISE.          Finissons là, de grâce:

Allez-vous m'en parler? je vous cède la
    place.

GÉRONTE. Un moment: je ne veux. . .

FLORISE.           Tenez, j'ai de l'humeur,
    Et je vous répondrais peut-être avec ai-
    greur.

Vous savez que je n'ai de désirs que les
    vôtres:

Mais, s'il faut quelquefois prendre l'avis
    des autres,

Je crois que c'est surtout dans cette oc-
    casion.

Eh bien! sur cette affaire entretenez
    Cléon:

C'est un ami sensé, qui voit bien, qui
    vous aime.

S'il approuve ce choix, j'y souscrirai
    moi-même.

Mais je ne pense pas, à parler sans dé-
    tours,

Qu'il soit de votre avis, comme il en est
    toujours.

D'ailleurs, qui vous a fait hâter cette
    promesse?

Tout bien considéré, je ne vois rien qui
    presse.

Oh! mais, me dites-vous, on nous chi-
    canera:

Ce seront des procès! Eh bien! on plai-
    dera.

Faut-il qu'un intérêt d'argent, une mi-
    sère,

Nous fasse ainsi brusquer une impor-
    tante affaire?

Cessez de m'en parler, cela m'excède.

GÉRONTE.             Moi!
    Je ne dis rien, c'est vous. . .

FLORISE.     Belle alliance!

GÉRONTE.           Eh! quoi. . .

FLORISE. La mère de Valère est maussade,
    ennuyeuse,

Sans usage du monde, une femme
    odieuse:

Que voulez-vous qu'on dise à de pareils
    oisons?

GÉRONTE. C'est une femme simple et sans
    prétentions,

Qui, veillant sur ses biens. . .

FLORISE.       La belle emplette encore

Que ce Valère! un fat qui s'aime, qui
    s'adore.

GÉRONTE. L'agrément de cet âge en couvre
    les défauts.

Eh! qui n'est donc pas fat? tout l'est,
    jusques aux sots.

Mais le temps remédie aux torts de la
    jeunesse.

FLORISE. Non: il peut rester fat; n'en voit-
    on pas sans cesse

Qui jusqu'à quarante ans gardent l'air
    éventé,[1]

Et sont les vétérans de la fatuité?

GÉRONTE. Laissons cela. Cléon sera donc
    notre arbitre.

Je veux vous demander sur un autre
    chapitre

Un peu de complaisance, et j'espère, ma
    sœur. . .

FLORISE. Ah! vous savez trop bien tous
    vos droits sur mon cœur.

GÉRONTE. Ariste doit ici. . .

FLORISE.           Votre Ariste m'as-
    somme:

C'est, je vous l'avoûrai, le plus plat hon-
    nête homme. . .

GÉRONTE. Ne vous voilà-t-il pas! j'aime
    tous vos amis;

Tous ceux que vous voulez, vous les
    voyez admis:

Et moi je n'en ai qu'un, que j'aime pour
    mon compte;

Et vous le détestez: oh! cela me dé-
    monte.

Vous l'avez accablé, contredit, abruti;

Croyez-vous qu'il soit sourd, et qu'il n'ait
    rien senti,

Quoiqu'il n'ait rien marqué? Vous au-
    tres, fortes têtes,

Vous voilà! vous prenez tous les gens
    pour des bêtes,

Et ne ménageant rien. . .

FLORISE. Eh mais! tant pis pour lui,

S'il s'en est offensé; c'est aussi trop d'en-
    nui

S'il faut, à chaque mot, voir comme on
    peut le prendre;

Je dis ce qui me vient, et l'on peut me le
    rendre;

Le ridicule est fait pour notre amuse-
    ment,

Et la plaisanterie est libre.

GÉRONTE.           Mais vraiment,

Je sais bien, comme vous, qu'il faut un
    peu médire.

Mais en face des gens, il est trop fort
    d'en rire.

Pour conserver vos droits, je veux bien
    vous laisser

Tous ces lourds campagnards que je
    voudrais chasser

Quand ils viennent: raillez leurs façons,
    leur langage,

Et tout l'arrière-ban [2] de notre voisi-
    nage;

---

[1] éventé = léger, évaporé.

[2] l'arrière-ban, all the nobles of a state liable to be called to the colors of the king; by extension, all the inhabitants of a place.

Mais grâce, je vous prie, et plus d'at-
tention
Pour Ariste: il revient. Faites réflexion
Qu'il me croira, s'il est traité de même
sorte,
Un maître à qui bientôt on fermera sa
porte.
Je ne crois pas avoir cet air-là, Dieu
merci.
Enfin, si vous m'aimez, traitez bien mon
ami.
FLORISE. Par malheur, je n'ai point l'art de
me contrefaire.
Il vient pour un sujet qui ne saurait me
plaire,
Et je lui manquerais indubitablement:
Je ne sortirai pas de mon appartement.
GÉRONTE. Ce serait une scène.
FLORISE.     Eh non! je ferai dire
Que je suis malade.
GÉRONTE.    Oh! toujours me contredire!
FLORISE. Mais, marier Chloé! mon frère,
y pensez-vous?
Elle est si peu formée, et si sotte, entre
nous. . .
GÉRONTE. Je ne vois pas cela. Je lui trouve,
au contraire,
De l'esprit naturel, un fort bon carac-
tère;
Ce qu'elle est devant vous ne vient que
d'embarras.
On imaginerait que vous ne l'aimez pas,
A vous la voir traiter avec tant de ru-
desse.
Loin de l'encourager, vous l'effrayez sans
cesse,
Et vous l'abrutissez dès que vous lui par-
lez.
Sa figure est fort bien d'ailleurs.
FLORISE.     Si vous voulez.
Mais c'est un air si gauche, une maus-
saderie. . .
GÉRONTE, *élevant la voix en apercevant Li-
sette.* Tout comme il vous plaira. Fi-
nissons, je vous prie.
Puisque je l'ai promis, je veux bien voir
Cléon,
Parce que je suis sûr de sa décision.
Mais, quoi qu'on puisse dire, il faut ce
mariage;
Il n'est point pour Chloé d'arrangement
plus sage.
Feu son père, on le sait, a mangé tout
son bien;
Le vôtre est médiocre, elle n'a que le
mien:
Et quand je donne tout, c'est bien la
moindre chose

Qu'on daigne se prêter à ce que je propose.
                     (*Il sort.*)
FLORISE. Qu'un sot est difficile à vivre!


## SCÈNE V.

### FLORISE, LISETTE.

FLORISE.            Eh bien, Cléon
Paraîtra-t-il bientôt?
LISETTE.       Mais oui, si ce n'est non.
FLORISE. Comment donc?
LISETTE. Mais, madame, au ton dont il s'ex-
plique,
A son air, où l'on voit dans un rire iro-
nique
L'estime de lui-même et le mépris d'au-
trui,
Comment peut-on savoir ce qu'on tient
avec lui?
Jamais ce qu'il vous dit n'est ce qu'il
veut vous dire.
Pour moi, j'aime les gens dont l'âme peut
se lire,
Qui disent bonnement oui pour oui, non
pour non.
FLORISE. Autant que je puis voir, vous n'ai-
mez pas Cléon.
LISETTE. Madame, je serai peut-être trop
sincère;
Mais il a pleinement le don de me dé-
plaire.
On lui croit de l'esprit, vous dites qu'il
en a:
Moi, je ne voudrais point de tout cet es-
prit-là,
Quand il serait pour rien. Je n'y vois,
je vous jure,
Qu'un style qui n'est pas celui de la droi-
ture,
Et sous cet air capable, où l'on ne com-
prend rien,
S'il cache un honnête homme, il le cache
très bien.
FLORISE. Tous vos raisonnements ne valent
pas la peine
Que j'y réponde: mais pour calmer cette
haine,
Disposez pour Paris tout votre arrange-
ment:
Vous y suivrez Chloé; je l'envoie au cou-
vent.
Dites-lui de ma part. . .
LISETTE.       Voici mademoiselle:

Vous-même apprenez-lui cette belle nouvelle.

FLORISE, *à Chloé, qui lui baise la main.*
Vous êtes aujourd'hui coiffée à faire
horreur.

(*Elle sort.*)

## SCÈNE VI.

### CHLOÉ, LISETTE.

CHLOÉ. Quoi! suis-je donc si mal?
LISETTE.          Bon! c'est une douceur
Qu'on vous dit en passant, par humeur,
par envie;
Le tout pour vous punir d'oser être jolie.
N'importe; là-dessus allez votre chemin.
CHLOÉ. Du chagrin qui me suit quand ver-
rai-je la fin?
Je cherche à mériter l'amitié de ma
mère;
Je veux la contenter, je fais tout pour
lui plaire,
Je me sacrifierais: et tout ce que je
fais
De son aversion augmente les effets.
Je suis bien malheureuse!
LISETTE.        Ah! quittez ce langage,
Les lamentations ne sont d'aucun usage:
Il faut de la vigueur. Nous en viendrons
à bout
Si vous me secondez: vous ne savez pas
tout.
CHLOÉ. Est-il quelque malheur au delà de
ma peine?
LISETTE. D'abord, parlez-moi vrai, sans que
rien vous retienne.
Voyons; qu'aimez-vous mieux du cloî-
tre ou d'un époux?
CHLOÉ. A quoi bon ce propos?
LISETTE.        C'est que j'ai près de vous
Des pouvoirs pour les deux. Votre oncle
m'a chargée
De vous dire que c'est une affaire ar-
rangée
Que votre mariage; et, d'un autre côté,
Votre mère m'a dit, avec même clarté,
De vous notifier qu'il fallait sans re-
mise
Partir pour le couvent: jugez de ma sur-
prise.
CHLOÉ. Ma mère est ma maîtresse, il lui
faut obéir;
Puisse-t-elle à ce prix cesser de me haïr!
LISETTE. Doucement, s'il vous plaît, l'af-
faire n'est pas faite,
Et ma décision n'est pas pour la retraite;
Je ne suis point d'humeur d'aller périr
d'ennui.

Frontin veut m'épouser, et j'ai du goût
pour lui;
Je ne souffrirai pas l'exil qu'on nous ordonne.
Mais vous, n'aimez-vous plus Valère,
qu'on vous donne?
CHLOÉ. Tu le vois bien, Lisette, il n'y faut
plus songer.
D'ailleurs, longtemps absent, Valère a
pu changer.
La dissipation, l'ivresse de son âge,
Une ville où tout plaît, un monde où
tout engage,
Tant d'objets séduisants, tant de divers
plaisirs,
Ont loin de moi sans doute emporté ses
désirs.
Si Valère m'aimait, s'il songeait que je
l'aime,
J'aurais dû quelquefois l'apprendre de
lui-même.
Qu'il soit heureux du moins! pour moi,
j'obéirai:
Aux ennuis de l'exil mon cœur est pré-
paré;
Et j'y dois expier le crime involontaire
D'avoir pu mériter la haine de ma mère.
A quoi rêves-tu donc? tu ne m'écoutes
pas.
LISETTE. Fort bien. . . Voilà de quoi nous
tirer d'embarras. . .
Et sûrement Florise. . .
CHLOÉ.        Eh bien?
LISETTE.        Mademoiselle,
Soyez tranquille; allez, fiez-vous à mon
zèle;
Nous verrons sans pleurer la fin de tout
ceci.
C'est Cléon qui nous perd et brouille tout
ici:
Mais malgré son crédit je vous donne
Valère.
J'imagine un moyen d'éclairer votre mère
Sur le fourbe insolent qui la mène au-
jourd'hui;
Et nous la guérirons du goût qu'elle a
pour lui:
Vous verrez.
CHLOÉ. Ne fais rien que ce qu'elle souhaite:
Que ses vœux soient remplis, et je suis
satisfaite.

## SCÈNE VII.

### LISETTE.

Pour faire son bonheur je n'épargnerai
rien.

Hélas! on ne fait plus de cœurs comme
le sien.

## ACTE DEUXIÈME.

### SCÈNE PREMIÈRE.

CLÉON, FRONTIN.

CLÉON. Qu'est-ce donc que cet air d'ennui,
d'impatience?
Tu fais tout de travers: tu gardes le si-
lence;
Je ne t'ai jamais vu de si mauvaise hu-
meur.
FRONTIN. Chacun a ses chagrins.
CLÉON.            Ah! tu me fais l'honneur
De me parler enfin. Je parviendrai peut-
être
A voir de quel sujet tes chagrins peuvent
naître.
Mais, à propos, Valère?
FRONTIN.           Un de vos gens viendra
M'avertir en secret dès qu'il arrivera.
Mais pourrais-je savoir d'où vient tout
ce mystère?
Je ne comprends pas trop le projet de
Valère:
Pourquoi, lui qu'on attend, qui doit bien-
tôt, dit-on,
Se voir avec Chloé l'enfant de la maison,
Prétend-il vous parler sans se faire con-
naître?
CLÉON. Quand il en sera temps, je le ferai
paraître.
FRONTIN. Je n'y vois pas trop clair: mais
le peu que j'y vois
Me paraît mal à vous, et dangereux pour
moi.
Je vous ai, comme un sot, obéi sans mot
dire:
J'ai réfléchi depuis. Vous m'avez fait
écrire
Deux lettres, dont chacune, en honnête
maison,
A celui qui l'écrit vaut cent coups de
bâton.
CLÉON. Je te croyais du cœur. Ne crains
point d'aventure:
Personne ne connaît ici ton écriture,
Elles arriveront de Paris; et pourquoi
Veux-tu que le soupçon aille tomber sur
toi?
La mère de Valère a sa lettre, sans
doute;
Et celle de Géronte? . . .
FRONTIN.          Elle doit être en route:

La poste d'aujourd'hui va l'apporter ici.
Mais sérieusement tout ce manège-ci
M'alarme, me déplaît, et, ma foi, j'en ai
honte.
Y pensez-vous, monsieur? Quoi! Florise
et Géronte
Vous comblent d'amitié, de plaisirs et
d'honneurs,
Et vous mandez sur eux quatre pages
d'horreurs!
Valère, d'autre part, vous aime à la folie:
Il n'a d'autre défaut qu'un peu d'étour-
derie;
Et, grâce à vous, Géronte en va voir le
portrait
Comme d'un libertin et d'un colifichet.
Cela finira mal.
CLÉON.            Oh! tu prends au tragique
Un débat qui pour moi ne sera que comi-
que;
Je me prépare ici de quoi me réjouir,
Et la meilleure scène, et le plus grand
plaisir. . .
J'ai bien voulu pour eux quitter un
temps la ville:
Ne point m'en amuser serait être imbé-
cile;
Un peu de bruit rendra ceci moins en-
nuyeux,
Et me paîra du temps que je perds avec
eux.
Valère à mon projet lui-même contribue:
C'est un de ces enfants dont la folle re-
crue [1]
Dans les sociétés vient tomber tous les
ans,
Et lasse tout le monde, excepté leurs pa-
rents.
Crois-tu que sur ma foi tout son espoir
se fonde?
Le hasard me l'a fait rencontrer dans
le monde;
Ce petit étourdi s'est pris de goût pour
moi,
Et me croit son ami, je ne sais pas pour-
quoi.
Avant que dans ces lieux je vinsse avec
Florise,
J'avais tout arrangé pour qu'il eût Ci-
dalise:
Elle a, pour la plupart, formé nos jeunes
gens;
J'ai demandé pour lui quelques mois de
son temps.
Soit que cette aventure, ou quelqu'autre
l'engage. . .
Voulant absolument rompre son ma-
riage,

[1] recrue, here: all the young people of a generation.

Il m'a vingt fois écrit d'employer tous
  mes soins
Pour le faire manquer, ou l'éloigner du
  moins ;
Parbleu ! je vous le sers de la bonne
  manière.
FRONTIN. Oui, vous voilà chargé d'une très
  belle affaire.
CLÉON. Mon projet était bien qu'il se tînt
  à Paris ;
C'est malgré mes conseils qu'il vient en
  ce pays.
Depuis longtemps, dit-il, il n'a point vu
  sa mère ;
Il compte, en lui parlant, gagner ce qu'il
  espère.
FRONTIN. Mais vous, quel intérêt ? . . .
  Pourquoi vouloir aigrir
Des gens que pour toujours ce nœud doit
  réunir ?
Et pourquoi seconder la bizarre entre-
  prise
D'un jeune écervelé qui fait une sottise ?
CLÉON. Quand je n'y trouverais que de
  quoi m'amuser,
Oh ! c'est le droit des gens, et je veux
  en user.
Tout languit, tout est mort sans la tra-
  casserie ;
C'est le ressort du monde et l'âme de la
  vie ;
Bien fou qui là-dessus contraindrait ses
  désirs ;
Les sots sont ici-bas pour nos menus
  plaisirs.
Mais un autre intérêt que la plaisanterie
Me détermine encore à cette brouillerie.
FRONTIN. Comment donc ! à Chloé songe-
  riez-vous aussi ?
Florise croit pourtant que vous n'êtes
  ici
Que pour son compte, au moins. Je pense
  que sa fille
Lui pèse horriblement ; et la voir si gen-
  tille
L'afflige : je lui vois l'air sombre et sou-
  cieux
Lorsque vous regardez longtemps Chloé.
CLÉON.                Tant mieux.
Elle ne me dit rien de cette jalousie :
Mais j'ai bien remarqué qu'elle en était
  remplie.
Et je la laisse aller.
FRONTIN.        C'est-à-dire, à peu près,
Que Valère écarté sert à vos intérêts.
Mais je ne comprends pas quel dessein
  est le vôtre ;
Quoi ! Florise et Chloé ? . . .
CLÉON.        Moi ! ni l'une ni l'autre.

Je n'agis ni par goût, ni par rivalité :
M'as-tu donc jamais vu dupe d'une
  beauté ?
Je sais trop les défauts, les retours qu'on
  nous cache.
Toute femme m'amuse, aucune ne m'at-
  tache.
Si par hasard aussi je me vois marié,
Je ne m'ennuîrai point pour ma chère
  moitié ;
Aimera qui pourra. Florise, cette folle,
Dont je tourne à mon gré l'esprit faux
  et frivole,
Qui, malgré l'âge, encore a des préten-
  tions,
Et me croit transporté de ses perfec-
  tions,
Florise pense à moi. C'est pour notre
  avantage
Qu'elle veut de Chloé rompre le ma-
  riage,
Vu que, l'oncle à la niéce assurant tout
  son bien,
S'il venait à mourir, Florise n'aurait
  rien.
Le point est d'empêcher qu'il ne se des-
  saisisse :
Et je souhaite fort que cela réussisse :
Si nous pouvons parer cette donation,
Je ne répondrais pas d'une tentation
Sur cet hymen secret dont Florise me
  presse ;
D'un bien considérable elle sera maî-
  tresse,
Et je n'épouserais que sous condition
D'une très bonne part dans la succes-
  sion.
D'ailleurs Géronte m'aime : il se peut
  très bien faire
Que son choix me regarde en renvoyant
  Valère,
Et, sur la fille alors arrêtant mon espoir,
Je laisserai la mère à qui voudra l'avoir.
Peut-être tout ceci n'est que vaines chi-
  mères.
FRONTIN. Je le croirais assez.
CLÉON.                Aussi n'y tiens-je guères,
Et je ne m'en fais point un fort grand
  embarras.
Si rien ne réussit, je ne m'en pendrai
  pas.
Je puis avoir Chloé, je puis avoir Flo-
  rise ;
Mais, quand je manquerais l'une et l'au-
  tre entreprise,
J'aurai, chemin faisant, les ayant con-
  seillés,
Le plaisir d'être craint et de les voir
  brouillés.

FRONTIN. Fort bien! mais si j'osais vous dire en confidence
Où cela va tout droit. . .

CLÉON. Eh bien?

FRONTIN. En conscience,
Cela vise à nous voir donner notre congé.
Déjà vous le savez, et j'en suis affligé,
Pour vos maudits plaisirs on nous a pour la vie
Chassés de vingt maisons.

CLÉON. Chassés! quelle folie!

FRONTIN. Oh! c'est un mot pour l'autre, et puisqu'il faut choisir,
Point chassés, mais priés de ne plus revenir.
Comment n'aimez-vous pas un commerce plus stable?
Avec tout votre esprit, et pouvant être aimable,
Ne prétendez-vous donc qu'au triste amusement
De vous faire haïr universellement?

CLÉON. Cela m'est fort égal: on me craint, on m'estime;
C'est tout ce que je veux; et je tiens pour maxime
Que la plate amitié, dont on fait tant de cas,
Ne vaut pas les plaisirs des gens qu'on n'aime pas:
Etre cité, mêlé dans toutes les querelles,
Les plaintes, les rapports, les histoires nouvelles,
Etre craint à la fois et désiré partout,
Voilà ma destinée et mon unique goût.
Quant aux amis, crois-moi, ce vain nom qu'on se donne
Se prend chez tout le monde, et n'est vrai chez personne;
J'en ai mille, et pas un. Veux-tu que, limité
Au petit cercle obscur d'une société,
J'aille m'ensevelir dans quelque coterie?
Je vais où l'on me plaît, je pars quand on m'ennuie,
Je m'établis ailleurs, me moquant au surplus
D'être haï des gens chez qui je ne vais plus:
C'est ainsi qu'en ce lieu, si la chance varie,
Je compte planter là toute la compagnie.

FRONTIN. Cela vous plaît à dire, et ne m'arrange pas:
De voir tout l'univers vous pouvez faire cas;
Mais je suis las, monsieur, de cette vie errante:

Toujours visages neufs, cela m'impatiente;
On ne peut, grâce à vous, conserver un ami,
On est tantôt au nord, et tantôt au midi:
Quand je vous crois logé, j'y compte, je me lie
Aux femmes de madame, et je fais leur partie,
J'ose même avancer que je vous fais honneur:
Point du tout, on vous chasse, et votre serviteur.
Je ne puis plus souffrir cette humeur vagabonde,
Et vous ferez tout seul le voyage du monde.
Moi, j'aime ici, j'y reste.

CLÉON. Et quels sont les appas,
L'heureux objet. . .

FRONTIN. Parbleu! ne vous en moquez pas,
Lisette vaut, je crois, la peine qu'on s'arrête,
Et je veux l'épouser.

CLÉON. Tu serais assez bête
Pour te marier, toi? ton amour, ton dessein,
N'ont pas le sens commun.

FRONTIN. Il faut faire une fin,
Et ma vocation est d'épouser Lisette:
J'aimais assez Marton, et Nérine, et Finette,
Mais quinze jours chacune, ou toutes à la fois,
Mon amour le plus long n'a point passé le mois:
Mais ce n'est plus cela, tout autre amour m'ennuie;
Je suis fou de Lisette, et j'en ai pour la vie.

CLÉON. Quoi! tu veux te mêler aussi de sentiment!

FRONTIN. Comme un autre.

CLÉON. Le fat! Aime moins tristement.
Pasquin, Lolive, et cent, d'amour aussi fidèle,
L'ont aimée avant toi, mais sans se charger d'elle!
Pourquoi veux-tu payer pour tes prédécesseurs?
Fais de même; aucun d'eux n'est mort de ses rigueurs.

FRONTIN. Vous la connaissez mal, c'est une fille sage.

CLÉON. Oui, comme elles le sont.

FRONTIN. Oh! monsieur, ce langage
Nous brouillera tous deux.

CLÉON, *après un moment de silence.* Eh bien! écoute-moi.

Tu me conviens, je t'aime, et si l'on veut
    de toi,
J'emploîrai tous mes soins pour t'unir à
    Lisette;
Soit ici, soit ailleurs, c'est une affaire
    faite.
FRONTIN. Monsieur, vous m'enchantez.
CLÉON.          Ne va point nous trahir.
Vois si Valère arrive, et reviens m'aver-
    tir.

## SCÈNE II.

### CLÉON.

Frontin est amoureux; je crains bien
    qu'il ne cause.
Comment parer le risque où son amour
    m'expose?
Mais si je lui donnais quelque commis-
    sion
Pour Paris? oui, vraiment, l'expédient
    est bon;
J'aurai seul mon secret; et si, par aven-
    ture,
On sait que les billets sont de son écri-
    ture,
Je dirai que de lui je m'étais défié,
Que c'était un coquin, et qu'il est ren-
    voyé.

## SCÈNE III.

### FLORISE, CLÉON.

FLORISE. Je vous cherche partout. Ce que
    prétend mon frère
Est-il vrai? Vous parlez, m'a-t-il dit,
    pour Valère:
Changeriez-vous d'avis?
CLÉON.      Comment! vous l'avez cru?
FLORISE. Mais il en est si plein et si bien
    convaincu. . .
CLÉON. Tant mieux. Malgré cela, soyez
    persuadée
Que tout ce beau projet ne sera qu'en
    idée;
Vous y pouvez compter, je vous réponds
    de tout.
En ne paraissant pas contrarier son goût,
J'en suis beaucoup plus maître; et la
    bête est si bonne,
Soit dit sans vous fâcher. . .
FLORISE.      Ah! je vous l'abandonne,
Faites-en les honneurs: je me sens, en-
    tre nous,

Sa sœur, on ne peut moins.
CLÉON.        Je pense comme vous;
La parenté m'excède, et ces liens, ces
    chaînes
De gens dont on partage ou les torts ou
    les peines,
Tout cela préjugés, misères du vieux
    temps;
C'est pour le peuple enfin que sont faits
    les parents.
Vous avez de l'esprit, et votre fille est
    sotte,
Vous avez pour surcroît un frère qui
    radote;
Eh bien! c'est leur affaire après tout:
    selon moi,
Tous ces noms ne sont rien, chacun n'est
    que pour soi.
FLORISE. Vous avez bien raison; je vous
    dois le courage
Qui me soutient contre eux, contre ce
    mariage.
L'affaire presse au moins, il faut se dé-
    cider,
Ariste nous arrive, il vient de le man-
    der;
Et, par une façon des galants du vieux
    style,
Géronte sur la route attend l'autre im-
    bécile;
Il compte voir ce soir les articles [1] signés.
CLÉON. Et ce soir finira tout ce que vous
    craignez.
Premièrement, sans vous on ne peut rien
    conclure;
Il faudra, ce me semble, un peu de si-
    gnature
De votre part, ainsi tout dépendra de
    vous:
Refusez de signer, grondez, et boudez-
    nous;
Car, pour me conserver toute sa con-
    fiance,
Je serai contre vous moi-même en sa
    présence,
Et je me fâcherais, s'il en était besoin.
Mais nous l'emporterons sans prendre
    tout ce soin.
Il m'est venu d'ailleurs une assez bonne
    idée,
Et dont, faute de mieux, vous pourrez
    être aidée. . .
Mais non, car ce serait un moyen un
    peu fort,
J'aime trop à vous voir vivre de bon
    accord.
FLORISE. Oh! vous me le direz. Quel scru-
    pule est le vôtre?

[1] *les articles* du contrat de mariage.

Quoi! ne pensons-nous pas tout haut l'un
  devant l'autre?
Vous savez que mon goût tient plus à
  vous qu'à lui,
Et que vos seuls conseils sont ma règle
  aujourd'hui.
Vous êtes honnête homme, et je n'ai
  point à craindre
Que vous proposiez rien dont je puisse
  me plaindre;
Ainsi, confiez-moi tout ce qui peut servir
A combattre Géronte, ainsi qu'à nous
  unir.
CLÉON. Au fond je n'y vois pas de quoi
  faire un mystère. . .
Et c'est ce que de vous mérite votre
  frère.
Vous m'avez dit, je crois, que jamais sur
  les biens
On n'avait éclairci ni vos droits ni les
  siens,
Et que, vous assurant d'avoir son héri-
  tage,
Vous aviez au hasard réglé votre par-
  tage:
Vous savez à quel point il déteste un
  procès,
Et qu'il donne Chloé pour acheter la
  paix:
Cela fait contre lui la plus belle ma-
  tière
Des biens à répéter,[1] des partages à
  faire;
Vous voyez que voilà de quoi le mettre
  aux champs [2]
En lui faisant prévoir un procès de dix
  ans:
S'il va donc s'obstiner, malgré vos répu-
  gnances,
A l'établissement qui rompt nos espéran-
  ces.
Partons d'ici, plaidez; une assignation [3]
Détruira le projet de la donation:
Il ne peut pas souffrir d'être seul; vous
  partie,
On ne me verra plus lui tenir compagnie;
Et quant à vos procès, ou vous les ga-
  gnerez,
Ou vous plaiderez tant que vous l'a-
  chèverez.
FLORISE. Contre les préjugés dont votre
  âme est exempte

La mienne, par malheur, n'est pas aussi
  puissante.
Et je vous avoûrai mon imbécillité: [4]
Je n'irais pas sans peine à cette ex-
  trémité.
Il m'a toujours aimée, et j'aimais à lui
  plaire;
Et soit cette habitude, ou quelque autre
  chimère,
Je ne puis me résoudre à le désespérer:
Mais votre idée au moins sur lui peut
  opérer;
Dites-lui qu'avec vous, paraissant fort
  aigrie,
J'ai parlé de procès, de biens, de brouil-
  lerie,
De départ; et qu'enfin, s'il me poussait
  à bout,
Vous avez entrevu que je suis prête à
  tout.
CLÉON. S'il s'obstine pourtant, quoi qu'on
  lui puisse dire,
On pourrait consulter pour le faire in-
  terdire,[5]
Ne le laisser jouir que d'une pension:
Mon procureur fera cette expédition; [6]
C'est un homme admirable, et qui, par
  son adresse,
Aurait fait enfermer les sept sages de
  Grèce,
S'il eût plaidé contre eux. S'il est quel-
  que moyen
De vous faire passer ses droits et tout
  son bien,
L'affaire est immanquable, il ne faut
  qu'une lettre
De moi.
FLORISE. Non, différez. . . Je crains de me
  commettre: [7]
Dites-lui seulement, s'il ne veut point cé-
  der,
Que je suis, malgré vous, résolue à
  plaider.
De l'humeur dont il est, je crois être
  bien sûre
Que sans mon agrément il craindra de
  conclure;
Et, pour me ramener, ne négligeant plus
  rien,
Vous le verrez finir par m'assurer son
  bien.
Au reste, vous savez pourquoi je le
  désire.

---

[1] répéter, legal term: to claim that out of which one has been cheated.
[2] mettre aux champs, to greatly disturb.
[3] assignation, summons to appear before a judge.
[4] imbécillité, mental incapacity.
[5] interdire, prevent, by legal action, the free disposal of a person's property.
[6] expédition, literal copy of a legal document.
[7] commettre, to compromise.

CLÉON. Vous connaissez aussi le motif qui m'inspire,
Madame: ce n'est point du bien que je prétends,
Et mon goût seul pour vous fait mes engagements.
Des amants du commun j'ignore le langage,
Et jamais la fadeur ne fut à mon usage:
Mais je vous le redis tout naturellement,
Votre genre d'esprit me plaît infiniment,
Et je ne sais que vous avec qui j'aie envie
De penser, de causer, et de passer ma vie;
C'est un goût décidé.
FLORISE. Puis-je m'en assurer?
Et loin de tout ici pourrez-vous demeurer?
Je ne sais, répandu, fêté comme vous l'êtes,
Je vois plus d'un obstacle au projet que vous faites.
Peut-être votre goût vous a séduit d'abord;
Mais tout Paris. . .
CLÉON. Paris! il m'ennuie à la mort,
Et je ne vous fais pas un fort grand sacrifice
En m'éloignant d'un monde à qui je rends justice;
Tout ce qu'on est forcé d'y voir et d'endurer
Passe bien l'agrément qu'on peut y rencontrer.
Trouver à chaque pas des gens insupportables,
Des flatteurs, des valets, des plaisants détestables,
Des jeunes gens d'un ton, d'une stupidité! . . .
Des femmes d'un caprice, et d'une fausseté! . . .
Des prétendus esprits souffrir la suffisance,[1]
Et la grosse gaîté de l'épaisse opulence,
Tant de petits talents où je n'ai pas de foi;
Des réputations on ne sait pas pourquoi;
Des protégés si bas, des protecteurs si bêtes. . .
Des ouvrages vantés qui n'ont ni pieds ni têtes;

Faire des soupers fins où l'on périt d'ennui;
Veiller par air,[2] enfin se tuer pour autrui;
Franchement, des plaisirs, des biens de cette sorte,
Ne font pas, quand on pense, une chaîne bien forte;
Et, pour vous parler vrai, je trouve plus sensé
Un homme sans projets dans sa terre fixé,
Qui n'est ni complaisant,[3] ni valet de personne,
Que tous ces gens brillants qu'on mange, qu'on friponne,
Qui, pour vivre à Paris avec l'air d'être heureux,
Au fond n'y sont pas moins ennuyés qu'ennuyeux.
FLORISE. J'en reconnais grand nombre à ce portrait fidèle.
CLÉON. Paris me fait pitié, lorsque je me rappelle
Tant d'illustres faquins, d'insectes freluquets.[4] . .
FLORISE. Votre estime, je crois, n'a pas fait plus de frais
Pour les femmes?
CLÉON. Pour vous je n'ai point de mystères
Et vous verrez ma liste avec les caractères:
J'aime l'ordre, et je garde une collection
Des lettres dont je puis faire une édition.
Vous ne vous doutiez pas qu'on pût avoir Lesbie;
Vous verrez de sa prose. Il me vient une envie
Qui peut nous réjouir dans ces lieux écartés,
Et désoler là-bas bien des sociétés.
Je suis tenté, parbleu, d'écrire mes mémoires;
J'ai des traits merveilleux, mille bonnes histoires
Qu'on veut cacher. . .
FLORISE. Cela sera délicieux.
CLÉON. J'y ferai des portraits qui sauteront aux yeux.
Il m'en vient déjà vingt qui retiennent des places.

---

[1] suffisance, presumption.
[2] veiller par air, to assume the air of enjoyment.
[3] complaisant, flatterer.
[4] freluquets, frivolous.

Vous y verrez Mélite avec toutes ses
  grâces;
Et ce que j'en dirai tempérera l'amour
De nos petits messieurs qui rôdent alen-
  tour;
Sur l'aigre Céliante et la fade Uranie
Je compte bien aussi passer ma fan-
  taisie;
Pour le petit Damis, et monsieur Dori-
  las,
Et certain plat seigneur, l'automate Al-
  cidas,
Qui, glorieux et bas, se croit un per-
  sonnage;
Tant d'autres importants, esprits du
  même étage:
Oh! fiez-vous à moi, je veux les célébrer
Si bien que de six mois ils n'osent se
  montrer.
Ce n'est pas sur leurs mœurs que je veux
  qu'on en cause.
Un vice, un déshonneur, font assez peu
  de chose,
Tout cela dans le monde est oublié bien-
  tôt;
Un ridicule reste, et c'est ce qu'il leur
  faut.
Qu'en dites-vous? cela peut faire un
  bruit du diable,
Une brochure unique, un ouvrage ad-
  mirable,
Bien scandaleux, bien bon: le style n'y
  fait rien:
Pourvu qu'il soit méchant, il sera tou-
  jours bien.
FLORISE. L'idée est excellente, et la vengeance est sûre.
Je vous prîrai d'y joindre avec quelque
  aventure
Une madame Orphise, à qui j'en dois [1]
  d'ailleurs,
Et qui mérite bien quelques bonnes
  noirceurs;
Quoi qu'elle soit affreuse, elle se croit
  jolie,
Et de l'humilier j'ai la plus grande envie.
Je voudrais que déjà votre ouvrage fût
  fait.
CLÉON. On peut toujours à compte envoyer son portrait,
Et dans trois jours d'ici désespérer la
  belle.
FLORISE. Et comment?
CLÉON. On peut faire une chanson sur
  elle,

Cela vaut mieux qu'un livre, et court
  tout l'univers.
FLORISE. Oui, c'est très bien pensé; mais
  faites-vous des vers?
CLÉON. Qui n'en fait pas? est-il si mince
  coterie
Qui n'ait son bel esprit, son plaisant,
  son génie?
Petits auteurs honteux, qui font, malgré
  les gens,
Des bouquets,[2] des chansons, et des vers
  innocents.
Oh! pour quelques couplets, fiez-vous à
  ma muse:
Si votre Orphise en meurt, vous plaire
  est mon excuse;
Tout ce qui vit n'est fait que pour nous
  réjouir,
Et se moquer du monde est tout l'art
  d'en jouir.
Ma foi, quand je parcours tout ce qui
  le compose,
Je ne trouve que nous qui valions quelque chose.

## SCÈNE IV.

### CLÉON, FLORISE, FRONTIN.

FRONTIN, *un peu éloigné*. Monsieur, je vou-
  drais bien. . .
CLÉON. Attends. . . (*A Florise*.) Permet-
  tez-vous? . . .
FLORISE. Veut-il vous parler seul?
FRONTIN.                Mais, madame. . .
FLORISE.                        Entre nous
  Entière liberté. Frontin est impayable,[3]
  Il vous sert bien; je l'aime.
CLÉON, *à Florise qui sort*. Il est assez bon
  diable,
Un peu bête. . .

## SCÈNE V.

### CLÉON, FRONTIN.

FRONTIN.    Ah! monsieur, ma réputation
  Se passerait fort bien de votre caution;
  De mon panégyrique épargnez-vous la
  peine.
  Valère entrera-t-il?
CLÉON.    Je ne veux pas qu'il vienne.
  Ne t'avais-je pas dit de venir m'avertir,
  Que j'irais le trouver?

---

[1] j'en dois à, I have to get even with.
[2] bouquets, little poems sent to a person on his birthday.
[3] impayable, admirable, excellent. Not ironical.

Frontin.                    Il a voulu venir :
Je ne suis point garant de cette extrava-
gance ;
Il m'a suivi de loin, malgré ma remon-
trance,
Se croyant invisible, à ce que je conçois,
Parce qu'il a laissé sa chaise [1] dans le
bois.
Caché près de ces lieux, il attend qu'on
l'appelle.
Cléon. Florise heureusement vient de ren-
trer chez elle.
Qu'il vienne. Observe tout pendant notre
entretien.


## SCÈNE VI.

### Cléon.

L'affaire est en bon train, et tout ira
fort bien
Après que j'aurai fait la leçon à Valère
Sur toute la maison, et sur l'art d'y dé-
plaire :
Avec son ton, ses airs, et sa frivolité,
Il n'est pas mal en fonds [2] pour être
détesté ;
Une vieille franchise à ses talents s'op-
pose ;
Sans cela l'on pourrait en faire quelque
chose.


## SCÈNE VII.

### Valère, *en habit de campagne* ; Cléon.

Valère, *embrassant Cléon.* Eh ! bonjour,
cher Cléon ! je suis comblé, ravi
De retrouver enfin mon plus fidèle ami.
Je suis au désespoir des soins dont vous
accable
Ce mariage affreux : vous êtes adorable !
Comment reconnaîtrai-je. . .
Cléon.          Ah ! point de compliments ;
Quand on peut être utile, et qu'on aime
les gens,
On es payé d'avance. . . Eh bien ! quel-
les nouvelles
A Paris ?
Valère. Oh ! cent mille, et toutes des plus
belles :
Paris est ravissant, et je crois que ja-
mais
Les plaisirs n'ont été si nombreux,
si parfaits,

Les talents plus féconds, les esprits plus
aimables :
Le goût fait chaque jour des progrès in-
croyables ;
Chaque jour le génie et la diversité
Viennent nous enrichir de quelque nou-
veauté.
Cléon. Tout vous paraît charmant, c'est le
sort de votre âge ;
Quelqu'un pourtant m'écrit (et j'en crois
son suffrage)
Que de tout ce qu'on voit on est fort
ennuyé ;
Que les arts, les plaisirs, les esprits font
pitié ;
Qu'il ne nous reste plus que des superfi-
cies,
Des pointes, du jargon, de tristes facé-
ties ;
Et qu'à force d'esprit et de petits ta-
lents
Dans peu nous pourrions bien n'avoir
plus le bon sens.
Comment, vous qui voyez si bien les
ridicules,
Ne m'en dites-vous rien ? tenez-vous aux
scrupules,
Toujours bon, toujours dupe ?
Valère.                    Oh ! non, en vérité ;
Mais c'est que je vois tout assez du bon
côté :
Tout est colifichet, pompon et parodie ;
Le monde, comme il est, me plaît à la
folie.
Les belles tous les jours vous trompent,
on leur rend, [3]
On se prend, on se quitte assez publique-
ment ;
Les maris savent vivre, et sur rien ne
contestent ;
Les hommes s'aiment tous, les femmes
se détestent
Mieux que jamais : enfin c'est un monde
charmant,
Et Paris s'embellit délicieusement.
Cléon. Et Cidalise ? . . .
Valère.          Mais. . .
Cléon.          C'est une affaire faite ?
Sans doute vous l'avez ? . . . Quoi ! la
chose est secrète ?
Valère. Mais cela fût-il vrai, le dirais-je ?
Cléon.                    Partout ;
Et ne point l'annoncer, c'est mal servir
son goût.
Valère. Je m'en détacherais si je la croy-
ais telle.

[1] chaise, post-chaise.
[2] il n'est pas mal en fonds, he has good reasons.
[3] on leur rend, they are deceived in turn.

J'ai, je vous l'avoûrai, beaucoup de goût
  pour elle;
Et pour l'aimer toujours, si je m'en fais
  aimer,
J'observe ce qui peut me la faire estimer.
CLÉON, *avec un grand éclat de rire.* Feu
  Céladon,[1] je crois, vous a légué son
  âme:
Il faudrait des six mois pour aimer une
  femme,
Selon vous; on perdrait son temps, la
  nouveauté,
Et le plaisir de faire une infidélité.
Laissez la bergerie,[2] et, sans trop de
  franchise,
Soyez de votre siècle, ainsi que Cidalise:
Ayez-la, c'est d'abord ce que vous lui
  devez,
Et vous l'estimerez après, si vous pou-
  vez:
Au reste, affichez tout. Quelle erreur est
  la vôtre!
Ce n'est qu'en se vantant de l'une qu'on
  a l'autre.
Et l'honneur d'enlever l'amant qu'une
  autre a pris
A nos gens du bel air met souvent tout
  leur prix.
VALÈRE. Je vous en crois assez. . . Eh bien!
  mon mariage?
Concevez-vous ma mère, et tout ce rado-
  tage?
CLÉON. N'en appréhendez rien. Mais, soit
  dit entre nous,
Je me reproche un peu ce que je fais
  pour vous;
Car enfin, si, voulant prouver que je
  vous aime,
J'aide à vous nuire, et si vous vous trompez vous-même
En fuyant un parti peut-être avantageux?
VALÈRE. Eh! non: vous me sauvez un
  ridicule affreux.
Que dirait-on de moi si j'allais, à mon
  âge,
D'un ennuyeux mari jouer le personnage?
Ou j'aurais une prude au ton triste, ex-
  cédant,
Une bégueule enfin qui serait mon pé-
  dant;[3]
Ou, si pour mon malheur ma femme
  était jolie,
Je serais le martyr de sa coquetterie.

Fuir Paris, ce serait m'égorger de ma
  main.
Quand je puis m'avancer et faire mon
  chemin,
Irais-je, accompagné d'une femme im-
  portune,
Me rouiller dans ma terre et borner ma
  fortune?
Ma foi, se marier, à moins qu'on ne soit
  vieux,
Fi! cela me paraît ignoble, crapuleux.
CLÉON. Vous pensez juste.
VALÈRE.          À vous en est toute la gloire.
D'après vos sentiments je prévois mon
  histoire
Si j'allais m'enchaîner; et je ne vous
  vois pas
Le plus petit scrupule à m'ôter d'em-
  barras.
CLÉON. Mais malheureusement on dit que
  votre mère
Par de mauvais conseils s'obstine à cette
  affaire:
Elle a chez elle un homme, ami de ces
  gens-ci,
Qui, dit-on, avec elle est assez bien aussi;
Un Ariste, un esprit d'assez grossière
  étoffe:
C'est une espèce d'ours qui se croit philo-
  sophe.
Le connaissez-vous?
VALÈRE.          Non, je ne l'ai jamais vu:
Chez moi depuis six ans je ne suis pas
  venu;
Ma mère m'a mandé que c'est un homme
  sage,
Fixé depuis longtemps dans notre voi-
  sinage;
Que c'était son ami, son conseil aujour-
  d'hui,
Et qu'elle prétendait me lier avec lui.
CLÉON. Je ne vous dirai pas tout ce qu'on
  en raconte;
Il vous suffit qu'elle est aveugle sur son
  compte:
Mais moi, qui vois pour vous les choses
  de sang-froid,
Au fond je ne puis croire Ariste un
  homme droit:
Géronte est son ami, cela depuis l'en-
  fance.
VALÈRE. A mes dépens peut-être ils sont
  d'intelligence?
CLÉON. Cela m'en a tout l'air.
VALÈRE.          J'aime mieux un procès:

---

[1] Céladon, shepherd in D'Urfé's famous 17th century novel *Astrée*.
[2] bergerie, idyllic love as in *Astrée*.
[3] une bégueule enfin qui serait mon pédant, a prude who would always be scolding me.

J'ai des amis là-bas, je suis sûr du succès.

CLÉON. Quoique je sois ici l'ami de la famille,

Je dois vous parler franc; à moins d'aimer leur fille,

Je ne vois pas pourquoi vous vous empresseriez

Pour pareille alliance. On dit que vous l'aimiez

Quand vous étiez ici?

VALÈRE.　　　　Mais assez, ce me semble;

Nous étions élevés, accoutumés ensemble;

Je la trouvais gentille, elle me plaisait fort:

Mais Paris guérit tout, et les absents ont tort.

On m'a mandé souvent qu'elle était embellie;

Comment la trouvez-vous?

CLÉON.　　　　Ni laide, ni jolie;

C'est un de ces minois [1] que l'on a vus partout,

Et dont on ne dit rien.

VALÈRE.　　　J'en crois fort votre goût.

CLÉON. Quant à l'esprit, néant; il n'a pas pris la peine

Jusqu'ici de paraître, et je doute qu'il vienne;

Ce qu'on voit à travers son petit air boudeur,

C'est qu'elle sera fausse, et qu'elle a de l'humeur.

On la croit une Agnès; [2] mais comme elle a l'usage

De sourire à des traits un peu forts pour son âge,

Je la crois avancée; et, sans trop me vanter,

Si je m'étais donné la peine de tenter...

Enfin, si je n'ai pas suivi cette conquête,

*La faute en est aux dieux, qui la firent si bête.* [3]

VALÈRE. Assurément Chloé serait une beauté,

Que sur ce portrait-là j'en serais peu tenté.

Allons, je vais partir; et comptez que j'espère

Dans deux heures d'ici désabuser ma mère:

Je laisse en bonnes mains...

CLÉON.　　　Non; il vous faut rester.

VALÈRE. Mais comment voulez-vous ici me présenter?

CLÉON. Non pas dans le moment: dans une heure.

VALÈRE.　　　　　　　A votre aise.

CLÉON. Il faut que vous alliez retrouver votre chaise:

Dans l'instant que Géronte ici sera rentré

(Car c'est lui qu'il nous faut), je vous le manderai;

Et vous arriverez par la route ordinaire,

Comme ayant prétendu nous surprendre et nous plaire.

VALÈRE. Comment concilier cet air impatient,

Cette galanterie, avec mon compliment?

C'est se moquer de l'oncle, et c'est me contredire:

Toute mon ambassade est réduite à lui dire

Que je serai (soit dit dans le plus simple aveu)

Toujours son serviteur, et jamais son neveu.

CLÉON. Et voilà justement ce qu'il ne faut pas faire:

Ce ton d'autorité choquerait votre mère:

Il faut dans vos propos paraître consentir,

Et tâcher, d'autre part, de ne point réussir.

Écoutez: conservons toutes les vraisemblances;

On ne doit se lâcher sur les impertinences

Que selon le besoin, selon l'esprit des gens;

Il faut, pour les mener, les prendre dans leur sens.

L'important est d'abord que l'oncle vous déteste;

Si vous y parvenez, je vous réponds du reste.

Or, notre oncle est un sot, qui croit avoir reçu

Toute sa part d'esprit en bon sens prétendu;

De tout usage antique amateur idolâtre,

De toutes nouveautés frondeur opiniâtre,

Homme d'un autre siècle, et ne suivant en tout

Pour ton qu'un vieux honneur, pour loi que le vieux goût;

Cerveau des plus bornés, qui, tenant pour maxime

Qu'un seigneur de paroisse est un être sublime,

---

[1] minois, pleasant but not beautiful face.

[2] Agnès, heroine of Molière's *École des Femmes*, the model type of the artless girl.

[3] parody on two lines of a madrigal of the poet Jean de Lingendes (1580–1616).

Vous entretient sans cesse avec stupidité
De son banc,[1] de ses soins et de sa di-
    gnité:
On n'imagine pas combien il se res-
    pecte;
Ivre de son château dont il est l'archi-
    tecte,
De tout ce qu'il a fait sottement entêté,
Possédé du démon de la propriété,
Il réglera pour vous son penchant ou
    sa haine
Sur l'air dont vous prendrez tout son
    petit domaine.
D'abord, en arrivant, il faut vous pré-
    parer
A le suivre partout, tout voir, tout ad-
    mirer,
Son parc, son potager, ses bois, son
    avenue;
Il ne vous fera pas grâce d'une laitue.
Vous, au lieu d'approuver, trouvant tout
    fort commun,
Vous ne lui paraîtrez qu'un fat très im-
    portun,
Un petit raisonneur, ignorant, indocile;
Peut-être ira-t-il même à vous croire
    imbécile.
VALÈRE. Oh! vous êtes charmant. . Mais
    n'aurais-je point tort?
J'ai de la répugnance à le choquer si
    fort.
CLÉON. Eh bien! . . . mariez-vous. . . Ce
    que je viens de dire
N'était que pour forcer Géronte à se
    dédire,
Comme vous désiriez: moi, je n'exige
    rien;
Tout ce que vous ferez sera toujours très
    bien;
Ne consultez que vous.
VALÈRE.          Écoutez-moi, de grâce,
Je cherche à m'éclairer.
CLÉON.          Mais tout vous embarrasse,
Et vous ne savez point prendre votre
    parti.
Je n'approuverais pas ce début étourdi
Si vous aviez affaire à quelqu'un d'esti-
    mable
Dont la vue exigeât un maintien raison-
    nable;
Mais avec un vieux fou dont on peut se
    moquer,
J'avais imaginé qu'on pouvait tout ris-
    quer,
Et que, pour vos projets, il fallait sans
    scrupule
Traiter légèrement un vieillard ridicule.

[1] banc, church pew.

VALÈRE. Soit. Il a la fureur de me croire à
    son gré,
Mais, fiez-vous à moi, je l'en détacherai.


## SCÈNE VIII.

### CLÉON, VALÈRE, FRONTIN.

FRONTIN. Monsieur, j'entends du bruit, et
    je crains qu'on ne vienne.
CLÉON. Ne perdez point de temps; (A Va-
    lère.) que Frontin vous ramène.


## SCÈNE IX.

### CLÉON.

Maintenant éloignons Frontin, et qu'à
    Paris
Il porte le mémoire où je demande avis
Sur l'interdiction de cet ennuyeux frère.
Florise s'en défend; son faible caractère
Ne sait point embrasser un parti cou-
    rageux:
Embarquons-la si bien, qu'amenée où je
    veux,
Mon projet soit pour elle un parti néces-
    saire.
Je ne sais si je dois trop compter sur
    Valère. . .
Il pourrait bien manquer de résolution,
Et je veux appuyer son expédition:
C'est un fat subalterne; il est né trop
    timide.
On ne va point au grand, si l'on n'est
    intrépide.


## ACTE TROISIÈME.

## SCÈNE PREMIÈRE.

### CHLOÉ, LISETTE.

CHLOÉ. Oui, je te le répète, oui, c'est lui
    que j'ai vu;
Mieux encor que mes yeux mon cœur
    l'a reconnu:
C'est Valère lui-même: et pourquoi ce
    mystère?
Venir sans demander mon oncle ni ma
    mère,
Sans marquer pour me voir le moindre
    empressement;

Ce procédé m'annonce un affreux changement.
LISETTE. Eh! non, ce n'est pas lui; vous
  vous serez trompée.
CHLOÉ. Non, crois-moi; de ses traits je suis
  trop occupée
Pour pouvoir m'y tromper; et nul autre
  sur moi
N'aurait jamais produit le trouble où je
  me voi:
Si tu le connaissais, si tu pouvais l'en-
  tendre,
Ah! tu saurais trop bien qu'on ne peut
  s'y méprendre;
Que rien ne lui ressemble, et que ce
  sont des traits
Qu'avec d'autres, Lisette, on ne confond
  jamais.
Le doux saisissement d'une joie im-
  prévue,
Tous les plaisirs du cœur m'ont rem-
  plie à sa vue:
J'ai voulu l'appeler, je l'aurais dû, je
  crois;
Mes transports m'ont ôté l'usage de la
  voix,
Il était déjà loin. . . Mais, dis-tu vrai,
  Lisette?
Quoi! Frontin? . . .
LISETTE.     Il me tient l'aventure secrète;
Son maître l'attendait, et je n'ai pu
  savoir. . .
CHLOÉ. Informe-toi d'ailleurs; d'autres
  l'auront pu voir;
Demande à tout le monde. . . Eh! va
  donc.
LISETTE.                       Patience!
Du zèle n'est pas tout, il faut de la
  prudence:
N'allons pas nous jeter dans d'autres
  embarras;
Raisonnons: c'est Valère, ou bien ce ne
  l'est pas:
Si c'est lui, dans la règle il faut qu'il
  vous prévienne;
Et si ce ne l'est pas, ma course serait
  vaine;
On le saurait; Cléon, dans ses jeux in-
  nocents,
Dirait que nous courons après tous les
  passants.
Ainsi, tout bien pensé, le plus sûr est
  d'attendre
Le retour de Frontin, dont je veux tout
  apprendre. . .
Serait-ce bien Valère? . . . Eh! mais,
  en vérité,
Je commence à le croire. . . Il l'aura
  consulté:

De quelque bon conseil cette fuite est
  l'ouvrage;
Oui, brouiller des parents le jour d'un
  mariage.
Pour prélude chasser l'époux de la mai-
  son,
L'histoire est toute simple, et digne de
  Cléon.
Plus le trait serait noir, plus il est
  vraisemblable.
CHLOÉ. Il faudrait que ce fût un homme
  abominable:
Tes soupçons vont trop loin; qu'ai-je
  fait contre lui?
Et pourquoi voudrait-il m'affliger au-
  jourd'hui?
Peut-il être des cœurs assez noirs pour
  se plaire
A faire ainsi du mal pour le plaisir d'en
  faire?
Mais toi-même pourquoi soupçonner cette
  horreur?
Je te vois lui parler avec tant de douceur.
LISETTE. Vraiment, pour mon projet, il ne
  faut pas qu'il sache
Le fond d'aversion qu'avec soin je lui
  cache.
Souvent il m'interroge, et du ton le plus
  doux
Je flatte les desseins qu'il a, je crois,
  sur vous:
Il imagine avoir toute ma confiance,
Il me croit sans ombrage et sans ex-
  périence;
Il en sera la dupe: allez, ne craignez
  rien:
Géronte amène Ariste, et j'en augure
  bien.
Les desseins de Cléon ne nuiront point
  aux nôtres:
J'ai vu ces gens si fins plus attrapés que
  d'autres:
On l'emporte souvent sur la duplicité
En allant son chemin avec simplicité;
Et. . .
FRONTIN, *derrière le théâtre.* Lisette!
LISETTE, *à Chloé.* Rentrez, c'est Frontin
  qui m'appelle.


### SCÈNE II.

FRONTIN, LISETTE.

FRONTIN, *sans voir Lisette.* Parbleu, je vais
  lui dire une bonne nouvelle!
On est bien malheureux d'être né pour
  servir:

Travailler, ce n'est rien: mais toujours obéir!

LISETTE. Comment! ce n'est que vous? Moi, je cherchais Ariste.

FRONTIN. Tiens, Lisette, finis, ne me rends pas plus triste;
J'ai déjà trop ici de sujet d'enrager,
Sans que ton air fâché vienne encor m'affliger.
Il m'envoie à Paris; que dis-tu du message?

LISETTE. Rien.

FRONTIN. Comment, rien! un mot, pour le moins.

LISETTE. Bon voyage!
Partez, ou demeurez, cela m'est fort égal.

FRONTIN. Comment as-tu le cœur de me traiter si mal?
Je n'y puis plus tenir, ta gravité me tue;
Il ne tiendra qu'à moi, si cela continue,
Oui. . . de mourir.

LISETTE. Mourez.

FRONTIN. Pour t'avoir résisté
Sur celui qui tantôt s'est ici présenté. . .
Pour n'avoir pas voulu dire ce que j'ignore. . .

LISETTE Vous le savez très bien, je le répète encore:
Vous aimez les secrets: moi, chacun a son goût,
Je ne veux point d'amant qui ne me dise tout.

FRONTIN. Ah! comment accorder mon honneur et Lisette?
Si je te le. . . disais.

LISETTE. Oh! la paix serait faite,
Et pour nous marier tu n'aurais qu'à vouloir.

FRONTIN. Eh bien! l'homme qu'ici vous ne deviez pas voir
Était un inconnu. . . dont je ne sais pas l'âge. . .
Qui, pour nous consulter sur certain mariage
D'une fille. . . non, veuve. . . ou les deux. . . au surplus
Tout va bien. . . M'entends-tu?

LISETTE. Moi? non.

FRONTIN. Ni moi non plus.
Si bien que pour cacher et l'homme et l'aventure. . .

LISETTE. As-tu dit? A quoi bon te donner la torture?
Va, mon pauvre Frontin, tu ne sais pas mentir,
Et je t'en aime mieux: moi, pour te secourir

Et ménager l'honneur que tu mets à te taire,
Je dirai, si tu veux, qui c'était.

FRONTIN. Qui?

LISETTE. Valère.
Il ne faut pas rougir, ni tant me regarder.

FRONTIN. Eh bien! si tu le sais, pourquoi le demander?

LISETTE. Comme je n'aime pas les demi-confidences,
Il faudra m'éclaircir de tout ce que tu penses
De l'apparition de Valère en ces lieux,
Et m'apprendre pourquoi cet air mystérieux:
Mais je n'ai pas le temps d'en dire davantage;
Voici mon dernier mot, je défends ton voyage;
Tu m'aimes; obéis. Si tu pars, dès demain
Toute promesse est nulle, et j'épouse Pasquin.

FRONTIN. Mais. . .

LISETTE. Point de mais. . On vient. Va, fais croire à ton maître
Que tu pars; nous saurons te faire disparaître.

## SCÈNE III.

ARISTE, GÉRONTE, CLÉON, LISETTE.

GÉRONTE. Que fait donc ta maîtresse? où chercher maintenant?
Je cours. . . j'appelle. . .

LISETTE. Elle est dans son appartement.

GÉRONTE. Cela peut être, mais elle ne répond guère.

LISETTE. Monsieur, elle a si mal passé la nuit dernière. . .

GÉRONTE. Oh! parbleu, tout ceci commence à m'ennuyer.
Je suis las des humeurs qu'il me faut essuyer.
Comment! on ne peut plus être un seul jour tranquille:
Je vois bien qu'elle boude, et je connais son style;
Oh bien! moi, les boudeurs sont mon aversion,
Et je n'en veux jamais souffrir dans ma maison.
A mon exemple ici je prétends qu'on en use;
Je tâche d'amuser, et je veux qu'on m'amuse.

Sans cesse de l'aigreur, des scènes, des
    refus,
Et des maux éternels, auxquels je ne
    crois plus;
Cela m'excède enfin. Je veux que tout le
    monde
Se porte bien chez moi, que personne
    n'y gronde,
Et qu'avec moi chacun aime à se ré-
    jouir;
Ceux qui s'y trouvent mal, ma foi, peu-
    vent partir.
ARISTE. Florise a de l'esprit: avec cet
    avantage
On a de la ressource; et je crois bien
    plus sage
Que vous la rameniez par raison, par
    douceur,
Que d'aller opposer la colère à l'humeur:
Ces nuages légers se dissipent d'eux-
    mêmes;
D'ailleurs, je ne suis point pour les par-
    tis extrêmes:
Vous vous aimez tous deux.
GÉRONTE.         Et qu'en pense Cléon?
CLÉON. Que vous n'avez pas tort, et
    qu'Ariste a raison.
GÉRONTE. Mais encor quel conseil. . .
CLÉON.        Que voulez-vous qu'on dise?
Vous savez mieux que nous comment
    mener Florise.
S'il faut se déclarer pourtant de bonne
    foi,
Je voudrais, comme vous, être maître
    chez moi.
D'autre part, se brouiller. . . A propos
    de querelle,
Il faut que je vous parle: en causant avec
    elle,
Je crois avoir surpris un projet dan-
    gereux,
Et que je vous dirai pour le bien de
    tous deux,
Car vous voir bien ensemble est ce que
    je désire.
GÉRONTE. Allons chemin faisant, vous pour-
    rez me le dire.
Je vais la retrouver; venez-y; je verrai,
Quand vous m'aurez parlé, ce que je lui
    dirai.
Ariste, permettez qu'un moment je vous
    quitte.
Je vais avec Cléon voir ce qu'elle mé-
    dite,
Et la déterminer à vous bien recevoir;
Car de façon ou d'autre. . . Enfin nous
    allons voir.

---

¹ avérer, prove, confirm.

## SCÈNE IV.

ARISTE, LISETTE.

LISETTE. Ah! que votre retour nous était
    nécessaire,
Monsieur! vous seul pouvez rétablir cette
    affaire:
Elle tourne au plus mal; et si votre
    crédit
Ne détrompe Géronte, et ne nous garan-
    tit,
Cléon va perdre tout.
ARISTE.        Que veux-tu que je fasse?
Géronte n'entend rien: ce que je vois me
    passe;
J'ai beau citer des faits, et lui parler
    raison,
Il ne croit rien, il est aveugle sur Cléon.
J'ai pourtant tout espoir dans une con-
    jecture
Qui le détromperait, si la chose était
    sûre;
Il s'agit de soupçons, que je puis voir
    détruits.
Comme je crois le mal le plus tard que
    je puis,
Je n'ai rien dit encor; mais aux yeux de
    Géronte
Je démasque le traître et le couvre de
    honte,
Si je puis avérer ¹ le tour le plus san-
    glant
Dont je l'ai soupçonné, grâces à son
    talent.
LISETTE. Le soupçonner! comment, c'est là
    que vous en êtes?
Ma foi, c'est trop d'honneur, monsieur,
    que vous lui faites.
Croyez d'avance, et tout. . .
ARISTE.           Il s'en est peu fallu
Que pour ce mariage on ne m'ait pas
    revu:
Sans toutes mes raisons, qui l'ont bien
    ramenée,
La mère de Valère était déterminée
A les remercier.
LISETTE.        Pourquoi?
ARISTE.          C'est une horreur
Dont je veux dévoiler et confondre l'au-
    teur;
Et tu m'y serviras.
LISETTE.        A propos de Valère,
Où croyez-vous qu'il soit?
ARISTE.        Peut-être chez sa mère.
Au moment où j'en parle; à toute heure
    on l'attend.

LISETTE. Bon ! il est ici.

ARISTE. Lui ?

LISETTE. Lui ; le fait est constant.

ARISTE. Mais quelle étourderie !

LISETTE. Oh ! toutes ses mesures
Semblaient, pour le cacher, bien prises
et bien sûres.
Il n'a vu que Cléon ; et, l'oracle entendu,
Dans le bois près d'ici Valère s'est perdu,
Et je l'y crois encor : comptez que c'est
lui-même ;
Je le sais de Frontin.

ARISTE. Quel embarras extrême !
Que faire ? L'aller voir, on saurait tout
ici :
Lui mander mes conseils est le meilleur
parti.
Donne-moi ce qu'il faut ; hâte-toi, que
j'écrive.

LISETTE. J'y vais. . . J'entends, je crois
quelqu'un qui nous arrive.

### SCÈNE V.

#### ARISTE.

Ce voyage insensé, d'accord avec Cléon,
Sur la lettre anonyme augmente mon
soupçon :
La noirceur masque en vain les poisons
qu'elle verse,
Tout se sait tôt ou tard, et la vérité
perce :
Par eux-mêmes souvent les méchants sont
trahis.

### SCÈNE VI.

#### VALÈRE, ARISTE.

VALÈRE. Ah ! les affreux chemins et le mau-
dit pays !
(A Ariste.)
Mais, de grâce, monsieur, voulez-vous
bien m'apprendre
Où je puis voir Géronte ?

ARISTE. Il serait mieux d'attendre :
En ce moment, monsieur, il est fort occupé.

VALÈRE. Et Florise ? on viendrait, ou je
suis bien trompé :
L'étiquette du lieu serait un peu légère ;
Et quand un gendre arrive, on n'a point
d'autre affaire.

ARISTE. Quoi ! vous êtes. . .

VALÈRE. Valère.

ARISTE. Eh quoi ! surprendre ainsi !
Votre mère voulait vous présenter ici,
A ce qu'on m'a dit.

VALÈRE. Bon ! vieille cérémonie :
D'ailleurs, je sais très bien que l'affaire
est finie,
Ariste a décidé. . . Cet Ariste, dit-on,
Est aujourd'hui chez moi maître de la
maison ;
On suit aveuglément tous les conseils qu'il
donne :
Ma mère est, par malheur, fort cré-
dule, trop bonne.

ARISTE. Sur l'amitié d'Ariste, et sur sa
bonne foi. . .

VALÈRE. Oh ! cela. . .

ARISTE. Doucement ; cet Ariste, c'est moi.

VALÈRE. Ah ! monsieur. . .

ARISTE. Ce n'est point sur ce qui me regarde
Que je me plains des traits que votre erreur hasarde :
Ne me connaissant point, ne pouvant me
juger,
Vous ne m'offensez pas : mais je dois
m'affliger
Du ton dont vous parlez d'une mère estimable,
Qui vous croit de l'esprit, un caractère
aimable ;
Qui veut votre bonheur : voilà ses seuls
défauts.
Si votre cœur au fond ressemble à vos
propos. . .

VALÈRE. Vous me faites ici les honneurs de
ma mère,
Je ne sais pas pourquoi : son amitié m'est
chère ;
Le hasard vous a fait prendre mal mes
discours,
Mais mon cœur la respecte et l'aimera
toujours.

ARISTE. Valère, vous voilà ; ce langage est
le vôtre.
Oui, le bien vous est propre, et le mal
est d'un autre.

VALÈRE, à part. Oh ! voici les sermons, l'ennui ! . . . (Haut.) Mais, s'il vous
plaît,
Ne ferions-nous pas bien d'aller voir où
l'on est ?
Il convient. . .

ARISTE. Un moment. Si l'amitié sincère
M'autorise à parler au nom de votre
mère,
De grâce, expliquez-moi ce voyage secret
Qu'aujourd'hui même ici vous avez déjà
fait.

VALÈRE. Vous savez ? . . .

ARISTE. Je le sais.

VALÈRE. Ce n'est point un mystère
Bien merveilleux : j'avais à parler d'une
affaire

Qui regarde Cléon, et m'intéresse fort;
J'ai voulu librement l'entretenir d'abord,
Sans être interrompu par la mère et la
fille,
Et nous voir assiégés de toute une fa-
mille.
Comme il est mon ami. . .

ARISTE.            Lui?

VALÈRE.           Mais assurément.

ARISTE. Vous osez l'avouer?

VALÈRE.         Ah! très parfaitement.
C'est un homme d'esprit, de bonne com-
pagnie,
Et je suis son ami de cœur et pour la
vie.
Ah! ne l'est pas qui veut.

ARISTE.       Et si l'on vous montrait [1]
Que vous le haïrez?

VALÈRE.       On serait bien adroit.

ARISTE. Si l'on vous faisait voir que ce bon
air, ces grâces,
Ce clinquant de l'esprit, ces trompeuses
surfaces,
Cachent un homme affreux, qui veut vous
égarer,
Et que l'on ne peut voir sans se déshonorer?

VALÈRE. C'est juger par des bruits de pédants, de commères.

ARISTE. Non, par la voix publique; elle ne
trompe guères.
Géronte peut venir, et je n'ai pas le temps
De vous instruire ici de tous mes senti-
ments:
Mais il faut sur Cléon que je vous en-
tretienne;
Après quoi, choisissez son commerce ou
sa haine.
Je sens que je vous lasse, et je m'aperçois bien,
A vos distractions, que vous ne croyez
rien:
Mais, malgré vos mépris, votre bien seul
m'occupe;
Il serait odieux que vous fussiez sa
dupe.
L'unique grâce encor qu'attend mon
amitié,
C'est que vous n'alliez point paraître si
lié
Avec lui; vous verrez avec trop d'évidence
Que je n'exigeais pas une vaine prudence.
Quant au ton dont il faut ici vous présenter,

Rien, je crois, là-dessus ne doit m'inquiéter;
Vous avez de l'esprit, un heureux caractère,
De l'usage du monde, et je crois que
pour plaire
Vous tiendrez plus de vous que des leçons d'autrui.
Géronte vient; allons. . .

## SCÈNE VII.

GÉRONTE, ARISTE, VALÈRE.

GÉRONTE, *d'un air fort empressé*. Eh! vraiment oui, c'est lui.
Bonjour, mon cher enfant. . . Viens donc
que je t'embrasse.
          (*A Ariste*.)
Comme le voilà grand! . . . Ma foi, cela
nous chasse.

VALÈRE. Monsieur, en vérité. . .

GÉRONTE.       Parbleu! je l'ai vu là,
Je m'en souviens toujours, pas plus haut
que cela;
C'était hier, je crois. . . Comme passe
notre âge!
Mais te voilà, vraiment, un grave personnage.
          (*A Ariste*.)
Vous voyez qu'avec lui j'en use sans façon;
C'est tout comme autrefois, je n'ai pas
d'autre ton.

VALÈRE. Monsieur, c'est trop d'honneur. . .

GÉRONTE.     Oh! non pas, je te prie,
N'apporte point ici l'air de cérémonie,
Regarde-toi déjà comme de la maison.
          (*A Ariste*.)      .
A propos, nous comptons qu'elle en-
tendra raison.
Oh! j'ai fait un beau bruit! c'est bien
moi qu'on étonne:
La menace est plaisante! ah! je ne crains
personne!
Je ne la croyais pas capable de cela.
Mais je commence à voir que tout s'a-
paisera,
Et que ma fermeté remettra sa cervelle.
Vous pouvez maintenant vous présenter
chez elle:
Dites bien que je veux terminer aujour-
d'hui;
Je vais renouveler connaissance avec lui.
Allez, si l'on ne peut la résoudre à des-
cendre,

[1] In 18th century the verbal ending—*ait* was written—*oit*, so that *montroit* rhymed with *adroit*.

J'irai dans un moment lui présenter son gendre.

## SCÈNE VIII.

### Géronte, Valère.

Géronte. Eh bien? es-tu toujours vif, joyeux, amusant?
Tu nous réjouissais.
Valère. Oh! j'étais fort plaisant.
Géronte. Tu peux de cet air grave avec moi te défaire;
Je t'aime comme un fils, et tu dois. . .
Valère, *à part.* Comment faire?
Son amitié me touche.
Géronte, *à part.* Il paraît bien distrait.
Eh bien? . . .
Valère. Assurément, monsieur. . . j'ai tout sujet
De chérir les bontés. . .
Géronte. Non; ce ton-là m'ennuie:
Je te l'ai déjà dit, point de cérémonie.

## SCÈNE IX.

### Cléon, Géronte, Valère.

Cléon. Ne suis-je pas de trop?
Géronte. Non, non, mon cher Cléon,
Venez, et partagez ma satisfaction.
Cléon. Je ne pouvais trop tôt renouer connaissance
Avec monsieur.
Valère. J'avais la même impatience.
Cléon, *bas, à Valère.* Comment va?
Valère, *bas, à Cléon.* Patience.
Géronte, *bas, à Cléon.* Il est complimenteur;
C'est un défaut.
Cléon. Sans doute; il ne faut que le cœur.
Géronte. J'avais grande raison de prédire à ta mére
Que tu serais bien fait, noblement, sûr de plaire.
Je m'y connais, je sais beaucoup de bien de toi.
Des lettres de Paris et des gens que je croi. . .
Valère. On reçoit donc ici quelquefois des nouvelles?
Les dernières, monsieur, les sait-on?
Géronte. Qui sont-elles?
Nous est-il arrivé quelque chose d'heureux?
Car, quoique loin de tout, enterré dans ces lieux,

Je suis toujours sensible au bien de ma patrie:
Eh bien? voyons donc, qu'est-ce? apprends-moi, je te prie.
Valère, *d'un ton précipité.* Julie a pris Damon, non qu'elle l'aime fort;
Mais il avait Phryné, qu'elle hait à la mort.
Lisidor à la fin a quitté Doralise:
Elle est bien, mais ma foi! d'une horrible bêtise;
Déjà depuis longtemps cela devait finir,
Et le pauvre garçon n'y pouvait plus tenir.
Cléon, *bas, à Valère.* Très bien: continuez.
Valère. J'oubliais de vous dire
Qu'on a fait des couplets sur Lucile et Delphire:
Lucile en est outrée, et ne se montre plus:
Mais Delphire a mieux pris son parti là-dessus;
On la trouve partout s'affichant de plus belle,
Et se moquant du ton, pourvu qu'on parle d'elle.
Lise a quitté le rouge, et l'on se dit tout bas
Qu'elle ferait bien mieux de quitter Licidas;
On prétend qu'il n'est pas compris dans la réforme,
Et qu'elle est seulement bégueule pour la reforme.
Géronte. Quels diables de propos me tenez-vous donc là?
Valère. Quoi! vous ne saviez pas un mot de tout cela?
On n'en dit rien ici? l'ignorance profonde!
Mais c'est, en vérité, n'être pas de ce monde;
Vous n'avez donc, monsieur, aucune liaison?
Eh mais! où vivez-vous?
Géronte. Parbleu! dans ma maison,
M'embarrassant fort peu des intrigues frivoles
D'un tas de freluquets, d'une troupe de folles;
Aux gens que je connais paisiblement borné.
Eh! que m'importe à moi si madame Phryné
Ou madame Lucile affichent leurs folies?
Je ne m'occupe point de telles minuties,
Et laisse aux gens oisifs tous ces menus propos,

Ces puérilités, la pâture des sots.

CLÉON, *à Géronte.* Vous avez bien raison... (*Bas à Valère.*) Courage.

GÉRONTE.           Cher Valère,
Nous avons, je le vois, la tête un peu légère,
Et je sens que Paris ne t'a pas mal gâté :
Mais nous te guérirons de ta frivolité.
Ma nièce est raisonnable, et ton amour pour elle
Va rendre à ton esprit sa forme naturelle.

VALÈRE. C'est moi, sans me flatter, qui vous corrigerai
De n'être au fait de rien, et je vous conterai...

GÉRONTE. Je t'en dispense.

VALÈRE. On peut vous rendre un homme aimable,
Mettre votre maison sur un ton convenable,
Vous donner l'air du monde au lieu des vieilles mœurs.
On ne vit qu'à Paris, et l'on végète ailleurs.

CLÉON, *bas, à Valère.* Ferme !... (*Bas, à Géronte.*) Il est singulier.

GÉRONTE.      Mais c'est de la folie.
Il faut qu'il ait...

VALÈRE.      La nièce est-elle encor jolie ?

GÉRONTE. Comment, encor ! je crois qu'il a perdu l'esprit :
Elle est dans son printemps, chaque jour l'embellit.

VALÈRE. Elle était assez bien.

CLÉON, *bas, à Géronte.* L'éloge est assez mince.

VALÈRE. Elle avait de beaux yeux pour des yeux de province.

GÉRONTE. Sais-tu que je commence à m'impatienter,
Et qu'avec nous ici c'est très mal débuter ?
Au lieu de témoigner l'ardeur de voir ma nièce,
Et d'en parler du ton qu'inspire la tendresse...

VALÈRE. Vous voulez des fadeurs, de l'adoration ?
Je ne me pique pas de belle passion.
Je l'aime sensément.

GÉRONTE.      Comment donc ?

VALÈRE.          Comme on aime...
Sans que la tête tourne... Elle en fera de même.
Je réserve au contrat toute ma liberté ;
Nous vivrons bons amis, chacun de son côté.

CLÉON, *bas, à Valère.* A merveille ! appuyez.

GÉRONTE.        Ce petit train de vie
Est tout à fait touchant, et donne grande envie...

VALÈRE. Je veux d'abord...

GÉRONTE. D'abord il faut changer de ton.

CLÉON, *bas, à Valère.* Dites, pour l'achever, du mal de la maison.

GÉRONTE. Or, écoute...

VALÈRE. Attendez, il me vient une idée.
(*Il se promène au fond du théâtre, regardant de côté et d'autre, sans écouter Géronte.*)

GÉRONTE, *à Cléon.* Quelle tête ! Oh ! ma foi ! la noce est retardée.
Je ferais à ma nièce un fort joli présent !
Je lui veux un mari sensible, complaisant ;
Et s'il veut l'obtenir (car je sens que je l'aime),
Il faut sur mes avis qu'il change son système.
Mais qu'examine-t-il ?

VALÈRE.      Pas mal... cette façon...

GÉRONTE. Tu trouves bien, je crois, le goût de la maison ?
Elle est belle, en bon air ; enfin, c'est mon ouvrage ;
Il faut bien embellir son petit ermitage :
J'ai de quoi te montrer pendant huit jours ici.
Mais quoi ?

VALÈRE. Je suis à vous... En abattant ceci...

CLÉON, *à Géronte.* Que parle-t-il d'abattre ?

VALÈRE.      Oh ! rien.

GÉRONTE.      Mais je l'espère.
Sachons ce qui l'occupe : est-ce donc un mystère ?

VALÈRE. Non, c'est que je prenais quelques dimensions
Pour des ajustements, des augmentations.

GÉRONTE. En voici bien d'une autre ! eh ! dis-moi, je te prie,
Te prennent-ils souvent, tes accès de folie ?

VALÈRE. Parlons raison, mon oncle ; oubliez un moment
Que vous avez tout fait, et point d'aveuglement.
Avouez, la maison est maussade, odieuse,
Je trouve tout ici d'une vieillesse affreuse.
Vous voyez...

GÉRONTE. Que tu n'as qu'un babil importun,
De l'esprit, si l'on veut, mais pas le sens commun.

VALÈRE. Oui. . . vous avez raison; il serait inutile
D'ajuster, d'embellir. . .
GÉRONTE, *à Cléon.* Il devient plus docile:
Il change de langage.
VALÈRE.                    Écoutez, faisons mieux:
En me donnant Chloé, l'objet de tous
    mes vœux,
Vous lui donnez vos biens, la maison?
GÉRONTE.                    C'est-à-dire,
Après ma mort. . .
VALÈRE. Vraiment, c'est tout ce qu'on désire,
Mon cher oncle: or voici mon projet sur
    cela:
Un bien qu'on doit avoir est comme un
    bien qu'on a.
La maison est à nous, on ne peut rien
    en faire;
Un jour je l'abattrais: donc il est nécessaire,
Pour jouir tout à l'heure et pour en voir
    la fin,
Qu'aujourd'hui marié, je bâtisse demain.
J'aurai soin. . .
GÉRONTE. De partir: ce n'était pas la peine
De venir m'ennuyer.
CLÉON, *bas, à Géronte.* Sa folie est certaine.
GÉRONTE. Et quant à vos beaux plans et
    vos dimensions,
Faites bâtir pour vous aux Petites-Maisons.[1]
VALÈRE. Parce que pour nos biens je
    prends quelques mesures,
Mon cher oncle se fâche et me dit des
    injures!
GÉRONTE. Oui, va, je t'en réponds: mon
    cher oncle! oh! parbleu,
La peste emporterait jusqu'au dernier
    neveu,
Je ne te prendrais pas pour rétablir l'espèce.
VALÈRE, *à Cléon.* Par malheur j'ai du
    goût; l'air maussade me blesse,
Et monsieur ne veut rien changer dans
    sa façon!
Sous prétexte qu'il est maître de la maison,
Il prétend. . .
GÉRONTE. Je prétends n'avoir point d'autre maître.
CLÉON. Sans doute.
VALÈRE. Mais, monsieur, je ne prétends
    pas l'être.
    (*A Cléon.*)
Faites ici ma paix; je ferai ce qu'il
    faut. . .

Arrangez tout, je vais faire ma cour là-
    haut.

## SCÈNE X.

GÉRONTE, CLÉON.

GÉRONTE. A-t-on vu quelque part un fonds
    d'impertinences
De cette force-là?
CLÉON.                    Si sur les apparences. . .
GÉRONTE. Où diable preniez-vous qu'il avait
    de l'esprit?
C'est un original qui ne sait ce qu'il dit,
Un de ces merveilleux gâtés par des *cail-
    lettes;* [2]
Ni goût, ni jugement, un tissu de sor-
    nettes,
Et monsieur celui-ci, madame celle-là,
Des riens, des airs, du vent, en trois mots
    le voilà,
Ma foi, sauf votre avis. . .
CLÉON.         Je m'en rapporte au vôtre;
Vous vous y connaissez tout aussi bien
    qu'un autre:
Prenez qu'on m'a surpris et que je n'ai
    rien dit;
Après tout je n'ai fait que rendre le ré-
    cit
De gens qu'il voit beaucoup; moi, qui ne
    le vois guère
Qu'en passant, j'ignorais le fond du ca-
    ractère.
GÉRONTE. Oh! sur parole ainsi ne louons
    point les gens:
Avant que de louer j'examine longtemps;
Avant que de blâmer, même cérémonie:
Aussi connais-je bien mon monde; et je
    défie,
Quand j'ai toisé mes gens, qu'on m'en
    impose en rien.
Autrefois j'ai tant vu, soit en mal, soit
    en bien,
De réputations contraires aux person-
    nes,
Que je n'en admets plus ni mauvaises ni
    bonnes;
Il faut y voir soi-même; et, par exemple,
    vous,
Si je les en croyais, ne disent-ils pas
    tous
Que vous êtes méchant? ce langage m'as-
    somme:
Je vous ai bien suivi, je vous trouve bon
    homme.
CLÉON. Vous avez dit le mot; et la méchan
    ceté

---

[1] les Petites Maisons, hospital for the insane in Paris.
[2] caillette, frivolous, slightly mad person.

N'est qu'un nom odieux par les sots inventé ;
C'est là, pour se venger, leur formule ordinaire :
Dès qu'on est au-dessus de leur petite
sphère,
Que, de peur d'être absurde, on fronde
leur avis,
Et qu'on ne rampe pas comme eux ;
fâchés, aigris,
Furieux contre vous, ne sachant que répondre,
Croyant qu'on les remarque, et qu'on
veut les confondre :
Un tel est très méchant, vous disent-ils
tout bas ;
Et pourquoi ? c'est qu'un tel a l'esprit
qu'ils n'ont pas.
(*Un laquais arrive.*)

GÉRONTE. Eh bien ! qu'est-ce ?
LE LAQUAIS. Monsieur, ce sont vos lettres.
GÉRONTE.                              Donne.
Cela suffit. (*Le laquais sort.*)
Voyons... Ah ! celle-ci m'étonne...
Quelle est cette écriture ?... Oui-dà !
j'allais vraiment
Faire une belle affaire ! Oh ! je crois aisé-
ment
Tout ce qu'on dit de lui, la matière est
féconde :
Je vois qu'il est encor des amis dans le
monde.

CLÉON. Que vous mande-t-on ? Qui ?
GÉRONTE.              Je ne sais pas qui c'est ;
Quelqu'un sans se nommer, sans aucun
intérêt...
Mais je ne sais s'il faut vous montrer
cette lettre :
On parle mal de vous.

CLÉON.      De moi ! daignez permettre...
GÉRONTE. C'est peu de chose ; mais...
CLÉON.           Voyons : je ne veux pas
Que sur mes procédés vous ayez d'em-
barras,
Qu'il soit aucun soupçon ni le moindre
nuage.

GÉRONTE. Ne craignez rien ; sur vous je ne
prends nul ombrage :
Vous pensez comme moi sur ce plat freluquet :
Tenez, vous allez voir l'éloge qu'on en
fait.

CLÉON, *lisant.* «J'apprends, monsieur, que
vous donnez votre nièce à Valère : vous
ignorez apparemment que c'est un libertin,
dont les affaires sont très dérangées et le
courage fort suspect. Un ami de sa mère,
dont on ne m'a pas dit le nom, s'est fait le
médiateur de ce mariage et vous sacrifie.

Il m'est revenu aussi que Cléon est fort lié
avec Valère ; prenez garde que ses conseils ne vous embarquent dans une affaire
qui ne peut que vous faire tort de toute
façon.»

GÉRONTE. Eh bien ! qu'en dites-vous ?
CLÉON.                    Je dis, et je le pense,
Que c'est quelque noirceur sous l'air de
confidence.
Pourquoi cacher son nom ?
(*Il déchire la lettre.*)

GÉRONTE.         Comment ? vous déchirez.
CLÉON. Oui... Qu'en voulez-vous faire ?
GÉRONTE.                Et vous conjecturez
Que c'est quelque ennemi ; qu'on en veut
à Valère ?

CLÉON. Mais je n'assure rien : dans toute
cette affaire
Me voilà suspect, moi, puisqu'on me dit
lié...

GÉRONTE. Je ne crois pas un mot d'une
telle amitié.

CLÉON. Le mieux sera d'agir selon votre
système ;
N'en croyez point autrui, jugez tout par
vous-même.
Je veux croire qu'Ariste est honnête
homme, mais...
Votre écrivain peut-être... Enfin sachez les faits,
Sans humeur, sans parler de l'avis qu'on
vous donne,
Soit calomnie ou non, la lettre est toujours bonne.
Quant à vos sûretés, rien encor n'est signé :
Voyez, examinez...

GÉRONTE.             Tout est examiné :
Je renverrai mon fat, et mon affaire est
faite.
Il vient... proposez-lui de hâter sa re-
traite ;
Deux mots : je vous attends.


## SCÈNE XI.

CLÉON, VALÈRE, *d'un air rêveur.*


CLÉON, *fort vite, et à demi-voix.* Vous êtes
trop heureux ;
Géronte vous déteste : il s'en va furieux ;
Il m'attend, je ne puis vous parler davantage ;
Mais ne craignez plus rien sur votre
mariage.

## SCÈNE XII.

### Valère.

Je ne sais où j'en suis, ni ce que je ré-
sous.
Ah! qu'un premier amour a d'empire sur
nous!
J'allais braver Chloé par mon étour-
derie:
La braver! j'aurais fait le malheur de
ma vie;
Ses regards ont changé mon âme en un
moment,
Je n'ai pu lui parler qu'avec saisisse-
ment.
Que j'étais pénétré! que je la trouve
belle!
Que cet air de douceur, et noble, et natu-
relle,
A bien renouvelé cet instinct enchanteur,
Ce sentiment si pur, le premier de mon
cœur!
Ma conduite à mes yeux me pénètre de
honte.
Pourrai-je réparer mes torts près de Gé-
ronte?
Il m'aimait autrefois; j'espère mon par-
don.
Mais comment avouer mon amour à
Cléon?
Moi    sérieusement    amoureux!... Il
n'importe.
Qu'il m'en plaisante ou non, ma ten-
dresse l'emporte.
Je ne vois que Chloé... Si j'avais pu
prévoir...
Allons tout réparer: je suis au désespoir.


## ACTE QUATRIÈME

### SCÈNE PREMIÈRE.

#### Chloé, Lisette.

Lisette. Eh quoi! mademoiselle, encor
cette tristesse!
Comptez sur moi, vous dis-je; allons,
point de faiblesse.
Chloé. Que les hommes sont faux! et qu'ils
savent, hélas!
Trop bien persuader ce qu'ils ne sentent
pas!
Je n'aurais jamais cru l'apprendre par
Valère:

Il revient, il me voit, il semblait vouloir
plaire;
Son trouble lui prêtait de nouveaux agréments,
Ses yeux semblaient répondre à tous mes
sentiments:
Le croiras-tu, Lisette, et qu'y puis-je
comprendre?
Cet amant adoré que je croyais si ten-
dre,
Oui, Valère, oubliant ma tendresse et sa
foi,
Valère me méprise!... il parle mal de
moi.
Lisette. Il en parle très bien; je le sais,
je vous jure.
Chloé. Je le tiens de mon oncle, et ma
peine est trop sûre;
Tout est rompu; je suis dans un chagrin
mortel.
Lisette. Ouais! tout ceci me passe, et n'est
pas naturel;
Valère vous adore, et fait cette équipée![1]
Je vois là du Cléon, ou je suis bien trom-
pée.
Mais il faut par vous-même entendre vo-
tre amant;
Je vous ménagerai cet éclaircissement
Sans que dans mon projet Florise nous
dérange:
Ma foi, je lui prépare un tour assez
étrange,
Qui l'occupera trop pour avoir l'œil sur
vous.
Le moment est heureux; tous les noms
les plus doux
Ne reviennent-ils pas? *c'est ma chère Li-
sette,*
*Mon  enfant...* On m'écoute, on me
trouve parfaite;
Tantôt on ne pouvait me souffrir: à pré-
sent,
Vu que pour terminer, Géronte est moins
pressant,
Elle est d'une gaîté, d'une folie extrême:
Moi, je vais profiter de l'instant où l'on
m'aime,
Dès que à tous ses propos Cléon aura mis
fin:
Il *est délicieux, incroyable, divin;*
Cent autres petits mots qu'elle redit sans
cesse.
Ces noms dureront peu, comptez sur ma
promesse.
Géronte le demande; on le dit en fureur:
Mais je compte guérir le frère par la
sœur.
Chloé. Ah! que fait Valère?

---

[1] équipée, thoughtless act.

LISETTE.          Ah! j'oubliais de vous dire
Qu'il est à sa toilette, et cela doit dé-
    truire
Vos soupçons mal fondés; car vous con-
    cevez bien
Que, s'il va se parer, ce soin n'est pas
    pour rien.
Ariste est avec lui, j'en tire bon augure.
Pour Valère et Cléon, quoique je sois
    bien sûre
Qu'ils se connaissent fort, ils s'évitent
    tous deux:
Serait-ce intelligence ou brouillerie entre
    eux?
Je le démêlerai, quoiqu'il soit difficile. . .
Votre mère descend, allez, soyez tran-
    quille.


## SCÈNE II.

### LISETTE.

Moi, tout ceci me donne une peine, un
    tourment!
N'importe si mes soins tournent heu-
    reusement.
Mais que prétend Ariste? et pour quelle
    aventure
Veut-il que je lui fasse avoir de l'écri-
    ture
De Frontin? Comment faire? Et puis
    d'ailleurs Frontin
Au plus signe son nom, et n'est pas
    écrivain.


## SCÈNE III.

### FLORISE, LISETTE.

FLORISE. Eh bien, Lisette?
LISETTE.          Eh bien, madame?
FLORISE.               Es-tu contente?
LISETTE. Mais, madame, pas trop: ce cou-
    vent m'épouvante.
FLORISE. Pour y suivre Chloé je destine
    Marton;
Tu resteras ici. Je parlais de Cléon.
Dis-moi, n'en es-tu pas extrêmement con-
    tente?
Ai-je tort de défendre un esprit qui
    m'enchante?
J'ai bien vu tout à l'heure (et ton goût
    me plaisait)
Que tu t'amusais fort de tout ce qu'il di-
    sait:
Conviens qu'il est charmant; et laisse, je
    te prie,

Tous les petits discours que fait tenir
    l'envie.
LISETTE. Moi, madame! eh, mon Dieu! je
    n'aimerais rien tant
Que d'en croire du bien: vous pensez
    sensément;
Et si vous persistez à le juger de
    même,
Si vous l'aimez toujours, il faut bien que
    je l'aime.
FLORISE. Ah! tu l'aimeras donc; je te jure
    aujourd'hui
Que de tout l'univers je n'estime que
    lui:
Cléon a tous les tons, tous les esprits en-
    semble;
Il est toujours nouveau: tout le reste
    me semble
D'une misère affreuse, ennuyeux à mou-
    rir;
Et je rougis des gens qu'on me voyait
    souffrir.
LISETTE. Vous avez bien raison: quand on
    a l'avantage
D'avoir mieux rencontré, le parti le plus
    sage
Est de s'y tenir; mais. . .
FLORISE.          Quoi?
LISETTE.               Rien.
FLORISE.                    Je veux savoir. . .
LISETTE. Non.
FLORISE.     Je l'exige.
LISETTE. Eh bien. . . J'ai cru m'aperce-
    voir
Qu'il n'avait pas pour vous tout le goût
    qu'il vous marque:
Il me parle souvent et souvent je re-
    marque
Qu'il a, quand je vous loue, un air em-
    barrassé:
Et sur certains discours si je l'avais
    poussé. . .
FLORISE. Chimère! Il faut pourtant éclair-
    cir ce nuage;
Il est vrai que Chloé me donne quelque
    ombrage,
Et que c'est à dessein de l'éloigner de
    lui
Qu'à la mettre au couvent je m'apprête
    aujourd'hui:
Toi, fais causer Cléon, et que je puisse
    apprendre. . .
LISETTE. Je voudrais qu'en secret vous
    vinssiez nous entendre;
Vous ne m'en croiriez pas.
FLORISE.          Quelle folie!
LISETTE.                    Oh! non.
Il faut s'aider de tout dans un juste
    soupçon;

Si ce n'est pas pour vous, que ce soit
  pour moi-même;
J'ai l'esprit défiant: vous voulez que je
  l'aime,
Et je ne puis l'aimer comme je le pré-
  tends,
Que quand nous aurons fait l'épreuve où
  je l'attends.
FLORISE. Mais comment ferons-nous?
LISETTE.            Ah! rien n'est plus facile:
C'est avec moi tantôt que vous verrez son
  style;
Faux ou vrai, bien ou mal, il s'expli-
  quera là.
Vous avez vu souvent qu'au moment où
  l'on va
Se promener ensemble au bois, à la
  prairie,
Cléon ne part jamais avec la compagnie;
Il reste à me parler, à me questionner:
Et de ce cabinet vous pourriez vous
  donner
Le plaisir de l'entendre appuyer ou dé-
  truire. . .
FLORISE. Tout ce que tu voudras: je ne
  veux que m'instruire
Si Cléon pour ma fille a le goût que je
  croi:
Mais je ne puis penser qu'il parle mal
  de moi.
LISETTE. Eh bien! c'est de ma part une ga-
  lanterie;
L'éloge des absents se fait sans flatterie.
Il faudra que sur vous, dans tout cet
  entretien,
Je dise un peu de mal, dont je ne pense
  rien,
Pour lui faire beau jeu.
FLORISE.            Je te le passe encore.
LISETTE. S'il trompe mon attente, oh! ma
  foi, je l'adore.
FLORISE, *voyant venir Ariste et Valère.*
Encor monsieur Ariste avec son pro-
  tégé!
Je voudrais bien tous deux qu'ils prissent
  leur congé,
Mais ils ne sentent rien; laissons-les.


## SCÈNE IV.

### ARISTE, VALÈRE, *paré.*

VALÈRE.
                    On m'évite,
O ciel! je suis perdu.
ARISTE.            Réglez votre conduite
Sur ce que je vous dis, et fiez-vous à
  moi

Du soin de mettre fin au trouble où je
  vous voi:
Soyez-en sûr, j'ai fait demander à Gé-
  ronte
Un moment d'entretien; et c'est sur quoi
  je compte.
Je vais de l'amitié joindre l'autorité
Au ton de la franchise et de la vérité,
Et nous éclaircirons ce qui nous embar-
  rasse.
VALÈRE. Mais il a, par malheur, fort peu
  d'esprit.
ARISTE.                      De grâce,
Le connaissez-vous?
VALÈRE.      Non; mais je vois ce qu'il est.
D'ailleurs, ne juge-t-on que ceux que l'on
  connaît?
La conversation deviendrait fort stérile;
J'en sais assez pour voir que c'est un
  imbécile.
ARISTE. Vous retombez encore, après m'a-
  voir promis
D'éloigner de votre air et de tous vos
  avis
Cette méchanceté qui vous est étrangère;
Eh! pourquoi s'opposer à son bon carac-
  tère?
Tenez, devant vos gens je n'ai pu libre-
  ment
Vous parler de Cléon: il faut absolument
Rompre. . .
VALÈRE. Que je me donne un pareil ridi-
  cule!
Rompre avec un ami!
ARISTE.            Que vous êtes crédule!
On entre dans le monde, on en est eni-
  vré,
Au plus frivole accueil on se croit adoré;
On prend pour des amis de simples con-
  naissances:
Et que de repentirs suivent ces impru-
  dences!
Il faut pour votre honneur que vous y
  renonciez.
On vous juge d'abord par ceux que vous
  voyez:
Ce préjugé s'étend sur votre vie entière;
Et c'est des premiers pas que dépend la
  carrière.
Débuter par ne voir qu'un homme dif-
  famé!
VALÈRE. Je vous réponds, monsieur, qu'il
  est très estimé:
Il a les ennemis que nous fait le mé-
  rite;
D'ailleurs on le consulte, on l'écoute, on
  le cite:
Aux spectacles surtout il faut voir le
  crédit

De ses décisions, le poids de ce qu'il dit;
Il faut l'entendre après une pièce nou-
velle;
Il règne, on l'environne; il prononce sur
elle;
Et son autorité, malgré les protecteurs,
Pulvérise l'ouvrage et les admirateurs.
ARISTE. Mais vous le condamnez en croyant
le défendre:
Est-ce bien là l'emploi qu'un bon esprit
doit prendre?
L'orateur des foyers et des mauvais
propos!
Quels titres sont les siens? l'insolence et
des mots,
Des applaudissements, le respect ido-
lâtre
D'un essaim d'étourdis, chenilles du thé-
âtre,
Et qui, venant toujours grossir le tri-
bunal
Du bavard imposant qui dit le plus de
mal,
Vont semer d'après lui l'ignoble parodie
Sur les fruits des talents et les dons du
génie:
Cette audace d'ailleurs, cette présomp-
tion
Qui prétend tout ranger à sa décision,
Est d'un fat ignorant la marque la plus
sûre:
L'homme éclairé suspend l'éloge et la
censure;
Il sait que sur les arts, les esprits et les
goûts,
Le jugement d'un seul n'est point la loi
de tous;
Qu'attendre est pour juger la règle la
meilleure,
Et que l'arrêt public est le seul qui de-
meure.
VALÈRE. Il est vrai; mais enfin Cléon est
respecté,
Et je vois les rieurs toujours de son
côté.
ARISTE. De si honteux succès ont-ils de quoi
vous plaire?
Du rôle de plaisant connaissez la misère:
J'ai rencontré souvent de ces gens à bons
mots,
De ces hommes charmants qui n'étaient
que des sots;
Malgré tous les efforts de leur petite en-
vie,
Une froide épigramme, une bouffonnerie,
A ce qui vaut mieux qu'eux n'ôtera ja-
mais rien,
Et, malgré les plaisants, le bien est tou-
jours bien.

J'ai vu d'autres méchants d'un grave
caractère,
Gens laconiques, froids, à qui rien ne
peut plaire;
Examinez-les bien, un ton sentencieux
Cache leur nullité sous un air dédai-
gneux:
Cléon souvent aussi prend cet air d'im-
portance,
Il veut être méchant jusque dans son si-
lence:
Mais qu'il se taise ou non, tous les es-
prits bien faits
Sauront le mépriser jusque dans ses suc-
cès.
VALÈRE. Lui refuseriez-vous l'esprit? j'ai
peine à croire. . .
ARISTE. Mais à l'esprit méchant je ne vois
point de gloire.
Si vous saviez combien cet esprit est
aisé,
Combien il en faut peu, comme il est
méprisé!
Le plus stupide obtient la même réus-
site:
Eh! pourquoi tant de gens ont-ils ce plat
mérite?
Stérilité de l'âme, et de ce naturel
Agréable, amusant, sans bassesse et sans
fiel.
On dit l'esprit commun; par son succès
bizarre,
La méchanceté prouve à quel point il
est rare:
Ami du bien, de l'ordre, et de l'humanité,
Le véritable esprit marche avec la bonté.
Cléon n'offre à nos yeux qu'une fausse
lumière:
La réputation des mœurs est la pre-
mière;
Sans elle, croyez-moi, tout succès est
trompeur.
Mon estime toujours commence par le
cœur,
Sans lui l'esprit n'est rien, et, malgré vos
maximes,
Il produit seulement des erreurs et des
crimes.
Fait pour être chéri, ne serez-vous cité
Que pour le complaisant d'un homme
détesté?
VALÈRE. Je vois tout le contraire, on le re-
cherche, on l'aime;
Je voudrais que chacun me détestât de
même:
On se l'arrache au moins: je l'ai vu quelquefois
A des soupers divins retenu pour un
mois;

Quand il est à Paris, il ne peut y suffire :
Me direz-vous qu'on hait un homme qu'on désire ?

ARISTE. Que dans ses procédés l'homme est inconséquent !

On recherche un esprit dont on hait le talent :
On applaudit aux traits du méchant qu'on abhorre ;
Et loin de le proscrire, on l'encourage encore.
Mais convenez aussi qu'avec ce mauvais ton,
Tous ces gens, dont il est l'oracle ou le bouffon,
Craignent pour eux le sort des absents qu'il leur livre,
Et que tous avec lui seraient fâchés de vivre :
On le voit une fois, il peut être applaudi ;
Mais quelqu'un voudrait-il en faire son ami ?

VALÈRE. On le craint, c'est beaucoup.

ARISTE.               Mérite pitoyable !
Pour les esprits sensés est-il donc redoutable ?
C'est ordinairement à de faibles rivaux
Qu'il adresse les traits de ses mauvais propos.
Quel honneur trouvez-vous à poursuivre, à confondre,
A désoler quelqu'un qui ne peut vous répondre ?
Ce triomphe honteux de la méchanceté
Réunit la bassesse et l'inhumanité.
Quand sur l'esprit d'un autre on a quelque avantage,
N'est-il pas plus flatteur d'en mériter l'hommage,
De voiler, d'enhardir la faiblesse d'autrui,
Et d'en être à la fois et l'amour et l'appui ?

VALÈRE. Qu'elle soit un peu plus, un peu moins vertueuse,
Vous m'avoûrez du moins que sa vie est heureuse.
On épuise bientôt une société ;
On sait tout votre esprit, vous n'êtes plus fêté
Quand vous n'êtes plus neuf ; il faut une autre scène
Et d'autres spectateurs : il passe, il se promène
Dans les cercles divers, sans gêne, sans lien ;
Il a la fleur de tout, n'est esclave de rien. . .

ARISTE. Vous le croyez heureux ? Quelle âme méprisable !
Si c'est là son bonheur, c'est être misérable,
Étranger au milieu de la société,
Et partout fugitif, et partout rejeté.
Vous connaîtrez bientôt par votre expérience
Que le bonheur du cœur est dans la confiance :
Un commerce de suite avec les mêmes gens,
L'union des plaisirs, des goûts, des sentiments,
Une société peu nombreuse, et qui s'aime,
Où vous pensez tout haut, où vous êtes vous-même,
Sans lendemain, sans crainte et sans malignité,
Dans le sein de la paix et de la sûreté ;
Voilà le seul bonheur honorable et paisible
D'un esprit raisonnable et d'un cœur né sensible.
Sans amis, sans repos, suspect et dangereux,
L'homme frivole et vague est déjà malheureux.
Mais jugez avec moi combien l'est davantage
Un méchant affiché, dont on craint le passage,
Qui, traînant avec lui les rapports, les horreurs,
L'esprit de fausseté, l'art affreux des noirceurs,
Abhorré, méprisé, couvert d'ignominie,
Chez les honnêtes gens demeure sans patrie.
Voilà le vrai proscrit, et vous le connaissez.

VALÈRE. Je ne le verrais plus si ce que vous pensez
Allait m'être prouvé : mais on outre les choses ;
C'est donner à des riens les plus horribles causes.
Quant à la probité, nul ne peut l'accuser ;
Ce qu'il dit, ce qu'il fait n'est que pour s'amuser.

ARISTE. S'amuser, dites-vous ? Quelle erreur est la vôtre !
Quoi ! vendre tour à tour, immoler l'une à l'autre
Chaque société, deviser les esprits,
Aigrir des gens brouillés, ou brouiller des amis,
Calomnier, flétrir des femmes estimables,

Faire du mal d'autrui ses plaisirs détes-
　tables;
Ce germe d'infamie et de perversité
Est-il dans la même âme avec la probité?
Et parmi vos amis vous souffrez qu'on
　le nomme!
VALÈRE. Je ne le connais plus s'il n'est
　point honnête homme.
Mais il me reste un doute; avec trop de
　bonté
Je crains de me piquer de singularité:
Sans condamner l'avis de Cléon, ni le
　vôtre,
J'ai l'esprit de mon siècle, et je suis
　comme un autre.
Tout le monde est méchant; et je serais
　partout
Ou dupe, ou ridicule avec un autre
　goût.
ARISTE. Tout le monde est méchant? Oui,
　ces cœurs haïssables,
Ce peuple d'hommes faux, de femmes,
　d'agréables,
Sans principes, sans mœurs, esprits bas
　et jaloux,
Qui se rendent justice en se méprisant
　tous.
En vain ce peuple affreux, sans frein et
　sans scrupule,
De la bonté du cœur veut faire un ri-
　dicule;
Pour chasser ce nuage, et voir avec
　clarté
Que l'homme n'est point fait pour la
　méchanceté,
Consultez, écoutez pour juges, pour ora-
　cles,
Les hommes rassemblés; voyez à nos
　spectacles,
Quand on peint quelque trait de can-
　deur, de bonté,
Où brille en tout son jour la tendre hu-
　manité,
Tous les cœurs sont remplis d'une vo-
　lupté pure,
Et c'est là qu'on entend le cri de la na-
　ture.
VALÈRE. Vous me persuadez.
ARISTE.　　　　　Vous ne réussirez
Qu'en suivant ces conseils; soyez bon,
　vous plairez;
Si la raison ici vous a plu dans ma
　bouche,
Je le dois à mon cœur, que votre inté-
　rêt touche.
VALÈRE. Géronte vient: calmez son esprit
　irrité,
Et comptez pour toujours sur ma do-
　cilité.

## SCÈNE V.

GÉRONTE, ARISTE, VALÈRE.

GÉRONTE. Le voilà bien paré! Ma foi, c'est
　grand hommage
Que vous ayez ici perdu votre étalage!
VALÈRE. Cessez de m'accabler, monsieur, et
　par pitié
Songez qu'avant ce jour j'avais votre
　amitié.
Par l'erreur d'un moment ne jugez point
　ma vie.
Je n'ai qu'une espérance, ah! m'est-elle
　ravie?
Sans l'aimable Chloé je ne puis être heu-
　reux:
Voulez-vous mon malheur?
GÉRONTE.　　Elle a d'assez beaux yeux...
Pour des yeux de province.
VALÈRE.　　　　Ah! laissez là, de grâce,
Des torts que pour toujours mon repen-
　tir efface;
Laissez un souvenir...
GÉRONTE.　　　Vous-même laissez-nous:
Monsieur veut me parler. Au reste ar-
　rangez-vous
Tout comme vous voudrez, vous n'aurez
　point ma nièce.
VALÈRE. Quand j'abjure à jamais ce qu'un
　moment d'ivresse...
GÉRONTE. Oh! pour rompre, vraiment, j'ai
　bien d'autres raisons.
VALÈRE. Quoi donc?
GÉRONTE. Je ne dis rien: mais sans tant de
　façons
Laissez-nous, je vous prie, ou bien je me
　retire.
VALÈRE. Non, monsieur, j'obéis... A
　peine je respire...
Ariste, vous savez mes vœux et mes cha-
　grins,
Décidez de mes jours, leur sort est dans
　vos mains.

## SCÈNE VI.

GÉRONTE, ARISTE.

ARISTE. Vous le traitez bien mal; je ne
　vois pas quel crime...
GÉRONTE. A la bonne heure; il peut obtenir
　votre estime,
Vous avez vos raisons apparemment; et
　moi
J'ai les miennes aussi; chacun juge pour
　soi.

Je crois, pour votre honneur, que du petit Valère

Vous pouviez ignorer le mauvais caractère.

ARISTE. Ce ton-là m'est nouveau; jamais
votre amitié

Avec moi jusqu'ici ne l'avait employé.

GÉRONTE. Que diable voulez-vous? Quelqu'un qui me conseille

De m'empêtrer ici d'une espèce pareille

M'aime-t-il? Vous voulez que je trouve
parfait

Un petit suffisant qui n'a que du caquet,

D'ailleurs mauvais esprit, qui décide, qui
fronde,

Parle bien de lui-même et mal de tout le
monde?

ARISTE. Il est jeune, il peut être indiscret,
vain, léger;

Mais, quand le cœur est bon, tout peut se
corriger.

S'il vous a révolté par une extravagance,

Quoique sur cet article il s'obstine au silence,

Vous devez moins, je crois, vous en prendre à son cœur,

Qu'à de mauvais conseils, dont on saura
l'auteur.

Sur la méchanceté vous lui rendrez justice:

Valère a trop d'esprit pour ne pas fuir
ce vice;

Il peut en avoir eu l'apparence et le ton

Par vanité, par air, par indiscrétion;

Mais de ce caractère il a vu la bassesse:

Comptez qu'il est bien né, qu'il pense
avec noblesse. . .

GÉRONTE. Il fait donc l'hypocrite avec
vous: en effet

Il lui manquait ce vice, et le voilà parfait.

Ne me contraignez pas d'en dire davantage;

Ce que je sais de lui. . .

ARISTE.                          Cléon. . .

GÉRONTE.                          Encor! J'enrage:

Vous avez la fureur de mal penser d'autrui,

Qu'a-t-il à faire là? Vous parlez mal
de lui

Tandis qu'il vous estime et qu'il vous
justifie.

ARISTE. Moi! me justifier! eh! de quoi, je
vous prie?

GÉRONTE. Enfin. . .

ARISTE. Expliquez-vous, ou je romps pour
jamais:

Vous ne m'estimez plus, si des soupçons
secrets. . .

GÉRONTE. Tenez, voilà Cléon, il pourra vous
apprendre,

S'il veut, des procédés que je ne puis
comprendre.

C'est de mon amitié faire bien peu de
cas. . .

Je sors. . . car je dirais ce que je ne
veux pas. . .

## SCÈNE VII.

CLÉON, ARISTE.

ARISTE.     M'apprendrez-vous,     monsieur,
quelle odieuse histoire

Me brouille avec Géronte, et quelle âme
assez noire. . .

CLÉON. Vous n'êtes pas brouillés; amis de
tous les temps,

Vous êtes au-dessus de tous les diffé-
rends:

Vous verrez simplement que c'est quelque nuage;

Cela finit toujours par s'aimer davantage.

Géronte a sur le cœur nos persécutions

Sur un parti qu'en vain vous et moi
conseillons.

Moi, j'aime fort Valère, et je vois avec
peine

Qu'il se soit annoncé par donner une
scène;

Mais, soit dit entre nous, peut-on compter sur lui?

A bien examiner ce qu'il fait aujour-
d'hui,

On imaginerait qu'il détruit notre ouvrage,

Qu'il agit sourdement contre son mariage;

Il veut, il ne veut plus: sait-il ce qu'il
lui faut?

Il est près de Chloé, qu'il refusait tantôt.

ARISTE. Tout serait expliqué si l'on cessait
de nuire,

Si la méchanceté ne cherchait à détruire. . .

CLÉON. Oh bon! quelle folie! Etes-vous de
ces gens

Soupçonneux, ombrageux? croyez-vous
aux méchants?

Et réalisez-vous cet être imaginaire,

Ce petit préjugé qui ne va qu'au vulgaire?

Pour moi, je n'y crois pas: soit dit sans
intérêt,

Tout le monde est méchant, et personne
ne l'est;

On reçoit et l'on rend; on est à peu près
  quitte:
Parlez-vous des propos? comme il n'est
  ni mérite,
Ni goût, ni jugement qui ne soit contre-
  dit,
Que rien n'est vrai sur rien, qu'importe
  ce qu'on dit?
Tel sera mon héros, et tel sera le vôtre.
L'aigle d'une maison n'est qu'un sot dans
  une autre.
Je dis ici qu'Éraste est un mauvais plai-
  sant;
Eh bien! on dit ailleurs qu'Éraste est
  amusant.
Si vous parlez des faits et des tracasse-
  ries,
Je n'y vois dans le fond que des plai-
  santeries;
Et si vous attachez du crime à tout cela,
Beaucoup d'honnêtes gens sont de ces
  fripons-là.
L'agrément couvre tout, il rend tout légi-
  time:
Aujourd'hui dans le monde on ne con-
  naît qu'un crime,
C'est l'ennui; pour le fuir tous les moy-
  ens sont bons;
Il gagnerait bientôt les meilleures mai-
  sons
Si l'on s'aimait si fort; l'amusement cir-
  cule
Par les préventions, les torts, le ridi-
  cule:
Au reste, chacun parle et fait comme il
  l'entend.
Tout est mal, tout est bien, tout le monde
  est content.
ARISTE. On n'a rien à répondre à de telles
  maximes:
Tout est indifférent pour les âmes su-
  blimes.
Le plaisir, dites-vous, y gagne; en vé-
  rité,
Je n'ai vu que l'ennui chez la mechan-
  ceté:
Ce jargon éternel de la froide ironie,
L'air de dénigrement, l'aigreur, la ja-
  lousie,
Ce ton mystérieux, ces petits mots sans
  fin,
Toujours avec un air qui voudrait être
  fin;
Ces indiscrétions, ces rapports infidèles,
Ces basses faussetés, ces trahisons
  cruelles;
Tout cela n'est-il pas, à le bien définir,
L'image de la haine, et la mort du plai-
  sir?

Aussi ne voit-on plus où sont ces caractères,
L'aisance, la franchise, et les plaisirs sincères.
On est en garde, on doute enfin si l'on
  rira:
L'esprit qu'on veut avoir gâte celui
  qu'on a.
De la joie et du cœur on perd l'heureux
  langage
Pour l'absurde talent d'un triste persi-
  flage.
Faut-il donc s'ennuyer pour être du bon
  air?
Mais, sans perdre en discours un temps
  qui nous est cher,
Venons au fait, monsieur; connaissez ma
  droiture:
Si vous êtes ici, comme on le conjec-
  ture,
L'ami de la maison; si vous le voulez
  bien,
Allons trouver Géronte, et qu'il ne cache
  rien.
Sa défiance ici tous deux nous déshono-
  nore:
Je lui révélerai des choses qu'il ignore;
Vous serez notre juge: allons, secondez-
  moi,
Et soyons tous trois sûrs de notre bonne
  foi.
CLÉON. Une explication! en faut-il quand
  on s'aime?
Ma foi, laissez tomber tout cela de soi-
  même.
Me mêler là-dedans!... ce n'est pas
  mon avis:
Souvent un tiers se brouille avec les deux
  partis;
Et je crains... Vous sortez? Mais vous
  me faites rire.
De grâce, expliquez-moi...
ARISTE.          Je n'ai rien à vous dire.

## SCÈNE VIII.

CLÉON, ARISTE, LISETTE.

LISETTE. Messieurs, on vous attend dans le
  bois.
ARISTE, bas, à Lisette, en sortant. Songe
  au moins...
LISETTE, bas à Ariste. Silence.

## SCÈNE IX.

CLÉON, LISETTE.

CLÉON. Heureusement nous voilà sans témoins:

Achève de m'instruire, et ne fais aucun
doute. . .

LISETTE. Laissez-moi voir d'abord si personne n'écoute

Par hasard à la porte, ou dans ce cabinet:

Quelqu'un des gens pourrait entendre
mon secret.

CLÉON, *seul.* La petite Chloé, comme me dit
Lisette,

Pourrait vouloir de moi! l'aventure est
parfaite:

Feignons; c'est à Valère assurer son refus,

Et tourmenter Florise est un plaisir de
plus. . .

LISETTE, *à part, en revenant.* Tout va bien.

CLÉON. Tu me vois dans la plus douce
ivresse;

Je l'aimais sans oser lui dire ma tendresse.

Sonde encor ses désirs: s'ils répondent
aux miens,

Dis-lui que dès longtemps j'ai prévenu
les siens.

LISETTE. Je crains pourtant toujours.

CLÉON.                    Quoi?

LISETTE.                    Ce goût pour madame.

CLÉON. Si tu n'as pour raison que cette
belle flamme. . .

Je te l'ai déjà dit; non, je ne l'aime pas.

LISETTE. Ma foi, ni moi non plus. Je suis
dans l'embarras,

Je veux sortir d'ici, je ne saurais m'y
plaire:

Ce n'est pas pour monsieur; j'aime son
caractère,

Il est assez bon maître, et le même en
tout temps,

Bon homme. . .

CLÉON. Oui, les bavards sont toujours
bonnes gens.

LISETTE. Pour madame. . . Oh! d'honneur. . . Mais je crains ma franchise

Si vous redeveniez amoureux de Florise. . .

Car vous l'avez été sûrement, et je
croi. . .

CLÉON. Moi, Lisette, amoureux! tu te
moques de moi:

Je ne me le suis cru qu'une fois en ma
vie.

J'eus Araminte un mois; elle était très
jolie,

Mais coquette à l'excès; cela m'ennuyait
fort:

Elle mourut, je fus enchanté de sa mort.

Il faut, pour m'attacher, une âme simple
et pure,

Comme Chloé, qui sort des mains de la
nature,

Faite pour allier les vertus aux plaisirs,

Et mériter l'estime en donnant des désirs;

Mais madame Florise! . . .

LISETTE.            Elle est insupportable;

Rien n'est bien: autrefois je la croyais
aimable,

Je ne la trouvais pas difficile à servir;

Aujourd'hui, franchement, on n'y peut
plus tenir;

Et pour rester ici j'y suis trop malheureuse.

Comment la trouvez-vous?

CLÉON.            Ridicule, odieuse. . .

L'air commun, qu'elle croit avoir noble
pourtant;

Ne pouvant se guérir de se croire un enfant:

Tant de prétentions, tant de petites
grâces,

Que je mets, vu leur date, au nombre des
grimaces;

Tout cela dans le fond m'ennuie horriblement;

Une femme qui fuit le monde en enra-
geant,

Parce qu'on n'en veut plus, et se croit
philosophe;

Qui veut être méchante, et n'en a pas
l'étoffe;

Courant après l'esprit, ou plutôt se pa-
rant

De l'esprit répété qu'elle attrape en courant;

Jouant le sentiment: il faudrait, pour lui
plaire,

Tous les menus propos de la vieille Cythère,[1]

Ou sans cesse essuyer des scènes de dépit,

Des fureurs sans amour, de l'humeur
sans esprit;

Un amour-propre affreux, quoique rien
ne soutienne. . .

LISETTE. Au fond je ne vois pas ce qui la
rend si vaine.

CLÉON. Quoiqu'elle garde encor des airs
sur la vertu,

De grands mots sur le cœur, qui n'a-t-elle
pas eu?

Elle a perdu les noms, elle a peu de mémoire;

---

[1] Cythère, Cythera, modern Cerigo, island in the Cretan Sea, consecrated by the ancients
**to the** worship of Aphrodite.

Mais tout Paris pourrait en retrouver
    l'histoire :
Et je n'aspire point à l'honneur singu-
    lier
D'être le successeur de l'univers entier.

LISETTE, *allant vers le cabinet.* Paix ! j'en-
    tends là-dedans. . . Je crains quel-
    que aventure.

CLÉON, *seul.* Lisette est difficile, ou la voilà
    bien sûre
Que je n'ai point l'amour qu'elle me
    soupçonnait ;
Et si, comme elle, aussi Chloé l'imaginait,
Elle ne craindra plus. . .

LISETTE, *à part, en revenant.* Elle est, ma
    foi ! partie,
De rage, apparemment, ou bien par mo-
    destie.

CLÉON. Eh bien ?

LISETTE. On me cherchait. Mais vous n'y
    pensez pas,
Monsieur ; souvenez-vous qu'on vous at-
    tend là-bas.
Gardons bien le secret, vous sentez l'im-
    portance. . .

CLÉON. Compte sur les effets de ma recon-
    naissance,
Si tu peux réussir à faire mon bonheur.

LISETTE. Je ne demande rien, j'oblige pour
    l'honneur.
    (*A part, en sortant.*)
Ma foi, nous le tenons.

CLÉON, *seul.*     Pour couronner l'affaire,
Achevons de brouiller et de noyer Va-
    lère.

## ACTE CINQUIÈME

### SCÈNE PREMIÈRE.

FRONTIN, LISETTE.

LISETTE. Entre donc. . . ne crains rien, te
    dis-je, ils n'y sont pas.
Eh bien ! de ta prison tu dois être fort
    las ?

FRONTIN. Moi ! non. Qu'on veuille ainsi me
    faire bonne chère,
Et que j'aie en tout temps Lisette pour
    geôlière,
Je serai prisonnier, ma foi, tant qu'on
    voudra.
Mais si mon maître enfin. . .

LISETTE.     Supprime ce nom-là.
Tu n'es plus à Cléon, je te donne à Va-
    lère :
Chloé doit l'épouser, et voilà ton af-
    faire ;

Grâce à la noce, ici tu restes attaché,
Et nous nous marîrons par-dessus le
    marché.

FRONTIN. L'affaire de la noce est donc rac-
    commodée ?

LISETTE. Pas tout à fait encor, mais j'en ai
    bonne idée ;
Je ne sais quoi me dit qu'en dépit de
    Cléon
Nous ne sommes pas loin de la conclu-
    sion ;
En gens congédiés je crois bien me con-
    naître,
Ils ont d'avance un air que je trouve à
    ton maître.
Dans l'esprit de Florise il est expédié ;
Grâce aux conseils d'Ariste, au pouvoir
    de Chloé,
Valère l'abandonne : ainsi, selon mon
    compte,
Cléon n'a plus pour lui que l'erreur de
    Géronte,
Qui par nous tous dans peu saura la
    vérité :
Veux-tu lui rester seul ? et que ta pro-
    bité. . .

FRONTIN. Mais le quitter ! jamais je n'o-
    serai lui dire.

LISETTE. Bon ! Eh bien ! écris-lui. . . Tu ne
    sais pas écrire
Peut-être ?

FRONTIN.     Si, parbleu !

LISETTE.     Tu te vantes ?

FRONTIN.     Moi ? non.
Tu vas voir.
    (*Il écrit.*)

LISETTE. Je croyais que tu signais ton nom
Simplement ; mais tant mieux : mande-
    lui, sans mystère,
Qu'un autre arrangement que tu crois
    nécessaire,
Des raisons de famille enfin, t'ont obligé
De lui signifier que tu prends ton congé.

FRONTIN. Ma foi, sans compliment, je de-
    mande mes gages :
Tiens, tu lui porteras. . .

LISETTE.     Dès que tu te dégages
De ta condition, tu peux compter sur
    moi,
Et j'attendais cela pour finir avec toi ;
Valère, c'en est fait, te prend à son ser-
    vice.
Tu peux dès ce moment entrer en exer-
    cice ;
Et, pour que ton état soit dûment
    éclairci,
Sans retour, sans appel, dans un moment
    d'ici
Je te ferai porter au château de Valère

Un billet qu'il m'a dit d'envoyer à sa
    mère :
Cela te sauvera toute explication,
Et le premier moment de l'humeur de
    Cléon. . .
Mais je crois qu'on revient.
FRONTIN.     Il pourrait nous surprendre,
J'en meurs de peur : adieu.
LISETTE.     Ne crains rien, va m'attendre,
Je vais t'expédier.
FRONTIN, *revenant sur ses pas.* Mais à pro-
    pos vraiment,
J'oubliais. . .
LISETTE. Sauve-toi : j'irai dans un moment
T'entendre et te parler.

## SCÈNE II.

### LISETTE.

          J'ai de son écriture :
Je voudrais bien savoir quelle est cette
    aventure :
Et pour quelle raison Ariste m'a pres-
    crit
Un si profond secret quand j'aurais cet
    écrit.
Il se peut que ce soit pour quelque gen-
    tillesse
De Cléon ; en tout cas je ne rends cette
    pièce
Que sous condition, et s'il m'assure bien
Qu'à mon pauvre Frontin il n'arrivera
    rien :
Car enfin bien des gens, à ce que j'en-
    tends dire,
Ont été quelquefois pendus pour trop
    écrire.
Mais le voici.

## SCÈNE III.

### ARISTE, FLORISE, LISETTE.

LISETTE, *à part, à Ariste.* Monsieur, pour-
    rais-je vous parler ?
ARISTE. Je te suis dans l'instant.

## SCÈNE IV.

### FLORISE, ARISTE.

ARISTE.        C'est trop vous désoler ;
En vérité, madame, il ne vaut point la
    peine

Du moindre sentiment de colère ou de
    haine :
Libre de vos chagrins, partagez seule-
    ment
Le plaisir que Chloé ressent en ce mo-
    ment
D'avoir pu recouvrer l'amitié de sa mère,
Et de vous voir sensible à l'espoir de Va-
    lère.
Vous ne m'étonnez point, au reste, et
    vous deviez
Attendre de Cléon tout ce que vous
    voyez.
FLORISE. Qu'on ne m'en parle plus : c'est
    un fourbe exécrable,
Indigne du nom d'homme, un monstre
    abominable.
Trop tard pour mon malheur je déteste
    aujourd'hui
Le moment où j'ai pu me lier avec lui.
Je suis outrée !
ARISTE. Il faut, sans tarder, sans mystère,
Qu'il soit chassé d'ici.
FLORISE.     Je ne sais comment faire,
Je le crains ; c'est pour moi le plus grand
    embarras.
ARISTE. Méprisez-le à jamais, vous ne le
    craindrez pas.
Voulez-vous avec lui vous abaisser à fein-
    dre ?
Vous l'honoreriez trop en paraissant le
    craindre.
Osez l'apprécier : tous ces gens redoutés,
Fameux par les propos et par les faus-
    setés,
Vus de près ne sont rien ; et toute cette
    espèce
N'a de force sur nous que par notre fai-
    blesse.
Des femmes sans esprit, sans grâces, sans
    pudeur,
Des hommes décriés, sans talents, sans
    honneur,
Verront donc à jamais leurs noirceurs
    impunies,
Nous tiendront dans la crainte à force
    d'infamies,
Et se feront un nom d'une méchan-
    ceté
Sans qui l'on n'eût pas su qu'ils avaient
    existé !
Non ; il faut s'épargner tout égard, toute
    feinte ;
Les braver sans faiblesse, et les nommer
    sans crainte.
Tôt ou tard la vertu, les grâces, les ta-
    lents,
Sont vainqueurs des jaloux, et vengés des
    méchants.

FLORISE. Mais songez qu'il peut nuire à
    toute ma famille,
Qu'il va tenir sur moi, sur Géronte et ma
    fille,
Les plus affreux discours. . .
ARISTE.       Qu'il parle mal ou bien,
Il est déshonoré, ses discours ne sont
    rien;
Il vient de couronner l'histoire de sa vie:
Je vais mettre le comble à son ignominie
En écrivant partout les détails odieux
De la division qu'il semait en ces lieux.
Autant qu'il faut de soins, d'égards et de
    prudence
Pour ne point accuser l'honneur et l'in-
    nocence,
Autant il faut d'ardeur, d'inflexibilité
Pour déférer un traître à la société;
Et l'intérêt commun veut qu'on se réu-
    nisse
Pour flétrir un méchant, pour en faire
    justice.
J'instruirai l'univers de sa mauvaise foi
Sans me cacher; je veux qu'il sache que
    c'est moi:
Un rapport clandestin n'est pas d'un
    honnête homme:
Quand j'accuse quelqu'un, je le dois, et
    me nomme.
FLORISE. Non; si vous m'en croyez, laissez-
    moi tout le soin
De l'éloigner de nous sans éclat, sans té-
    moin.
Quelque peine que j'aie à soutenir sa
    vue,
Je veux l'entretenir, et dans cette entre-
    vue
Je vais lui faire entendre intelligiblement
Qu'il est de trop ici: tout autre arrange-
    ment
Ne réussirait pas sur l'esprit de mon
    frère;
Cléon plus que jamais a le don de lui
    plaire:
Ils ne se quittent plus, et Géronte pré-
    tend
Qu'il doit à sa prudence un service im-
    portant.
Enfin, vous le voyez, vous avez eu beau
    dire
Qu'on soupçonnait Cléon d'une affreuse
    satire,
Géronte ne croit rien: nul doute, nul
    soupçon
N'a pu faire sur lui la moindre impres-
    sion. . .
Mais ils viennent, je crois: sortons, je
    vais attendre
Que Cléon soit tout seul.

## SCÈNE V.

GÉRONTE, CLÉON.

GÉRONTE.    Je ne veux rien entendre:
Votre premier conseil est le seul qui soit
    bon,
Je n'oublierai jamais cette obligation.
Cessez de me parler pour ce petit Va-
    lère;
Il ne sait ce qu'il veut, mais il sait me
    déplaire;
Il refusait tantôt, il consent maintenant.
Moi, je n'ai qu'un avis, c'est un imperti-
    nent.
Ma sœur sur son chapitre est, dit-on, re-
    venue,
Autre esprit inégal sans aucune tenue:
Mais ils ont beau s'unir, je ne suis pas
    un sot;
Un fou n'est pas mon fait, voilà mon
    dernier mot.
Qu'ils en enragent tous, je n'en suis pas
    plus triste.
Que dites-vous aussi de ce bon homme
    Ariste?
Ma foi, mon vieux ami n'a plus le sens
    commun,
Plein de préventions, discoureur impor-
    tun,
Il veut que vous soyez l'auteur d'une sa-
    tire
Où je suis pour ma part; il vous fait
    même écrire
Ma lettre de tantôt: vainement je lui dis
Qu'elle était clairement d'un de vos en-
    nemis,
Puisqu'on voulait donner des soupçons
    sur vous-même.
Rien n'y fait: il soutient son absurde
    système;
Soit dit confidemment, je crois qu'il est
    jaloux
De tous les sentiments qui m'attachent à
    vous.
CLÉON. Qu'il choisisse donc mieux les
    crimes qu'il me donne,
Car moi, je suis si loin d'écrire sur per-
    sonne,
Que, sans autre sujet, j'ai renvoyé Fron-
    tin
Sur le simple soupçon qu'il était écri-
    vain:
Il m'était revenu que dans des brouil-
    leries
On l'avait employé pour des tracasseries;
On peut nous imputer les fautes de nos
    gens,

Et je m'en suis défait de peur des accidents:
Je ne répondrais pas qu'il n'eût part au mystère
De l'écrit contre vous; et peut-être Valère,
Qui refusait d'abord, et qui connaît Frontin
Depuis qu'il me connaît, s'est servi de sa main
Pour écrire à sa mère une lettre anonyme.
Au reste. . . Il ne faut point que cela vous anime
Contre lui; ce soupçon peut n'être pas fondé.
GÉRONTE. Oh! vous êtes trop bon: je suis persuadé
Par le ton qu'employait ce petit agréable,
Qu'il est faux, méchant, noir, et qu'il est bien capable
Du mauvais procédé dont on veut vous noircir.
Qu'on vous accuse encore! oh! laissez-les venir.
Puisque de leur présence on ne peut se défaire,
Je vais leur déclarer d'une façon très claire
Que je romps tout accord; car, sans comparaison,
J'aime mieux vingt procès qu'un fat dans ma maison.

### SCÈNE VI.

#### CLÉON.

Que je tiens bien mon sot! Mais par quelle inconstance
Florise semble-t-elle éviter ma présence?
L'imprudente Lisette aurait-elle avoué?
Elle consent, dit-on, à marier Chloé.
On ne sait ce qu'on tient avec ces femmelettes:
Mais je l'ai subjuguée. . . un mot, quelques fleurettes
Me la ramèneront. . . ou, si je suis trahi,
J'en suis tout consolé, je me suis réjoui.

### SCÈNE VII.

#### CLÉON, FLORISE.

CLÉON. Vous venez à propos: j'allais chez vous, madame. . .

Mais quelle rêverie occupe donc votre âme?
Qu'avez-vous? vos beaux yeux me semblent moins sereins;
Faite pour les plaisirs, auriez-vous des chagrins?
FLORISE. J'en ai de trop réels.
CLÉON.                    Dites-les-moi, de grâce;
Je les partagerai, si je ne les efface.
Vous connaissez. . .
FLORISE.         J'ai fait bien des réflexions,
Et je ne trouve pas que nous nous convenions.
CLÉON. Comment, belle Florise? et quel affreux caprice
Vous force à me traiter avec tant d'injustice?
Quelle était mon erreur! quand je vous adorais,
Je me croyais aimé. . .
FLORISE.                    Je me l'imaginais;
Mais je vois à présent que je me suis trompée.
Par d'autres sentiments mon âme est occupée,
Des folles passions j'ai reconnu l'erreur,
Et ma raison enfin a détrompé mon cœur.
CLÉON. Mais est-ce bien à moi que ce discours s'adresse?
A moi dont vous savez l'estime et la tendresse,
Qui voulais à jamais tout vous sacrifier,
Qui ne voyais que vous dans l'univers entier?
Ne me confirmez pas l'arrêt que je redoute;
Tranquillisez mon cœur: vous l'éprouvez, sans doute?
FLORISE. Une autre vous aurait fait perdre votre temps,
Ou vous amuserait par l'air des sentiments;
Moi, qui ne suis point fausse. . .
CLÉON, *à genoux, et de l'air le plus affligé.*
                    Et vous pouvez, cruelle,
M'annoncer froidement cette affreuse nouvelle?
FLORISE. Il faut ne plus nous voir.
CLÉON, *se relevant, et éclatant de rire.* Ma foi, si vous voulez
Que je vous parle aussi très vrai, vous me comblez.
Vous m'avez épargné, par cet aveu sincère,
Le même compliment que je voulais vous faire.
Vous cessez de m'aimer, vous me croyez quitté,

Mais j'ai depuis longtemps gagné de pri-
    mauté.

FLORISE. C'est trop souffrir ici la honte où
    je m'abaisse;

Je rougis des égards qu'employait ma
    faiblesse.

Eh bien! allez, monsieur: que vos ta-
    lents sur nous

Épuisent tous les traits qui sont dignes
    de vous;

Ils partent de trop bas pour pouvoir
    nous atteindre.

Vous êtes démasqué, vous n'êtes plus à
    craindre:

Je ne demande pas d'autre éclaircisse-
    ment,

Vous n'en méritez point. Partez dès ce
    moment;

Ne me voyez jamais.

CLÉON.                    La dignité s'en mêle!

Vous mettez de l'humeur à cette baga-
    telle!

Sans nous en aimer moins, nous nous
    quittons tous deux,

Épargnons à Géronte un éclat scanda-
    leux,

Ne donnons point ici de scène extrava-
    gante,

Attendons quelques jours, et vous serez
    contente:

D'ailleurs il m'aime assez, et je crois mal
    aisé. . .

FLORISE. Oh! je veux sur-le-champ qu'il
    soit désabusé.

## SCÈNE VIII.

GÉRONTE, ARISTE, VALÈRE, CLÉON, FLO-
    RISE, CHLOÉ.

GÉRONTE. Eh bien! qu'est-ce, ma sœur?
    Pourquoi tout ce tapage?

FLORISE. Je ne puis point ici demeurer da-
    vantage,

Si monsieur, qu'il fallait n'y recevoir
    jamais. . .

CLÉON. L'éloge n'est pas fade.

GÉRONTE. Oh! qu'on me laisse en paix;

Ou, si vous me poussez, tel ici qui
    m'écoute. . .

ARISTE. Valère ne craint rien: pour moi,
    je ne redoute

Nulle explication. Voyons, éclaircis-
    sez. . .

GÉRONTE. Je m'entends, il suffit.

ARISTE.            Non, ce n'est point assez,

Ainsi que l'amitié la vérité m'engage. . .

GÉRONTE. Et moi je n'en veux point enten-
    dre davantage:

Dans ces misères-là je n'ai plus rien à
    voir,

Et je sais là-dessus tout ce qu'on peut
    savoir.

ARISTE. Sachez donc avec moi confondre
    l'imposture,

De la lettre sur vous connaissez l'écri-
    ture. . .

C'est Frontin, le valet de monsieur que
    voilà.

GÉRONTE. Vraiment oui, c'est Frontin; je
    savais tout cela.

Belle nouvelle!

ARISTE. Eh quoi! votre raison balance!

Et vous ne voyez pas avec trop d'évi-
    dence. . .

GÉRONTE. Un valet, un coquin! . . .

VALÈRE.            Connaissez mieux les gens;

Vous accusez Frontin, et moi je le dé-
    fends.

GÉRONTE. Parbleu! je le crois bien, c'est
    votre secrétaire.

VALÈRE. Que dites-vous, monsieur? et quel
    nouveau mystère. . .

Pour vous en éclaircir, interrogeons
    Frontin.

CLÉON. Il est parti, je l'ai renvoyé ce ma-
    tin.

VALÈRE. Vous l'avez renvoyé; moi, je l'ai
    pris: qu'il vienne.

    (A un laquais.)

Qu'on appelle Lisette, et qu'elle nous
    l'amène.

GÉRONTE, à Valère. Frontin vous appar-
    tient? (A Cléon.) Autre preuve
    pour nous!

Il était à monsieur même en servant chez
    vous,

Et je ne doute pas qu'il ne le justifie.

CLÉON. Valère, quelle est donc cette plai-
    santerie?

VALÈRE. Je ne plaisante plus, et ne vous
    connais point.

Dans tous les lieux, au reste, observez
    bien ce point:

Respectez ce qu'ici je respecte et que
    j'aime,

Songez que l'offenser, c'est m'offenser
    moi-même.

GÉRONTE. Mais vraiment il est brave; on
    me mandait que non.

## SCÈNE IX.

CLÉON, GÉRONTE, ARISTE, VALÈRE, FLO-
    RISE, CHLOÉ, LISETTE.

ARISTE, à Lisette. Qu'as-tu fait de Fron-
    tin? et par quelle raison. . .

LISETTE. Il est parti.

ARISTE. Non, non: ce n'est plus un mystère.

LISETTE. Il est allé porter la lettre de Valère:

Vous ne m'aviez pas dit. . .

ARISTE. Quel contre-temps fâcheux!

CLÉON. Comment! malgré mon ordre il
était en ces lieux!

Je veux de ce fripon. . .

LISETTE. Un peu de patience,
Et moins de compliments; Frontin vous
en dispense.

Il peut bien par hasard avoir l'air d'un
fripon,

Mais dans le fond il est fort honnête garçon;

Il vous quitte d'ailleurs, et monsieur
(*Montrant Valère.*) en ordonne:

Mais comme il ne prétend rien avoir à
personne,

J'aurais bien à vous rendre un paquet
qu'à Paris

A votre procureur vous auriez cru remis;

Mais. . .

FLORISE, *se saisissant du paquet.* Donne
cet écrit; j'en sais tout le mystère.

CLÉON, *très vivement.* Mais, madame, c'est
vous. . . Songez. . .

FLORISE. Lisez, mon frère.
Vous connaissez la main de monsieur, apprenez

Les dons que son bon cœur vous avait
destinés,

Et jugez par ce trait des indignes ma-
nœuvres. . .

GÉRONTE, *en fureur, après avoir lu.* M'interdire! corbleu! . . . Voilà donc
de vos œuvres!

Ah! monsieur l'honnête homme, enfin je
vous connais:

Remarquez ma maison pour n'y rentrer
jamais.

CLÉON. C'est à l'attachement de madame
Florise

Que vous devez l'honneur de toute l'entreprise.

Au reste, serviteur. Si l'on parle de moi,

Avec ce que j'ai vu, je suis en fonds, je
crois,

Pour prendre ma revanche.

(*Il sort.*)

## SCÈNE X.

GÉRONTE, ARISTE, VALÈRE, FLORISE, CHLOÉ,
LISETTE.

GÉRONTE, *à Cléon qui sort.* Oh! l'on ne
vous craint guère. . .

Je ne suis pas plaisant, moi, de mon caractère;

Mais, morbleu! s'il ne part. . .

ARISTE. Ne pensez plus à lui.
Malgré l'air satisfait qu'il affecte aujourd'hui,

Du moindre sentiment si son âme est capable,

Il est assez puni quand l'opprobre l'accable.

GÉRONTE. Sa noirceur me confond. . .
Daignez oublier tous

L'injuste éloignement qu'il m'inspirait
pour vous.

Ma sœur, faisons la paix. . . Ma nièce
aurait Valère,

Si j'étais bien certain. . .

ARISTE. S'il a pu vous déplaire,
Je vous l'ai déjà dit, un conseil ennemi. . .

GÉRONTE, *à Valère.* Allons, je te pardonne. . . (*A Ariste.*) Et nous, mon
cher ami,

Qu'il ne soit plus parlé de torts ni de
querelles,

Ni de gens à la mode, et d'amitiés nouvelles.

Malgré tout le succès de l'esprit des méchants,

Je sens qu'on en revient toujours aux
bonnes gens.

# NANINE
## ou
# LE PRÉJUGÉ VAINCU

*Comédie en trois actes, en vers*

Répresentée pour la première fois à la Comédie-Française
le 16 juin 1749

# VOLTAIRE AND COMEDY

Voltaire essayed to cover the field of comedy as well as other forms of literature. He made use of all vehicles at his disposal, sometimes because it suited his disposition to do so, sometimes for purposes of propaganda in favor of his ideas. So far as comedy was concerned, his personal inclination led him in the direction of *comédies de société, farces, comédies satiriques et personnelles;* his ability to lay hold of whatever might serve his ends led him also in the direction of *comédie larmoyante.* He could never have become a great writer of comedy in the manner of Molière, not because he lacked the *vis comica* or an abundance of *esprit,* but because his personality overflowed and imposed itself on whatever it touched; yet several of his efforts in this direction were successful in their day, and are not devoid of permanent interest.

One of his early attempts at comedy is *l'Indiscret* (1725), an act in verse in the style of *l'Impertinent* of Desmahis. It was hardly successful, with only six performances; but it was played at Fontainebleau at the marriage of Louis XV and Marie Leczinska, when the young queen "wept at *Marianne* and laughed at *l'Indiscret.*" The play however deserves the oblivion into which it has fallen. A little later he associated himself with some others in the composition of a hodge-podge entitled *la Fête de Bélébat,* which was played at the Château de Bélébat. It was little more than a *divertissement* and a farce indicating the kinds of folly to which men and women of the day gave themselves. What Voltaire enjoyed most was his own part in the play, wherein he received a crown of laurel from the hands of la marquise de Prie. It is the buffoonery of society, the sister of popular farce, a thing in which Voltaire delighted in his earlier days. Likewise he played on a private stage *les Originaux,* in three acts and in prose, in 1732, in the very midst of his success in tragedy. Similarly in 1734 he put on at Cirey, in collaboration with Mme. du Châtelet, *l'Échange ou le comte de Boursoufle,* likewise a comedy, and later used for the *fête* of la duchesse du Maine in 1749. This time Voltaire adds a prologue in which he discusses the comic type and style, making Madame Dutour say:

> Non, j'aimerais mieux Arlequin
> Qu'un comique de cette espèce:
> Je ne puis souffrir la sagesse,
> Quand elle prêche en brodequin.

*L'Écossaise* (1760) is Voltaire's example of satirical and personal comedy, a personal vengeance against a literary enemy, Fréron, editor of *l'Année Littéraire.* Voltaire used all his ingenuity and influence to get permission from the censors to put the play on, and he succeeded, partly because *les Philosophes* of Palissot had recently been allowed. It was cast in the mould of a sentimental

comedy or *drame bourgeois*, based on the old story of Romeo and Juliet, the
story of two lovers separated in their love by family feuds; but the main purpose was to present the despicable character of Wasp. On account of the ani-
mosities of the day the play was an immense success.

In 1736 Voltaire had produced *l'Enfant prodigue*. By then, *comédie larmoyante* had been permanently established, and Voltaire had realized its popularity. A favorable opportunity presenting itself, he seized upon it and
produced his first sentimental comedy. Mlle. Quinault had seen the old theme
of the prodigal son on the stage of the *théâtre de la foire St. Germain*, and was
about to suggest the subject to Destouches, when Voltaire persuaded her to leave
it to him. He used his usual methods of camouflage and anonymity in the first
performance, and did not declare his authorship when he wrote the preface to
the edition of 1738. Although he later condemned the *mélange des genres*, he
now declared himself in favor of it, using the famous phrase: "Tous les genres
sont bons, hors le genre ennuyeux." The play had thirty consecutive performances and was also played at the court with Mme. de Pompadour in the rôle of
Lise, the virtuous lover of the prodigal son.

A second attempt at the *comédie larmoyante* was *Nanine* in 1749, in which
Voltaire again wrote a preface in defense of the type, illustrating it by a witty
anecdote. "On défendit à un régiment, dans la bataille de Spire, de faire quartier. Un officier allemand demande la vie à l'un des nôtres, qui lui répond:
'Monsieur, demandez-moi toute autre chose, mais pour la vie, il n'y a pas
moyen.' Cette naïveté passa de bouche en bouche et l'on rit au milieu du
carnage." The theme of the play is taken from Richardson's *Pamela* (1740),
although Voltaire did not mention either the author or the story by name.
L'Abbé Prévost had made a good translation of the original novel which was
very popular with the French public. Boissy had already used the story on the
stage under the name of *Paméla*, but with no success. La Chaussée, undaunted
by the failure of Boissy's *Paméla* in 1743, produced his own at the Comédie-
Française in the same year. He did not much disguise the English story nor speed
up the action, and the result was another failure, followed by burlesques on the
stage of the Théâtre-Italien and the Comédie-Française. Voltaire's only reference
to the original is to the reading of a certain English book. He also tempers and
softens the characters and teachings of the original, and makes them more
adaptable to the French mind and stage. Mr. B. is a much milder personality
with the title of Comte d'Olban. Lady Davers becomes La Baronne de l'Orme,
the ill-tempered woman whom the count is under obligation to marry. Pamela
is tempered down to Nanine, the daughter of Philippe Hombert. The latter is
the Andrews of the original, but he is now an old soldier and no longer a
peasant. The play succeeded, with twelve consecutive performances.

The Pamela theme has been used in original drama or in translation in many
different languages with many variations. Unlike Richardson, Voltaire was not by
temperament a sentimentalist, but he saw an opportunity to cultivate a *genre* that
had now become popular, and at the same time insidiously to convey some of his
social philosophy. Avoiding the tendency to drag, manifest in previous *Pamela*
plays, he used all his theatrical skill, even employing ten-syllable verse in place
of alexandrines, to give movement to the plot and to win applause for the play;
the play remained tearful, but not dull. Although Voltaire disclaims any philo-

sophic intent by allowing Nanine to say that it cannot be possible that, as this English book asserts, all men are born brothers, all are born equal, and although he insists that the marriage at the end must not be taken as a precedent, yet the play is a philosophical and social theory set in action. The *préjugé vaincu* is that of birth; it is much more a question of the *mélange des classes* than of the *mélange des genres,* a social document rather than a dramatic innovation.

Bibliography (see also introduction to *Zaïre*): C. LENIENT: *La Comédie au XVIIIe siècle,* Paris, 1888. H. S. CANBY: *Pamela Abroad,* in *Modern Language Notes,* November, 1903. E. DESCHANEL: *Le Théâtre de Voltaire,* Paris, 1886.

# NANINE
## OU
# LE PRÉJUGÉ VAINCU[1]

### PAR VOLTAIRE

#### PERSONNAGES.

LE COMTE D'OLBAN, *seigneur retiré à la campagne.*
LA BARONNE DE L'ORME, *parente du comte, femme impérieuse, aigre, difficile à vivre.*
LA MARQUISE D'OLBAN, *mère du comte.*

NANINE, *fille élevée dans la maison du comte.*
PHILIPPE HOMBERT, *paysan du voisinage.*
BLAISE, *jardinier.*
GERMON, } *domestiques.*
MARIN,

La scène est dans le château du comte d'Olban.

### ACTE PREMIER.

### SCÈNE PREMIÈRE.

LE COMTE D'OLBAN, LA BARONNE DE L'ORME.

LA BARONNE. Il faut parler, il faut, monsieur le comte,
Vous expliquer nettement sur mon compte.
Ni vous ni moi n'avons un cœur tout neuf;
Vous êtes libre, et depuis deux ans veuf:
Devers ce temps j'eus cet honneur moi-même;
Et nos procès, dont l'embarras extrême
Était si triste et si peu fait pour nous,
Sont enterrés, ainsi que mon époux.
LE COMTE. Oui, tout procès m'est fort insupportable.
LA BARONNE. Ne suis-je pas comme eux fort haïssable?

LE COMTE. Qui? vous, madame?
LA BARONNE.      Oui, moi. Depuis deux ans,
Libres tous deux, comme tous deux parents,
Pour terminer nous habitons ensemble;
Le sang, le goût, l'intérêt nous rassemble.
LE COMTE. Ah! l'intérêt! parlez mieux.
LA BARONNE.                    Non, monsieur.
Je parle bien, et c'est avec douleur;
Et je sais trop que votre âme inconstante
Ne me voit plus que comme une parente.
LE COMTE. Je n'ai pas l'air d'un volage, je crois.
LA BARONNE. Vous avez l'air de me manquer de foi.
LE COMTE, *à part.* Ah!
LA BARONNE. Vous savez que cette longue guerre,
Que mon mari vous faisait pour ma terre,
A dû finir en confondant nos droits
Dans un hymen dicté par notre choix:
Votre promesse à ma foi vous engage;
Vous différez, et qui diffère outrage.

[1] Text of Moland edition.

LE COMTE. J'attends ma mère.

LA BARONNE.                    Elle radote : bon !

LE COMTE. Je la respecte, et je l'aime.

LA BARONNE.                    Et moi, non.
Mais pour me faire un affront qui
   m'étonne,
Assurément vous n'attendez personne,
Perfide ! ingrat !

LE COMTE. D'où vient ce grand courroux ?
Qui vous a donc dit tout cela ?

LA BARONNE.                    Qui ? vous ;
Vous, votre ton, votre air d'indifférence,
Votre conduite, en un mot, qui m'of-
   fense,
Qui me soulève, et qui choque mes yeux :
Ayez moins tort, ou défendez-vous mieux.
Ne vois-je pas l'indignité, la honte,
L'excès, l'affront du goût qui vous sur-
   monte ?
Quoi ! pour l'objet le plus vil, le plus
   bas,
Vous me trompez !

LE COMTE.          Non, je ne trompe pas ;
Dissimuler n'est pas mon caractère :
J'étais à vous, vous aviez su me plaire,
Et j'espérais avec vous retrouver
Ce que le ciel a voulu m'enlever,
Goûter en paix, dans cet heureux asile,
Les nouveaux fruits d'un nœud doux et
   tranquille ;
Mais vous cherchez à détruire vos lois.
Je vous l'ai dit, l'amour a deux car-
   quois :
L'un est rempli de ces traits tout de
   flamme,
Dont la douceur porte la paix dans
   l'âme,
Qui rend plus purs nos goûts, nos sen-
   timents,
Nos soins plus vifs, nos plaisirs plus
   touchants ;
L'autre n'est plein que de flèches cruelles
Qui, répandant les soupçons, les querelles,
Rebutent l'âme, y portent la tiédeur,
Font succéder les dégoûts à l'ardeur :
Voilà les traits que vous prenez vous-
   même
Contre nous deux ; et vous voulez qu'on
   aime !

LA BARONNE. Oui, j'aurai tort ! quand vous
   vous détachez,
C'est donc à moi que vous le reprochez.
Je dois souffrir vos belles incartades,
Vos procédés, vos comparaisons fades.
Qu'ai-je donc fait, pour perdre votre
   cœur ?
Que me peut-on reprocher ?

LE COMTE.                    Votre humeur,
N'en doutez pas : oui, la beauté, madame,

Ne plaît qu'aux yeux ; la douceur charme
   l'âme.

LA BARONNE. Mais êtes-vous sans humeur,
   vous ?

LE COMTE.                    Moi ? non ;
J'en ai sans doute, et pour cette raison
Je veux, madame, une femme indulgente,
Dont la beauté douce et compatissante,
A mes défauts facile à se plier,
Daigne avec moi me réconcilier,
Me corriger sans prendre un ton caus-
   tique,
Me gouverner sans être tyrannique,
Et dans mon cœur pénétrer pas à pas,
Comme un jour doux dans des yeux dé-
   licats :
Qui sent le joug le porte avec murmure ;
L'amour tyran est un dieu que j'abjure.
Je veux aimer, et ne veux point servir ;
C'est votre orgueil qui peut seul m'avilir.
J'ai des défauts ; mais le ciel fit les
   femmes
Pour corriger le levain de nos âmes,
Pour adoucir nos chagrins, nos hu-
   meurs,
Pour nous calmer, pour nous rendre
   meilleurs.
C'est là leur lot ; et pour moi, je préfère
Laideur affable à beauté rude et fière.

LA BARONNE. C'est fort bien dit, traître !
   vous prétendez,
Quand vous m'outrez, m'insultez, m'ex-
   cédez,
Que je pardonne, en lâche complaisante,
De vos amours la honte extravagante ?
Et qu'à mes yeux un faux air de hau-
   teur
Excuse en vous les bassesses du cœur ?

LE COMTE. Comment, madame ?

LA BARONNE.               Oui, la jeune Nanine
Fait tout mon tort. Un enfant vous do-
   mine,
Une servante, une fille des champs,
Que j'élevai par mes soins imprudents,
Que par pitié votre facile mère
Daigna tirer du sein de la misère.
Vous rougissez !

LE COMTE.          Moi ! je lui veux du bien.

LA BARONNE. Non, vous l'aimez, j'en suis
   très sûre.

LE COMTE.                    Eh bien !
Si je l'aimais, apprenez donc, madame,
Que hautement je publierais ma flamme.

LA BARONNE. Vous en êtes capable.

LE COMTE.                    Assurément.

LA BARONNE. Vous oseriez trahir impudem-
   ment
De votre rang toute la bienséance ;
Humilier ainsi votre naissance ;

Et, dans la honte où vos sens sont plongés,
Braver l'honneur?
LE COMTE. Dites les préjugés.
Je ne prends point, quoi qu'on en puisse croire,
La vanité pour l'honneur et la gloire.
L'éclat vous plaît; vous mettez la grandeur
Dans des blasons: je la veux dans le cœur.
L'homme de bien, modeste avec courage,
Et la beauté spirituelle, sage,
Sans bien, sans nom, sans tous ces titres vains,
Sont à mes yeux les premiers des humains.
LA BARONNE. Il faut au moins être bon gentilhomme.
Un vil savant, un obscur honnête homme,
Serait chez vous, pour un peu de vertu,
Comme un seigneur avec honneur reçu?
LE COMTE. Le vertueux aurait la préférence.
LA BARONNE. Peut-on souffrir cette humble extravagance?
Ne doit-on rien, s'il vous plaît, à son rang?
LE COMTE. Etre honnête homme est ce qu'on doit.
LA BARONNE. Mon sang
Exigerait un plus haut caractère.
LE COMTE. Il est très haut, il brave le vulgaire.
LA BARONNE. Vous dégradez ainsi la qualité!
LE COMTE. Non; mais j'honore ainsi l'humanité.
LA BARONNE. Vous êtes fou; quoi! le public, l'usage...!
LE COMTE. L'usage est fait pour le mépris du sage;
Je me conforme à ses ordres gênants,
Pour mes habits, non pour mes sentiments.
Il faut être homme, et d'une âme sensée,
Avoir à soi ses goûts et sa pensée.
Irai-je en sot aux autres m'informer
Qui je dois fuir, chercher, louer, blâmer?
Quoi! de mon être il faudra qu'on décide?
J'ai ma raison; c'est ma mode et mon guide.
Le singe est né pour être imitateur,
Et l'homme doit agir d'après son cœur.
LA BARONNE. Voilà parler en homme libre, en sage.
Allez; aimez des filles de village,

Cœur noble et grand, soyez l'heureux rival
Du magister et du greffier fiscal;
Soutenez bien l'honneur de votre race.
LE COMTE. Ah! juste ciel! que faut-il que je fasse?

## SCÈNE II.

LE COMTE, LA BARONNE, BLAISE.

LE COMTE. Que veux-tu, toi?
BLAISE. C'est votre jardinier,
Qui vient, monsieur, humblement supplier
Votre grandeur.
LE COMTE. Ma grandeur! Eh bien! Blaise,
Que te faut-il?
BLAISE. Mais c'est, ne vous déplaise,
Que je voudrais me marier...
LE COMTE. D'accord,
Très volontiers; ce projet me plaît fort.
Je t'aiderai; j'aime qu'on se marie:
Et la future, est-elle un peu jolie?
BLAISE. Ah, oui, ma foi! c'est un morceau friand.
LA BARONNE. Et Blaise en est aimé?
BLAISE. Certainement.
LE COMTE. Et nous nommons cette beauté divine?...
BLAISE. Mais, c'est....
LE COMTE. Eh bien?
BLAISE. C'est la belle Nanine.
LE COMTE. Nanine?
LA BARONNE. Ah! bon! je ne m'oppose point
A de pareils amours.
LE COMTE, à part. Ciel! à quel point
On m'avilit! Non, je ne le puis être.
BLAISE. Ce parti-là doit bien plaire à mon maître.
LE COMTE. Tu dis qu'on t'aime, impudent!
BLAISE. Ah! pardon.
LE COMTE. T'a-t-elle dit qu'elle t'aimât?
BLAISE. Mais.... non,
Pas tout à fait; elle m'a fait entendre
Tant seulement qu'elle a pour nous du tendre;
D'un ton si bon, si doux, si familier,
Elle m'a dit cent fois: «Cher jardinier,
Cher ami Blaise, aide-moi donc à faire
Un beau bouquet de fleurs, qui puisse plaire
A monseigneur, à ce maître charmant;»
Et puis d'un air si touché, si touchant,
Elle faisait ce bouquet: et sa vue
Était troublée; elle était tout émue,
Toute rêveuse, avec un certain air,

Un air, là, qui. . . . peste! l'on y voit
clair.

LE COMTE. Blaise, va-t'en. . . . (*A part.*)
Quoi! j'aurais su lui plaire!

BLAISE. Çà, n'allez pas traînasser notre affaire.

LE COMTE. Hem! . . .

BLAISE. Vous verrez comme ce terrain-là
Entre mes mains bientôt profitera.
Répondez donc; pourquoi ne me rien
dire?

LE COMTE. Ah! mon cœur est trop plein.
Je me retire. . . .
Adieu, madame.

## SCÈNE III.

### LA BARONNE, BLAISE.

LA BARONNE.      Il l'aime comme un fou,
J'en suis certaine. Et comment donc, par
où,
Par quels attraits, par quelle heureuse
adresse,
A-t-elle pu me ravir sa tendresse?
Nanine! ô ciel! quel choix! quelle fureur!
Nanine! non; j'en mourrai de douleur.

BLAISE, *revenant.* Ah! vous parlez de Nanine.

LA BARONNE.                Insolente!

BLAISE. Est-il pas vrai que Nanine est
charmante?

LA BARONNE. Non.

BLAISE. Eh! si fait: parlez un peu pour
nous,
Protégez Blaise.

LA BARONNE. Ah! quels horribles coups!

BLAISE. J'ai des écus; Pierre Blaise mon
père
M'a bien laissé trois bons journaux de
terre:[1]
Tout est pour elle, écus comptants, journaux,
Tout mon avoir, et tout ce que je vaux;
Mon corps, mon cœur, tout moi-même,
tout Blaise.

LA BARONNE. Autant que toi crois que j'en
serais aise;
Mon pauvre enfant, si je puis te servir,
Tous deux ce soir je voudrais vous unir:
Je lui paierai sa dot.

BLAISE.                Digne baronne,
Que j'aimerai votre chère personne!
Que de plaisir! est-il possible!

LA BARONNE.                Hélas!
Je crains, ami, de ne réussir pas.

BLAISE. Ah! par pitié, réussissez, madame.

---

[1] measure of land that could be plowed in a day.

LA BARONNE. Va, plût au ciel qu'elle devînt
ta femme!
Attends mon ordre.

BLAISE.                Eh! puis-je attendre?

LA BARONNE.                            Va.

BLAISE. Adieu. J'aurai, ma foi, cet enfant-
là.

## SCÈNE IV.

### LA BARONNE.

Vit-on jamais une telle aventure!
Peut-on sentir une plus vive injure;
Plus lâchement se voir sacrifier!
Le comte Olban rival d'un jardinier!
(*A un laquais.*)
Holà! quelqu'un! Qu'on appelle Nanine.
C'est mon malheur qu'il faut que j'ex-
amine.
Où pourrait-elle avoir pris l'art flatteur,
L'art de séduire et de garder un cœur,
L'art d'allumer un feu vif et qui dure?
Où? dans ses yeux, dans la simple na-
ture.
Je crois pourtant que cet indigne amour
N'a point encore osé se mettre au jour.
J'ai vu qu'Olban se respecte avec elle;
Ah! c'est encore une douleur nouvelle;
J'espérerais s'il se respectait moins.
D'un amour vrai le traître a tous les
soins.
Ah! la voici: je me sens au supplice.
Que la nature est pleine d'injustice!
A qui va-t-elle accorder la beauté!
C'est un affront fait à la qualité.
Approchez-vous; venez, mademoiselle.

## SCÈNE V.

### LA BARONNE, NANINE.

NANINE. Madame.

LA BARONNE.      Mais est-elle donc si belle?
Ces grands yeux noirs ne disent rien du
tout;
Mais s'ils ont dit: J'aime. . . . Ah! je
suis à bout.
Possédons-nous. Venez.

NANINE.                Je viens me rendre
A mon devoir.

LA BARONNE.      Vous vous faites attendre
Un peu de temps; avancez-vous. Com-
ment!
Comme elle est mise! et quel ajustement!
Il n'est pas fait pour une créature
De votre espèce.

NANINE.                     Il est vrai. Je vous jure,
Par mon respect, qu'en secret j'ai rougi
Plus d'une fois d'être vêtue ainsi;
Mais c'est l'effet de vos bontés premières,
De ces bontés qui me sont toujours
    chères.
De tant de soins vous daigniez m'honorer!
Vous vous plaisiez vous-même à me
    parer.
Songez combien vous m'aviez protégée:
Sous cet habit je ne suis point changée.
Voudriez-vous, madame, humilier
Un cœur soumis, qui ne peut s'oublier?
LA BARONNE. Approchez-moi ce fauteuil.
    . . . Ah! j'enrage. . . .
D'où venez-vous?
NANINE.                       Je lisais.
LA BARONNE.                   Quel ouvrage?
NANINE. Un livre anglais dont on m'a fait
    présent.
LA BARONNE. Sur quel sujet?
NANINE.                     Il est intéressant:
L'auteur prétend que les hommes sont
    frères,
Nés tous égaux; mais ce sont des chimè-
    res:
Je ne puis croire à cette égalité.
LA BARONNE. Elle y croira. Quel fonds de
    vanité!
Que l'on m'apporte ici mon écritoire. . .
NANINE. J'y vais.
LA BARONNE. Restez. Que l'on me donne à
    boire.
NANINE. Quoi?
LA BARONNE. Rien. Prenez mon éventail. . .
    Sortez.
Allez chercher mes gants. . . Laissez. . .
    Restez.
Avancez-vous. . . Gardez-vous, je vous
    prie,
D'imaginer que vous soyez jolie.
NANINE. Vous me l'avez si souvent répété,
Que si j'avais ce fonds de vanité,
Si l'amour-propre avait gâté mon âme,
Je vous devrais ma guérison, madame.
LA BARONNE. Où trouve-t-elle ainsi ce
    qu'elle dit?
Que je la hais! Quoi! belle, et de l'esprit!
    (Avec dépit.)
Écoutez-moi. J'eus bien de la tendresse
Pour votre enfance.
NANINE.                 Oui. Puisse ma jeunesse
Etre honorée encor de vos bontés!
LA BARONNE. Eh bien! voyez si vous les
    méritez.
Je prétends, moi, ce jour, cette heure
    même,
Vous établir; jugez si je vous aime.
NANINE. Moi?

LA BARONNE. Je vous donne une dot. Votre
    époux
Est fort bien fait, et très digne de vous;
C'est un parti de tout point fort sortable:
C'est le seul même aujourd'hui con-
    venable:
Et vous devez bien m'en remercier:
C'est, en un mot, Blaise le jardinier.
NANINE. Blaise, madame?
LA BARONNE.     Oui. D'où vient ce sourire?
Hésitez-vous un moment d'y souscrire?
Mes offres sont un ordre, entendez-vous?
Obéissez, ou craignez mon courroux.
NANINE. Mais. . .
LA BARONNE. Apprenez qu'un *mais* est une
    offense.
Il vous sied bien d'avoir l'impertinence
De refuser un mari de ma main!
Ce cœur si simple est devenu bien vain.
Mais votre audace est trop prématurée;
Votre triomphe est de peu de durée.
Vous abusez du caprice d'un jour,
Et vous verrez quel en est le retour.
Petite ingrate, objet de ma colère,
Vous avez donc l'insolence de plaire?
Vous m'entendez; je vous ferai rentrer
Dans le néant dont j'ai su vous tirer.
Tu pleureras ton orgueil, ta folie.
Je te ferai renfermer pour ta vie
Dans un couvent.
NANINE.               J'embrasse vos genoux;
Renfermez-moi; mon sort sera trop
    doux.
Oui, des faveurs que vous vouliez me
    faire,
Cette rigueur est pour moi la plus chère.
Enfermez-moi dans un cloître à jamais:
J'y bénirai mon maître et vos bien-
    faits;
J'y calmerai des alarmes mortelles,
Des maux plus grands, des craintes plus
    cruelles,
Des sentiments plus dangereux pour moi
Que ce courroux qui me glace d'effroi.
Madame, au nom de ce courroux ex-
    trême,
Délivrez-moi, s'il se peut, de moi-même;
Dès cet instant je suis prête à partir.
LA BARONNE. Est-il possible? et que viens-
    je d'ouïr?
Est-il bien vrai? me trompez-vous, Na-
    nine?
NANINE. Non. Faites-moi cette faveur di-
    vine:
Mon cœur en a trop besoin.
LA BARONNE, *avec un emportement de ten-
    dresse.* Lève-toi:
Que je t'embrasse. O jour heureux pour
    moi!

Ma chère amie, eh bien! je vais sur
  l'heure
Préparer tout pour ta belle demeure.
Ah! quel plaisir que de vivre en cou-
  vent!
NANINE. C'est pour le moins un abri con-
  solant.
LA BARONNE. Non; c'est, ma fille, un sé-
  jour délectable.
NANINE. Le croyez-vous?
LA BARONNE.        Le monde est haïssable,
  Jaloux. . .
NANINE.        Oh! oui.
LA BARONNE. Fou, méchant, vain, trom-
  peur,
  Changeant, ingrat; tout cela fait hor-
    reur.
NANINE. Oui; j'entrevois qu'il me serait
  funeste,
  Qu'il faut le fuir. . .
LA BARONNE.        La chose est manifeste;
  Un bon couvent est un port assuré.
  Monsieur le comte, ah! je vous prévien-
    drai.
NANINE. Que dites-vous de monseigneur?
LA BARONNE.                 Je t'aime
  A la fureur; et dès ce moment même
  Je voudrais bien te faire le plaisir
  De t'enfermer pour ne jamais sortir.
  Mais il est tard, hélas! il faut attendre
  Le point du jour. Écoute: il faut te
    rendre
  Vers le minuit dans mon appartement.
  Nous partirons d'ici secrètement
  Pour ton couvent à cinq heures son-
    nantes:
  Sois prête au moins.

## SCÈNE VI.

### NANINE.

            Quelles douleurs cuisantes!
Quel embarras! quel tourment! quel des-
  sein!
Quels sentiments combattent dans mon
  sein!
Hélas! je fuis le plus aimable maître!
En le fuyant, je l'offense peut-être;
Mais, en restant, l'excès de ses bontés
M'attirerait trop de calamités,
Dans sa maison mettrait un trouble hor-
  rible.
Madame croit qu'il est pour moi sen-
  sible,
Que jusqu'à moi ce cœur peut s'abaisser:
Je le redoute, et n'ose le penser.
De quel courroux madame est animée!

Quoi! l'on me hait, et je crains d'être
  aimée?
Mais, moi! mais moi! je me crains en-
  cor plus;
Mon cœur troublé de lui-même est con-
  fus.
Que devenir? De mon état tirée,
Pour mon malheur je suis trop éclairée.
C'est un danger, c'est peut-être un grand
  tort
D'avoir une âme au-dessus de son sort.
Il faut partir; j'en mourrai, mais n'im-
  porte.

## SCÈNE VII.

### LE COMTE, NANINE, UN LAQUAIS.

LE COMTE. Holà! quelqu'un! qu'on reste à
  cette porte.
  Des sièges, vite.
        (Il fait la révérence à Nanine, qui
          lui en fait une profonde.)
              Asseyons-nous ici.
NANINE. Qui? moi, monsieur?
LE COMTE.            Oui, je le veux ainsi;
  Et je vous rends ce que votre conduite,
  Votre beauté, votre vertu mérite.
  Un diamant trouvé dans un désert
  Est-il moins beau, moins précieux, moins
    cher?
  Quoi! vos beaux yeux semblent mouillés
    de larmes!
  Ah! je le vois, jalouse de vos charmes,
  Notre baronne aura, par ses aigreurs,
  Par son courroux, fait répandre vos
    pleurs.
NANINE. Non, monsieur, non; sa bonté res-
    pectable
  Jamais pour moi ne fut si favorable;
  Et j'avouerai qu'ici tout m'attendrit.
LE COMTE. Vous me charmez: je craignais
  son dépit.
NANINE. Hélas! pourquoi?
LE COMTE.            Jeune et belle Nanine,
  La jalousie en tous les cœurs domine:
  L'homme est jaloux dès qu'il peut s'en-
    flammer;
  La femme l'est, même avant que d'aimer.
  Un jeune objet, beau, doux, discret, sin-
    cère,
  A tout son sexe est bien sûr de déplaire.
  L'homme est plus juste; et d'un sexe
    jaloux
  Nous nous vengeons autant qu'il est en
    nous.
  Croyez surtout que je vous rends jus-
    tice.

J'aime ce cœur qui n'a point d'artifice;
J'admire encore à quel point vous avez
Développé vos talents cultivés.
De votre esprit la naïve justesse
Me rend surpris autant qu'il m'intéresse.
NANINE. J'en ai bien peu; mais quoi! je
vous ai vu,
Et je vous ai tous les jours entendu:
Vous avez trop relevé ma naissance;
Je vous dois trop; c'est par vous que je
pense.
LE COMTE. Ah! croyez-moi, l'esprit ne s'ap-
prend pas.
NANINE. Je pense trop pour un état si bas;
Au dernier rang les destins m'ont com-
prise.
LE COMTE. Dans le premier vos vertus vous
ont mise.
Naïvement dites-moi quel effet
Ce livre anglais sur votre esprit a fait?
NANINE. Il ne m'a point du tout persuadée;
Plus que jamais, monsieur, j'ai dans
l'idée
Qu'il est des cœurs si grands, si géné-
reux,
Que tout le reste est bien vil auprès d'eux.
LE COMTE. Vous en êtes la preuve. . . Ah
çà, Nanine,
Permettez-moi qu'ici l'on vous destine
Un sort, un rang moins indigne de vous.
NANINE. Hélas! mon sort était trop haut,
trop doux.
LE COMTE. Non. Désormais soyez de la
famille:
Ma mère arrive; elle vous voit en fille;
Et mon estime, et sa tendre amitié,
Doivent ici vous mettre sur un pied
Fort éloigné de cette indigne gêne
Où vous tenait une femme hautaine.
NANINE. Elle n'a fait, hélas! que m'avertir
De mes devoirs. . . Qu'ils sont durs à
remplir!
LE COMTE. Quoi! quel devoir? Ah! le
vôtre est de plaire;
Il est rempli: le nôtre ne l'est guère.
Il vous fallait plus d'aisance et d'éclat:
Vous n'êtes pas encor dans votre état.
NANINE. J'en suis sortie, et c'est ce qui
m'accable;
C'est un malheur peut-être irréparable.
        (Se levant.)
Ah! monseigneur! ah! mon maître! écar-
tez
De mon esprit toutes ces vanités;
De vos bienfaits confuse, pénétrée,
Laissez-moi vivre à jamais ignorée.
Le ciel me fit pour un état obscur;
L'humilité n'a pour moi rien de dur.
Ah! laissez-moi ma retraite profonde.

Eh! que ferais-je, et que verrais-je au
monde,
Après avoir admiré vos vertus?
LE COMTE. Non, c'en est trop, je n'y ré-
siste plus.
Qui? vous, obscure! vous!
NANINE.                    Quoi que je fasse,
Puis-je de vous obtenir une grâce?
LE COMTE. Qu'ordonnez-vous? parlez.
NANINE.                        Depuis un temps
Votre bonté me comble de présents.
LE COMTE. Eh bien! pardon. J'en agis
comme un père,
Un père tendre à qui sa fille est chère;
Je n'ai point l'art d'embellir un présent;
Et je suis juste et ne suis point galant.
De la fortune il faut venger l'injure:
Elle vous traita mal: mais la nature,
En récompense, a voulu vous doter
De tous ses biens; j'aurais dû l'imiter.
NANINE. Vous en avez trop fait; mais je
me flatte
Qu'il m'est permis, sans que je sois in-
grate,
De disposer de ces dons précieux
Que votre main rend si chers à mes yeux.
LE COMTE. Vous m'outragez.

## SCÈNE VIII.

LE COMTE, NANINE, GERMON.

GERMON.          Madame vous demande,
Madame attend.
LE COMTE.      Eh! que madame attende.
Quoi! l'on ne peut un moment vous par-
ler,
Sans qu'aussitôt on vienne nous troubler!
NANINE. Avec douleur, sans doute, je vous
laisse;
Mais vous savez qu'elle fut ma maîtresse.
LE COMTE. Non, non, jamais je ne veux le
savoir.
NANINE. Elle conserve un reste de pouvoir.
LE COMTE. Elle n'en garde aucun, je vous
assure.
Vous gémissez. . . Quoi! votre cœur mur-
mure?
Qu'avez-vous donc?
NANINE.          Je vous quitte à regret;
Mais il le faut. . . O ciel! c'en est donc
fait!
                    (Elle sort.)

## SCÈNE IX.

LE COMTE, GERMON.

LE COMTE. Elle pleurait. D'une femme or-
gueilleuse

Depuis longtemps l'aigreur capricieuse
La fait gémir sous trop de dureté;
Et de quel droit? par quelle autorité?
Sur ces abus ma raison se récrie.
Ce monde-ci n'est qu'une loterie
De biens, de rangs, de dignités, de droits,
Brigués sans titre, et répandus sans choix.
Hé!

GERMON. Monseigneur. . .

LE COMTE.                    Demain sur sa toilette
Vous porterez cette somme complète
De trois cents louis d'or; n'y manquez
    pas:
Puis vous irez chercher ces gens là-bas;
Ils attendront.

GERMON.            Madame la baronne
Aura l'argent que monseigneur me donne,
Sur sa toilette.

LE COMTE.        Eh! l'esprit lourd! eh non!
C'est pour Nanine, entendez-vous?

GERMON.                          Pardon.

LE COMTE. Allez, allez, laissez-moi.
            (*Germon sort.*)
                    Ma tendresse
Assurément n'est point une faiblesse.
Je l'idolâtre, il est vrai; mais mon cœur
Dans ses yeux seuls n'a point pris son
    ardeur.
Son caractère est fait pour plaire au
    sage;
Et sa belle âme a mon premier hommage:
Mais son état? Elle est trop au-dessus;
Fût-il plus bas, je l'en aimerais plus.
Mais puis-je enfin l'épouser? Oui, sans
    doute.
Pour être heureux qu'est-ce donc qu'il
    en coûte?
D'un monde vain dois-je craindre l'écueil,
Et de mon goût me priver par orgueil?
Mais la coutume? . . . Eh bien! elle est
    cruelle;
Et la nature eut ses droits avant elle.
Eh quoi! rival de Blaise! Pourquoi non?
Blaise est un homme; il l'aime, il a raison.
Elle fera dans une paix profonde
Le bien d'un seul, et les désirs du monde.
Elle doit plaire aux jardiniers, aux rois;
Et mon bonheur justifiera mon choix.

## ACTE DEUXIÈME

### SCÈNE PREMIÈRE.

#### LE COMTE, MARIN.

LE COMTE. Ah! cette nuit est une année
    entière!

Que le sommeil est loin de ma paupière!
Tout dort ici; Nanine dort en paix;
Un doux repos rafraîchit ses attraits:
Et moi, je vais, je cours, je veux écrire,
Je n'écris rien; vainement je veux lire,
Mon œil troublé voit les mots sans les
    voir,
Et mon esprit ne les peut concevoir;
Dans chaque mot le seul nom de Nanine
Est imprimé par une main divine.
Holà! quelqu'un! qu'on vienne. Quoi!
    mes gens
Sont-ils pas las de dormir si longtemps?
Germon! Marin!

MARIN, *derrière le théâtre.* J'accours.

LE COMTE.                    Quelle paresse!
Eh! venez vite; il fait jour, le temps
    presse:
Arrivez donc.

MARIN.        Eh! monsieur, quel lutin
Vous a sans nous éveillé si matin?

LE COMTE. L'amour.

MARIN.        Oh! oh! la baronne de l'Orme
Ne permet pas qu'en ce logis on dorme.
Qu'ordonnez-vous?

LE COMTE.        Je veux, mon cher Marin,
Je veux avoir, au plus tard pour de-
    main,
Six chevaux neufs, un nouvel équipage,
Femme de chambre adroite, bonne, et
    sage;
Valet de chambre avec deux grands la-
    quais,
Point libertins, qui soient jeunes, bien
    faits;
Des diamants, des boucles des plus belles,
Des bijoux d'or, des étoffes nouvelles.
Pars dans l'instant, cours en poste à
    Paris;
Crève tous les chevaux.

MARIN.                    Vous voilà pris.
J'entends, j'entends; madame la baronne
Est la maîtresse aujourd'hui qu'on nous
    donne;
Vous l'épousez?

LE COMTE.        Quel que soit mon projet,
Vole et reviens.

MARIN.                    Vous serez satisfait.

### SCÈNE II.

#### LE COMTE, GERMON.

LE COMTE. Quoi! j'aurai donc cette dou-
    ceur extrême
De rendre heureux, d'honorer ce que
    j'aime!

Notre baronne avec fureur criera;
Très volontiers, et tant qu'elle voudra.
Les vains discours, le monde, la baronne,
Rien ne m'émeut, et je ne crains per-
sonne;
Aux préjugés c'est trop être soumis:
Il faut les vaincre, ils sont nos ennemis;
Et ceux qui font les esprits raisonna-
bles,
Plus vertueux, sont les seuls respectables.
Eh! mais. . . quel bruit entends-je dans
ma cour?
C'est un carrosse. Oui. . . mais. . . au
point du jour
Qui peut venir? . . . C'est ma mère, peut-
être.
Germon. . . . .

GERMON, *arrivant.* Monsieur. . .
LE COMTE.          Vois ce que ce peut être.
GERMON. C'est un carrosse.
LE COMTE.          Eh qui? par quel hasard?
Qui vient ici?
GERMON.     L'on ne vient point; l'on part.
LE COMTE. Comment! on part?
GERMON.               Madame la baronne
Sort tout à l'heure.
LE COMTE.          Oh! je le lui pardonne;
Que pour jamais puisse-t-elle sortir!
GERMON. Avec Nanine elle est prête à par-
tir.
LE COMTE. Ciel! que dis-tu? Nanine?
GERMON.                    La suivante
Le dit tout haut.
LE COMTE.          Quoi donc?
GERMON.               Votre parente
Part avec elle; elle va, ce matin,
Mettre Nanine à ce couvent voisin.
LE COMTE. Courons, volons. Mais quoi! que
vais-je faire?
Pour leur parler je suis trop en colère:
N'importe: allons. Quand je devrais. . .
mais non:
On verrait trop toute ma passion.
Qu'on ferme tout, qu'on vole, qu'on l'ar-
rête;
Répondez-moi d'elle sur votre tête:
Amenez-moi Nanine.
                    (*Germon sort.*)
               Ah! juste ciel!
On l'enlevait. Quel jour! quel coup mor-
tel!
Qu'ai-je donc fait? pourquoi? par quel
caprice?
Par quelle ingrate et cruelle injustice?
Qu'ai-je donc fait, hélas! que l'adorer,
Sans la contraindre, et sans me déclarer,
Sans alarmer sa timide innocence?
Pourquoi me fuir? je m'y perds, plus
j'y pense.

## SCÈNE III.

LE COMTE, NANINE.

LE COMTE. Belle Nanine, est-ce vous que je
voi?
Quoi! vous voulez vous dérober à moi!
Ah! répondez, expliquez-vous, de grâce.
Vous avez craint, sans doute, la menace
De la baronne; et ces purs sentiments,
Que vos vertus m'inspirent dès longtemps,
Plus que jamais l'auront, sans doute,
aigrie.
Vous n'auriez point de vous-même eu
l'envie
De nous quitter, d'arracher à ces lieux
Leur seul éclat que leur prêtaient vos
yeux.
Hier au soir, de pleurs toute trempée,
De ce dessein étiez-vous occupée?
Répondez donc. Pourquoi me quittiez-
vous?
NANINE. Vous me voyez tremblante à vos
genoux.
LE COMTE, *la relevant.* Ah! parlez-moi. Je
tremble plus encore.
NANINE. Madame. . . . .
LE COMTE.          Eh bien?
NANINE.               Madame, que j'honore,
Pour le couvent n'a point forcé mes
vœux.
LE COMTE. Ce serait vous? Qu'entends-je!
ah, malheureux!
NANINE. Je vous l'avoue; oui, je l'ai con-
jurée
De mettre un frein à mon âme
égarée. . .
Elle voulait, monsieur, me marier.
LE COMTE. Elle? à qui donc?
NANINE.               A votre jardinier.
LE COMTE. Le digne choix!
NANINE.               Et moi, toute honteuse,
Plus qu'on ne croit peut-être malheu-
reuse,
Moi qui repousse avec un vain effort
Des sentiments au-dessus de mon sort,
Que vos bontés avaient trop élevée,
Pour m'en punir, j'en dois être privée.
LE COMTE. Vous, vous punir! ah! Nanine!
et de quoi?
NANINE. D'avoir osé soulever contre moi
Votre parente, autrefois ma maîtresse.
Je lui déplais; mon seul aspect la blesse:
Elle a raison; et j'ai près d'elle, hélas!
Un tort bien grand. . . qui ne finira pas.
J'ai craint ce tort; il est peut-être ex-
trême.
J'ai prétendu m'arracher à moi-même.

Et déchirer dans les austérités
Ce cœur trop haut, trop fier de vos bontés,
Venger sur lui sa faute involontaire.
Mais ma douleur, hélas! la plus amère,
En perdant tout, en courant m'éclipser,
En vous fuyant, fut de vous offenser.

LE COMTE, *se détournant et se promenant*.
Quels sentiments! et quelle âme ingénue!
En ma faveur est-elle prévenue?
A-t-elle craint de m'aimer? ô vertu!

NANINE. Cent fois pardon, si je vous ai déplu:
Mais permettez qu'au fond d'une retraite
J'aille cacher ma douleur inquiète,
M'entretenir en secret à jamais
De mes devoirs, de vous, de vos bienfaits.

LE COMTE. N'en parlons plus. Écoutez: la baronne
Vous favorise, et noblement vous donne
Un domestique, un rustre pour époux;
Moi, j'en sais un moins indigne de vous:
Il est d'un rang fort au-dessus de Blaise,
Jeune, honnête homme; il est fort à son aise:
Je vous réponds qu'il a des sentiments:
Son caractère est loin des mœurs du temps;
Et je me trompe, ou pour vous j'envisage
Un destin doux, un excellent ménage.
Un tel parti flatte-t-il votre cœur?
Vaut-il pas bien le couvent?

NANINE　　　　Non, monsieur. . . . .
Ce nouveau bien que vous daignez me faire,
Je l'avouerai, ne peut me satisfaire,
Vous pénétrez mon cœur reconnaissant:
Daignez y lire, et voyez ce qu'il sent;
Voyez sur quoi ma retraite se fonde.
Un jardinier, un monarque du monde,
Qui pour époux s'offriraient à mes vœux,
Également me déplairaient tous deux.

LE COMTE. Vous décidez mon sort. Eh bien! Nanine,
Connaissez donc celui qu'on vous destine.
Vous l'estimez; il est sous votre loi;
Il vous adore, et cet époux. . . . c'est moi.
　　　(*A part.*)
L'étonnement, le trouble.l'a saisie.
　　　(*A Nanine.*)
Ah! parlez-moi; disposez de ma vie;
Ah! reprenez vos sens trop agités.

NANINE. Qu'ai-je entendu?
LE COMTE.　　　　Ce que vous méritez.
NANINE. Quoi! vous m'aimez? Ah! gardez-vous de croire

Que j'ose user d'une telle victoire.
Non, monsieur, non, je ne souffrirai pas
Qu'ainsi pour moi vous descendiez si bas:
Un tel hymen est toujours trop funeste;
Le goût se passe, et le repentir reste.
J'ose à vos pieds attester vos aïeux. . . .
Hélas! sur moi ne jetez point les yeux.
Vous avez pris pitié de mon jeune âge;
Formé par vous, ce cœur est votre ouvrage;
Il en serait indigne désormais
S'il acceptait le plus grand des bienfaits.
Oui, je vous dois des refus. Oui, mon âme
Doit s'immoler.

LE COMTE.　　　Non, vous serez ma femme.
Quoi! tout à l'heure ici vous m'assuriez,
Vous l'avez dit, que vous refuseriez
Tout autre époux, fût-ce un prince.

NANINE.　　　　　Oui, sans doute;
Et ce n'est pas ce refus qui me coûte.

LE COMTE. Mais me haïssez-vous?
NANINE.　　　　　Aurais-je fui,
Craindrais-je tant si vous étiez haï?

LE COMTE. Ah! ce mot seul a fait ma destinée.
NANINE. Eh! que prétendez-vous?
LE COMTE.　　　　　Notre hyménée.
NANINE. Songez. . .
LE COMTE.　　　Je songe à tout.
NANINE.　　　　　Mais prévoyez. . . .
LE COMTE. Tout est prévu. . . .
NANINE.　　Si vous m'aimez, croyez. . .
LE COMTE. Je crois former le bonheur de ma vie.
NANINE. Vous oubliez. . . .
LE COMTE.　　Il n'est rien que j'oublie.
Tout sera prêt, et tout est ordonné. . . .
NANINE. Quoi! malgré moi votre amour obstiné. . .
LE COMTE. Oui, malgré vous, ma flamme impatiente
Va tout presser pour cette heure charmante.
Un seul instant je quitte vos attraits
Pour que mes yeux n'en soient privés jamais.
Adieu, Nanine, adieu, vous que j'adore.

## SCÈNE IV.

### NANINE.

Ciel, est-ce un rêve? et puis-je croire encore
Que je parvienne au comble du bonheur?
Non, ce n'est pas l'excès d'un tel honneur,

Tout grand qu'il est, qui me plaît et me
    frappe;
A mes regards tant de grandeur échappe:
Mais épouser ce mortel généreux,
Lui, cet objet de mes timides vœux,
Lui, que j'avais tant craint d'aimer, que
    j'aime,
Lui, qui m'élève au-dessus de moi-même;
Je l'aime trop pour pouvoir l'avilir:
Je devrais. . . . Non, je ne puis plus le
    fuir;
Non. . . . Mon état ne saurait se com-
    prendre.
Moi, l'épouser! quel parti dois-je pren-
    dre?
Le ciel pourra m'éclairer aujourd'hui;
Dans ma faiblesse il m'envoie un appui.
Peut-être même. . . . Allons; il faut
    écrire,
Il faut. . . . Par où commencer, et que
    dire?
Quelle surprise! Écrivons promptement,
Avant d'oser prendre un engagement.
        (*Elle se met à écrire.*)

### SCÈNE V.

#### NANINE, BLAISE.

BLAISE. Ah! la voici. Madame la baronne
En ma faveur vous a parlé, mignonne.
Ouais, elle écrit sans me voir seulement.
NANINE, *écrivant toujours.* Blaise, bon-
    jour.
BLAISE.          Bonjour est sec, vraiment.
NANINE, *écrivant.* A chaque mot mon em-
    barras redouble;
Toute ma lettre est pleine de mon trouble.
BLAISE. Le grand génie! elle écrit tout cou-
    rant;
Qu'elle a d'esprit! et que n'en ai-je au-
    tant!
Çà, je disais. . . .
NANINE.                Eh bien?
BLAISE.                          Elle m'impose
Par son maintien; devant elle je n'ose
M'expliquer. . . . là. . . . tout comme je
    voudrais:
Je suis venu cependant tout exprès.
NANINE. Cher Blaise, il faut me rendre
    un grand service.
BLAISE. Oh! deux plutôt.
NANINE.                    Je te fais la justice
De me fier à ta discrétion,
A ton bon cœur.
BLAISE.          Oh! parlez sans façon:
Car, vous voyez, Blaise est prêt à tout
    faire
Pour vous servir; vite, point de mystère.

NANINE. Tu vas souvent au village pro-
    chain,
A Rémival, à droite du chemin?
BLAISE. Oui.
NANINE. Pourrais-tu trouver dans ce village
    Philippe Hombert?
BLAISE.              Non. Quel est ce visage?
Philippe Hombert? je ne connais pas ça.
NANINE. Hier au soir je crois qu'il arriva;
Informe-t'en. Tâche de lui remettre,
Mais sans délai, cet argent, cette lettre.
BLAISE. Oh! de l'argent!
NANINE.                  Donne aussi ce paquet;
Monte à cheval pour avoir plus tôt fait;
Pars, et sois sûr de ma reconnaissance.
BLAISE. J'irais pour vous au fin fond de
    la France.
Philippe Hombert est un heureux ma-
    nant;
La bourse est pleine: ah! que d'argent
    comptant!
Est-ce une dette?
NANINE.            Elle est très avérée;
Il n'en est point, Blaise, de plus sacrée.
Écoute: Hombert est peut-être inconnu;
Peut-être même il n'est pas revenu.
Mon cher ami, tu me rendras ma lettre,
Si tu ne peux en ses mains la remettre.
BLAISE. Mon cher ami!
NANINE.                Je me fie à ta foi.
BLAISE. Son cher ami!
NANINE.              Va, j'attends tout de toi.

### SCÈNE VI.

#### LA BARONNE, BLAISE.

BLAISE. D'où diable vient cet argent? quel
    message!
Il nous aurait aidé dans le ménage.
Allons, elle a pour nous de l'amitié;
Et ça vaut mieux que de l'argent, mor-
    gué!
Courons, courons.
        (*Il met l'argent et le paquet dans
        sa poche; il rencontre la ba-
        ronne et la heurte.*)
LA BARONNE.      Eh! le butor! . . . arrête.
L'étourdi m'a pensé casser la tête.
BLAISE. Pardon, madame.
LA BARONNE.          Où vas-tu? que tiens-tu?
Que fait Nanine? As-tu rien entendu?
Monsieur le comte est-il bien en colère?
Quel billet est-ce là?
BLAISE.                C'est un mystère.
LA BARONNE. Peste! . . . Voyons.
BLAISE.                        Nanine gronderait.
LA BARONNE. Comment dis-tu? Nanine!
    elle pourrait

Avoir écrit, te charger d'un message!
Donne, ou je romps soudain ton mariage:
Donne, te dis-je.
BLAISE, *riant.*        Ho, ho.
LA BARONNE.                De quoi ris-tu?
BLAISE, *riant encore.* Ha, ha.
LA BARONNE.    J'en veux savoir le contenu.
    (*Elle décachette la lettre.*)
Il m'intéresse, ou je suis bien trompée.
BLAISE, *riant encore.* Ha, ha, ha, ha, qu'elle
    est bien attrapée!
Elle n'a là qu'un chiffon de papier;
Moi, j'ai l'argent, et je m'en vais payer
Philippe Hombert: faut servir sa maî-
    tresse.
Courons.


## SCÈNE VII.

### LA BARONNE.

    Lisons: [1] «Ma joie et ma tendresse
Sont sans mesure, ainsi que mon bon-
    heur.
Vous arrivez: quel moment pour mon
    cœur!
Quoi! je ne puis vous voir et vous en-
    tendre!
Entre vos bras je ne puis me jeter!
Je vous conjure au moins de vouloir
    prendre
Ces deux paquets: daignez les accepter.
Sachez qu'on m'offre un sort digne d'en-
    vie,
Et dont il est permis de s'éblouir:
Mais il n'est rien que je ne sacrifie
Au seul mortel que mon cœur doit ché-
    rir.»
Ouais. Voilà donc le style de Nanine!
Comme elle écrit, l'innocente orpheline!
Comme elle fait parler la passion!
En vérité, ce billet est bien bon.
Tout est parfait, je ne me sens pas
    d'aise.
Ah, ah, rusée, ainsi vous trompiez
    Blaise!
Vous m'enleviez en secret mon amant.
Vous avez feint d'aller dans un couvent;
Et tout l'argent que le comte vous donne,
C'est pour Philippe Hombert! Fort bien,
    friponne;
J'en suis charmée, et le perfide amour
Du comte Olban méritait bien ce tour.
Je m'en doutais que le cœur de Nanine
Était plus bas que sa basse origine.


## SCÈNE VIII.

### LE COMTE, LA BARONNE.

LA BARONNE. Venez, venez, homme à grands
    sentiments,
Homme au-dessus des préjugés du temps,
Sage amoureux, philosophe sensible;
Vous allez voir un trait assez risible.
Vous connaissez sans doute à Rémival
Monsieur Philippe Hombert, votre rival?
LE COMTE. Ah! quels discours vous me
    tenez?
LA BARONNE.                    Peut-être
Ce billet-là vous le fera connaître.
Je crois qu'Hombert est un fort beau gar-
    çon.
LE COMTE. Tous vos efforts ne sont plus
    de saison:
Mon parti pris, je suis inébranlable.
Contentez-vous du tour abominable
Que vous vouliez me jouer ce matin.
LA BARONNE. Ce nouveau tour est un peu
    plus malin.
Tenez, lisez. Ceci pourra vous plaire;
Vous connaîtrez les mœurs, le caractère
Du digne objet qui vous a subjugué.
    (*Tandis que le comte lit.*)
Tout en lisant, il me semble intrigué.
Il a pâli; l'affaire émeut sa bile. . .
Eh bien! monsieur, que pensez-vous du
    style?
Il ne voit rien, ne dit rien, n'entend rien;
Oh! le pauvre homme! il le méritait bien.
LE COMTE. Ai-je bien lu? Je demeure stu-
    pide.
O tour affreux! sexe ingrat, cœur perfide!
LA BARONNE. Je le connais, il est né vio-
    lent;
Il est prompt, ferme; il va dans un mo-
    ment
Prendre un parti.


## SCÈNE IX.

### LE COMTE, LA BARONNE, GERMON.

GERMON.                Voici dans l'avenue
    Madame Olban.
LA BARONNE.            La vieille est revenue?
GERMON. Madame votre mère, entendez-
    vous?
    Est près d'ici, monsieur.
LA BARONNE.                Dans son courroux,
    Il est devenu sourd. La lettre opère.
GERMON, *criant.* Monsieur.

---

[1] In this letter, the verses rhyme alternately, not in couplets as in the rest of the play.

LE COMTE.                    Plaît-il?
GERMON, *haut.*        Madame votre mère,
Monsieur.
LE COMTE. Que fait Nanine en ce moment?
GERMON. Mais. . . elle écrit dans son ap-
partement.
LE COMTE, *d'un air froid et sec.* Allez sai-
sir ses papiers, allez prendre
Ce qu'elle écrit; vous viendrez me le
rendre;
Qu'on la renvoie à l'instant.
GERMON.                    Qui, monsieur?
LE COMTE. Nanine.
GERMON.   Non, je n'aurais pas ce cœur;
Si vous saviez à quel point sa personne
Nous charme tous; comme elle est noble,
bonne!
LE COMTE. Obéissez, ou je vous chasse.
GERMON.                              Allons.
                    (*Il sort.*)

### SCÈNE X.

#### LE COMTE, LA BARONNE.

LA BARONNE. Ah! je respire: enfin nous
l'emportons;
Vous devenez un homme raisonnable.
Ah çà, voyez s'il n'est pas véritable
Qu'on tient toujours de son premier état,
Et que les gens dans un certain éclat
Ont un cœur noble, ainsi que leur per-
sonne?
Le sang fait tout, et la naissance donne
Des sentiments à Nanine inconnus.
LE COMTE. Je n'en crois rien; mais soit,
n'en parlons plus:
Réparons tout. Le plus sage, en sa vie,
A quelquefois ses accès de folie:
Chacun s'égare, et le moins imprudent
Est celui-là qui plus tôt se repent.
LA BARONNE. Oui.
LE COMTE. Pour jamais cessez de parler
d'elle.
LA BARONNE. Très volontiers.
LE COMTE.              Ce sujet de querelle
Doit s'oublier.
LA BARONNE.   Mais vous, de vos serments
Souvenez-vous.
LE COMTE.   Fort bien, je vous entends;
Je les tiendrai.
LA BARONNE. Ce n'est qu'un prompt hom-
mage
Qui peut ici réparer mon outrage.
Indignement notre hymen différé
Est un affront.
LE COMTE.        Il sera réparé.
Madame, il faut. . .
LA BARONNE.    Il ne faut qu'un notaire.

LE COMTE. Vous savez bien. . . que j'attendais ma mère.
LA BARONNE. Elle est ici.

### SCÈNE XI.

#### LA MARQUISE, LE COMTE, LA BARONNE.

LE COMTE, *à sa mère.* Madame, j'aurais
dû. . .
(*A part.*)
Philippe Hombert! . . . (*A sa mère.*)
Vous m'avez prévenu;
Et mon respect, mon zèle, ma ten-
dresse. . .
(*A part.*)
Avec cet air innocent, la traîtresse!
LA MARQUISE. Mais vous extravaguez, mon
très cher fils.
On m'avait dit, en passant par Paris,
Que vous aviez la tête un peu frappée:
Je m'aperçois qu'on ne m'a pas trom-
pée:
Mais ce mal-là. . .
LE COMTE.        Ciel! que je suis confus!
LA MARQUISE. Prend-il souvent?
LE COMTE.              Il ne me prendra plus.
LA MARQUISE. Çà, je voudrais ici vous par-
ler seule.
(*Faisant une petite révérence à la
baronne.*)
Bonjour, madame.
LA BARONNE, *à part.* Hom! la vieille bé-
gueule!
Madame, il faut vous laisser le plaisir
D'entretenir monsieur tout à loisir.
Je me retire.

                    (*Elle sort.*)

### SCÈNE XII.

#### LA MARQUISE, LE COMTE.

LA MARQUISE, *parlant fort vite et d'un ton
de petite vieille babillarde.* Eh bien!
monsieur le comte,
Vous faites donc à la fin votre compte
De me donner la baronne pour bru;
C'est sur cela que j'ai vite accouru.
Votre baronne est une acariâtre,
Impertinente, altière, opiniâtre,
Qui n'eut jamais pour moi le moindre
égard;
Qui l'an passé chez la marquise Agard,
En plein souper me traita de bavarde:
D'y plus souper désormais Dieu me
garde!
Bavarde, moi! je sais d'ailleurs très bien

Qu'elle n'a pas, entre nous, tant de bien :
C'est un grand point ; il faut qu'on s'en
    informe ;
Car on m'a dit que son château de
    l'Orme
A son mari n'appartient qu'à moitié ;
Qu'un vieux procès, qui n'est pas oublié,
Lui disputait la moitié de la terre.
J'ai su cela de feu votre grand-père :
Il disait vrai, c'était un homme, lui ;
On n'en voit plus de sa trempe aujour-
    d'hui.
Paris est plein de ces petits bouts
    d'homme,
Vains, fiers, fous, sots, dont le caquet
    m'assomme,
Parlant de tout avec l'air empressé,
Et se moquant toujours du temps passé.
J'entends parler de nouvelle cuisine,
De nouveaux goûts ; on crève, on se
    ruine :
Les femmes sont sans frein, et les maris
Sont des benêts. Tout va de pis en pis.

LE COMTE, *relisant le billet.* Qui l'aurait
cru ? ce trait me désespère.
Eh bien, Germon ?


## SCÈNE XIII.

LA MARQUISE, LE COMTE, GERMON.

GERMON.            Voici votre notaire.
LE COMTE. Oh ! qu'il attende.
GERMON.          Et voici le papier
Qu'elle devait, monsieur, vous envoyer.
LE COMTE, *lisant.* Donne. . . Fort bien.
Elle m'aime, dit-elle,
Et, par respect, me refuse. . . Infidèle !
Tu ne dis pas la raison du refus !
LA MARQUISE. Ma foi, mon fils a le cerveau
    perclus :
C'est sa baronne ; et l'amour le domine.
LE COMTE, *à Germon.* M'a-t-on bientôt dé-
livré de Nanine ?
GERMON. Hélas ! monsieur, elle a déjà re-
    pris
Modestement ses champêtres habits,
Sans dire un mot de plainte et de mur-
    mure.
LE COMTE. Je le crois bien.
GERMON.        Elle a pris cette injure
Tranquillement, lorsque nous pleurons
    tous.
LE COMTE. Tranquillement ?
LA MARQUISE. Hem ! de qui parlez-vous ?
GERMON. Nanine, hélas ! madame, que l'on
    chasse :
Tout le château pleure de sa disgrâce.

LA MARQUISE. Vous la chassez ? je n'en-
tends point cela.
Quoi ! ma Nanine ? Allons, rappelez-la.
Qu'a-t-elle fait, ma charmante orphe-
    line ?
C'est moi, mon fils, qui vous donnai Na-
    nine.
Je me souviens qu'à l'âge de dix ans
Elle enchantait tout le monde céans.
Notre baronne ici la prit pour elle ;
Et je prédis dès lors que cette belle
Serait fort mal ; et j'ai très bien prédit.
Mais j'eus toujours chez vous peu de
    crédit :
Vous prétendez tout faire à votre tête.
Chasser Nanine est un trait malhonnête.
LE COMTE. Quoi ! seule, à pied, sans se-
cours, sans argent ?
GERMON. Ah ! j'oubliais de dire qu'à l'in-
    stant
Un vieux bonhomme à vos gens se pré-
    sente :
Il dit que c'est une affaire importante,
Qu'il ne saurait communiquer qu'à vous ;
Il veut, dit-il, se mettre à vos genoux.
LE COMTE. Dans le chagrin où mon cœur
s'abandonne,
Suis-je en état de parler à personne ?
LA MARQUISE. Ah ! vous avez du chagrin,
je le crois ;
Vous m'en donnez aussi beaucoup à moi.
Chasser Nanine, et faire un mariage
Qui me déplaît ! Non, vous n'êtes pas
    sage.
Allez ; trois mois ne seront pas passés
Que vous serez l'un de l'autre lassés.
Je vous prédis la pareille aventure
Qu'à mon cousin le marquis de Mar-
    mure.
Sa femme était aigre comme verjus ;
Mais, entre nous, la vôtre l'est bien plus.
En s'épousant, ils crurent qu'ils s'ai-
    mèrent ;
Deux mois après tous deux se sépare-
    rent :
Madame alla vivre avec un galant,
Fat, petit-maître, escroc, extravagant ;
Et monsieur prit une franche coquette,
Une intrigante et friponne parfaite ;
Des soupers fins, la petite maison,
Chevaux, habits, maître d'hôtel fripon,
Bijoux nouveaux pris à crédit, notaires,
Contrats vendus, et dettes usuraires :
Enfin monsieur et madame, en deux ans,
A l'hôpital allèrent tout d'un temps.
Je me souviens encor d'une autre his-
    toire,
Bien plus tragique, et difficile à croire ;
C'était. . .

LE COMTE. Ma mère, il faut aller dîner.
Venez. . . O ciel! ai-je pu soupçonner
Pareille horreur!
LA MARQUISE. Elle est épouvantable.
Allons, je vais la raconter à table;
Et vous pourrez tirer un grand profit
En temps et lieu de tout ce que j'ai dit.

# ACTE TROISIÈME

## SCÈNE PREMIÈRE.

NANINE, *vêtue en paysanne;* GERMON.

GERMON. Nous pleurons tous en vous voy-
ant sortir.
NANINE. J'ai tardé trop; il est temps de
partir.
GERMON. Quoi! pour jamais, et dans cet
équipage?
NANINE. L'obscurité fut mon premier par-
tage.
GERMON. Quel changement! Quoi! du ma-
tin au soir. . .
Souffrir n'est rien; c'est tout que de dé-
choir.
NANINE. Il est des maux mille fois plus
sensibles.
GERMON. J'admire encor des regrets si pai-
sibles.
Certes, mon maître est bien malavisé;
Notre baronne a sans doute abusé
De son pouvoir, et vous fait cet ou-
trage:
Jamais monsieur n'aurait eu ce courage.
NANINE. Je lui dois tout: il me chasse au-
jourd'hui;
Obéissons. Ses bienfaits sont à lui;
Il peut user du droit de les reprendre.
GERMON. A ce trait-là qui diable eût pu
s'attendre?
En cet état qu'allez-vous devenir?
NANINE. Me retirer, longtemps me repen-
tir.
GERMON. Que nous allons haïr notre ba-
ronne!
NANINE. Mes maux sont grands, mais je
les lui pardonne.
GERMON. Mais que dirai-je au moins de
votre part
A notre maître, après votre départ?
NANINE. Vous lui direz que je le remercie
Qu'il m'ait rendue à ma première vie,
Et qu'à jamais sensible à ses bontés
Je n'oublierai. . . rien. . . que ses cru-
autés.
GERMON. Vous me fendez le cœur, et tout
à l'heure

Je quitterais pour vous cette demeure;
J'irais partout avec vous m'établir:
Mais monsieur Blaise a su nous préve-
nir;
Qu'il est heureux! avec vous il va vivre:
Chacun voudrait l'imiter, et vous suivre.
NANINE. On est bien loin de me suivre. . .
Ah! Germon!
Je suis chassée. . . et par qui!
GERMON. Le démon
A mis du sien dans cette brouillerie:
Nous vous perdons. . . et monsieur se
marie.
NANINE. Il se marie! . . . Ah partons de
ce lieu;
Il fut pour moi trop dangereux. . .
Adieu. . .
                              (*Elle sort.*)
GERMON. Monsieur le comte a l'âme un peu
bien dure:
Comment chasser pareille créature!
Elle paraît une fille de bien:
Mais il ne faut pourtant jurer de rien.

## SCÈNE II.

### LE COMTE, GERMON.

LE COMTE. Eh bien! Nanine est donc en-
fin partie!
GERMON. Oui, c'en est fait.
LE COMTE. J'en ai l'âme ravie.
GERMON. Votre âme est donc de fer?
LE COMTE. Dans le chemin
Philippe Hombert lui donnait-il la main?
GERMON. Qui? quel Philippe Hombert?
Hélas! Nanine,
Sans écuyer, fort tristement chemine,
Et de ma main ne veut pas seulement.
LE COMTE. Où donc va-t-elle?
GERMON. Où? mais apparemment
Chez ses amis.
LE COMTE. A Rémival, sans doute?
GERMON. Oui, je crois bien qu'elle prend
cette route.
LE COMTE. Va la conduire à ce couvent voi-
sin,
Où la baronne allait dès ce matin:
Mon dessein est qu'on la mette sur
l'heure
Dans cette utile et décente demeure;
Ces cent louis la feront recevoir.
Va. . . garde-toi de laisser entrevoir
Que c'est un don que je veux bien lui
faire;
Dis-lui que c'est un présent de ma mère;
Je te défends de prononcer mon nom.
GERMON. Fort bien; je vais vous obéir.
              (*Il fait quelques pas.*)

LE COMTE.                          Germon,
A son départ tu dis que tu l'as vue?
GERMON. Eh! oui, vous dis-je.
LE COMTE.              Elle était abattue?
Elle pleurait?
GERMON.             Elle faisait bien mieux,
Ses pleurs coulaient à peine de ses yeux;
Elle voulait ne pas pleurer.
LE COMTE.                          A-t-elle
Dit quelque mot qui marque, qui décèle
Ses sentiments? As-tu remarqué. . .
GERMON.                              Quoi?
LE COMTE. A-t-elle enfin, Germon, parlé de
  moi?
GERMON. Oh! oui, beaucoup.
LE COMTE. Eh bien! dis-moi donc, traître!
  Qu'a-t-elle dit?
GERMON. Que vous êtes son maître;
Que vous avez des vertus, des bontés. . .
Qu'elle oubliera tout. . . hors vos cru-
  autés.
LE COMTE. Va. . . mais surtout garde
  qu'elle revienne.
                          (Germon sort.)
  Germon!
GERMON.        Monsieur.
LE COMTE.        Un mot; qu'il te souvienne,
Si par hasard, quand tu la conduiras,
Certain Hombert venait suivre ses pas,
De le chasser de la belle manière.
GERMON. Oui, poliment, à grands coups
  d'étrivière:
Comptez sur moi; je sers fidèlement.
Le jeune Hombert, dites-vous?
LE COMTE.                          Justement.
GERMON. Bon! je n'ai pas l'honneur de le
  connaître;
Mais le premier que je verrai paraître
Sera rossé de la bonne façon;
Et puis après il me dira son nom.
                (Il fait un pas et revient.)
Ce jeune Hombert est quelque amant, je
  gage,
Un beau garçon, le coq de son village.
Laissez-moi faire.
LE COMTE.              Obéis promptement.
GERMON. Je me doutais qu'elle avait quel-
  que amant;
Et Blaise aussi lui tient au cœur peut-
  être.
On aime mieux son égal que son maître.
LE COMTE. Ah! cours, te dis-je.

## SCÈNE III.

### LE COMTE.

                          Hélas! il a raison;
Il prononçait ma condamnation;

Et moi, du coup qui m'a pénétré l'âme,
Je me punis; la baronne est ma femme;
Il le faut bien, le sort en est jeté.
Je souffrirai, je l'ai bien mérité.
Ce mariage est au moins convenable.
Notre baronne a l'humeur peu traita-
  ble;
Mais, quand on veut, on sait donner la
  loi:
Un esprit ferme est le maître chez soi.

## SCÈNE IV.

### LE COMTE, LA BARONNE, LA MARQUISE.

LA MARQUISE. Or çà, mon fils, vous épousez
  madame?
LE COMTE. Eh! oui.
LA MARQUISE. Ce soir elle est donc votre
  femme?
Elle est ma bru?
LA BARONNE.        Si vous le trouvez bon:
J'aurai, je crois, votre approbation.
LA MARQUISE. Allons, allons, il faut bien
  y souscrire;
Mais dès demain chez moi je me retire.
LE COMTE. Vous retirer! eh! ma mère,
  pourquoi?
LA MARQUISE. J'emmènerai ma Nanine avec
  moi,
Vous la chassez, et moi, je la marie;
Je fais la noce en mon château de Brie,
Et je la donne au jeune sénéchal,
Propre neveu du procureur fiscal,
Jean Roc Souci; c'est lui de qui le père
Eut à Corbeil cette plaisante affaire.
De cette enfant je ne puis me passer;
C'est un bijou que je veux enchâsser.
Je vais la marier. . . Adieu.
LE COMTE.                          Ma mère,
Ne soyez pas contre nous en colère;
Laissez Nanine aller dans le couvent;
Ne changez rien à notre arrangement.
LA BARONNE. Oui, croyez-nous, madame,
  une famille
Ne se doit point charger de telle fille.
LE MARQUISE. Comment? quoi donc?
LA BARONNE.              Peu de chose.
LA MARQUISE.              Mais. . .
LA BARONNE.                          Rien.
LA MARQUISE. Rien, c'est beaucoup. J'en-
  tends, j'entends fort bien.
Aurait-elle eu quelque tendre folie?
Cela se peut, car elle est si jolie!
Je m'y connais; on tente, on est tenté:
Le cœur a bien de la fragilité;
Les filles sont toujours un peu coquettes:
Le mal n'est pas si grand que vous le
  faites.

Çà, contez-moi sans nul déguisement
Tout ce qu'a fait notre charmante en-
fant.
LE COMTE. Moi, vous conter ?
LA MARQUISE.     Vous avez bien la mine
D'avoir au fond quelque goût pour Na-
nine ;
Et vous pourriez. . .

## SCÈNE V.

LE COMTE, LA MARQUISE, LA BARONNE ;
MARIN, *en bottes.*

MARIN.     Enfin tout est bâclé,
Tout est fini.
LA MARQUISE. Quoi !
LA BARONNE.     Qu'est-ce ?
MARIN.     J'ai parlé
A nos marchands ; j'ai bien fait mon
message ;
Et vous aurez demain tout l'équipage.
LA BARONNE. Quel équipage ?
MARIN. Oui, tout ce que pour vous
A commandé votre futur époux ;
Six beaux chevaux : et vous serez con-
tente
De la berline ; elle est bonne, brillante ;
Tous les panneaux par Martin sont ver-
nis ;
Les diamants sont beaux, très bien choi-
sis ;
Et vous verrez des étoffes nouvelles
D'un goût charmant. . . oh ! rien n'ap-
proche d'elles.
LA BARONNE, *au comte.* Vous avez donc
commandé tout cela ?
LE COMTE. Oui. . . (*A part.*) Mais pour
qui !
MARIN.     Le tout arrivera
Demain matin dans ce nouveau carrosse,
Et sera prêt le soir pour votre noce.
Vive Paris pour avoir sur-le-champ
Tout ce qu'on veut, quand on a de l'ar-
gent !
En revenant, j'ai revu le notaire,
Tout près d'ici, griffonnant votre af-
faire.
LA BARONNE. Ce mariage a traîné bien
longtemps.
LA MARQUISE, *à part.* Ah ! je voudrais qu'il
traînât quarante ans.
MARIN. Dans ce salon j'ai trouvé tout à
l'heure
Un bon vieillard, qui gémit et qui
pleure ;
Depuis longtemps il voudrait vous par-
ler.

LA BARONNE. Quel importun ! qu'on le
fasse en aller ;
Il prend trop mal son temps.
LA MARQUISE.     Pourquoi, madame ?
Mon fils, ayez un peu de bonté d'âme,
Et, croyez-moi, c'est un mal des plus
grands
De rebuter ainsi les pauvres gens :
Je vous ai dit cent fois dans votre en-
fance
Qu'il faut pour eux avoir de l'indulgence,
Les écouter d'un air affable, doux.
Ne sont-ils pas hommes tout comme
nous ?
On ne sait pas à qui l'on fait injure ;
On se repent d'avoir eu l'âme dure.
Les orgueilleux ne prospèrent jamais.
(*A Marin.*)
Allez chercher ce bonhomme.
MARIN.     J'y vais.
(*Il sort.*)
LE COMTE. Pardon, ma mère : il a fallu
vous rendre
Mes premiers soins ; et je suis prêt d'en-
tendre
Cet homme-là, malgré mon embarras.

## SCÈNE VI.

LE COMTE, LA MARQUISE, LA BARONNE,
LE PAYSAN.

LA MARQUISE, *au paysan.* Approchez-vous,
parlez, ne tremblez pas.
LE PAYSAN. Ah ! monseigneur ! écoutez-moi,
de grâce :
Je suis. . . Je tombe à vos pieds que
j'embrasse ;
Je viens vous rendre. . .
LE COMTE.     Ami, relevez-vous :
Je ne veux point qu'on me parle à ge-
noux ;
D'un tel orgueil je suis trop incapable.
Vous avez l'air d'être un homme esti-
mable.
Dans ma maison cherchez-vous de l'em-
ploi ?
A qui parlé-je ?
LA MARQUISE.     Allons, rassure-toi.
LE PAYSAN. Je suis, hélas ! le père de Na-
nine.
LE COMTE. Vous ?
LA BARONNE. Ta fille est une grande co-
quine.
LE PAYSAN. Ah ! monseigneur, voilà ce que
j'ai craint ;
Voilà le coup dont mon cœur est atteint :
J'ai bien pensé qu'une somme si forte
N'appartient pas à des gens de sa sorte ;

Et les petits perdent bientôt leurs
mœurs,
Et sont gâtés auprès des grands sei-
gneurs.
LA BARONNE. Il a raison: mais il trompe,
et Nanine
N'est point sa fille; elle était orpheline.
LE PAYSAN. Il est trop vrai: chez de pau-
vres parents
Je la laissai dès ses plus jeunes ans;
Ayant perdu mon bien avec sa mère,
J'allai servir, forcé par la misère,
Ne voulant pas, dans mon funeste état,
Qu'elle passât pour fille d'un soldat,
Lui défendant de me nommer son père.
LA MARQUISE. Pourquoi cela? Pour moi, je
considère
Les bons soldats; on a grand besoin
d'eux.
LE COMTE. Qu'a ce métier, s'il vous plaît,
de honteux?
LE PAYSAN. Il est bien moins honoré
qu'honorable.
LE COMTE. Ce préjugé fut toujours con-
damnable.
J'estime plus un vertueux soldat,
Qui de son sang sert son prince et l'État,
Qu'un important, que sa lâche industrie
Engraisse en paix du sang de la patrie.
LA MARQUISE. Çà, vous avez vu beaucoup
de combats;
Contez-les-moi bien tous, n'y manquez
pas.
LE PAYSAN. Dans la douleur, hélas! qui
me déchire,
Permettez-moi seulement de vous dire
Qu'on me promit cent fois de m'avancer:
Mais, sans appui, comment peut-on per-
cer?
Toujours jeté dans la foule commune,
Mais distingué, l'honneur fut ma for-
tune.
LA MARQUISE. Vous êtes donc né de con-
dition?
LA BARONNE. Fi! quelle idée!
LE PAYSAN, à la marquise. Hélas! madame,
non;
Mais je suis né d'une honnête famille:
Je méritais peut-être une autre fille.
LA MARQUISE. Que vouliez-vous de mieux?
LE COMTE. Eh! pousuivez.
LA MARQUISE. Mieux que Nanine?
LE COMTE. Ah! de grâce, achevez.
LE PAYSAN. J'appris qu'ici ma fille fut
nourrie,
Qu'elle y vivait bien traitée et chérie,
Heureux alors, et bénissant le ciel,
Vous, vos bontés, votre soin paternel,

Je suis venu dans le prochain village,
Mais plein de trouble et craignant son
jeune âge,
Tremblant encor, lorsque j'ai tout perdu,
De retrouver le bien qui m'est rendu.
Je viens d'entendre, au discours de ma-
dame, (Montrant la baronne.)
Que j'eus raison: elle m'a percé l'âme;
Je vois fort bien que ces cent louis d'or,[1]
Des diamants, sont un trop grand trésor
Pour les tenir par un droit légitime;
Elle ne peut les avoir eus sans crime.
Ce seul soupçon me fait frémir d'hor-
reur,
Et j'en mourrai de honte et de douleur.
Je suis venu soudain vous les rendre:
Ils sont à vous; vous devez les repren-
dre,
Et si ma fille est criminelle, hélas!
Punissez-moi, mais ne la perdez pas.
LA MARQUISE. Ah! mon cher fils! je suis
tout attendrie.
LA BARONNE. Ouais, est-ce un songe? est-ce
une fourberie?
LE COMTE. Ah! qu'ai-je fait?
LE PAYSAN, tirant la bourse et le paquet.
Tenez, monsieur, tenez.
LE COMTE. Moi, les reprendre! ils ont été
donnés;
Elle en a fait un respectable usage.
C'est donc à vous qu'on a fait le mes-
sage?
Qui l'a porté?
LE PAYSAN. C'est votre jardinier,
A qui Nanine osa se confier.
LE COMTE. Quoi! c'est à vous que le pré-
sent s'adresse?
LE PAYSAN. Oui, je l'avoue.
LE COMTE. O douleur! ô tendresse!
Des deux côtés quel excès de vertu!
Et votre nom? . . . Je demeure éperdu.
LA MARQUISE. Eh! dites donc votre nom?
Quel mystère!
LE PAYSAN. Philippe Hombert de Gatine.
LE COMTE. Ah! mon père!
LA BARONNE. Que dit-il là!
LE COMTE. Quel jour vient m'éclairer!
J'ai fait un crime; il le faut réparer.
Si vous saviez combien je suis coupable!
J'ai maltraité la vertu respectable.
(Il va lui-même à un de ses gens.)
Holà! courez.
LA BARONNE. Eh! quel empressement!
LE COMTE. Vite un carrosse.
LA MARQUISE. Oui, madame, à l'instant:
Vous devriez être sa protectrice.
Quand on a fait une telle injustice,
Sachez de moi que l'on ne doit rougir

---

[1] In I, 9, it was a question of *trois cents louis d'or.*

Que de ne pas assez se repentir.
Monsieur mon fils a souvent des lubies
Que l'on prendrait pour de franches
    folies :
Mais dans le fond c'est un cœur géné-
    reux ;
Il est né bon ; j'en fais ce que je veux.
Vous n'êtes pas, ma bru, si bienfaisante ;
Il s'en faut bien.

LA BARONNE.        Que tout m'impatiente !
Qu'il a l'air sombre, embarrassé, rêveur !
Quel sentiment étrange est dans son
    cœur ?
Voyez, monsieur, ce que vous voulez
    faire.

LA MARQUISE. Oui, pour Nanine.

LA BARONNE.        On peut la satisfaire
Par des présents.

LA MARQUISE.        C'est le moindre devoir.

LA BARONNE. Mais moi, jamais je ne veux
    la revoir ;
Que du château jamais elle n'approche :
Entendez-vous ?

LE COMTE.        J'entends.

LA MARQUISE.        Quel cœur de roche !

LA BARONNE. De mes soupçons évitez les
    éclats :
Vous hésitez ?

LE COMTE, *après un silence.* Non, je n'hé-
    site pas.

LA BARONNE Je dois m'attendre à cette dé-
    férence ;
Vous la devez à tous les deux, je pense.

LA MARQUISE. Seriez-vous bien assez cruel,
    mon fils ?

LA BARONNE. Quel parti prendrez-vous ?

LE COMTE.        Il est tout pris.
Vous connaissez mon âme et sa fran-
    chise :
Il faut parler. Ma main vous fut pro-
    mise ;
Mais nous n'avions voulu former ces
    nœuds
Que pour finir un procès dangereux :
Je le termine ; et, dès l'instant, je donne,
Sans nul regret, sans détour j'abandonne
Mes droits entiers, et les prétentions
Dont il naquit tant de divisions :
Que l'intérêt encor vous en revienne :
Tout est à vous ; jouissez-en sans peine.
Que la raison fasse du moins de nous
Deux bons parents, ne pouvant être
    époux.
Oublions tout ; que rien ne nous aigrisse.
Pour n'aimer pas, faut-il qu'on se haïsse ?

LA BARONNE. Je m'attendais à ton manque
    de foi.
Va, je renonce à tes présents, à toi.
**Traître !** je vois avec qui tu vas vivre,

A quel mépris ta passion te livre.
Sers noblement sous les plus viles lois ;
Je t'abandonne à ton indigne choix.
        (*Elle sort.*)

## SCÈNE VII.

LE COMTE, LA MARQUISE, PHILIPPE
    HOMBERT.

LE COMTE. Non, il n'est point indigne ; non,
    madame,
Un fol amour n'aveugla point mon âme :
Cette vertu, qu'il faut récompenser,
Doit m'attendrir, et ne peut m'abaisser.
Dans ce vieillard, ce qu'on nomme bas-
    sesse
Fait son mérite ; et voilà sa noblesse.
La mienne à moi, c'est d'en payer le prix.
C'est pour des cœurs par eux-même en-
    noblis,
Et distingués par ce grand caractère,
Qu'il faut passer sur la règle ordinaire :
Et leur naissance, avec tant de vertus,
Dans ma maison n'est qu'un titre de
    plus.

LA MARQUISE. Quoi donc ? quel titre ? et
    que voulez-vous dire ?

## SCÈNE VIII.

LE COMTE, LA MARQUISE, NANINE, PHI-
    LIPPE HOMBERT.

LE COMTE, *à sa mère.* Son seul aspect de-
    vrait vous en instruire.

LA MARQUISE. Embrasse-moi cent fois, ma
    chère enfant.
Elle est vêtue un peu mesquinement ;
Mais qu'elle est belle ! et comme elle a
    l'air sage !

NANINE, *courant entre les bras de Philippe
    Hombert, après s'être baissée devant
    la marquise.* Ah ! la nature a mon
    premier hommage.
Mon père !

PHILIPPE HOMBERT. O ciel ! ô ma fille ! ah,
    monsieur !
Vous réparez quarante ans de malheur.

LE COMTE. Oui ; mais comment faut-il que
    je répare
L'indigne affront qu'un mérite si rare
Dans ma maison put de moi recevoir ?
Sous quel habit revient-elle nous voir !
Il est trop vil ; mais elle le décore.

Non, il n'est rien que Nanine n'honore.[1]
Eh bien! parlez: auriez-vous la bonté
De pardonner à tant de dureté?

NANINE. Que me demandez-vous? Ah! je
  m'étonne
Que vous doutiez si mon cœur vous par-
  donne.
Je n'ai pas cru que vous pussiez jamais
Avoir eu tort après tant de bienfaits.

LE COMTE. Si vous avez oublié cet ou-
  trage,
Donnez-m'en donc le plus sûr témoi-
  gnage:
Je ne veux plus commander qu'une fois;
Mais jurez-moi d'obéir à mes lois.

PHILIPPE HOMBERT. Elle le doit, et sa reconnaissance. . .

NANINE, *à son père*. Il est bien sûr de mon
  obéissance.

LE COMTE. J'ose y compter. Oui, je vous
  avertis
Que vos devoirs ne sont pas tous remplis.
Je vous ai vue aux genoux de ma mère;
Je vous ai vue embrasser votre père;
Ce qui vous reste en des moments si
  doux. . .
C'est. . . à leurs yeux. . . d'embrasser
  . . . votre époux.

NANINE. Moi!

LA MARQUISE. Quelle idée! Est-il bien vrai?

PHILIPPE HOMBERT.       Ma fille!

LE COMTE, *à sa mère*. Le daignez-vous permettre?

LA MARQUISE.       La famille
Étrangement, mon fils, clabaudera.

LE COMTE. En la voyant, elle l'approuvera.

PHILIPPE HOMBERT. Quel coup du sort!
Non, je ne puis comprendre

Que jusque-là vous prétendiez descendre.

LE COMTE. On m'a promis d'obéir. . . je
  le veux.

LA MARQUISE. Mon fils. . .

LE COMTE. Ma mère, il s'agit d'être heu-
  reux.
L'intérêt seul a fait cent mariages.
Nous avons vu les hommes les plus sages
Ne consulter que les mœurs et le bien:
Elle a les mœurs, il ne lui manque
  rien;
Et je ferai par goût et par justice
Ce qu'on a fait cent fois par avarice.
Ma mère, enfin, terminez ces combats,
Et consentez.

NANINE.       Non, n'y consentez pas;
Opposez-vous à sa flamme. . . à la
  mienne;
Voilà de vous ce qu'il faut que j'ob-
  tienne.
L'amour l'aveugle; il le faut éclairer.
Ah! loin de lui, laissez-moi l'adorer.
Voyez mon sort, voyez ce qu'est mon
  père:
Puis-je jamais vous appeler ma mère?

LA MARQUISE. Oui, tu le peux, tu le dois;
  c'en est fait:
Je ne tiens pas contre ce dernier trait;
Il nous dit trop combien il faut qu'on
  t'aime;
Il est unique aussi bien que toi-même.

NANINE. J'obéis donc à votre ordre, à
  l'amour;
Mon cœur ne peut résister.

LA MARQUISE.       Que ce jour
Soit des vertus la digne récompense,
Mais sans tirer jamais à conséquence.

---

[1] This line is found in all editions during the author's life. Moland gives: Non, il n'est rien
que sa vertu n'honore.

# LE PÈRE DE FAMILLE

*Comédie, en cinq actes, en prose*

Représentée pour la première fois à la Comédie-Française
le 18 février 1761

LE PÈRE DE FAMILLE

Comédie en cinq actes, en prose

Représentée pour la première fois à la Comédie-Française
le 18 février 1761

# DIDEROT

Denis Diderot (1713–1784) was born in Langres of an old and very highly respected bourgeois family. He was educated in Jesuit schools, first in his home town, later in Paris. Instead of following one of the recognized professions, he preferred to live a vagabond existence in Paris, relying upon his wits for his livelihood, trying his hand at all sorts of employment, and exhibiting that thirst for knowledge which he showed all his life. His marriage in 1743 did not improve his situation, and his domestic life was far from happy. He found some consolation in several liaisons. His early writings consist in the main of hack-work translations from English writers, including the philosopher Shaftesbury. English philosophy particularly interested him, and it had no little share in shaping the course of his mental evolution. Diderot tended more and more to scepticism and rationalism. His first piece of really original thinking, the *Lettre sur les aveugles* (1749), is the result of these philosophical preoccupations. Some of the ideas contained in this work were overbold in the eyes of the authorities, and the author was sentenced to three months' imprisonment at Vincennes.

About this time Diderot undertook what was to prove to be his great life work. A Paris bookseller asked him to prepare a translation of Chamber's *Encyclopædia*. Diderot accepted the proposal, but persuaded the bookdealer to substitute for a mere translation of the English work a new compilation which should bring together all the new, progressive, ideas which were attracting attention in France. He was fortunate in securing D'Alembert as his chief assistant and most of the enlightened thinkers of the time as contributors. The editors set to work with enthusiasm, and the first volume appeared in 1751. It was not until 1765 that Diderot finished his labors and it was 1772 before the last volume was published. On account of the liberal doctrines which it presented in its articles, the *Encyclopédie* aroused opposition on the part of the authorities and was temporarily suppressed by them in 1759. Diderot's colleagues, through fear and discouragement, withdrew from the enterprise one by one. Practically single-handed he carried on the work, more or less clandestinely. His immensely broad knowledge, his indefatigable energy and perseverance, enabled him to bring it to a completion. His many-sidedness as a writer, in addition to the works mentioned above, is shown in his art criticisms, his news-letter collaborations with Grimm, several plays and stories, and the dialogue-sketch, *le Neveu de Rameau,* usually considered his best literary effort. These labors brought him little official recognition. He was never elected to the Academy. His generosity to others and his general lack of administrative ability prevented him from ever accumulating a fortune, and he finally found it necessary to sell his library to Catharine of Russia in order to provide a dowry for his daughter. The last years of his life were spent in writing industriously and in displaying his remarkable gift as a conversationalist. He died in Paris in July, 1784.

Diderot possessed an exceedingly alert and eager mind; it was impetuous, lacked a certain discipline, and was ever turning to new fields in quest of knowledge and truth. The result was that he seldom remained interested in a subject long enough to think it out thoroughly. As a contemporary said, he produced many a fine page, but no one fine work. Yet this diffusive genius left a remarkable impress on the age. As the centre and leader of the Encyclopædist group, he showed the way in the struggle for the triumph of progressive and enlightened thought. "Diderot's mind was constantly feeling for explanations; it was never a passive recipient. The drama excited this alert interest just as everything else excited it" (Morley). It is not possible to grant him all the honor of originating a new dramatic form. His realistic mind fell rather naturally into a trend already noticeable in the French theatre. For some years comedy had been tending towards the serious and sentimental. There is evidence of this in the plays of Destouches, and it completely dominates the *comédies larmoyantes* of La Chaussée. Landois in his *Silvie* (1742) and Mme. de Graffigny in her *Cénie* (1750) had produced plays closely resembling the type which Diderot was to advocate. Voltaire had made some of his plays the vehicle for philosophic propaganda. There is no doubt that English models had some share in this evolution; in particular, Edward Moore's *The Gamester* (1735) and George Lillo's domestic tragedy, *The London Merchant, or the History of George Barnwell* (1731). The former was adapted by Saurin in his *Beverley* (1768). The latter was imitated by Mercier in *Jenneval ou le Barnevelt français* (1769), and by La Harpe in his *Barnevelt* (1778); Diderot had translated it in 1760.

Diderot took serious comedy and the ideas developed concerning it up to his time, and formulated them into a definite, if incomplete, theory. He was not particularly concerned with reforming the long-established tragedy and comedy. What he proposed was an intermediate type which he called *genre sérieux et bourgeois,* later to be known as *drame.* The philosophy of Diderot and his group led naturally to this type of play. Just as the *Encyclopédie* is a glorification of pacific industries and civil justice, so Diderot's theory of the drama is a "glorification of private virtue and domestic life." The basis is a distinctly moral one. Social reform was one of the principal concerns of the *philosophes,* and this new type of drama, largely initiated by one of their leaders, was bound to become a vehicle for their propaganda. Instead of the study of character, Diderot demanded a study of *conditions,* that is, of social classes. Drama with him no longer springs from one quality, good or bad, in one character, but from a social problem. It was only the serious side of domestic life that he proposed as subject-matter for the *drame,* and here perhaps lies one of the weaknesses of his theory. This serious subject-matter had to be presented in a serious manner as well as a manner realistic and convincing. To obtain the desired effect, Diderot advocated certain important reforms in stage technique, with the aim of securing greater realism. In this direction, then, Diderot demands stage-settings and costumes which conform simply, but accurately, to the context of the play. He demands that the actors be interpreters of realism, that they act naturally and make abundant use of pantomime, that they be supplied a natural prose dialogue instead of the traditional declamatory verse of classical French tragedy and comedy. He advocates the use of *tableaux,* or stage pictures. In other words, he desires the production to conform to the spirit of the play. Had he developed his theories more logically and completely he would have arrived at something approximating the modern idea of dramatic synthesis.

To illustrate these dramatic principles Diderot wrote two plays, *le Fils naturel* (1757) and *le Père de famille* (1758). In both he is so concerned with the presentation of his technical ideas, and with the extolling of virtue at the cost of vice, that the plays themselves can be considered as little more than illustrations of a favorite theory. They are monuments to Diderot's complete inability as a dramatist. *Le Fils naturel* has been justly called "one of the most vapid performances in dramatic history" (Morley), and when finally performed in 1771 it was a failure. It is necessary to wait until the appearance of Dumas fils' play of the same title in 1858 to see a similar theme handled by a real dramatist. The only interest today in Diderot's play is in connection with the three *Entretiens sur le Fils naturel* appended to it, in which the author outlines his dramatic theories. *Le Père de famille*, a somewhat better play, enjoyed some slight success when first produced in 1761. In a few portions it is fairly good drama, but on the whole it suffers from poor characterization and faulty construction, and an overcharge of virtuous sentimentality. One must look to Sedaine, Mercier, and Baculard d'Arnaud for better examples of the application of Diderot's theories. Along with this second play Diderot published an essay entitled *De la poésie dramatique*. In it he developed more extensively the ideas outlined in the *Entretiens sur le Fils naturel*. A further elaboration of these theories is to be found in the *Paradoxe sur le comédien* (1773).

Bibliography: *Œuvres de Diderot*, édition Assézat et Tourneux, 20 vols., Paris, 1875–79. J. MORLEY: *Diderot and the Encyclopœdists*, 2 vols., London, 1878. R. L. CRU: *Diderot as a Disciple of English Thought*, New York, 1913. SAINTE-BEUVE: *Causeries du Lundi*, vol. III. G. LARROUMET: *Diderot. Sa théorie dramatique. "Le Père de famille,"* in *Revue des Cours et Conférences*, 1899–1900. F. BRUNETIÈRE: *Les Salons de Diderot*, in *Études critiques*, 2ᵉ série, Paris, 1889. F. GAIFFE: *Le Drame en France au XVIIIᵉ siècle*, Paris, 1910. L. BÉCLARD: *Sébastien Mercier*, Paris, 1903. E. DUPUY: *Diderot: Paradoxe sur le comédien*, Paris, 1902.

# LE PÈRE DE FAMILLE[1]

## Par DENIS DIDEROT.

### PERSONNAGES.

M. D'ORBESSON, *Père de famille.*
M. LE COMMANDEUR D'AUVILÉ, *beau-frère du Père de famille.*
CÉCILE, *fille du Père de famille.*
SAINT-ALBIN, *fils du Père de famille.*
SOPHIE, *une jeune inconnue.*
GERMEUIL, *fils de feu M. de\*\*\*, un ami du Père de famille.*
M. LE BON, *intendant de la maison.*
MLLE. CLAIRET, *femme de chambre de Cécile.*

LA BRIE, } *domestiques du Père de famille.*
PHILIPPE, }
DESCHAMPS, *domestique de Germeuil.*
AUTRES DOMESTIQUES DE LA MAISON.
MME. HÉBERT, *hôtesse de Sophie.*
MME. PAPILLON, *marchande à la toilette.*
UNE DES OUVRIÈRES DE MME. PAPILLON.
M.\*\*\*. *C'est un pauvre honteux.*
UN PAYSAN.
UN EXEMPT.[2]
GARDES.

La scène est à Paris, dans la maison du Père de famille.

## ACTE PREMIER.

*Le théâtre représente une salle de compagnie, décorée de tapisseries, glaces, tableaux, pendule, etc. C'est celle du Père de famille.—La nuit est fort avancée. Il est entre cinq et six heures du matin.*

### SCÈNE PREMIÈRE.

LE PÈRE DE FAMILLE, LE COMMANDEUR, CÉCILE, GERMEUIL.

(*Sur le devant de la salle, on voit le Père de famille qui se promène à pas lents. Il a la tête baissée, les bras croisés, et l'air tout à fait pensif.—Un peu sur le fond, vers la cheminée qui est à l'un des côtés de la salle, le Commandeur et sa nièce font une partie de trictrac[3]—Derrière le Commandeur, un peu plus près du feu, Germeuil est assis négligemment dans un fauteuil, un livre à la main. Il en interrompt de temps en temps la lec-ture, pour regarder tendrement Cécile, dans les moments où elle est occupée de son jeu, et où il ne peut en être aperçu.—Le Commandeur se doute de ce qui se passe derrière lui. Ce soupçon le tient dans une inquiétude qu'on remarque à ses mouvements.*)

CÉCILE. Mon oncle, qu'avez-vous? Vous me paraissez inquiet.

LE COMMANDEUR, *en s'agitant dans son fauteuil.* Ce n'est rien, ma nièce. Ce n'est rien. (*Les bougies sont sur le point de finir; et le Commandeur dit à Germeuil:*) Monsieur, voudriez-vous bien sonner? (*Germeuil va sonner. Le Commandeur saisit ce moment pour déplacer son fauteuil*

[1] Text of Assézat edition.
[2] exempt, police officer.
[3] Trictrac. "Jeu à la fois de hasard et de calcul, qui se joue à deux personnes sur un tablier divisé en deux compartiments portant chacun six flèches ou cases du côté du joueur et autant du côté de l'adversaire. Chaque joueur a deux dés, un cornet pour les agiter, et quinze dames à jouer. La partie consiste à gagner douze trous; un trou à gagner douze points qui se prennent par nombre paire, 2, 4, 6, 8, etc. . . . Les règles sont d'ailleurs assez compliquées." (Littré.)

*et le tourner en face du trictrac. Germeuil revient, remet son fauteuil comme il était; et le Commandeur dit au laquais qui entre:)* Des bougies. *(Cependant la partie de trictrac s'avance. Le Commandeur et sa nièce jouent alternativement, et nomment leurs dés.)*

LE COMMANDEUR. Six-cinq.

GERMEUIL. Il n'est pas malheureux.

LE COMMANDEUR. Je couvre de l'une, et je passe l'autre.

CÉCILE. Et moi, mon cher oncle, je marque six points d'école.[1] Six points d'école. . .

LE COMMANDEUR, *à Germeuil.* Monsieur, vous avez la fureur de parler sur le jeu.

CÉCILE. Six point d'école. . .

LE COMMANDEUR. Cela me distrait; et ceux qui regardent derrière moi m'inquiètent.

CÉCILE. Six, et quatre que j'avais, font dix.

LE COMMANDEUR, *toujours à Germeuil.* Monsieur, ayez la bonté de vous placer autrement; et vous me ferez plaisir.

## SCÈNE II.

LE PÈRE DE FAMILLE, LE COMMANDEUR, CÉCILE, GERMEUIL, LA BRIE.

LE PÈRE DE FAMILLE. Est-ce pour leur bonheur, est-ce pour le nôtre qu'ils sont nés? . . . Hélas! ni l'un ni l'autre. *(La Brie vient avec des bougies, en place où il faut; et lorsqu'il est sur le point de sortir, le Père de famille l'appelle.)* La Brie!

LA BRIE. Monsieur!

LE PÈRE DE FAMILLE, *après une petite pause, pendant laquelle il a continué de rêver et de se promener.* Où est mon fils?

LA BRIE. Il est sorti.

LE PÈRE DE FAMILLE. A quelle heure?

LA BRIE. Monsieur, je n'en sais rien.

LE PÈRE DE FAMILLE. *(Encore une pause.)* Et vous ne savez pas où il est allé?

LA BRIE. Non, monsieur.

LE COMMANDEUR. Le coquin n'a jamais rien su. Double-deux.

CÉCILE. Mon cher oncle, vous n'êtes pas à votre jeu.

LE COMMANDEUR, *ironiquement et brusquement.* Ma nièce, songez au vôtre.

LE PÈRE DE FAMILLE, *à La Brie, toujours en se promenant et revenant.* Il vous a défendu de le suivre?

LA BRIE, *feignant de ne pas entendre.* Monsieur?

LE COMMANDEUR. Il ne répondra pas à cela. Terne.[2]

LE PÈRE DE FAMILLE, *toujours en se promenant et rêvant.* Y a-t-il longtemps que cela dure?

LA BRIE, *feignant encore de ne pas entendre.* Monsieur?

LE COMMANDEUR. Ni à cela non plus. Terne encore. Les doublets me poursuivent.

LE PÈRE DE FAMILLE. Que cette nuit me paraît longue!

LE COMMANDEUR. Qu'il en vienne encore un, et j'ai perdu. Le voilà! *(A Germeuil qui rit.)* Riez, monsieur, ne vous contraignez pas.

> *(La Brie est sorti. La partie de trictrac finit. Le Commandeur, Cécile et Germeuil s'approchent du Père de famille.)*

## SCÈNE III.

LE PÈRE DE FAMILLE, LE COMMANDEUR, CÉCILE, GERMEUIL.

LE PÈRE DE FAMILLE. Dans quelle inquiétude il me tient! Où est-il? Qu'est-il devenu?

LE COMMANDEUR. Et qui sait cela? . . . Mais vous vous êtes assez tourmenté pour cette nuit. Si vous m'en croyez, vous irez prendre du repos.

LE PÈRE DE FAMILLE. Il n'en est plus pour moi.

LE COMMANDEUR. Si vous l'avez perdu, c'est un peu votre faute, et beaucoup celle de ma sœur. C'était, Dieu lui pardonne! une femme unique pour gâter ses enfants.

CÉCILE, *peinée.* Mon oncle!

LE COMMANDEUR. J'avais beau dire à tous les deux: Prenez-y garde, vous les perdez.

CÉCILE. Mon oncle!

LE COMMANDEUR. Si vous en êtes fous à présent qu'ils sont jeunes, vous en serez martyrs quand ils seront grands.

CÉCILE. Monsieur le Commandeur!

LE COMMANDEUR. Bon, est-ce qu'on m'écoute ici?

LE PÈRE DE FAMILLE. Il ne vient point.

LE COMMANDEUR. Il ne s'agit pas de soupirer, de gémir, mais de montrer ce que vous êtes. Le temps de la peine est arrivé.

---

[1] École. "Terme de trictrac. Faire une école, oublier de marquer les points que l'on gagne, ou en marquer mal à propos." (Littré.) Cécile scores on the "école" of le Commandeur.

[2] terne, two threes.

Si vous n'avez pu la prévenir, voyons du moins si vous saurez la supporter. . . Entre nous, j'en doute. . . (*La pendule sonne six heures.*)

Mais voilà six heures qui sonnent. . . Je me sens las. . . J'ai des douleurs dans les jambes, comme si ma goutte voulait me reprendre. Je ne vous suis bon à rien. Je vais m'envelopper de ma robe de chambre, et me jeter dans un fauteuil. Adieu, mon frère. . . Entendez-vous?

Le Père de Famille. Adieu, monsieur le Commandeur.

Le Commandeur, *en s'en allant.* La Brie!

La Brie, *arrivant.* Monsieur!

Le Commandeur. Éclairez-moi; et quand mon neveu sera rentré, vous viendrez m'avertir.

## SCÈNE IV.

Le Père de Famille, Cécile, Germeuil.

Le Père de Famille, *après s'être encore promené tristement.* Ma fille, c'est malgré moi que vous avez passé la nuit.

Cécile. Mon père, j'ai fait ce que j'ai dû.

Le Père de Famille. Je vous sais gré de cette attention; mais je crains que vous n'en soyez indisposée. Allez vous reposer.

Cécile. Mon père, il est tard. Si vous me permettiez de prendre à votre santé l'intérêt que vous avez la bonté de prendre à la mienne. . .

Le Père de Famille. Je veux rester, il faut que je lui parle.

Cécile. Mon frère n'est plus un enfant.

Le Père de Famille. Et qui sait tout le mal qu'a pu apporter une nuit?

Cécile. Mon père. . .

Le Père de Famille. Je l'attendrai. Il me verra. (*En appuyant tendrement ses mains sur les bras de sa fille.*) Allez, ma fille, allez. Je sais que vous m'aimez. (*Cécile sort. Germeuil se dispose à la suivre; mais le Père de famille le retient, et lui dit:*) Germeuil, demeurez.

## SCÈNE V.[1]

Le Père de Famille, Germeuil.

Le Père de Famille, *comme s'il était seul, et en regardant aller Cécile.* Son caractère a tout à fait changé. Elle n'a plus sa gaieté, sa vivacité. . . Ses charmes s'effacent. . . Elle souffre. . . Hélas! depuis que j'ai perdu ma femme et que le Commandeur s'est établi chez moi, le bonheur s'en est éloigné! . . . Quel prix il met à la fortune qu'il fait attendre à mes enfants! . . . Ses vues ambitieuses, et l'autorité qu'il a prise dans ma maison, me deviennent de jour en jour plus importunes. . . Nous vivions dans la paix et dans l'union. L'humeur inquiète et tyrannique de cet homme nous a tous séparés. On se craint, on s'évite, on me laisse; je suis solitaire au sein de ma famille, et je péris. . . Mais le jour est prêt à paraître et mon fils ne vient point! Germeuil, l'amertume a rempli mon âme. Je ne puis plus supporter mon état. . .

Germeuil. Vous, monsieur!

Le Père de Famille. Oui, Germeuil.

Germeuil. Si vous n'êtes pas heureux, quel père l'a jamais été?

Le Père de Famille. Aucun. . . Mon ami, les larmes d'un père coulent souvent en secret. . . (*Il soupire, il pleure.*) Tu vois les miennes. . . Je te montre ma peine.

Germeuil. Que faut-il que je fasse?

Le Père de Famille. Tu peux, je crois, la soulager.

Germeuil. Ordonnez.

Le Père de Famille. Je n'ordonnerai point; je prierai. Je dirai: Germeuil, si j'ai pris de toi quelque soin; si, depuis tes plus jeunes ans, je t'ai marqué de la tendresse, et si tu t'en souviens; si je ne t'ai point distingué de mon fils; si j'ai honoré en toi la mémoire d'un ami qui m'est et me sera toujours présent. . . Je t'afflige; pardonne, c'est la première fois de ma vie, et ce sera la dernière. . . Si je n'ai rien épargné pour te sauver de l'infortune et remplacer un père à ton égard; si je t'ai chéri; si je t'ai gardé chez moi malgré le Commandeur à qui tu déplais; si je t'ouvre aujourd'hui mon cœur, reconnais mes bienfaits, et réponds à ma confiance.

Germeuil. Ordonnez, monsieur, ordonnez.

Le Père de Famille. Ne sais-tu rien de mon fils? . . . Tu es son ami, mais tu dois être aussi le mien. . . Parle. . . Rends-moi le repos, ou achève de me l'ôter. . . Ne sais-tu rien de mon fils?

Germeuil. Non, monsieur.

Le Père de Famille. Tu es un homme vrai; et je te crois. Mais vois combien ton ignorance doit ajouter à mon inquiétude. Quelle est la conduite de mon fils, puisqu'il la dérobe à un père dont il a tant

---

[1] La marche de cette scène est lente. [Author's note.]

de fois éprouvé l'indulgence, et qu'il en fait mystère au seul homme qu'il aime?.. Germeuil, je tremble que cet enfant...

GERMEUIL. Vous êtes père; un père est toujours prompt à s'alarmer.

LE PÈRE DE FAMILLE. Tu ne sais pas; mais tu vas savoir et juger si ma crainte est précipitée... Dis-moi, depuis un temps, n'as-tu pas remarqué combien il est changé?

GERMEUIL. Oui; mais c'est en bien. Il est moins curieux dans ses chevaux, ses gens, son équipage; moins recherché dans sa parure. Il n'a plus aucune de ces fantaisies que vous lui reprochiez; il a pris en dégoût les dissipations de son âge; il fuit ses complaisants, ses frivoles amis; il aime à passer les journées retiré dans son cabinet; il lit, il écrit, il pense. Tant mieux; il a fait de lui-même ce que vous en auriez tôt ou tard exigé.

LE PÈRE DE FAMILLE. Je me disais cela comme toi; mais j'ignorais ce que je vais t'apprendre... Écoute... Cette réforme dont, à ton avis, il faut que je me félicite, et ces absences de nuit qui m'effrayent...

GERMEUIL. Ces absences et cette réforme?...

LE PÈRE DE FAMILLE. Ont commencé en même temps. (Germeuil paraît surpris.) Oui, mon ami, en même temps.

GERMEUIL. Cela est singulier.

LE PÈRE DE FAMILLE. Cela est. Hélas! le désordre ne m'est connu que depuis peu; mais il a duré... Arranger et suivre à la fois deux plans opposés; l'un de régularité qui nous en impose de jour, un autre de déréglement qui remplit la nuit; voilà ce qui m'accable... Que, malgré sa fierté naturelle, il se soit abaissé jusqu'à corrompre des valets; qu'il se soit rendu maître des portes de ma maison; qu'il attende que je repose; qu'il s'en informe secrètement; qu'il s'échappe seul, à pied, toutes les nuits, par toutes sortes de temps, à toute heure, c'est peut-être plus qu'aucun père ne puisse souffrir, et qu'aucun enfant de son âge n'eût osé... Mais avec une pareille conduite, affecter l'attention aux moindres devoirs, l'austérité dans les principes, la réserve dans les discours, le goût de la retraite, le mépris des distractions... Ah! mon ami!.. .Qu'attendre d'un jeune homme qui peut tout à coup se masquer, et se contraindre à ce point?.. Je regarde dans l'avenir; et ce qu'il me laisse entrevoir, me glace... S'il n'était que vicieux, je n'en désespérerais pas; mais s'il joue les mœurs et la vertu!...

GERMEUIL. En effet, je n'entends pas cette conduite; mais je connais votre fils. La fausseté est de tous les défauts le plus contraire à son caractère.

LE PÈRE DE FAMILLE. Il n'en est point qu'on ne prenne bientôt avec les méchants; et maintenant avec qui penses-tu qu'il vive?.. Tous les gens de bien dorment quand il veille... Ah! Germeuil!... Mais il me semble que j'entends quelqu'un... c'est lui peut-être... éloigne-toi.

## SCÈNE VI.

LE PÈRE DE FAMILLE, *seul.*

(*Il s'avance vers l'endroit où il a entendu marcher. Il écoute, et dit tristement:*)

Je n'entends plus rien. (*Il se promène un peu, puis il dit:*) Asseyons-nous. (*Il cherche du repos; il n'en trouve point, et il dit:*) Je ne saurais... quels pressentiments s'élèvent au fond de mon âme, s'y succèdent et l'agitent!... O cœur trop sensible d'un père, ne peux-tu te calmer un moment!... A l'heure qu'il est, peut-être il perd sa santé... sa fortune... ses mœurs... Que sais-je? sa vie... son honneur.., le mien... (*Il se lève brusquement, et dit:*) Quelles idées me poursuivent!

## SCÈNE VII.

LE PÈRE DE FAMILLE, UN INCONNU.

(*Tandis que le Père de famille erre, accablé de tristesse, entre un inconnu, vêtu comme un homme du peuple, en redingote et en veste, les bras cachés sous sa redingote, et le chapeau rabattu et enfoncé sur les yeux. Il s'avance à pas lents. Il paraît plongé dans la peine et la rêverie. Il traverse sans apercevoir personne.*)

LE PÈRE DE FAMILLE, *qui le voit venir à lui, l'attend, l'arrête par le bras et lui dit:* Qui êtes-vous? où allez-vous?

L'INCONNU. (*Point de réponse.*)

LE PÈRE DE FAMILLE. Qui êtes-vous? où allez-vous?

L'INCONNU. (*Point de réponse encore.*)

LE PÈRE DE FAMILLE, *relève lentement le chapeau de l'inconnu, reconnaît son fils, et s'écrie:* Ciel!... c'est lui!... C'est lui! ... Mes funestes pressentiments, les voilà donc accomplis!... Ah!... (*Il pousse des accents douloureux; il s'éloigne, il revient, il dit:*) Je veux lui parler... Je tremble de l'entendre... Que vais-je savoir!... J'ai trop vécu, j'ai trop vécu.

SAINT-ALBIN, *en s'éloignant de son père, et soupirant de douleur.* Ah!

LE PÈRE DE FAMILLE, *le suivant.* Qui es-tu? d'où viens-tu?. . . Aurais-je eu le malheur?

SAINT-ALBIN, *s'éloignant encore.* Je suis désespéré.

LE PÈRE DE FAMILLE. Grand Dieu! que faut-il que j'apprenne!

SAINT-ALBIN, *revenant et s'adressant à son père.* Elle pleure, elle soupire, elle songe à s'éloigner; et si elle s'éloigne, je suis perdu.

LE PÈRE DE FAMILLE Qui, elle?

SAINT-ALBIN. Sophie. . . Non, Sophie, non. . . je périrai plutôt.

LE PÈRE DE FAMILLE. Qui est cette Sophie?. . . Qu'a-t-elle de commun avec l'état où je te vois, et l'effroi qu'il me cause?

SAINT-ALBIN, *en se jetant aux pieds de son père.* Mon père, vous me voyez à vos pieds; votre fils n'est pas indigne de vous. Mais il va périr; il va perdre celle qu'il chérit au delà de la vie; vous seul pouvez la lui conserver. Écoutez-moi, pardonnez-moi, secourez-moi.

LE PÈRE DE FAMILLE. Parle, cruel enfant; aie pitié du mal que j'endure.

SAINT-ALBIN, *toujours à genoux.* Si j'ai jamais éprouvé votre bonté; si dès mon enfance j'ai pu vous regarder comme l'ami le plus tendre; si vous fûtes le confident de toutes mes joies et de toutes mes peines, ne m'abandonnez pas; conservez-moi Sophie; que je vous doive ce que j'ai de plus cher au monde. Protégez-la. . . elle va nous quitter, rien n'est plus certain. . . Voyez-la, détournez-la de son projet. . . la vie de votre fils en dépend. . . Si vous la voyez, je serai le plus heureux de tous les enfants, et vous serez le plus heureux de tous les pères.

LE PÈRE DE FAMILLE, *à part.* Dans quel égarement il est tombé! (*A son fils:*) Qui est-elle, cette Sophie, qui est-elle?

SAINT-ALBIN, *relevé, allant et venant avec enthousiasme.* Elle est pauvre, elle est ignorée; elle habite un réduit obscur. Mais c'est un ange, c'est un ange, c'est un ange; et ce réduit est le ciel. Je n'en descendis jamais sans être meilleur. Je ne vois rien dans ma vie dissipée et tumultueuse à comparer aux heures innocentes que j'y ai passées. J'y voudrais vivre et mourir, dussé-je être méconnu, méprisé du reste de la terre. . . Je croyais avoir aimé, je me trompais. . . C'est à présent que j'aime. . . (*En saisissant la main de son père.*) Oui. . . j'aime pour la première fois.

LE PÈRE DE FAMILLE. Vous vous jouez de mon indulgence et de ma peine. Malheureux, laissez-là vos extravagances; regardez-vous, et répondez-moi. Qu'est-ce que cet indigne travestissement? Que m'annonce-t-il?

SAINT-ALBIN. Ah! mon père! c'est à cet habit que je dois mon bonheur, ma Sophie, ma vie.

LE PÈRE DE FAMILLE. Comment? parlez.

SAINT-ALBIN. Il a fallu me rapprocher de son état; il a fallu lui dérober mon rang, devenir son égal. Écoutez, écoutez.

LE PÈRE DE FAMILLE. J'écoute, et j'attends.

SAINT-ALBIN. Près de cet asile écarté qui la cache aux yeux des hommes. . . Ce fut ma dernière ressource.

LE PÈRE DE FAMILLE. Eh bien?. . .

SAINT-ALBIN. A côté de ce réduit. . . il y en avait un autre.

LE PÈRE DE FAMILLE. Achevez.

SAINT-ALBIN. Je la loue, j'y fais porter les meubles qui conviennent à un indigent; je m'y loge, et je deviens son voisin, sous le mon de Sergi, et sous cet habit.

LE PÈRE DE FAMILLE. Ah! je respire!. . . Grâce à Dieu, du moins, je ne vois plus en lui qu'un insensé.

SAINT-ALBIN. Jugez si j'aimais!. . . Qu'il va m'en coûter cher!. . . Ah!

LE PÈRE DE FAMILLE. Revenez à vous, et songez à mériter par une entière confiance le pardon de votre conduite.

SAINT-ALBIN. Mon père, vous saurez tout. Hélas! je n'ai que ce moyen pour vous fléchir!. . . La première fois que je la vis, ce fut à l'église. Elle était à genoux au pied des autels, auprès d'une femme âgée que je pris d'abord pour sa mère; elle attachait tous les regards. . . Ah! mon père, quelle modestie! quels charmes!. . . Non, je ne puis vous rendre l'impression qu'elle fit sur moi. Quel trouble j'éprouvai! avec quelle violence mon cœur palpita! ce que je ressentis! ce que je devins!. . . Depuis cet instant, je pensai, je ne rêvai qu'elle. Son image me suivit le jour, m'obséda la nuit, m'agita partout. J'en perdis la gaieté, la sante, le repos. Je ne pus vivre sans chercher à la retrouver. J'allais partout où j'espérais de la revoir. Je languissais, je périssais, vous le savez, lorsque je découvris que cette femme âgée qui l'accompagnait se nommait madame Hébert; que Sophie l'appelait sa bonne; et que, reléguées toutes deux à un quatrième étage, elles y vivaient d'une vie misérable. Vous avouerai-je les espérances que je conçus alors, les offres que je fis, tous les projets que je formai? Que j'eus lieu d'en rougir, lorsque le ciel m'eut inspiré de m'établir à côté d'elle! . . . Ah! mon père, il faut que tout ce qui l'approche devienne honnête ou s'en éloigne! . . . Vous ignorez ce que je dois à Sophie, vous l'ignorez . . . Elle m'a changé, je ne suis plus ce que j'étais. . . Dès les premiers instants, je sentis les désirs honteux s'éteindre dans mon âme, le respect et l'admiration leur succéder. Sans qu'elle m'eût arrêté, contenu, peut-être même avant qu'elle eût levé les yeux sur moi, je devins timide; de jour en jour je le devins davantage; et bientôt il ne me fut pas plus libre d'attenter à sa vie qu'à sa vie.

LE PÈRE DE FAMILLE. Et que font ces femmes? quelles sont leurs ressources?

SAINT-ALBIN. Ah! si vous connaissiez la vie de ces infortunées! Imaginez que leur travail commence avant le jour, et que souvent elles y passent les nuits. La bonne file au rouet: une toile dure et grossière est entre les doigts tendres délicats de Sophie, et les blesse. Ses yeux, les plus beaux yeux du monde, s'usent à la lumière d'une lampe. Elle vit sous un toit, entre quatre murs tout dépouillés; une table de bois, deux chaises de paille, un grabat, voilà ses meubles. . . O ciel! quand tu la formas, était-ce là le sort que tu lui destinais?

LE PÈRE DE FAMILLE. Et comment eûtes-vous accès? Soyez vrai.

SAINT-ALBIN. Il est inouï tout ce qui s'y opposait, tout ce que je fis. Établi auprès d'elles, je ne cherchai point d'abord à les voir; mais quand je les rencontrais en descendant, en montant, je les saluais avec respect. Le soir, quand je rentrais (car le jour on me croyait à mon travail), j'allais doucement frapper à leur porte, et je leur demandais les petits services qu'on se rend entre voisins; comme de l'eau, du feu, de la lumière. Peu à peu elles se firent à moi; elles prirent de la confiance. Je m'offris à les servir dans ces bagatelles. Par exemple, elles n'aimaient pas sortir à la nuit; j'allais et je venais pour elles.

LE PÈRE DE FAMILLE. Que de mouvements et de soins! et à quelle fin! Ah! si les gens de bien! . . . Continuez.

SAINT-ALBIN. Un jour, j'entends frapper à ma porte; j'ouvre: c'était la bonne. Elle entre sans parler, s'assied et se met à pleurer. Je lui demande ce qu'elle a. «Sergi, me dit-elle, ce n'est pas sur moi que je pleure. Née dans la misère, j'y suis faite; mais cette enfant me désole. . . —Qu'a-t-elle?

que vous est-il arrivé? . . . —Hélas! répond la bonne, depuis huit jours nous n'avons plus d'ouvrage; et nous sommes sur le point de manquer de pain.—Ciel! m'écriai-je! tenez, allez, courez.» Après cela. . . je me renfermai, et l'on ne me vit plus.

LE PÈRE DE FAMILLE. J'entends, voilà le fruit des sentiments qu'on leur inspire; ils ne servent qu'à les rendre plus dangereuses.

SAINT-ALBIN. On s'aperçut de ma retraite, et je m'y attendais. La bonne madame Hébert m'en fit des reproches. Je m'enhardis: je l'interrogeai sur leur situation; je peignis la mienne comme il me plut. Je proposai d'associer notre indigence, et de l'alléger en vivant en commun. On fit des difficultés; j'insistai, et l'on consentit à la fin. Jugez de ma joie. Hélas! elle a bien peu duré, et qui sait combien ma peine durera!

Hier, j'arrivai à mon ordinaire, Sophie était seule; elle avait les coudes appuyés sur sa table, et la tête penchée sur sa main; son ouvrage était tombé à ses pieds. J'entrai sans qu'elle m'entendît; elle soupirait. Des larmes s'échappaient d'entre ses doigts, et coulaient le long de ses bras. Il y avait déjà quelque temps que je la trouvais triste. . . Pourquoi pleurait-elle? qu'est-ce qui l'affligeait? Ce n'était plus le besoin; son travail et mes attentions pourvoyaient à tout. . . Menacé du seul malheur que je redoutais, je ne balançai point, je me jetai à ses genoux. Quelle fut sa surprise! «Sophie, lui dis-je, vous pleurez? qu'avez-vous? ne me celez pas votre peine. Parlez-moi; de grâce, parlez-moi.» Elle se taisait. Ses larmes continuaient de couler. Ses yeux, où la sérénité n'était plus, noyés dans les pleurs, se tournaient sur moi, s'en éloignaient, y revenaient. Elle disait seulement: «Pauvre Sergi, malheureuse Sophie!» Cependant j'avais baissé mon visage sur ses genoux, et je mouillais son tablier de mes larmes. Alors la bonne rentra. Je me lève, je cours à elle, je l'interroge; je reviens à Sophie, je la conjure. Elle s'obstine au silence. Le désespoir s'empare de moi; je marche dans la chambre, sans savoir ce que je fais. Je m'écrie douloureusement: «C'est fait de moi; Sophie, vous voulez nous quitter: c'est fait de moi.» A ces mots, ses pleurs redoublent, et elle retombe sur sa table comme je l'avais trouvée. La lueur pâle et sombre d'une petite lampe éclairait cette scène de douleur, qui a duré toute la nuit. A l'heure où le travail est censé m'appeler, je suis sorti; et je me retirais ici accablé de ma peine. . .

LE PÈRE DE FAMILLE. Tu ne pensais pas à la mienne.

SAINT-ALBIN. Mon père!

LE PÈRE DE FAMILLE. Que voulez-vous? qu'espérez-vous?

SAINT-ALBIN. Que vous mettrez le comble à tout ce que vous avez fait pour moi depuis que je suis; que vous verrez Sophie, que vous lui parlerez, que. . .

LE PÈRE DE FAMILLE. Jeune insensé! . . . Et savez-vous qui elle est?

SAINT-ALBIN. C'est là son secret. Mais ses mœurs, ses sentiments, ses discours n'ont rien de conforme à sa condition présente. Un autre état perce à travers la pauvreté de son vêtement: tout la trahit, jusqu'à je ne sais quelle fierté qu'on lui a inspirée, et qui la rend impénétrable sur son état! . . . Si vous voyiez son ingénuité, sa douceur, sa modestie! . . . Vous vous souvenez bien de maman. . . vous soupirez. Eh bien! c'est elle. Mon papa, voyez-la; et si votre fils vous a dit un mot. . .

LE PÈRE DE FAMILLE. Et cette femme chez qui elle est ne vous en a rien appris?

SAINT-ALBIN. Hélas! elle est aussi réservée que Sophie! Ce que j'en ai pu tirer, c'est que cette enfant est venue de province implorer l'assistance d'un parent, qui n'a voulu ni la voir ni la secourir. J'ai profité de cette confidence pour adoucir sa misère, sans offenser sa délicatesse. Je fais du bien à ce que j'aime, et il n'y a que moi qui le sache.

LE PÈRE DE FAMILLE. Avez-vous dit que vous aimiez?

SAINT-ALBIN, avec vivacité. Moi, mon père? . . . Je n'ai pas même entrevu dans l'avenir le moment où je l'oserais.

LE PÈRE DE FAMILLE. Vous ne vous croyez donc pas aimé?

SAINT-ALBIN. Pardonnez-moi. . . Hélas! quelquefois je l'ai cru! . . .

LE PÈRE DE FAMILLE. Et sur quoi?

SAINT-ALBIN. Sur des choses légères qui se sentent mieux qu'on ne les dit. Par exemple, elle prend intérêt à tout ce qui me touche. Auparavant, son visage s'éclaircissait à mon arrivée, son regard s'animait, elle avait plus de gaieté. J'ai cru deviner qu'elle m'attendait. Souvent elle m'a plaint d'un travail qui prenait toute ma journée, et je ne doute pas qu'elle n'ait prolongé le sien dans la nuit, pour m'arrêter plus longtemps.

LE PÈRE DE FAMILLE. Vous m'avez tout dit?

SAINT-ALBIN. Tout.

LE PÈRE DE FAMILLE, après une pause. Allez vous reposer. . . je la verrai.

SAINT-ALBIN. Vous la verrez? Ah, mon père! vous la verrez! . . . Mais songez que le temps presse. . .

LE PÈRE DE FAMILLE. Allez, et rougissez de n'être pas plus occupé des alarmes que votre conduite m'a données, et peut me donner encore.

SAINT-ALBIN. Mon père, vous n'en aurez plus.

## SCÈNE VIII.

### LE PÈRE DE FAMILLE, seul.

De l'honnêteté, des vertus, de l'indigence, de la jeunesse, des charmes, tout ce qui enchaîne les âmes bien nées! . . . A peine délivré d'une inquiétude, je retombe dans une autre. . . Quel sort! . . . mais peut-être m'alarmé-je encore trop tôt. . . Un jeune homme passionné, violent, s'exagère à lui-même, aux autres. . . Il faut voir. . . Il faut appeler ici cette fille, l'entendre, lui parler. . . Si elle est telle qu'il me la dépeint, je pourrai l'intéresser, l'obliger. . . que sais-je? . . .

## SCÈNE IX.

LE PÈRE DE FAMILLE, LE COMMANDEUR, en robe de chambre et en bonnet de nuit.

LE COMMANDEUR. Eh bien! monsieur d'Orbesson, vous avez vu votre fils? De quoi s'agit-il?

LE PÈRE DE FAMILLE. Monsieur le Commandeur, vous le saurez. Entrons.

LE COMMANDEUR. Un mot, s'il vous plaît. . . Voilà votre fils embarqué dans une aventure qui va vous donner bien du chagrin, n'est-ce pas?

LE PÈRE DE FAMILLE. Mon frère. . .

LE COMMANDEUR. Afin qu'un jour vous n'en prétendiez cause d'ignorance, je vous avertis que votre chère fille et ce Germeuil, que vous gardez ici malgré moi, vous en préparent de leur côté, et s'il plaît à Dieu, ne vous en laisseront pas manquer.

LE PÈRE DE FAMILLE. Mon frère, ne m'accorderez-vous pas un instant de repos?

LE COMMANDEUR. Ils s'aiment; c'est moi qui vous le dis.

LE PÈRE DE FAMILLE, impatienté. Eh bien! je le voudrais.

(Le Père de Famille entraîne le Commandeur hors de la scène tandis qu'il parle.)

LE COMMANDEUR. Soyez content. D'abord

ils ne peuvent ni se souffrir, ni se quitter. Ils se brouillent sans cesse, et sont toujours bien. Prêts à s'arracher les yeux sur des riens, ils ont une ligue offensive et défensive envers et contre tous. Qu'on s'avise de remarquer en eux quelques-uns des défauts dont ils se reprennent, on y sera bien venu ! . . . Hâtez-vous de les séparer ; c'est moi qui vous le dis. . .

LE PÈRE DE FAMILLE. Allons, monsieur le Commandeur, entrons ; entrons, monsieur le Commandeur.[1]

LE COMMANDEUR. C'est-à-dire que vous voulez avoir du chagrin ? Eh bien ! vous en aurez.

## ACTE DEUXIÈME.

### SCÈNE PREMIÈRE.

LE PÈRE DE FAMILLE, CÉCILE, MADEMOISELLE CLAIRET, MONSIEUR LE BON, UN PAYSAN, MADAME PAPILLON, *marchande à la toilette, avec une de ses ouvrières;* LA BRIE; PHILIPPE, *domestique qui vient se présenter;* UN HOMME *vêtu de noir qui a l'air d'un pauvre honteux, et qui l'est.*

(*Toutes ces personnes arrivent les unes après les autres. Le paysan se tient debout, le corps penché sur son bâton. Madame Papillon, assise dans un fauteuil, s'essuie le visage avec son mouchoir; sa fille de boutique est debout à côté d'elle, avec un petit carton sous le bras. M. Le Bon est étalé négligemment sur un canapé. L'homme vêtu de noir est retiré à l'écart, debout dans un coin, auprès d'une fenêtre. La Brie est en veste et en papillotes. Philippe est habillé. La Brie tourne autour de lui, et le regarde un peu de travers, tandis que M. Le Bon examine avec sa lorgnette la fille de boutique de madame Papillon. Le Père de famille entre, et tout le monde se lève. Il est suivi de sa fille, et sa fille précédée de sa femme de chambre, qui porte le déjeuner de sa maîtresse. Mademoiselle Clairet fait, en passant, un petit salut*

*de protection à madame Papillon. Elle sert le déjeuner de sa maîtresse sur une petite table. Cécile s'assied d'un côté de cette table. Le Père de famille est assis de l'autre. Mademoiselle Clairet est debout, derrière le fauteuil de sa maîtresse.*)

LE PÈRE DE FAMILLE, *au Paysan.* Ah ! c'est vous, qui venez enchérir sur le bail de mon fermier de Limeuil. J'en suis content. Il est exact. Il a des enfants. Je ne suis pas fâché qu'il fasse avec moi ses affaires. Retournez-vous-en. (*Mademoiselle Clairet fait signe à madame Papillon d'approcher.*)

CÉCILE, *à madame Papillon, bas.* M'apportez-vous de belles choses ?

LE PÈRE DE FAMILLE, *à son intendant.* Eh bien ! Monsieur Le Bon, qu'est-ce qu'il y a ?

MADAME PAPILLON, *bas à Cécile.* Mademoiselle, vous allez voir.

MONSIEUR LE BON. Ce débiteur, dont le billet est échu depuis un mois, demande encore à différer son payement.

LE PÈRE DE FAMILLE. Les temps sont durs; accordez-lui le délai qu'il demande. Risquons une petite somme, plutôt que de le ruiner. (*Pendant que la scène marche, madame Papillon et sa fille de boutique déploient sur des fauteuils, des perses, des indiennes,[3] des satins de Hollande, etc. Cécile, tout en prenant son café, regarde, approuve, désapprouve, fait mettre à* **part,** *etc.*)

MONSIEUR LE BON. Les ouvriers qui travaillaient à votre maison d'Orsigny sont venus.

LE PÈRE DE FAMILLE. Faites leur compte.

MONSIEUR LE BON. Cela peut aller au delà des fonds.

LE PÈRE DE FAMILLE. Faites toujours. Leurs besoins sont plus pressants que les miens; et il vaut mieux que je sois gêné qu'eux. (*A sa fille.*) Cécile, n'oubliez pas mes pupilles. Voyez s'il n'y a rien là qui leur convienne. . . (*Ici il aperçoit le Pauvre honteux. Il se lève avec empressement. Il s'avance vers lui, et lui dit bas:*) Pardon, monsieur; je ne vous voyais pas. . . Des embarras domestiques m'ont occupé. . . Je vous avais oublié. (*Tout en parlant, il tire une bourse qu'il lui donne furtivement, et tandis qu'il le reconduit et qu'il revient, l'autre scène avance.*)

[1] L'acte premier finit ici dans l'édition de 1758; l'auteur a ajouté depuis la réplique du Commandeur. (Brière)

[2] Cette scène est composée de deux scènes simultanées. Celle de Cécile se dit à demi-voix. [Author's note.]

[3] perse, chintz; **indienne,** printed cotton cloth.

Mademoiselle Clairet. Ce dessin est charmant.

Cécile. Combien cette pièce?

Madame Papillon. Dix louis, au juste.

Mademoiselle Clairet. C'est donner. (*Cécile paye.*)

Le Père de Famille, *en revenant, bas, et d'un ton de commisération.* Une famille à élever, un état à soutenir, et point de fortune!

Cécile. Qu'avez-vous là, dans ce carton?

La Fille de Boutique. Ce sont des dentelles. (*Elle ouvre son carton.*)

Cécile, *vivement.* Je ne veux pas les voir. Adieu, madame Papillon. (*Mademoiselle Clairet, madame Papillon et sa fille de boutique sortent.*)

Monsieur Le Bon. Ce voisin, qui a formé des prétentions sur votre terre, s'en désisterait peut-être, si. . .

Le Père de Famille. Je ne me laisserai pas dépouiller. Je ne sacrifierai point les intérêts de mes enfants à l'homme avide et injuste. Tout ce que je puis, c'est de céder, si l'on veut, ce que la poursuite de ce procès pourra me coûter. Voyez. (*Monsieur Le Bon va pour sortir.*)

Le Père de Famille *le rappelle, et lui dit:* A propos, monsieur Le Bon. Souvenez-vous de ces gens de province. Je viens d'apprendre qu'ils ont envoyé ici un de leurs enfants; tâchez de me le découvrir. (*A La Brie, qui s'occupait à ranger le salon.*) Vous n'êtes plus à mon service. Vous connaissiez le déréglement de mon fils. Vous m'avez menti. On ne ment pas chez moi.

Cécile, *intercédant.* Mon père!

Le Père de Famille. Nous sommes bien étranges. Nous les avilissons; nous en faisons de malhonnêtes gens, et lorsque nous les trouvons tels, nous avons l'injustice de nous en plaindre. (*A La Brie.*) Je vous laisse votre habit, et je vous accorde un mois de vos gages. Allez. (*A Philippe.*) Est-ce vous dont on vient de me parler?

Philippe. Oui, monsieur.

Le Père de Famille. Vous avez entendu pourquoi je le renvoie. Souvenez-vous-en. Allez, et ne laissez entrer personne.

## SCÈNE II.

### Le Père de Famille, Cécile.

Le Père de Famille. Ma fille, avez-vous réfléchi?

Cécile. Oui, mon père.

Le Père de Famille. Qu'avez-vous résolu?

Cécile. De faire en tout votre volonté.

Le Père de Famille. Je m'attendais à cette réponse.

Cécile. Si cependant il m'était permis de choisir un état. . .

Le Père de Famille. Quel est celui que vous préféreriez?. . . Vous hésitez. . . Parlez, ma fille.

Cécile. Je préférerais la retraite.

Le Père de Famille. Que voulez-vous dire? Un couvent?

Cécile. Oui, mon père. Je ne vois que cet asile contre les peines que je crains.

Le Père de Famille. Vous craignez des peines, et vous ne pensez pas à celles que vous me causeriez? Vous m'abandonneriez? Vous quitteriez la maison de votre père pour un cloître? La société de votre oncle, de votre frère et la mienne, pour la servitude? Non, ma fille, cela ne sera point. Je respecte la vocation religieuse; mais ce n'est pas la vôtre. La nature, en vous accordant les qualités sociales, ne vous destina point à l'inutilité. . . Cécile, vous soupirez. . . Ah! si ce dessein te venait de quelque cause secrète, tu ne sais pas le sort que tu te préparerais. Tu n'as pas entendu les gémissements des infortunées dont tu irais augmenter le nombre. Ils percent la nuit et le silence de leurs prisons. C'est alors, mon enfant, que les larmes coulent amères et sans témoin, et que les couches solitaires en sont arrosées. . . Mademoiselle, ne me parlez jamais de couvent. . . Je n'aurai point donné la vie à un enfant; je ne l'aurai point élevé; je n'aurai point travaillé sans relâche à assurer son bonheur, pour le laisser descendre tout vif dans un tombeau; et avec lui, mes espérances et celles de la société trompées. . . Et qui la repeuplera de citoyens vertueux, si les femmes les plus dignes d'être des mères de famille s'y refusent?

Cécile. Je vous ai dit, mon père, que je ferais en tout votre volonté.

Le Père de Famille. Ne me parlez donc jamais de couvent.

Cécile. Mais j'ose espérer que vous ne contraindrez pas votre fille à changer d'état et que, du moins, il lui sera permis de passer des jours tranquilles et libres à côté de vous.

Le Père de Famille. Si je ne considérais que moi, je pourrais approuver ce parti. Mais je dois vous ouvrir les yeux sur un temps où je ne serai plus. . . Cécile, la nature a ses vues; et si vous regardez bien, vous verrez sa vengeance sur tous ceux qui les ont trompées; les hommes, punis du célibat par le vice; les femmes, par le mépris et par l'ennui... Vous connaissez les différents états; dites-moi, en est-il un plus triste et moins considéré que celui d'une fille âgée? Mon enfant, passé trente ans, on suppose quelque défaut de corps et d'esprit à celle qui n'a trouvé personne qui fût tenté de supporter avec elle les peines de la vie. Que cela soit ou non, l'âge avance, les charmes passent, les hommes s'éloignent, la mauvaise humeur prend; on perd ses parents, ses connaissances, ses amis. Une fille surannée n'a plus autour d'elle que des indifférents qui la négligent, ou des âmes intéressées qui comptent ses jours. Elle le sent, elle s'en afflige; elle vit sans qu'on la console, et meurt sans qu'on la pleure.

Cécile. Cela est vrai. Mais est-il un état sans peine; et le mariage n'a-t-il pas les siennes?

Le Père de Famille. Qui le sait mieux que moi? Vous me l'apprenez tous les jours. Mais c'est un état que la nature impose. C'est la vocation de tout ce qui respire... Ma fille, celui qui compte sur un bonheur sans mélange, ne connaît ni la vie de l'homme, ni les desseins du ciel sur lui... Si le mariage expose à des peines cruelles, c'est aussi la source des plaisirs les plus doux. Où sont les exemples de l'intérêt pur et sincère, de la tendresse réelle, de la confiance intime, des secours continus, des satisfactions réciproques, des chagrins partagés, des soupirs entendus, des larmes confondues, si ce n'est dans le mariage? Qu'est-ce que l'homme de bien préfère à sa femme? Qu'y a-t-il au monde qu'un père aime plus que son enfant?... O lien sacré des époux, si je pense à vous, mon âme s'échauffe et s'élève!... O noms tendres de fils et de fille, je ne vous prononçai jamais sans tressaillir, sans être touché! Rien n'est plus doux à mon oreille; rien n'est plus intéressant à mon cœur... Cécile, rappelez-vous la vie de votre mère: en est-il une plus douce que celle d'une femme qui a employé sa journée à remplir les devoirs d'épouse attentive, de mère tendre, de maîtresse compatissante?... Quel sujet de réflexions délicieuses elle emporte en son cœur, le soir, quand elle se retire!

Cécile. Oui, mon père. Mais où sont les femmes comme elle et les époux comme vous?

Le Père de Famille. Il en est, mon enfant; et il ne tiendrait qu'à toi d'avoir le sort qu'elle eut.

Cécile. S'il suffisait de regarder autour de soi, d'écouter sa raison et son cœur...

Le Père de Famille. Cécile, vous baissez les yeux; vous tremblez; vous craignez de parler... Mon enfant, laisse-moi lire dans ton âme. Tu ne peux avoir de secret pour ton père; et si j'avais perdu ta confiance, c'est en moi que j'en chercherais la raison... Tu pleures...

Cécile. Votre bonté m'afflige. Si vous pouviez me traiter plus sévèrement.

Le Père de Famille. L'auriez-vous mérité? Votre cœur vous ferait-il un reproche?

Cécile. Non, mon père.

Le Père de Famille. Qu'avez-vous donc?

Cécile. Rien.

Le Père de Famille. Vous me trompez, ma fille.

Cécile. Je suis accablée de votre tendresse... je voudrais y répondre.

Le Père de Famille. Cécile, auriez-vous distingué quelqu'un? Aimeriez-vous?

Cécile. Que je serais à plaindre!

Le Père de Famille. Dites. Dis, mon enfant. Si tu ne me supposes pas une sévérité que je ne connus jamais, tu n'auras pas une réserve déplacée. Vous n'êtes plus un enfant. Comment blâmerais-je en vous un sentiment que je fis naître dans le cœur de votre mère? O vous qui tenez sa place dans ma maison, et qui me la représentez, imitez-la dans la franchise qu'elle eut avec celui qui lui avait donné la vie, et qui voulut son bonheur et le mien... Cécile, vous ne répondez rien?

Cécile. Le sort de mon frère me fait trembler.

Le Père de Famille. Votre frère est un fou.

Cécile. Peut-être ne me trouveriez-vous pas plus raisonnable que lui.

Le Père de Famille. Je ne crains pas ce chagrin de Cécile. Sa prudence m'est connue; et je n'attends que l'aveu de son choix pour le confirmer. (*Cécile se tait. Le Père de famille attend un moment; puis il continue d'un ton sérieux, et même un peu chagrin.*) Il m'eût été doux d'apprendre vos sentiments de vous-même; mais de quelque manière que vous m'en instruisiez, je serai satisfait. Que ce soit par la bouche de votre oncle, de votre frère, ou de Germeuil, il n'importe... Germeuil est notre ami commun... c'est un homme sage et discret... il a ma confiance... Il ne me paraît pas indigne de la vôtre.

Cécile. C'est ainsi que j'en pense.

Le Père de Famille. Je lui dois beaucoup. Il est temps que je m'acquitte avec lui.

Cécile. Vos enfants ne mettront jamais de bornes ni à votre autorité, ni à votre reconnaissance. . . Jusqu'à présent il vous a honoré comme un père, et vous l'avez traité comme un de vos enfants.

Le Père de Famille. Ne sauriez-vous point ce que je pourrais faire pour lui?

Cécile. Je crois qu'il faut le consulter lui-même. . . Peut-être a-t-il des idées. . . Peut-être. . . Quel conseil pourrais-je vous donner?

Le Père de Famille. Le Commandeur m'a dit un mot.

Cécile, avec vivacité. J'ignore ce que c'est; mais vous connaissez mon oncle. Ah! mon père, n'en croyez rien.

Le Père de Famille. Il faudra donc que je quitte la vie, sans avoir vu le bonheur d'aucun de mes enfants. . . Cécile. . . Cruels enfants, que vous ai-je fait pour me désoler? . . . J'ai perdu la confiance dans des liens que je ne puis approuver, et qu'il faut que je rompe. . .


### SCÈNE III.

Le Père de Famille, Cécile, Philippe.

Philippe. Monsieur, il y a là deux femmes qui demandent à vous parler.

Le Père de Famille. Faites entrer. (Cécile se retire. Son père la rappelle, et lui dit tristement:) Cécile!

Cécile. Mon père!

Le Père de Famille. Vous ne m'aimez donc plus? (Les femmes annoncées entrent; et Cécile sort avec son mouchoir sur les yeux.)


### SCÈNE IV.

Le Père de Famille, Sophie, Madame Hébert.

Le Père de Famille, apercevant Sophie, dit, d'un ton triste, et avec l'air étonné: Il ne m'a point trompé. Quels charmes! Quelle modestie! Quelle douceur! . . . Ah! . . .

Madame Hébert. Monsieur, nous nous rendons à vos ordres.

Le Père de Famille. C'est vous, mademoiselle, qui vous appelez Sophie?

Sophie, tremblante, troublée, Oui, monsieur.

Le Père de Famille, à madame Hébert. Madame, j'aurais un mot à dire à mademoiselle. J'en ai entendu parler, et je m'y intéresse. (Madame Hébert se retire.)

Sophie, toujours tremblante, la retenant par le bras. Ma bonne!

Le Père de Famille. Mon enfant, remettez-vous. Je ne vous dirai rien qui puisse vous faire de la peine.

Sophie. Hélas! (Madame Hébert va s'asseoir sur le fond de la salle; elle tire son ouvrage, et travaille.)

Le Père de Famille, conduit Sophie à une chaise, et la fait asseoir à côté de lui. D'où êtes-vous, mademoiselle?

Sophie. Je suis d'une petite ville de province.

Le Père de Famille. Y a-t-il longtemps que vous êtes à Paris?

Sophie. Pas longtemps; et plût au ciel que je n'y fusse jamais venue!

Le Père de Famille. Qu'y faites-vous?

Sophie. J'y gagne ma vie par mon travail.

Le Père de Famille. Vous êtes bien jeune.

Sophie. J'en aurai plus longtemps à souffrir.

Le Père de Famille. Avez-vous monsieur votre père?

Sophie. Non, monsieur.

Le Père de Famille. Et votre mère?

Sophie. Le ciel me l'a conservée. Mais elle a eu tant de chagrins; sa santé est si chancelante et sa misère si grande! . . .

Le Père de Famille. Votre mère est donc bien pauvre?

Sophie. Bien pauvre. Avec cela, il n'en est point au monde dont j'aimasse mieux être la fille.

Le Père de Famille. Je vous loue de ce sentiment; vous paraissez bien née. . . Et qu'était votre père?

Sophie. Mon père fut un homme de bien. Il n'entendit jamais le malheureux sans en avoir pitié; il n'abandonna pas ses amis dans la peine; et il devint pauvre. Il eut beaucoup d'enfants de ma mère; nous demeurâmes tous sans ressource à sa mort. . . J'étais bien jeune alors. . . Je me souviens à peine de l'avoir vu. . . Ma mère fut obligée de me prendre entre ses bras, et de m'élever à la hauteur de son lit pour l'embrasser et recevoir sa bénédiction. . .

Je pleurais. Hélas! je ne sentais pas tout ce que je perdais!

LE PÈRE DE FAMILLE, *à part.* Elle me touche. . . (*Continuant.*) Et qu'est-ce qui vous a fait quitter la maison de vos parents, et votre pays?

SOPHIE. Je suis venue ici, avec un de mes frères, implorer l'assistance d'un parent qui a été bien dur envers nous. Il m'avait vue autrefois, en province; il paraissait avoir pris de l'affection pour moi, et ma mère avait espéré qu'il s'en ressouviendrait. Mais il a fermé sa porte à mon frère, et il m'a fait dire de n'en pas approcher.

LE PÈRE DE FAMILLE. Qu'est devenu votre frère?

SOPHIE. Il s'est mis au service du roi. Et moi je suis restée avec la personne que vous voyez, et qui a la bonté de me regarder comme son enfant.

LE PÈRE DE FAMILLE. Elle ne paraît pas fort aisée.

SOPHIE. Elle partage avec moi ce qu'elle a.

LE PÈRE DE FAMILLE. Et vous n'avez plus entendu parler de ce parent?

SOPHIE. Pardonnez-moi, monsieur; j'en ai reçu quelques secours. Mais de quoi cela sert-il à ma mère!

LE PÈRE DE FAMILLE. Votre mère vous a donc oubliée?

SOPHIE. Ma mère avait fait un dernier effort pour nous envoyer à Paris. Hélas! elle attendait de ce voyage un succès plus heureux. Sans cela aurait-elle pu se résoudre à m'éloigner d'elle? Depuis, elle n'a plus su comment me faire revenir. Elle me mande cependant qu'on doit me reprendre, et me ramener dans peu. Il faut que quelqu'un s'en soit chargé par pitié. Oh! nous sommes bien à plaindre!

LE PÈRE DE FAMILLE. Et vous ne connaîtriez ici personne qui pût vous secourir?

SOPHIE. Personne.

LE PÈRE DE FAMILLE. Et vous travaillez pour vivre?

SOPHIE. Oui, monsieur.

LE PÈRE DE FAMILLE. Et vous vivez seules?

SOPHIE. Seules.

LE PÈRE DE FAMILLE. Mais qu'est-ce qu'un jeune homme dont on m'a parlé qui s'appelle Sergi, et qui demeure à côté de vous?

MADAME HÉBERT *avec vivacité, et quittant son travail.* Ah! monsieur, c'est le garçon le plus honnête!

SOPHIE. C'est un malheureux qui gagne son pain comme nous, et qui a uni sa misère à la nôtre.

LE PÈRE DE FAMILLE. Est-ce là tout ce que vous en savez?

SOPHIE. Oui, monsieur.

LE PÈRE DE FAMILLE. Eh bien, mademoiselle, ce malheureux-là. . .

SOPHIE. Vous le connaissez?

LE PÈRE DE FAMILLE. Si je le connais! C'est mon fils.

SOPHIE. Votre fils!

MADAME HÉBERT, *en même temps.* Sergi!

LE PÈRE DE FAMILLE. Oui, mademoiselle.

SOPHIE. Ah! Sergi, vous m'avez trompée.

LE PÈRE DE FAMILLE. Fille aussi vertueuse que belle, connaissez le danger que vous avez couru.

SOPHIE. Sergi est votre fils!

LE PÈRE DE FAMILLE. Il vous estime, vous aime; mais sa passion préparerait votre malheur et le sien, si vous la nourrissiez.

SOPHIE. Pourquoi suis-je venue dans cette ville! Que ne m'en suis-je allée, lorsque mon cœur me le disait!

LE PÈRE DE FAMILLE. Il en est temps encore. Il faut aller retrouver une mère qui vous rappelle, et à qui votre séjour ici doit causer la plus grande inquiétude. Sophie, vous le voulez?

SOPHIE. Ah! ma mère! Que vous dirai-je?

LE PÈRE DE FAMILLE, *à madame Hébert.* Madame, vous reconduirez cette enfant, et j'aurai soin que vous ne regrettiez pas la peine que vous aurez prise. (*Madame Hébert fait la révérence. Le Père de famille continuant, à Sophie.*) Mais, Sophie, si je vous rends à votre mère, c'est à vous à me rendre mon fils; c'est à vous à lui apprendre ce que l'on doit à ses parents: vous le savez si bien.

SOPHIE. Ah, Sergi! pourquoi?. . .

LE PÈRE DE FAMILLE. Quelque honnêteté qu'il ait mise dans ses vues, vous l'en ferez rougir. Vous lui annoncerez votre départ; et vous lui ordonnerez de finir ma douleur et le trouble de sa famille.

SOPHIE. Ma bonne. . .

MADAME HÉBERT. Mon enfant. . .

SOPHIE, *en s'appuyant sur elle.* Je me sens mourir. . .

MADAME HÉBERT. Monsieur, nous allons nous retirer et attendre vos ordres.

SOPHIE. Pauvre Sergi! Malheureuse Sophie! (*Elle sort, appuyée sur madame Hébert.*)

## SCÈNE V.

LE PÈRE DE FAMILLE, *seul.*

O lois du monde! ô préjugés cruels!... Il y a déjà si peu de femmes pour un homme qui pense et qui sent! pourquoi faut-il que le choix en soit encore si limité? Mais mon fils ne tardera pas à venir... Secouons, s'il se peut, de mon âme, l'impression que cette enfant y a faite... Lui représenterai-je, comme il me convient, ce qu'il me doit, ce qu'il se doit à lui-même, si mon cœur est d'accord avec le sien?...

## SCÈNE VI.

LE PÈRE DE FAMILLE, SAINT-ALBIN.

SAINT-ALBIN, *en entrant et avec vivacité.* Mon père! (*Le Père de famille se promène et garde le silence. Saint-Albin, suivant son père, et d'un ton suppliant.*) Mon père!

LE PÈRE DE FAMILLE, *s'arrêtant, et d'un ton sérieux.* Mon fils, si vous n'êtes pas rentré en vous-même, si la raison n'a pas recouvré ses droits sur vous, ne venez pas aggraver vos torts et mon chagrin.

SAINT-ALBIN. Vous m'en voyez pénétré. J'approche de vous en tremblant... je serai tranquille et raisonnable... Oui, je le serai... je me le suis promis. (*Le Père de famille continue de se promener. Saint-Albin, s'approchant avec timidité, lui dit d'une voix basse et tremblante:*) Vous l'avez vue?

LE PÈRE DE FAMILLE. Oui, je l'ai vue; elle est belle, et je la crois sage. Mais, qu'en prétendez-vous faire? Un amusement? je ne le souffrirais pas. Votre femme? elle ne vous convient pas.

SAINT-ALBIN, *en se contenant.* Elle est belle, elle est sage, et elle ne me convient pas! Quelle est donc la femme qui me convient?

LE PÈRE DE FAMILLE. Celle qui, par son éducation, sa naissance, son état et sa fortune, peut assurer votre bonheur et satisfaire à mes espérances.

SAINT-ALBIN. Ainsi le mariage sera pour moi un lien d'intérêt et d'ambition! Mon père, vous n'avez qu'un fils; ne le sacrifiez pas à des vues qui remplissent le monde d'époux malheureux. Il me faut une compagne honnête et sensible, qui m'apprenne à supporter les peines de la vie, et non une femme riche et titrée qui les accroisse. Ah! souhaitez-moi la mort, et que le ciel me l'accorde, plutôt qu'une femme comme j'en vois.

LE PÈRE DE FAMILLE. Je ne vous en propose aucune; mais je ne permettrai jamais que vous soyez à celle à laquelle vous vous êtes follement attaché. Je pourrais user de mon autorité, et vous dire: Saint-Albin, cela me déplaît, cela ne sera pas, n'y pensez plus. Mais je ne vous ai jamais rien demandé sans vous en montrer la raison; j'ai voulu que vous m'approuvassiez en m'obéissant; et je vais avoir la même condescendance. Modérez-vous, et écoutez-moi.

Mon fils, il y aura bientôt vingt ans que je vous arrosai des premières larmes que vous m'ayez fait répandre. Mon cœur s'épanouit en voyant en vous un ami que la nature me donnait. Je vous reçus entre mes bras du sein de votre mère; et vous élevant vers le ciel, et mêlant ma voix à vos cris, je dis à Dieu: «O Dieu! qui m'avez accordé cet enfant, si je manque aux soins que vous m'imposez en ce jour, ou s'il ne doit pas y répondre, ne regardez point à la joie de sa mère, reprenez-le.»

Voilà le vœu que je fis sur vous et sur moi. Il m'a toujours été présent, et je ne vous ai point abandonné aux soins du mercenaire; je vous ai appris moi-même à parler, à penser, à sentir. A mesure que vous avanciez en âge, j'ai étudié vos penchants, j'ai formé sur eux le plan de votre éducation, et je l'ai suivi sans relâche. Combien je me suis donné de peines pour vous en épargner! J'ai réglé votre sort à venir sur vos talents et sur vos goûts. Je n'ai rien négligé pour que vous parussiez avec distinction; et lorsque je touche au moment de recueillir le fruit de ma sollicitude, lorsque je me félicite d'avoir un fils qui répond à sa naissance qui le destine aux meilleurs partis, et à ses qualités personnelles qui l'appellent aux grands emplois, une passion insensée, la fantaisie d'un instant aura tout détruit; et je verrai ses plus belles années perdues, son état manqué et mon attente trompée; et j'y consentirai? Vous l'êtes-vous promis?

SAINT-ALBIN. Que je suis malheureux!

LE PÈRE DE FAMILLE. Vous avez un oncle qui vous aime, et qui vous destine une fortune considérable; un père qui vous a consacré sa vie, et qui cherche à vous marquer en tout sa tendresse; un nom, des parents, des amis, les prétentions les plus flatteuses et les mieux fondées; et vous êtes malheureux? Que vous faut-il encore?

SAINT-ALBIN. Sophie, le cœur de Sophie, et l'aveu de mon père.

LE PÈRE DE FAMILLE. Qu'osez-vous me proposer? De partager votre folie, et le blâme général qu'elle encourrait? Quel exemple à donner aux pères et aux enfants! Moi, j'autoriserais, par une faiblesse honteuse, le désordre de la société, la confusion du sang et des rangs, la dégradation des familles?

SAINT-ALBIN. Que je suis malheureux! Si je n'ai pas celle que j'aime, un jour il faudra que je sois à celle que je n'aimerai pas; car je n'aimerai jamais que Sophie. Sans cesse j'en comparerai une autre avec elle; cette autre sera malheureuse; je le serai aussi; vous le verrez et vous en périrez de regret.

LE PÈRE DE FAMILLE. J'aurai fait mon devoir; et malheur à vous, si vous manquez au vôtre.

SAINT-ALBIN. Mon père, ne m'ôtez pas Sophie.

LE PÈRE DE FAMILLE. Cessez de me la demander.

SAINT-ALBIN. Cent fois vous m'avez dit qu'une femme honnête était la faveur la plus grande que le ciel pût accorder. Je l'ai trouvée; et c'est vous qui voulez m'en priver! Mon père, ne me l'ôtez pas. A présent qu'elle sait qui je suis, que ne doit-elle pas attendre de moi? Saint-Albin sera-t-il moins généreux que Sergi? Ne me l'ôtez pas: c'est elle qui a rappelé la vertu dans mon cœur, elle seule peut l'y conserver.

LE PÈRE DE FAMILLE. C'est-à-dire que son exemple fera ce que le mien n'a pu faire.

SAINT-ALBIN. Vous êtes mon père, et vous commandez: elle sera ma femme, et c'est un autre empire.

LE PÈRE DE FAMILLE. Quelle différence d'un amant à un époux! d'une femme à une maîtresse! Homme sans expérience, tu ne sais pas cela.

SAINT-ALBIN. J'espère l'ignorer toujours.

LE PÈRE DE FAMILLE. Y a-t-il un amant qui voie sa maîtresse avec d'autres yeux, et qui parle autrement?

SAINT-ALBIN. Vous avez vu Sophie! . . . Si je la quitte pour un rang, des dignités, des espérances, des préjugés, je ne mériterai pas de la connaître. Mon père, mépriseriez-vous assez votre fils pour le croire?

LE PÈRE DE FAMILLE. Elle ne s'est point avilie en cédant à votre passion: imitez-la.

SAINT-ALBIN. Je m'avilirais en devenant son époux?

LE PÈRE DE FAMILLE. Interrogez le monde.

SAINT-ALBIN. Dans les choses indifférentes, je prendrai le monde comme il est; mais quand il s'agira du bonheur ou du malheur de ma vie, du choix d'une compagne. . .

LE PÈRE DE FAMILLE. Vous ne changerez pas ses idées. Conformez-vous-y donc.

SAINT-ALBIN. Ils auront tout renversé, tout gâté, subordonné la nature à leurs misérables conventions, et j'y souscrirai?

LE PÈRE DE FAMILLE. Ou vous en serez méprisé.

SAINT-ALBIN. Je les fuirai.

LE PÈRE DE FAMILLE. Le mépris vous suivra, et cette femme que vous aurez entraînée ne sera pas moins à plaindre que vous. . . Vous l'aimez?

SAINT-ALBIN. Si je l'aime!

LE PÈRE DE FAMILLE. Écoutez, et tremblez sur le sort que vous lui préparez. Un jour viendra que vous sentirez toute la valeur des sacrifices que vous lui aurez faits. Vous vous trouverez seul avec elle, sans état, sans fortune, sans considération; l'ennui et le chagrin vous saisiront. Vous la haïrez, vous l'accablerez de reproches; sa patience et sa douceur achèveront de vous aigrir; vous la haïrez davantage; vous haïrez les enfants qu'elle vous aura donnés, et vous la ferez mourir de douleur.

SAINT-ALBIN. Moi!

LE PÈRE DE FAMILLE. Vous.

SAINT-ALBIN. Jamais, jamais.

LE PÈRE DE FAMILLE. La passion voit tout éternel; mais la nature humaine veut que tout finisse.

SAINT-ALBIN. Je cesserais d'aimer Sophie! Si j'en étais capable, j'ignorerais, je crois, si je vous aime.

LE PÈRE DE FAMILLE. Voulez-vous le savoir et me le prouver? faites ce que je vous demande.

SAINT-ALBIN. Je le voudrais en vain; je ne puis; je suis entraîné. Mon père, je ne puis.

LE PÈRE DE FAMILLE. Insensé, vous voulez être père! En connaissez-vous les devoirs? Si vous les connaissez, permettriez-vous à votre fils ce que vous attendez de moi?

SAINT-ALBIN. Ah, si j'osais répondre!

LE PÈRE DE FAMILLE. Répondez.

SAINT-ALBIN. Vous me le permettez?

LE PÈRE DE FAMILLE. Je vous l'ordonne.

SAINT-ALBIN. Lorsque vous avez voulu

ma mère, lorsque toute la famille se souleva contre vous, lorsque mon grandpapa vous appela fils ingrat, et que vous l'appelâtes, au fond de votre âme, père cruel; qui de vous deux avait raison? Ma mère était vertueuse et belle comme Sophie; elle était sans fortune, comme Sophie : vous l'aimiez comme j'aime Sophie; souffrites-vous qu'on vous l'arrachât, mon père, et n'ai-je pas un cœur aussi?

LE PÈRE DE FAMILLE. J'avais des ressources, et votre mère avait de la naissance.

SAINT-ALBIN. Qui sait encore ce qu'est Sophie?

LE PÈRE DE FAMILLE. Chimère!

SAINT-ALBIN. Des ressources! L'amour, l'indigence, m'en fourniront.

LE PÈRE DE FAMILLE. Craignez les maux qui vous attendent.

SAINT-ALBIN. Ne la point avoir, est le seul que je redoute.

LE PÈRE DE FAMILLE. Craignez de perdre ma tendresse.

SAINT-ALBIN. Je la recouvrerai.

LE PÈRE DE FAMILLE. Qui vous l'a dit?

SAINT-ALBIN. Vous verrez couler les pleurs de Sophie; j'embrasserai vos genoux; mes enfants vous tendront leurs bras innocents, et vous ne les repousserez pas.

LE PÈRE DE FAMILLE, *à part.* Il me connaît trop bien. . . (*Après une petite pause, il prend l'air et le ton le plus sévère, et dit:*) Mon fils, je vois que je vous parle en vain, que la raison n'a plus d'accès auprès de vous, et que le moyen dont je crains toujours d'user est le seul qui me reste : j'en userai, puisque vous m'y forcez. Quittez vos projets; je le veux, et je vous l'ordonne par toute l'autorité qu'un père a sur ses enfants.

SAINT-ALBIN, *avec un emportement sourd.* L'autorité! l'autorité! Ils n'ont que ce mot.

LE PÈRE DE FAMILLE. Respectez-le.

SAINT-ALBIN, *allant et venant.* Voilà comme ils sont tous. C'est ainsi qu'ils nous aiment. S'ils étaient nos ennemis, que feraient-ils de plus?

LE PÈRE DE FAMILLE. Que dites-vous? que murmurez-vous?

SAINT-ALBIN, *toujours de même.* Ils se croient sages, parce qu'ils ont d'autres passions que les nôtres.

LE PÈRE DE FAMILLE. Taisez-vous.

SAINT-ALBIN. Ils ne nous ont donné la vie que pour en disposer.

LE PÈRE DE FAMILLE. Taisez-vous.

SAINT-ALBIN. Ils la remplissent d'amer-

tume; et comment seraient-ils touchés de nos peines? ils y sont faits.

LE PÈRE DE FAMILLE. Vous oubliez qui je suis, et à qui vous parlez. Taisez-vous, ou craignez d'attirer sur vous la marque la plus terrible du courroux des pères.

SAINT-ALBIN. Des pères! des pères! il n'y en a point. . . Il n'y a que des tyrans.

LE PÈRE DE FAMILLE. O ciel!

SAINT-ALBIN. Oui, des tyrans.

LE PÈRE DE FAMILLE. Éloignez-vous de moi, enfant ingrat et dénaturé. Je vous donne ma malédiction; allez loin de moi. (*Le fils s'en va; mais à peine a-t-il fait quelques pas que son père court après lui, et lui dit:*) Où vas-tu, malheureux?

SAINT-ALBIN. Mon père!

LE PÈRE DE FAMILLE *se jette dans un fauteuil, et son fils se met à ses genoux.* Moi, votre père? vous, mon fils? Je ne vous suis plus rien; je ne vous ai jamais rien été. Vous empoisonnez ma vie, vous souhaitez ma mort; eh! pourquoi a-t-elle été si longtemps différée? Que ne suis-je à côté de ta mère! Elle n'est plus, et mes jours malheureux ont été prolongés.

SAINT-ALBIN. Mon père!

LE PÈRE DE FAMILLE. Éloignez-vous, cachez-moi vos larmes; vous déchirez mon cœur, et je ne puis vous en chasser.

## SCÈNE VII.

LE PÈRE DE FAMILLE, SAINT-ALBIN, LE COMMANDEUR.

(*Le Commandeur entre. Saint-Albin, qui était aux genoux de son père, se lève, et le Père de famille reste dans son fauteuil, la tête penchée sur ses mains, comme un homme désolé.*)

LE COMMANDEUR, *en le montrant à Saint-Albin, qui se promène sans écouter.* Tiens, regarde. Vois dans quel état tu le mets. Je lui avais prédit que tu le ferais mourir de douleur, et tu vérifies ma prédiction. (*Pendant que le Commandeur parle, le Père de famille se lève et s'en va. Saint-Albin se dispose à le suivre.*)

LE PÈRE DE FAMILLE, *en se tournant vers son fils.* Où allez-vous? Écoutez votre oncle; je vous l'ordonne.

## SCÈNE VIII.

SAINT-ALBIN, LE COMMANDEUR.

SAINT-ALBIN. Parlez donc, monsieur, je vous écoute. . . Si c'est un malheur que de l'aimer, il est arrivé, et je n'y sais plus de remède. . . Si on me la refuse, qu'on m'apprenne à l'oublier. . . L'oublier! . . . Qui! elle? moi? je le pourrais? je le voudrais? Que la malédiction de mon père s'accomplisse sur moi, si jamais j'en ai la pensée!

Le Commandeur. Qu'est-ce qu'on te demande? de laisser là une créature que tu n'aurais jamais dû regarder qu'en passant; qui est sans bien, sans parents, sans aveu, qui vient de je ne sais où, qui appartient à je ne sais qui, et qui vit je ne sais comment. On a de ces filles-là. Il y a des fous qui se ruinent pour elles; mais épouser! épouser!

Saint-Albin, *avec violence*. Monsieur le Commandeur! . . .

Le Commandeur. Elle te plaît? Eh bien! garde-la. Je t'aime autant celle-là qu'une autre; mais laisse-nous espérer la fin de cette intrigue, quand il en sera temps. (*Saint-Albin veut sortir*.) Où vas-tu?

Saint-Albin. Je m'en vais.

Le Commandeur, *en l'arrêtant*. As-tu oublié que je te parle au nom de ton père?

Saint-Albin. Eh bien! monsieur, dites. Déchirez-moi, désespérez-moi; je n'ai qu'un mot à répondre: Sophie sera ma femme.

Le Commandeur. Ta femme?

Saint-Albin. Oui, ma femme.

Le Commandeur. Une fille de rien!

Saint-Albin. Qui m'a appris à mépriser tout ce qui vous enchaîne et vous avilit.

Le Commandeur. N'as-tu point de honte?

Saint-Albin. De la honte?

Le Commandeur. Toi, fils de M. d'Orbesson! neveu du Commandeur d'Auvilé!

Saint-Albin. Moi, fils de monsieur d'Orbesson, et votre neveu.

Le Commandeur. Voilà donc les fruits de cette éducation merveilleuse dont ton père était si vain? Le voilà ce modèle de tous les jeunes gens de la cour et de la ville? . . . Mais tu te crois riche peut-être?

Saint-Albin. Non.

Le Commandeur. Sais-tu ce qui te revient du bien de ta mère?

Saint-Albin. Je n'y ai jamais pensé; et je ne veux pas le savoir.

Le Commandeur. Écoute. C'était la plus jeune de six enfants que nous étions; et cela dans une province où l'on ne donne rien aux filles. Ton père, qui ne fut pas plus sensé que toi, s'en entêta et la prit. Mille écus de rente à partager avec ta sœur,

c'est quinze cents francs pour chacun; voilà toute votre fortune.

Saint-Albin. J'ai quinze cents livres de rente?

Le Commandeur. Tant qu'elles peuvent s'étendre.

Saint-Albin. Ah, Sophie! vous n'habiterez plus sous un toit! vous ne sentirez plus les atteintes de la misère. J'ai quinze cents livres de rente!

Le Commandeur. Mais tu peux en attendre vingt-cinq mille de ton père, et presque le double de moi. Saint-Albin, on fait des folies; mais on n'en fait pas de plus chères.

Saint-Albin. Et que m'importe la richesse, si je n'ai pas celle avec qui je la voudrais partager?

Le Commandeur. Insensé!

Saint-Albin. Je sais. C'est ainsi qu'on appelle ceux qui préfèrent à tout une femme jeune, vertueuse et belle; et je fais gloire d'être à la tête de ces fous-là.

Le Commandeur. Tu cours à ton malheur.

Saint-Albin. Je mangeais du pain, je buvais de l'eau à côté d'elle, et j'étais heureux.

Le Commandeur. Tu cours à ton malheur.

Saint-Albin. J'ai quinze cents livres de rente!

Le Commandeur. Que feras-tu?

Saint-Albin. Elle sera nourrie, logée, vêtue, et nous vivrons.

Le Commandeur. Comme des gueux.

Saint-Albin. Soit.

Le Commandeur. Cela aura père, mère, frère, sœur; et tu épouseras tout cela.

Saint-Albin. J'y suis résolu.

Le Commandeur. Je t'attends aux enfants.

Saint-Albin. Alors je m'adresserai à toutes les âmes sensibles. On me verra, on verra la compagne de mon infortune, je dirai mon nom, et je trouverai du secours.

Le Commandeur. Tu connais bien les hommes!

Saint-Albin. Vous les croyez méchants.

Le Commandeur. Et j'ai tort?

Saint-Albin. Tort ou raison, il me restera deux appuis avec lesquels je peux défier l'univers: l'amour, qui fait entreprendre, et la fierté, qui fait supporter. . . On n'entend tant de plaintes dans le monde, que parce que le pauvre est sans courage. . . et que le riche est sans humanité. . .

Le Commandeur. J'entends. . . Eh bien! aie-la, ta Sophie; foule aux pieds la volonté de ton père, les lois de la décence, les bien-séances de ton état. Ruine-toi, avilis-toi, roule-toi dans la fange, je ne m'y oppose plus. Tu serviras d'exemple à tous les enfants qui ferment l'oreille à la voix de la raison, qui se précipitent dans des engagements honteux, qui affligent leurs parents, et qui déshonorent leur nom. Tu l'auras, ta Sophie, puisque tu l'as voulu; mais tu n'auras pas de pain à lui donner, ni à ses enfants qui viendront en demander à ma porte.

SAINT-ALBIN. C'est ce que vous craignez.

LE COMMANDEUR. Ne suis-je pas bien à plaindre?... Je me suis privé de tout pendant quarante ans; j'aurais pu me marier, et je me suis refusé cette consolation. J'ai perdu de vue les miens, pour m'attacher à ceux-ci: m'en voilà bien récompensé!... Que dira-t-on dans le monde?... Voilà qui sera fait: je n'oserai plus me montrer; ou si je parais quelque part, et que l'on demande: «Qui est cette vieille croix, qui a l'air si chagrin,» on répondra tout bas: «C'est le Commandeur d'Auvilé... l'oncle de ce jeune fou qui a épousé... oui...» Ensuite on se parlera à l'oreille, on me regardera; la honte et le dépit me saisiront; je me lèverai, je prendrai ma canne, et je m'en irai... Non, je voudrais pour tout ce que je possède, lorsque tu gravissais le long des murs du fort Saint-Philippe,[1] que quelque Anglais, d'un bon coup de baïonnette, t'eût envoyé dans le fossé, et que tu y fusses demeuré enseveli avec les autres; du moins, on aurait dit: «C'est dommage, c'était un sujet;» et j'aurais pu solliciter une grâce du roi pour l'établissement de ta sœur... Non, il est inouï qu'il y ait jamais eu un pareil mariage dans une famille.

SAINT-ALBIN. Ce sera le premier.

LE COMMANDEUR. Et je le souffrirai?

SAINT-ALBIN. S'il vous plaît.

LE COMMANDEUR. Tu le crois?

SAINT-ALBIN. Assurément.

LE COMMANDEUR. Allons, nous verrons.

SAINT-ALBIN. Tout est vu.

## SCÈNE IX.

SAINT-ALBIN, SOPHIE, MADAME HÉBERT.

(*Tandis que Saint-Albin continue comme s'il était seul, Sophie et sa bonne s'avancent, et parlent dans les intervalles du monologue de Saint-Albin.*)

SAINT-ALBIN, *après une pause, en se promenant et rêvant.* Oui, tout est vu... ils ont conjuré contre moi... je le sens...

SOPHIE, *d'un ton doux et plaintif.* On le veut... Allons, ma bonne.

SAINT-ALBIN. C'est pour la première fois que mon père est d'accord avec cet oncle cruel.

SOPHIE, *en soupirant.* Ah! quel moment!

MADAME HÉBERT. Il est vrai, mon enfant.

SOPHIE. Mon cœur se trouble.

SAINT-ALBIN.[2] Ne perdons point de temps; il faut l'aller trouver.

SOPHIE, *apercevant Saint-Albin.* Le voilà, ma bonne, c'est lui.

SAINT-ALBIN, *allant à Sophie.* Oui, Sophie, oui, c'est moi; je suis Sergi.

SOPHIE, *en sanglotant.* Non, vous ne l'êtes pas... (*Elle se retourne vers madame Hébert.*) Que je suis malheureuse! je voudrais être morte. Ah, ma bonne, à quoi me suis-je engagée! Que vais-je lui apprendre? que va-t-il devenir? ayez pitié de moi... dites-lui...

SAINT-ALBIN. Sophie, ne craignez rien. Sergi vous aimait; Saint-Albin vous adore, et vous voyez l'homme le plus vrai et l'amant le plus passionné.

SOPHIE *soupire profondément.* Hélas!

SAINT-ALBIN. Croyez que Sergi ne peut vivre, ne veut vivre que pour vous.

SOPHIE. Je le crois; mais à quoi cela sert-il?

SAINT-ALBIN. Dites un mot.

SOPHIE. Quel mot?

SAINT-ALBIN. Que vous m'aimez. Sophie, m'aimez-vous?

SOPHIE, *en soupirant profondément.* Ah! si je ne vous aimais pas!

SAINT-ALBIN. Donnez-moi donc votre main; recevez la mienne, et le serment que je fais ici à la face du ciel, et de cette honnête femme qui vous a servi de mère, de n'être jamais qu'à vous.

SOPHIE. Hélas! vous savez qu'une fille bien née ne reçoit et ne fait de serments qu'au pied des autels... Et ce n'est pas moi que vous y conduirez... Ah! Sergi!

[1] After the French troops had captured the town of Port-Mahon on the island of Minorca in 1756, the vanquished English forces withdrew to Fort Saint-Philippe.

[2] Toutes les éditions font prononcer ces paroles par Saint-Albin; seule, l'édition Brière les met dans la bouche de M^me Hébert. Elles sont là pour préparer la rencontre des deux amants et la fusion des deux scènes simultanées. (Assézat.)

c'est à présent que je sens la distance qui nous sépare!

SAINT-ALBIN, *avec violence.* Sophie, et vous aussi?

SOPHIE. Abandonnez-moi à ma destinée, et rendez le repos à un père qui vous aime.

SAINT-ALBIN. Ce n'est pas vous qui parlez, c'est lui. Je le reconnais, cet homme dur et cruel.

SOPHIE. Il ne l'est point; il vous aime.

SAINT-ALBIN. Il m'a maudit, il m'a chassé; il ne lui restait plus qu'à se servir de vous pour m'arracher la vie.

SOPHIE. Vivez, Sergi.

SAINT-ALBIN. Jurez donc que vous serez à moi malgré lui.

SOPHIE. Moi, Sergi? ravir un fils à son père!... J'entrerais dans une famille qui me rejette!

SAINT-ALBIN. Et que vous importe mon père, mon oncle, ma sœur, et toute ma famille, si vous m'aimez?

SOPHIE. Vous avez une sœur?

SAINT-ALBIN. Oui, Sophie.

SOPHIE. Qu'elle est heureuse!

SAINT-ALBIN. Vous me désespérez.

SOPHIE. J'obéis à vos parents. Puisse le ciel vous accorder, un jour, une épouse qui soit digne de vous, et qui vous aime autant que Sophie!

SAINT-ALBIN. Et vous le souhaitez?

SOPHIE. Je le dois.

SAINT-ALBIN. Malheur, malheur à qui vous a connue, et qui peut être heureux sans vous!

SOPHIE. Vous le serez; vous jouirez de toutes les bénédictions promises aux enfants qui respecteront la volonté de leurs parents. J'emporterai celle de votre père. Je retournerai seule à ma misère, et vous vous ressouviendrez de moi.

SAINT-ALBIN. Je mourrai de douleur, et vous l'aurez voulu... (*En la regardant tristement.*) Sophie...

SOPHIE. Je ressens toute la peine que je vous cause.

SAINT-ALBIN, *en la regardant encore.* Sophie...

SOPHIE, *à madame Hébert, en sanglotant.* O ma bonne, que ses larmes me font de mal!... Sergi, n'opprimez pas mon âme faible... j'en ai assez de ma douleur... (*Elle se couvre les yeux de ses mains.*) Adieu, Sergi.

SAINT-ALBIN. Vous m'abandonnez?

SOPHIE. Je n'oublierai point ce que vous avez fait pour moi. Vous m'avez vraiment aimée: ce n'est pas en descendant de votre état, c'est en respectant mon malheur et mon indigence, que vous l'avez montré. Je me rappellerai souvent ce lieu où je vous ai connu... Ah! Sergi!

SAINT-ALBIN. Vous voulez que je meure.

SOPHIE. C'est moi, c'est moi qui suis à plaindre.

SAINT-ALBIN. Sophie, où allez-vous?

SOPHIE. Je vais subir ma destinée, partager les peines de mes sœurs, et porter les miennes dans le sein de ma mère. Je suis la plus jeune de ses enfants, elle m'aime; je lui dirai tout, et elle me consolera.

SAINT-ALBIN. Vous m'aimez et vous m'abandonnez?

SOPHIE. Pourquoi vous ai-je connu?... Ah!... (*Elle s'éloigne.*)

SAINT-ALBIN. Non, non, je ne le puis... Madame Hébert, retenez-la... ayez pitié de nous.

MADAME HÉBERT. Pauvre Sergi!

SAINT-ALBIN, *à Sophie.* Vous ne vous éloignerez pas... j'irai... je vous suivrai... Sophie, arrêtez... Ce n'est ni par vous, ni par moi que je vous conjure... Vous avez résolu mon malheur et le vôtre... C'est au nom de ces parents cruels... Si je vous perds, je ne pourrai ni les voir, ni les entendre, ni les souffrir. Voulez-vous que je les haïsse?

SOPHIE. Aimez vos parents; obéissez-leur; oubliez-moi.

SAINT-ALBIN, *qui s'est jeté à ses pieds, s'écrie en la retenant par ses habits.* Sophie, écoutez... vous ne connaissez pas Saint-Albin.

SOPHIE, *à madame Hébert, qui pleure.* Ma bonne, venez, venez; arrachez-moi d'ici. (*Elle sort.*)

SAINT-ALBIN, *en se relevant.* Il peut tout oser; vous le conduisez à sa perte... Oui, vous l'y conduisez... (*Il marche. Il se plaint; il se désespère. Il nomme Sophie par intervalles. Ensuite il s'appuie sur le dos d'un fauteuil, les yeux couverts de ses mains.*)

## SCÈNE X.

SAINT-ALBIN, CÉCILE, GERMEUIL.

(*Pendant qu'il est dans cette situation, Cécile et Germeuil entrent.*)

GERMEUIL, *s'arrêtant sur le fond, et regardant tristement Saint-Albin, dit à Cécile:* Le voilà, le malheureux! il est accablé, et il ignore que dans ce moment... Que je le plains!... Mademoiselle, parlez-lui.

CÉCILE. Saint-Albin. . .

SAINT-ALBIN, *qui ne les voit point, mais qui les entend approcher, leur crie, sans les regarder:* Qui que vous soyez, allez retrouver les barbares qui vous envoient. Retirez-vous.

CÉCILE. Mon frère, c'est moi; c'est Cécile qui connaît votre peine et qui vient à vous.

SAINT-ALBIN, *toujours dans la même position.* Retirez-vous.

CÉCILE. Je m'en irai, si je vous afflige.

SAINT-ALBIN. Vous m'affligez. (*Cécile s'en va; mais son frère la rappelle d'une voix faible et douloureuse.*) Cécile!

CÉCILE, *se rapprochant de son frère.* Mon frère?

SAINT-ALBIN, *la prenant par la main, sans changer de situation et sans la regarder.* Elle m'aimait! ils me l'ont ôtée; elle me fuit.

GERMEUIL, *à lui-même.* Plût au ciel!

SAINT-ALBIN. J'ai tout perdu. . . Ah!

CÉCILE. Il vous reste une sœur, un ami.

SAINT-ALBIN, *se relevant avec vivacité.* Où est Germeuil?

CÉCILE. Le voilà.

SAINT-ALBIN *se promène un moment en silence, puis il dit:* Ma sœur, laissez-nous. (*Cécile parle bas à Germeuil et sort.*)

## SCÈNE XI.

### SAINT-ALBIN, GERMEUIL.

SAINT-ALBIN, *en se promenant, et à plusieurs reprises.* Oui. . . c'est le seul parti qui me reste. . . et j'y suis résolu. . . Germeuil, personne ne nous entend?

GERMEUIL. Qu'avez-vous à me dire?

SAINT-ALBIN. J'aime Sophie, j'en suis aimé; vous aimez Cécile, et Cécile vous aime.

GERMEUIL. Moi! votre sœur!

SAINT-ALBIN. Vous, ma sœur! Mais la même persécution qu'on me fait vous attend; et si vous avez du courage, nous irons, Sophie, Cécile, vous et moi, chercher le bonheur loin de ceux qui nous entourent et nous tyrannisent.

GERMEUIL. Qu'ai-je entendu? . . . Il ne me manquait plus que cette confidence. . . Qu'osez-vous entreprendre; et que me conseillez-vous? C'est ainsi que je reconnaîtrais les bienfaits dont votre père m'a comblé depuis que je respire? Pour prix de sa tendresse, je remplirais son âme de douleur; et je l'enverrais au tombeau, en maudissant le jour qu'il me reçut chez lui!

SAINT-ALBIN. Vous avez des scrupules; n'en parlons plus.

GERMEUIL. L'action que vous me proposez, et celle que vous avez résolue sont deux crimes. . . (*Avec vivacité*) Saint-Albin, abandonnez votre projet. . . Vous avez encouru la disgrâce de votre père, et vous allez la mériter; attirer sur vous le blâme public; vous exposer à la poursuite des lois; désespérer celle que vous aimez. . . Quelles peines vous vous préparez! . . . Quel trouble vous me causez! . . .

SAINT-ALBIN. Si je ne peux compter sur votre secours, épargnez-moi vos conseils.

GERMEUIL. Vous vous perdez.

SAINT-ALBIN. Le sort en est jeté.

GERMEUIL. Vous me perdez moi-même: vous me perdez. . . Que dirai-je à votre père lorsqu'il m'apportera sa douleur? . . . à votre oncle? . . . Oncle cruel! Neveu plus cruel encore! . . . Avez-vous dû me confier vos desseins? . . . Vous ne savez pas. . . Que suis-je venu chercher ici? . . . Pourquoi vous ai-je vu? . . .

SAINT-ALBIN. Adieu, Germeuil, embrassez-moi; je compte sur votre discrétion.

GERMEUIL. Où courez-vous?

SAINT-ALBIN. M'assurer le seul bien dont je fasse cas, et m'éloigner d'ici pour jamais.

## SCÈNE XII.

### GERMEUIL, *seul.*

Le sort m'en veut-il assez! Le voilà résolu d'enlever sa maîtresse, et il ignore qu'au même instant son oncle travaille à la faire enfermer. . . Je deviens coup sur coup leur confident et leur complice. . . Quelle situation est la mienne! je ne puis ni parler, ni me taire, ni agir, ni cesser. . . Si l'on me soupçonne seulement d'avoir servi l'oncle, je suis un traître aux yeux du neveu, et je me déshonore dans l'esprit de son père. . . Encore si je pouvais m'ouvrir à celui-ci. . . mais ils ont exigé le secret. . . Y manquer, je ne le puis ni ne le dois. . . Voilà ce que le Commandeur a vu lorsqu'il s'est adressé à moi, à moi qu'il déteste, pour l'exécution de l'ordre injuste qu'il sollicite. . . En me présentant sa fortune et sa nièce, deux appâts auxquels il n'imagine pas qu'on résiste, son but est de m'embarquer dans un complot qui me perde. . . Déjà il croit la chose faite; et il s'en félicite. Si son neveu le prévient, autres dangers: il se croira joué; il sera furieux; il éclatera. . . Mais Cécile sait tout;

elle connaît mon innocence... Eh! que servira son témoignage contre le cri de la famille entière qui se soulèvera?... On n'entendra qu'elle; et je n'en passerai pas moins pour fauteur d'un rapt... Dans quels embarras ils m'ont précipité; le neveu, par indiscrétion; l'oncle, par méchanceté!... Et toi, pauvre innocente, dont les intérêts ne touchent personne, qui te sauvera de deux hommes violents qui ont également résolu ta ruine? L'un m'attend pour la consommer, l'autre y court, et je n'ai qu'un instant... mais ne le perdons pas. Emparons-nous d'abord de la lettre de cachet...[1] Ensuite... nous verrons.

## ACTE TROISIÈME.

### SCÈNE PREMIÈRE.

GERMEUIL, CÉCILE.

GERMEUIL, *d'un ton suppliant.* Mademoiselle!
CÉCILE. Laissez-moi.
GERMEUIL. Mademoiselle!
CÉCILE. Qu'osez-vous me demander? Je recevrais la maîtresse de mon frère chez moi! dans mon appartement! dans la maison de mon père! Laissez-moi, vous dis-je, je ne veux pas vous entendre.
GERMEUIL. C'est le seul asile qui lui reste, et le seul qu'elle puisse accepter.
CÉCILE. Non, non, non.
GERMEUIL. Je ne vous demande qu'un instant, que je puisse regarder autour de moi, me reconnaître.
CÉCILE. Non, non... Une inconnue!
GERMEUIL. Une infortunée, à qui vous ne pourriez refuser de la commisération si vous la voyiez.
CÉCILE. Que dirait mon père?
GERMEUIL. Le respecté-je moins que vous? Craindrais-je moins de l'offenser?
CÉCILE. Et le Commandeur?
GERMEUIL. C'est un homme sans principes.
CÉCILE. Il en a comme tous ses pareils, quand il s'agit d'accuser et de noircir.
GERMEUIL. Il dira que je l'ai joué; ou votre frère se croira trahi. Je ne me justi-

fierai jamais... Mais qu'est-ce que cela vous importe?
CÉCILE. Vous êtes la cause de toutes mes peines.
GERMEUIL. Dans cette conjoncture difficile, c'est votre frère, c'est votre oncle que je vous prie de considérer; épargnez-leur à chacun une action odieuse.
CÉCILE. La maîtresse de mon frère! une inconnue!... Non, monsieur; mon cœur me dit que cela est mal; et il ne m'a jamais trompée. Ne m'en parlez plus; je tremble qu'on ne nous écoute.
GERMEUIL. Ne craignez rien; votre père est tout à sa douleur; le Commandeur et votre frère à leurs projets; les gens sont écartés. J'ai pressenti votre répugnance...
CÉCILE. Qu'avez-vous fait?
GERMEUIL. Le moment m'a paru favorable, et je l'ai introduite ici. Elle y est, la voilà. Renvoyez-la, mademoiselle.
CÉCILE. Germeuil, qu'avez-vous fait!

### SCÈNE II.

SOPHIE, GERMEUIL, CÉCILE, MADEMOISELLE CLAIRET.

(*Sophie entre sur la scène comme une troublée. Elle ne voit point. Elle n'entend point. Elle ne sait où elle est. Cécile, de son côté, est dans une agitation extrême.*)

SOPHIE. Je ne sais où je suis... Je ne sais où je vais... Il me semble que je marche dans les ténèbres... Ne rencontrerai-je personne qui me conduise?... O ciel! ne m'abandonnez pas!
GERMEUIL *l'appelle.* Mademoiselle, mademoiselle!
SOPHIE. Qui est-ce qui m'appelle?
GERMEUIL. C'est moi, mademoiselle; c'est moi.
SOPHIE. Qui êtes-vous? Où êtes-vous? Qui que vous soyez, secourez-moi... sauvez-moi...
GERMEUIL *va la prendre par la main et lui dit:* Venez... mon enfant... par ici.
SOPHIE *fait quelques pas, et tombe sur ses genoux.* Je ne puis... la force m'abandonne... Je succombe...
CÉCILE. O ciel! (*A Germeuil.*) Appelez... Eh! non, n'appelez pas.[2]

[1] lettre de cachet, an order issued by one of the secretaries of state on behalf of the king and bearing the latter's seal. Used for a large number of political and penal purposes. By means of them the king could sentence a subject to imprisonment without trial and without an opportunity for defence. They were often employed by heads of families as a means of correction. Protests against the lettres de cachet were continual during the 18th century.
[2] Germeuil et Cécile relèvent Sophie et la mettent sur un fauteuil. Jeu de scène indiqué dans l'édition conforme à la représentation. (Assézat.)

SOPHIE, *les yeux fermés, et comme dans le délire de la défaillance.* Les cruels! Que leur ai-je fait? (*Elle regarde autour d'elle, avec toutes les marques de l'effroi.*)

GERMEUIL. Rassurez-vous, je suis l'ami de Saint-Albin, et mademoiselle est sa sœur.

SOPHIE, *après un moment de silence.* Mademoiselle, que vous dirai-je? Voyez ma peine; elle est au-dessus de mes forces. . . Je suis à vos pieds; [1] et il faut que j'y meure ou que je vous doive tout. . . Je suis une infortunée qui cherche un asile. . . C'est devant votre oncle et votre frère que je fuis. . . Votre oncle, que je ne connais pas, et que je n'ai jamais offensé; votre frère. . . Ah! ce n'est pas de lui que j'attendais mon chagrin! . . . Que vais-je devenir, si vous m'abandonnez? . . . Ils accompliront sur moi leurs desseins. . . Secourez-moi, sauvez-moi. . . sauvez-moi d'eux, sauvez-moi de moi-même. Ils ne savent pas ce que peut oser celle qui craint le déshonneur, et qu'on réduit à la nécessité de haïr la vie. . . Je n'ai pas cherché mon malheur, et je n'ai rien à me reprocher. . . Je travaillais, j'avais du pain, et je vivais tranquille. . . Les jours de la douleur sont venus: ce sont les vôtres qui les ont amenés sur moi; et je pleurerai toute ma vie, parce qu'ils m'ont connue.

CÉCILE. Qu'elle me peine! . . . Oh! que ceux qui peuvent la tourmenter sont méchants! (*Ici la pitié succède à l'agitation dans le cœur de Cécile. Elle se penche sur le dos d'un fauteuil, du côté de Sophie, et celle-ci continue:*)

SOPHIE. J'ai une mère qui m'aime. . . Comment reparaîtrais-je devant elle? . . . Mademoiselle, conservez une fille à sa mère, je vous en conjure par la vôtre, si vous l'avez encore. . . Quand je la quittai, elle dit: Anges du ciel, prenez cette enfant sous votre garde, et conduisez-la. Si vous fermez votre cœur à la pitié, le ciel n'aura point entendu sa prière; et elle en mourra de douleur. . . Tendez la main à celle qu'on opprime, afin qu'elle vous bénisse toute sa vie. . . Je ne peux rien; mais il est un Être qui peut tout, et devant lequel les œuvres de la commisération ne sont pas perdues. . . Mademoiselle!

CÉCILE *s'approche d'elle, et lui tend les mains.* Levez-vous.

GERMEUIL, *à Cécile.* Vos yeux se remplissent de larmes; son malheur vous a touchée.

CÉCILE, *à Germeuil.* Qu'avez-vous fait!

SOPHIE. Dieu soit loué! tous les cœurs ne sont pas endurcis.

CÉCILE. Je connais le mien, je ne voulais ni vous voir, ni vous entendre. . . Enfant aimable et malheureux, comment vous nommez-vous?

SOPHIE. Sophie.

CÉCILE, *en l'embrassant.* Sophie, venez. (*Germeuil se jette aux genoux de Cécile, et lui prend une main qu'il baise sans parler.*) Que me demandez-vous encore? Ne fais-je pas tout ce que vous voulez? (*Cécile s'avance vers le fond du salon avec Sophie, qu'elle remet à sa femme de chambre.*)

GERMEUIL, *en se relevant.* Imprudent. . . qu'allais-je lui dire? . . .

MADEMOISELLE CLAIRET. J'entends, mademoiselle; reposez-vous sur moi.

## SCÈNE III.

### GERMEUIL, CÉCILE.

CÉCILE, *après un moment de silence, avec chagrin.* Me voilà, grâce à vous, à la merci de mes gens.

GERMEUIL. Je ne vous ai demandé qu'un instant pour lui trouver un asile. Quel mérite y aurait-il à faire le bien, s'il n'y avait aucun inconvénient?

CÉCILE. Que les hommes sont dangereux! Pour son bonheur, on ne peut les tenir trop loin. . . Homme, éloignez-vous de moi. . . Vous vous en allez, je crois?

GERMEUIL. Je vous obéis.

CÉCILE. Fort bien. Après m'avoir mise dans la position la plus cruelle, il ne vous reste plus qu'à m'y laisser. Allez, monsieur, allez.

GERMEUIL. Que je suis malheureux!

CÉCILE. Vous vous plaignez, je crois?

GERMEUIL. Je ne fais rien qui ne vous déplaise.

CÉCILE. Vous m'impatientez. . . Songez que je suis dans un trouble qui ne me laissera rien prévoir, rien prévenir. Comment oserai-je lever les yeux devant mon père? S'il s'aperçoit de mon embarras, et qu'il m'interroge, je ne mentirai pas. Savez-vous qu'il ne faut qu'un mot inconsidéré pour éclairer un homme tel que le Commandeur? . . . Et mon frère! . . . je redoute d'avance le spectacle de sa douleur. Que va-t-il devenir lorsqu'il ne retrouvera plus Sophie? . . . Monsieur, ne me quittez pas un moment, si vous ne voulez pas que tout se découvre. . . Mais on vient: allez. . .

---

[1] Elle se jette aux genoux de Cécile qui la fait rasseoir. (Assézat.)

restez. . . Non, retirez-vous. . . Ciel! dans quel état je suis!

### SCÈNE IV.

CÉCILE, LE COMMANDEUR.

LE COMMANDEUR, *à sa manière.* Cécile, te voilà seule?

CÉCILE, *d'une voix altérée.* Oui, mon cher oncle. C'est assez mon goût.

LE COMMANDEUR. Je te croyais avec l'ami.

CÉCILE. Qui, l'ami?

LE COMMANDEUR. Eh! Germeuil.

CÉCILE. Il vient de sortir.

LE COMMANDEUR. Que te disait-il? que lui disais-tu?

CÉCILE. Des choses déplaisantes, comme c'est sa coutume.

LE COMMANDEUR. Je ne vous conçois pas; vous ne pouvez vous accorder un moment: cela me fâche. Il a de l'esprit, des talents, des connaissances, des mœurs dont je fais grand cas; point de fortune, à la vérité, mais de la naissance. Je l'estime; et je lui ai conseillé de penser à toi.

CÉCILE. Qu'appelez-vous penser à moi?

LE COMMANDEUR. Cela s'entend; tu n'as pas résolu de rester fille, apparemment?

CÉCILE. Pardonnez-moi, monsieur, c'est mon projet.

LE COMMANDEUR. Cécile, veux-tu que je te parle à cœur ouvert? Je suis entièrement détaché de ton frère. C'est une âme dure, un esprit intraitable; et il vient encore tout à l'heure d'en user avec moi d'une manière indigne, et que je ne lui pardonnerai de ma vie. . . Il peut, à présent, courir tant qu'il voudra après la créature dont il s'est entêté; je ne m'en soucie plus. . . On se lasse à la fin d'être bon. . . Toute ma tendresse s'est retirée sur toi, ma chère nièce. . . Si tu voulais un peu ton bonheur, celui de ton père et le mien. . .

CÉCILE. Vous devez le supposer.

LE COMMANDEUR. Mais tu ne me demandes pas ce qu'il faudrait faire.

CÉCILE. Vous ne me le laisserez pas ignorer.

LE COMMANDEUR. Tu as raison. Eh bien! il faudrait te rapprocher de Germeuil. C'est un mariage auquel tu penses bien que ton père ne consentira pas sans la dernière répugnance. Mais je parlerai, je lèverai les obstacles. Si tu veux, j'en fais mon affaire.

CÉCILE. Vous me conseilleriez de penser à quelqu'un qui ne serait pas du choix de mon père?

LE COMMANDEUR. Il n'est pas riche. Tout tient à cela. Mais, je te l'ai dit, ton frère ne m'est plus rien; et je vous assurerai tout mon bien. Cécile, cela vaut la peine d'y réfléchir.

CÉCILE. Moi, que je dépouille mon frère!

LE COMMANDEUR. Qu'appelles-tu dépouiller? Je ne vous dois rien. Ma fortune est à moi; et elle me coûte assez pour en disposer à mon gré.

CÉCILE. Mon oncle, je n'examinerai point jusqu'où les parents sont les maîtres de leur fortune, et s'ils peuvent, sans injustice, la transporter où il leur plaît. Je sais que je ne pourrais accepter la vôtre sans honte; et c'en est assez pour moi.

LE COMMANDEUR. Et tu crois que Saint-Albin en ferait autant pour sa sœur!

CÉCILE. Je connais mon frère; et s'il était ici, nous n'aurions tous les deux qu'une voix.

LE COMMANDEUR. Et que me diriez-vous?

CÉCILE. Monsieur le Commandeur, ne me pressez pas; je suis vraie.

LE COMMANDEUR. Tant mieux. Parle. J'aime la vérité. Tu dis? . . .

CÉCILE. Que c'est une inhumanité sans exemple, que d'avoir en province des parents plongés dans l'indigence, que mon père secourt à votre insu, et que vous frustrez d'une fortune qui leur appartient, et dont ils ont un besoin si grand; que nous ne voulons, ni mon frère, ni moi, d'un bien qu'il faudrait restituer à ceux à qui les lois de la nature et de la société l'ont destiné.

LE COMMANDEUR. Eh bien! vous ne l'aurez ni l'un ni l'autre. Je vous abandonnerai tous. Je sortirai d'une maison où tout va au rebours du sens commun, où rien n'égale l'insolence des enfants, si ce n'est l'imbécillité du maître. Je jouirai de la vie; et je ne me tourmenterai pas davantage pour des ingrats.

CÉCILE. Mon cher oncle, vous ferez bien.

LE COMMANDEUR. Mademoiselle, votre approbation est de trop; et je vous conseille de vous écouter. Je sais ce qui se passe dans votre âme; je ne suis pas la dupe de votre désintéressement, et vos petits secrets ne sont pas aussi cachés que vous l'imaginez. Mais il suffit. . . et je m'entends.

## SCÈNE V.

CÉCILE, LE COMMANDEUR, LE PÈRE DE FAMILLE, SAINT-ALBIN.

*(Le Père de famille entre le premier. Son fils le suit.)*

SAINT-ALBIN, *violent, désolé, éperdu, ici et dans toute la scène.* Elles n'y sont plus. . . On ne sait ce qu'elles sont devenues. . . Elles ont disparu.

LE COMMANDEUR, *à part.* Bon. Mon ordre est exécuté.

SAINT-ALBIN. Mon père, écoutez la prière d'un fils désespéré. Rendez-lui Sophie. Il est impossible qu'il vive sans elle. Vous faites le bonheur de tout ce qui vous environne; votre fils sera-t-il le seul que vous ayez rendu malheureux? . . . Elle n'y est plus. . . elles ont disparu. . . Que ferai-je? . . . Quelle sera ma vie?

LE COMMANDEUR, *à part.* Il a fait diligence.

SAINT-ALBIN. Mon père!

LE PÈRE DE FAMILLE. Je n'ai aucune part à leur absence. Je vous l'ai déjà dit. Croyez-moi. *(Cela dit, le Père de famille se promène lentement, la tête baissée, et l'air chagrin.)*

SAINT-ALBIN, *s'écrie, en se tournant vers le fond.* Sophie, où êtes-vous? Qu'êtes-vous devenue? . . . Ah! . . .

CÉCILE, *à part.* Voilà ce que j'avais prévu.

LE COMMANDEUR, *à part.* Consommons notre ouvrage. Allons. *(A son neveu, d'un ton compatissant.)* Saint-Albin. . .

SAINT-ALBIN. Monsieur, laissez-moi. Je ne me repens que trop de vous avoir écouté. . . Je la suivais. . . Je l'aurais fléchie. . . Et je l'ai perdue!

LE COMMANDEUR. Saint-Albin.

SAINT-ALBIN. Laissez-moi.

LE COMMANDEUR. J'ai causé ta peine, et j'en suis affligé.

SAINT-ALBIN. Que je suis malheureux!

LE COMMANDEUR. Germeuil me l'avait bien dit. Mais aussi, qui pouvait imaginer que, pour une fille comme il y en a tant, tu tomberais dans l'état où je te vois?

SAINT-ALBIN, *avec terreur.* Que dites-vous de Germeuil?

LE COMMANDEUR. Je dis. . . Rien. . .

SAINT-ALBIN. Tout me manquerait-il en un jour? et le malheur qui me poursuit m'aurait-il encore ôté mon ami? Monsieur le Commandeur, achevez.

LE COMMANDEUR. Germeuil et moi. . . Je n'ose te l'avouer. . . Tu ne nous le pardonneras jamais. . .

LE PÈRE DE FAMILLE, *au Commandeur.* Qu'avez-vous fait? Serait-il possible? . . . Mon frère, expliquez-vous.

LE COMMANDEUR. Cécile. . . Germeuil te l'aura confié? . . . Dis pour moi.

SAINT-ALBIN, *au Commandeur.* Vous me faites mourir.

LE PÈRE DE FAMILLE, *avec sévérité.* Cécile, vous vous troublez.

SAINT-ALBIN. Ma sœur!

LE PÈRE DE FAMILLE, *regardant encore sa fille, avec sévérité.* Cécile. . . Mais non, le projet est trop odieux. . . Ma fille et Germeuil en sont incapables.

SAINT-ALBIN. Je tremble. . . je frémis. . . O ciel! de quoi suis-je menacé!

LE PÈRE DE FAMILLE, *avec sévérité.* Monsieur le Commandeur, expliquez-vous, vous dis-je; et cessez de me tourmenter par les soupçons que vous répandez sur tout ce qui m'entoure. *(Le Père de famille se promène; il est indigné. Le Commandeur hypocrite paraît honteux, et se tait. Cécile a l'air consterné. Saint-Albin a les yeux sur le Commandeur, et attend avec effroi qu'il s'explique.)*

LE PÈRE DE FAMILLE, *au Commandeur.* Avez-vous résolu de garder encore longtemps ce silence cruel?

LE COMMANDEUR, *à sa nièce.* Puisque tu te tais, et qu'il faut que je parle. . . *(A Saint-Albin:)* Ta maîtresse. . .

SAINT-ALBIN. Sophie. . .

LE COMMANDEUR. Est renfermée.

SAINT-ALBIN. Grand Dieu!

LE COMMANDEUR. J'ai obtenu la lettre de cachet. Et Germeuil s'est chargé du reste.

LE PÈRE DE FAMILLE. Germeuil!

SAINT-ALBIN. Lui!

CÉCILE. Mon frère, il n'en est rien.

SAINT-ALBIN. Sophie. . . et c'est Germeuil! *(Il se renverse sur un fauteuil avec toutes les marques du désespoir.)*

LE PÈRE DE FAMILLE, *au Commandeur.* Et que vous a fait cette infortunée, pour ajouter à son malheur la perte de l'honneur et de la liberté? Quels droits avez-vous sur elle?

LE COMMANDEUR. La maison est honnête.

SAINT-ALBIN. Je la vois. . . Je vois ses larmes. J'entends ses cris, et je ne meurs pas. . . *(Au Commandeur:)* Barbare, appelez votre indigne complice. Venez tous les deux; par pitié, arrachez-moi la vie. . . Sophie! . . . Mon père, secourez-moi.

Sauvez-moi de mon désespoir. (*Il se jette entre les bras de son père.*)

LE PÈRE DE FAMILLE. Calmez-vous, malheureux.

SAINT-ALBIN, *entre les bras de son père; d'un ton plaintif et douloureux.* Germeuil! . . . Lui! . . . Lui! . . .

LE COMMANDEUR. Il n'a fait que ce que tout autre aurait fait à sa place.

SAINT-ALBIN, *toujours sur le sein de son père et du même ton.* Qui se dit mon ami! Le perfide!

LE PÈRE DE FAMILLE. Sur qui compter, désormais!

LE COMMANDEUR. Il ne le voulait pas; mais je lui ai promis ma fortune et ma nièce.

CÉCILE. Bon père, Germeuil n'est ni vil ni perfide.

LE PÈRE DE FAMILLE. Qu'est-il donc?

SAINT-ALBIN. Écoutez, et connaissez-le. . . Ah! le traître! . . . Chargé de votre indignation, irrité par cet oncle inhumain, abandonné de Sophie. . .

LE PÈRE DE FAMILE. Eh bien?

SAINT-ALBIN. J'allais, dans mon désespoir, m'en saisir et l'emporter au bout du monde. . . Non, jamais homme ne fut plus indignement joué. . . Il vient à moi. . . Je lui ouvre mon cœur. . . Je lui confie ma pensée comme à mon ami. . . Il me blâme. . . Il me dissuade. . . Il m'arrête, et c'est pour me trahir, me livrer, me perdre! . . . Il lui en coûtera la vie.

## SCÈNE VI.

LE PÈRE DE FAMILLE, LE COMMANDEUR, CÉCILE, SAINT-ALBIN, GERMEUIL.

CÉCILE, *qui, la première, aperçoit Germeuil, court à lui et lui crie:* Germeuil, où allez-vous?

SAINT-ALBIN *s'avance vers lui et lui crie avec fureur:* Traître, où est-elle? Rends-la-moi, et te prépares à défendre ta vie.

LE PÈRE DE FAMILLE, *courant après Saint-Albin.* Mon fils!

CÉCILE. Mon frère. . . Arrêtez. . . Je me meurs. . . (*Elle tombe dans un fauteuil.*)

LE COMMANDEUR, *au Père de famille.* Y prend-elle intérêt? Qu'en dites-vous?

LE PÈRE DE FAMILLE. Germeuil, retirez-vous.

GERMEUIL. Monsieur, permettez que je reste.

SAINT-ALBIN. Que t'a fait Sophie? Que t'ai-je fait pour me trahir?

LE PÈRE DE FAMILLE, *toujours à Germeuil.* Vous avez commis une action odieuse.

SAINT-ALBIN. Si ma sœur t'est chère; si tu la voulais, ne valait-il pas mieux? . . . Je te l'avais proposé. . . Mais c'est par une trahison qu'il te convenait de l'obtenir. . . Homme vil, tu t'es trompé. . . Tu ne connais ni Cécile, ni mon père, ni ce Commandeur qui t'a dégradé, et qui jouit maintenant de ta confusion. . . Tu ne réponds rien. . . Tu te tais.

GERMEUIL, *avec froideur et fermeté.* Je vous écoute, et je vois qu'on ôte ici l'estime en un moment à celui qui a passé toute sa vie à la mériter. J'attendais autre chose.

LE PÈRE DE FAMILLE. N'ajoutez pas la fausseté à la perfidie. Retirez-vous.

GERMEUIL. Je ne suis ni faux ni perfide.

SAINT-ALBIN. Quelle insolente intrépidité!

LE COMMANDEUR, *à Germeuil.* Mon ami, il n'est plus temps de dissimuler. J'ai tout avoué.

GERMEUIL. Monsieur, je vous entends, et je vous reconnais.

LE COMMANDEUR. Que veux-tu dire? Je t'ai promis ma fortune et ma nièce. C'est notre traité, et il tient.

SAINT-ALBIN, *au Commandeur.* Du moins, grâce à votre méchanceté, je suis le seul époux qui lui reste.

GERMEUIL, *au Commandeur.* Je n'estime pas assez la fortune, pour en vouloir au prix de l'honneur; et votre nièce ne doit pas être la récompense d'une perfidie. . . Voilà votre lettre de cachet.

LE COMMANDEUR, *en la reprenant.* Ma lettre de cachet! Voyons, voyons.

GERMEUIL. Elle serait en d'autres mains, si j'en avais fait usage.

SAINT-ALBIN. Qu'ai-je entendu? Sophie est libre!

GERMEUIL. Saint-Albin, apprenez à vous méfier des apparences, et à rendre justice à un homme d'honneur. Monsieur le Commandeur, je vous salue. (*Il sort.*)

LE PÈRE DE FAMILLE, *avec regret.* J'ai jugé trop vite. Je l'ai offensé.

LE COMMANDEUR, *stupéfait, regarde sa lettre de cachet.* Ce l'est. . . Il m'a joué.

LE PÈRE DE FAMILLE. Vous méritez cette humiliation.

LE COMMANDEUR. Fort bien, encouragez-les à me manquer; ils n'y sont pas assez disposés.

SAINT-ALBIN. En quelque endroit qu'elle soit, sa bonne doit être revenue. . . J'irai. Je verrai sa bonne; je m'accuserai; j'embrasserai ses genoux; je pleurerai; je la toucherai; et je percerai ce mystère. (*Il va pour sortir.*)

CÉCILE, *en le suivant.* Mon frère!

SAINT-ALBIN, *à Cécile.* Laissez-moi. Vous avez des intérêts qui ne sont pas les miens.

## SCÈNE VII.

LE PÈRE DE FAMILLE, LE COMMANDEUR.

LE COMMANDEUR. Vous avez entendu?

LE PÈRE DE FAMILLE. Oui, mon frère.

LE COMMANDEUR. Savez-vous où il va?

LE PÈRE DE FAMILLE. Je le sais.

LE COMMANDEUR. Et vous ne l'arrêtez pas?

LE PÈRE DE FAMILLE. Non.

LE COMMANDEUR. Et s'il vient à retrouver cette fille?

LE PÈRE DE FAMILLE. Je compte beaucoup sur elle. C'est un enfant; mais c'est un enfant bien né; et, dans cette circonstance, elle fera plus que vous et moi.

LE COMMANDEUR. Bien imaginé!

LE PÈRE DE FAMILLE. Mon fils n'est pas dans un moment où la raison puisse quelque chose sur lui.

LE COMMANDEUR. Donc, il n'a qu'à se perdre? J'enrage. Et vous êtes un père de famille? vous?

LE PÈRE DE FAMILLE. Pourriez vous m'apprendre ce qu'il faut faire?

LE COMMANDEUR. Ce qu'il faut faire? Etre le maître chez soi; se montrer homme d'abord, et père après, s'ils le méritent.

LE PÈRE DE FAMILLE. Et contre qui, s'il vous plaît, faut-il que j'agisse?

LE COMMANDEUR. Contre qui? Belle question! Contre tous. Contre ce Germeuil, qui nourrit votre fils dans son extravagance; qui cherche à faire entrer une créature dans la famille, pour s'en ouvrir la porte à lui-même, et que je chasserais de ma maison. Contre une fille qui devient de jour en jour plus insolente, qui me manque à moi, qui vous manquera bientôt à vous, et que j'enfermerais dans un couvent. Contre un fils qui a perdu tout sentiment d'honneur, qui va nous couvrir de ridicule et de honte, et à qui je rendrais la vie si dure, qu'il ne serait pas tenté plus longtemps de se soustraire à mon autorité. Pour la vieille qui l'a attiré chez elle, et la jeune dont il a la tête tournée, il y a beaux jours que j'aurais fait sauter tout cela. C'est par où j'aurais commencé; et à votre place je rougirais qu'un autre s'en fût avisé le premier. . . Mais il faudrait de la fermeté; et nous n'en avons point.

LE PÈRE DE FAMILLE. Je vous entends; c'est-à-dire que je chasserais de ma maison un homme que j'y ai reçu au sortir du berceau, à qui j'ai servi de père, qui s'est attaché à mes intérêts depuis qu'il se connaît, qui aura perdu ses plus belles années auprès de moi, qui n'aura plus de ressources si je l'abandonne, et à qui il faut que mon amitié soit funeste, si elle ne lui devient pas utile; et cela, sous prétexte qu'il donne de mauvais conseils à mon fils, dont il a désapprouvé les projets; qu'il sert une créature que peut-être il n'a jamais vue; ou plutôt parce qu'il n'a pas voulu être l'instrument de sa perte.

J'enfermerais ma fille dans un couvent; je chargerais sa conduite ou son caractère de soupçons désavantageux; je flétrirais moi-même sa réputation; et cela, parce qu'elle aura quelquefois usé de représailles avec monsieur le Commandeur; qu'irritée par son humeur chagrine, elle sera sortie de son caractère, et qu'il lui sera échappé un mot peu mesuré.

Je me rendrais odieux à mon fils; j'éteindrais dans son âme les sentiments qu'il me doit; j'achèverais de l'enflammer son caractère impétueux, et de le porter à quelque éclat qui le déshonore dans le monde tout en y entrant; et cela, parce qu'il a rencontré une infortunée qui a des charmes et de la vertu; et que, par un mouvement de jeunesse, qui marque au fond la bonté de son naturel, il a pris un attachement qui m'afflige.

N'avez-vous pas honte de vos conseils? Vous qui devriez être le protecteur de mes enfants auprès de moi, c'est vous qui les accusez: vous leur cherchez des torts; vous exagérez ceux qu'ils ont; et vous seriez fâché de ne leur en pas trouver!

LE COMMANDEUR. C'est un chagrin que j'ai rarement.

LE PÈRE DE FAMILLE. Et ces femmes, contre lesquelles vous obtenez une lettre de cachet?

LE COMMANDEUR. Il ne vous restait plus que d'en prendre aussi la défense. Allez, allez.

LE PÈRE DE FAMILLE. J'ai tort; il y a des choses qu'il ne faut pas vouloir vous faire sentir, mon frère. Mais cette affaire me touchait d'assez près, ce me semble, pour que vous daignassiez m'en dire un mot.

LE COMMANDEUR. C'est moi qui ai tort, et vous avez toujours raison.

LE PÈRE DE FAMILLE. Non, monsieur le Commandeur, vous ne ferez de moi ni un père injuste et cruel, ni un homme ingrat et malfaisant. Je ne commettrai point une violence, parce qu'elle est de mon intérêt; je ne renoncerai point à mes espérances, parce qu'il est survenu des obstacles qui les éloignent; et je ne ferai point un désert de ma maison, parce qu'il s'y passe des choses qui me déplaisent comme à vous.

LE COMMANDEUR. Voilà qui est expliqué. Eh bien! conservez votre chère fille; aimez bien votre cher fils; laissez en paix les créatures qui le perdent; cela est trop sage pour qu'on s'y oppose. Mais pour votre Germeuil, je vous avertis que nous ne pouvons plus loger lui et moi sous un même toit. . . Il n'y a point de milieu; il faut qu'il soit hors d'ici aujourd'hui, ou que j'en sorte demain.

LE PÈRE DE FAMILLE. Monsieur le Commandeur, vous êtes le maître.

LE COMMANDEUR. Je m'en doutais. Vous seriez enchanté que je m'en allasse, n'est-ce pas? Mais je resterai: oui, je resterai, ne fût-ce que pour vous remettre sous le nez vos sottises, et vous en faire honte. Je suis curieux de voir ce que tout ceci deviendra.

## ACTE QUATRIÈME

### SCÈNE PREMIÈRE.

SAINT-ALBIN, *seul. Il entre furieux.*

Tout est éclairci; le traître est démasqué. Malheur à lui! malheur à lui! c'est lui qui a emmené Sophie; il faut qu'il périsse par mes mains. . . (*Il appelle:*) Philippe!

### SCÈNE II.

SAINT-ALBIN, PHILIPPE.

PHILIPPE. Monsieur?
SAINT-ALBIN, *en donnant une lettre.* Portez cela.
PHILIPPE. A qui, monsieur?
SAINT-ALBIN. A Germeuil. . . Je l'attire hors d'ici; je lui plonge mon épée dans le sein; je lui arrache l'aveu de son crime et le secret de sa retraite, et je cours partout où me conduira l'espoir de la retrouver. . . (*Il aperçoit Philippe, qui est resté.*) Tu n'es pas allé, revenu?
PHILIPPE. Monsieur. . .
SAINT-ALBIN. Eh bien?
PHILIPPE. N'y a-t-il rien là-dedans dont monsieur votre père soit fâché?
SAINT-ALBIN. Marchez.

### SCÈNE III.

SAINT-ALBIN, CÉCILE.

SAINT-ALBIN. Lui qui me doit tout! . . . que j'ai cent fois défendu contre le Commandeur! . . . à qui. . . (*En apercevant sa sœur:*) Malheureuse, à quel homme t'es-tu attachée!
CÉCILE. Que dites-vous? Qu'avez-vous? Mon frère, vous m'effrayez.
SAINT-ALBIN. Le perfide! le traître! . . . elle allait dans la confiance qu'on la menait ici. . . Il a abusé de votre nom. . .
CÉCILE. Germeuil est innocent.
SAINT-ALBIN. Il a pu voir leurs larmes; entendre leurs cris; les arracher l'une à l'autre! Le barbare!
CÉCILE. Ce n'est point un barbare; c'est votre ami.
SAINT-ALBIN. Mon ami! Je le voulais. . . il n'a tenu qu'à lui de partager mon sort. . . d'aller, lui et moi, vous et Sophie. . .
CÉCILE. Qu'entends-je? . . . vous lui auriez proposé? . . . lui, vous, moi, votre sœur? . . .
SAINT-ALBIN. Que ne me dit-il pas! Que ne m'oppose-t-il pas! Avec quelle fausseté! . . .
CÉCILE. C'est un homme d'honneur; oui, Saint-Albin, et c'est en l'accusant que vous achevez de me l'apprendre.
SAINT-ALBIN. Qu'osez-vous dire? . . . Tremblez, tremblez. . . Le défendre c'est redoubler ma fureur. . . Éloignez-vous.
CÉCILE. Non, mon frère, vous m'écouterez; vous verrez Cécile à vos genoux. . . Germeuil. . . rendez-lui justice. . . Ne le connaissez-vous plus? Un moment l'a-t-il pu changer? . . . Vous l'accusez! vous! . . . homme injuste!
SAINT-ALBIN. Malheur à toi, s'il te reste de la tendresse! . . . Je pleure. . . tu pleureras bientôt aussi.
CÉCILE, *avec terreur et d'une voix tremblante.* Vous avez un dessein?
SAINT-ALBIN. Par pitié pour vous-même, ne m'interrogez pas.
CÉCILE. Vous me haïssez?
SAINT-ALBIN. Je vous plains.
CÉCILE. Vous attendez mon père?
SAINT-ALBIN. Je le fuis; je fuis toute la terre.
CÉCILE. Je le vois, vous voulez perdre Germeuil. . . vous voulez me perdre. . . Eh bien! perdez-nous. . . Dites à mon père. .

SAINT-ALBIN. Je n'ai plus rien à lui dire. . . il sait tout.

CÉCILE. Ah ciel!

## SCÈNE IV.

SAINT-ALBIN, CÉCILE, LE PÈRE DE FAMILLE.

(*Saint-Albin marque d'abord de l'impatience, à l'approche de son père; ensuite il reste immobile.*)

LE PÈRE DE FAMILLE. Tu me fuis, et je ne peux t'abandonner! . . . Je n'ai plus de fils, et il te reste toujours un père! . . . Saint-Albin, pourquoi me fuyez-vous? Je ne viens pas vous affliger davantage, et exposer mon autorité à de nouveaux mépris. . . Mon fils, mon ami, tu ne veux pas que je meure de chagrin. . . Nous sommes seuls. Voici ton père, voilà ta sœur; elle pleure, et mes larmes attendent les tiennes pour s'y mêler. . . Que ce moment sera doux, si tu veux!

Vous avez perdu celle que vous aimiez, et vous l'avez perdue par la perfidie d'un homme qui vous est cher.

SAINT-ALBIN, *en levant les yeux au ciel avec fureur.* Ah!

LE PÈRE DE FAMILLE. Triomphez de vous et de lui; domptez une passion qui vous dégrade; montrez-vous digne de moi. . . Saint-Albin, rendez-moi mon fils. (*Saint-Albin s'éloigne; on voit qu'il voudrait répondre aux sentiments de son père, et qu'il ne le peut pas. Son père se méprend sur son action, et dit en le suivant:*) Dieu! est-ce ainsi qu'on accueille un père! il s'éloigne de moi. . . Enfant ingrat, enfant dénaturé! Eh! où irez-vous que je ne vous suive? . . . Partout je vous suivrai; partout je vous redemanderai mon fils. . . (*Saint-Albin s'éloigne encore, et son père le suit en lui criant avec violence:*) Rends-moi mon fils! rends-moi mon fils. (*Saint-Albin va s'appuyer contre le mur, élevant ses mains et cachant sa tête entre ses bras; et son père continue:*) Il ne me répond rien, ma voix n'arrive plus jusqu'à son cœur: une passion insensée l'a fermé. Elle a tout détruit; il est devenu stupide et féroce. (*Il se renverse dans un fauteuil, et dit:*) O père malheureux! le ciel m'a frappé. Il me punit dans cet objet de ma faiblesse. . . j'en mourrai. . . Cruels enfants! c'est mon souhait. . . c'est le vôtre. . .

CÉCILE, *s'approchant de son père en sanglotant.* Ah! . . . ah! . . .

LE PÈRE DE FAMILLE. Consolez-vous. . . vous ne verrez pas longtemps mon chagrin. . . Je me retirerai. . . j'irai dans quelque endroit ignoré attendre la fin d'une vie qui vous pèse.

CÉCILE, *avec douleur et saisissant les mains de son père.* Si vous quittez vos enfants, que voulez-vous qu'ils deviennent?

LE PÈRE DE FAMILLE, *après un moment de silence.* Cécile, j'avais des vues sur vous. . Germeuil. . . Je disais, en vous regardant tous les deux: Voilà celui qui fera le bonheur de ma fille. . . elle relèvera la famille de mon ami.

CÉCILE, *surprise.* Qu'ai-je entendu?

SAINT-ALBIN, *se retournant avec fureur.* . Il aurait épousé ma sœur! je l'appellerais mon frère, lui!

LE PÈRE DE FAMILLE. Tout m'accable à la fois. . . il n'y faut plus penser.

## SCÈNE V.

CÉCILE, SAINT-ALBIN, LE PÈRE DE FAMILLE, GERMEUIL.

SAINT-ALBIN. Le voilà! le voilà! sortez, sortez tous.

CÉCILE, *en courant au-devant de Germeuil.* Germeuil, arrêtez; n'approchez pas. Arrêtez.

LE PÈRE DE FAMILLE, *en saisissant son fils par le milieu du corps et l'entraînant hors de la salle.* Saint-Albin. . . mon fils. . . (*Cependant, Germeuil s'avance d'une démarche ferme et tranquille; Saint-Albin, avant que de sortir, détourne la tête et fait signe à Germeuil.*)

CÉCILE. Suis-je assez malheureuse! (*Le Père de famille rentre et se rencontre sur le fond de la salle avec le Commandeur qui se montre.*)

## SCÈNE VI.

CÉCILE, GERMEUIL, LE PÈRE DE FAMILLE, LE COMMANDEUR.

LE PÈRE DE FAMILLE. Mon frère, dans un moment je suis à vous.

LE COMMANDEUR. C'est-à-dire que vous ne voulez pas de moi dans celui-ci. Serviteur!

## SCÈNE VII.

CÉCILE, GERMEUIL, LE PÈRE DE FAMILLE.

LE PÈRE DE FAMILLE, *à Germeuil.* La division et le trouble sont dans ma maison, et c'est vous qui les causez. Germeuil, je suis mécontent. Je ne vous reprocherai point ce que j'ai fait pour vous; vous le voudriez peut être: mais après la confiance que je vous ai marquée aujourd'hui, je ne daterai pas de plus loin; je m'attendais à autre chose de votre part. . . Mon fils médite un rapt; il vous le confie, et vous me le laissez ignorer. Le Commandeur forme un autre projet odieux; il vous le confie, et vous me le laissez ignorer.

GERMEUIL. Ils l'avaient exigé.

LE PÈRE DE FAMILLE. Avez-vous dû le promettre! . . . Cependant cette fille disparaît; et vous êtes convaincu de l'avoir emmenée. . . Qu'est-elle devenue? . . . Que faut-il que j'augure de votre silence? . . . Mais je ne vous presse pas de répondre. Il y a dans cette conduite une obscurité qu'il ne me convient pas de percer. Quoi qu'il en soit, je m'intéresse à cette fille, et je veux qu'elle se retrouve.

Cécile, je ne compte plus sur la consolation que j'espérais trouver parmi vous. Je pressens les chagrins qui attendent ma vieillesse, et je veux vous épargner la douleur d'en être témoins. Je n'ai rien négligé, je crois, pour votre bonheur, et j'apprendrai avec joie que mes enfants sont heureux.

## SCÈNE VIII.

### CÉCILE, GERMEUIL.

(*Cécile se jette dans un fauteuil et penche tristement la tête sur ses mains.*)

GERMEUIL. Je vois votre inquiétude, et j'attends vos reproches.

CÉCILE. Je suis désespérée. . . Mon frère en veut à votre vie.

GERMEUIL. Son défi ne signifie rien: il se croit offensé, mais je suis innocent et tranquille.

CÉCILE. Pourquoi vous ai-je cru? Que n'ai-je suivi mon pressentiment! . . . Vous avez entendu mon père.

GERMEUIL. Votre père est un homme juste, et je n'en crains rien.

CÉCILE. Il vous aimait, il vous estimait.

GERMEUIL. S'il eut ces sentiments, je les recouvrerai.

CÉCILE. Vous auriez fait le bonheur de sa fille. . . Cécile eût relevé la famille de son ami.

GERMEUIL. Ciel! il est possible?

CÉCILE, *à elle-même.* Je n'osais lui ouvrir mon cœur. . . désolé qu'il était de la passion de mon frère, je craignais d'ajouter à sa peine. . . Pouvais-je penser que, malgré

l'opposition, la haine du Commandeur. . . Ah! Germeuil! c'est à vous qu'il me destinait.

GERMEUIL. Et vous m'aimiez! . . . Ah! . . . mais j'ai fait ce que je devais. . . Quelles qu'en soient les suites, je ne me repentirai point du parti que j'ai pris. . . Mademoiselle, il faut que vous sachiez tout.

CÉCILE. Qu'est-il encore arrivé?

GERMEUIL. Cette femme. . .

CÉCILE. Qui?

GERMEUIL. Cette bonne de Sophie. . .

CÉCILE. Eh bien?

GERMEUIL. Est assise à la porte de la maison; les gens sont assemblés autour d'elle; elle demande à entrer, à parler.

CÉCILE, *se levant avec précipitation, et courant pour sortir.* Ah Dieu! . . je cours. . .

GERMEUIL. Où?

CÉCILE. Me jeter aux pieds de mon père.

GERMEUIL. Arrêtez, songez. . .

CÉCILE. Non, monsieur.

GERMEUIL. Écoutez-moi.

CÉCILE. Je n'écoute plus.

GERMEUIL. Cécile. . . Mademoiselle. . .

CÉCILE. Que voulez-vous de moi?

GERMEUIL. J'ai pris mes mesures. On retient cette femme; elle n'entrera pas; et quand on l'introduirait, si on ne la conduit pas au Commandeur, que dira-t-elle aux autres qu'ils ignorent?

CÉCILE. Non, monsieur, je ne veux pas être exposée davantage. Mon père saura tout; mon père est bon, il verra mon innocence; il connaîtra le motif de votre conduite, et j'obtiendrai mon pardon et le vôtre.

GERMEUIL. Et cette infortunée à qui vous avez accordé un asile? . . . Après l'avoir reçue, en disposerez-vous sans la consulter?

CÉCILE. Mon père est bon.

GERMEUIL. Voilà votre frère.

## SCÈNE IX.

### CÉCILE, GERMEUIL, SAINT-ALBIN.

(*Saint-Albin entre à pas lents; il a l'air sombre et farouche, la tête basse, les bras croisés, et le chapeau renfoncé sur les yeux.*)

CÉCILE, *se jette entre Germeuil et lui, et s'écrie:* Saint-Albin! . . . Germeuil! . . .

SAINT-ALBIN, *à Germeuil.* Je vous croyais seul, monsieur.

CÉCILE. Germeuil, c'est votre ami; c'est mon frère.

GERMEUIL. Mademoiselle, je ne l'oublierai pas. (*Il s'assied dans un fauteuil.*)

SAINT-ALBIN, *se jetant dans un autre.* Sortez ou restez; je ne vous quitte plus.

CÉCILE, *à Saint-Albin.* Insensé!... Ingrat!... Qu'avez-vous résolu?... Vous ne savez pas...

SAINT-ALBIN. Je n'en sais que trop!

CÉCILE. Vous vous trompez.

SAINT-ALBIN, *en se levant.* Laissez-moi. Laissez-nous... (*S'adressant à Germeuil en portant la main à son épée:*) Germeuil... (*Germeuil se lève subitement.*)

CÉCILE, *se tournant en face de son frère, lui crie:* O Dieu!... Arrêtez... Apprenez... Sophie...

SAINT-ALBIN. Eh bien, Sophie?

CÉCILE. Que vais-je lui dire?

SAINT-ALBIN. Qu'en a-t-il fait? Parlez, parlez.

CÉCILE. Ce qu'il en a fait? Il l'a dérobée à vos fureurs... Il l'a dérobée aux poursuites du Commandeur... Il l'a conduite ici... Il a fallu la recevoir... Elle est ici, et elle y est malgré moi... (*En sanglotant, et en pleurant.*) Allez, maintenant; courez lui enfoncer votre épée dans le sein.

SAINT-ALBIN. O ciel! puis-je le croire! Sophie est ici!... Et c'est lui?... C'est vous?... Ah, ma sœur! Ah, mon ami!... Je suis un malheureux. Je suis un insensé.

GERMEUIL. Vous êtes un amant.

SAINT-ALBIN. Cécile, Germeuil, je vous dois tout... Me pardonnerez-vous? Oui, vous êtes justes; vous aimez aussi; vous vous mettrez à ma place, et vous me pardonnerez... Mais elle a su mon projet: elle pleure, elle se désespère, elle me méprise, elle me hait... Cécile, voulez-vous vous venger? voulez-vous m'accabler sous le poids de mes torts? Mettez le comble à vos bontés... Que je la voie... Que je la voie un instant...

CÉCILE. Qu'osez-vous me demander?

SAINT-ALBIN. Ma sœur, il faut que je la voie; il le faut.

CÉCILE. Y pensez-vous?

GERMEUIL. Il ne sera raisonnable qu'à ce prix.

SAINT-ALBIN. Cécile!

CÉCILE. Et mon père? Et le Commandeur?

SAINT-ALBIN. Et que m'importe?... Il faut que je la voie, et j'y cours.

GERMEUIL. Arrêtez.

CÉCILE. Germeuil!

GERMEUIL. Mademoiselle, il faut appeler.

CÉCILE. O la cruelle vie! (*Germeuil sort pour appeler, et rentre avec mademoiselle Clairet. Cécile s'avance sur le fond.*)

SAINT-ALBIN *lui saisit la main en passant, et la baise avec transport. Il se retourne ensuite vers Germeuil, et lui dit en l'embrassant:* Je vais la revoir!

CÉCILE, *après avoir parlé bas à mademoiselle Clairet, continue haut, et d'un ton chagrin:* Conduisez-la. Prenez bien garde.

GERMEUIL. Ne perdez pas de vue le Commandeur.

SAINT-ALBIN. Je vais revoir Sophie! (*Il s'avance, en écoutant du côté où Sophie doit entrer, et il dit:*) J'entends ses pas... Elle approche... Je tremble... je frissonne... Il semble que mon cœur veuille s'échapper de moi, et qu'il craigne d'aller au-devant d'elle. Je n'oserai lever les yeux... je ne pourrai jamais lui parler.

## SCÈNE X.

CÉCILE, GERMEUIL, SAINT-ALBIN, SOPHIE, MADEMOISELLE CLAIRET, *dans l'antichambre, à l'entrée de la salle.*

SOPHIE, *apercevant Saint-Albin, court, effrayée, se jeter entre les bras de Cécile, et s'écrie:* Mademoiselle!

SAINT-ALBIN, *la suivant.* Sophie! (*Cécile tient Sophie entre ses bras, et la serre avec tendresse.*)

GERMEUIL, *appelle.* Mademoiselle Clairet?

MADEMOISELLE CLAIRET, *du dedans.* J'y suis.

CÉCILE, *à Sophie.* Ne craignez rien. Rassurez-vous. Asseyez-vous. (*Sophie s'assied. Cécile et Germeuil se retirent au fond du théâtre, où ils demeurent spectateurs de ce qui se passe entre Sophie et Saint-Albin. Germeuil a l'air sérieux et rêveur. Il regarde quelquefois tristement Cécile, qui, de son côté, montre du chagrin, et de temps en temps, de l'inquiétude.*)

SAINT-ALBIN, *à Sophie, qui a les yeux baissés et le maintien sévère.* C'est vous; c'est vous. Je vous recouvre... Sophie... O ciel, quelle sévérité! Quel silence! Sophie, ne me refusez pas un regard... J'ai tant souffert!... Dites un mot à cet infortuné.

SOPHIE, *sans le regarder.* Le méritez-vous?

SAINT-ALBIN. Demandez-leur.

SOPHIE. Qu'est-ce qu'on m'apprendra? N'en sais-je pas assez? Où suis-je? Que fais-je ici? Qui est-ce qui m'y a conduite?

Qui m'y retient?... Monsieur, qu'avez-vous résolu de moi?

SAINT-ALBIN. De vous aimer, de vous posséder, d'être à vous malgré toute la terre, malgré vous.

SOPHIE. Vous me montrez bien le mépris qu'on fait des malheureux. On les compte pour rien. On se croit tout permis avec eux. Mais, monsieur, j'ai des parents aussi.

SAINT-ALBIN. Je les connaîtrai. J'irai; j'embrasserai leurs genoux; et c'est d'eux que je vous obtiendrai.

SOPHIE. Ne l'espérez pas. Ils sont pauvres, mais ils ont de l'honneur... Monsieur, rendez-moi à mes parents; rendez-moi à moi-même; renvoyez-moi.

SAINT-ALBIN. Demandez plutôt ma vie; elle est à vous.

SOPHIE. O Dieu! que vais-je devenir? (A Cécile, à Germeuil, d'un ton désolé et suppliant:) Monsieur... mademoiselle.. (Et se retournant vers Saint-Albin:) Monsieur, renvoyez-moi... renvoyez-moi. Homme cruel, faut-il tomber à vos pieds? M'y voilà. (Elle se jette aux pieds de Saint-Albin.)

SAINT-ALBIN, tombe aux siens en la relevant et dit: Vous, à mes pieds! C'est à moi à me jeter, à mourir aux vôtres.

SOPHIE, relevée. Vous êtes sans pitié... Oui, vous êtes sans pitié... Vil ravisseur, que t'ai-je fait? quel droit as-tu sur moi? ... Je veux m'en aller... Qui est-ce qui osera m'arrêter? Vous m'aimez?... vous m'avez aimée?... vous?

SAINT-ALBIN. Qu'ils le disent.

SOPHIE. Vous avez résolu ma perte... Oui, vous l'avez résolue, et vous l'achèverez... Ah! Sergi! (En disant ce mot avec douleur, elle se laisse aller dans un fauteuil; elle détourne son visage de Saint-Albin et se met à pleurer.)

SAINT-ALBIN. Vous détournez vos yeux de moi... Vous pleurez. Ah! j'ai mérité la mort... Malheureux que je suis! Qu'ai-je voulu? Qu'ai-je dit? Qu'ai-je osé? Qu'ai-je fait?

SOPHIE, à elle-même. Pauvre Sophie, à quoi le ciel t'a réservée!... La misère m'arrache d'entre les bras d'une mère... J'arrive ici avec un de mes frères... Nous y venions chercher de la commisération; et nous n'y rencontrons que le mépris et la dureté... Parce que nous sommes pauvres, on nous méconnaît, on nous repousse... Mon frère me laisse... Je reste seule... Une bonne femme voit ma jeunesse et prend pitié de mon abandon... Mais une étoile qui veut que je sois mal-heureuse, conduit cet homme-là sur mes pas et l'attache à ma perte... J'aurai beau pleurer... ils veulent me perdre, et ils me perdront... Si ce n'est celui-ci, ce sera son oncle... (Elle se lève.) Eh! que me veut cet oncle?... pourquoi me poursuit-il aussi?... Est-ce moi qui ai appelé son neveu?... Le voilà; qu'il parle, qu'il s'accuse lui-même... Homme trompeur, homme ennemi de mon repos, parlez.

SAINT-ALBIN. Mon cœur est innocent. Sophie, ayez pitié de moi... pardonnez-moi.

SOPHIE. Qui s'en serait méfié!... Il paraissait si tendre et si bon!... Je le croyais doux...

SAINT-ALBIN. Sophie, pardonnez-moi.

SOPHIE. Que je vous pardonne!

SAINT-ALBIN. Sophie! (Il veut lui prendre la main.)

SOPHIE. Retirez-vous; je ne vous aime plus, je ne vous estime plus. Non.

SAINT-ALBIN. O Dieu! que vais-je devenir!... Ma sœur, Germeuil, parlez; parlez pour moi... Sophie, pardonnez-moi.

SOPHIE. Non. (Cécile et Germeuil s'approchent.)

CÉCILE. Mon enfant.

GERMEUIL. C'est un homme qui vous adore.

SOPHIE. Eh bien! qu'il me le prouve. Qu'il me défende contre son oncle; qu'il me rende à mes parents: qu'il me renvoie; et je lui pardonne.


## SCÈNE XI.

GERMEUIL, CÉCILE, SAINT-ALBIN, SOPHIE, MADEMOISELLE CLAIRET.

MADEMOISELLE CLAIRET, à Cécile. Mademoiselle, on vient, on vient.

GERMEUIL. Sortons tous. (Cécile remet Sophie entre les mains de mademoiselle Clairet. Ils sortent tous de la salle par différents côtés.)


## SCÈNE XII.

LE COMMANDEUR, MADAME HÉBERT, DESCHAMPS.

(Le Commandeur entre brusquement. Madame Hébert et Deschamps le suivent.)

MADAME HÉBERT, *en montrant Deschamps.* Oui, monsieur, c'est lui; c'est lui qui accompagnait le méchant qui me l'a ravie. Je l'ai reconnu tout d'abord.

LE COMMANDEUR. Coquin! A quoi tient-il que je n'envoie chercher un commissaire pour t'apprendre ce que l'on gagne à se prêter à des forfaits!

DESCHAMPS. Monsieur, ne me perdez pas; vous me l'avez promis.

LE COMMANDEUR. Eh bien! elle est donc ici?

DESCHAMPS. Oui, monsieur.

LE COMMANDEUR, *à part.* Elle est ici, ô Commandeur, et tu ne l'as pas deviné! (*A Deschamps.*) Et c'est dans l'appartement de ma nièce?

DESCHAMPS. Oui, monsieur.

LE COMMANDEUR. Et le coquin qui suivait le carrosse, c'est toi?

DESCHAMPS. Oui, monsieur.

LE COMMANDEUR. Et l'autre, qui était dedans, c'est Germeuil?

DESCHAMPS. Oui, monsieur.

LE COMMANDEUR. Germeuil?

MADAME HÉBERT. Il vous l'a déjà dit.

LE COMMANDEUR, *à part.* Oh! pour le coup, je les tiens.

MADAME HÉBERT. Monsieur, quand ils l'ont emmenée, elle me tendait les bras, et elle me disait: Adieu, ma bonne, je ne vous reverrai plus; priez pour moi. Monsieur, que je la voie, que je lui parle, que je la console!

LE COMMANDEUR. Cela ne se peut. . . (*A part.*) Quelle découverte!

MADAME HÉBERT. Sa mère et son frère me l'ont confiée. Que leur répondrai-je quand ils me la redemanderont? Monsieur, qu'on me la rende, ou qu'on m'enferme avec elle.

LE COMMANDEUR, *à lui-même.* Cela se fera, je l'espère. (*A Madame Hébert.*) Mais pour le présent, allez, allez vite; et surtout ne reparaissez plus; si l'on vous aperçoit, je ne réponds de rien.

MADAME HÉBERT. Mais on me la rendra, et je puis y compter?

LE COMMANDEUR. Oui, oui, comptez et partez.

DESCHAMPS, *en la voyant sortir.* Que maudits soient la vieille, et le portier qui l'a laissée passer!

LE COMMANDEUR, *à Deschamps.* Et toi, maraud. . . va, conduis cette femme chez elle. . . et songe que si l'on découvre qu'elle m'a parlé. . . ou si elle se remontre ici, je te perds.

## SCÈNE XIII.

LE COMMANDEUR, *seul.*

La maîtresse de mon neveu dans l'appartement de ma nièce!. . . Quelle découverte! Je me doutais bien que les valets étaient mêlés là dedans. On allait, on venait, on se faisait des signes, on se parlait bas; tantôt on me suivait, tantôt on m'évitait. . . Il y a là une femme de chambre qui ne me quitte non plus que mon ombre. . . Voilà donc la cause de tous ces mouvements auxquels je n'entendais rien. . . Commandeur, cela doit vous apprendre à ne jamais rien négliger. Il y a toujours quelque chose à savoir où l'on fait du bruit. . . S'ils empêchaient cette vieille d'entrer, ils en avaient de bonnes raisons. . . Les coquins! . . . le hasard m'a conduit là bien à propos. . . Maintenant, voyons, examinons ce qui nous reste à faire. . . D'abord, marcher sourdement, et ne point troubler leur sécurité. . . Et si nous allions droit au bonhomme?. . . Non. A quoi cela servirait-il? . . . D'Auvilé, il faut montrer ici ce que tu sais. . . Mais j'ai ma lettre de cachet! . . . ils me l'ont rendue! . . . la voici. . . oui. . . la voici. Que je suis fortuné! . . . Pour cette fois, elle me servira. Dans un moment, je tombe sur eux. Je me saisis de la créature; je chasse le coquin qui a tramé tout ceci. . . Je romps à la fois deux mariages. . . Ma nièce, ma prude nièce s'en ressouviendra, je l'espère. . . Et le bonhomme, j'aurai mon tour avec lui. . . Je me venge du père, du fils, de la fille, de son ami. O Commandeur! quelle journée pour toi!

# ACTE CINQUIÈME.

## SCÈNE PREMIERE.

CÉCILE, MADEMOISELLE CLAIRET.

CÉCILE. Je meurs d'inquiétude et de crainte. . . Deschamps a-t-il reparu?

MADEMOISELLE CLAIRET. Non, mademoiselle.

CÉCILE. Où peut-il être allé?

MADEMOISELLE CLAIRET. Je n'ai pu le savoir.

CÉCILE. Que s'est-il passé?

MADEMOISELLE CLAIRET. D'abord, il s'est fait beaucoup de mouvement et de bruit.

Je ne sais combien ils étaient; ils allaient et venaient. Tout à coup, le mouvement et le bruit ont cessé. Alors, je me suis avancée sur la pointe des pieds, et j'ai écouté de toutes mes oreilles; mais il ne me parvenait que des mots sans suite. J'ai seulement entendu M. le Commandeur qui criait d'un ton menaçant : Un commissaire!

CÉCILE. Quelqu'un l'aurait-il aperçue?

MADEMOISELLE CLAIRET. Non, mademoiselle.

CÉCILE. Deschamps aurait-il parlé?

MADEMOISELLE CLAIRET. C'est autre chose. Il est parti comme un éclair.

CÉCILE. Et mon oncle?

MADEMOISELLE CLAIRET. Je l'ai vu. Il gesticulait; il se parlait à lui-même; il avait tous les signes de cette gaieté méchante que vous lui connaissez.

CÉCILE. Où est-il?

MADEMOISELLE CLAIRET. Il est sorti seul, et à pied.

CÉCILE. Allez. . . courez. . . attendez le retour de mon oncle. . . ne le perdez pas de vue. . . Il faut trouver Deschamps. . . Il faut savoir ce qu'il a dit. (*Mademoiselle Clairet sort; Cécile la rappelle, et lui dit:*) Sitôt que Germeuil sera rentré, dites-lui que je suis ici.

## SCÈNE II.

CÉCILE, SAINT-ALBIN.

CÉCILE. Où en suis-je réduite! . . . Ah! Germeuil! . . . Le trouble me suit. . . Tout semble me menacer. . . Tout m'effraye. . . (*Saint-Albin entre, et Cécile, allant à lui:* Mon frère, Deschamps a disparu. On ne sait ni ce qu'il a dit ni ce qu'il est devenu. Le Commandeur est sorti en secret, et seul. . . Il se forme un orage. Je le vois; je le sens; je ne veux pas l'attendre.

SAINT-ALBIN. Après ce que vous avez fait pour moi, m'abandonnerez-vous?

CÉCILE. J'ai mal fait. . . j'ai mal fait. . . Cette enfant ne veut plus rester; il faut la laisser aller. Mon père a vu mes alarmes. Plongé dans la peine et délaissé par ses enfants, que voulez-vous qu'il pense, sinon que la honte de quelque action indiscrète leur fait éviter sa présence et négliger sa douleur? . . . Il faut s'en rapprocher. Germeuil est perdu dans son esprit; Germeuil, qu'il avait résolu. . . Mon frère, vous êtes généreux; n'exposez pas plus longtemps votre ami, votre sœur, la tranquillité et les jours de mon père.

SAINT-ALBIN. Non, il est dit que je n'aurai pas un instant de repos.

CÉCILE. Si cette femme avait pénétré! . . . Si le Commandeur savait! . . . Je n'y pense pas sans frémir. . . Avec quelle vraisemblance et quel avantage il nous attaquerait! Quelles couleurs il pourrait donner à notre conduite! et cela, dans un moment où l'âme de mon père est ouverte à toutes les impressions qu'on y voudra jeter.

SAINT-ALBIN. Où est Germeuil?

CÉCILE. Il craint pour vous; il craint pour moi : il est allé chez cette femme. . .

## SCÈNE III.

CÉCILE, SAINT-ALBIN, MADEMOISELLE CLAIRET.

MADEMOISELLE CLAIRET *se montre sur le fond et leur crie:* Le Commandeur est rentré.

## SCÈNE IV.

CÉCILE, SAINT-ALBIN, GERMEUIL.

GERMEUIL. Le Commandeur sait tout.

CÉCILE et SAINT-ALBIN, *avec effroi.* Le Commandeur sait tout!

GERMEUIL. Cette femme a pénétré; elle a reconnu Deschamps. Les menaces du Commandeur ont intimidé celui-ci, et il a tout dit.

CÉCILE. Ah ciel!

SAINT-ALBIN. Que vais-je devenir?

CÉCILE. Que dira mon père?

GERMEUIL. Le temps presse. Il ne s'agit pas de se plaindre. Si nous n'avons pu ni écarter ni prévenir le coup qui nous menace, du moins qu'il nous trouve rassemblés et prêts à le recevoir.

CÉCILE. Ah! Germeuil, qu'avez-vous fait!

GERMEUIL. Ne suis-je pas assez malheureux?

## SCÈNE V.

CÉCILE, SAINT-ALBIN, GERMEUIL, MADE-MOISELLE CLAIRET.

MADEMOISELLE CLAIRET *se montre sur le fond et leur crie:* Voici le Commandeur!

GERMEUIL. Il faut nous retirer.

CÉCILE. Non, j'attendrai mon père.

SAINT-ALBIN. Ciel, qu'allez-vous faire!

GERMEUIL. Allons, mon ami.

SAINT-ALBIN. Allons sauver Sophie.

CÉCILE. Vous me laissez!

## SCÈNE VI.

CÉCILE, *seule. (Elle va; elle vient; elle dit:)*

Je ne sais que devenir... *(Elle se tourne vers le fond de la salle et crie:)* Germeuil... Saint-Albin... O mon père, que vous répondrai-je!... Que dirai-je à mon oncle?... Mais le voici... Asseyons-nous... Prenons mon ouvrage... Cela me dispensera du moins de le regarder *(Le Commandeur entre;* [1] *Cécile se lève et le salue, les yeux baissés.)*

## SCÈNE VII.

CÉCILE, LE COMMANDEUR.

LE COMMANDEUR *se retourne, regarde vers le fond et dit:* Ma nièce, tu as là une femme de chambre bien alerte... On ne saurait faire un pas sans la rencontrer... Mais te voilà, toi, bien rêveuse et bien délaissée... Il me semble que tout commence à se rasseoir ici.

CÉCILE, *en bégayant.* Oui... je crois... que... Ah!

LE COMMANDEUR, *appuyé sur sa canne et debout devant elle.* La voix et les mains te tremblent... C'est une cruelle chose que le trouble... Ton frère me paraît un peu remis... Voilà comme ils sont tous. D'abord, c'est un désespoir où il ne s'agit de rien moins que de se noyer ou se prendre. Tournez la main, psitt, ce n'est plus cela... Je me trompe fort, ou il n'en serait pas de même de toi. Si ton cœur se prend une fois, cela durera.

CÉCILE, *parlant à son ouvrage.* Encore!

LE COMMANDEUR, *ironiquement.* Ton ouvrage va mal.

CÉCILE, *tristement.* Fort mal.

LE COMMANDEUR. Comment Germeuil et ton frère sont-ils maintenant? Assez bien, ce me semble?... Cela s'est apparemment éclairci... Tout s'éclaircit à la fin... et puis on est si honteux de s'être mal conduit!... Tu ne sais pas cela, toi, qui as toujours été si réservée, si circonspecte.

CÉCILE, *à part.* Je n'y tiens plus. *(Elle se lève.)* J'entends, je crois, mon père.

LE COMMANDEUR. Non, tu n'entends rien... C'est un étrange homme, que ton père; toujours occupé, sans savoir de quoi. Personne, comme lui, n'a le talent de regarder et de ne rien voir... Mais, revenons à l'ami Germeuil... Quand tu n'es pas avec lui, tu n'es pas trop fâchée qu'on t'en parle... Je n'ai pas changé d'avis sur son compte, au moins.

CÉCILE. Mon oncle...

LE COMMANDEUR. Ni toi non plus, n'est-ce pas?... Je lui découvre tous les jours quelque qualité; et je ne l'ai jamais si bien connu... C'est un garçon surprenant... *(Cécile se lève encore.)* Mais tu es bien pressée?

CÉCILE. Il est vrai.

LE COMMANDEUR. Qu'as-tu qui t'appelle?

CÉCILE. J'attendais mon père. Il tarde à venir, et j'en suis inquiète.

## SCÈNE VIII.

LE COMMANDEUR, *seul.*

Inquiète; je te conseille de l'être. Tu ne sais pas ce qui t'attend... Tu auras beau pleurer, gémir, soupirer; il faudra se séparer de l'ami Germeuil... Un ou deux ans de couvent seulement... Mais j'ai fait une bévue. Le nom de cette Clairet eût été fort bien sur ma lettre de cachet, et il n'en aurait pas coûté davantage... Mais le bonhomme ne vient point... Je n'ai plus rien à faire, et je commence à m'ennuyer... *(Il se retourne; et apercevant le Père de famille qui vient, il lui dit:)* Arrivez donc, bon homme; arrivez donc.

## SCÈNE IX.

LE COMMANDEUR, LE PÈRE DE FAMILLE.

LE PÈRE DE FAMILLE. Et qu'avez-vous de si pressé à me dire? [2]

LE COMMANDEUR. Vous l'allez savoir... Mais attendez un moment. *(Il s'avance doucement vers le fond de la salle, et dit à la femme de chambre qu'il surprend au guet:)* Mademoiselle, approchez. Ne vous gênez pas. Vous entendrez mieux. [3]

LE PÈRE DE FAMILLE. Qu'est-ce qu'il y a? A qui parlez-vous?

LE COMMANDEUR. Je parle à la femme de chambre de votre fille, qui nous écoute.

---

[1] poursuivant mademoiselle Clairet, qui entre dans le salon et lui ferme la porte au nez. (Édition conforme à la représentation.) (Assézat.)

[2] Mademoiselle Clairet entr'ouvre la porte du salon, passe la tête et écoute. (Édition conforme à la représentation.) (*Id.*)

[3] Mademoiselle Clairet se retire et pousse la porte. (*Id.*)

LE PÈRE DE FAMILLE. Voilà l'effet de la méfiance que vous avez semée entre vous et mes enfants. Vous les avez éloignés de moi, et vous les avez mis en société avec leurs gens.

LE COMMANDEUR. Non, mon frère, ce n'est pas moi qui les ai éloignés de vous ; c'est la crainte que leurs démarches ne fussent éclairées de trop près. S'ils sont, pour parler comme vous, en société avec leurs gens, c'est par le besoin qu'ils ont eu de quelqu'un qui les servît dans leur mauvaise conduite. Entendez-vous, mon frère ? . . . Vous ne savez pas ce qui se passe autour de vous. Tandis que vous dormez dans une sécurité qui n'a point d'exemple, ou que vous vous abandonnez à une tristesse inutile, le désordre s'est établi dans votre maison. Il a gagné de toutes parts, et les valets, et les enfants, et leurs entours. . . Il n'y eut jamais ici de subordination ; il n'y a plus ni décence, ni mœurs.

LE PÈRE DE FAMILLE. Ni mœurs !

LE COMMANDEUR. Ni mœurs.

LE PÈRE DE FAMILLE. Monsieur le Commandeur, expliquez-vous. . . Mais non, épargnez-moi. . .

LE COMMANDEUR. Ce n'est pas mon dessein.

LE PÈRE DE FAMILLE. J'ai de la peine, tout ce que j'en peux porter.

LE COMMANDEUR. Du caractère faible dont vous êtes, je n'espère pas que vous en conceviez le ressentiment vif et profond qui conviendrait à un père. N'importe ; j'aurai fait ce que j'ai dû ; et les suites en retomberont sur vous seul.

LE PÈRE DE FAMILLE. Vous m'effrayez. Qu'est-ce donc qu'ils ont fait ?

LE COMMANDEUR. Ce qu'ils ont fait ? De belles choses. Écoutez, écoutez.

LE PÈRE DE FAMILLE. J'attends.

LE COMMANDEUR. Cette petite fille, dont vous êtes si fort en peine. . .

LE PÈRE DE FAMILLE. Eh bien ?

LE COMMANDEUR. Où croyez-vous qu'elle soit ?

LE PÈRE DE FAMILLE. Je ne sais.

LE COMMANDEUR. Vous ne savez ?. . . Sachez donc qu'elle est chez vous.

LE PÈRE DE FAMILLE. Chez moi !

LE COMMANDEUR. Chez vous. Oui, chez vous. . . Et qui croyez-vous qui l'y ait introduite ?

LE PÈRE DE FAMILLE. Germeuil ?

LE COMMANDEUR. Et celle qui l'a reçue ?

LE PÈRE DE FAMILLE. Mon frère, arrêtez. . . Cécile. . . ma fille. . .

LE COMMANDEUR. Oui, Cécile ; oui, votre fille a reçu chez elle la maîtresse de son frère. Cela est honnête, qu'en pensez-vous ?

LE PÈRE DE FAMILLE. Ah !

LE COMMANDEUR. Ce Germeuil reconnaît d'une étrange manière les obligations qu'il vous a.

LE PÈRE DE FAMILLE. Ah ! Cécile, Cécile ! Où sont les principes que vous a inspirés votre mère ?

LE COMMANDEUR. La maîtresse de votre fils, chez vous, dans l'appartement de votre fille ! Jugez, jugez.

LE PÈRE DE FAMILLE. Ah, Germeuil !. . . ah, mon fils ! que je suis malheureux !

LE COMMANDEUR. Si vous l'êtes, c'est par votre faute. Rendez-vous justice.

LE PÈRE DE FAMILLE. Je perds tout en un moment ; mon fils, ma fille, un ami.

LE COMMANDEUR. C'est votre faute.

LE PÈRE DE FAMILLE. Il ne me reste qu'un frère cruel, qui se plaît à aggraver sur moi la douleur. . . Homme cruel, éloignez-vous. Faites-moi venir mes enfants ; je veux voir mes enfants.

LE COMMANDEUR. Vos enfants ? Vos enfants ont bien mieux à faire que d'écouter vos lamentations. La maîtresse de votre fils. . . à côté de lui. . . dans l'appartement de votre fille. . . Croyez-vous qu'ils s'ennuient ?

LE PÈRE DE FAMILLE. Frère barbare, arrêtez. . . Mais non, achevez de m'assassiner.

LE COMMANDEUR. Puisque vous n'avez pas voulu que je prévinsse votre peine, il faut que vous en buviez toute l'amertume.

LE PÈRE DE FAMILLE. O mes espérances perdues !

LE COMMANDEUR. Vous avez laissé croître leurs défauts avec eux ; et s'il arrivait qu'on vous les montrât, vous avez détourné la vue. Vous leur avez appris vous-même à mépriser votre autorité : ils ont tout osé, parce qu'ils le pouvaient impunément.

LE PÈRE DE FAMILLE. Quel sera le reste de ma vie ? Qui adoucira les peines de mes dernières années ? Qui me consolera ?

LE COMMANDEUR. Quand je vous disais : «Veillez sur votre fille ; votre fils se dérange ; vous avez chez vous un coquin» ; j'étais un homme dur, méchant, importun.

LE PÈRE DE FAMILLE. J'en mourrai, j'en mourrai. Et qui chercherai-je autour de moi ! . . . Ah ! . . . Ah ! (Il pleure.)

LE COMMANDEUR. Vous avez négligé mes conseils ; vous en avez ri. Pleurez, pleurez, maintenant.

LE PÈRE DE FAMILLE. J'aurai eu des enfants, j'aurai vécu malheureux, et je mourrai seul ! Que m'aura-t-il servi d'avoir été père ? Ah !. . .

LE COMMANDEUR. Pleurez.

LE PÈRE DE FAMILLE. Homme cruel ! épargnez-moi. A chaque mot qui sort de votre bouche, je sens une secousse qui tire mon âme et qui la déchire. Mais non, mes enfants ne sont pas tombés dans les égarements que vous leur reprochez. Ils sont innocents ; je ne croirai point qu'ils se soient avilis, qu'ils m'aient oublié jusque-là. . . Saint-Albin !. . . Cécile !. . . Germeuil !. . . Où sont-ils ?. . . S'ils peuvent vivre sans moi, je ne peux vivre sans eux. . . J'ai voulu les quitter. . . Moi, les quitter !. . . Qu'ils viennent. . . qu'ils viennent tous se jeter à mes pieds.

LE COMMANDEUR. Homme pusillanime, n'avez-vous point de honte ?

LE PÈRE DE FAMILLE. Qu'ils viennent. . . Qu'ils s'accusent. . . Qu'ils se repentent.

LE COMMANDEUR. Non ; je voudrais qu'ils fussent cachés quelque part, et qu'il vous entendissent.

LE PÈRE DE FAMILLE. Et qu'entendraient-ils, qu'ils ne sachent ?

LE COMMANDEUR. Et dont ils n'abusent.

LE PÈRE DE FAMILLE. Il faut que je les voie et que je leur pardonne, ou que je les haïsse. . .

LE COMMANDEUR. Eh bien ! voyez-les ; pardonnez-leur. Aimez-les, et qu'ils soient à jamais votre tourment et votre honte. Je m'en irai si loin, que je n'entendrai parler ni d'eux ni de vous.

## SCÈNE X.

LE COMMANDEUR, LE PÈRE DE FAMILLE, MADAME HÉBERT, MONSIEUR LE BON, DESCHAMPS.

LE COMMANDEUR, apercevant madame Hébert. Femme maudite ! (A Deschamps.) Et toi, coquin, que fais-tu ici ?

MADAME HÉBERT, MONSIEUR LE BON et DESCHAMPS, au Commandeur. Monsieur !

LE COMMANDEUR, à madame Hébert. Que venez-vous chercher ? Retournez-vous-en. Je sais ce que je vous ai promis, et je vous tiendrai parole.

MADAME HÉBERT. Monsieur. . . vous voyez ma joie. . . Sophie. . .

LE COMMANDEUR. Allez, vous dis-je.

MONSIEUR LE BON. Monsieur, monsieur, écoutez-la.

MADAME HÉBERT. Ma Sophie. . . mon enfant. . . n'est pas ce qu'on pense. . .

Monsieur Le Bon. . . parlez. . . je ne puis.

LE COMMANDEUR, à monsieur Le Bon. Est-ce que vous ne connaissez pas ces femmes-là, et les contes qu'elles savent faire ?. . . Monsieur Le Bon, à votre âge, vous donnez là-dedans !

MADAME HÉBERT, au Père de famille. Monsieur, elle est chez vous.

LE PÈRE DE FAMILLE, à part et douloureusement. Il est donc vrai !

MADAME HÉBERT. Je ne demande pas qu'on m'en croie. . . Qu'on la fasse venir.

LE COMMANDEUR. Ce sera quelque parente de ce Germeuil, qui n'aura pas de souliers à mettre à ses pieds. (Ici on entend, au dedans, du bruit, du tumulte, et des cris confus.)

LE PÈRE DE FAMILLE. J'entends du bruit.

LE COMMANDEUR. Ce n'est rien.

CÉCILE, au dedans. Philippe, Philippe, appelez mon père.

LE PÈRE DE FAMILLE. C'est la voix de ma fille.

MADAME HÉBERT, au Père de famille. Monsieur, faites venir mon enfant.

SAINT-ALBIN, au dedans. N'approchez pas ! Sur votre vie, n'approchez pas.

MADAME HÉBERT et MONSIEUR LE BON, au Père de famille. Monsieur, accourez.

LE COMMANDEUR, au Père de famille. Ce n'est rien, vous dis-je.

## SCÈNE IX.

LE COMMANDEUR, LE PÈRE DE FAMILLE, MADAME HÉBERT, MONSIEUR LE BON, DESCHAMPS, MADEMOISELLE CLAIRET.

MADEMOISELLE CLAIRET, effrayée, au Père de famille. Des épées, un exempt, des gardes ! Monsieur, accourez, si vous ne voulez pas qu'il arrive malheur.

## SCÈNE XII.

LE PÈRE DE FAMILLE, LE COMMANDEUR, MADAME HÉBERT, MONSIEUR LE BON, DESCHAMPS, MADEMOISELLE CLAIRET, CÉCILE, SOPHIE, SAINT-ALBIN, GERMEUIL, un Exempt, PHILIPPE, des Domestiques, toute la maison.

(Cécile, Sophie, l'Exempt, Saint-Albin, Germeuil et Philippe entrent en tumulte ; Saint-Albin à l'épée tirée, et Germeuil le retient.)

CÉCILE, *entre en criant :* Mon père!

SOPHIE, *en courant vers le Père de famille, et en criant :* Monsieur!

LE COMMANDEUR, *à l'Exempt, en criant :* Monsieur l'Exempt, faites votre devoir.

SOPHIE et MADAME HÉBERT, *en s'adressant au Père de famille, et la première, en se jetant à ses genoux.* Monsieur!

SAINT-ALBIN, *toujours retenu par Germeuil.* Auparavant il faut m'ôter la vie. Germeuil, laissez-moi.

LE COMMANDEUR, *à l'Exempt.* Faites votre devoir.

LE PÈRE DE FAMILLE, SAINT-ALBIN, MADAME HÉBERT, M. LE BON, *à l'Exempt.* Arrêtez!

MADAME HÉBERT et M. LE BON, *au Commandeur, en tournant de son côté Sophie, qui est toujours à genoux.* Monsieur, regardez-la.

LE COMMANDEUR, *sans la regarder.* De par le roi, monsieur l'Exempt, faites votre devoir.

SAINT-ALBIN, *en criant.* Arrêtez!

MADAME HÉBERT et M. LE BON, *en criant au Commandeur, et en même temps que Saint-Albin.* Regardez-la.

SOPHIE, *en s'adressant au Commandeur.* Monsieur!

LE COMMANDEUR *se retourne, la regarde, et s'écrie, stupéfait :* Ah!

MADAME HÉBERT et M. LE BON. Oui, monsieur, c'est elle. C'est votre nièce.

SAINT-ALBIN, CÉCILE, GERMEUIL, MADEMOISELLE CLAIRET. Sophie, la nièce du Commandeur.

SOPHIE, *toujours à genoux, au Commandeur.* Mon cher oncle.

LE COMMANDEUR, *brusquement.* Que faites-vous ici?

SOPHIE, *tremblante.* Ne me perdez pas.

LE COMMANDEUR. Que ne restiez-vous dans votre province? Pourquoi n'y pas retourner, quand je vous l'ai fait dire?

SOPHIE. Mon cher oncle, je m'en irai; je m'en retournerai; ne me perdez pas.

LE PÈRE DE FAMILLE. Venez, mon enfant, levez-vous.

MADAME HÉBERT. Ah, Sophie!

SOPHIE. Ah, ma bonne!

MADAME HÉBERT. Je vous embrasse.

SOPHIE, *en même temps.* Je vous revois.

CÉCILE, *en se jetant aux pieds de son père.* Mon père, ne condamnez pas votre fille sans l'entendre. Malgré les apparences, Cécile n'est point coupable; elle n'a pu ni délibérer, ni vous consulter. . .

LE PÈRE DE FAMILLE, *d'un air un peu sévère, mais touché.* Ma fille, vous êtes tombée dans une grande imprudence.

CÉCILE. Mon père!

LE PÈRE DE FAMILLE, *avec tendresse.* Levez-vous.

SAINT-ALBIN. Mon père, vous pleurez.

LE PÈRE DE FAMILLE. C'est sur vous, c'est sur votre sœur. Mes enfants, pourquoi m'avez-vous négligé? Voyez, vous n'avez pu vous éloigner de moi sans vous égarer.

SAINT-ALBIN et CÉCILE, *en lui baisant les mains.* Ah, mon père! (*Cependant le Commandeur paraît confondu.*)

LE PÈRE DE FAMILLE, *après avoir essuyé ses larmes, prend un air d'autorité, et dit au Commandeur :* Monsieur le Commandeur, vous avez oublié que vous étiez chez moi.

L'EXEMPT. Est-ce que monsieur n'est pas le maître de la maison?

LE PÈRE DE FAMILLE, *à l'Exempt.* C'est ce que vous auriez dû savoir avant que d'y entrer. Allez, monsieur, je réponds de tout. (*L'Exempt sort.*)

SAINT-ALBIN. Mon père!

LE PÈRE DE FAMILLE, *avec tendresse.* Je t'entends.

SAINT-ALBIN, *en présentant Sophie au Commandeur.* Mon oncle!

SOPHIE, *au Commandeur qui se détourne d'elle.* Ne repoussez pas l'enfant de votre frère.

LE COMMANDEUR, *sans la regarder.* Oui, d'un homme sans arrangement, sans conduite, qui avait plus que moi, qui a tout dissipé, et qui vous a réduits dans l'état où vous êtes.

SOPHIE. Je me souviens, lorsque j'étais enfant : alors vous daigniez me caresser. Vous disiez que je vous étais chère. Si je vous afflige aujourd'hui, je m'en irai, je m'en retournerai. J'irai retrouver ma mère, ma pauvre mère, qui avait mis toutes ses espérances en vous. . .

SAINT-ALBIN. Mon oncle!

LE COMMANDEUR. Je ne veux ni vous voir, ni vous entendre.

LE PÈRE DE FAMILLE, SAINT-ALBIN, MONSIEUR LE BON, *en s'assemblant autour de lui.* Mon frère. . . Monsieur le Commandeur. . . Mon oncle.

LE PÈRE DE FAMILLE. C'est votre nièce.

LE COMMANDEUR. Qu'est-elle venue faire ici?

LE PÈRE DE FAMILLE. C'est votre sang.

LE COMMANDEUR. J'en suis assez fâché.

LE PÈRE DE FAMILLE. Ils portent votre nom.

LE COMMANDEUR. C'est ce qui me désole.

LE PÈRE DE FAMILLE, *en montrant Sophie.* Voyez-la. Où sont les parents qui n'en fussent vains?

LE COMMANDEUR. Elle n'a rien: je vous en avertis.

SAINT-ALBIN. Elle a tout!

LE PÈRE DE FAMILLE. Ils s'aiment.

LE COMMANDEUR, *au Père de famille.* Vous la voulez pour votre fille?

LE PÈRE DE FAMILLE. Ils s'aiment.

LE COMMANDEUR, *à Saint-Albin.* Tu la veux pour ta femme?

SAINT-ALBIN. Si je la veux!

LE COMMANDEUR. Aie-la, j'y consens: aussi bien je n'y consentirais pas, qu'il n'en serait ni plus ni moins... (*Au Père de famille.*) Mais c'est à une condition.

SAINT-ALBIN, *à Sophie.* Ah! Sophie! nous ne serons plus séparés.

LE PÈRE DE FAMILLE. Mon frère, grâce entière. Point de condition.

LE COMMANDEUR. Non. Il faut que vous me fassiez justice de votre fille et de cet homme-là.

SAINT-ALBIN. Justice! Et de quoi? Qu'ont-ils fait? Mon père, c'est à vous-même que j'en appelle.

LE PÈRE DE FAMILLE. Cécile pense et sent. Elle a l'âme délicate; elle se dira ce qu'elle a dû me paraître pendant un instant. Je n'ajouterai rien à son propre reproche.

Germeuil... je vous pardonne... Mon estime et mon amitié vous seront conservées; mes bienfaits vous suivront partout; mais... (*Germeuil s'en va tristement, et Cécile le regarde aller.*)

LE COMMANDEUR. Encore passe.

MADEMOISELLE CLAIRET. Mon tour va venir. Allons préparer nos paquets. (*Elle sort.*)

SAINT-ALBIN, *à son père.* Mon père, écoutez-moi... Germeuil, demeurez... C'est lui qui vous a conservé votre fils. Sans lui, vous n'en auriez plus. Qu'allais-je devenir?... C'est lui qui m'a conservé Sophie... Menacée par moi, menacée par mon oncle, c'est Germeuil, c'est ma sœur qui l'ont sauvée... Ils n'avaient qu'un instant... elle n'avait qu'un asile... Ils l'ont dérobée à ma violence... Les punirez-vous de ma faute?... Cécile, venez. Il faut fléchir le meilleur des pères. (*Il amène sa sœur aux pieds de son père, et s'y jette avec elle.*)

LE PÈRE DE FAMILLE. Ma fille, je vous ai pardonné, que me demandez-vous?

SAINT-ALBIN. D'assurer pour jamais son bonheur, le mien et le vôtre. Cécile... Germeuil... Ils s'aiment, ils s'adorent... Mon père, livrez-vous à toute votre bonté. Que ce jour soit le plus beau jour de notre vie. (*Il court à Germeuil, il appelle Sophie:*) Germeuil, Sophie... Venez, venez... Allons tous nous jeter aux pieds de mon père.

SOPHIE, *se jetant aux pieds du Père de famille, dont elle ne quitte guère les mains le reste de la scène.* Monsieur!

LE PÈRE DE FAMILLE, *se penchant sur eux, et les relevant.* Mes enfants... mes enfants! Cécile, vous aimez Germeuil?

LE COMMANDEUR. Et ne vous en ai-je pas averti?

CÉCILE. Mon père, pardonnez-moi.

LE PÈRE DE FAMILLE. Pourquoi me l'avoir celé? Mes enfants! vous ne connaissez pas votre père... Germeuil, approchez. Vos réserves m'ont affligé; mais je vous ai regardé de tout temps comme mon second fils. Je vous avais destiné ma fille. Qu'elle soit avec vous la plus heureuse des femmes.

LE COMMANDEUR. Fort bien. Voilà le comble. J'ai vu arriver de loin cette extravagance; mais il était dit qu'elle se ferait malgré moi; et Dieu merci, la voilà faite. Soyons tous bien joyeux, nous ne nous reverrons plus.

LE PÈRE DE FAMILLE. Vous vous trompez, monsieur le Commandeur.

SAINT-ALBIN. Mon oncle!

LE COMMANDEUR. Retire-toi. Je voue à ta sœur la haine la mieux conditionnée; et toi, tu aurais cent enfants, que je n'en nommerais pas un. Adieu. (*Il sort.*)

LE PÈRE DE FAMILLE. Allons, mes enfants. Voyons qui de nous saura le mieux réparer les peines qu'il a causées.

SAINT-ALBIN. Mon père, ma sœur, mon ami, je vous ai tous affligés. Mais voyez-la, et accusez-moi, si vous pouvez.

LE PÈRE DE FAMILLE. Allons, mes enfants, monsieur Le Bon, amenez mes pupilles. Madame Hébert, j'aurai soin de vous. Soyons tous heureux. (*A Sophie.*) Ma fille, votre bonheur sera désormais l'occupation la plus douce de mon fils. Apprenez-lui à votre tour, à calmer les emportements d'un caractère trop violent. Qu'il sache qu'on ne peut être heureux, quand on abandonne son sort à ses passions. Que votre soumission, votre douceur, votre patience, toutes les vertus que vous nous avez montrées en ce jour, soient à jamais le modèle de sa conduite et l'objet de sa plus tendre estime...

SAINT-ALBIN, *avec vivacité.* Ah! oui, mon papa.

LE PÈRE DE FAMILLE, *à Germeuil.* Mon fils, mon cher fils! Qu'il me tardait de vous appeler de ce nom. (*Ici Cécile baise la main de son père.*) Vous ferez des jours heureux à ma fille. J'espère que vous n'en passerez avec elle aucun qui ne le soit. . . Je ferai, si je puis, le bonheur de tous. . . Sophie, il faut appeler ici votre mère, vos frères. Mes enfants, vous allez faire, au pied des autels, le serment de vous aimer toujours. Vous ne sauriez en avoir trop de témoins. Approchez, mes enfants. . . Venez, Germeuil, venez Sophie. (*Il unit ses quatre enfants, et il dit:*) Une belle femme, un homme de bien, sont les deux êtres les plus touchants de la nature. Donnez deux fois, en un même jour, ce spectacle aux hommes. . . Mes enfants, que le ciel vous bénisse, comme je vous bénis! (*Il étend ses mains sur eux, et ils s'inclinent pour recevoir sa bénédiction.*) Le jour qui vous unira sera le jour le plus solennel de votre vie. Puisse-t-il être aussi le plus fortuné! . . . Allons mes enfants. . .

Oh! qu'il est cruel. . . qu'il est doux d'être père! (*En sortant de la salle, le Père de famille conduit ses deux filles: Saint-Albin a les bras jetés autour de son ami Germeuil; M Le Bon donne la main à madame Hébert; le reste suit, en confusion; et tous marquent le transport de la joie.*)

# LES PHILOSOPHES

*Comédie en trois actes, en vers*

Représentée pour la première fois à la Comédie-Française
le 2 mai 1760

# PALISSOT

Charles Palissot (1730–1814) was born at Nancy, capital of the province of Lorraine. A very precocious child, son of a locally famous father, he completed his courses of rhetoric and philosophy and became *maître-ès-arts* at the age of eleven. He then finished the course in theology in four years and entered the *Oratoire* in Paris, but for only two months. Latin and French poets attracted him more than the priesthood, and he desired to make in the capital a reputation for precocity such as he enjoyed in his native city. He had, therefore, no real childhood, and too early he assumed a rather cocksure literary judgment. He was elected to membership in the Academy of Nancy. At the age of seventeen he wrote a tragedy which was rejected, but nothing daunted he began another immediately. Before this was finished, a friend helped him to publish his first work, *Apollon mentor ou le Télémaque moderne* (1748). This childish work of criticism shows the author as a passionate admirer of Voltaire, a champion of tradition, and a seeker of the favor of those in power; these qualities he retained pretty much all his life. In 1749 he published anonymously another critical study, *Lettre à M. de M. sur sa tragédie d'Aristomène*. For the next seven years he continued his endeavors to achieve literary fame with little success: *Coup d'œil sur les ouvrages modernes* (1751), *Zarès*, a tragedy (1751), *Histoire des Rois de Rome* (1753), *les Tuteurs*, a comedy (1754), *le Cercle ou les Originaux*, a comedy (1755), *Histoire raisonnée des premiers siècles de Rome* (1756). These works were not sufficient to bring him fame, and he began a series of more controversial, satirical pieces, which with their backfires mainly occupied the rest of his life. He lived through the Revolution, made friends with Napoleon, and had a peaceful end in 1814 at the ripe age of eighty-four.

Palissot had been seeking a literary reputation, and finally decided that the best way to arrive was by attacking the *philosophes* in Molièresque fashion. Never was a species more prolific. He had already caused a small stir by *le Cercle*, a little satirical comedy on the occasion of a *fête* given at Nancy by King Stanislas. His supposed references to Rousseau and to the late Mme. du Châtelet brought forth protests, among them an anonymous pamphlet, attributed to d'Alembert, calling upon Stanislas to avenge *la philosophie* by expelling the author from the Academy of Nancy. Aided by a generous letter from Rousseau, and by denials of certain references on his own part, Palissot was able for a while to quell the storm. But two years later he again opened up his attack upon philosophy, by a sort of prelude to his one real comedy, with *Petites lettres sur de grands philosophes* (1757), a broadside against the philosophical and dramatic systems of Diderot. As a preface and justification of this work, he used a page of the *Encyclopédie*, in which Diderot claims the right of authors to give vent to their indignation.

Finally in 1760 Palissot produced *les Philosophes*. Comedy had already assumed the liberty of exposing the most licentious and ridiculous manners of the day, and two months later Voltaire was allowed to put on *l'Écossaise*. Palissot had continued to court the favor of the authorities and they were in sympathy with him. He had continually tried to keep Voltaire out of the fight also, by considering him superior to the others and refusing to attack him. *Les Philosophes* is a rather sorry imitation and combination of *les Femmes savantes* of Molière, *les Académiciens* of Saint-Evremond, and *le Méchant* of Gresset. In it Palissot attacks philosophers in general, and certain philosophers in particular. He represents them as "des hommes fourbes, intéressés, vaniteux, sans convictions sincères, voire sans patrie, sans honnêteté même" (Lion). The authorities tacitly allowed this broadside attack, and the Comédie-Française agreed to put it on. The excitement at the performance of the play ranks along with that which greeted the production of *Tartuffe,* of *Figaro,* and of *Hernani*. It was a struggle between parties and beliefs, between political, religious, and social ideas. Cabals were never more active, and yet a mysterious and occult protection seemed to hover over the play. Never had there been a greater crowd of people at the theatre, and the number of police on duty had been doubled. But the performance went off without disturbance, and because of its notoriety the play was a great success. It is interesting today largely because of its place in the history of the drama. Of it Lenient remarks: "On peut lui accorder, si l'on veut, le mérite d'un style facile et correct, de l'esprit et de la malice poussée jusqu'à la noirceur, une certaine finesse de traits et d'observation: mais l'invention et l'action dramatique sont à peu près nulles. . . Les personnages eux-mêmes, bien qu'empruntés à la société contemporaine, sont encore des imitations indirectes."

As to the individuals caricatured, some of the references are unmistakable, while others are uncertain. Cydalise was said by some to represent Helvetius in skirts; others said she represented Mme. Geoffroy or Mme. de la Marck or Mme. Riccoboni or Mme. d'Épinay. There may be some evidence for naming each of these, but not enough to be convincing, since Palissot himself did not state his intention. Grimm is recognized in connection with the *Petit Prophète,* and Mlle. Clairon, the actress who opposed the acceptance of the play, in the line: "Nous avons un parti jusque dans les coulisses." "Mlle. Clairon et Grimm, raillés d'une façon incidente; Helvétius et Rousseau, respectés dans leurs caractères, mais attaqués dans leurs doctrines; Duclos, joué vraisemblablement sous le nom de *Théophraste;* Diderot, joué indiscutablement sous celui de Dortidius, telles étaient les victimes de la comédie. Seuls, les deux derniers pouvaient se vanter, ou se plaindre, d'avoir été représentés *en personne*. Les autres étaient quittes pour de simples plaisanteries, qui ne les atteignaient que dans leur existence intellectuelle, pour ainsi dire, et non dans leur existence morale" (Delafarge).

Some credit is due Palissot for attempting a dramatic satire in the manner of Aristophanes in the middle of the eighteenth century and on the stage of the Comédie-Française; but the task was too large for the man. His subsequent work consisted largely of *La Dunciade ou la Guerre des Sots* (1764), a satire in imitation of Pope, and other polemics, with partial collections and editions of his previous works.

BIBLIOGRAPHY: *Œuvres*, 1777, 7 vols.; 1788, 4 vols.; 1809, 6 vols.; DELAFARGE:

*La Vie et l'œuvre de Palissot*, Paris, 1912. I. O. WADE: *The "Philosophe" in the French Drama of the Eighteenth Century*, Princeton, N. J., 1926. LENIENT: *La Comédie en France au XVIII<sup>e</sup> siècle*, Paris, 1888. DESNOIRESTERRES: *La Comédie satirique au XVIII<sup>e</sup> siècle*, Paris, 1885.

# LES PHILOSOPHES [1]

### PAR CHARLES PALISSOT.

#### PERSONNAGES.

CYDALISE.
ROSALIE.
DAMIS.
VALÈRE.
THÉOPHRASTE.

DORTIDIUS.
MARTON.
CRISPIN.
M. PROPICE, *colporteur.*
M. CARONDAS.

La scène est à Paris.

## ACTE PREMIER

### SCÈNE PREMIÈRE.

#### DAMIS, MARTON.

DAMIS. Non, je ne reviens pas d'un semblable vertige.
Rompre un hymen conclu!
MARTON.     Tout est changé, vous dis-je.
DAMIS. Mais encor?
MARTON.     Mais encor, vous êtes officier;
Notre projet n'est pas de nous mésallier.
Nous voulons un mari taillé d'une autre étoffe;
En un mot, nous prenons un mari philosophe.
DAMIS. Que me dis-tu, Marton?
MARTON.          Je vous étonne fort;
Mais ne savez-vous pas que les absents ont tort?
Trois mois ont opéré bien des métamorphoses;
Peut-être dans trois mois verrons-nous d'autres choses.
Vous pourrez reparaître alors avec succès ;
Mais jusques-là, néant. En dépit du procès
Qui devait se finir par votre mariage,

Sans appel aujourd'hui la pomme est pour le sage.
DAMIS. Le moyen que l'on change ainsi dans un moment!
MARTON. Toute femme est, monsieur, un animal changeant.
On pourrait calculer les jours de Cydalise
Par les différents goûts dont son âme est éprise :
Quelquefois étourdie, enjouée à l'excès,
D'autres fois sérieuse, et boudant par accès;
Coquette, s'il en fut, même jusqu'au scandale,
Prude à nous étourdir de son aigre morale;
Courant le bal la nuit, et le jour les sermons;
Tantôt les directeurs, et tantôt les bouffons.
C'était là le bon temps. Mais aujourd'hui que l'âge
Fait place à d'autres mœurs, et veut un ton plus sage,
Madame a depuis peu réformé sa maison.
Nous n'extravaguons plus qu'à force de raison.
D'abord on a banni cette gaîté grossière,
Délices des traitants, aliment du vulgaire:

[1] Text of 1777 edition of Palissot's works.

A nos soupés décents tout au plus on
sourit.
Si l'on s'ennuie, au moins c'est avec de
l'esprit.
Quelquefois on admet, au lieu des vaudevilles,
De savants concertos, de grands airs difficiles ;
Car il faut bien encore un peu d'amusement.
Mais notre fort, monsieur, c'est le raisonnement.
Quelque temps, dans le cercle, on parla
politique ;
Enfin tout disparut sous la métaphysique.

DAMIS. Quelque chargé que soit ce bizarre
tableau,
Je livre Cydalise aux traits de ton pin-
ceau ;
Je m'en rapporte à toi. Mais que fait
Rosalie ?

MARTON. Ce que nous faisons tous, monsieur, elle s'ennuie.

DAMIS. Aux vœux de mon rival son cœur
s'est-il rendu ?

MARTON. Non, ce cœur est à vous. L'amour
l'a défendu
Contre tous les projets d'un rival téméraire ;
Mais votre sort dépend de l'aveu d'une
mère,
Ensorcelée au point que je n'ai plus
d'espoir.
Pardonnez-moi ce mot ; je vois comme
il faut voir.

DAMIS. Elle fut mon amie, et je me flatte
encore. . .

MARTON. Le bel esprit, monsieur, est tout
ce qu'elle adore.
C'est une maladie inconnue à vingt ans,
Mais bien forte à cinquante. Encore avec
le temps,
On pourrait espérer un retour de sagesse,
S'il en était quelqu'un contre cette fai-
blesse,
Quand à certains degrés elle a fait des
progrès.
Dans les commencements, moi-même j'es-
pérais ;
Mais sachez tous nos maux et ceux qui
vont les suivre.
Entre nous. . .

DAMIS.            Eh bien ! Quoi ?

MARTON.            Madame a fait un livre.

DAMIS. Bon !

MARTON. Qui même à présent s'imprime incognito.

DAMIS. Quelque brochure ?

MARTON.            Non ; un volume in-quarto.

DAMIS. Je lui conseille fort de garder
l'anonyme.
Mais, dans ces beaux esprits que Cydalise estime,
N'en est-il donc aucun, assez droit, assez
franc,
Pour lui montrer l'excès d'un travers
aussi grand,
Pour la désabuser ?

MARTON.            Eux ! ils se moquent d'elle ;
Ils ont tous conspiré de gâter sa cer-
velle ;
Surtout votre rival. Comme il connaît
son goût,
Il ne se borne pas à l'applaudir en tout ;
Il la fait admirer par messieurs ses sem-
blables,
Tous charlatans adroits, et flatteurs
agréables,
Ravis de présider dans sa société,
D'y porter leurs erreurs, et faisant vanité
De dominer ici sur un esprit crédule,
Qu'ils ont l'art d'aguerrir contre le ri-
dicule.

DAMIS. Et ce sont là, dis-tu, des philosophes ?

MARTON.            Oui ;
Du plus grand air encor. Paris en est
rempli.
Mais pour établir mieux leur crédit chez
madame,
Et pour mieux pénétrer jusqu'au fond
de son âme,
Ils nomment aux emplois vacants dans
la maison.
Leur choix, toujours guidé par la saine
raison,
Quel qu'il soit, à madame est toujours
sûr de plaire.
Je soupçonne pourtant un certain secré-
taire,
Reçu par Cydalise à titre de savant,
De n'avoir d'autre emploi que celui d'in-
trigant,
De recéler un fourbe, et d'être ici pour
cause ;
Mais enfin, tôt ou tard, j'éclaircirai la
chose.

DAMIS. Quel motif as-tu donc pour en juger si mal ?

MARTON. Ou je me trompe fort, ou c'est
votre rival
Qui, pour servir ses feux, ici l'impatro-
nise.

DAMIS. Quel homme est-ce ?

MARTON. Un fripon affectant la franchise,

Et pourtant, m'a-t-on dit, natif de Pé-
  zenas,[1]
Titré du nom pompeux de Monsieur Ca-
  rondas.
Reconnu pour savant, du moins sur sa
  parole,
Tout hérissé de grec et de termes d'école,
Plaçant à tout propos ce bizarre jargon,
Et nous citant sans cesse Homère ou Ly-
  cophron.[2]
DAMIS, *riant*. Ha, ha, ha, ha, ha, ha.
MARTON.          Je peins d'après nature.
DAMIS. Ce Monsieur Carondas est de mau-
  vais augure;
Mais avec ton secours et celui de Cris-
  pin. . .
MARTON. Quoi! Crispin est ici?
DAMIS.            Vraiment oui. Mon dessein
Était de vous unir; tu le sais, et j'es-
  père
Que tu me serviras de ton mieux.
MARTON.                    Laissez faire.
Crispin est fort adroit; j'en tirerai par-
  ti.
DAMIS. Je compte sur tes soins.
MARTON.          Oh! monsieur, comptez-y.
Je déclare la guerre à la philosophie.
DAMIS. Je te devrai, Marton, le bonheur
  de ma vie.
Mais. . . ne puis-je un moment? . . .
MARTON.            Ah! je vous vois venir.
Tenez, monsieur, l'amour a su vous pré-
  venir.
On vient; c'est Rosalie.

### SCÈNE II.

ROSALIE, MARTON, DAMIS.

DAMIS.            Après trois mois d'absence,
Quand je reviens ici, guidé par l'espé-
  rance,
Réclamer une foi promise à mon ardeur,
On m'apprend qu'un rival, jaloux de
  mon bonheur,
Ose me disputer le seul bien où j'aspire,
Qu'avec lui, contre moi, votre mère con-
  spire.
Ah! rassurez du moins mon cœur déses-
  péré.
ROSALIE. Doutez-vous que le mien en soit
  moins pénétré?
Je vois avec douleur ce changement ex-
  trême,
Je souffre autant que vous; mais enfin
  je vous aime.
A ce titre du moins quelque espoir m'est
  permis.

Qui pourrait résister à deux amants
  unis?
Ma mère vous aimait. En vous voyant,
  peut-être,
Dans son cœur combattu, l'amitié va
  renaître.
Sur ce cœur autrefois j'avais plus de
  pouvoir.
Je le sais; c'est à vous, Damis, de l'é-
  mouvoir;
Allez, et pour combler le bonheur que
  j'espère,
Que je vous doive encor les bontés de
  ma mère.
MARTON. Beaux sentiments! mais moi je
  ne m'y fierais pas.
ROSALIE. Laisse-moi mon erreur.
MARTON.          Non: c'est par des combats
Qu'il faut à la raison ramener Cydalise.
DAMIS. Encore est-il permis de tenter l'en-
  treprise.
MARTON. Oui; c'est un beau moyen, des
  soupirs et des pleurs!
Oh! la philosophie endurcit trop les
  cœurs.
ROSALIE. Je ne l'aurais pas cru! mais pour-
  tant si ma mère
M'immolait sans retour aux desseins de
  Valère,
Si ce projet enfin était bien avéré,
Pourquoi jusqu'à présent n'est-il pas dé-
  claré?
Qui peut la retenir?
MARTON.                    J'entrerais en colère.
Elle n'a pas encor fait venir le no-
  taire,
Il est vrai: les témoins ne sont pas in-
  vités,
D'accord: il manque aussi quelques for-
  malités,
J'y consens: ajoutez, d'ailleurs, que la
  journée
A la rigueur encor n'est pas déterminée,
J'en conviens: cependant ne souffre-t-
  elle pas
L'hommage assez public qu'il rend à vos
  appas?
N'en êtes-vous pas même à toute heure
  obsédée?
Mais non; je me trompais; ce n'était
  qu'une idée.
ROSALIE. Hélas! peux-tu, Marton, me dé-
  soler ainsi?
MARTON. J'avais rêvé.
DAMIS.                    Marton. . .
MARTON.            Contes que tout ceci,
Propos en l'air.
DAMIS.                    Marton. . .

---

[1] Pézenas, in Department of Hérault, southwest of Montpellier.
[2] Lycophron, B.C. 285–247, Greek grammarian and poet.

MARTON.　　　　　　Vision chimérique,
Absurde.

ROSALIE.　　Mais, Marton. . .

MARTON.　　　Non, c'est terreur panique,
Illusion, vous dis-je.

ROSALIE.　　　　　　En vérité, Marton,
Ce cruel badinage est bien peu de saison.

MARTON. J'avais tort.

ROSALIE, *faisant un mouvement pour sor-*
*tir.* Tu poursuis? Eh bien! je. . .

DAMIS, *l'arrêtant.*　　　　　　Rosalie.

ROSALIE. Non, monsieur, c'en est trop.

DAMIS.　　　　Demeurez, je vous prie.

MARTON. Ah! vous vous fâchez donc? Vraiment, c'est très bien fait.

Mais raisonnons un peu. Dites-moi, s'il
vous plaît,

Fallait-il vous tromper? Je sais bien que
le doute

Suspend l'impression des maux que l'on
redoute,

Qu'il est très naturel d'éloigner le danger,

Et de rendre toujours son fardeau plus
léger.

Moi-même à vous flatter je serais la première.

J'aurais soin de fermer vos yeux à la lumière,

Sans l'intérêt pressant qui me parle pour
vous.

Pardonnez; mais, ma foi, les amants sont
des fous,

Tranquilles sans raison, désespérés sans
cause,

Dans un juste équilibre aucun ne se repose,

Et le sang-froid souvent les conseille
bien mieux,

Que cet amour qu'on peint un bandeau
sur les yeux.

DAMIS. Comment! Voilà, parbleu, de la
philosophie!

MARTON. On apprend à hurler, dit-on, de
compagnie,

En fréquentant les loups. Le proverbe a
raison.

C'est un mal répandu dans toute la maison:

Mais perdons un moment cette idée importune.

(*A Rosalie.*)

Çà, faisons notre paix. Vous serez sans
rancune?

Vous me le promettez?

ROSALIE.　　　　Oh! je te le promets.

MARTON. Et moi d'être attentive à tous vos
intérêts.

Vous, monsieur, qui sans soins et sans
trouble dans l'âme,

Passeriez votre vie à regarder madame,

Il faut battre en retraite, et même
promptement.

Songez qu'il est grand jour dans cet appartement,

Que nous pourrions ici risquer quelque
surprise,

Et qu'il faut vous montrer d'abord à
Cydalise,

Avant que de penser à d'autres rendez-
vous.

DAMIS. Je cours m'y disposer, dans un espoir si doux.

Je remets en tes mains le bonheur de ma
vie.

Vous que j'adore, adieu, ma chère Rosalie.


SCÈNE III.

ROSALIE, MARTON.

MARTON. Vous, soyez sans faiblesse. Allons, point de langueur.

La fermeté, madame, en impose au malheur.

ROSALIE. Si tu pouvais sentir combien je
hais Valère!

MARTON. Oui: Damis sort d'ici. Mais c'est
à votre mère

Qu'il importe surtout de parler avec feu.

Si vous aimez Damis, ce fut de son aveu;

Je le suppose au moins.

ROSALIE.　　　　　Certainement.

MARTON.　　　　　　Les filles

Ne font rien, comme on sait, sans l'avis
des familles,

C'est la règle. Il faut donc déclarer, sans
détour,

Pour l'un tous vos mépris, pour l'autre
votre amour.

ROSALIE. Oh! oui.

MARTON. Vous sentez-vous cette fermeté
d'âme?

ROSALIE. Assurément, Marton.

MARTON, *malignement.* Allons, j'entends
madame.

ROSALIE, *effrayée.* Ah! Marton. . .

MARTON. Comment donc! c'est très bien débuter.

Cela promet.

ROSALIE.　　Aussi, pourquoi m'épouvanter?

L'amour dans le besoin me rendra du
courage.

MARTON, *la contrefaisant.* L'amour! oui,
vous ferez tous deux de bel ouvrage!

Il y paraît vraiment, à cet air d'embarras,
Qu'un mot dit au hasard. . .

ROSALIE.                    Mais enfin tu verras.

MARTON. Ce n'est point à l'amour à vous
        tirer de peine,
Il est trop maladroit. Pensez à votre
        haine;
Voilà le sentiment qui doit vous inspirer,
Dont il est important de vous bien pénétrer.
Je ne sais si l'amour, que d'ailleurs je
        révère,
Est de nos passions en effet la plus
        chère;
Mais ce n'est que faiblesse, et que timidité.
La haine n'est qu'ardeur et que vivacité.
L'un abbat, l'autre anime, et dans un
        cœur femelle,
Ma foi, je la croirais beaucoup plus naturelle.
Vous ne connaissez pas encor ce sentiment.
Que votre cœur l'éprouve aujourd'hui
        seulement.
Tenez, j'aime Crispin, et je sens pour
        Valère. . .
Mais, ce n'est plus un jeu, j'aperçois
        votre mère.

ROSALIE. Tu me soutiendras?

MARTON.                    Oui.


## SCÈNE IV.

CYDALISE, ROSALIE, MARTON.

CYDALISE.                    Retirez-vous, Marton.
Prenez mes clefs; allez renfermer mon
        Platon.
De son Monde idéal j'ai la tête engourdie.
J'attendais à l'instant mon Encyclopédie; [1]
Ce livre ne doit plus quitter mon cabinet.
        (A Rosalie.)
Vous, demeurez, je veux vous parler en
        secret.
        (A Marton.)
Laissez-nous.

MARTON, à Rosalie. Allons, ferme, et montrez du courage.

CYDALISE. Obéissez, Marton.


## SCÈNE V.

CYDALISE, ROSALIE.

CYDALISE.                    Vous êtes belle et sage,
Rosalie, et pour vous j'eus toujours des
        bontés.
Je vais connaître enfin si vous les méritez.
Je ne consulte point ce sentiment vulgaire,
Amour de préjugé, trivial, populaire,
Que l'on croit émané du sang qui parle
        en nous,
Et qui n'est, dans le fond, qu'un mensonge assez doux,
Une faiblesse. . .

ROSALIE. Eh! quoi, la voix de la nature,
Quoi! cette impression si touchante et si
        pure,
Ce premier des devoirs, cet auguste lien,
(Je définirai mal ce que je sens si bien,)
N'importe, se peut-il que le cœur de ma
        mère
Méconnaisse aujourd'hui ce sacré caractère?
Ah! rappelez pour moi vos sentiments
        passés.
En les analysant, vous les affaiblissez.

CYDALISE. J'ai cru, tout comme un autre,
        à ces vaines chimères,
Dignes du gros bon sens qui conduisait
        nos pères.
Crédule, heureuse même en mon aveuglement,
Automate abusé, je suivrais le torrent.
Je commence à sentir, à penser, à connaître.
Si je vous aime enfin, c'est en qualité
        d'être:
Mais vous concevez bien qu'un autre individu
N'aurait à mes bontés qu'un droit moins
        étendu.

ROSALIE. Vous déchirez mon cœur. Ah! permettez, madame,
Souffrez, qu'à vos genoux votre fille réclame
Un droit plus légitime et des titres plus
        doux.
Pourquoi briser les nœuds qui m'attachaient à vous?
Jugez de leur pouvoir à mon trouble, à
        mes larmes.

CYDALISE, un peu émue. Ma fille! . . . Et!
        quoi! pour vous l'erreur a tant de
        charmes!

[1] The famous *Encyclopædia* edited by Diderot and his group, 28 vols., 1751–1772.

Vous me faites pitié. Consultez la rai-
son.
Ces puérilités ne sont plus de saison.
Je reconnais vos droits sur le cœur d'une
mère ;
Mais je les annoblis, et si je vous suis
chère,
Si j'ai sur vous aussi quelques droits à
mon tour,
J'en exclus le hasard, qui vous donna le
jour.
ROSALIE. Je ne puis soutenir ce funeste
langage.
Il fait à toutes deux un trop sensible
outrage.
Qui ? Moi ! Le pensez-vous, que je puisse
jamais
Oublier que ma vie est un de vos bien-
faits ?
Non. . . .
CYDALISE. Le soin que j'ai pris de votre
intelligence
Doit mériter, surtout, votre reconnais-
sance ;
Voilà le digne objet où tendent tous mes
vœux.
Vous apprendre à penser, voilà ce que
je veux.
Concevez le bonheur d'étendre son génie,
D'ouvrir l'œil aux clartés de la philoso-
phie,
De dissiper la nuit où vos sens sont
plongés,
D'affranchir votre esprit du joug des
préjugés.
Ce grand art d'exister, qui n'appartient
qu'au sage,
Dont je connais enfin le solide avantage,
Ce jour de la raison, dont j'ai su m'éclai-
rer,
Ma fille, mon amour veut vous le pro-
curer.
J'avais avec Damis conclu votre hymé-
née.
De légers intérêts m'avaient déterminée.
Des rapports de fortune, un procès à fi-
nir ;
Je me souviens qu'alors tout semblait
vous unir.
C'est ainsi que se font la plupart des
affaires ;
Mais enfin, aujourd'hui je romps ces
nœuds vulgaires.
Damis a du bon sens, des vertus, de
l'honneur,
Il a ce que le monde exige à la rigueur :
Tout mortel n'est pas fait pour aller au
sublime ;

Dans le fond, cependant, on lui doit de
l'estime ;
Mais je vous dois aussi, ma fille, un autre
époux,
Beaucoup plus convenable et plus digne
de vous.
Valère a ce qu'il faut pour plaire et
pour séduire,
C'est peu de vous aimer, il saura vous
conduire ;
En un mot, c'est de lui que mon cœur a
fait choix.
ROSALIE. Ainsi, vous oubliez que Damis au-
tre fois
Eut votre aveu, madame, et celui de mon
père ?
CYDALISE. Votre père ! il est vrai que je
n'y songeais guère.
Plaisante autorité que la sienne en ef-
fet !
L'être le plus borné que la nature ait
fait.
Nul talent, nul essor, espèce de machine
Allant par habitude, et pensant par rou-
tine,
Ayant l'air de rêver et ne songeant à
rien,
Gravement occupé du détail de son bien,
Et de mille autres soins purement do-
mestiques ;
Défenseur ennuyeux des préjugés gothi-
ques,
Sauvage dans ses mœurs, alliant à la
fois
La morgue de sa robe au ton le plus
bourgeois ;
Ne s'énonçant jamais qu'avec poids et
mesure,
Et qui, toujours grimpé sur la magis-
trature,
Hors de son tribunal, aurait cru déro-
ger ;
Ayant, comme Dandin,[1] la fureur de ju-
ger.
Mais il est mort enfin, laissons en paix
sa cendre.
ROSALIE. Ah ! Madame, songez. . . .
CYDALISE.        Allez-vous le défendre ?
Un père n'est qu'un homme, et l'on peut
sensément
Remarquer ses défauts, en parler libre-
ment.
ROSALIE. Si ce sont là les droits de la phi-
losophie,
Souffrez que j'y renonce, et pour toute
ma vie ;
Je perdrais trop, madame, à m'éclairer
ainsi ;

[1] Dandin, a character in Rabelais' *Pantagruel* ; also employed by Racine in *les Plaideurs* as the type of judge with a passion for his profession.

J'ose vous l'avouer. Daignez permettre aussi

Qu'en faveur de Damis je vous rappelle encore

Vos premières bontés que votre fille implore.

CYDALISE. Non, Valère est l'amant que j'ai choisi pour vous,

Ma fille, et dès ce soir il sera votre époux.

Ces nœuds embelliront le cours de votre vie.

Quant à vos préjugés sur la philosophie,

Contre eux, à mon exemple, il faut vous aguérir.

Le temps et la raison sauront vous en guérir.

Vous êtes dans cet âge où l'on commence à vivre,

Tout fait ombrage alors: mais vous lirez mon livre.

J'y traite en abrégé de l'esprit, du bon sens,

Des passions, des lois, et des gouvernements;

De la vertu, des mœurs, du climat, des usages;

Des peuples policés et des peuples sauvages;

Du désordre apparent, de l'ordre universel,

Du bonheur idéal et du bonheur réel.

J'examine avec soin les principes des choses,

L'enchaînement secret des effets et des causes.

J'ai fait exprès pour vous un chapitre profond,

Je veux l'intituler: *Les devoirs tels qu'ils sont.*

Enfin, c'est en morale une encyclopédie,

Et Valère l'appelle un livre de génie.

Vous serez trop heureuse avec un tel époux.

Un jour vous connaîtrez ce que je fais pour vous,

Vous m'en remercîrez. Adieu, mademoiselle,

Songez à m'obéir.

## SCÈNE VI.

### MARTON, ROSALIE.

ROSALIE, *sans voir Marton.* Quelle douleur mortelle!

Que résoudre? Que faire? Ah! te voilà, Marton?

MARTON. Oui, j'ai tout entendu. Mais quelle déraison!

Quel travers!

ROSALIE.          Je n'ai plus qu'à mourir.

MARTON.                              Badinage.

Mourir! Vous vous moquez, et ce n'est plus l'usage.

On ne le souffre pas même dans les romans.

ROSALIE. Mais enfin. . . .

MARTON. Calmez-vous, et reprenez vos sens.

Cette crise, après tout, vous l'aviez attendue.

ROSALIE. Mon âme en ce moment n'en est pas moins émue.

MARTON. Présumez-vous si peu du succès de mes soins?

ROSALIE. Ah! Marton. . . .

MARTON. Commencez par vous affliger moins.

Si vos vœux sont comblés, dites-moi, je vous prie,

A quoi ce beau chagrin vous aura-t-il servie?

ROSALIE. Oui, si tu réussis; mais qui m'en répondra?

MARTON. Vous pleurerez alors autant qu'il vous plaira,

Je vous aiderai même, et n'aurai rien à dire;

Mais jusqu'à ce moment, qui vous défend de rire?

A tout événement, c'est toujours fort bien fait,

Et quand tout irait mal, je crois qu'il le faudrait:

Du moins c'est mon humeur. Le chagrin m'incommode.

Je le crois inutile, et j'en suis l'antipode.

C'est à quoi dans la vie il faut le moins songer,

Et l'on a toujours tort, quand on veut s'affliger.

Mais allons concerter quelque heureuse saillie,

Venez, et nous verrons si la philosophie,

Quel que soit son crédit, pourra, dans ce grand jour,

Tenir contre Marton, et Crispin, et l'amour.

# ACTE DEUXIÈME.

## SCÈNE PREMIÈRE.

### VALÈRE, M. CARONDAS.

VALÈRE. Frontin!

M. CARONDAS. Ce maudit nom fera quelque méprise,

Je vous l'ai déjà dit; et devant Cyda-
lise
Il vous arrivera de me nommer ainsi.
Frontin! pour un savant le beau nom!
songez-y,
Monsieur: il ne faudrait que cette étour-
derie
Pour donner du dessous à la philosophie.
VALÈRE. D'accord.
M. CARONDAS. Il faut d'ailleurs supprimer
entre nous
Les tons trop familiers, puisqu'enfin,
selon vous,
Les hommes sont égaux par le droit de
nature,
Je suis, quoique Frontin, votre égal.
VALÈRE.                    Je te jure
Que c'est mon sentiment.
M. CARONDAS.        Moi, je l'approuve fort.
J'avais toujours pensé que les lois avaient
tort;
Et même Cydalise, en un certain chapi-
tre,
Ne prouve point trop mal à mon
gré. . . .
VALÈRE.                    Le beau titre
Que l'avis d'une folle, à qui dans un mo-
ment
On ferait adopter tout autre sentiment;
Qui ne sait que des mots, et n'a rien dans
la tête!
M. CARONDAS. Mais entre nous, monsieur,
son livre est-il si bête?
VALÈRE. Pitoyable.
M. CARONDAS        Le style. . . .
VALÈRE.                Ennuyeux à l'excès.
M. CARONDAS. Vous la flattez pourtant du
plus brillant succès!
VALÈRE. Sans doute.
M. CARONDAS.            Et le public?
VALÈRE.            Nous savons lui prescrire
Comment il faut penser, parler, juger,
écrire;
Nous le déciderons aisément.
M. CARONDAS.                D'accord; mais
Il faut l'apprivoiser, le flatter.
VALÈRE.                    Non, jamais.
Il est, pour le gagner, des méthodes plus
sûres.
M. CARONDAS. Le moyen?
VALÈRE. Par exemple, on lui dit des in-
jures.
C'est un expédient par nos sages trouvé:
Le secret est certain, nous l'avons
éprouvé.
Dans peu, (tu le verras toi-même avec
surprise,)
Nous porterons aux cieux le nom de Cy-
dalise;

Cinq ou six traits hardis, révoltants,
scandaleux,
Produiront dans son livre un effet mer-
veilleux.
Il faut les ajouter.
M. CARONDAS.        Bon! la ruse est nouvelle!
Et comment lui prouver que ces traits-
là sont d'elle?
VALÈRE. Et le reste en est-il? D'abord avec
pudeur
Elle s'en défendra, puis s'en croira
l'auteur.
M. CARONDAS. Je ne sais; mais pour moi,
je rougirais dans l'âme. . .
VALÈRE. As-tu donc oublié que Cydalise est
femme?
Crois-moi, suppose encore un piège plus
grossier,
L'amour-propre est crédule, et l'on peut
s'y fier.
Les femmes sur ce point sont même as-
sez sincères.
M. CARONDAS. Messieurs les beaux esprits
ne leur en doivent guères.
Mais enfin vous croyez qu'avec cinq ou
six traits
Nous devons nous attendre au plus
heureux succès?
VALÈRE. Sans doute, et cette idée, entre
nous, n'est pas neuve.
Le livre de Cratès n'en est-il pas la
preuve?
Jamais production ne prit un tel essor.
Chacun se l'arrachait, on se l'arrache
encor:
Pour livre dangereux partout on le re-
nomme.
Et pourtant nous savons que Cratès est
bon homme.
M. CARONDAS. Il est vrai.
VALÈRE.            Cydalise aura plus de faveur.
On ne juge jamais son sexe à la ri-
gueur.
Quelques-uns de ces traits qu'on se dit
à l'oreille,
Au public hébété feront crier merveille!
Je veux que Cratès même en devienne
jaloux,
Et rien n'est plus aisé, nous la proté-
geons tous.
M. CARONDAS. Eh bien! quoique nourri,
monsieur, à votre école,
J'avais, tout bonnement, admiré sur pa-
role
Et l'ouvrage et l'auteur. Car enfin, mot
à mot
Elle n'a rien écrit que d'après vous.
VALÈRE.                        Le sot!
M. CARONDAS. Mais pour ces beaux en-

droits ajoutés à son livre,
Si les lois s'avisaient, monsieur, de nous
poursuivre?
VALÈRE. Elle aurait le plaisir de s'entendre louer:
N'est-ce rien? Quitte après à tout désavouer.
D'ailleurs l'amour du vrai va jusqu'à
l'héroïsme.
Ces grands mots imposants d'*erreur,* de
*fanatisme,*
De *persécution,* viendrait à son secours.
C'est un ressort usé qui réussit toujours.
N'avons-nous pas encor l'exemple de Socrate
Opprimé, condamné par sa patrie ingrate?
Tous nos admirateurs parleraient à la
fois.
M. CARONDAS. Mais, monsieur, ce Socrate
obéissait aux lois.
VALÈRE. Oui, la philosophie, encor dans son
enfance,
Des préjugés du moins conservait l'apparence;
Mais nous n'en voulons plus.
M. CARONDAS. Tout devient donc permis?
VALÈRE. Excepté contre nous et contre nos
amis.
M. CARONDAS. Vive le bel esprit et la philosophie!
Rien n'est mieux inventé pour adoucir
la vie.
VALÈRE, *avec enthousiasme.* Comment! sur
des rochers on plaçait la vertu!
Y grimpait qui pouvait. L'homme était
méconnu.
Ce roi des animaux, sans guide et sans
boussole,
Sur l'océan du monde errait au gré
d'Éole;
Mais enfin nous savons quel est son vrai
moteur.
L'homme est toujours conduit par l'attrait du bonheur:
C'est dans ses passions qu'il en trouve la
source.
Sans elles, le mobile arrêté dans sa course
Languirait tristement à la terre attaché.
Ce pouvoir inconnu, ce principe caché,
N'a pu se dérober à la philosophie,
Et la morale enfin est soumise au génie.
Du globe où nous vivons despote universel,
Il n'est qu'un seul ressort, l'intérêt personnel;
A tous nos sentiments, c'est lui seul qui
préside;

C'est lui qui dans nos choix nous éclaire
et nous guide.
Libre de préjugés, mais docile à sa voix,
Le sauvage attentif le suit au fond des
bois.
L'homme civilisé reconnaît son empire;
Il commande en un mot à tout ce qui
respire.
M. CARONDAS. Quoi! Monsieur, l'intérêt doit
seul être écouté?
VALÈRE. La nature en a fait une nécessité.
M. CARONDAS. J'avais quelque regret à
tromper Cydalise;
Mais je vois clairement que la chose est
permise.
VALÈRE. La fortune t'appelle, il faut la
prendre au mot.
M. CARONDAS. Oui, monsieur.
VALÈRE. La franchise est la vertu d'un
sot.
M. CARONDAS, *se disposant à le voler.* Oui,
monsieur. . . mais toujours je sens
quelque scrupule
Qui voudrait m'arrêter.
VALÈRE.                    Préjugé ridicule,
Dont il faut s'affranchir!
M. CARONDAS.              Quoi! véritablement?
VALÈRE. Il s'agit d'être heureux, il n'importe comment.
M. CARONDAS. Tout de bon?
VALÈRE. Mais sans doute, en flattant Cydalise,
Tu remplis un devoir que l'usage autorise.
Ne faut-il pas flatter quand on veut
plaire aux gens?
Bien voir ses intérêts, c'est être de bon
sens.
Le superflu des sots est notre patrimoine.
Ce que dit un corsaire au roi de Macédoine
Est très vrai dans le fond.
M. CARONDAS, *fouillant dans la poche de*
*Valère.*          Oui, monsieur.
VALÈRE.                    Tous les biens
Devraient être communs; mais il est des
moyens
De se venger du sort. On peut avec
adresse
Corriger son étoile, et c'est une faiblesse
Que de se tourmenter d'un scrupule éternel.
(*S'apercevant que Carondas veut le voler.*)
Mais que fais-tu donc là?
M. CARONDAS.          L'intérêt personnel. . .
Ce principe caché. . . monsieur. . . qui
nous inspire,

Et qui commande enfin à tout ce qui
    respire. . .

VALÈRE. Quoi! traître, me voler!

M. CARONDAS.     Non. J'use de mon droit,
Tous les biens sont communs.

VALÈRE.     Oui, mais sois plus adroit.
Il est certains malheurs auxquels on se
    hasarde,
Lorsque l'on est surpris.

M. CARONDAS. Monsieur, j'y prendrai
    garde.

VALÈRE. Ceci, Monsieur Frontin, doit être
    une leçon;
Mais puisqu'il ne faut plus vous nom-
    mer de ce nom,
Songez à me servir auprès de Cydalise.
Jusqu'ici, tout va bien; sa fille m'est
    promise.
Vous savez là-dessus quels sont mes sen-
    timents;
Ainsi continuez de flatter ses talents.
Vos termes de collège ont produit des
    merveilles;
Il faut de plus en plus étourdir ses
    oreilles
De ce jargon savant qui vous a réussi.
Vous êtes sans fortune, et vous pouvez
    ici
Vous faire un petit sort que j'aurai soin
    d'étendre,
Si mes vœux ont l'effet que j'ai droit
    d'en attendre.
Adieu, soyez discret, je serai généreux.

### SCÈNE II.

#### M. CARONDAS, seul.

Mon premier coup d'essai n'est pas des
    plus heureux.
Je suis encor trop loin d'atteindre mon
    modèle,
Et c'est au second rang que le destin
    m'appelle.

### SCÈNE III.

#### CYDALISE, M. CARONDAS.

CYDALISE, sans voir M. Carondas. Me voilà
    parvenue à m'en débarrasser.
Que l'oisiveté pèse alors qu'on veut pen-
    ser!
Parmi tous ces fâcheux dont j'étais ob-
    sédée,

Je n'ai pas entrevu le germe d'une idée.
On ne peut à ce point outrager le bon
    sens;
Mais il faut tout souffrir de messieurs
    ses parents.
    (A M. Carondas.)
Ah! vous êtes ici. Bon! prenez votre
    place.
Mon livre va paraître, on attend la pré-
    face,
Il faut y travailler. J'aurais voulu pour-
    tant
Que nous eussions Valère.

M. CARONDAS.     Il me quitte à l'instant,
Et nous parlions de vous, madame, avec
    ivresse.

CYDALISE. Vous parliez de mon livre?

M. CARONDAS.     Il en parle sans cesse.
C'est, dit-il, un brevet pour l'immorta-
    lité;
Vous allez éclipser la docte antiquité.
Je n'ose avec le sien mesurer mon suf-
    frage;
Mais l'admiration me prend à chaque
    page.

CYDALISE. Vous en êtes content?

M. CARONDAS.     Mon esprit s'y confond.
Votre livre est nourri d'un savoir si pro-
    fond
Que vous me feriez croire au démon de
    Socrate.

CYDALISE. Vous vous y connaissez.

M. CARONDAS. Oui, madame, on m'en flatte.
Mais apprenez-moi donc comment cela se
    fit?
Il faut que vous sachiez tout ce qui s'est
    écrit.

CYDALISE. Avec nombre de gens je me suis
    rencontrée,
Et c'est un pur hasard.

M. CARONDAS.     Vous étiez inspirée.
Quoi! vous n'avez pas lu le savant Vos-
    sius?[1]

CYDALISE. Non, jamais.

M. CARONDAS.     Casaubon?[2]

CYDALISE.     Encor moins.

M. CARONDAS.     Grotius?[3]

CYDALISE. Point du tout. Sont-ce là les
    livres d'une femme?

M. CARONDAS. Ma foi, de plus en plus vous
    m'étonnez, madame.
Quoi! rien de tout cela?

CYDALISE.     Non, rien, vous dis-je, rien.

M. CARONDAS. Mais vous parlez des lois
    mieux que Tribonien.[4]

---

[1] G. J. Vossius, German savant (1577–1649).
[2] I. Casaubon, French humanist (1559–1614).
[3] H. Grotius, famous Dutch jurist and diplomat (1583–1645).
[4] Tribonian, Roman jurist of 6th century.

Oh! pour Tribonien, convenez. . .

CYDALISE.                          Je l'ignore.

M. CARONDAS. Vous connaissez du moins
Thalès,[1] Anaxagore? [2]

CYDALISE. Non.

M. CARONDAS. Le Fils naturel? [3]

CYDALISE.              Pour celui-là, d'accord.
Ce sont de ces écrits qu'il faut citer
d'abord.

M. CARONDAS. Je ne veux point ici m'ériger
en arbitre;
Mais j'en aurais jugé, comme vous, sur
le titre.

CYDALISE. C'est aussi mon avis, et je crois
qu'en effet
Un ouvrage excellent s'annonce au moindre trait.
C'est un je ne sais quoi. . . dont notre
âme est saisie. . .
Cela se sent. . . enfin c'est l'attrait du
génie.

M. CARONDAS. J'entends. C'est à peu près
la vapeur d'un ragoût
Qui réveille à la fois l'odorat et le goût.

CYDALISE. Oui; la comparaison est pourtant trop vulgaire.

M. CARONDAS. Elle est de Lycophron.

CYDALISE.              Ah! c'est une autre
affaire.
Venons à ma préface. Allons, je vais
dieter.

(Après un silence et avec emphase.)

Écrivez. J'ai vécu.[4] Non, c'est mal débuter.

Effacez j'ai vécu. Mettez-vous à votre
aise.

(Avec de l'aigreur.)

Ah! Monsieur Carondas, votre plume
est mauvaise.

(Elle rêve.)

J'ai vécu ne vaut rien.

M. CARONDAS.          Je m'en contenterais.
J'ai vécu dit beaucoup!

CYDALISE.          Non, monsieur, je voudrais
Un début plus pompeux et plus philosophique.

M. CARONDAS. Cette simplicité, madame,
est énergique.

CYDALISE, rêvant. Non, non, je cherche un
tour qui soit moins familier.

(Avec humeur.)

On n'a jamais écrit sur de pareil papier.
Effacez donc, monsieur, votre encre est
détestable.

(Elle rêve.)

Je ne pourrai trouver un tour plus favorable?

(Avec impatience.)

Ah! Valère, après tout, devrait bien être
ici.
Je ne me sens jamais tant d'esprit
qu'avec lui.

(Elle rêve.)

Quoi! pas même une idée? Ah! je suis
au supplice.

M. CARONDAS. Madame, le génie a ses jours
de caprice,
Et ceci me rappelle un mot de Suïdas,[5]
Qui dit élégamment. . .

CYDALISE.              Eh! Monsieur Carondas,
Laissez les morts en paix. J'avais un
trait sublime
Qui m'échappe. (Elle rêve.) Attendez. . .
mais, oui; ce tour exprime. . .

( Avec impatience.)

Écrivez. Non, la phrase a trop d'ob-
scurité.
Je ne sentis jamais cette stérilité.
Quel métier! finissons. C'en est fait, j'y
renonce.
L'imprimeur attendra, portez-lui ma ré-
ponse.
Non, revenez. Enfin je l'ai trouvé: j'y
suis.
Vite, écrivez, monsieur: Jeune homme,
prends et lis.[6]
Jeune homme, prends et lis. Le tour est-
il unique?
Qu'en pensez-vous, monsieur?

M. CARONDAS.              Sublime, magnifique!
C'est le ton du génie et de la vérité.

CYDALISE. J'oublie, en le lisant, tout ce qu'il
m'a coûté.
Jeune homme, prends et lis! il est in-
imitable;
Et Valère en sera d'une joie incroyable.

M. CARONDAS. D'un doux frémissement vous
vous sentez troubler?
Jeune homme, prends et lis: l'oracle va
parler;
La nature à tes yeux ici se manifeste.

---

[1] Thales, Greek philosopher (about 636–546 B. C.).

[2] Anaxagoras, Greek philosopher of 5th century B. C.

[3] Diderot's drame, 1757.

[4] Commencement du livre intitulé: Considérations sur les mœurs. (Author's note.) Reference is to Considérations sur les mœurs de ce siècle, by C. P. Duclos, 1751.

[5] Suidas, Greek grammarian of tenth century.

[6] C'est le début fastueux du livre intitulé: l'Interprétation de la nature. (Author's note.)
Reference is to Diderot's Pensées sur l'interprétation de la nature, 1754.

Non, rien n'est si sublime, et pourtant si modeste.

CYDALISE. Mais que nous veut Marton?

## SCÈNE IV.

MARTON, CYDALISE, M. CARONDAS.

MARTON.            Madame, c'est Damis,
Qui demande à vous voir.
CYDALISE.    Que son temps est mal pris!
J'allais finir sans lui. L'importun personnage!
On ne me permet pas d'achever un ouvrage.
MARTON. Valère achèvera.
M. CARONDAS.        Qu'appelez-vous finir?
L'ouvrage est fait, madame, à n'y plus revenir.
Je le donne en dix ans à nos plus grands génies.[1]
CYDALISE. Oui, vous avez raison. Faites-en vingt copies.
Ah! je respire enfin, et j'ai su m'en tirer.
*Jeune homme, prends et lis!* Oui, Damis peut entrer.

## SCÈNE V.

DAMIS, CYDALISE.

CYDALISE. Vous voilà de retour?
DAMIS.          Oui, je reviens, madame,
Pour me plaindre de vous et vous ouvrir mon âme.
Je n'aperçois que trop, et c'est avec douleur,
Que j'ai perdu mes droits au fond de votre cœur:
Vous savez à quel point votre fille m'est chère;
C'est votre aveu, du moins c'est celui de son père,
Qu'en faveur de mes feux je réclame aujourd'hui,
Puisqu'enfin près de vous j'ai besoin d'un appui.
CYDALISE. Le titre, je l'avoue, est assez légitime;
Je conviens de mes torts, non pas que mon estime,
Ni que cette amitié qui m'attachait à vous,
Ne soient encor pour moi des sentiments bien doux,
Et c'est ce que d'abord on aurait dû vous dire:

Mais j'ai formé des nœuds dont le charme m'attire,
J'ai suivi trop longtemps les frivoles erreurs
D'un monde que j'aimais. L'âge a changé mes mœurs.
Aujourd'hui toute entière à la philosophie,
Libre des préjugés qui corrompaient ma vie,
N'existant plus enfin que pour la vérité,
Je me suis fait, Damis, une société
Peu nombreuse, il est vrai: je vis avec des sages,
Et j'apprends à penser en lisant leurs ouvrages:
J'ai choisi l'un d'entr'eux pour ma fille, et, ce soir,
Cette heureuse union doit combler mon espoir.
C'est à vous de juger si, quoique votre amie,
Je dois vous immoler le bonheur de ma vie.
DAMIS. Non, pour votre bonheur je donnerais mes jours,
Et la même amitié m'inspirera toujours.
Mais quels sont donc enfin ces rares avantages
Attachés, dites-vous, au commerce des sages?
Je ne prends point pour tels un tas de charlatans,
Qu'on voit sur des tréteaux ameuter des passants,
Qui mettent une enseigne à leur philosophie:
De tous ces importants ma raison se défie.
De ce vain appareil le vulgaire est séduit.
Moi, je suis de ces gens qui font peu cas du bruit,
Et je distingue fort l'ami de la sagesse,
Du pédant qui s'enroue à la prêcher sans cesse.
CYDALISE. Je sais tout le mépris que l'on doit aux pédants,
Et ne les confonds pas avec les vrais savants.
Épargnez-vous, monsieur, cette satire amère.
Ceux que je peux nommer, Théophraste, Valère,
Dortidius enfin, sont tous assez connus. . . .

[1] 'I defy our greatest geniuses to do as much in ten years.'

DAMIS. Je ne connais entr'eux que ce Dortidius.

Quoi! Madame, il en est?

CYDALISE. D'où vient cette surprise?

DAMIS. Je l'ai connu, vous dis-je; excusez ma franchise:

Apparemment qu'alors il cachait bien son jeu;

Mais ce n'était qu'un sot, presque de son aveu.

Quelqu'un me le fit voir, et malgré sa grimace,

Et les plats compliments qu'il vous adresse en face,

Et le sucre apprêté de ses propos mielleux,

Ma foi, je n'y vis rien de si miraculeux.

Malgré son ton capable, et son air hypocrite,

Je ne fus point tenté de croire à son mérite,

Et je ne lui trouvai, pour le peindre en deux mots,

Qu'un froid enthousiasme imposant pour les sots.

CYDALISE. Ce jugement fait tort à votre intelligence,

Et ce Dortidius fait honneur à la France;

Son nom chez les savants fut toujours en crédit,

Et je ne sais pourquoi tout le monde en médit.

Mais quittons ce propos. Ces rares avantages,

Dont je suis redevable au commerce des sages,

Je dois vous en parler et leur en faire honneur.

Peut-être, après cela, leur tiendrez-vous rigueur;

N'importe, il faut du moins apprendre à les connaître.

J'avais des préjugés qui dégradaient mon être;

Vainement ma raison voulait s'en dégager,

L'habitude bientôt venait m'y replonger.

Les plus vaines terreurs me déclaraient la guerre,

Je croyais aux esprits, j'avais peur du tonnerre.

Je rougis devant vous de ces absurdités;

Mais on nous berce enfin de ces futilités,

Et leur impression n'en est que plus durable.

Notre éducation, frivole, méprisable,

Loin de nous éclairer sur le vrai, ni le faux,

N'est que l'art dangereux de masquer nos défauts.

Mes yeux se sont ouverts, hélas! trop tard peut-être!

A ces hommes divins, je dois un nouvel être.

Le hasard présidait à mes attachements,

J'étais aux petits soins avec tous mes parents,

Et les degrés entre eux réglaient les préférences.

Cet ordre s'étendait jusqu'à mes connaissances.

J'avais tous ces travers, beaucoup d'autres encor;

Enfin mes sentiments ont pris un autre essor.

Mon esprit, épuré par la philosophie,

Vit l'univers en grand, l'adopta pour patrie,

Et mettant à profit ma sensibilité,

Je ne m'attendris plus que sur l'humanité.

DAMIS. Je ne sais, mais enfin dussé-je vous déplaire,

Ce mot d'humanité ne m'en impose guère,

Et par tant de fripons je l'entends répéter,

Que je les crois d'accord pour le faire adopter.

Ils ont quelque intérêt à le mettre à la mode.

C'est un voile à la fois honorable et commode,

Qui de leurs sentiments masque la nullité,

Et prête un beau dehors à leur aridité.

J'ai peu vu de ces gens qui le prônent sans cesse,

Pour les infortunés avoir plus de tendresse,

Se montrer, au besoin, des amis plus fervents,

Etre plus généreux, ou plus compatissants,

Attacher aux bienfaits un peu moins d'importance,

Pour les défauts d'autrui marquer plus d'indulgence,

Consoler le mérite, en chercher les moyens,

Devenir, en un mot, de meilleurs citoyens;

Et pour en parler vrai, ma foi, je les soupçonne

D'aimer le genre humain, mais pour n'aimer personne.

CYDALISE. Vous en voulez beaucoup à cette humanité.

DAMIS. On en abuse trop, et j'en suis révolté.

C'est pour le cœur de l'homme un sentiment trop vaste,

Et j'ai vu quelquefois, par un plaisant contraste,

De ce système outré les plus chauds partisans

Chérir tout l'univers, excepté leurs enfants.

CYDALISE. En vérité, monsieur, les sages sont à plaindre,

Et vous êtes pour eux un adversaire à craindre.

Le siècle et la patrie ont beau s'en applaudir,

Sur le bien qu'ils ont fait il vaut mieux s'étourdir,

Et servir d'interprète et d'organe à l'envie.

DAMIS. Eh! quel bien a produit cette philosophie?

Je ne découvre pas ces succès éclatants.

Je vois autour de moi de petits importants,

Qui, pour avoir un ton, enrôlés dans la secte,

Pensent avoir perdu leur qualité d'insecte;

Se croyant une cour et des admirateurs,

Pour le malheur des arts, devenus protecteurs;

Ne se réveillant pas aux traits de la satire,

Et ne devinant rien à ces éclats de rire,

Dont en tous lieux pourtant on les voit poursuivis;

Préférant à l'honneur de servir leur pays,

L'état de colporteurs de la philosophie:

Sont-ce là les succès dont on se glorifie?

CYDALISE. J'admire vos raisons, elles sont d'un grand poids;

Et vous me citez là des exemples de choix,

Bien dignes en effet d'appuyer votre cause.

Mais un abus jamais prouva-t-il quelque chose?

Faudrait-il renoncer pour quelques importuns? . . .

DAMIS. Madame, ces abus deviennent trop communs.

J'en prévois pour les mœurs d'étranges catastrophes,

Et je suis alarmé de tant de philosophes.

CYDALISE. Restez, monsieur, restez dans votre opinion.

Il n'est point de remède à la prévention;

A penser autrement vous auriez du scrupule.

Eh! que peut la raison sur un esprit crédule?

DAMIS. On croit avoir tout dit, madame, avec ce mot;

Crédule est devenu l'équivalent de sot.

Aux yeux de bien des gens du moins la chose est claire.

Pour moi, que ces gens-là ne persuadent guère,

Et que leur ton railleur n'épouvanta jamais,

J'ai mon avis, madame, et si je leur déplais,

J'en gémis, mais sur eux. Je crois ce qu'il faut croire;

J'ose le déclarer, je le dois, j'en fais gloire.

Ces messieurs peuvent rire, et sans m'humilier:

Il faut bien leur laisser le droit de s'égayer.

Mais moi, j'ose à mon tour les trouver ridicules,

Et souvent la bêtise a fait des incrédules.[1]

CYDALISE. Voilà parler en sage, et je vous applaudis;

C'est très bien fait à vous que d'avoir un avis.

Mais, sans nous égarer dans ces hautes matières,

Je sais ce que je dois aux talents, aux lumières

De ces hommes de bien que vous persécutez.

DAMIS. Ils vous ont donc appris de grandes vérités?

Je ne le croyais pas. Ils ont l'art de détruire;

Mais ils n'élèvent rien, et ce n'est pas instruire.

Quel fruit attendez-vous de leurs vains arguments?

Je n'en prévois que trop les effets affligeants.

Vous irez, sur leurs pas, de sophisme en sophisme,

Vous perdre dans la nuit d'un triste pyrrhonisme.

Ah! renoncez, madame, à ces perturbateurs;

---

[1] L'incrédulité est quelquefois le vice d'un sot (*Pensées philosophiques*). (Author's note.) Reference is to Diderot's *Pensées philosophiques*, 1746.

Ce sont eux que l'on doit nommer persé-
cuteurs.

Abjurez une erreur qui vous est étrangère,

Et reprenez enfin votre vrai caractère.

CYDALISE. Vous avez donc tout dit? J'admire le bon sens,

Et la solidité de vos raisonnements.

Dans un très haut éclat votre mérite y
brille;

Mais j'ai pris mon parti. Vous n'aurez
point ma fille.

Adieu, monsieur.

*(Elle sort.)*

DAMIS. Ah! Ciel! Je ne sais où j'en suis!

## SCÈNE VI.

### CRISPIN, DAMIS.

CRISPIN. Eh bien! cette démarche a-t-elle eu
d'heureux fruits?

Épousons-nous, monsieur? Cydalise, sans
doute. . .

DAMIS. Je viens de lui parler, Crispin:
mais qu'il m'en coûte!

Il me faut renoncer à cet hymen.

CRISPIN. Comment?

DAMIS. Je suis congédié.

CRISPIN. Quoi! là. . . formellement?

DAMIS. Oui, très formellement, Crispin.

CRISPIN. Nous savons plaire,
Monsieur, et nous serions éconduits par
Valère!

N'est-il point de remède?

DAMIS. Oh! je n'en vois aucun.

CRISPIN. Bon! vous n'y pensez pas: moi
j'en vois cent pour un.

Il faut tout simplement enlever Rosalie.

C'est le plus court.

DAMIS. Crispin, quel excès de folie!

Crois-tu qu'elle y consente, et la connais-
tu bien

Pour me parler ainsi?

CRISPIN. Je goûtais ce moyen;

Mais puisqu'il vous déplaît, il faut, dans
cette affaire,

Recourir au plus sûr. J'irais trouver
Valère,

Et je voudrais, morbleu, lui parler sur
un ton

A lui faire, ce soir, déserter la maison.

DAMIS. Ce serait en effet le parti le plus
sage:

Mais Cydalise. . .

CRISPIN. Eh bien?

DAMIS. N'y verra qu'un outrage,

Et c'est précisément le moyen de l'aigrir,

Le secret de me perdre, à n'en plus revenir.

CRISPIN. Allons, c'est donc à moi, par une
heureuse audace,

D'éclairer Cydalise, et de donner la
chasse

A tous ces discoureurs qui lui gâtent l'esprit.

Auprès d'elle, à mon tour, j'aurai quelque crédit,

Et pour peu que Marton seconde l'entreprise,

A la raison bientôt vous la verrez soumise.

DAMIS, *avec joie d'abord.* Ah! Crispin. . .
mais comment s'en reposer sur toi?

CRISPIN, *avec emphase.* Je veux qu'elle
balance entre Valère et moi.

Vous ne connaissez pas encor tout mon
mérite;

Vous voyez le Strabon d'un nouveau
Démocrite.[1]

DAMIS. Toi?

CRISPIN. Moi-même, monsieur; j'ai fait plus
d'un métier:

Un sage à ses travaux daigna m'associer;

Et quelque jour mon nom eût été sur la
liste,

Du moins il m'en flattait, quand j'étais
son copiste.

DAMIS. Comment?

CRISPIN. J'avais déjà quelques admirateurs;

Ah! qu'il m'a fait de tort en fuyant les
honneurs,

Pour vivre dans les bois! je lui dois la
justice

Qu'il ne connut jamais la brigue, l'artifice.

De sa philosophie il était entêté;

Au fond, plein de droiture et de sincérité.

Animal à la fois misanthrope et cynique,

C'était vraiment un fou, dans son espèce, unique.

DAMIS. Ah! puis-je t'écouter dans le
trouble où je suis?

## SCÈNE VII.

### MARTON, DAMIS, CRISPIN.

MARTON. Allons, monsieur, il faut éclaircir
ces ennuis;

Vite, de la gaîté.

[1] Strabo, the ancient Greek geographer, followed the example of Democritus, the famous Greek philosopher, in travelling in many lands. Here Crispin means he is a follower of a new Democritus, i. e., J.-J. Rousseau.

DAMIS.        Comment! Que veux-tu dire?

MARTON. Il faut d'abord, monsieur, commencer par en rire.

CRISPIN. Oui, rions, c'est bien dit.

DAMIS.            Je suis au désespoir!

MARTON. Bon! Vous n'y pensez pas, et vous voyez trop noir.

CRISPIN. Mais je crois qu'en effet elle a quelque vertige.

MARTON. Consolez-vous.

DAMIS.                Marton. . . .

MARTON.        Consolez-vous, vous dis-je.

DAMIS. Qu'est-il donc arrivé?

MARTON.            Vous l'apprendrez; venez.
Oui, je vous mets au rang des amants fortunés.


## ACTE TROISIÈME.

### SCÈNE PREMIÈRE.

DAMIS, MARTON, CRISPIN.

DAMIS. Je ne peux revenir encor de ma surprise!
C'est donc ainsi, Marton, qu'ils trompaient Cydalise?

MARTON. J'espère qu'à la fin elle entendra raison.

DAMIS. Oh! je n'en doute plus, ce billet est trop bon!
Que ne te dois-je pas pour cette découverte?

MARTON. L'heureux hasard, monsieur, que cette porte ouverte!
Ma foi, je le guettais, et depuis fort longtemps;
J'avais toujours bien dit qu'il était de leurs gens,
Je l'aurais affirmé.

CRISPIN. C'est Frontin qu'il se nomme:
A ce nom-là d'abord j'aurais reconnu l'homme.

MARTON. Mais qui se chargera de rendre cet écrit?

DAMIS. Toi.

MARTON. Moi? je me perdrais, monsieur, dans son esprit.
Je n'oserai jamais.

DAMIS.                Marton. . . .

MARTON.            A ma maîtresse
Un billet de ce style! oh! non: point de faiblesse,
Il m'en coûterait trop.

DAMIS.            Mais. . .

MARTON.            Propos superflus,
Je ne le ferai pas.

DAMIS.                Ni moi.

CRISPIN.                Ni moi non plus.

MARTON. C'est que d'ailleurs il faut le rendre en leur présence;
Ou nous ne tenons rien.

DAMIS.        Certainement.

CRISPIN.                Silence.
Cydalise, je crois, ne m'a jamais vu?

MARTON.                Non.

CRISPIN. Et je suis inconnu dans toute la maison?

MARTON. Oui.

CRISPIN. Je veux à la fois m'introduire et lui plaire.
Donnez-moi ce billet, je prends sur moi l'affaire.
Allez, monsieur, allez, je saurai vous servir.

MARTON. Mais vraiment j'entrevois qu'il pourra réussir.

CRISPIN. Je ne veux que Marton pour prix de mes services.
Que n'oserai-je pas sous de pareils auspices?

MARTON. On vient, c'est l'assemblée, éloignez-vous tous deux.

DAMIS. Je me fie à tes soins du succès de mes vœux.

MARTON. Eh! vite, éloignez-vous, de crainte de surprise.


### SCÈNE II.

LES PHILOSOPHES, MARTON.

MARTON, *leur faisant une profonde révérence.* Je vais vous annoncer, messieurs, à Cydalise.


### SCÈNE III.

LES PHILOSOPHES.

THÉOPHRASTE, *à Valère.* Eh bien! le mariage est enfin décidé?

VALÈRE. Oui, j'épouse ce soir. Le notaire est mandé.

DORTIDIUS. Parbleu, j'en suis ravi.

THÉOPHRASTE.        Que je t'en félicite!

DORTIDIUS. Ma foi, cette fortune est due à ton mérite.

THÉOPHRASTE. Oui, malgré le dépit de tous les envieux.

DORTIDIUS. Dans le fond, tu pouvais espérer beaucoup mieux.

VALÈRE. Messieurs.

DORTIDIUS. Non, je le pense, et c'est sans flatterie.

VALÈRE. Vous voulez. . .

DORTIDIUS. Nous savons honorer ton génie.

VALÈRE. Ah! tu me rends confus avec ces
compliments.

DORTIDIUS. Mais, c'est la vérité.

VALÈRE. Si j'avais tes talents,
Si je réunissais tes qualités sublimes,
Ces éloges alors deviendraient légitimes.

THÉOPHRASTE. Et la future enfin consent
donc?

VALÈRE. A regret;
Mais que me fait à moi son déplaisir secret?

THÉOPHRASTE. Sans doute, avec le temps
tu la rendras docile.

DORTIDIUS. Il faut que Rosalie ait le goût
difficile.

VALÈRE. Je ne sais quel rival me dispute
son cœur,
Mais Cydalise, au fond, n'en a que plus
d'ardeur.

DORTIDIUS, en riant. Cydalise. . . conviens
que la dupe est bien bonne.

VALÈRE. Que mon hymen s'achève, et je
te l'abandonne.
Je mourais, si l'affaire eût trainé plus
longtemps,
Et jamais à ce point on n'excéda les
gens.

DORTIDIUS. Moi, ton hymen conclu, d'honneur, je me retire.

THÉOPHRASTE. Ma foi, je quitte aussi; le
moyen d'y suffire!
(A Valère.)
Toi, du moins, tu pouvais, animé par
l'espoir,
Te faire une raison, t'ennuyer par de-
voir,
Et l'amour. . . .

VALÈRE, riant. Oui, l'amour! c'est bien ce
qui me tente!

DORTIDIUS. Il épouse, parbleu, dix mille
écus de rente.

VALÈRE, à Théophraste. Quoi donc! me
trouves-tu le ton d'un amoureux?
Ce serait à mon âge un ridicule affreux.
On revient aujourd'hui de cette erreur
commune,
Et l'on songe au plaisir, mais après la
fortune.

THÉOPHRASTE. Il a vraiment raison.

DORTIDIUS. Je pense comme lui.

VALÈRE. Aurais-je sans cela pu supporter
l'ennui
Qui m'obsédait sans cesse auprès de cette
folle?
Eût-elle été Vénus, j'aurais quitté l'idole.
Oh! je ne donne pas dans de pareils
travers.

THÉOPHRASTE. On devrait l'avertir de ré-
former ses airs;
Elle était autrefois moins difficile à vivre,
D'où vient qu'elle a changé?

VALÈRE. Mais c'est depuis son livre.

THÉOPHRASTE. Quoi! sérieusement le fait-
elle imprimer?

VALÈRE. Oui.

THÉOPHRASTE. Si l'on n'y met ordre, il
faudra l'enfermer.

DORTIDIUS. Sais-tu bien qu'au besoin ce
trait pourrait suffire,
Si tu pensais jamais à la faire interdire?

THÉOPHRASTE, à Valère. Connais-tu son discours sur les devoirs des rois?

VALÈRE. Ah! ne m'en parle pas, je l'ai
relu vingt fois;
Il fallait, à toute heure, essuyer cet
orage.

DORTIDIUS, sérieusement. Entre nous, cependant, c'est son meilleur ouvrage.
Le crois-tu de sa main?

VALÈRE. Bon! tu veux plaisanter.

DORTIDIUS, toujours sérieusement. Non,
d'honneur, il me plaît.

VALÈRE. Et tu peux t'en vanter!

DORTIDIUS. Je te dis qu'il est bien; mais
très bien.

VALÈRE. Tu veux rire.
C'est une absurdité qui va jusqu'au délire.

DORTIDIUS. Si j'en pensais ainsi, je le dirais très bas.

VALÈRE. Va, ton air sérieux ne m'en impose pas.

DORTIDIUS, fâché. Enfin, monsieur décide,
et chacun doit se taire.

VALÈRE. Mais au ton que tu prends, je t'en
croirais le père.

DORTIDIUS. Eh bien! s'il était vrai. . .

VALÈRE. Ma foi, tant pis pour toi.

DORTIDIUS, plus fâché. Mais, mon petit
monsieur.

VALÈRE. Je suis de bonne foi.

DORTIDIUS. Je pourrais en venir à des
vérités dures.

VALÈRE. Toujours, quand on a tort, on en
vient aux injures.

DORTIDIUS. Vous me poussez à bout!

VALÈRE. Et j'en ris, qui plus est.

DORTIDIUS, furieux. Ah! c'en est trop enfin.

THÉOPHRASTE. Eh! Messieurs, s'il vous
plaît. . .

DORTIDIUS. Plaisant original, pour me
rompre en visière!

THÉOPHRASTE, se mettant entre eux. Messieurs, n'imitons pas les pédants de
Molière.[1]

---

[1] Reference to Molière's les Femmes savantes, III, 5.

Permettez-moi tous deux de vous mettre d'accord.

VALÈRE. Moi, j'ai raison.

THÉOPHRASTE, à Valère.　Sans doute.

DORTIDIUS.　　　Et moi, je n'ai pas tort.

THÉOPHRASTE, à Dortidius. Vraiment, non.
Mais enfin on pourrait vous entendre,
Et déjà Cydalise aurait pu nous surprendre.

DORTIDIUS. L'estime qui toujours devrait
nous animer. . . .

THÉOPHRASTE. Il n'est pas question, messieurs, de s'estimer;
Nous nous connaissons tous: mais du
moins la prudence
Veut que de l'amitié nous gardions l'apparence.
C'est par ces beaux dehors que nous en
imposons:
Et nous sommes perdus, si nous nous
divisons.
Il faut bien se passer certaines bagatelles.
Tenez, on vient à nous. Oubliez vos
querelles.

## SCÈNE IV.

CYDALISE, LES PHILOSOPHES.

CYDALISE, un livre à la main. Pardon, si
j'ai tardé; je m'occupais de vous,
Et ce sont là toujours mes moments les
plus doux.
Asseyons-nous, messieurs. Ah! vous
voilà, Valère?
On vient de m'apporter le projet du notaire,
Vous en serez content.

VALÈRE.　　Le plus cher de mes vœux,
Vous le savez, madame, en formant ces
beaux nœuds,
C'est d'affermir encor l'amitié qui nous
lie.

CYDALISE. Je vous dois le bonheur répandu
sur ma vie,
Je m'acquitte envers vous. Mais, messieurs, à l'instant
Vous parliez avec feu. Quel sujet important
Pouvait vous diviser? J'ai cru, du moins,
entendre
Que l'on se disputait.

VALÈRE, avec un peu d'embarras. Il est
vrai.

CYDALISE.　　　　　Puis-je apprendre

Sur quoi vous dissertiez avec tant d'intérêt?

VALÈRE. Puisqu'il faut l'avouer, vous en
étiez l'objet.

CYDALISE. Moi?

VALÈRE. Vous. Cette chaleur en est le
témoignage.

CYDALISE. Quoi donc?

VALÈRE. Ah! je ne puis en dire davantage.
Je ne sais point louer en présence des
gens.
Parlez, messieurs, parlez.

THÉOPHRASTE.　　　　Tu permets?

VALÈRE.　　　　　　　J'y consens.

THÉOPHRASTE. Dans les siècles passés on
cherchait un génie
Qu'on pût vous comparer. Je citais
Aspasie,[1]
Et monsieur se fâchait de la comparai-
son.

VALÈRE. Je la trouve choquante, et voici
ma raison.
Aspasie autrefois put briller dans
Athènes;
Mais la philosophie y fleurissait à peine.
Tous les peuples frappés de son éclat
nouveau,
Durent se prosterner autour de son ber-
ceau;
Tout fut surprise alors. Des talents or-
dinaires
Brillaient à peu de frais, dans ces
siècles vulgaires:
Mais de nos jours l'esprit a fait tant de
progrès;
Il est si difficile, après tant de succès,
De se mettre au niveau de ces hommes
célèbres
Par qui la barbarie a vu fuir ses ténè-
bres,
Que je ne puis souffrir, sans me mettre
en courroux,
Que l'on balance encor entre Aspasie et
vous.
(A Théophraste.)
Comparez donc les temps, et voyez où
vous êtes.

THÉOPHRASTE. Mais les comparaisons ne
sont jamais parfaites.

VALÈRE. Allons, vous aviez tort.

THÉOPHRASTE.　　Je le sens, j'en rougis.

CYDALISE. N'allez pas là-dessus demander
mon avis;
Je sais trop. . .

VALÈRE, avec un ton de vérité. Nous savons
que vous êtes sublime.

[1] Aspasia, the wife of Pericles.

DORTIDIUS. Ce sont nos sentiments; mais
 comme il les exprime!
Il sait tout embellir.
CYDALISE, *vivement.*   Ah! c'est la vérité.
VALÈRE, *lui baisant la main.* Vous me par-
 donnez donc cette vivacité?
CYDALISE. Je devrais le gronder, son esprit
 me désarme;
 On ne peut y tenir, et *je suis sous le
 charme.*[1]
DORTIDIUS. Personne ne sait mieux se
 rendre intéressant.
VALÈRE, *à Dortidius.* Je vois que le génie
 est toujours indulgent.
CYDALISE. Monsieur Dortidius, dit-on quel-
 ques nouvelles?
DORTIDIUS. Je ne m'occupe point des rois,
 de leurs querelles:
 Que me fait le succès d'un siège ou d'un
 combat?
 Je laisse à nos oisifs ces affaires d'état.
 Je m'embarrasse peu du pays que j'ha-
 bite;
 Le véritable sage est un cosmopolite.
CYDALISE. On tient à la patrie, et c'est le
 seul lien. . .
DORTIDIUS. Fi donc! c'est se borner que
 d'être citoyen.
 Loin de ces grands revers qui désolent le
 monde,
 Le sage vit chez lui dans une paix pro-
 fonde;
 Il détourne les yeux de ces objets d'hor-
 reur;
 Il est son seul monarque et son législa-
 teur.
 Rien ne peut altérer le bonheur de son
 être:
 C'est aux grands à calmer les troubles
 qu'ils font naître.
THÉOPHRASTE. Il voit en philosophe, et
 c'est voir comme il faut.
CYDALISE. On ne trouve jamais son esprit
 en défaut.
VALÈRE. Madame, il a raison. L'esprit philosophique
 Ne doit point déroger jusqu'à la politique.
 Ces guerres, ces traités, tous ces riens importants,
 S'enfoncent par degrés dans l'abîme des
 temps.
 Tout cela disparaît au flambeau du génie.
 Et si l'on peut parler sans fausse modestie,

Excepté vous, et nous, je **ne** découvre
 rien
Qui puisse être l'objet d'un honnête en-
 tretien.
CYDALISE. Oui, véritablement, ce sont là
 des misères.
THÉOPHRASTE. Qu'il faut abandonner à des
 esprits vulgaires.
CYDALISE. Je n'appellerai pas de votre au-
 torité.
 A propos, parle-t-on de quelque nou-
 veauté?
VALÈRE. Nous n'en protégeons qu'une.
CYDALISE. Un chef-d'œuvre, sans doute?
VALÈRE. C'est une découverte, une nouvelle
 route,
 Que l'un de nous, madame, entreprend de
 tracer;
 Un genre où le génie a de quoi s'exercer.
CYDALISE. Une tragédie?
VALÈRE.      Oui, purement domestique,[2]
 Comme nous les voulons.
CYDALISE.      Je craindrais la critique;
 Contre les nouveautés elle a toujours rai-
 son;
 Et le public. . . .
VALÈRE.      Vraiment, il décide en oison;
 Nous savons bien cela: mais nous ferons
 la guerre.
CYDALISE. Je ne sais, le vieux goût tient en-
 core au parterre.
VALÈRE. Nous risquons, il est vrai, surtout
 les premiers jours:
 Mais nous ferons un bruit à rendre les
 gens sourds.
 Nous avons des amis, qui de loges en
 loges,
 Vont crier au miracle, et forcer les
 éloges;
 N'avons-nous pas d'ailleurs le succès des
 soupés?
CYDALISE. Oui; je n'y songeais pas, et vous
 me détrompez.
VALÈRE. Nous avons tant de gens qui pour
 nous se dévouent,
 Tants de petits auteurs qui par orgueil
 nous louent,
 Que je suis assuré qu'avec un peu d'encens,
 Nous leur ferions à tous abjurer le bon
 sens.
THÉOPHRASTE, *riant.* Ha, ha, ha, ha, ha, ha,
 c'est la vérité pure.
VALÈRE. Mais non, sans plaisanter, j'en
 ferais la gageure.

---

[1] Voyez *le Fils naturel:* je m'écriai presque sans le vouloir, *il est sous le charme.* (Author's
note.) Incorrect reference. Quotation is from second of *Entretiens sur le Fils naturel.* See
Assézat edition of Diderot's works, Vol. VII, page 102.
  [2] A reference to Diderot's theory of the *drame,* as set forth in the *Entretiens sur le Fils
naturel.* See introduction to Diderot's *le Père de famille* in this volume.

CYDALISE. Et ce chef-d'œuvre enfin l'atten-
    drons-nous longtemps?
VALÈRE Nous sommes occupés de soins plus
    importants.
CYDALISE. Quoi donc?
VALÈRE. Certain auteur dans une comédie
    Veut, dit-on, nous jouer.
CYDALISE. L'entreprise est hardie.
DORTIDIUS, avec feu. Nous jouer! Mais
    vraiment, c'est un crime d'état.
    Nous jouer!
VALÈRE. Nous saurons parer cet attentat.
CYDALISE. Ah! le public entier...
DORTIDIUS. Nous pourrions nous méprendre,
    Nous l'avons mal mené, s'il allait nous le
    rendre.
CYDALISE. Les magistrats en corps élève-
    raient la voix.
THÉOPHRASTE. Nous nous sommes brouil-
    lés avec ces gens de lois.
CYDALISE. Mais la cour...
VALÈRE. Ne prendra jamais notre que-
    relle;
    Nous en avons agi lestement avec elle.
DORTIDIUS. Vous verrez qu'il faudra dire
    un mot à l'auteur.
THÉOPHRASTE. Oui, du moins, on pourrait
    effrayer s'il a peur.
VALÈRE. Le pis aller, messieurs, c'est d'at-
    tendre l'orage.
    Jusques-là, diffamons et l'auteur et l'ou-
    vrage;
    Armons la main des sots pour nous ven-
    ger de lui;
    Portons des coups plus sûrs en nous ser-
    vant d'autrui.
    Ne peut-on pas gagner des acteurs, des
    actrices?
    Nous aurons un parti jusques dans les
    coulisses.
    Il faut de la cabale exciter les ru-
    meurs,
    Nous montrer, même en loge, aux yeux
    des spectateurs.
    Je connais le public, nous n'avons qu'à
    paraître:
    Il nous craint.
CYDALISE. C'est bien dit: qui le brave est
    son maître.
    Mais notre colporteur tarde bien à ve-
    nir.
    Il devrait être ici: qui peut le retenir?
DORTIDIUS. Peut-être est-il là-bas.
CYDALISE. C'est ce que je soupçonne.
    Holà! quelqu'un.

## SCÈNE V.

UN LAQUAIS, CYDALISE, LES PHILOSOPHES.

LE LAQUAIS.            Madame?
CYDALISE.            Il n'est venu personne
    Pour des livres?
LE LAQUAIS.            Personne.
CYDALISE, avec un mouvement d'inquié-
    tude. Un ordre clandestin
    L'aurait-il fait saisir?... Appelez Va-
    lentin.
LE LAQUAIS. Madame, il est fort mal, et
    l'on craint pour sa vie.
DORTIDIUS. Tant mieux! c'est un sujet
    pour notre anatomie.
CYDALISE. Mais est-il donc si mal?
LE LAQUAIS.            Il est désespéré,
    Madame, et je le tiens pour un homme
    enterré.
DORTIDIUS. Le pauvre Valentin! c'est un
    garçon que j'aime,
    Et qu'il me tarde bien de disséquer moi-
    même.
    (A Cydalise.)
    Mais vous deviez, je crois, commencer
    votre cours,
    Madame; cependant vous différez tou-
    jours.
CYDALISE. Ce projet, de ma part, n'était
    qu'un pur caprice...
LE LAQUAIS. Voici le colporteur.
                        (Il sort.)

## SCÈNE VI.

M. PROPICE, CYDALISE, LES PHILOSOPHES.

CYDALISE.            Entrez, Monsieur Propice.
    Avez-vous du nouveau?
M. PROPICE.            Je ne cours pas après,
    Madame. Avez-vous lu les Bijoux indis-
    crets? [1]
    C'est une gaillardise assez philosophique,
    Du moins à ce qu'on dit.
CYDALISE.            L'idée en est comique,
    Mais cela n'est plus neuf.
M. PROPICE.            Cela se vend toujours.
CYDALISE. Passons.
M. PROPICE. Connaissez-vous la Lettre sur
    les sourds?
CYDALISE. L'auteur m'en fit présent.
DORTIDIUS.            Tout son mérite y brille.
M. PROPICE. Vous ne voudriez pas du Père
    de famille?

[1] Les Bijoux indiscrets, by Diderot, 1748. The following works by the same author are
mentioned below: Lettres sur les sourds-muets, 1759; le Père de famille, 1758; Pensées sur
l'interprétation de la nature, 1754.

Cela n'est pas trop bon.

DORTIDIUS, *ironiquement.* Vous vous y connaissez.

M. PROPICE. Mais le public le dit, et je l'en crois assez.

Pour *le Livre des mœurs,*[1] je me souviens, madame,

De vous l'avoir vendu.

(*Il lit les titres.*)

*Réflexions sur l'âme.*[2]

CYDALISE. Voyons. Je le connais. Est-ce tout?

M. PROPICE. Vraiment, non.

*L'interprétation de la nature.*

CYDALISE.           Bon.

C'est un livre excellent!

DORTIDIUS.          Sublime!

THÉOPHRASTE.         Nécessaire!

CYDALISE. Je le garde; quelqu'un m'a pris mon exemplaire.

M. PROPICE. Ceci, c'est le *Discours sur l'inégalité.*[3]

CYDALISE, *le prenant.* Ah! je vais le relire avec avidité.

Quel est cet autre écrit. . . là. . . que je vois en tête?

M. PROPICE. Madame, ce n'est rien; c'est le *Petit Prophète.*[4]

CYDALISE. Ah! ah! Je m'en souviens; il est très amusant.

M. PROPICE. Oui, c'est un badinage infiniment plaisant.

N'attendez-vous plus rien de mon petit service?

CYDALISE. Non. Je retiens ceci. Bon jour, Monsieur Propice.

## SCÈNE VII.

CYDALISE, LES PHILOSOPHES.

CYDALISE. Ah! je relirai donc mon livre favori.

VALÈRE. Quoi? *l'Inégalité?* C'est bien le mien aussi.

THÉOPHRASTE. Ce livre est un trésor; il réduit tous les hommes

Au rang des animaux, et c'est ce que nous sommes.

L'homme s'est fait esclave en se donnant des lois.

Et tout n'irait que mieux s'il vivait dans les bois.

CYDALISE. Pour moi, je goûterais une volupté pure

A nous voir tous rentrer dans l'état de nature.

THÉOPHRASTE. Les esprits dans l'erreur sont encor trop plongés,

Et l'on est retenu par tant de préjugés;

Il est tant de savants qui n'en ont pas l'étoffe! . . .

CYDALISE. Mais, que nous veut Marton?

## SCÈNE VIII.

MARTON, CYDALISE, LES PHILOSOPHES.

MARTON.        Madame, un philosophe Demande à vous parler.

CYDALISE. Il se nomme?

MARTON.            Crispin.

CYDALISE. Le nom est singulier.

DORTIDIUS.        Oui, parbleu!

CYDALISE.            Mais enfin,

Les noms ne prouvent rien: ah! Ciel! quelle surprise!

## SCÈNE IX.

CRISPIN, CYDALISE, LES PHILOSOPHES, MARTON.

CRISPIN, *allant à quatre pattes.*[5] Madame, elle n'a rien dont je me formalise.

Je ne me règle plus sur les opinions,

Et c'est là l'heureux fruit de mes réflexions.

Pour la philosophie un goût à qui tout cède

---

[1] Considérations sur les mœurs de ce siècle, by C. P. Duclos, 1751.

[2] Reference uncertain. Possibly it is to *Nouvelles libertés de penser,* 1743, several of whose treatises are *réflections sur l'âme.* Mention of this title and the previous one were omitted in the 1788 edition of Palissot's works.

[3] *Discours sur l'origine et les fondements de l'inégalité parmi les hommes,* by J.-J. Rousseau, 1755.

[4] *Le Petit Prophète de Boehmischbroda,* by Grimm, 1752, a famous pamphlet in the *Guerre des Bouffons.* See Rousseau's *Confessions,* Bk. VIII.

[5] Palissot has been making fun of Rousseau's *Discours sur l'inégalité,* in which it is argued that primitive man in the *state of nature* is more happy than civilized man. In making Crispin go about on all fours here, the author is recalling Voltaire's famous letter to Rousseau, **August 30, 1755,** in which he stated, with reference to this *Discours,* "il prend envie de marcher à quatre pattes, quand on lit votre ouvrage." (*Œuvres de Voltaire,* édition Moland, **Vol. 38,** p. 447.)

M'a fait choisir exprès l'état de quadru-
pède;

Sur ces quatre piliers mon corps se soutient mieux,

Et je vois moins de sots qui me blessent
les yeux.

CYDALISE, à Valère. Il est original du moins
dans son système.

VALÈRE. Mais il est fort plaisant.

MARTON.        Moi, je sens que je l'aime.

CRISPIN. En nous civilisant, nous avons
tout perdu,

La santé, le bonheur, et même la vertu.

Je me renferme donc dans la vie ani-
male;

Vous voyez ma cuisine, elle est simple et
frugale.

(Il tire une laitue de sa poche.)

On ne peut, il est vrai, se contenter à
moins;

Mais j'ai su m'enrichir en perdant des
besoins.

La fortune autrefois me paraissait injuste;

Et je suis devenu plus heureux, plus robuste

Que tous ces courtisans dans le luxe
amollis,

Dont les femmes enfin connaissent tout
le prix.

Prévenu de l'accueil que vous faites aux
sages,

Madame, je venais vous rendre mes hommages,

Inviter ces messieurs, peut-être, à m'i-
miter;

Du moins, si mon exemple a de quoi les
tenter.

CYDALISE. Savez-vous qu'on démêle, à travers sa folie,

De l'esprit?

DORTIDIUS.      Mais beaucoup.

MARTON.              Je dirais du génie,

Et jamais philosophe à ce point ne m'a
plu.

THÉOPHRASTE. C'est ce que nous cher-
chions; un homme convaincu

Qui, plein de son système et bravant la
critique,

Aux spéculations veut joindre la pratique.

CYDALISE. Dans le fond, ce serait un homme
à respecter,

Mais par les préjugés on se sent arrêter.

CRISPIN. Ma résolution peut vous sembler
bizarre.

CYDALISE. Vous donnez, à vrai dire, un
exemple bien rare;

Mais votre empressement ne peut qu'être
flatteur,

Vous êtes philosophe, et même à la rigueur.

CRISPIN. Je me suis interdit de consulter
les modes,

J'ai cru que des habits devaient être
commodes,

Et rien de plus. Encor dans un climat
bien chaud. . .

THÉOPHRASTE. On juge ici, monsieur,
l'homme par ce qu'il vaut,

Et non par les habits.

CRISPIN.            C'est penser en vrai sage.

CYDALISE. Mais qui peut nous venir?

## SCÈNE X.

M. CARONDAS, CYDALISE, LES PHILOSOPHES,
CRISPIN, MARTON.

M. CARONDAS, fixant beaucoup Crispin, et
marquant de l'embarras. J'ai rempli mon message,

Madame. . . et le notaire. . . arrive en
un moment.

CYDALISE. Qu'avez-vous?

M. CARONDAS, montrant Crispin qui se
cache un peu derrière Cydalise.
Quel est donc cet animal plaisant?

CYDALISE. C'est un grand philosophe, il
sera de la fête.

CRISPIN. En vérité. . . madame. . .

M. CARONDAS, à Valère. Ah! la maudite
bête!

Nous sommes découverts.

VALÈRE.          Eh comment?

M. CARONDAS.              C'est Crispin,

Le valet de Damis.

CRISPIN, se relevant. Eh! oui, Monsieur
Frontin:

Parlez haut; oui, c'est lui.

CYDALISE.        Quel est donc ce mystère?

CRISPIN, en montrant Valère à Cydalise.
Le valet de monsieur est votre secrétaire,

Et je me suis servi de ce déguisement

Pour remettre en vos mains un billet
important,

(Montrant Monsieur Carondas.)

Surpris chez ce fripon.

CYDALISE, ouvrant le billet. Je connais
l'écriture;

(A Valère.)

C'est la vôtre, monsieur.

CRISPIN.          Lisez, je vous conjure.

VALÈRE, aux philosophes. Ah! nous sommes
perdus!

CYDALISE, lit haut, mais d'une voix al-

*térée, et qui s'affaiblit peu à peu.* «Je te
renvoie, mon cher Frontin, ce recueil d'impertinences que Cydalise appelle son livre. Continue de flatter cette folle, à
qui ton nom savant en impose. Théophraste et Dortidius viennent de me communiquer un projet excellent qui achèvera
de lui tourner la tête, et pour lequel tu
nous sera nécessaire. Ses ridicules, ses travers, ses. . .»

CRISPIN.                    Elle baisse la voix,
  Et n'ira pas plus loin, à ce que je pré-
    vois.
M. CARONDAS. Ah! traître de Crispin!
DORTIDIUS, *à Valère.* L'aventure est fâ-
    cheuse,
  Mais nous y sommes faits.
VALÈRE, *bas.*      Quelle disgrâce affreuse!
  Que lui dire? Sortons.
CYDALISE.           Lisez, monsieur, lisez;
  Et justifiez-vous après si vous l'osez.
  De vos séductions j'étais donc la vic-
    time!
  Et mes yeux sont ouverts sur le bord de
    l'abîme!
  Que vous avais-je fait pour me traiter
    ainsi?
  Allez, et de vos jours ne paraissez ici.
  Votre confusion suffit à ma vengeance.
  Ingrats! d'autres peut-être auront moins
    d'indulgence.
  C'est le dernier espoir de mon cœur ou-
    tragé.
  Partez.
VALÈRE, *furieux.* Ah! malheureux!
M. CARONDAS.            Voilà notre congé.
             (*Ils sortent.*)

CYDALISE. Les cruels, à quel point ils
  m'avaient prévenue!


### SCÈNE XI.

DAMIS, ROSALIE, CYDALISE, MARTON,
CRISPIN.

CYDALISE. Venez, Damis, venez; je sens
  que votre vue
  Me rappelle l'excès de mon aveuglement.
DAMIS. Les voilà démasqués; l'erreur n'a
  qu'un moment.
  Ils sont assez punis de n'être plus à
    craindre,
  Et ce n'est plus à vous, madame, de vous
    plaindre.
CYDALISE. A ces hommes pervers j'avais
  sacrifié
  Les devoirs les plus saints, et même
    l'amitié.
  Vous êtes bien vengé. Ma chère Rosalie,
  Je reconnais mes torts: que ton cœur les
    oublie.
  Je les répare tous en te donnant Damis.
DAMIS. Vous trouverez en moi les senti-
  ments d'un fils.
ROSALIE. Tous mes vœux sont remplis;
  le ciel me rend ma mère.
CRISPIN. Moi, j'épouse Marton pour ter-
  miner l'affaire.
MARTON, *au public.* Des sages de nos jours
  nous distinguons les traits:
  Nous démasquons les faux, et respectons
  les vrais.

# LE PHILOSOPHE SANS LE SAVOIR

*Comédie en cinq actes, en prose*

Représentée pour la première fois à la Comédie-Française
le 2 décembre 1765

# SEDAINE

The life of Michel-Jean Sedaine (1719–1797) was quiet and uneventful. He was born in Paris, July 4, 1719. His father, who was an architect, died early, leaving Michel-Jean to provide for the family. The youth, with an admirable sense of duty, abandoned his schooling and went to work to learn the stone-cutter's trade. In his leisure moments he read what he could and was largely self-educated. This fact accounts in some degree perhaps for the original and personal character of his work. Eventually he came into the employ of Buron, the architect. Noticing his literary inclinations, Buron introduced him to several men of letters, gained him a protector, and thus put him out of financial need. Sedaine's literary activities began modestly with the composition of songs and short poems. These he collected and published in 1752. The success of this volume led him to take up the writing of comic operas and *vaudevilles*. In 1756 he produced his first work of this character, the comic opera *le Diable à quatre*. The composition of *pièces mêlées de musique* and of the librettos of comic operas became his life-work, and aside from one domestic comedy, *le Philosophe sans le savoir* (1765), and a one-act comedy, *la Gageure imprévue* (1768), all of his dramatic efforts were in this field. Comic operas enjoyed an immense vogue in France in the second half of the eighteenth century; Sedaine was fortunate in having some of the best composers of the day supply his musical scores, and much of the success of his comic operas is undoubtedly due to this fact. He became a member of the Academy in 1786. The later years of his life were spent quietly at Saint-Prix, near Paris. His old age was not free from troubles and disappointments. The Revolution ruined him financially. He was omitted from membership in the Institute when it was created in 1795 to replace the academies. This was a deep injustice to a man of distinction who had always lived an honorable and upright life and who enjoyed the highest esteem. He died in Paris, May 17, 1797.

Sedaine has given an account of how he came to write the *Philosophe sans le savoir*. ''En 1760, m'étant trouvé à la première représentation des *Philosophes* [Palissot's play], (mauvais et méchant ouvrage en trois actes), je fus indigné de la manière dont étaient traités d'honnêtes hommes de lettres que je ne connaissais que par leurs écrits. Pour réconcilier le public avec l'idée du mot philosophe, que cette satire pouvait dégrader, je composai *Le Philosophe sans le savoir*'' (*Quelques réflexions sur l'opéra comique*). A little domestic episode of which he had heard gave him the idea for the plot. All the rest is of his own invention. When it came to performing the play, Sedaine encountered stern opposition on the part of the censor. The alleged objection was against permitting a father to send his son to a duel. Sedaine defended his play stubbornly, but finally had to yield and change the objectionable scenes before the play was performed at the Comédie-Française on December 2, 1765. It had an immense popular success and numerous performances. The author was

445

permitted in the second printed edition of 1766 to include the censored passages in the appendix. It was the censored version which was employed in all printed editions and in all performances until the revival of the play on September 17, 1875, when the original text was restored to use.

Critics have been almost unanimous in pointing out the weakness in style of the play, and George Sand's statement that its merit is "dans son individualité, non dans sa forme" (preface to le Mariage de Victorine) is largely true. In spite of its failings in the matter of form, it is a highly original work, and emphasis should be placed upon the original features of the play. Sedaine, mainly as a result of the character of his education, was not imbued with the traditional respect for the conventional practices of the theatre, which his predecessors had been unable to shake off. Furthermore, he had an unusual sense of the theatrical. He wrote for the stage rather than for the reading public. He took as his guide the theories of Diderot. He had the same aim as the latter, namely, to present a moral lesson through the imitation of nature. With the ability of a real dramatist he was able to interpret and illustrate these theories in a great play. He saw Diderot's weakness in insisting upon the serious alone; and he created a much greater impression of reality, of life-likeness, through a combination of the serious and the comic. He too gives us a père de famille, but as a great dramatist would present such a character in interpreting the theories of domestic comedy.

In what does the originality of the Philosophe sans le savoir consist? Principally in the impression of reality created through a set of very natural characters who speak and act like ordinary human beings. Even the secondary figures stand out as individuals. Never before on the eighteenth-century French stage had such a sympathetic group of persons appeared. We are shown a picture of family life in which all the members love and respect each other. The plot does not develop out of the vice or virtue in a single character; rather they all contribute to the presentation of a social problem. It is to be noted that the milieu is still essentially aristocratic. Drama had become domestic, but it had to wait a few years before becoming really bourgeois. Vanderk the father, who dominates the play, is a minutely-drawn and thoroughly consistent figure. This kindly, considerate old man is a real philosophe expressing the opinions of his century. He is the outstanding example of the négociant, a type frequently employed in earlier comedy. Jourdain and Turcaret are his dramatic ancestors. His son is the son of a philosophe, honorable, upright, and clean-living. He comes along in the line of descent from Molière's Alceste. Victorine with her delicate and ingenuous love is a charming and subtly-drawn personage who strikes a new note in comedy. Never had such a complete, convincing, and attractive picture of the ingenuous girl been portrayed in French comedy, from the time that Molière typified her in his Agnès. Antoine is a development out of the rôle of Scapin, the wily servant in older comedy. He and the Marquise furnish the comic element in the play. The servants are no longer the traditional valets and soubrettes, who had gone by the board with Diderot. All of these characters express themselves in refreshingly natural language. We look in vain for the declamatory tirades of the Diderot type. The scenes of the play are skilfully handled, and even the seemingly episodic ones have their ultimate purpose. Sedaine leaves no loose ends. These qualities combine to form a remarkably realistic play of manners, superior to all the other examples of eighteenth-century domestic drama. In spirit it is the most modern play of its time, and it is the first model of the realistic drama that was presented later by Scribe, Augier, and Dumas. George Sand wrote a charming continuation of this play in *le Mariage de Victorine* (1851).

BIBLIOGRAPHY: T. E. OLIVER: Variorum critical edition of *Philosophe sans le savoir*, University of Illinois Studies, 1913; also a school edition of same play, New York, 1914. L. GÜNTHER: *L'Œuvre dramatique de Sedaine*, Paris, 1908. F. GAIFFE: *Le Drame en France au XVIII<sup>e</sup> siècle*, Paris, 1910. G. LARROUMET: *Sedaine*, in *Revue des Cours et Conférences*, Paris, 1900-1901. F. BRUNETIÈRE: *Les Époques du théâtre français*, Paris, 1892. G. SAND: Preface to *Le Mariage de Victorine*, 1851.

# LE PHILOSOPHE SANS LE SAVOIR [1]

## PAR MICHEL-JEAN SEDAINE.

### PERSONNAGES.

M. VANDERK PÈRE.
M. VANDERK FILS.
M. DESPARVILLE PÈRE, *ancien officier.*
M. DESPARVILLE FILS, *officier de cavalerie.*
MME VANDERK.
UNE MARQUISE, *sœur de M. Vanderk père.*
ANTOINE, *homme de confiance de M. Vanderk.*
VICTORINE, *fille d'Antoine.*

MLLE SOPHIE VANDERK, *fille de M. Vanderk.*
UN PRÉSIDENT,[2] *futur époux de Mlle Vanderk.*
UN DOMESTIQUE DE M. DESPARVILLE.
UN DOMESTIQUE DE M. VANDERK FILS.
LES DOMESTIQUES DE LA MAISON.
LE DOMESTIQUE DE LA MARQUISE.
La scène est dans une grande ville de France.

## ACTE PREMIER

*Le théâtre représente un grand cabinet éclairé de bougies, un secrétaire sur un des côtés, sur lequel sont des papiers et des cartons.*

### SCÈNE PREMIÈRE.

ANTOINE, VICTORINE.

ANTOINE. Quoi! je vous surprends votre mouchoir à la main, l'air embarrassé, et vous essuyant les yeux, et je ne peux pas savoir pourquoi vous pleurez?

VICTORINE. Bon, mon papa, les jeunes filles pleurent quelquefois pour se désennuyer.

ANTOINE. Je ne me paie pas de cette raison-là.

VICTORINE. Je venais vous demander. . .

ANTOINE. Me demander? Et moi je vous demande ce que vous avez à pleurer; et je vous prie de me le dire.

VICTORINE. Vous vous moquerez de moi.

ANTOINE. Il y aurait assurément un grand danger.

VICTORINE. Si cependant ce que j'ai à dire était vrai, vous ne vous en moqueriez certainement pas.

ANTOINE. Cela peut être.

[1] Text of Oliver edition.
[2] Président, the presiding judge of a high law-court.

VICTORINE. Je suis descendue chez le caissier de la part de Madame.

ANTOINE. Hé bien?

VICTORINE. Il y avait plusieurs messieurs qui attendaient leur tour, et qui causaient ensemble. L'un d'eux a dit: «Ils ont mis l'épée à la main; nous sommes sortis, et on les a séparés.»

ANTOINE. Qui?

VICTORINE. C'est ce que j'ai demandé. «Je ne sais,» m'a dit l'un de ces messieurs, «ce sont deux jeunes gens; l'un est officier dans la cavalerie, et l'autre dans la marine.» Monsieur, l'avez-vous vu? «Oui. Habit bleu, parements rouges.» Jeune? «Oui, de vingt à vingt-deux ans.» Bien fait? . . . Ils ont souri; j'ai rougi, et je n'ai osé continuer.

ANTOINE. Il est vrai que vos questions étaient fort modestes.

VICTORINE. Mais si c'était le fils de Monsieur? . . .

ANTOINE. N'y a-t-il que lui d'officier?

VICTORINE. C'est ce que j'ai pensé.

ANTOINE. Est-il le seul dans la marine?

VICTORINE. C'est ce que je me disais.

ANTOINE. N'y a-t-il que lui de jeune?

VICTORINE. C'est vrai.

ANTOINE. Il faut avoir le cœur bien sensible.

VICTORINE. Ce qui me ferait croire encore que ce n'est pas lui, c'est que ce monsieur a dit que l'officier de marine avait commencé la querelle.

ANTOINE. Et cependant vous pleuriez.

VICTORINE. Oui, je pleurais.

ANTOINE. Il faut bien aimer quelqu'un pour s'alarmer si aisément.

VICTORINE. Hé, mon papa, après vous, qui voulez-vous donc que j'aime plus? Comment, c'est le fils de la maison; feue ma mère l'a nourri; c'est mon frère de lait: c'est le frère de ma jeune maîtresse, et vous-même vous l'aimez bien.

ANTOINE. Je ne vous le défends pas; mais soyez raisonnable.

VICTORINE. Ah! cela me faisait de la peine.

ANTOINE. Allez, vous êtes folle.

VICTORINE. Je le souhaite. Mais si vous alliez vous informer.

ANTOINE. Et où dit-on que la querelle a commencé?

VICTORINE. Dans un café.

ANTOINE. Il n'y va jamais.

VICTORINE. Peut-être par hasard. Ah! si j'étais homme, j'irais.

ANTOINE. Il va rentrer à l'instant. Et comment s'informer dans une grande ville? . . .

## SCÈNE II.

UN DOMESTIQUE *de M. Desparville*, ANTOINE, VICTORINE.

LE DOMESTIQUE. Monsieur.

ANTOINE. Que voulez-vous?

LE DOMESTIQUE. C'est une lettre pour remettre à M. Vanderk.

ANTOINE. Vous pouvez me la laisser.

LE DOMESTIQUE. Il faut que je la remette moi-même; mon maître me l'a ordonné.

ANTOINE. Monsieur n'est pas ici; et quand il y serait, vous prenez bien mal votre temps; il est tard.

LE DOMESTIQUE. Il n'est pas neuf heures.

ANTOINE. Oui; mais c'est ce soir même les accords [1] de sa fille. Si ce n'est qu'une lettre d'affaires, je suis son homme de confiance, et je. . .

LE DOMESTIQUE. Il faut que je la remette en main propre.

ANTOINE. En ce cas passez au magasin, et attendez; je vous ferai avertir.

## SCÈNE III.

ANTOINE, VICTORINE.

VICTORINE. Monsieur n'est donc pas rentré?

ANTOINE. Non. Il est retourné chez le notaire.

VICTORINE. Madame m'envoie vous demander. . . . Ah! je voudrais que vous vissiez Mademoiselle avec ses habits de noces; on vient de les essayer. Les boucles d'oreilles, le collier, la rivière de diamants. Ah! ils sont beaux; il y en a un gros comme cela; et Mademoiselle, ah! comme elle est charmante! Le cher amoureux est en extase. Il est là, il la mange des yeux; on lui a mis du rouge, une mouche, ici. Vous ne la reconnaîtriez pas.

ANTOINE. Sitôt qu'elle a une mouche!

VICTORINE. Madame m'a dit: «Va demander à ton père si Monsieur est revenu, s'il n'est pas en affaire, si on peut lui parler.» Je vais vous dire; mais vous n'en parlerez pas; Mademoiselle va se faire annoncer comme une dame de condition [2] sous un autre nom; et je suis sûre que Monsieur y sera trompé.

---

[1] les accords, the signing of the marriage contract.
[2] une dame de condition, a lady of noble rank.

ANTOINE. Certainement un père ne reconnaîtra pas sa fille.

VICTORINE. Non, il ne la reconnaîtra pas, j'en suis sûre. Quand il arrivera, vous nous avertirez; il y aura de quoi rire. . . . Cependant il n'a pas coutume de rentrer si tard.

ANTOINE. Qui?

VICTORINE. Son fils.

ANTOINE. Tu y penses encore?

VICTORINE. Je m'en vais; vous nous avertirez. Ah! voilà Monsieur.

*(Elle sort.)*

## SCÈNE IV.

M. VANDERK PÈRE, DEUX HOMMES, *portant de l'argent dans des hottes*, ANTOINE.

M. VANDERK PÈRE, *se retournant dit aux porteurs qu'il aperçoit.* Allez à ma caisse; descendez trois marches, et montez-en cinq, au bout du corridor. (*Les hotteurs sortent.*)

ANTOINE. Je vais les y mener.

M. VANDERK PÈRE. Non, reste. Les notaires ne finissent point. (*Il pose son épée et son chapeau; il ouvre un secrétaire.*) Au reste ils ont raison; nous ne voyons que le présent, et ils voient l'avenir. Mon fils est-il rentré?

ANTOINE. Non, monsieur. Voici les rouleaux de vingt-cinq louis que j'ai pris à la caisse.

M. VANDERK PÈRE. Gardes-en un. Oh çà, mon pauvre Antoine, tu vas demain avoir bien de l'embarras.

ANTOINE. N'en ayez pas plus que moi.

M. VANDERK PÈRE. J'en aurai ma part.

ANTOINE. Pourquoi? Reposez-vous sur moi.

M. VANDERK PÈRE. Tu ne peux pas tout faire.

ANTOINE. Je me charge de tout. Imaginez-vous n'être qu'invité. Vous aurez bien assez d'occupation de recevoir votre monde.

M. VANDERK PÈRE. Tu auras un nombre de domestiques étrangers; c'est ce qui m'effraie, surtout ceux de ma sœur.

ANTOINE. Je le sais.

M. VANDERK PÈRE. Je ne veux pas de débauche.

ANTOINE. Il n'y en aura pas.

M. VANDERK PÈRE. Que la table des commis soit servie comme la mienne.

ANTOINE. Oui, monsieur.

M. VANDERK PÈRE. J'irai y faire un tour.

ANTOINE. Je le leur dirai.

M. VANDERK PÈRE. J'y veux recevoir leur santé, et boire à la leur.

ANTOINE. Ils en seront charmés.

M. VANDERK PÈRE. La table des domestiques sans profusion du côté du vin.

ANTOINE. Oui.

M. VANDERK PÈRE. Un demi-louis à chacun comme présent de noces. Si tu n'as pas assez, avance-le.

ANTOINE. Oui.

M. VANDERK PÈRE. Je crois que voilà tout. . . . Les magasins fermés, que personne n'y entre passé dix heures. . . . Que quelqu'un reste dans les bureaux, et ferme la porte en dedans.

ANTOINE. Ma fille y restera.

M. VANDERK PÈRE. Non. Il faut que ta fille soit près de sa bonne amie. J'ai entendu parler de quelques fusées, de quelques pétards. Mon fils veut brûler ses manchettes.

ANTOINE. C'est peu de chose.

M VANDERK PÈRE. Aie toujours soin que les réservoirs soient pleins d'eau.

## SCÈNE V.

VICTORINE, M. VANDERK PÈRE, ANTOINE.

(*Victorine entre et parle à son père à l'oreille.*)

ANTOINE, *à sa fille.* Oui.

## SCÈNE VI.

M. VANDERK PÈRE, ANTOINE.

ANTOINE. Monsieur, vous croyez-vous capable d'un grand secret?

M. VANDERK PÈRE. Encore quelques fusées, quelques violons?

ANTOINE. C'est bien autre chose. Une demoiselle qui a pour vous la plus grande tendresse.

M. VANDERK PÈRE. Ma fille?

ANTOINE. Juste. Elle vous demande un tête-à-tête.

M. VANDERK PÈRE. Sais-tu pourquoi?

ANTOINE. Elle vient d'essayer ses diamants, sa robe de noce; on lui a mis un peu de rouge. Madame et elle pensent que vous ne la reconnaîtrez pas. La voici.

## SCÈNE VII.

LES MÊMES, UN DOMESTIQUE, M. VANDERK PÈRE.

LE DOMESTIQUE. Monsieur, Madame la Marquise de Vanderville.

M. Vanderk Père. Faites entrer.
*On ouvre les deux battants.*

## SCÈNE VIII.

M. Vanderk père, Antoine, Mlle Sophie Vanderk, *annoncée sous le nom de Madame de Vanderville.*

Sophie, *faisant de profondes révérences.* Mon... Monsieur.

M. Vanderk Père. Madame. (*Au domestique.*) Avancez un fauteuil. (*Ils s'asseyent.*) (*A Antoine.*) Elle n'est pas mal. (*A Sophie.*) Puis-je savoir de Madame ce qui me procure l'honneur de la voir?

Sophie, *tremblant.* C'est que... mon... monsieur, j'ai... j'ai un papier à vous remettre.

M. Vanderk Père. Si Madame veut bien me le confier.
*Pendant qu'elle cherche, il regarde Antoine.*

Antoine. Ah! monsieur, qu'elle est belle comme cela!

Sophie. Le voici. (*Le père se lève pour prendre le papier.*) Ah! monsieur, pourquoi vous déranger? (*A part.*) Je suis tout interdite.

M. Vanderk Père. Cela suffit. C'est trente louis. Ah! rien de mieux. (*Pendant qu'il va à son secrétaire, Sophie fait signe à Antoine de ne rien dire.*) Ce billet est excellent; il vous est venu par la Hollande?

Sophie. Non... oui.

M. Vanderk Père. Vous avez raison, Madame... Voici la somme.

Sophie. Monsieur, je suis votre très humble et très obéissante servante.

M. Vanderk Père. Madame ne compte pas?

Sophie. Non. Ah! mon cher... monsieur. Vous êtes un si honnête homme, que la réputation... la renommée dont...

## SCÈNE IX.

Les Mêmes, Mme Vanderk.

Sophie. Ah! maman, mon cher père s'est moqué de moi.

M. Vanderk Père. Comment! c'est vous, ma fille?

Sophie. Ah! vous m'aviez reconnue.

Mme Vanderk, *à son mari.* Comment la trouvez-vous?

M. Vanderk Père. Fort bien.

¹ faux seing, false signature.

Sophie. Vous ne m'avez seulement pas regardée. Je ne suis pas une trompeuse; et voici votre argent, que vous donnez avec tant de confiance à la première personne.

M. Vanderk Père. Garde-le, ma fille. Je ne veux pas que dans toute ta vie tu puisses te reprocher une fausseté même en badinant. Ton billet je le tiens pour bon. Garde les trente louis.

Sophie. Ah! mon cher père...

M. Vanderk Père. Vous aurez des présents à faire demain.

## SCÈNE X.

Les Mêmes, Le Gendre futur.

M. Vanderk Père. Vous allez, monsieur, épouser une jolie personne. Se faire annoncer sous un faux nom, se servir d'un faux seing ¹ pour tromper son père; tout cela n'est qu'un badinage pour elle.

Le Gendre. Ah! monsieur, vous avez à punir deux coupables. Je suis complice, et voici la main qui a signé.

M. Vanderk Père, *prenant la main de sa fille et celle de son futur.* Voilà comme je la punis.

Le Gendre. Comment récompensez-vous donc?

Mme Vanderk, *fait un signe à sa fille.* Ma fille...

Sophie, *au futur.* Permettez-moi, monsieur, de vous prier...

Le Gendre. Commandez.

Sophie. Devinez ce que je veux dire.

Mme Vanderk, *à son mari.* Votre fille est dans un grand embarras.

M. Vanderk Père. Quel est-il?

Le Gendre, *à Sophie.* Je voudrais bien vous deviner... Ah! c'est de vous laisser?

Sophie. Oui.

## SCÈNE XI.

M. et Mme Vanderk, Sophie.

Mme Vanderk. Votre fille se marie demain, elle nous quitte; elle voudrait vous demander....

M. Vanderk Père Ah, madame.

Mme Vanderk, *à sa fille.* Ma fille....

Sophie. Ma mère!... Ah! mon cher père, je... (*se disposant à se mettre à genoux; son père la retient.*)

M. Vanderk Père. Ma fille, épargne à ta mère et à moi l'attendrissement d'un pareil moment. Toutes nos actions, jusqu'à présent, ne tendent qu'à attirer sur toi et sur ton frère toutes les faveurs du ciel. Ne perds jamais de vue, ma fille, que la bonne conduite des père et mère est la bénédiction des enfants.

SOPHIE. Ah! si jamais je l'oublie.

### SCÈNE XII.

LES MÊMES, VICTORINE.

VICTORINE. Le voilà! Le voilà!
MME VANDERK. Qui? Qui donc?
VICTORINE. Monsieur votre fils.
MME VANDERK. Je vous assure, Victorine, que plus vous avancez en âge, et plus vous extravaguez.
VICTORINE. Madame?
MME VANDERK. Premièrement, vous entrez ici sans qu'on vous appelle.
VICTORINE. Mais, madame. . .
MME VANDERK. A-t-on coutume d'annoncer mon fils?
SOPHIE. En vérité, ma bonne amie, vous êtes bien folle.
VICTORINE. C'est que le voilà.

### SCÈNE XIII.

LES MÊMES, M. VANDERK FILS.

SOPHIE. Ah! nous allons voir. (*M. Vanderk fils fait de grandes révérences à sa sœur qu'il ne reconnaît pas.*) Ah! mon frère ne me reconnaît pas.
M. VANDERK FILS. Hé! c'est ma sœur! Oh, elle est charmante!
MME VANDERK. Tu la trouves donc bien?
M. VANDERK FILS. Oui, ma mère.

### SCÈNE XIV.

LES MÊMES, LE GENDRE.

LE GENDRE, *bas à Sophie*. M'est-il permis d'approcher? Les notaires. . . . (*Au père.*) Les notaires sont arrivés. (*Il veut donner la main à Sophie; elle indique sa mère en souriant. Il s'aperçoit de sa méprise.*) Ah!

### SCÈNE XV.

M. VANDERK FILS, SOPHIE, VICTORINE.

SOPHIE. Vous me trouvez donc bien?
M. VANDERK FILS. Très bien.
SOPHIE. Et moi, mon frère, je trouve fort mal de ce qu'un jour comme celui-ci

vous êtes revenu si tard. Demandez à Victorine.
M. VANDERK FILS. Mais, quelle heure donc?
SOPHIE, *lui présentant une montre*. Tenez, regardez.
M. VANDERK FILS, *en considérant la montre*. Il est vrai qu'il est un peu tard; je crois qu'elle avance; elle est jolie. (*Il veut la rendre.*)
SOPHIE. Non, mon frère, je veux que vous la gardiez comme un reproche éternel de ce que vous vous êtes fait attendre.
M. VANDERK FILS. Et moi je l'accepte de bon cœur. Puissé-je, à chaque fois que j'y regarderai, me féliciter de vous savoir heureuse.

### SCÈNE XVI.

LES MÊMES, UN DOMESTIQUE.

LE DOMESTIQUE, *à Sophie*. Mademoiselle, on vous attend.
SOPHIE. Ne venez-vous pas, mon frère?
M. VANDERK FILS. Oui, j'y vais. . . tout à l'heure. Je vous suis. . .

### SCÈNE XVII.

M. VANDERK FILS, VICTORINE.

VICTORINE. Vous m'avez bien inquiétée. Une dispute dans un café.
M. VANDERK FILS. Est-ce que mon père sait cela?
VICTORINE. Est-ce que cela est vrai?
M. VANDERK FILS. Non, non, Victorine. (*Il entre dans le salon.*)
VICTORINE, *en s'en allant d'un autre côté*. Ah! que cela m'inquiète.

## ACTE DEUXIÈME

### SCÈNE PREMIÈRE.

ANTOINE, LE DOMESTIQUE de M. Desparville.

ANTOINE. Où diable étiez-vous donc?
LE DOMESTIQUE. J'étais dans le magasin.
ANTOINE. Qui vous y avait envoyé?
LE DOMESTIQUE. Vous.
ANTOINE. Eh! que faisiez-vous là?
LE DOMESTIQUE. Je dormais.
ANTOINE. Vous dormiez! Il faut qu'il y ait plus de trois heures.
LE DOMESTIQUE. Je n'en sais rien; eh bien, votre maître est-il rentré?

ANTOINE. Bon; on a soupé depuis.

LE DOMESTIQUE. Enfin, puis-je lui remettre ma lettre?

ANTOINE. Attendez.

## SCÈNE II.

### LES MÊMES, M. VANDERK FILS.

LE DOMESTIQUE, *voyant entrer M. Vanderk Fils.* N'est-ce pas là lui?

ANTOINE. Non, non, restez; parbleu, vous êtes un drôle d'homme de rester dans ce magasin pendant trois heures.

LE DOMESTIQUE. Ma foi, j'y aurais passé la nuit, si la faim ne m'avait pas réveillé.

ANTOINE. Venez, venez.

## SCÈNE III.

### M. VANDERK FILS, *seul.*

Quelle fatalité! je ne voulais pas sortir; il semblait que j'avais un pressentiment; n'importe. . . . Un commerçant. . . un commerçant. . . c'est l'état de mon père, au fait, et je ne souffrirai jamais qu'on l'humilie; j'aurai tort tant qu'on voudra, mais. . . Ah, mon père! . . . mon père! . . . un jour de noce. . . je vois toutes ses inquiétudes, toute sa douleur, le désespoir de ma mère, ma sœur, cette pauvre Victorine, Antoine, toute une famille. Ah, dieux! . . . que ne donnerais-je pas pour reculer d'un jour, reculer! . . . (*Le père entre et le regarde.*) Non certes, je ne reculerai pas. Ah, dieux!    (*Il aperçoit son père; il prend un air gai.*)

## SCÈNE IV.

### M. VANDERK PÈRE, M. VANDERK FILS.

M. VANDERK PÈRE. Eh, mais, mon fils, quelle pétulance! quels mouvements! que signifie? . . .

M. VANDERK FILS. Je déclamais; je faisais le héros.

M. VANDERK PÈRE. Vous ne représenteriez pas demain quelque pièce de théâtre, une tragédie?

M. VANDERK FILS. Non, non, mon père.

M. VANDERK PÈRE. Faites, si cela vous amuse; mais, il faudrait quelques précautions; dites-le-moi, et s'il ne faut pas que je le sache, je ne le saurai pas.

M. VANDERK FILS. Je vous suis obligé, mon père; je vous le dirais.

M. VANDERK PÈRE. Si vous me trompez, prenez-y garde; je ferai cabale.[1]

M. VANDERK FILS. Je ne crains pas cela; mais, mon père, on vient de lire le contrat de mariage de ma sœur; nous l'avons tous signé. Quel nom avez-vous donc pris? et quel nom m'avez-vous fait prendre?

M. VANDERK PÈRE. Le vôtre.

M. VANDERK FILS. Le mien! est-ce que celui que je porte? . . .

M. VANDERK PÈRE. Ce n'est qu'un surnom.

M. VANDERK FILS. Vous vous êtes titré de chevalier, d'ancien Baron de Savières, de Clavières, de. . .

M. VANDERK PÈRE. Je le suis.

M. VANDERK FILS. Vous êtes donc gentilhomme?

M. VANDERK PÈRE. Oui.

M. VANDERK FILS. Oui!

M. VANDERK PÈRE. Vous doutez de ce que je dis?

M. VANDERK FILS. Non, mon père; mais est-il possible? . . .

M. VANDERK PÈRE. Il n'est pas possible que je sois gentilhomme?

M. VANDERK FILS. Je ne dis pas cela. Mais est-il possible, fussiez-vous le plus pauvre des nobles, que vous ayez pris un état? . . .[2]

M. VANDERK PÈRE. Mon fils, lorsqu'un homme entre dans le monde, il est le jouet des circonstances.

M. VANDERK FILS. En est-il d'assez fortes pour nous faire descendre du rang le plus distingué au rang. . .

M. VANDERK PÈRE. Achevez, au rang le plus bas.

M. VANDERK FILS. Je ne voulais pas dire cela.

M. VANDERK PÈRE. Écoutez: le compte le plus rigide qu'un père doive à son fils, est celui de l'honneur qu'il a reçu de ses ancêtres; asseyez-vous. (*Il s'assied; le fils prend un siège, et ne s'assied pas.*) J'ai été élevé par votre bisaïeul; mon père fut tué fort jeune à la tête de son régiment. Si vous étiez moins raisonnable, je ne vous confierais pas l'histoire de ma jeunesse; et la voici: Votre mère, fille d'un gentilhomme voisin, a été ma seule et unique passion. Dans l'âge où on ne choisit pas, j'ai eu le bonheur de bien choisir. Un jeune officier, venu en quartier d'hiver dans la province, trouva mauvais qu'un enfant de seize ans,

---

[1] je ferai cabale, I'll intrigue against the success of your play (Oliver).
[2] état, profession, business.

c'était mon âge, attirât les attentions d'un autre enfant; votre mère n'avait pas douze ans; il me traita avec hauteur, je ne le supportai pas, nous nous battîmes . . .

M. VANDERK FILS. Vous vous battîtes!

M. VANDERK PÈRE. Oui, mon fils.

M. VANDERK FILS. Au pistolet? [1]

M. VANDERK PÈRE. Non, à l'épée. Je fus forcé de quitter la province; votre mère me jura une constance qu'elle a eue toute sa vie; je m'embarquai. Un bon Hollandais, propriétaire du bâtiment sur lequel j'étais, me prit en affection. Nous fûmes attaqués, et je lui fus utile (c'est là que j'ai connu Antoine). Le bon marchand m'associa à son commerce; il m'offrit sa nièce et sa fortune. Je lui dis mes engagements, il m'approuve, il part, il obtient le consentement des parents de votre mère, il me l'amène avec sa nourrice (c'est cette bonne vieille qui est ici). Nous nous marions; le bon Hollandais mourut dans mes bras; je pris à sa prière et son nom et son commerce; le ciel a béni ma fortune, je ne peux pas être plus heureux, je suis estimé; voici votre sœur bien établie; votre beau-frère remplit avec honneur une des premières places dans la robe. Pour vous, mon fils, vous serez digne de moi et de vos aïeux; j'ai déjà remis dans notre famille tous les biens que la nécessité de servir le prince avait fait sortir des mains de nos ancêtres; ils seront à vous ces biens; et si vous pensez que j'aie fait par le commerce une tache à leur nom, c'est à vous de l'effacer; mais dans un siècle aussi éclairé que celui-ci, ce qui peut procurer la noblesse n'est pas capable de l'ôter.

M. VANDERK FILS. Ah, mon père, je ne le pense pas; mais le préjugé est malheureusement si fort . . .

M. VANDERK PÈRE. Un préjugé! un tel préjugé n'est rien aux yeux de la raison.

M. VANDERK FILS. Cela n'empêche pas que le commerce ne soit vu comme un état . . .

M. VANDERK PÈRE. Quel état, mon fils, que celui d'un homme, qui d'un trait de plume se fait obéir d'un bout de l'univers à l'autre! Son nom, son seing n'a pas besoin, comme la monnaie d'un souverain, que la valeur du métal serve de caution à l'empreinte; sa personne a tout fait; il a signé, cela suffit.

M. VANDERK FILS. J'en conviens; mais . . .

M. VANDERK PÈRE. Ce n'est pas un peuple, ce n'est pas une seule nation qu'il sert; il les sert toutes, et en est servi; c'est l'homme de l'univers.

M. VANDERK FILS. Cela peut être vrai; mais enfin en lui-même qu'a-t-il de respectable?

M. VANDERK PÈRE. De respectable! Ce qui légitime dans un gentilhomme les droits de la naissance; ce qui fait la base de ses titres; la droiture, l'honneur, la probité.

M. VANDERK FILS. Votre seule conduite, mon père . . .

M. VANDERK PÈRE. Quelques particuliers audacieux font armer les rois; la guerre s'allume; tout s'embrase; l'Europe est divisée; mais ce négociant anglais, hollandais, russe ou chinois n'en est pas moins l'ami de mon cœur. Nous sommes sur la superficie de la terre autant de fils de soie qui lient ensemble les nations, et les ramènent à la paix par la nécessité du commerce. Voilà, mon fils, ce qu'est un honnête négociant.

M. VANDERK FILS. Et le gentilhomme donc, et le militaire?

M. VANDERK PÈRE. Je ne connais que deux états au-dessus du commerçant, (en supposant qu'il y ait des différences entre ceux qui font le mieux qu'ils peuvent dans le rang où le ciel les a placés), je ne connais que deux états,—le magistrat qui fait parler les lois, et le guerrier qui défend la patrie.[2]

M. VANDERK FILS. Je suis donc gentilhomme?

M. VANDERK PÈRE. Oui, mon fils; il est peu de bonnes maisons auxquelles vous ne teniez, et qui ne tiennent à vous.

M. VANDERK FILS. Pourquoi donc me l'avoir caché?

M. VANDERK PÈRE. Par une prudence peut-être inutile. J'ai craint que l'orgueil d'un grand nom ne devînt le germe de vos vertus; j'ai désiré que vous les tinssiez de vous-même. Je vous ai épargné jusqu'à cet instant les réflexions que vous venez de faire, réflexions qui dans un âge moins avancé se seraient produites avec plus d'amertume.

M. VANDERK FILS. Je ne crois pas que jamais . . .

[1] This eager question of the young man is due to the fact that his own duel is to be fought with pistols (Oliver).

[2] Note the omission of the nobleman from this list.

il s'agit de noblesse de robe
et noblesse d'épée

## SCÈNE V.

Les Mêmes, Antoine, le Domestique *de M. Desparville.*

M. Vanderk Père. Qu'est-ce?

Antoine. Il y a, monsieur, plus de trois heures qu'il est là; c'est un domestique.

M. Vanderk Père. Pourquoi faire attendre? Pourquoi ne pas faire parler? Son temps peut être précieux; son maître peut avoir besoin de lui.

Antoine. Je l'ai oublié; on a soupé; il s'est endormi.

Le Domestique. Je me suis endormi. Ma foi, on est las, las. . . . Où diable est-elle à présent? Cette chienne de lettre me fera damner aujourd'hui.

M. Vanderk Père. Donnez-vous patience.

Le Domestique. Ah, la voilà!

(*Pendant que le père lit, le domestique bâille, et le fils rêve.*)

M. Vanderk Père. Vous direz à votre maître . . . Qu'est-il, votre maître?

Le Domestique. Monsieur Desparville.

M. Vanderk Père. J'entends; mais quel est son état?

Le Domestique. Il n'y a pas longtemps que je suis à lui; mais il a servi.

M. Vanderk Père. Servi?

Le Domestique. Oui, il a la croix; [1] c'est bleu, c'est un ruban bleu; ce n'est pas comme les autres; mais c'est la même chose.

M. Vanderk Père. Dites à votre maître, dites à M. Desparville que demain entre trois et quatre heures [2] après-midi je l'attends ici.

Le Domestique. Oui.

M. Vanderk Père. Dites, je vous en prie, que je suis bien fâché de ne pouvoir lui donner une heure plus prompte, que je suis dans l'embarras.

Le Domestique. Je sais, je sais.

(*Comme le domestique tourne du côté du magasin, Antoine dit.*)

Antoine. Hé bien, où allez-vous? encore dormir?

## SCÈNE VI.

M. Vanderk père, M. Vanderk fils.

M. Vanderk Fils. Mon père, je vous prie de pardonner à mes réflexions.

M. Vanderk Père. Il vaut mieux les dire que les taire.

M. Vanderk Fils. Peut-être avec trop de vivacité. . . .

M. Vanderk Père. C'est de votre âge. Vous allez voir ici une femme qui a bien plus de vivacité que vous sur cet article. Quiconque n'est pas militaire, n'est rien.

M. Vanderk Fils. Qui donc?

M. Vanderk Père. Votre tante, ma propre sœur; elle devrait être arrivée. C'est en vain que je l'ai établie honorablement; elle est veuve à présent et sans enfants; elle jouit de tous les revenus des biens que je vous ai achetés; je l'ai comblée de tout ce que j'ai cru devoir satisfaire ses vœux; cependant elle ne me pardonnera jamais l'état que j'ai pris; et lorsque mes dons ne profanent pas ses mains, le nom de frère profanerait ses lèvres; elle est cependant la meilleure de toutes les femmes; mais voilà comme un honneur de préjugé [3] étouffe les sentiments de la nature et de la reconnaissance.

M. Vanderk Fils. Moi, mon père, à votre place, je ne lui pardonnerais jamais.

M. Vanderk Père. Pourquoi? Elle est ainsi, mon fils; c'est une faiblesse en elle; c'est de l'honneur mal entendu, mais c'est toujours de l'honneur.

M. Vanderk Fils. Vous ne m'aviez jamais parlé de cette tante.

M. Vanderk Père. Ce silence entrait dans mon système à votre égard; elle vit dans le fond du Berri; [4] elle n'y soutient qu'avec trop de hauteur le nom de nos ancêtres; et l'idée de noblesse est si forte en elle, que je ne lui aurais pas persuadé de venir au mariage de votre sœur, si je ne lui avais écrit qu'elle épouse un homme de qualité. Encore a-t-elle mis des conditions singulières.

M. Vanderk Fils. Des conditions!

M. Vanderk Père. "Mon cher frère," m'écrit-elle, «j'irai; mais ne serait-il pas mieux, ne serait-il pas plus convenable que je ne passasse que pour une parente éloignée de votre femme, pour une protectrice de la famille?» Elle appuie cela de tous les mauvais raisonnements qui . . . J'entends une voiture.

M. Vanderk Fils. Je vais voir.

[1] The Ordre du Mérite. See page 466, note 4.
[2] See Act V, 4.
[3] un honneur de préjugé, an honor based on prejudice (Oliver).
[4] Berri, a province in the centre of France.

## SCÈNE VII.

LES MÊMES, MME VANDERK, SOPHIE,
LE GENDRE, VICTORINE.

MME VANDERK. Voici, je crois, ma belle-
sœur.
M. VANDERK PÈRE. Il faut voir.
SOPHIE. Voici ma tante.
M. VANDERK PÈRE. Restez ici; je vais au-
devant d'elle.
LE GENDRE. Vous accompagnerai-je?
M. VANDERK PÈRE. Non, restez. Victorine,
éclairez-moi.
(*Victorine prend un flambeau, et passe
devant.*)

## SCÈNE VIII.

MME VANDERK, M. VANDERK FILS, SOPHIE,
LE GENDRE.

LE GENDRE. Eh bien, mon cher frère,
vous avez aujourd'hui un petit air sérieux.
M. VANDERK FILS. Non, je vous assure.
LE GENDRE. Pensez-vous que votre chère
sœur ne sera pas heureuse avec moi?
M. VANDERK FILS. Je ne doute pas qu'elle
ne le soit.
SOPHIE, *à sa mère.* L'appellerai-je ma
tante?
MME VANDERK. Gardez-vous-en bien;
laissez-moi parler.

## SCÈNE IX.

LES MÊMES, M. VANDERK PÈRE, VICTORINE,
LA TANTE, UN LAQUAIS *de la tante en
veste,*[1] *une ceinture de soie, botté, un
fouet sur l'épaule, portant la queue*[2]
*de sa maîtresse.*
LA TANTE. Ah! j'ai les yeux éblouis.
Écartez ces flambeaux. Point d'ordre sur
les routes. Je devrais être ici il y a deux
heures. Soyez de condition, n'en soyez pas,
une duchesse, une financière, c'est égal. Des
chevaux terribles. Mes femmes ont eu des
peurs. (*A son laquais.*) Laissez ma robe,
vous. Ah, c'est Madame Vanderk!
MME VANDERK, *avance, la salue, et met
de la hauteur.*[3] Madame, voici ma fille que
j'ai l'honneur de vous présenter.

LA TANTE, *fait une révérence pro-
tégeante, et n'embrasse pas.* Quel est ce
monsieur noir, et ce jeune homme?
M. VANDERK PÈRE. C'est mon gendre fu-
tur.
LA TANTE, *en regardant le fils.* Il ne faut
que des yeux pour juger qu'il est d'un
sang noble.
M. VANDERK PÈRE. Ne trouvez-vous pas
qu'il a quelque chose du grand-père?
LA TANTE. Mais. . . oui. . . le front; il
est sans doute avancé dans le service?[4]
M. VANDERK PÈRE. Non, il est trop jeune.
LA TANTE. Il a sans doute un régiment.[5]
M. VANDERK PÈRE. Non.
LA TANTE. Pourquoi donc?
M. VANDERK PÈRE. Lorsque par ses services, il aura mérité la faveur de la cour, je
suis tout prêt.
LA TANTE. Vous avez eu vos raisons, il
est fort bien . . . votre fille l'aime sans
doute?
M. VANDERK PÈRE. Oui, ils s'aiment beaucoup.
LA TANTE. Mais je me serais très peu
embarrassée de cet amour-là, et j'aurais
voulu que mon gendre eût eu un rang avant
de lui donner ma fille.
M. VANDERK PÈRE. Il est président.
LA TANTE. Président! Pourquoi porte-t-
il l'épée?
M. VANDERK PÈRE. Qui? Voici mon gendre futur.
LA TANTE. Cela! Monsieur est donc de
robe?
LE GENDRE. Oui, madame, et je m'en fais
honneur.
LA TANTE. Monsieur, il y a dans la robe
des personnes qui tiennent à ce qu'il y a de
mieux.[6]
LE GENDRE. Et qui le sont, madame.
LA TANTE, *à son frère.* Vous ne m'aviez
pas écrit que c'était un homme de robe.
(*Au gendre.*) Je vous fais, monsieur, mon
compliment; je suis charmée de vous voir
uni à une famille . . .
LE GENDRE. Madame.
LA TANTE. A une famille à laquelle je
prends le plus vif intérêt.
LE GENDRE. Madame.
LA TANTE. Mademoiselle a dans toute sa
personne un air, une grâce, une modestie,
un sérieux; elle sera dignement Madame

---

[1] veste, riding jacket.
[2] queue, train.
[3] met de la hauteur, assumes a dignified air.
[4] Young Vanderk is in naval uniform. The aunt mistakes him for the future son-in-law.
[5] Reference to the practice of purchasing military commissions.
[6] tiennent à ce qu'il y a de mieux, are related to the best families (Oliver).

la Présidente. (*Regardant le fils.*) Et ce jeune monsieur?

M. VANDERK PÈRE. C'est mon fils.

LA TANTE. Votre fils! Votre fils! Vous ne me le dites pas[1] . . . vous ne me le dites pas; c'est mon neveu; ah! il est charmant, il est charmant; embrassez-moi, mon cher enfant. Ah! vous avez raison, c'est tout le portrait du grand-père; il m'a saisie, ses yeux, son front, l'air noble. Ah! mon frère, ah! monsieur, je veux l'emmener, je veux le faire connaître dans la province; je le présenterai; ah! il est charmant.

MME VANDERK. Madame, voulez-vous passer dans votre appartement?

M. VANDERK PÈRE. On va vous servir.

LA TANTE. Ah! mon lit, mon lit et un bouillon. Ah! il est charmant. Je le retiens demain pour me donner la main.[2] Bonsoir, mon cher neveu, bonsoir.

M. VANDERK FILS. Ma chère tante, je vous souhaite . . .

## SCÈNE X.

### M. VANDERK FILS, VICTORINE.

M. VANDERK FILS. Ma chère tante est assez folle.

VICTORINE. C'est madame votre tante?

M. VANDERK FILS. Oui, sœur de mon père.

VICTORINE. Ses domestiques font un train; elle en a quatre, cinq, sans compter les femmes; ils sont d'une arrogance. Madame la Marquise par-ci, Madame la Marquise par-là; elle veut ceci, elle entend ça; il semble que tout soit à eux.

M. VANDERK FILS. Je m'en doute bien.

VICTORINE. Vous ne la suivez pas, votre chère tante?

M. VANDERK FILS. J'y vais. Bonsoir, Victorine.

VICTORINE. Attendez donc.

M. VANDERK FILS. Que veux-tu?

VICTORINE. Voyons donc votre nouvelle montre.

M. VANDERK FILS. Tu ne l'as pas vue?

VICTORINE. Que je la voie encore! . . . Ah! elle est belle . . . des diamants . . . à répétition[3] . . . il est onze heures 7 . . . 8 . . . 9 . . . 10 minutes, onze heures dix minutes. Demain à pareille heure . . .

Voulez-vous que je vous dise tout ce que vous ferez demain?

M. VANDERK FILS. Ce que je ferai?

VICTORINE. Oui . . . vous vous lèverez à sept, disons à huit heures; vous descendrez à dix; vous donnerez la main à la mariée; on reviendra à deux heures; on dînera, on jouera; ensuite votre feu d'artifice, pourvu encore que vous ne soyez pas blessé.

M. VANDERK FILS. Blessé. Qu'importe?

VICTORINE. Il ne faut pas l'être.

M. VANDERK FILS. Bon!

VICTORINE. Je parie que voilà tout ce que vous ferez demain.

M. VANDERK FILS. Tu serais bien étonnée si je ne faisais rien de tout cela.

VICTORINE. Que ferez-vous donc?

M. VANDERK FILS. Au reste, tu peux avoir raison.

VICTORINE. C'est joli, une montre à répétition; lorsqu'on se réveille, on sonne l'heure; je crois que je me réveillerais tout exprès.

M. VANDERK FILS. Eh bien, je veux qu'elle passe la nuit dans ta chambre, pour savoir si tu te réveilleras.

VICTORINE. Oh, non!

M. VANDERK FILS. Je t'en prie.

VICTORINE. Si on le savait, on se moquerait de moi.

M. VANDERK FILS. Qui le dira? Tu me la rendras demain au matin.

VICTORINE. Vous en pouvez être sûr; mais . . . et vous?

M. VANDERK FILS. N'ai-je pas ma pendule? et tu me la rendras.

VICTORINE. Sans doute.

M. VANDERK FILS. Qu'à moi.

VICTORINE. A qui donc?

M. VANDERK FILS. Qu'à moi.

VICTORINE. Eh, mais, sans doute.

M. VANDERK FILS. Bonsoir, Victorine. . . . Adieu. . . . Bonsoir. Qu'à moi. Qu'à moi.

## SCÈNE XI.

### VICTORINE, *seule.*

Qu'à moi. Qu'à moi. Que veut-il dire? Il a quelque chose d'extraordinaire aujourd'hui; ce n'est pas sa gaieté, ce n'est pas son air franc; il rêvait. Si c'était . . . non.

---

[1] You don't say so!
[2] donner la main, escort.
[3] a *repeater*, a watch which strikes the hour when a spring is pressed.

## SCÈNE XII.

ANTOINE, VICTORINE.

ANTOINE, *à sa fille.* On vous appelle, on vous sonne depuis une heure.
(*Victorine sort.*)

## SCÈNE XIII.

ANTOINE, *seul.*

Quatre ou cinq misérables laquais de condition[1] donnent plus de peine qu'une maison de quarante personnes. Nous verrons demain . . . ce sera un beau bruit. . . . Je n'oublie rien? Non. (*Il souffle les bougies, et ferme les volets.*) Je vais me coucher.

## SCÈNE XIV.

UN DOMESTIQUE *de M. Vanderk,* ANTOINE.

ANTOINE. Quoi!

LE DOMESTIQUE. Monsieur Antoine, Monsieur dit qu'avant de vous coucher vous montiez chez lui par le petit escalier.

ANTOINE. Oui, j'y vais.

LE DOMESTIQUE. Bonsoir, Monsieur Antoine.

ANTOINE. Bonsoir, bonsoir.

## ACTE TROISIÈME[2]

### SCÈNE PREMIÈRE.

M. VANDERK FILS ET SON DOMESTIQUE *entrent en tâtonnant avec précaution; il fait ouvrir le volet fermé le soir par Antoine, pour faire voir qu'il est un peu jour. Il regarde partout. Il doit être en redingote et en bottines.*

### SCÈNE II.

M. VANDERK FILS, SON DOMESTIQUE; *il est botté ainsi que son maître.*

M. VANDERK FILS. Champagne, va ouvrir le volet . . . . Hé bien, les clefs?

LE DOMESTIQUE. J'ai cherché partout, sur la fenêtre, derrière la porte; j'ai tâté le long de la barre de fer; je n'ai rien trouvé; enfin j'ai réveillé le portier.

M. VANDERK FILS. Eh bien?

LE DOMESTIQUE. Il dit que M. Antoine les a.

M. VANDERK FILS. Eh, pourquoi Antoine a-t-il pris ces clefs?

LE DOMESTIQUE. Je n'en sais rien.

M. VANDERK FILS. A-t-il coutume de les prendre?

LE DOMESTIQUE. Je ne l'ai pas demandé; voulez-vous que j'y aille?

M. VANDERK FILS. Non. Et nos chevaux?

LE DOMESTIQUE. Ils sont dans la cour.

M. VANDERK FILS. Tiens, mets ces pistolets à l'arçon, et n'y touche pas. As-tu entendu du bruit dans la maison?

LE DOMESTIQUE. Non. Tout le monde dort; j'ai cependant vu de la lumière.

M. VANDERK FILS. Où?

LE DOMESTIQUE. Au troisième.

M. VANDERK FILS. Au troisième!

LE DOMESTIQUE. Ah! c'est dans la chambre de mademoiselle Victorine; mais c'est sa lampe.

M. VANDERK FILS. Victorine! . . . Va-t'en.

LE DOMESTIQUE. Où irai-je?

M. VANDERK FILS. Descends dans la cour, écoute; cache les chevaux sous la remise à gauche près du carrosse de ma mère; point de bruit surtout; il ne faut réveiller personne.

### SCÈNE III.

M. VANDERK FILS, *seul.*

Pourquoi Antoine a-t-il pris ces clefs? Que vais-je faire? C'est de le réveiller. Je lui dirai: . . . Je veux sortir. . . . J'ai des emplettes; j'ai quelques affaires. . . . Frappons. Antoine! . . . Je n'entends rien. . . . Antoine! (*Prêt à frapper, il suspend le coup.*) Il va me faire cent questions: Vous sortez de bonne heure; quelle affaire avez-vous donc? Vous sortez à cheval; attendez le jour.—Je ne veux pas attendre, moi. . . . Donnez-moi les clefs. (*Il frappe.*) Antoine!

### SCÈNE IV.

M. VANDERK FILS, ANTOINE *dans sa chambre.*

ANTOINE. Qui est là?

M. VANDERK FILS. Il a répondu. Antoine!

[1] misérables laquais de condition, despicable aristocratic flunkies (Oliver).
[2] For the numerous changes in this act forced upon Sedaine by the censors see Oliver's variorum edition of the play.

ANTOINE. Qui peut frapper si matin?

M. VANDERK FILS. Moi.

ANTOINE. Ah! monsieur, j'y vais.

### SCÈNE V.

#### M. VANDERK FILS, *seul.*

Il se lève. . . . Rien de moins extraordinaire; j'ai affaire, moi; je sors. Je vais à deux pas; quand j'irais plus loin.—Mais vous êtes en bottines. Mais ce cheval? Mais ce domestique?—Eh bien, je vais à deux lieues d'ici; mon père m'a dit de lui faire une commission. Comme l'esprit va chercher bien loin les raisons les plus simples. Ah! je ne sais pas mentir.

### SCÈNE VI.

#### M. VANDERK FILS, ANTOINE, *son col à la main.*

ANTOINE. Comment, monsieur, c'est vous?

M. VANDERK FILS. Oui, donne-moi vite les clefs de la porte cochère.

ANTOINE. Les clefs?

M. VANDERK FILS. Oui.

ANTOINE. Les clefs? Mais le portier doit les avoir.

M. VANDERK FILS. Il dit que vous les avez.

ANTOINE. Ah! c'est vrai; hier au soir, je ne m'en ressouvenais pas. Mais à propos, monsieur votre père les a.

M. VANDERK FILS. Mon père! Hé, pourquoi les a-t-il?

ANTOINE. Demandez-le-lui, je n'en sais rien.

M. VANDERK FILS. Il ne les a pas ordinairement.

ANTOINE. Mais vous sortez de bonne heure.

M. VANDERK FILS. Il faut qu'il ait eu quelques raisons pour prendre les clefs.

ANTOINE. Peut-être quelque domestique; ce mariage . . . Il a appréhendé l'embarras, des fêtes, des aubades. . . . Il veut se lever le premier; enfin que sais-je?

M. VANDERK FILS. Eh bien, mon pauvre Antoine, rends-moi le plus grand . . . rends-moi un petit service; entre tout doucement, je t'en prie, dans l'appartement de mon père; il aura mis les clefs sur quelque table, sur quelque chaise; apporte-les-moi. Prends garde de le réveiller; je serais au désespoir si j'étais la cause que son sommeil eût été troublé.

ANTOINE. Que n'y allez-vous?

M. VANDERK FILS. S'il t'entend, tu lui donneras mieux une raison que moi.

ANTOINE. J'y vais; ne sortez pas, ne sortez pas.

### SCÈNE VII.

#### M. VANDERK FILS, *seul.*

Où veux-tu que j'aille? . . . J'aurais bien cru qu'il m'aurait fait plus de questions; Antoine est un bon homme. . . . Il se sera bien imaginé . . . Ah, mon père, mon père! . . . Il dort. . . . Il ne sait pas. . . . Ce cabinet . . . cette maison, tout ce qui frappe mes yeux m'est plus cher; quitter cela pour toujours, ou pour longtemps, cela fait une peine qui . . . Ah! le voilà. . . . Ciel! c'est mon père.

### SCÈNE VIII.

#### M. VANDERK PÈRE, *en robe de chambre,* M. VANDERK FILS.

M. VANDERK FILS. Ah! mon père, ah! que je suis fâché! C'est la faute d'Antoine; je le lui avais dit; mais il aura fait du bruit, il vous aura réveillé.

M. VANDERK PÈRE. Non, je l'étais.

M. VANDERK FILS. Vous l'étiez! . . . et sans doute que . . .

M. VANDERK PÈRE. Vous ne me dites pas bonjour.

M. VANDERK FILS. Mon père, je vous demande pardon, je vous souhaite bien le bonjour. Comment avez-vous passé la nuit? votre santé . . .

M. VANDERK PÈRE. Vous sortez de bonne heure.

M. VANDERK FILS. Oui, je voulais . . .

M. VANDERK PÈRE. Il y a des chevaux dans la cour.

M. VANDERK FILS. C'est pour moi; c'est le mien, et celui de mon domestique.

M. VANDERK PÈRE. Eh! où allez-vous si matin?

M. VANDERK FILS. Une fantaisie d'exercice, je voulais faire le tour des remparts; une idée . . . un caprice qui m'a pris tout d'un coup ce matin.

M. VANDERK PÈRE. Dès hier au soir, vous aviez dit qu'on tînt vos chevaux prêts; Victorine l'a su de quelqu'un, d'un homme de l'écurie, et vous aviez l'idée de sortir.

M. VANDERK FILS. Non pas absolument.

M. VANDERK PÈRE. Non! mon fils, vous avez quelque dessein?

M. Vanderk Fils. Quel dessein voudriez-vous que j'eusse?

M. Vanderk Père. C'est moi qui vous le demande.

M. Vanderk Fils. Je vous assure, mon père . . .

M. Vanderk Père. Mon fils, jusqu'à cet instant, je n'ai connu en vous ni détours, ni mensonges; si ce que vous me dites est vrai, répétez-le-moi, et je vous croirai. . . . Si ce sont quelques raisons, quelques folies de votre âge, de ces niaiseries qu'un père peut soupçonner, mais ne doit jamais savoir, quelque peine que cela me fasse, je n'exige pas une confidence dont nous rougirions l'un et l'autre; voici les clefs, sortez. (*Le fils tend la main, et les prend.*) Mais, mon fils, si cela pouvait intéresser votre repos, et le mien, et celui de votre mère.

M. Vanderk Fils. Ah! mon père.

M. Vanderk Père. Il n'est pas possible qu'il y ait rien de déshonorant dans ce que vous allez faire?

M. Vanderk Fils. Ah! bien plutôt . . .

M. Vanderk Père. Achevez.

M. Vanderk Fils. Que me demandez-vous! Ah! mon père, vous me l'avez dit hier; vous avez été insulté; vous étiez jeune; vous vous êtes battu; vous le feriez encore. . . . Ah! que je suis malheureux! Je sens que je vais faire le malheur de votre vie. Non . . . jamais. . . . Quelle leçon! . . . Vous pouvez m'en croire . . . si la fatalité . . .

M. Vanderk Père. Insulté! . . .battu! . . . le malheur de ma vie! Mon fils, causons ensemble, et ne voyez en moi qu'un ami.

M. Vanderk Fils. S'il était possible que j'exigeasse de vous un serment . . . promettez-moi que, quelque chose que je vous dise, votre bonté ne me détournera pas de ce que je dois faire.

M. Vanderk Père. Si cela est juste.

M. Vanderk Fils. Juste ou non.

M. Vanderk Père. Ou non?

M. Vanderk Fils. Ne vous alarmez pas. Hier au soir j'ai eu quelque altercation, une dispute avec un officier de cavalerie; nous sommes sortis; on nous a séparés. . . . Parole aujourd'hui.[1]

M. Vanderk Père, *en s'appuyant sur le dos d'une chaise.* Ha! mon fils!

M. Vanderk Fils. Mon père, voilà ce que je craignais.

M. Vanderk Père, *avec fermeté.* Je suis bien loin de vous détourner de ce que vous avez à faire. (*Douloureusement.*) Vous êtes militaire, et quand on a pris un engagement vis-à-vis du public, on doit le tenir, quoiqu'il en coûte à la raison, et même à la nature.

M. Vanderk Fils. Je n'ai pas besoin d'exhortation.

M. Vanderk Père. Je le crois; et puis-je savoir de vous un détail plus étendu de votre querelle, et de ce qui l'a causée; enfin de tout ce qui s'est passé?

M. Vanderk Fils. Ah! comme j'ai fait ce que j'ai pu pour éviter votre présence.

M. Vanderk Père. Vous fait-elle du chagrin?

M. Vanderk Fils. Ha! jamais, jamais, je n'ai eu tant besoin d'un ami, et surtout de vous.

M. Vanderk Père. Enfin vous avez eu dispute.

M. Vanderk Fils. L'histoire n'est pas longue: la pluie qui est survenue hier, m'a forcé d'entrer dans un café; j'y jouais une partie d'échecs; j'entends à quelques pas de moi quelqu'un qui parlait avec chaleur; il racontait, je ne sais quoi, de son père, d'un marchand, d'un escompte, de billets; mais je suis certain d'avoir entendu très distinctement: Oui, tous ces négociants, tous ces commerçants sont des fripons, des misérables. Je me suis retourné, je l'ai regardé; lui, sans nul égard, sans nulle attention, a répété le même discours. Je me suis levé, je lui ai dit à l'oreille qu'il n'y avait qu'un malhonnête homme qui pût tenir de pareils propos. Nous sommes sortis; on nous a séparés.

M. Vanderk Père. Vous me permettrez de vous dire . . .

M. Vanderk Fils. Ah! je sais, mon père, tous les reproches que vous pouvez me faire: cet officier pouvait être dans un instant d'humeur; ce qu'il disait, pouvait ne pas me regarder; lorsqu'on dit tout le monde, on ne dit personne; peut-être même ne faisait-il que raconter ce qu'on lui avait dit; et voilà mon chagrin, voilà mon tourment. Mon retour sur moi-même a fait mon supplice; il faut que je cherche à égorger un homme qui peut n'avoir pas tort. Je crois cependant qu'il l'a dit, parce que j'étais présent.

M. Vanderk Père. Vous le désirez; vous connaît-il?

M. Vanderk Fils. Je ne le connais pas.

M. Vanderk Père. Et vous cherchez querelle! Je n'ai rien à vous prescrire.

---

[1] Parole aujourd'hui, word of honor to settle it in a duel to-day.

M. VANDERK FILS. Mon père, soyez tranquille.

M. VANDERK PÈRE. Ah! mon fils, pourquoi n'avez-vous pas pensé que vous aviez un père? Je pense si souvent que j'ai un fils.

M. VANDERK FILS. C'est parce que j'y pensais.

M. VANDERK PÈRE, *après un profond soupir.* Quelle épée avez-vous là?

M. VANDERK FILS. J'ai mes pistolets.

M. VANDERK PÈRE. Vos pistolets! . . . l'arme d'un gentilhomme est son épée.

M. VANDERK FILS. Il a choisi.

M. VANDERK PÈRE. Eh! dans quelle incertitude, dans quelle peine jetiez-vous aujourd'hui votre mère et moi!

M. VANDERK FILS. J'y avais pourvu.

M. VANDERK PÈRE. Comment?

M. VANDERK FILS. J'avais laissé sur ma table une lettre adressée à vous; Victorine vous l'aurait donnée.

M. VANDERK PÈRE. Est-ce que vous vous êtes confié à Victorine?

M. VANDERK FILS. Non; mais elle devait reporter quelque chose sur ma table, et elle l'aurait vue.

M. VANDERK PÈRE. Eh! . . . quelles précautions aviez-vous prises contre la juste rigueur des lois?

M. VANDERK FILS. La fuite.

M. VANDERK PÈRE. Remontez à votre appartement; apportez-moi cette lettre; je vais écrire pour votre sûreté, si le ciel vous conserve. Ah! peut-on l'implorer pour un meurtre, et peut-être pour deux?

M. VANDERK FILS. Que je suis malheureux!

M. VANDERK PÈRE. Passez dans la chambre de votre mère; dites-lui . . . non, il vaut mieux qu'il y ait douze heures de plus qu'elle ne vous ait vu. Ah, ciel!

### SCÈNE IX.

#### M. VANDERK PÈRE, *seul.*

Infortuné, comme on doit peu compter sur le bonheur présent. Je me suis couché le plus tranquille, le plus heureux des pères, et me voilà! (*Il se met à son secrétaire, et il écrit.*) Antoine! . . . Je ne puis avoir trop de confiance. (*Antoine entre.*) Ah! pourvu que je le revoie. (*Il écrit.*) Si son sang coulait pour son roi ou pour sa patrie; mais . . .

¹ marche, plan.

### SCÈNE X.

#### M. VANDERK PÈRE, ANTOINE.

ANTOINE. Que voulez-vous?

M. VANDERK PÈRE. Ce que je veux? Ah! qu'il vive.

ANTOINE. Monsieur.

M. VANDERK PÈRE. Je ne t'ai pas entendu entrer.

ANTOINE. Vous m'avez appelé.

M. VANDERK PÈRE. Antoine, je connais ta discrétion, ton affection pour moi et pour mon fils. Il sort pour se battre.

ANTOINE. Contre qui? Je vais . . .

M. VANDERK PÈRE. Cela est inutile.

ANTOINE. Tout le quartier va le défendre; je vais réveiller. . .

M. VANDERK PÈRE. Non, ce n'est pas . . .

ANTOINE. Vous me tueriez plutôt que de. . .

M. VANDERK PÈRE. Tais-toi; il est encore ici; le voici, laisse-nous.

### SCÈNE XI.

#### M. VANDERK PÈRE, M. VANDERK FILS.

M. VANDERK FILS. Je vais vous la lire.

M. VANDERK PÈRE. Non, donnez; et quelle est votre marche,¹ le lieu, l'instant?

M. VANDERK FILS. Je n'ai voulu sortir de si bonne heure que pour ne pas manquer à ma parole. J'ai redouté l'embarras d'aujourd'hui, et de me trouver engagé de façon à ne pouvoir m'échapper. Ah! comme j'aurais voulu retarder d'un jour.

M. VANDERK PÈRE. Eh bien?

M. VANDERK FILS. Sur les trois heures après-midi; nous nous rencontrerons derrière les petits remparts.

M. VANDERK PÈRE. Et d'ici à trois heures ne pouviez-vous rester?

M. VANDERK FILS. Ah! mon père! Imaginez. . .

M. VANDERK PÈRE. Vous avez raison; je n'y pensais pas. Tenez, voici des lettres pour Calais et pour l'Angleterre; vous aurez des relais. Puissiez-vous en avoir besoin!

M. VANDERK FILS. Mon père!

M. VANDERK PÈRE. Ah! mon fils! on commence à remuer dans la maison. Adieu.

M. VANDERK FILS. Adieu, mon père, embrassez pour moi . . .

(*Son père le repousse avec tendresse, et ne l'embrasse pas. Le fils fait quel-*

*ques pas pour sortir; il se retourne,*
*et tend les bras à son père, qui lui*
*fait signe de partir.*)

## SCÈNE XII.

M. Vanderk père, *seul.*

Ah, mon fils! fouler aux pieds la raison, la nature et les lois. Préjugé funeste!
Abus cruel du point d'honneur, tu ne pouvais avoir pris naissance que dans les temps
les plus barbares; tu ne pouvais subsister
qu'au milieu d'une nation vaine et pleine
d'elle-même, qu'au milieu d'un peuple dont
chaque particulier compte sa personne pour
tout, et sa patrie et sa famille pour rien.
Et vous, lois sages, mais insuffisantes, vous
avez désiré mettre un frein à l'honneur;
vous avez ennobli l'échafaud; votre sévérité
a servi à froisser le cœur d'un honnête
homme entre l'infamie et le supplice. Ah!
mon fils!

## SCÈNE XIII.

M. Vanderk père, Antoine.

Antoine. Vous l'avez laissé partir!
M. Vanderk Père. Que rien ne tran-
spire ici.
Antoine. Il est déjà jour chez Madame;
et s'il allait chez elle . . .
M. Vanderk Père. Il est parti. Ah, ciel!
Viens, suis-moi, je vais m'habiller.

# ACTE QUATRIÈME

## SCÈNE PREMIÈRE.

Victorine, *seule.*

Je le cherche partout; qu'est-il devenu?
Cela me passe. Il ne sera jamais prêt. Il
n'est pas habillé. Ah, que je suis fâchée de
m'être embarrassée de sa montre! Je l'ai
vu toute la nuit qui me disait «qu'à moi,
qu'à moi, qu'à moi»; il est sorti de bien
bonne heure et à cheval; mais si c'était cette
dispute, et s'il était vrai qu'il fût allé. . . .
Ah! j'ai un pressentiment. Mais que ris-
qué-je d'en parler? J'en vais parler à
Monsieur. Je parierais que c'est ce domestique qui s'est endormi hier au soir; il
avait une mauvaise physionomie; il lui
aura donné un rendez-vous. Ah!

## SCÈNE II.

M. Vanderk père, Victorine.

Victorine. Monsieur, on est bien inquiet.
Madame la Marquise dit: «Mon neveu est-
il habillé? Qu'on l'avertisse. Est-il prêt?
Pourquoi ne l'ai-je pas vu? Pourquoi ne
vient-il pas?»
M. Vanderk Père. Mon fils?
Victorine. Oui. Je l'ai demandé; je l'ai
fait chercher; je ne sais s'il est sorti, ou
s'il n'est pas sorti, mais je ne l'ai pas
trouvé.
M. Vanderk Père. Il est sorti.
Victorine. Vous savez donc, monsieur,
qu'il est dehors?
M. Vanderk Père. Oui, je le sais. Voyez
si tout le monde est prêt; pour moi, je le
suis. Où est votre père?
Victorine, *fait un pas, et revient.* Avez-
vous vu, monsieur, hier un domestique qui
voulait parler à vous ou à monsieur votre
fils?
M. Vanderk Père. Un domestique?
C'était à moi; j'ai donné parole à son
maître aujourd'hui; vous faites bien de
m'en faire ressouvenir.
Victorine, *à part.* Il faut que ce ne soit
pas cela; tant mieux, puisque monsieur
sait où il est.
M. Vanderk Père. Voyez donc où est
votre père.
Victorine. J'y cours.

## SCÈNE III.

M. Vanderk père, *seul.*

Au milieu de la joie la plus légitime.
. . . Antoine ne vient point. . . . Je voyais
devant moi toutes les misères humaines. Je
m'y tenais préparé. La mort même. . . .
Mais ceci. . . . Hé, que dire! . . . Ah, ciel!

## SCÈNE IV.

La Tante, M. Vanderk père.

M. Vanderk Père, *ayant repris un air*
*serein.* Hé bien, ma sœur, puis-je enfin me
livrer au plaisir de vous revoir?
La Tante. Mon frère, je suis très en
colère; vous gronderez après, si vous voulez.
M. Vanderk Père. J'ai tout lieu d'être
fâché contre vous.

La Tante. Et moi contre votre fils.

M. Vanderk Père. J'ai cru que les droits du sang n'admettaient point de ces ménagements, et qu'un frère . . .

La Tante. Et moi, qu'une sœur comme moi mérite de certains égards.

M. Vanderk Père. Quoi! vous aurait-on manqué en quelque chose?

La Tante. Oui, sans doute.

M. Vanderk Père. Qui?

La Tante. Votre fils.

M. Vanderk Père. Mon fils! Eh, quand peut-il vous avoir désobligée?

La Tante. A l'instant.

M. Vanderk Père. A l'instant!

La Tante. Oui, mon frère, à l'instant; il est bien singulier que mon neveu, qui doit me donner la main aujourd'hui, ne soit pas ici, et qu'il sorte.

M. Vanderk Père. Il est sorti pour une affaire indispensable.

La Tante. Indispensable! indispensable! votre sang-froid me tue; il faut me le trouver mort ou vif; c'est lui qui me donne la main.

M. Vanderk Père. Je compte vous la donner, s'il le faut.

La Tante. Vous? Au reste je le veux bien; vous me ferez honneur. Oh, çà, mon frère, parlons raison; il n'y a point de choses que je n'aie imaginées pour mon neveu, quoiqu'il soit malhonnête à lui d'être sorti. Il y a près mon château, ou plutôt près du vôtre, et je vous en rends grâce, il y a un certain fief qui a été enlevé à la famille en 1574, mais il n'est pas rachetable.

M. Vanderk Père. Soit.

La Tante. C'est un abus;[1] mais c'est fâcheux.

M. Vanderk Père. Cela peut être. Allons rejoindre . . .

La Tante. Nous avons le temps; il faut repeindre les vitraux de la chapelle; cela vous étonne.

M. Vanderk Père. Nous parlerons de cela.

La Tante. C'est que les armoiries sont écartelées d'Aragon, et que le lambel.[2] . . .

M. Vanderk Père. Ma sœur, vous ne partez pas aujourd'hui?

La Tante. Non, je vous assure.

M. Vanderk Père. Hé bien, nous en parlerons demain.

La Tante. C'est que cette nuit j'ai arrangé pour votre fils, j'ai arrangé des choses étonnantes. Il est aimable, il est aimable.

Nous avons dans la province la plus riche héritière, c'est une Cramont Ballière de la Tour d'Agon, vous savez ce que c'est; elle est même parente de votre femme; votre fils l'épouse, j'en fais mon affaire; vous ne paraîtrez pas, vous; je le propose; je le marie; il ira à l'armée, et moi je reste avec sa femme, avec ma nièce, et j'élève ses enfants.

M. Vanderk Père. Eh! ma sœur.

La Tante. Ce sont les vôtres, mon frère.

M. Vanderk Père. Entrons dans le salon; sans doute on nous y attend.

## SCÈNE V.

Les Mêmes, Antoine.

M. Vanderk Père, à Antoine qui entre. Antoine, reste ici.

La Tante, en s'en allant. Je vois qu'il est heureux, mais très heureux, pour mon neveu que je sois venue ici. Vous, mon frère, vous avez perdu toute idée de noblesse et de grandeur; le commerce rétrécit l'âme, mon frère. Ce cher enfant! ce cher enfant! Mais c'est que je l'aime de tout mon cœur.

## SCÈNE VI.

Antoine, seul.

Oui, ma résolution est prise. Comment! Peut-être un misérable, un drôle . . .

## SCÈNE VII.

Victorine, Antoine.

Antoine. Qu'est-ce que tu demandes?

Victorine. J'entrais.

Antoine. Je n'aime pas tout cela, toujours sur mes talons; c'est bien étonnant, la curiosité, la curiosité. Mademoiselle, voilà peut-être le dernier conseil que je vous donnerai de ma vie; mais la curiosité dans une jeune personne ne peut que la tourner à mal.

Victorine. Eh! mais je venais vous dire . . .

Antoine. Va-t'en, va-t'en; écoute: sois sage, et vis toujours honnêtement, et tu ne pourras manquer.

Victorine, à part. Qu'est-ce que cela veut dire?

---

[1] abus, misfortune.

[2] because the escutcheons are quartered with the arms of Aragon and the label (Oliver). The label is the band across the top of the escutcheon.

## SCÈNE VIII.

LES MÊMES, M. VANDERK PÈRE.

M. VANDERK PÈRE. Sortez, Victorine, laissez-nous, et fermez la porte.

## SCÈNE IX.

M. VANDERK PÈRE, ANTOINE.

M. VANDERK PÈRE. Avez-vous dit au chirurgien de ne pas s'éloigner?

ANTOINE. Non.

M. VANDERK PÈRE. Non!

ANTOINE. Non, non. . . .

M. VANDERK PÈRE. Pourquoi?

ANTOINE. Pourquoi? C'est que monsieur votre fils ne se battra pas.

M. VANDERK PÈRE. Qu'est-ce que cela veut dire?

ANTOINE. Monsieur, monsieur, un gentilhomme, un militaire, un diable, fût-ce un capitaine de vaisseau de roi; c'est ce qu'on voudra; mais il ne se battra pas, vous dis-je; ce ne peut être qu'un assassin, il lui a cherché querelle; il croit le tuer, il ne le tuera pas.

M. VANDERK PÈRE. Antoine!

ANTOINE. Non, monsieur, il ne le tuera pas, j'y ai regardé . . . je sais par où il doit venir; je l'attendrai, je l'attaquerai, il m'attaquera, je le tuerai ou il me tuera; s'il me tue, il sera plus embarrassé que moi; si je le tue, monsieur, je vous recommande ma fille. Au reste je n'ai pas besoin de vous la recommander.

M. VANDERK PÈRE. Antoine, ce que vous dites est inutile, et jamais . . .

ANTOINE. Vos pistolets, vos pistolets; vous m'avez vu, vous m'avez vu sur ce vaisseau, il y a longtemps. Qu'importe? morbleu, en fait de valeur, il ne faut qu'être homme, et des armes!

M. VANDERK PÈRE. Eh! mais Antoine! . . .

ANTOINE. Monsieur . . . ah, mon cher maître, un jeune homme d'une aussi belle espérance; ma fille me l'avait dit, et l'embarras d'aujourd'hui, et la noce et tout ce monde; à l'instant même . . . les clefs du magasin. Je les emportais. (*Il remet les clefs à M. Vanderk.*) Ah, j'en deviendrai fou! ah, dieux!

M. VANDERK PÈRE. Il me brise le cœur; écoutez-moi, Antoine, je vous dis de m'écouter.

ANTOINE. Monsieur.

M. VANDERK PÈRE. Antoine, croyez-vous que je n'aime pas mon fils plus que vous ne l'aimez?

ANTOINE. Et c'est à cause de cela; vous en mourrez.

M. VANDERK PÈRE. Non.

ANTOINE. Ah, ciel!

M. VANDERK PÈRE. Antoine, vous manquez de raison, je ne vous conçois pas aujourd'hui; écoutez-moi.

ANTOINE. Monsieur.

M. VANDERK PÈRE. Écoutez-moi, vous dis-je, rappelez toute votre présence d'esprit, j'en ai besoin; écoutez avec attention ce que je vais vous confier. On peut venir à l'instant, et je ne pourrais plus vous parler. . . . Crois-tu, mon pauvre Antoine, crois-tu, mon vieux camarade, que je sois insensible? n'est-ce pas mon fils? N'est-ce pas lui qui fonde dans l'avenir tout le bonheur de ma vieillesse? Et ma femme . . . ah, quel chagrin! sa santé faible . . . mais c'est sans remède; le préjugé qui afflige notre nation rend son malheur inévitable.

ANTOINE. Eh! ne pouviez-vous accommoder cette affaire?

M. VANDERK PÈRE. L'accommoder! Tu ne connais pas toutes les entraves de l'honneur: où trouver son adversaire? Où le rencontrer à présent? Est-ce sur le champ de bataille que de pareilles affaires s'accommodent? Hé! n'est-il pas et contre les mœurs et contre les lois que je paraisse en être instruit? . . . Et si mon fils eût hésité, s'il eût molli, si cette cruelle affaire s'était accommodée, combien s'en préparait-il dans l'avenir! Il n'est point de demi-brave, il n'est point de petit homme qui ne cherchât à le tâter; il lui faudrait dix affaires heureuses pour faire oublier celle-ci. Elle est affreuse dans tous ses points; car il a tort.

ANTOINE. Il a tort!

M. VANDERK PÈRE. Une étourderie.

ANTOINE. Une étourderie.

M. VANDERK PÈRE. Oui. Mais ne perdons pas le temps en vaines discussions. Antoine.

ANTOINE. Monsieur.

M. VANDERK PÈRE. Exécutez de point en point ce que je vais vous dire.

ANTOINE. Oui, monsieur.

M. VANDERK PÈRE. Ne passez mes ordres en aucune manière; songez qu'il y va de l'honneur de mon fils et du mien; c'est vous dire tout.

ANTOINE. Ah, ciel!

M. VANDERK PÈRE. Je ne peux me confier qu'à vous; et je me fie à votre âge, à votre expérience, et, je peux dire, à votre amitié. Rendez-vous au lieu où ils doivent se rencontrer; déguisez-vous de façon à n'être pas reconnu; tenez-vous-en le plus loin que vous pourrez; ne soyez, s'il est possible, reconnu en aucune manière. Si mon fils a le bonheur cruel de tuer son adversaire, montrez-vous alors; il sera agité, il sera égaré, il verra mal. Voyez pour lui, portez sur lui toute votre attention, veillez à sa fuite, donnez-lui votre cheval, faites ce qu'il vous dira, faites ce que la prudence vous conseillera. Lui parti, portez sur-le-champ tous vos soins à son adversaire, s'il respire encore; emparez-vous de ses derniers moments, donnez-lui tous les secours qu'exige l'humanité, expiez autant qu'il est en vous le crime auquel je participe, puisque . . . puisque . . . Cruel honneur! . . . Mais, Antoine, si le ciel me punit autant que je dois l'être, s'il dispose de mon fils . . . je suis père, et je crains mes premiers mouvements; je suis père . . . et cette fête, cette noce . . . ma femme . . . sa santé, moi-même; alors tu accourras, mais comme ta présence m'en dirait trop, aie cette attention, écoute bien, aie-la pour moi, je t'en supplie; tu frapperas trois coups à la porte de la basse-cour,[1] trois coups distinctement, et tu te rendras ici, ici dedans, dans ce cabinet; tu ne parleras à personne, mes chevaux seront mis,[2] nous y courrons.

ANTOINE. Mais, monsieur . . .

M. VANDERK PÈRE. Voici quelqu'un, et c'est sa mère!

## SCÈNE X.

### LES MÊMES, MME VANDERK, ANTOINE.

MME VANDERK. Ah! mon cher ami, tout le monde est prêt; voici vos gants. Antoine, eh, comme te voilà fait! Tu aurais bien dû te mettre en noir, te faire beau le jour du mariage de ma fille; je ne te pardonne pas cela.

ANTOINE. C'est que . . . madame . . . Je vais en affaire, oui, oui . . . madame.

M. VANDERK PÈRE. Allez, allez, Antoine; faites ce que je vous ai dit.

ANTOINE. Oui, monsieur.

M. VANDERK PÈRE. N'oubliez rien.

ANTOINE. Oui, monsieur.

MME VANDERK. Antoine!

ANTOINE. Madame.

MME VANDERK. Ah, si tu trouves mon fils, je t'en prie, dis-lui qu'il ne tarde point.

M. VANDERK PÈRE. Allez, Antoine, allez. (Antoine et M. Vanderk se regardent. Antoine sort.)

## SCÈNE XI.

### M. et MME VANDERK.

MME VANDERK. Antoine a l'air bien effarouché.

M. VANDERK PÈRE. Tout ceci l'échauffe et le dérange.

MME VANDERK. Ah, mon ami, faites-moi compliment; il y a plus de deux ans que je ne me suis si bien portée. . . Ma fille. . . mon gendre, toute cette famille est si respectable, si honnête; la bonne robe[3] est sage comme les lois. Mais, mon ami, j'ai un reproche à vous faire, et votre sœur a raison; vous donnez aujourd'hui de l'occupation à votre fils, vous l'envoyez je ne sais en quel endroit; au reste, vous le savez; il faut cependant que ce soit très loin, car je suis sûre qu'il ne s'est point amusé;[4] et lorsqu'il va revenir, il ne pourra nous rejoindre. Victorine a dit à ma fille qu'il n'était pas habillé, et qu'il était monté à cheval.

M. VANDERK PÈRE lui prenant la main affectueusement. Laissez-moi respirer, et permettez-moi de ne penser qu'à votre satisfaction. Votre santé me fait le plus grand plaisir; nous avons tellement besoin de nos forces: l'adversité est si près de nous; la plus grande félicité est si peu stable, si peu. . . Ne faisons point attendre; on doit nous trouver de moins dans la compagnie. La voici.

## SCÈNE XII.

### LES MÊMES, SOPHIE, LE GENDRE, LA TANTE, dans le fond.

M. VANDERK PÈRE. Allons, belle jeunesse. Madame, nous avons été ainsi. Puissiez-vous, mes enfants, voir un pareil jour, (A part) et plus beau que celui-ci.

---

[1] basse-cour, inner court yard.
[2] mis, hitched up.
[3] la bonne robe, the better judiciary (Oliver).
[4] il ne s'est point amusé, he hasn't loitered.

## ACTE CINQUIÈME

### SCÈNE PREMIÈRE.

VICTORINE, *se retournant vers le lieu d'où elle sort.*

«Monsieur Antoine, Monsieur Antoine!» . . . Le maître d'hôtel, les gens, les commis, tout le monde demande Monsieur Antoine. Il faut que j'aie la peine de tout. Mon père est bien étonnant; je le cherche partout; je ne le trouve nulle part. Jamais ici il n'y a eu tant de monde, et jamais. . . Eh? . . . Quoi? . . . Hein? . . . «Antoine, Antoine.» . . . Hé bien, qu'ils appellent. Cette cérémonie que je croyais si gaie, grands dieux, comme elle est triste. . . Mais lui, ne s'être pas trouvé au mariage de sa sœur. Et d'un autre côté aussi mon père avec ses raisons, «sois sage, sois sage, et tu ne pourras manquer.» . . . Où est-il allé? Je. . .

### SCÈNE II.

M. DESPARVILLE PÈRE, *officier décoré de l'Ordre du Mérite*, VICTORINE.

M. DESPARVILLE PÈRE. Mademoiselle, puis-je entrer?

VICTORINE. Monsieur, vous êtes sans doute de la noce. Entrez dans le salon.

M. DESPARVILLE PÈRE. Je n'en suis pas, mademoiselle, je n'en suis pas.

VICTORINE. Ah, monsieur, si vous n'en êtes pas, pour quelle raison? . . .

M. DESPARVILLE PÈRE. Je viens pour parler à monsieur Vanderk.

VICTORINE. Lequel?

M. DESPARVILLE PÈRE. Mais le négociant. Est-ce qu'il y a deux négociants de ce nom-là? C'est celui qui demeure ici.

VICTORINE. Ah, monsieur, quel embarras! Je vous assure que je ne sais comment monsieur pourra vous parler au milieu de tout ceci; et même on serait à table, si on n'attendait pas quelqu'un qui se fait bien attendre.

M. DESPARVILLE PÈRE. Mademoiselle, monsieur Vanderk m'a donné parole ici aujourd'hui à cette heure.

VICTORINE. Il ne savait donc pas l'embarras. . .

M. DESPARVILLE PÈRE. Il ne savait pas, il ne savait pas; c'est hier au soir qu'il me l'a fait dire.

VICTORINE. J'y vais donc, si je peux l'aborder, car il répond à l'un, il répond à l'autre. Je dirai. . . Qu'est-ce que je dirai?

M. DESPARVILLE PÈRE. Dites que c'est quelqu'un qui voudrait lui parler; que c'est quelqu'un à qui il a donné parole à cette heure-ci, sur une lettre qu'il en a reçue. . . Ajoutez que. . . Non. . . dites-lui seulement cela.

VICTORINE. J'y vais. . . Quelqu'un!. . . Mais, monsieur, permettez-moi de vous demander votre nom.

M. DESPARVILLE PÈRE. Il le sait bien peu. Dites, au reste, que c'est monsieur Desparville, que c'est le maître d'un domestique. . .

VICTORINE. Ah, je sais, un homme qui avait un visage. . . qui avait un air. . . Hier au soir. . . J'y vais, j'y vais.

### SCÈNE III.

M. DESPARVILLE PÈRE, *seul.*

Que de raisons! Parbleu, ces choses-là sont bien faites pour moi! Il faut que cet homme marie justement sa fille aujourd'hui, le jour, le même jour que j'ai à lui parler; c'est fait exprès, oui, c'est fait exprès pour moi; ces choses-là n'arrivent qu'à moi. Peste soit des enfants! Je ne veux plus m'embarrasser de rien; je vais me retirer dans ma province. «Mais mon père. . . mon père» Mais mon fils, va te promener; j'ai fait mon temps; fais le tien. Ah c'est apparemment notre homme; encore un refus que je vais essuyer.

### SCÈNE IV.

M. VANDERK PÈRE, M. DESPARVILLE PÈRE.

M. DESPARVILLE PÈRE. Monsieur, monsieur, je suis fâché de vous déranger. Je sais tout ce qui vous arrive. Vous mariez votre fille; vous êtes à l'instant en compagnie; mais un mot, un seul mot.

M. VANDERK PÈRE. Et moi, monsieur, je suis fâché de ne vous avoir pas donné une heure plus prompte. On vous a peut-être fait attendre. J'avais dit à quatre heures, et il est trois heures seize minutes. Monsieur, asseyez-vous.

M. DESPARVILLE PÈRE. Non, parlons debout, j'aurai bientôt dit. Monsieur, je crois que le diable est après moi. J'ai, depuis quelques temps, besoin d'argent, et encore plus depuis hier, pour la circonstance la plus pressante, et que je ne peux pas dire.

J'ai une lettre de change, bonne, ex-cellente; c'est comme disent vos marchands, c'est de l'or en barre; mais elle sera payée quand? Je n'en sais rien; ils ont des usages, des usances,[1] des termes que je ne com-prends pas. J'ai été chez plusieurs de vos confrères, des juifs, des arabes,[2] pardon-nez-moi le terme, oui, des arabes. Ils m'ont demandé des remises[3] considérables, parce qu'ils voient que j'en ai besoin. D'autres m'ont refusé tout net. Devineriez-vous pourquoi un homme hier m'a refusé?

M. Vanderk Père. Non, monsieur.

M. Desparville Père. Parce que ce ru-ban-là est bleu, et parce qu'il n'est pas rouge.[4] Vous ne pensez pas de même peut-être?

M. Vanderk Père. Monsieur, les hon-nêtes gens n'ont besoin que de la probité de leurs semblables, et non de leurs opi-nions.

M. Desparville Père. Ce que vous me dites est juste; et l'univers ne serait qu'une famille, si tout le monde pensait comme vous. Mais que je ne vous retarde point. Pouvez-vous m'avancer le paiement de ma lettre de change, ou ne le pouvez-vous pas?

M. Vanderk Père. Puis-je le voir?

M. Desparville Père. La voilà. . . (Pendant que M. Vanderk lit.) Je payerai tout ce qu'il faudra. Je sais qu'il y a des droits. Faut-il le quart? faut-il. . . J'ai besoin d'argent.

M. Vanderk Père, sonne. Monsieur, je vais vous la faire payer.

M. Desparville Père. A l'instant?

M. Vanderk Père. Oui, monsieur.

M. Desparville Père. A l'instant! pre-nez,[5] monsieur. Ah, quel service vous me rendez! Prenez, prenez, monsieur.

(Le domestique entre.)

M. Vanderk Père. Allez à ma caisse, apportez le montant de cette lettre, 2,400 livres.

M. Desparville Père. Faites retenir, monsieur, le compte, l'à-compte,[6] le. . .

M. Vanderk Père. Non, monsieur, je ne prends point d'escompte, ce n'est pas mon commerce, et je vous l'avoue avec plaisir. Ce service ne me coûte rien. Votre lettre vient de Cadix; elle est pour moi une re-scription;[7] elle devient pour moi de l'ar-gent comptant.

M. Desparville Père. Monsieur, voilà de l'honnêteté, voilà de l'honnêteté; vous ne sa-vez pas toute l'étendue du service que vous me rendez.

M. Vanderk Père. Je souhaite qu'il soit considérable.

M. Desparville Père. Ah, monsieur! monsieur! que vous êtes heureux! Vous n'avez qu'une fille?

M. Vanderk Père. J'espère que j'ai un fils.

M. Desparville Père. Un fils! Mais il est sûrement dans le commerce, dans un état tranquille; mais le mien, le mien est dans le service; à l'instant que je vous parle, n'est-il pas occupé à se battre?

M. Vanderk Père. A se battre!

M. Desparville Père. Oui, monsieur, à se battre; un autre jeune homme dans un café, un petit brutal lui a cherché querelle, je ne sais pourquoi, je ne sais comment; il ne le sait pas lui-même.

M. Vanderk Père. Que je vous plains, et qu'il est à craindre. . .

M. Desparville Père. A craindre! Je ne crains rien; mon fils est brave, il tient de moi, et adroit, adroit; à vingt pas il cou-perait une balle en deux sur une lame de couteau; mais il faut qu'il s'enfuie, c'est le diable; c'est une mauvaise affaire,[8] vous entendez bien, vous entendez bien; je me fie à vous; vous m'avez gagné l'âme.

M. Vanderk Père. Monsieur, je suis flatté de votre. . .

(Pan! On frappe un coup à la porte.) Je suis flatté de ce que. . .

(Pan! un second coup.)

M. Desparville Père. Ce n'est rien; c'est qu'on frappe chez vous.

(Pan! un troisième coup.)

M. Vanderk Père. Ah, monsieur! Tous les pères ne sont pas malheureux.

M. Desparville Père. Vous ne vous trouvez pas indisposé?

M. Vanderk Père. Non, monsieur.

(Le domestique entre avec les 2,400 livres.)

---

[1] usances, delays in payment.

[2] arabes, userers.

[3] remises, discounts.

[4] The blue ribbon belonged to the *Ordre de Mérite militaire*, founded by Louis XV to reward distinguished Protestant army officers. The red ribbon was that of the *Ordre de Saint-Louis* to which only Catholics could belong.

[5] prenez, take as much discount as you wish (Oliver).

[6] The proper word here is escompte, "discount", which Vanderk uses.

[7] rescription, order for money, i. e. the equivalent of cash.

[8] une mauvaise affaire, i. e. a duel.

Ah, voilà votre somme; partez, monsieur,
vous n'avez pas de temps à perdre.

M. Desparville Père. Ah, monsieur, que
je vous suis obligé! (*Il fait quelques pas,
et revient.*) Monsieur, au service que vous
me rendez, pourriez-vous en ajouter un second? Auriez-vous de l'or? C'est que je
vais donner à mon fils. . .

M. Vanderk Père. Oui, monsieur.

M. Desparville Père. Avant que j'aie
pu rassembler quelques louis, je peux perdre un temps infini.

M. Vanderk Père, *au domestique.* Retirez les deux sacs de 1,200 livres. Voici,
monsieur, quatre rouleaux de vingt-cinq
louis chacun; ils sont cachetés et comptés
exactement.

M. Desparville Père. Ah! monsieur, que
vous m'obligez.

M. Vanderk Père. Partez, monsieur;
permettez-moi de ne pas vous reconduire.

M. Desparville Père. Restez, restez,
monsieur, je vous en prie. Vous avez affaire! Ah, le brave homme! Ah, l'honnête
homme! Monsieur, mon sang est à vous.
Restez, restez, restez, je vous en supplie.
Ah, l'honnête homme!

## SCÈNE V.

### M. Vanderk père, *seul.*

Mon fils est mort. . . je l'ai vu là. . . et
je ne l'ai pas embrassé. . . O, ciel! Antoine tarde bien. Que de peine sa naissance
me préparait! Que de chagrin sa mère! . . .

## SCÈNE VI.

### M. Vanderk père; des Musiciens, des Crocheteurs *chargés de basses, de contrebasses.*

L'un des Musiciens. Monsieur, est-ce
ici?

M. Vanderk Père. Que voulez-vous? Ah
ciel!

(*Il les regarde en frémissant, et se
renverse dans son fauteuil.*)

Le Musicien. C'est qu'on nous dit de
mettre ici nos instruments, et nous allons. . .

## SCÈNE VII.

### Antoine, Les Acteurs précédents.

Antoine, *entre, les prend, les pousse, les
chasse avec fureur.* Hé, mettez votre musique à tous les diables! Est-ce que la maison n'est pas assez grande?

Le Musicien. Nous allons. . . nous allons.

## SCÈNE VIII.

### Antoine, M. Vanderk père.

M. Vanderk Père. Hé bien!

Antoine. Ah, mon maître, tous deux!
J'étais très loin; mais j'ai vu, j'ai vu. Ah,
monsieur!

M. Vanderk Père. Mon fils?

Antoine. Oui! Ils se sont approchés à
bride abattue. L'officier a tiré, votre fils ensuite; l'officier est tombé d'abord, il est
tombé le premier. Après cela, monsieur,
ah! mon cher maître, les chevaux se sont
séparés, je suis couru. . . je. . .

M. Vanderk Père. Voyez si mes chevaux
sont mis, faites approcher par la porte de
derrière, venez m'avertir, courons-y, peut-
être n'est-il que blessé.

## SCÈNE IX.

### Les Acteurs précédents, Victorine.

Antoine. Mort! mort! j'ai vu sauter son
chapeau, mort!

Victorine. Mort! Son chapeau! Le chapeau de qui donc? Mort! Ah, monsieur!

M. Vanderk Père. Que demandez-vous?

Antoine. Qu'est-ce que tu demandes?
Sors d'ici tout à l'heure.

M. Vanderk Père. Laissez-la. Allez, Antoine, faites ce que je vous dis. Que voulez-
vous, Victorine?

## SCÈNE X.

### M. Vanderk père, Victorine.

Victorine. Je venais demander si on doit
faire servir, et j'ai rencontré un monsieur
qui m'a dit que vous vous trouviez mal.

M. Vanderk Père. Non, je ne me trouve
pas mal. Où est la compagnie?

Victorine. On va servir.

M. Vanderk Père. Tâchez de parler à
Madame en particulier; vous lui direz que
je suis à l'instant forcé de sortir, que je la
prie de ne pas s'inquiéter, mais qu'elle
fasse en sorte qu'on ne s'aperçoive pas de
mon absence; je serai peut-être. . . Mais
vous pleurez, Victorine.

Victorine. Mort! Eh, qui donc? Monsieur votre fils?

M. VANDERK PÈRE. Victorine!

VICTORINE. J'y vais, monsieur, j'y vais; non, je ne pleurerai pas, je ne pleurerai pas.

M. VANDERK PÈRE. Non, restez, je vous l'ordonne; vos pleurs vous trahiraient. Je vous défends de sortir d'ici que je ne sois rentré.

VICTORINE, apercevant M. Vanderk fils. Ah! monsieur!

M. VANDERK PÈRE. Mon fils!

## SCÈNE XI.

LES MÊMES, M. VANDERK FILS, M. DES-PARVILLE PÈRE, M. DESPARVILLE FILS.

M. VANDERK FILS. Mon père!

M. VANDERK PÈRE. Mon fils!... je t'embrasse... je te revois sans doute honnête homme?

M. DESPARVILLE PÈRE. Oui, morbleu, il l'est.

M. VANDERK FILS. Je vous présente Messieurs Desparville.

M. VANDERK PÈRE. Messieurs.

M. DESPARVILLE PÈRE. Monsieur, je vous présente mon fils... N'était-ce pas mon fils, n'était-ce pas lui justement qui était son adversaire!

M. VANDERK PÈRE. Comment! Est-il possible que cette affaire?...

M. DESPARVILLE PÈRE. Bien! bien! morbleu bien! Je vais vous raconter...

M. DESPARVILLE FILS. Mon père, permettez-moi de parler.

M. VANDERK FILS. Qu'allez-vous dire?

M. DESPARVILLE FILS. Souffrez de moi cette vengeance.

M. VANDERK FILS. Vengez-vous donc.

M. DESPARVILLE FILS. Le récit serait trop court si vous le faisiez, monsieur, et à présent votre honneur est le mien. (A M. Vanderk père.) Il me paraît, monsieur, que vous étiez aussi instruit que mon père l'était. Mais voici ce que vous ne savez pas: nous nous sommes rencontrés; j'ai couru sur lui, j'ai tiré; il a foncé [1] sur moi, il m'a dit: «Je tire en l'air,» et il l'a fait. «Écoutez,» m'a-t-il dit en me serrant la botte,[2] «J'ai cru hier que vous insultiez mon père en parlant des négociants. Je vous ai insulté; j'ai senti que j'avais tort; je vous en fais excuse. N'êtes-vous pas content? Éloignez-vous, et recommençons.» Je ne peux, monsieur, vous exprimer ce qui

s'est passé en moi. Je me suis précipité de mon cheval; il en a fait autant, et nous nous sommes embrassés. J'ai rencontré mon père, lui, à qui pendant ce temps-là, lui, à qui vous rendiez service. Ah, monsieur!

M. DESPARVILLE PÈRE. Hé, vous le saviez, morbleu, et je parie que ces trois coups frappés à la porte... Quel homme êtes-vous! Et vous m'obligiez pendant ce temps-là! Moi, je suis ferme, je suis honnête; mais en pareille occasion, à votre place j'aurais envoyé le baron Desparville à tous les diables.

M. VANDERK PÈRE. Ah! messieurs! qu'il est difficile de passer d'un grand chagrin à une grande joie!

VICTORINE, se saisit du chapeau du fils. Ah, ciel! ah, monsieur!

M. VANDERK FILS. Quoi donc, Victorine?

VICTORINE. Votre chapeau est percé d'une balle?

M. DESPARVILLE FILS. D'une balle! ah! mon ami. (Ils s'embrassent.)

M. VANDERK PÈRE. Messieurs, j'entends du bruit. Nous allons nous mettre à table. Faites-moi l'honneur d'être de la noce. Que rien ne transpire [3] ici; cela troublerait la fête. Après ce qui s'est passé, monsieur, vous ne pouvez être que le plus grand ami, ou le plus grand ennemi de mon fils; et vous n'avez pas la liberté du choix.

M. DESPARVILLE FILS, baise la main de M. Vanderk père. Ah, monsieur!

M. DESPARVILLE PÈRE. Bien, bien, mon fils; ce que vous faites là est bien.

VICTORINE. Qu'à moi, qu'à moi; ah, cruel!

M. VANDERK FILS. Que je suis aise de te revoir, ma chère Victorine.

M. VANDERK PÈRE. Victorine, retirez-vous.

## SCÈNE XII.

MME VANDERK, SOPHIE, LE GENDRE, et LES ACTEURS PRÉCÉDENTS.

MME VANDERK. Ah! te voilà, mon fils. (A M. Vanderk père.) Mon cher ami, peut-on faire servir? Il est tard.

M. VANDERK PÈRE. Ces messieurs veulent bien rester. Voici, messieurs, ma femme, mon gendre et ma fille que je vous présente.

[1] il a foncé sur moi, he charged at me.
[2] en me serrant la botte, riding up close to me.
[3] transpire, become known, divulged.

M. Desparville Père. Quel bonheur mérite une telle famille!

## SCÈNE XIII.

La Tante, et Les Acteurs précédents.

La Tante. On dit que mon neveu est arrivé. Hé! te voilà, mon cher enfant.

M. Vanderk Père. Madame, vous demandiez des militaires; en voilà. Aidez-moi à les retenir.

La Tante. Hé! c'est le vieux Baron Desparville.

M. Desparville Père. Hé! c'est vous, Madame la Marquise; je vous croyais en Berri.

La Tante. Que faites-vous ici?

M. Desparville Père. Vous êtes, madame, chez le plus brave homme, le plus, le plus...

M. Vanderk Père. Monsieur, monsieur, passons dans le salon; vous y renouerez connaissance. Ah! messieurs, ah! mes enfants, je suis dans l'ivresse de la plus grande joie. Madame, voilà notre fils. (*Il l'embrasse; le fils embrasse sa mère.*)

## SCÈNE XIV.

Antoine et Les Acteurs précédents.

Antoine. Le carrosse est avancé, monsieur, et ... Ah, ciel! ah, dieux! ah, monsieur!

Mme Vanderk. Hé bien, hé bien, Antoine! hé! ... mais la tête lui tourne aujourd'hui.

La Tante. Cet homme est fou.

(*Victorine court à son père, lui met la main sur la bouche, et l'embrasse.*)

M. Vanderk Père. Paix, Antoine. Voyez à nous faire servir.

Antoine. Je ne sais si c'est un rêve. Ah, quel bonheur! Il fallait que je fusse aveugle. ... Ah! jeunes gens, jeunes gens, ne penserez-vous jamais que l'étourderie même la plus pardonnable peut faire le malheur de tout ce qui vous entoure?

## LA FOLLE JOURNÉE
### ou
## LE MARIAGE DE FIGARO

*Comédie en cinq actes, en prose*

Représentée pour la première fois à la Comédie-Française
le 27 avril 1784

# BEAUMARCHAIS

There are few figures in literature whose career has been as varied as that of Pierre-Augustin Caron de Beaumarchais (1732–1799), few who have experienced as many vicissitudes of fortune and have achieved such success through sheer courage and indomitable ambition and energy. He was born in Paris, January 24, 1732, the son of André-Charles Caron, a master watchmaker. His education consisted of a few years at a kind of trade school at Alfort; then he was set to learning his father's trade. At the age of twenty he invented a watch escapement which attracted public attention to him and brought him orders from the Court. Soon he was appointed *horloger du roi*. This was the first step in his remarkable career. He did not fail to take advantage of whatever influence he could gain. His ability as a harp player won for him the position of music teacher to the king's daughters. In 1757 he married the widow of a court official and assumed without warrant the title de Beaumarchais which he took from the name of one of her estates. Through his court connections he was brought into relations with the financier, Paris-Duverney, associated with him in various enterprises, learned to speculate, and gradually acquired a considerable fortune. He purchased several offices, including a magistracy, and developed into a man of many interests. From this time, and throughout most of his life, he always had on foot a number of love-affairs, schemes and intrigues. In the spring of 1764 he made a trip to Spain to try to force Clavijo, who had jilted his sister, to marry her, and succeeded in bringing him into disgrace. He also availed himself of his stay in Spain to try secretly to arrange some bold financial enterprises; but in this he failed. Upon his return to France he undertook to supplement his education by extensive reading. He determined to take up his pen to aid in making his fortune. The result was a series of polemical tracts and plays. Beaumarchais was the kind of man who through his independence, his energetic and scheming nature, made many enemies. His writings served to increase their number. He became involved in law-suits, which through the corruptness of the courts turned out badly for him and left him with the loss of much of his fortune as well as of his civil rights. But his spirit was unbroken and he immediately undertook to rehabilitate himself. To do this he was forced to become a secret agent of the king; the success of several secret missions to England finally lead to the restoration of his rights in 1776. While in England he organized an enterprise to furnish munitions to the American colonies, and with the aid of the French and Spanish governments carried on operations on a large scale. He continued to be involved in legal and financial difficulties, and his enemies aroused public opinion against him, so that during the Revolution he fared rather badly, although he carefully endeavored to avoid antagonisms. He barely escaped the guillotine, and was forced to live in exile until 1796. When he returned to France he was a fairly old man. His fortune was nearly gone, yet he set to work with his characteristic energy and succeeded in amassing considerable wealth before death overtook him, May 18, 1799. Watchmaker, music teacher, financier, courtier, dramatist, secret agent, exile, Beaumarchais experienced the pleasures of fame, success, and wealth, the humiliations of financial ruin and loss of public esteem. Yet through all these varying fortunes his innate jovial temperament, his amazing vitality and energy of purpose never permitted him to lose courage. In many respects he is the most representative Frenchman of his time, embodying all the good and bad qualities of the period.

The writing of plays is only one of the episodes in Beaumarchais' many-sided career. While other accomplishments attracted equal or more attention from his contemporaries, it is as a playwright that his fame persists today. As has been noted, it was upon his return from Spain in 1765 that he began to give some attention to literary pursuits. He decided to make a venture in the drama, as the quickest way to success, and began by writing *parades* for private theatres. Then, largely under the inspiration of the novels of Richardson and the dramatic theories of Diderot, he turned to the *drame* and with *Eugénie* (1767) made his first public appearance upon the stage. This play, which has the distinction of being the first to be entitled *drame,* is considerably superior to Diderot's efforts with the same type. Yet it is by no means a masterpiece. It is probably the first French play to give long, detailed descriptions of the costumes of the actors, a device which Beaumarchais again employed in his comedies. This is a development of one of Diderot's theories and presages the Romantic dramatists' efforts at local color. To this play Beaumarchais prefixed a long *Essai sur le genre dramatique sérieux,* in which he offered a clear presentation of the theories of the *drame* as he interpreted them. Charged with plagiarizing Diderot in this play, Beaumarchais wrote a second *drame, les Deux amis* (1770), to prove his originality. It is superior to *Eugénie* in style and dialogue, but suffers from a trivial plot.

Realizing that the serious play was not his *forte,* Beaumarchais turned to comedy and produced *le Barbier de Séville.* This play is a development of one of his *parades.* He first wrote it in the form of a comic opera, but unable to have it produced, he changed it into a regular comedy. Permission to perform it was granted in 1773, but it was not produced at the Comédie-Française until February 23, 1775, the delay being due to the legal and financial entanglements in which the author was involved. This comedy of manners was a great success. The Spanish setting and the songs reflect Beaumarchais' visit to Spain and his interest in Spanish music. The great popularity of the play resulted from the piquancy and sparkle of the dialogue, the skilful plot, and above all from the character of the hero, Figaro.

Scarcely had *le Barbier de Séville* appeared upon the boards, when Beaumarchais began work on its continuation, *la Folle journée, ou le Mariage de Figaro.* Begun in 1775, finished in 1778, accepted at the Comédie-Française in 1781, it was not performed there until April 27, 1784. The nature of the satire it contained caused the authorities to forbid its performance time and again when it seemed to be about to make its public appearance. During this long delay the author carried on a recruiting campaign for his play in high circles. He created such a body of favorable opinion that the performance finally had to be allowed. On account of the advertising which it had received, its first performance was one of the greatest triumphs in the history of the French stage. Sixty-eight consecutive performances attest its popularity with its contemporaries.

This second comedy is a little more serious in tone than its predecessor and contains a far larger dosage of social satire. It employs the same principal characters as the *Barbier,* but presents them in quite a different and more original plot. In the earlier comedy Figaro is only an agent and instrument of Almaviva, aiding him by his surprising resourcefulness to win the hand of Rosine. In the *Mariage* the tables are turned. Now it is the valet who is to be married, and he finds a rival in his master. From this situation develops the struggle in which Figaro has to call upon all his wit and ingenuity to get the better of his antagonist. Beaumarchais has the task of creating sympathy for a lower-class character at the expense of one of high rank. In this he succeeds admirably. The scene of the play was originally laid in Paris, but the author had to shift it to Spain in order to avoid the opposition of the authorities. The Spanish coloring therefore is only on the surface. The time and conditions pictured are clearly those of contemporary France. It was this timeliness which accounted in a large degree for the play's popular success.

It is not difficult to detect in this play, as in the *Barbier,* many reminiscences of earlier comedies, of Molière's especially. In fact it may be called an epitome of the best elements of various dramatic traditions of the French stage: the social satire of Molière, Italian intrigue, *drame bourgeois,* comic opera. Yet there is a remarkable originality in the comedies of Beaumarchais, for they are composed largely out of a combination of the author's own experiences and the ideas of his time. His borrowings are merely excellent means of presenting these experiences and ideas in a skilfully combined plot. It is because the author "breathes his own life" into his characters that they are so real and full of vitality. Thus in the *Mariage de Figaro,* "the precocious, amorous watchmaker's apprentice of thirteen lives again as Chérubin; De Beaumarchais, the handsome courtier, appears as Almaviva; his experiences as magistrate and as litigant give life to the court scene; but above all, his whole checkered career and his whole character—with some differences, to be sure—are summed up in Figaro, who comes before us as one of the most real, extraordinary, and fascinating characters that the history of comedy has produced" (Langley). Figaro's lineage has been traced back through the valets of French comedy to Rabelais' Panurge. He is the greatest representative of his type, the valet of all valets. As Brunetière justly states, Figaro's famous monologue in Act V, Scene III, is an essential element in the play. It is that which lends distinction to his character, makes him more than a common valet, makes him a herald of the approaching Revolution.

Twice again did Beaumarchais try his hand at dramatic composition. In 1787 he produced an opera, *Tarare,* which had only a *succès de curiosité.* Then he reverted once more to the *drame* with *l'Autre Tartuffe, ou la Mère coupable* (1792), his last and least successful play. Here the chief characters of his two comedies again appear, but in a very different situation. In this combination of Diderot and Molière Beaumarchais declared that his idea was to "faire étouffer de sanglots avec les mêmes personnages qui nous firent rire aux éclats."

Such were the dramatic contributions of the French Aristophanes. He has left us two comedies which are fit to rank with those of Molière, he produced perhaps the best example of social satire that the French stage has seen, and he had his share in paving the way for Scribe, Augier, and Dumas.

BIBLIOGRAPHY : *Théâtre de Beaumarchais. Réimpression des éditions princeps avec les variantes des mss originaux*, par D'HEYLLI et MARESCOT, 4 vols., Paris, 1869–71. E. F. LANGLEY : *Le Mariage de Figaro*, par M. de Beaumarchais. Annotated edition, New York, 1917. L. DE LOMÉNIE : *Beaumarchais et son temps*, 2 vols., Paris, 1856. E. LINTILHAC : *Beaumarchais et ses œuvres*, Paris, 1887. GUDIN DE LA BRENELLERIE : *Histoire de Beaumarchais*, Paris, 1888. A. HALLAYS : *Beaumarchais*, Paris, 1897. J. RIVERS : *Figaro, The Life of Beaumarchais*, New York, 1923. C. LENIENT : *La Comédie en France au XVIIIᵉ siècle*, Paris, 1888, Vol. II. J. LEMAÎTRE : *Impressions de théâtre*, 3ᵉ série. F. BRUNETIÈRE : *Les Époques du théâtre français*, Paris, 1892. E. LINTILHAC : *Histoire générale du théâtre en France*, Vol. IV. F. FUNCK-BRENTANO and P. D'ESTRÉE : *Figaro et ses devanciers*, Paris, 1909.

# LA FOLLE JOURNÉE
## OU
# LE MARIAGE DE FIGARO [1]

### PAR BEAUMARCHAIS.

#### PERSONNAGES.

LE COMTE ALMAVIVA, *grand corrégidor* [2] *d'Andalousie.*

LA COMTESSE, *sa femme.*

FIGARO, *valet de chambre du Comte et concierge du château.*

SUZANNE, *première camériste* [3] *de la Comtesse et fiancée de Figaro.*

MARCELINE, *femme de charge.* [4]

ANTONIO, *jardinier du château, oncle de Suzanne et père de Fanchette.*

FANCHETTE, *fille d'Antonio.*

CHÉRUBIN, *premier page du Comte.*

BARTHOLO, *médecin de Séville.*

BAZILE, *maître de clavecin de la Comtesse.*

DON GUSMAN BRID'OISON, *lieutenant du siège.* [5]

DOUBLE-MAIN, *greffier, secrétaire de Don Gusman.*

UN HUISSIER AUDIENCIER. [6]

GRIPPE-SOLEIL, *jeune pastoureau.*

UNE JEUNE BERGÈRE.

PÉDRILLE, *piqueur du Comte.*

#### PERSONNAGES MUETS.

TROUPE DE VALETS—TROUPE DE PAYSANNES
TROUPE DE PAYSANS.

La scène est au château d'Aguas-Frescas, à trois lieues de Séville.

[1] Text of 1785 edition.
[2] corrégidor, magistrate.
[3] camériste, lady-in-waiting.

[4] femme de charge, housekeeper.
[5] lieutenant du siège, assistant magistrate.
[6] huissier audiencier, court usher.

## CARACTÈRES ET HABILLEMENTS DE LA PIÈCE.

LE COMTE ALMAVIVA *doit être joué très noblement, mais avec grâce et liberté. La corruption du cœur ne doit rien ôter au bon ton de ses manières. Dans les mœurs de ce temps-là, les grands traitaient en badinant toute entreprise* [1] *sur les femmes. Ce rôle est d'autant plus pénible à bien rendre que le personnage est toujours sacrifié. Mais, joué par un comédien excellent (M. Molé), il a fait ressortir tous les rôles et assuré le succès de la pièce.*

*Son vêtement des premier et second actes est un habit de chasse avec des bottines à mi-jambe de l'ancien costume espagnol. Du troisième acte jusqu'à la fin, un habit superbe de ce costume.*

LA COMTESSE, *agitée de deux sentiments contraires, ne doit montrer qu'une sensibilité réprimée, ou une colère très modérée; rien surtout qui dégrade aux yeux du spectateur son caractère aimable et vertueux. Ce rôle, un des plus difficiles de la pièce, a fait infiniment d'honneur au grand talent de Mlle Saint-Val cadette.*

*Son vêtement des premier, second et quatrième actes est une lévite* [2] *commode, et nul ornement sur la tête: elle est chez elle et censée incommodée. Au cinquième acte, elle a l'habillement et la haute coiffure de Suzanne.*

FIGARO. *L'on ne peut trop recommander à l'acteur qui jouera ce rôle de bien se pénétrer de son esprit, comme l'a fait M. Dazincourt. S'il y voyait autre chose que de la raison assaisonnée de gaieté et de saillies, surtout s'il y mettait la moindre charge,* [3] *il avilirait un rôle que le premier comique du théâtre, M. Préville, a jugé devoir honorer le talent de tout comédien qui saurait en saisir les nuances multipliées et pourrait s'élever à son entière conception.*

*Son vêtement comme dans le Barbier de Séville.*

SUZANNE. *Jeune personne adroite, spirituelle et rieuse, mais non de cette gaité presque effrontée de nos soubrettes corruptrices.*

*Son vêtement des quatre premiers actes est un juste blanc à basquines,* [4] *très élégant, la jupe de même, avec une toque appelée depuis par nos marchandes: à la Suzanne. Dans la fête du quatrième acte, le Comte lui pose sur la tête une toque à long voile, à hautes plumes et à rubans blancs. Elle porte au cinquième acte la lévite de sa maîtresse et nul ornement sur la tête.*

MARCELINE *est une femme d'esprit, née un peu vive, mais dont les fautes et l'expérience ont réformé le caractère. Si l'actrice qui le joue s'élève avec une fierté bien placée à la hauteur très morale qui suit la reconnaissance du troisième acte, elle ajoutera beaucoup à l'intérêt de l'ouvrage.*

*Son vêtement est celui des duègnes espagnoles, d'une couleur modeste, un bonnet noir sur la tête.*

ANTONIO *ne doit montrer qu'une demi-ivresse qui se dissipe par degrés, de sorte qu'au cinquième acte on n'en aperçoive presque plus.*

*Son vêtement est celui d'un paysan espagnol, où les manches pendent par derrière, un chapeau et des souliers blancs.*

FANCHETTE *est une enfant de douze ans, très naïve. Son petit habit est un juste brun*

---

[1] entreprise, gallant advance.
[2] lévite, long robe.
[3] charge, exaggeration.
[4] un juste à basquines, a tight-fitting dress with panniers.

*avec des ganses et des boutons d'argent, la jupe de couleur tranchante et une toque noire à plumes sur la tête. Il sera celui des autres paysannes de la noce.*

CHÉRUBIN. *Ce rôle ne peut être joué, comme il l'a été, que par une jeune et très jolie femme; nous n'avons point à nos théâtres de très jeune homme assez formé pour en bien sentir les finesses. Timide à l'excès devant la Comtesse, ailleurs un charmant polisson; un désir inquiet et vague est le fond de son caractère. Il s'élance à la puberté, mais sans projet, sans connaissances et tout entier à chaque événement; enfin il est ce que toute mère, au fond du cœur, voudrait peut-être que fût son fils, quoiqu'elle dût beaucoup en souffrir.*

*Son riche vêtement, aux premier et second actes, est celui d'un page de cour espagnol, blanc et brodé d'argent; le léger manteau bleu sur l'épaule et un chapeau chargé de plumes. Au quatrième acte, il a le corset, la jupe et la toque des jeunes paysannes qui l'amènent. Au cinquième acte, un habit, uniforme d'officier, une cocarde et une épée.*

BARTHOLO. *Le caractère et l'habit comme dans le Barbier de Séville; il n'est ici qu'un rôle secondaire.*

BAZILE. *Caractère et vêtement comme dans le Barbier de Séville; il n'est aussi qu'un rôle secondaire.*

BRID'OISON *doit avoir cette bonne et franche assurance des bêtes qui n'ont plus leur timidité. Son bégaiement n'est qu'une grâce de plus qui doit être à peine sentie, et l'acteur se tromperait lourdement et jouerait à contresens s'il y cherchait le plaisant de son rôle. Il est tout entier dans l'opposition de la gravité de son état au ridicule du caractère, et moins l'acteur le chargera, plus il montrera de vrai talent.*

*Son habit est une robe de juge espagnol moins ample que celle de nos procureurs, presque une soutane; une grosse perruque, une gonille ou rabat espagnol au col, et une longue baguette blanche à la main.*

DOUBLE-MAIN. *Vêtu comme le juge, mais la baguette blanche plus courte.*

L'HUISSIER *ou* ALGUAZIL.[1] *Habit, manteau, épée de Crispin, mais portée à son côté sans ceinture de cuir. Point de bottines, une chaussure noire, une perruque blanche naissante*[2] *et longue à mille boucles. Une courte baguette blanche.*

GRIPPE-SOLEIL. *Habit de paysan, les manches pendantes; veste de couleur tranchée, chapeau blanc.*

UNE JEUNE BERGÈRE. *Son vêtement comme celui de* FANCHETTE.

PÉDRILLE. *En veste, gilet, ceinture, fouet et bottes de poste, une résille*[3] *sur la tête, chapeau de courrier.*

PERSONNAGES MUETS, *les uns en habits de juges, d'autres en habits de paysans, les autres en habits de livrée.*

### PLACEMENT DES ACTEURS.

*Pour faciliter les jeux du théâtre, on a eu l'attention d'écrire au commencement de chaque scène le nom des personnages dans l'ordre où le spectateur les voit. S'ils font quelque mouvement grave dans la scène, il est désigné par un nouvel ordre de noms, écrit en note à l'instant qu'il arrive. Il est important de conserver les bonnes positions théâtrales; le relâchement dans la tradition donnée par les premiers acteurs en produit*

---

[1] Alguazil, constable (Spanish). Crispin is the name of a valet in many French comedies; his sword is a long rapier.
[2] naissante, with long curls.
[3] résille, a kind of hair net.

*bientôt un total dans le jeu des pièces, qui finit par assimiler les troupes négligentes aux plus faibles comédiens de société.*

# ACTE PREMIER

*Le théâtre représente une chambre à demi démeublée, un grand fauteuil de malade est au milieu. FIGARO, avec une toise, mesure le plancher. SUZANNE attache à sa tête, devant une glace, le petit bouquet de fleurs d'orange appelé «Chapeau de la mariée.»*

## SCÈNE PREMIÈRE.

### FIGARO, SUZANNE.

FIGARO. Dix-neuf pieds sur vingt-six.

SUZANNE. Tiens, Figaro, voilà mon petit chapeau : le trouves-tu mieux ainsi ?

FIGARO *lui prend les mains.* Sans comparaison, ma charmante. Oh ! que ce joli bouquet virginal, élevé sur la tête d'une belle fille, est doux, le matin des noces, à l'œil amoureux d'un époux ! . . .

SUZANNE *se retire.* Que mesures-tu donc là, mon fils ?

FIGARO. Je regarde, ma petite Suzanne, si ce beau lit que Monseigneur nous donne aura bonne grâce [1] ici.

SUZANNE. Dans cette chambre ?

FIGARO. Il nous la cède.

SUZANNE. Et moi, je n'en veux point.

FIGARO. Pourquoi ?

SUZANNE. Je n'en veux point.

FIGARO. Mais encore ?

SUZANNE. Elle me déplaît.

FIGARO. On dit une raison.

SUZANNE. Si je n'en veux pas dire ?

FIGARO. Oh ! quand elles sont sûres de nous !

SUZANNE. Prouver que j'ai raison serait accorder que je puis avoir tort. Es-tu mon serviteur, ou non ?

FIGARO. Tu prends de l'humeur contre la chambre du château la plus commode, et qui tient le milieu des deux appartements. La nuit, si Madame est incommodée, elle sonnera de son côté ; zeste ! en deux pas tu es chez elle. Monseigneur veut-il quelque chose, il n'a qu'à tinter du sien ; crac ! en trois sauts me voilà rendu.

SUZANNE. Fort bien ! mais, quand il aura *tinté* le matin pour te donner quelque bonne et longue commission, zeste ! en deux pas il est à ma porte, et crac ! en trois sauts. . .

FIGARO. Qu'entendez-vous par ces paroles ?

SUZANNE. Il faudrait m'écouter tranquillement.

FIGARO. Eh ! qu'est-ce qu'il y a, bon Dieu !

SUZANNE. Il y a, mon ami, que, las de courtiser les beautés des environs, M. le comte Almaviva veut rentrer au château, mais non pas chez sa femme ; c'est sur la tienne, entends-tu, qu'il a jeté ses vues, auxquelles il espère que ce logement ne nuira pas. Et c'est ce que le loyal Bazile, honnête agent de ses plaisirs et mon noble maître à chanter, me répète chaque jour en me donnant leçon.

FIGARO. Bazile ! ô mon mignon ! si jamais volée de bois vert, appliquée sur une échine, a dûment redressé la moelle épinière à quelqu'un. . .

SUZANNE. Tu croyais, bon garçon ! que cette dot qu'on me donne était pour les beaux yeux de ton mérite ?

FIGARO. J'avais assez fait pour l'espérer.

SUZANNE. Que les gens d'esprit sont bêtes !

FIGARO. On le dit.

SUZANNE. Mais c'est qu'on ne veut pas le croire !

FIGARO. On a tort.

SUZANNE. Apprends qu'il la destine à obtenir de moi, secrètement, certain quart d'heure, seul à seule, qu'un ancien droit du seigneur.[2] . . Tu sais s'il était triste !

FIGARO. Je le sais tellement que, si Monsieur le comte, en se mariant, n'eût pas aboli ce droit honteux, jamais je ne t'eusse épousée dans ses domaines.

SUZANNE. Hé bien ! s'il l'a détruit, il s'en repent ; et c'est de ta fiancée qu'il veut le racheter en secret aujourd'hui.

FIGARO, *se frottant la tête.* Ma tête s'amollit de surprise, et mon front fertilisé. . .

---

[1] aura bonne grâce, will go well.

[2] droit du seigneur, a feudal custom which gave the overlord first claim to the favors of the bride of a vassal on the marriage night.

SUZANNE. Ne le frotte donc pas!

FIGARO. Quel danger?

SUZANNE, *riant.* S'il y venait un petit bouton,[1] des gens superstitieux. . .

FIGARO. Tu ris, friponne! Ah! s'il y avait moyen d'attraper ce grand trompeur, de le faire donner dans un bon piège et d'empocher son or!

SUZANNE. De l'intrigue et de l'argent; te voilà dans ta sphère.

FIGARO. Ce n'est pas la honte qui me retient.

SUZANNE. La crainte?

FIGARO. Ce n'est rien d'entreprendre une chose dangereuse, mais d'échapper au péril en la menant à bien: car d'entrer chez quelqu'un la nuit, de lui souffler[2] sa femme et d'y recevoir cent coups de fouet pour la peine, il n'est rien plus aisé; mille sots coquins l'ont fait. Mais. . . (*On sonne de l'intérieur.*)

SUZANNE. Voilà Madame éveillée; elle m'a bien recommandé d'être la première à lui parler le matin de mes noces.

FIGARO. Y a-t-il encore quelque chose là-dessous?

SUZANNE. Le berger dit que cela porte bonheur aux épouses délaissées. Adieu, mon petit Fi, Fi, Figaro. Rêve à notre affaire.

FIGARO. Pour m'ouvrir l'esprit, donne un petit baiser.

SUZANNE. A mon amant aujourd'hui? Je t'en souhaite![3] Et qu'en dirait demain mon mari? (*Figaro l'embrasse.*)

SUZANNE. Hé bien! hé bien!

FIGARO. C'est que tu n'as pas d'idée de mon amour.

SUZANNE, *se défripant.* Quand cesserez-vous, importun, de m'en parler du matin au soir?

FIGARO, *mystérieusement.* Quand je pourrai te le prouver du soir jusqu'au matin. (*On sonne une seconde fois.*)

SUZANNE, *de loin, les doigts unis sur sa bouche.* Voilà votre baiser, Monsieur; je n'ai plus rien à vous.

FIGARO *court après elle.* Oh! mais ce n'est pas ainsi que vous l'avez reçu.

## SCÈNE II.

### FIGARO, seul.

La charmante fille! toujours riante, verdissante, pleine de gaieté, d'esprit, d'amour et de délices! mais sage! . . . (*Il marche vivement en se frottant les mains.*) Ah, Monseigneur! mon cher Monseigneur! vous voulez m'en donner . . . à garder?[4] Je cherchais aussi pourquoi, m'ayant nommé concierge, il m'emmène à son ambassade et m'établit courrier de dépêches. J'entends, Monsieur le comte! Trois promotions à la fois: vous, compagnon ministre; moi, casse-cou[5] politique; et Suzon, dame du lieu, l'ambassadrice de poche, et puis fouette, courrier! Pendant que je galoperais d'un côté, vous feriez faire de l'autre à ma belle un joli chemin! me crottant, m'échinant pour la gloire de votre famille; vous, daignant concourir à l'accroissement de la mienne! Quelle douce réciprocité! Mais, Monseigneur, il y a de l'abus. Faire à Londres, en même temps, les affaires de votre maître et celles de votre valet! représenter à la fois le roi et moi dans une cour étrangère, c'est trop de moitié, c'est trop. Pour toi, Bazile! fripon mon cadet! je veux t'apprendre à clocher devant les boiteux;[6] je veux. . . Non, dissimulons avec eux pour les enferrer l'un par l'autre. Attention sur la journée, Monsieur Figaro! D'abord, avancer l'heure de votre petite fête, pour épouser plus sûrement; écarter une Marceline, qui de vous est friande en diable; empocher l'or et les présents; donner le change aux petites passions de Monsieur le comte; étriller rondement Monsieur du Bazile, et. . . .

## SCÈNE III.

### MARCELINE, BARTHOLO, FIGARO.

FIGARO *s'interrompt.* . . . Héééé! voilà le gros docteur, la fête sera complète. Hé! bonjour, cher docteur de mon cœur. Est-ce ma noce avec Suzon qui vous attire au château?

BARTHOLO, *avec dédain.* Ah! mon cher monsieur, point du tout.

FIGARO. Cela serait bien généreux!

BARTHOLO. Certainement, et par trop sot.

FIGARO. Moi qui eus le malheur de troubler la vôtre!

BARTHOLO. Avez-vous autre chose à nous dire?

---

[1] S'il y venait, etc., an allusion to the cuckold's horns.

[2] souffler, take away, carry off.

[3] Je t'en souhaite!, I should say not!

[4] m'en donner . . . à garder, to fool me.

[5] casse-cou, rough rider (Langley).

[6] clocher devant les boiteux, *i. e.* to call up painful recollections.

FIGARO. On n'aura pas pris soin de votre mule ![1]

BARTHOLO, *en colère.* Bavard enragé! laissez-nous.

FIGARO. Vous vous fâchez, Docteur? les gens de votre état sont bien durs! pas plus de pitié des pauvres animaux. . . en vérité. . . que si c'étaient des hommes! Adieu, Marceline. Avez-vous toujours envie de plaider contre moi?
Pour n'aimer pas, faut-il qu'on se haïsse? Je m'en rapporte au docteur.

BARTHOLO. Qu'est-ce que c'est?

FIGARO. Elle vous le contera de reste. (*Il sort.*)

## SCÈNE IV.

### MARCELINE, BARTHOLO.

BARTHOLO *le regarde aller.* Ce drôle est toujours le même! et, à moins qu'on ne l'écorche vif, je prédis qu'il mourra dans la peau du plus fier insolent. . .

MARCELINE *le retourne.* Enfin, vous voilà donc, éternel docteur! toujours si grave et compassé qu'on pourrait mourir en attendant vos secours, comme on s'est marié jadis malgré vos précautions.

BARTHOLO. Toujours amère et provocante! Hé bien, qui rend donc ma présence au château si nécessaire? Monsieur le comte a-t-il eu quelque accident?

MARCELINE. Non, Docteur.

BARTHOLO. La Rosine, sa trompeuse comtesse, est-elle incommodée, Dieu merci?

MARCELINE. Elle languit.

BARTHOLO. Et de quoi?

MARCELINE. Son mari la néglige.

BARTHOLO, *avec joie.* Ah! le digne époux qui me venge!

MARCELINE. On ne sait comment définir le Comte: il est jaloux et libertin.

BARTHOLO. Libertin par ennui, jaloux par vanité; cela va sans dire.

MARCELINE. Aujourd'hui, par exemple, il marie notre Suzanne à son Figaro, qu'il comble en faveur de cette union. . .

BARTHOLO. Que Son Excellence a rendue nécessaire!

MARCELINE. Pas tout à fait, mais dont Son Excellence voudrait égayer en secret l'événement avec l'épousée.

BARTHOLO. De monsieur Figaro? c'est un marché qu'on peut conclure avec lui.

MARCELINE. Bazile assure que non.

BARTHOLO. Cet autre maraud loge ici? C'est une caverne![2] Hé! qu'y fait-il?

MARCELINE. Tout le mal dont il est capable. Mais le pis que j'y trouve est cette ennuyeuse passion qu'il a pour moi depuis si longtemps.

BARTHOLO. Je me serais débarrassé vingt fois de sa poursuite.

MARCELINE. De quelle manière?

BARTHOLO. En l'épousant.

MARCELINE. Railleur fade et cruel, que ne vous débarrassez-vous de la mienne à ce prix? Ne le devez-vous pas? Où est le souvenir de vos engagements? Qu'est devenu celui de notre petit Emmanuel,[3] ce fruit d'un amour oublié qui devait nous conduire à des noces?

BARTHOLO, *ôtant son chapeau.* Est-ce pour écouter ces sornettes que vous m'avez fait venir de Séville? Et cet accès d'hymen qui vous reprend si vif. . .

MARCELINE. Eh bien! n'en parlons plus. Mais, si rien n'a pu vous porter à la justice de m'épouser, aidez-moi donc du moins à en épouser un autre.

BARTHOLO. Ah! volontiers; parlons. Mais quel mortel abandonné du Ciel et des femmes. . . ?

MARCELINE. Eh! qui pourrait-ce être, Docteur, sinon le beau, le gai, l'aimable Figaro?

BARTHOLO. Ce fripon-là?

MARCELINE. Jamais fâché, toujours en belle humeur, donnant le présent à la joie, et s'inquiétant de l'avenir tout aussi peu que du passé; sémillant, généreux! généreux. . .

BARTHOLO. Comme un voleur.

MARCELINE. Comme un seigneur. Charmant, enfin; mais c'est le plus grand monstre!

BARTHOLO. Et sa Suzanne?

MARCELINE. Elle ne l'aurait pas, la rusée, si vous vouliez m'aider, mon petit docteur, à faire valoir un engagement que j'ai de lui.

BARTHOLO. Le jour de son mariage?

MARCELINE. On en rompt de plus avancés, et si je ne craignais d'éventer un petit secret des femmes! . . .

BARTHOLO. En ont-elles pour le médecin du corps?

MARCELINE. Ah! vous savez que je n'en ai pas pour vous! Mon sexe est ardent, mais timide: un certain charme a beau nous attirer vers le plaisir, la femme la

[1] Reference to *Barbier de Séville*, II, 4.
[2] caverne, den of rogues.
[3] See Act III, 16.

plus aventurée sent en elle une voix qui lui dit: «Sois belle si tu peux, sage si tu veux, mais sois considérée, il le faut.» Or, puisqu'il faut être au moins considérée, que toute femme en sent l'importance, effrayons d'abord la Suzanne sur la divulgation des offres qu'on lui fait.

BARTHOLO. Où cela mènera-t-il?

MARCELINE. Que, la honte la prenant au collet, elle continuera de refuser le Comte, lequel, pour se venger, appuiera l'opposition que j'ai faite à son mariage; alors le mien devient certain.

BARTHOLO. Elle a raison. Parbleu! c'est un bon tour que de faire épouser ma vieille gouvernante au coquin qui fit enlever ma jeune maîtresse.

MARCELINE, vite. Et qui croit ajouter à ses plaisirs en trompant mes espérances.

BARTHOLO, vite. Et qui m'a volé, dans le temps, cent écus que j'ai sur le cœur.

MARCELINE. Ah! quelle volupté!

BARTHOLO. De punir un scélérat. . .

MARCELINE. De l'épouser, Docteur, de l'épouser!

## SCÈNE V.

MARCELINE, BARTHOLO, SUZANNE.

SUZANNE, un bonnet de femme avec un large ruban dans la main, une robe de femme sur le bras. L'épouser! l'épouser! qui donc? mon Figaro?

MARCELINE, aigrement. Pourquoi non? Vous l'épousez bien!

BARTHOLO, riant. Le bon argument de femme en colère! Nous parlions, belle Suzon, du bonheur qu'il aura de vous posséder.

MARCELINE. Sans compter Monseigneur, dont on ne parle pas.

SUZANNE, une révérence. Votre servante, Madame; il y a toujours quelque chose d'amer dans vos propos.

MARCELINE, une révérence. Bien la vôtre, Madame; où donc est l'amertume? N'est-il pas juste qu'un libéral seigneur partage un peu la joie qu'il procure à ses gens?

SUZANNE. Qu'il procure?

MARCELINE. Oui, Madame.

SUZANNE. Heureusement, la jalousie de Madame est aussi connue que ses droits sur Figaro sont légers.

MARCELINE. On eût pu les rendre plus forts en les cimentant à la façon de Madame.

---

¹ je n'y tiendrais pas, I can't stand this.

SUZANNE. Oh? cette façon, Madame, est celle des dames savantes.

MARCELINE. Et l'enfant ne l'est pas du tout! Innocente comme un vieux juge!

BARTHOLO, attirant Marceline. Adieu, jolie fiancée de notre Figaro.

MARCELINE, une révérence. L'accordée secrète de Monseigneur.

SUZANNE, une révérence. Qui vous estime beaucoup, Madame.

MARCELINE, une révérence. Me fera-t-elle aussi l'honneur de me chérir un peu, Madame?

SUZANNE, une révérence. A cet égard, Madame n'a rien à désirer.

MARCELINE, une révérence. C'est une si jolie personne que Madame!

SUZANNE, une révérence. Eh mais! assez pour désoler Madame.

MARCELINE, une révérence. Surtout bien respectable!

SUZANNE, une révérence. C'est aux duègnes à l'être.

MARCELINE, outrée. Aux duègnes! aux duègnes!

BARTOLO, l'arrêtant. Marceline!

MARCELINE. Allons, Docteur, car je n'y tiendrais pas.¹ Bonjour, Madame. (Une révérence.)

## SCÈNE VI.

SUZANNE, seule.

Allez, Madame! allez, pédante! je crains aussi peu vos efforts que je méprise vos outrages.—Voyez cette vieille sibylle! parce qu'elle a fait quelques études et tourmenté la jeunesse de Madame, elle veut tout dominer au château. (Elle jette la robe qu'elle tient sur une chaise.) Je ne sais plus ce que je venais prendre.

## SCÈNE VII.

SUZANNE, CHÉRUBIN.

CHÉRUBIN, accourant. Ah! Suzon, depuis deux heures j'épie le moment de te trouver seule. Hélas! tu te maries, et moi je vais partir.

SUZANNE. Comment mon mariage éloigne-t-il du château le premier page de Monseigneur?

CHÉRUBIN, piteusement. Suzanne, il me renvoie.

SUZANNE *le contrefait.* Chérubin, quelque sottise!

CHÉRUBIN. Il m'a trouvé hier au soir chez ta cousine Fanchette, à qui je faisais répéter son petit rôle d'innocente[1] pour la fête de ce soir; il s'est mis dans une fureur en me voyant! "*Sortez,* m'a-t-il dit, *petit.* . ." Je n'ose pas prononcer devant une femme le gros mot qu'il a dit: "*Sortez, et demain vous ne coucherez pas au château.*" Si Madame, si ma belle marraine ne parvient pas à l'apaiser, c'en est fait, Suzon, je suis à jamais privé du bonheur de te voir.

SUZANNE. De me voir! moi? c'est mon tour! Ce n'est donc plus pour ma maîtresse que vous soupirez en secret?

CHÉRUBIN. Ah! Suzon, qu'elle est noble et belle! mais qu'elle est imposante!

SUZANNE. C'est-à-dire que je ne le suis pas, et qu'on peut oser avec moi. . .

CHÉRUBIN. Tu sais trop bien, méchante, que je n'ose pas oser. Mais que tu es heureuse! à tous moments la voir, lui parler, l'habiller le matin et la déshabiller le soir, épingle à épingle. . . Ah! Suzon, je donnerais. . . Qu'est-ce que tu tiens donc là?

SUZANNE, *raillant.* Hélas! l'heureux bonnet et le fortuné ruban qui renferment la nuit les cheveux de cette belle marraine. . .

CHÉRUBIN, *vivement.* Son ruban de nuit! donne-le moi, mon cœur.

SUZANNE, *le retirant.* Eh! que non pas!— *Son cœur!* Comme il est familier donc! Si ce n'était pas un morveux sans conséquence. . . (*Chérubin arrache le ruban.*) Ah! le ruban!

CHÉRUBIN *tourne autour du grand fauteuil.* Tu diras qu'il est égaré, gâté, qu'il est perdu; tu diras tout ce que tu voudras.

SUZANNE *tourne après lui.* Oh! dans trois ou quatre ans, je prédis que vous serez le plus grand petit vaurien! . . . Rendezvous le ruban? (*Elle veut le reprendre.*)

CHÉRUBIN *tire une romance de sa poche.* Laisse! ah! laisse-le-moi, Suzon; je te donnerai ma romance, et, pendant que le souvenir de ta belle maîtresse attristera tous mes moments, le tien y versera le seul rayon de joie qui puisse encore amuser mon cœur.

SUZANNE *arrache la romance.* Amuser votre cœur, petit scélérat! Vous croyez parler à votre Fanchette. On vous surprend chez elle, et vous soupirez pour Madame; et vous m'en contez à moi pardessus le marché!

CHÉRUBIN, *exalté.* Cela est vrai, d'honneur! je ne sais plus ce que je suis, mais

[1] rôle d'innocente, little girl's part.

depuis quelque temps je sens ma poitrine agitée; mon cœur palpite au seul aspect d'une femme; les mots *amour* et *volupté* le font tressaillir et le troublent; enfin, le besoin de dire à quelqu'un: *Je vous aime,* est devenu pour moi si pressant que je le dis tout seul, en courant dans le parc, à ta maîtresse, à toi, aux arbres, aux nuages, au vent qui les emporte avec mes paroles perdues.—Hier, je rencontrai Marceline. . .

SUZANNE, *riant.* Ah! ah! ah! ah!

CHÉRUBIN. Pourquoi non? Elle est femme! elle est fille! Une fille! une femme! Ah! que ces noms sont doux! qu'ils sont intéressants!

SUZANNE. Il devient fou!

CHÉRUBIN. Fanchette est douce, elle m'écoute au moins; tu ne l'es pas, toi!

SUZANNE. C'est bien dommage! Écoutez donc Monsieur. (*Elle veut arracher le ruban.*)

CHÉRUBIN *tourne en fuyant.* Ah ouiche! on ne l'aura, vois-tu, qu'avec ma vie. Mais, si tu n'es pas contente du prix, j'y joindrai mille baisers.

(*Il lui donne chasse à son tour.*)

SUZANNE *tourne en fuyant.* Mille soufflets, si vous approchez. Je vais m'en plaindre à ma maîtresse, et, loin de supplier pour vous, je dirai moi-même à Monseigneur: "C'est bien fait, Monseigneur; chassez-nous ce petit voleur, renvoyez à ses parents un petit mauvais sujet qui se donne les airs d'aimer Madame et qui veut toujours m'embrasser par contre-coup."

CHÉRUBIN *voit le Comte entrer; il se jette derrière le fauteuil avec effroi.* Je suis perdu!

SUZANNE. Quelle frayeur!

## SCÈNE VIII.

SUZANNE, LE COMTE, CHÉRUBIN, *caché.*

SUZANNE *aperçoit le Comte.* Ah! (*Elle s'approche du fauteuil pour masquer Chérubin.*)

LE COMTE *s'avance.* Tu es émue, Suzon! tu parlais seule, et ton petit cœur paraît dans une agitation. . . bien pardonnable, au reste, un jour comme celui-ci.

SUZANNE, *troublée.* Monseigneur, que me voulez-vous? Si l'on vous trouvait avec moi. . .

LE COMTE. Je serais désolé qu'on m'y surprît; mais tu sais tout l'intérêt que je prends à toi. Bazile ne t'a pas laissé ignorer mon amour. Je n'ai qu'un instant pour t'expliquer mes vues; écoute. (*Il s'assied dans le fauteuil.*)

SUZANNE, *vivement.* Je n'écoute rien.

LE COMTE *lui prend la main.* Un seul mot. Tu sais que le roi m'a nommé son ambassadeur à Londres. J'emmène avec moi Figaro; je lui donne un excellent poste; et, comme le devoir d'une femme est de suivre son mari. . .

SUZANNE. Ah! si j'osais parler!

LE COMTE *la rapproche de lui.* Parle, parle, ma chère; use aujourd'hui d'un droit que tu prends sur moi pour la vie.

SUZANNE, *effrayée.* Je n'en veux point, Monseigneur, je n'en veux point. Quittez-moi, je vous prie.

LE COMTE. Mais dis auparavant.

SUZANNE, *en colère.* Je ne sais plus ce que je disais.

LE COMTE. Sur le devoir des femmes.

SUZANNE. Eh bien! lorsque Monseigneur enleva la sienne de chez le docteur, et qu'il l'épousa par amour; lorsqu'il abolit pour elle un certain affreux droit du seigneur. . .

LE COMTE, *gaiement.* Qui faisait bien de la peine aux filles! Ah! Suzette! ce droit charmant! Si tu venais en jaser sur la brune au jardin, je mettrais un tel prix à cette légère faveur. . .

BAZILE *parle en dehors.* Il n'est pas chez lui, Monseigneur.

LE COMTE *se lève.* Quelle est cette voix?

SUZANNE. Que je suis malheureuse!

LE COMTE. Sors, pour qu'on n'entre pas.

SUZANNE, *troublée.* Que je vous laisse ici?

BAZILE *crie en dehors.* Monseigneur était chez Madame, il en est sorti: je vais voir.

LE COMTE. Et pas un lieu pour se cacher! ah! derrière ce fauteuil. . . assez mal; mais renvoie-le bien vite.

(*Suzanne lui barre le chemin, il la pousse doucement, elle recule, et se met ainsi entre lui et le petit page; mais, pendant que le Comte s'abaisse et prend sa place, Chérubin tourne et se jette effrayé sur le fauteuil à genoux, et s'y blottit. Suzanne prend la robe qu'elle apportait, en couvre le page et se met devant le fauteuil.*)

## SCÈNE IX.

LE COMTE ET CHÉRUBIN, *cachés;* SUZANNE, BAZILE.

BAZILE. N'auriez-vous pas vu Monseigneur, Mademoiselle?

SUZANNE, *brusquement.* Hé! pourquoi l'aurais-je vu? Laissez-moi.

BAZILE *s'approche.* Si vous étiez plus raisonnable, il n'y aurait rien d'étonnant à ma question. C'est Figaro qui le cherche.

SUZANNE. Il cherche donc l'homme qui lui veut le plus de mal après vous.

LE COMTE, *à part.* Voyons un peu comme il me sert.

BAZILE. Désirer du bien à une femme, est-ce vouloir du mal à son mari?

SUZANNE. Non, dans vos affreux principes, agent de corruption.

BAZILE. Que vous demande-t-on ici que vous n'alliez prodiguer à un autre? Grâce à la douce cérémonie, ce qu'on vous défendait hier, on vous le prescrira demain.

SUZANNE. Indigne!

BAZILE. De toutes les choses sérieuses, le mariage étant la plus bouffonne, j'avais pensé. . .

SUZANNE, *outrée.* Des horreurs. Qui vous permet d'entrer ici?

BAZILE. Là, là, mauvaise! Dieu vous apaise! il n'en sera que ce que vous voulez; mais ne croyez non plus que je regarde monsieur Figaro comme l'obstacle qui nuit à Monseigneur; et, sans le petit page. . .

SUZANNE, *timidement.* Don Chérubin?

BAZILE *la contrefait. Cherubino di amore,* qui tourne autour de vous sans cesse, et qui, ce matin encore, rôdait ici pour y entrer quand je vous ai quittée; dites que cela n'est pas vrai?

SUZANNE. Quelle imposture! Allez-vous-en, méchant homme!

BAZILE. On est un méchant homme parce qu'on y voit clair. N'est-ce pas pour vous aussi cette romance dont il fait mystère?

SUZANNE, *en colère.* Ah! oui, pour moi! . . .

BAZILE. A moins qu'il ne l'ait composée pour Madame! En effet, quand il sert à table, on dit qu'il la regarde avec des yeux! . . . Mais, peste! qu'il ne s'y joue pas; Monseigneur est *brutal* sur l'article.

SUZANNE, *outrée.* Et vous bien scélérat d'aller semant de pareils bruits pour perdre un malheureux enfant tombé dans la disgrâce de son maître.

BAZILE. L'ai-je inventé? Je le dis parce que tout le monde en parle.

LE COMTE *se lève.* Comment, tout le monde en parle!

SUZANNE. Ah! Ciel!

BAZILE. Ha! ha!

LE COMTE. Courez, Bazile, et qu'on le chasse.

BAZILE. Ah! que je suis fâché d'être entré!

SUZANNE, *troublée.* Mon Dieu! mon Dieu!

LE COMTE, *à Bazile.* Elle est saisie. Asseyons-la dans ce fauteuil.

SUZANNE *le repousse vivement.* Je ne veux pas m'asseoir. Entrer ainsi librement, c'est indigne!

LE COMTE. Nous sommes deux avec toi, ma chère. Il n'y a plus le moindre danger!

BAZILE. Moi, je suis désolé de m'être égayé sur le page, puisque vous l'entendiez; je n'en usais ainsi que pour pénétrer ses sentiments, car au fond...

LE COMTE. Cinquante pistoles, un cheval, et qu'on le renvoie à ses parents.

BAZILE. Monseigneur, pour un badinage?

LE COMTE. Un petit libertin que j'ai surpris encore hier avec la fille du jardinier.

BAZILE. Avec Fanchette?

LE COMTE. Et dans sa chambre.

SUZANNE, *outrée.* Où Monseigneur avait sans doute affaire aussi!

LE COMTE, *gaiement.* J'en aime assez la remarque.

BAZILE. Elle est d'un bon augure.

LE COMTE, *gaiement.* Mais non; j'allais chercher ton oncle Antonio, mon ivrogne de jardinier, pour lui donner des ordres. Je frappe, on est longtemps à m'ouvrir; ta cousine a l'air empêtrée, je prends un soupçon, je lui parle, et, tout en causant, j'examine. Il y avait derrière la porte une espèce de rideau, de porte-manteau, de je ne sais pas quoi, qui couvrait des hardes; sans faire semblant de rien, je vais doucement, doucement, lever ce rideau (*pour imiter le geste, il lève la robe du fauteuil*), et je vois... (*Il aperçoit le page.*) Ah!...

BAZILE. Ha! ha!

LE COMTE. Ce tour-ci vaut l'autre.

BAZILE. Encore mieux.

LE COMTE, *à Suzanne.* A merveille, Mademoiselle: à peine fiancée, vous faites de ces apprêts? C'était pour recevoir mon page que vous désiriez d'être seule? Et vous, Monsieur, qui ne changez point de conduite, il vous manquait de vous adresser, sans respect pour votre marraine, à sa première camériste, à la femme de votre ami! Mais je ne souffrirai pas que Figaro, qu'un homme que j'estime et que j'aime, soit victime d'une pareille tromperie. Était-il avec vous, Bazile?

SUZANNE, *outrée.* Il n'y a tromperie ni victime; il était là lorsque vous me parliez.

LE COMTE, *emporté.* Puisses-tu mentir en le disant! Son plus cruel ennemi n'oserait lui souhaiter ce malheur.

SUZANNE. Il me priait d'engager Madame à vous demander sa grâce. Votre arrivée l'a si fort troublé qu'il s'est masqué de ce fauteuil.

LE COMTE, *en colère.* Ruse d'enfer! je m'y suis assis en entrant.

CHÉRUBIN. Hélas! Monseigneur, j'étais tremblant derrière.

LE COMTE. Autre fourberie! Je viens de m'y placer moi-même.

CHÉRUBIN. Pardon, mais c'est alors que je me suis blotti dedans.

LE COMTE, *plus outré.* C'est donc une couleuvre, que ce petit... serpent-là! il nous écoutait!

CHÉRUBIN. Au contraire, Monseigneur, j'ai fait ce que j'ai pu pour ne rien entendre.

LE COMTE. O perfidie! (*A Suzanne.*) Tu n'épouseras pas Figaro.

BAZILE. Contenez-vous, on vient.

LE COMTE, *tirant Chérubin du fauteuil et le mettant sur ses pieds.* Il resterait là devant toute la terre!

## SCÈNE X.

CHÉRUBIN, SUZANNE, FIGARO, LA COMTESSE, LE COMTE, FANCHETTE, BAZILE, BEAUCOUP DE VALETS, PAYSANNES, PAYSANS VÊTUS DE BLANC.

FIGARO, *tenant une toque de femme garnie de plumes blanches et de rubans blancs, parle à la Comtesse.* Il n'y a que vous, Madame, qui puissiez nous obtenir cette faveur.

LA COMTESSE. Vous les voyez, Monsieur le comte, ils me supposent un crédit que je n'ai point; mais, comme leur demande n'est pas déraisonnable...

LE COMTE, *embarrassé.* Il faudrait qu'elle le fût beaucoup...

FIGARO, *bas à Suzanne.* Soutiens bien mes efforts.

SUZANNE, *bas à Figaro.* Qui ne mèneront à rien.

FIGARO, *bas.* Va toujours.

LE COMTE, *à Figaro.* Que voulez-vous?

FIGARO. Monseigneur, vos vassaux, touchés de l'abolition d'un certain droit fâcheux, que votre amour pour Madame...

LE COMTE. Hé bien, ce droit n'existe plus; que veux-tu dire?

FIGARO, *malignement.* Qu'il est bien temps que la vertu d'un si bon maître éclate; elle m'est d'un tel avantage aujourd'hui que je désire être le premier à la célébrer à mes noces.

LE COMTE, *plus embarrassé.* Tu te moques, ami! L'abolition d'un droit honteux n'est que l'acquit d'une dette envers l'honnêteté. Un Espagnol peut vouloir conquérir la beauté par des soins; mais en exiger le premier, le plus doux emploi, comme une servile redevance, ah! c'est la tyrannie d'un Vandale, et non le droit avoué d'un noble Castillan.

FIGARO, *tenant Suzanne par la main.* Permettez donc que cette jeune créature, de qui votre sagesse a préservé l'honneur, reçoive de votre main publiquement la toque virginale, ornée de plumes et de rubans blancs, symbole de la pureté de vos intentions; adoptez-en la cérémonie pour tous les mariages, et qu'un quatrain chanté en chœur rappelle à jamais le souvenir. . .

LE COMTE, *embarrassé.* Si je ne savais pas qu'amoureux, poète et musicien sont trois titres d'indulgence pour toutes les folies. . .

FIGARO. Joignez-vous à moi, mes amis.

TOUS *ensemble.* Monseigneur! Monseigneur!

SUZANNE, *au Comte.* Pourquoi fuir un éloge que vous méritez si bien?

LE COMTE, *à part.* La perfide!

FIGARO. Regardez-la donc, Monseigneur; jamais plus jolie fiancée ne montrera mieux la grandeur de votre sacrifice.

SUZANNE. Laisse là ma figure et ne vantons que sa vertu.

LE COMTE, *à part.* C'est un jeu que tout ceci.

LA COMTESSE. Je me joins à eux, Monsieur le comte, et cette cérémonie me sera toujours chère, puisqu'elle doit son motif à l'amour charmant que vous aviez pour moi.

LE COMTE. Que j'ai toujours, Madame, et c'est à ce titre que je me rends.

TOUS *ensemble.* Vivat!

LE COMTE, *à part.* Je suis pris. (*Haut.*) Pour que la cérémonie eût un peu plus d'éclat, je voudrais seulement qu'on la remît à tantôt. (*A part.*) Faisons vite chercher Marceline.

FIGARO, *à Chérubin.* Eh bien, espiègle! vous n'applaudissez pas?

SUZANNE. Il est au désespoir; Monseigneur le renvoie.

LA COMTESSE. Ah! Monsieur, je demande sa grâce.

LE COMTE. Il ne la mérite point.

LA COMTESSE. Hélas! il est si jeune!

LE COMTE. Pas tant que vous le croyez.

CHÉRUBIN, *tremblant.* Pardonner généreusement n'est pas le droit du seigneur auquel vous avez renoncé en épousant Madame.

LA COMTESSE. Il n'a renoncé qu'à celui qui vous affligeait tous.

SUZANNE. Si Monseigneur avait cédé le droit de pardonner, ce serait sûrement le premier qu'il voudrait racheter en secret.

LE COMTE, *embarrassé.* Sans doute.

LA COMTESSE. Et pourquoi le racheter?

CHÉRUBIN, *au Comte.* Je fus léger dans ma conduite, il est vrai, Monseigneur, mais jamais la moindre indiscrétion dans mes paroles. . .

LE COMTE, *embarrassé.* Eh bien, c'est assez. . .

FIGARO. Qu'entend-il?

LE COMTE, *vivement.* C'est assez, c'est assez; tout le monde exige son pardon, je l'accorde, et j'irai plus loin: je lui donne une compagnie dans ma légion.

TOUS *ensemble.* Vivat!

LE COMTE. Mais c'est à condition qu'il partira sur-le-champ pour joindre en Catalogne.

FIGARO. Ah! Monseigneur, demain.

LE COMTE *insiste.* Je le veux.

CHÉRUBIN. J'obéis.

LE COMTE. Saluez votre marraine, et demandez sa protection. (*Chérubin met un genou en terre devant la Comtesse, et ne peut parler.*)

LA COMTESSE, *émue.* Puisqu'on ne peut vous garder seulement aujourd'hui, partez, jeune homme. Un nouvel état vous appelle; allez le remplir dignement. Honorez votre bienfaiteur. Souvenez-vous de cette maison où votre jeunesse a trouvé tant d'indulgence. Soyez soumis, honnête et brave; nous prendrons part à vos succès. (*Chérubin se relève et retourne à sa place.*)

LE COMTE. Vous êtes bien émue, Madame!

LA COMTESSE. Je ne m'en défends pas. Qui sait le sort d'un enfant jeté dans une carrière aussi dangereuse! Il est allié de mes parents, et, de plus, il est mon filleul.

LE COMTE, *à part.* Je vois que Bazile avait raison. (*Haut.*) Jeune homme, embrassez Suzanne. . . pour la dernière fois.

FIGARO. Pourquoi cela, Monseigneur? Il viendra passer ses hivers. Baise-moi donc aussi, Capitaine. (*Il l'embrasse.*) Adieu, mon petit Chérubin. Tu vas mener un train de vie bien différent, mon enfant. Dame! tu ne rôderas plus tout le jour au quartier des femmes; plus d'échaudés, de goûters à la crème;[1] plus de main chaude ou

---

[1] échaudés, goûters à la crème, kinds of pastry.

de colin-maillard.[1] De bons soldats, morbleu! basanés, mal vêtus; un grand fusil bien lourd; tourne à droite, tourne à gauche, en avant, marche à la gloire, et ne va pas broncher en chemin; à moins qu'un bon coup de feu! . . .

SUZANNE. Fi donc, l'horreur!

LA COMTESSE. Quel pronostic!

LE COMTE. Où donc est Marceline? Il est bien singulier qu'elle ne soit pas des vôtres!

FANCHETTE. Monseigneur, elle a pris le chemin du bourg par le petit sentier de la ferme.

LE COMTE. Et elle en reviendra?

BAZILE. Quand il plaira à Dieu.

FIGARO. S'il lui plaisait qu'il ne lui plût jamais! . . .

FANCHETTE. Monsieur le docteur lui donnait le bras.

LE COMTE, *vivement*. Le docteur est ici?

BAZILE. Elle s'en est d'abord emparée. . .

LE COMTE, *à part*. Il ne pouvait venir plus à propos.

FANCHETTE. Elle avait l'air bien échauffée; elle parlait tout haut en marchant, puis elle s'arrêtait, et faisait comme ça, de grands bras. . . ; et Monsieur le docteur lui faisait comme ça, de la main, en l'apaisant: elle paraissait si courroucée! elle nommait mon cousin Figaro.

LE COMTE, *lui prend le menton*. Cousin. . . futur.

FANCHETTE, *montrant Chérubin*. Monseigneur, nous avez-vous pardonné d'hier? . . .

LE COMTE *interrompt*. Bonjour, bonjour, petite.

FIGARO. C'est son chien d'amour qui la berce;[2] elle aurait troublé notre fête.

LE COMTE, *à part*. Elle la troublera, je t'en réponds. (*Haut.*) Allons, Madame, entrons. Bazile, vous passerez chez moi.

SUZANNE, *à Figaro*. Tu me rejoindras, mon fils?

FIGARO, *bas à Suzanne*. Est-il bien enfilé?[3]

SUZANNE, *bas*. Charmant garçon!

(*Ils sortent tous.*)

## SCÈNE XI.

### CHÉRUBIN, FIGARO, BAZILE.

(*Pendant qu'on sort, Figaro les arrête tous deux et les ramène.*)

FIGARO. Ah, çà, vous autres, la cérémonie adoptée, ma fête de ce soir en est la suite; il faut bravement nous recorder:[4] ne faisons point comme ces acteurs qui ne jouent jamais si mal que le jour où la critique est le plus éveillée. Nous n'avons point de lendemain qui nous excuse, nous. Sachons bien nos rôles aujourd'hui.

BAZILE, *malignement*. Le mien est plus difficile que tu ne crois.

FIGARO, *faisant sans qu'il le voie le geste de le rosser*. Tu es loin aussi de savoir tout le succès qu'il te vaudra.

CHÉRUBIN. Mon ami, tu oublies que je pars.

FIGARO. Et toi, tu voudrais bien rester!

CHÉRUBIN. Ah! si je le voudrais!

FIGARO. Il faut ruser. Point de murmure à ton départ. Le manteau de voyage à l'épaule; arrange ouvertement ta trousse, et qu'on voie ton cheval à la grille; un temps de galop jusqu'à la ferme; reviens à pied par les derrières. Monseigneur te croira parti; tiens-toi seulement hors de sa vue; je me charge de l'apaiser après la fête.

CHÉRUBIN. Mais Fanchette qui ne sait pas son rôle!

BAZILE. Que diable lui apprenez-vous donc depuis huit jours que vous ne la quittez pas?

FIGARO. Tu n'as rien à faire aujourd'hui; donne-lui par grâce une leçon.

BAZILE. Prenez garde, jeune homme, prenez garde! Le père n'est pas satisfait; la fille a été souffletée; elle n'étudie pas avec vous. Chérubin! Chérubin! vous lui causerez des chagrins! *Tant va la cruche à l'eau!*[5] . . .

FIGARO. Ah! voilà notre imbécile avec ses vieux proverbes! Eh bien, pédant! que dit la sagesse des nations? *Tant va la cruche à l'eau qu'à la fin. . .*

BAZILE. Elle s'emplit.

FIGARO, *en s'en allant*. Pas si bête pourtant, pas si bête!

## ACTE DEUXIÈME

*Le théâtre représente une chambre à coucher superbe, un grand lit en alcôve, une estrade au devant. La porte pour entrer s'ouvre et se ferme à la troisième coulisse à droite; celle d'un cabinet, à la première*

---

[1] main chaude, colin-maillard, games, hot cockles and blind-man's buff.
[2] C'est son chien d'amour qui la berce, It's her confounded love which deludes her.
[3] enfilé, fooled.
[4] nous recorder, rehearse our parts.
[5] Part of proverb, the remainder of which is; qu'à la fin elle se casse.

*coulisse à gauche. Une porte, dans le
fond, va chez les femmes. Une fenêtre
s'ouvre de l'autre côté.*

## SCÈNE PREMIÈRE.

Suzanne, la Comtesse, *entrent par la
porte à droite.*

La Comtesse *se jette dans une bergère.* Ferme la porte, Suzanne, et conte-moi
tout dans le plus grand détail.

Suzanne. Je n'ai rien caché à Madame.

La Comtesse. Quoi! Suzon, il voulait
te séduire?

Suzanne. Oh, que non! Monseigneur n'y
met pas tant de façons avec sa servante;
il voulait m'acheter.

La Comtesse. Et le petit page était présent?

Suzanne. C'est-à-dire, caché derrière le
grand fauteuil. Il venait me prier de vous
demander sa grâce.

La Comtesse. Hé! pourquoi ne pas
s'adresser à moi-même? est-ce que je l'aurais
refusé, Suzon?

Suzanne. C'est ce que j'ai dit; mais ses
regrets de partir, et surtout de quitter Madame! *Ah! Suzon, qu'elle est noble et belle!
mais qu'elle est imposante!*

La Comtesse. Est-ce que j'ai cet air-là,
Suzon? moi qui l'ai toujours protégé.

Suzanne. Puis il a vu votre ruban de
nuit que je tenais, il s'est jeté dessus. . .

La Comtesse, *souriant.* Mon ruban? . . .
Quelle enfance! [1]

Suzanne. J'ai voulu le lui ôter; Madame, c'était un lion; ses yeux brillaient. . .
«Tu ne l'auras qu'avec ma vie,» disait-il
en forçant sa petite voix douce et grêle.

La Comtesse, *rêvant.* Eh bien, Suzon?

Suzanne. Eh bien, Madame, est-ce qu'on
peut faire finir ce petit démon-là? *Ma marraine par-ci; je voudrais bien par l'autre;*
et, parce qu'il n'oserait seulement baiser
la robe de Madame, il voudrait toujours
m'embrasser, moi.

La Comtesse, *rêvant.* Laissons. . . laissons ces folies. . . Enfin, ma pauvre Suzanne, mon époux a fini par te dire?

Suzanne. Que si je ne voulais pas l'entendre, il allait protéger Marceline.

La Comtesse *se lève et se promène en se
servant fortement de l'éventail.* Il ne m'aime
plus du tout.

Suzanne. Pourquoi tant de jalousie?

La Comtesse. Comme tous les maris, ma

chère! uniquement par orgueil. Ah! je l'ai
trop aimé! je l'ai lassé de mes tendresses
et fatigué de mon amour: voilà mon seul
tort avec lui; mais je n'entends pas que
cet honnête aveu te nuise, et tu épouseras
Figaro. Lui seul peut nous y aider: viendra-
t-il?

Suzanne. Dès qu'il verra partir la chasse.

La Comtesse, *se servant de l'éventail.*
Ouvre un peu la croisée sur le jardin. Il
fait une chaleur ici! . . .

Suzanne. C'est que Madame parle et
marche avec action. (*Elle va ouvrir la croisée du fond.*)

La Comtesse, *rêvant longtemps.* Sans
cette constance à me fuir. . . Les hommes
sont bien coupables!

Suzanne *crie de la fenêtre.* Ah! voilà
Monseigneur qui traverse à cheval le grand
potager, suivi de Pédrille, avec deux, trois,
quatre lévriers.

La Comtesse. Nous avons du temps devant nous. (*Elle s'assied.*) On frappe, Suzon.

Suzanne *court ouvrir en chantant.* Ah,
c'est mon Figaro! ah, c'est mon Figaro!

## SCÈNE II.

Figaro, Suzanne, la Comtesse, *assise.*

Suzanne. Mon cher ami, viens donc!
Madame est dans une impatience!

Figaro. Et toi, ma petite Suzanne? Madame n'en doit prendre aucune. Au fait,
de quoi s'agit-il? d'une misère. Monsieur le
comte trouve notre jeune femme aimable,
il voudrait en faire sa maîtresse, et c'est
bien naturel.

Suzanne. Naturel?

Figaro. Puis il m'a nommé courrier de
dépêches, et Suzon conseiller d'ambassade.
Il n'y a pas là d'étourderie.

Suzanne. Tu finiras?

Figaro. Et parce que Suzanne, ma fiancée, n'accepte pas le diplôme, il va favoriser
les vues de Marceline; quoi de plus simple
encore? Se venger de ceux qui nuisent à
nos projets en renversant les leurs, c'est
ce que chacun fait, c'est ce que nous allons
faire nous-mêmes. Eh bien, voilà tout pourtant.

La Comtesse. Pouvez-vous, Figaro, traiter si légèrement un dessein qui nous coûte
à tous le bonheur?

Figaro. Qui dit cela, Madame?

---

1 enfance, childishness.

SUZANNE. Au lieu de t'affliger de nos chagrins...

FIGARO. N'est-ce pas assez que je m'en occupe? Or, pour agir aussi méthodiquement que lui, tempérons d'abord son ardeur de nos possessions en l'inquiétant sur les siennes.

LA COMTESSE. C'est bien dit; mais comment?

FIGARO. C'est déjà fait, Madame; un faux avis donné sur vous...

LA COMTESSE. Sur moi! la tête vous tourne!

FIGARO. Oh! c'est à lui qu'elle doit tourner.

LA COMTESSE. Un homme aussi jaloux!...

FIGARO. Tant mieux; pour tirer parti des gens de ce caractère, il ne faut qu'un peu leur fouetter le sang; c'est ce que les femmes entendent si bien! Puis, les tient-on fâchés tout rouge, avec un brin d'intrigue on les mène où l'on veut, par le nez, dans le Guadalquivir.[1] Je vous ai fait rendre à Bazile un billet inconnu, lequel avertit Monseigneur qu'un galant doit chercher à vous voir aujourd'hui pendant le bal.

LA COMTESSE. Et vous vous jouez ainsi de la vérité sur le compte d'une femme d'honneur?...

FIGARO. Il y en a peu, Madame, avec qui je l'eusse osé, crainte de rencontrer juste.

LA COMTESSE. Il faudra que je l'en remercie!

FIGARO. Mais dites-moi s'il n'est pas charmant de lui avoir taillé ses morceaux de la journée de façon qu'il passe à rôder, à jurer après sa dame, le temps qu'il destinait à se complaire avec la nôtre! Il est déjà tout dérouté: galopera-t-il[2] celle-ci? surveillera-t-il celle-là? Dans son trouble d'esprit, tenez, tenez, le voilà qui court la plaine et force un lièvre qui n'en peut mais.[3] L'heure du mariage arrive en poste, il n'aura pas pris de parti contre, et jamais il n'osera s'y opposer devant Madame.

SUZANNE. Non; mais Marceline, le bel esprit, osera le faire, elle.

FIGARO. Brrrr! Cela m'inquiète bien, ma foi! Tu feras dire à Monseigneur que tu te rendras sur la brune au jardin.

SUZANNE. Tu comptes sur celui-là?

FIGARO. Oh! dame! écoutez donc: les gens qui ne veulent rien faire de rien n'avancent rien et ne sont bons à rien. Voilà mon mot.[4]

SUZANNE. Il est joli!

LA COMTESSE. Comme son idée. Vous consentiriez qu'elle s'y rendît?

FIGARO. Point du tout. Je fais endosser un habit de Suzanne à quelqu'un: surpris par nous au rendez-vous, le Comte pourra-t-il s'en dédire?

SUZANNE. A qui mes habits?

FIGARO. Chérubin.

LA COMTESSE. Il est parti.

FIGARO. Non pas pour moi. Veut-on me laisser faire?

SUZANNE. On peut s'en fier à lui pour mener une intrigue.

FIGARO. Deux, trois, quatre à la fois, bien embrouillées, qui se croisent. J'étais né pour être courtisan.

SUZANNE. On dit que c'est un métier si difficile!

FIGARO. Recevoir, prendre et demander: voilà le secret en trois mots.

LA COMTESSE. Il a tant d'assurance qu'il finit par m'en inspirer.

FIGARO. C'est mon dessein.

SUZANNE. Tu disais donc?...

FIGARO. Que pendant l'absence de Monseigneur je vais vous envoyer le Chérubin; coiffez-le, habillez-le, je le renferme et l'endoctrine; et puis dansez, Monseigneur. (*Il sort.*)

### SCÈNE III.

SUZANNE, LA COMTESSE, *assise.*

LA COMTESSE, *tenant sa boîte à mouches.* Mon Dieu, Suzon, comme je suis faite!... ce jeune homme qui va venir!...

SUZANNE. Madame ne veut donc pas qu'il en réchappe?

LA COMTESSE *rêve devant sa petite glace.* Moi?... tu verras comme je vais le gronder.

SUZANNE. Faisons-lui chanter sa romance. (*Elle la met sur la Comtesse.*)

LA COMTESSE. Mais... c'est qu'en vérité mes cheveux sont dans un désordre!...

SUZANNE, *riant.* Je n'ai qu'à reprendre ces deux boucles, Madame le grondera bien mieux.

LA COMTESSE, *revenant à elle.* Qu'est-ce que vous dites donc, Mademoiselle?

[1] Guadalquivir, river of Spain running through Seville.
[2] galopera-t-il, will he make love to.
[3] qui n'en peut mais, which can do nothing about it.
[4] mot, motto.

## SCÈNE IV.

CHÉRUBIN, *l'air honteux;* SUZANNE; LA
COMTESSE, *assise.*

SUZANNE. Entrez, Monsieur l'officier; on
est visible.

CHÉRUBIN *avance en tremblant.* Ah! que
ce nom m'afflige, Madame! il m'apprend
qu'il faut quitter ces lieux. . . une marraine si. . . bonne! . . .

SUZANNE. Et si belle!

CHÉRUBIN, *avec un soupir.* Ah! oui.

SUZANNE *le contrefait. Ah! oui.* Le bon
jeune homme, avec ses longues paupières
hypocrites! Allons, bel oiseau bleu, chan-
tez la romance à Madame.

LA COMTESSE *la déplie.* De qui. . . dit-on
qu'elle est?

SUZANNE. Voyez la rougeur du coupable;
en a-t-il un pied sur les joues?

CHÉRUBIN. Est-ce qu'il est défendu. . .
de chérir. . . ?

SUZANNE *lui met le poing sous le nez.*
Je dirai tout, vaurien!

LA COMTESSE. Là. . . chante-t-il?

CHÉRUBIN. Oh! Madame, je suis si tremblant! . . .

SUZANNE, *en riant.* Et gnian, gnian,
gnian, gnian, gnian, gnian, gnian. Dès que
Madame le veut, modeste auteur! Je vais
l'accompagner.

LA COMTESSE. Prends ma guitare. (*La
Comtesse, assise, tient le papier pour suivre.
Suzanne est derrière son fauteuil, et prélude en regardant la musique par-dessus sa
maîtresse. Le petit page est devant elle, les
yeux baissés. Ce tableau est juste la belle
estampe d'après Vanloo,[1] appelée* LA CON-
VERSATION ESPAGNOLE.)

## ROMANCE.

AIR: *Marlbrough s'en va-t-en guerre.*

#### PREMIER COUPLET

Mon coursier hors d'haleine
(Que mon cœur, mon cœur a de peine!)
J'errais de plaine en plaine
Au gré du destrier.

#### IIᵉ COUPLET.

Au gré du destrier,
Sans varlet n'écuyer;

---

[1] Vanloo, French painter, 1705–1765.

Là, près d'une fontaine,
(Que mon cœur, mon cœur a de peine!)
Songeant à ma marraine,
Sentais mes pleurs couler.

#### IIIᵉ COUPLET

Sentais mes pleurs couler,
Prêt à me désoler;
Je gravais sur un frêne,
(Que mon cœur, mon cœur a de peine!)
Sa lettre sans la mienne;
Le roi vint à passer.

#### IVᵉ COUPLET.

Le roi vint à passer,
Ses barons, son clergier.
«Beau page, dit la reine,
(Que mon cœur, mon cœur a de peine!)
Qui vous met à la gêne?
Qui vous fait tant plorer?

#### Vᵉ COUPLET.

Qui vous fait tant plorer?
Nous faut le déclarer.
—Madame et Souveraine,
(Que mon cœur, mon cœur a de peine!)
J'avais une marraine
Que toujours adorai.

#### VIᵉ COUPLET.

Que toujours adorai;
Je sens que j'en mourrai.
—Beau page, dit la reine,
(Que mon cœur, mon cœur a de peine!)
N'est-il qu'une marraine?
Je vous en servirai.

#### VIIᵉ COUPLET.

Je vous en servirai;
Mon page vous ferai,
Puis à ma jeune Hélène,
(Que mon cœur, mon cœur a de peine!)
Fille d'un capitaine,
Un jour vous marierai.

#### VIIIᵉ COUPLET.

Un jour vous marierai.
—Nenni n'en faut parler;
Je veux, traînant ma chaine,
(Que mon cœur, mon cœur a de peine!)
Mourir de cette peine,
Mais non m'en consoler.»

LA COMTESSE. Il y a de la naïveté. . . , du sentiment même.

SUZANNE *va poser la guitare sur un fauteuil.* Oh! pour du sentiment, c'est un jeune homme qui. . . Ah çà, Monsieur l'officier, vous a-t-on dit que, pour égayer la soirée, nous voulons savoir d'avance si un de mes habits vous ira passablement?

LA COMTESSE. J'ai peur que non.

SUZANNE *se mesure avec lui.* Il est de ma grandeur. Otons d'abord le manteau. (*Elle le détache.*)

LA COMTESSE. Et si quelqu'un entrait?

SUZANNE. Est-ce que nous faisons du mal donc? Je vais fermer la porte. (*Elle court.*) Mais c'est la coiffure que je veux voir.

LA COMTESSE. Sur ma toilette,[1] une baigneuse[2] à moi. (*Suzanne entre dans le cabinet dont la porte est au bord du théâtre.*)

### SCÈNE V.

CHÉRUBIN, LA COMTESSE, *assise.*

LA COMTESSE. Jusqu'à l'instant du bal, le Comte ignorera que vous soyez au château. Nous lui dirons après que le temps d'expédier votre brevet nous a fait naître l'idée. . .

CHÉRUBIN *le lui montre.* Hélas! Madame, le voici; Bazile me l'a remis de sa part.

LA COMTESSE. Déjà? L'on a craint d'y perdre une minute. (*Elle lit.*) Ils se sont tant pressés qu'ils ont oublié d'y mettre son cachet.

(*Elle le lui rend.*)

### SCÈNE VI.

CHÉRUBIN, LA COMTESSE, SUZANNE.

SUZANNE *entre avec un grand bonnet.* Le cachet, à quoi?

LA COMTESSE. A son brevet.

SUZANNE. Déjà?

LA COMTESSE. C'est ce que je disais. Est-ce là ma baigneuse?

SUZANNE *s'assied près de la Comtesse.* Et la plus belle de toutes. (*Elle chante avec des épingles dans sa bouche.*)

Tournez-vous donc envers ici,
Jean de Lyra, mon bel ami.

(*Chérubin se met à genoux. Elle le coiffe.*) Madame, il est charmant!

LA COMTESSE. Arrange son collet d'un air un peu plus féminin.

SUZANNE *l'arrange.* Là. . . Mais voyez donc ce morveux, comme il est joli en fille! J'en suis jalouse, moi! (*Elle lui prend le menton.*) Voulez-vous bien n'être pas joli comme ça!

LA COMTESSE. Qu'elle est folle! Il faut relever la manche, afin que l'amadis[3] prenne mieux.[4] . . (*Elle la retrousse.*) Qu'est-ce qu'il a donc au bras? Un ruban!

SUZANNE. Et un ruban à vous. Je suis bien aise que Madame l'ait vu. Je lui avais dit que je le dirais, déjà! Oh! si Monseigneur n'était pas venu, j'aurais bien repris le ruban, car je suis presque aussi forte que lui.

LA COMTESSE. Il y a du sang. (*Elle détache le ruban.*)

CHÉRUBIN, *honteux.* Ce matin, comptant partir, j'arrangeais la gourmette[5] de mon cheval; il a donné de la tête, et la bossette[6] m'a effleuré le bras.

LA COMTESSE. On n'a jamais mis un ruban. . .

SUZANNE. Et surtout un ruban volé.— Voyons donc ce que la bossette, . . la courbette, . . . la cornette[7] du cheval. . . Je n'entends rien à tous ces noms-là.— Ah! qu'il a le bras blanc! c'est comme une femme! plus blanc que le mien! Regardez donc, Madame. (*Elle les compare.*)

LA COMTESSE, *d'un ton glacé.* Occupez-vous plutôt de m'avoir du taffetas gommé,[8] dans ma toilette.

(*Suzanne lui pousse la tête en riant; il tombe sur les deux mains. Elle entre dans le cabinet au bord du théâtre.*)

### SCÈNE VII.

CHÉRUBIN, *à genoux;* LA COMTESSE, *assise.*

LA COMTESSE *reste un moment sans parler, les yeux sur son ruban. Chérubin la dévore de ses regards.* Pour mon ruban, Monsieur, . . . comme c'est celui dont la couleur m'agrée le plus, . . . j'étais fort en colère de l'avoir perdu.

---

[1] toilette, dressing table.
[2] baigneuse, frilled caps.
[3] amadis, tight sleeve buttoned at wrist.
[4] prenne mieux, hang better.

[5] gourmette, curb.
[6] bossette, knob of the bit.
[7] cornette, mob cap.
[8] taffetas gommé, sticking plaster.

## SCÈNE VIII.

CHÉRUBIN, *à genoux;* LA COMTESSE, *assise;*
SUZANNE.

SUZANNE, *revenant.* Et la ligature à son
bras? (*Elle remet à la Comtesse du taffetas
gommé et des ciseaux.*)
LA COMTESSE. En allant lui chercher tes
hardes, prends le ruban d'un autre bonnet.
(*Suzanne sort par la porte du fond, en
emportant le manteau du Page.*)

## SCÈNE IX.

CHÉRUBIN, *à genoux;* LA COMTESSE, *assise.*

CHÉRUBIN, *les yeux baissés.* Celui qui
m'est ôté m'aurait guéri en moins de rien.
LA COMTESSE. Par quelle vertu? (*Lui
montrant le taffetas.*) Ceci vaut mieux.
CHÉRUBIN, *hésitant.* Quand un ruban...
a serré la tête... ou touché la peau d'une
personne...
LA COMTESSE, *coupant la phrase.* ...
étrangère, il devient bon pour les blessures?
J'ignorais cette propriété. Pour l'éprouver,
je garde celui-ci qui vous a serré le bras.
A la première égratignure... de mes femmes, j'en ferai l'essai.
CHÉRUBIN, *pénétré.* Vous le gardez et
moi je pars.
LA COMTESSE. Non pour toujours.
CHÉRUBIN. Je suis si malheureux!
LA COMTESSE, *émue.* Il pleure, à présent!
C'est ce vilain Figaro avec son pronostic!
CHÉRUBIN, *exalté.* Ah! je voudrais toucher au terme qu'il m'a prédit! Sûr de mourir à l'instant, peut-être ma bouche oserait...
LA COMTESSE *l'interrompt et lui essuie
les yeux avec son mouchoir.* Taisez-vous,
taisez-vous, enfant! Il n'y a pas un brin de
raison dans tout ce que vous dites. (*On
frappe à la porte, elle élève la voix.*) Qui
frappe ainsi chez moi?

## SCÈNE X.

CHÉRUBIN, LA COMTESSE; LE COMTE,
*en dehors.*

LE COMTE, *en dehors.* Pourquoi donc enfermée?
LA COMTESSE, *troublée, se lève.* C'est mon
époux! grands dieux!... (*A Chérubin qui
s'est levé aussi.*) Vous sans manteau, le col
et les bras nus! seul avec moi! cet air de
désordre, un billet reçu, sa jalousie!...
LE COMTE, *en dehors.* Vous n'ouvrez pas?
LA COMTESSE. C'est que... je suis
seule...
LE COMTE, *en dehors.* Seule! Avec qui
parlez-vous donc?
LA COMTESSE, *cherchant.* ... Avec vous,
sans doute.
CHÉRUBIN, *à part.* Après les scènes d'hier
et de ce matin, il me tuerait sur la place!
(*Il court au cabinet de toilette, y entre et
tire la porte sur lui.*)

## SCÈNE XI.

LA COMTESSE, *seule, en ôte la clef et
court ouvrir au Comte.*

Ah! quelle faute, quelle faute!

## SCÈNE XII.

LE COMTE, LA COMTESSE.

LE COMTE, *un peu sévère.* Vous n'êtes pas
dans l'usage de vous enfermer!
LA COMTESSE, *troublée.* Je... je chiffonnais.[1].. Oui, je chiffonnais avec Suzanne; elle est passée un moment chez elle.
LE COMTE *l'examine.* Vous avez l'air et
le ton bien altérés![2]
LA COMTESSE. Ce n'est pas étonnant,...
pas étonnant du tout... je vous assure...
Nous parlions de vous... Elle est passée,
comme je vous dis.
LE COMTE. Vous parliez de moi!... Je
suis ramené par l'inquiétude; en montant à
cheval, un billet qu'on m'a remis, mais auquel je n'ajoute aucune foi, m'a... pourtant agité.
LA COMTESSE. Comment, Monsieur?...
quel billet?
LE COMTE. Il faut avouer, Madame, que
vous ou moi sommes entourés d'êtres...
bien méchants! On me donne avis que, dans
la journée, quelqu'un que je crois absent
doit chercher à vous entretenir.
LA COMTESSE. Quel que soit cet audacieux, il faudra qu'il pénètre ici; car mon
projet est de ne pas quitter ma chambre de
tout le jour.
LE COMTE. Ce soir, pour la noce de Suzanne?
LA COMTESSE. Pour rien au monde; je
suis très incommodée.

[1] je chiffonnais, I was looking over some old dresses.
[2] altérés, troubled, disconcerted.

LE COMTE. Heureusement le docteur est ici.

(*Le page fait tomber une chaise dans le cabinet.*)

Quel bruit entends-je?

LA COMTESSE, *plus troublée*. Du bruit?

LE COMTE. On a fait tomber un meuble.

LA COMTESSE. Je. . . je n'ai rien entendu, pour moi.

LA COMTE. Il faut que vous soyez furieusement préoccupée!

LA COMTESSE. Préoccupée! de quoi?

LE COMTE. Il y a quelqu'un dans ce cabinet, Madame.

LA COMTESSE. Hé. . . qui voulez-vous qu'il y ait, Monsieur?

LE COMTE. C'est moi qui vous le demande; j'arrive.

LA COMTESSE. Hé mais. . . Suzanne apparemment qui range.

LE COMTE. Vous avez dit qu'elle était passée chez elle!

LA COMTESSE. Passée. . . ou entrée là; je ne sais lequel.

LE COMTE. Si c'est Suzanne, d'où vient le trouble où je vous vois?

LA COMTESSE. Du trouble pour ma camériste?

LE COMTE. Pour votre camériste, je ne sais; mais pour du trouble, assurément.

LA COMTESSE. Assurément, Monsieur, cette fille vous trouble et vous occupe beaucoup plus que moi.

LE COMTE, *en colère*. Elle m'occupe à tel point, Madame, que je veux la voir à l'instant.

LA COMTESSE. Je crois, en effet, que vous le voulez souvent; mais voilà bien les soupçons les moins fondés. . .

### SCÈNE XIII.

LE COMTE, LA COMTESSE; SUZANNE *entre avec des hardes et pousse la porte du fond.*

LE COMTE. Ils en seront plus aisés à détruire. (*Il parle au cabinet.*) Sortez, Suzon; je vous ordonne.

(*Suzanne s'arrête auprès de l'alcôve dans le fond.*)

LA COMTESSE. Elle est presque nue, Monsieur. Vient-on troubler ainsi des femmes dans leur retraite? Elle essayait des hardes que je lui donne en la mariant; elle s'est enfuie quand elle vous a entendu.

LE COMTE. Si elle craint tant de se montrer, au moins elle peut parler. (*Il se tourne vers la porte du cabinet.*) Répondez-moi, Suzanne; êtes-vous dans ce cabinet?

(*Suzanne, restée au fond, se jette dans l'alcôve et s'y cache.*)

LA COMTESSE, *vivement, parlant au cabinet.* Suzon, je vous défends de répondre. (*Au Comte.*) On n'a jamais poussé si loin la tyrannie!

LE COMTE, *s'avance au cabinet.* Oh bien! puisqu'elle ne parle pas, vêtue ou non, je la verrai.

LA COMTESSE *se met au-devant.* Partout ailleurs je ne puis l'empêcher; mais j'espère aussi que chez moi. . .

LE COMTE. Et moi, j'espère savoir dans un moment quelle est cette Suzanne mystérieuse. Vous demander la clef serait, je le vois, inutile; mais il est un moyen sûr de jeter en dedans cette légère porte. Holà, quelqu'un!

LA COMTESSE. Attirer vos gens et faire un scandale public d'un soupçon qui nous rendrait la fable du château?

LE COMTE. Fort bien, Madame; en effet, j'y suffirai; je vais à l'instant prendre chez moi ce qu'il faut. . . (*Il marche pour sortir et revient.*) Mais pour que tout reste au même état, voudrez-vous bien m'accompagner sans scandale et sans bruit, puisqu'il vous déplaît tant? . . . Une chose aussi simple apparemment ne me sera pas refusée!

LA COMTESSE, *troublée.* Eh! Monsieur, qui songe à vous contrarier?

LE COMTE. Ah! j'oubliais la porte qui va chez vos femmes; il faut que je la ferme aussi, pour que vous soyez pleinement justifiée. (*Il va fermer la porte du fond et en ôte la clef.*)

LA COMTESSE, *à part.* O Ciel! étourderie funeste!

LE COMTE, *revenant à elle.* Maintenant que cette chambre est close, acceptez mon bras, je vous prie; (*il élève la voix*) et, quant à la Suzanne du cabinet, il faudra qu'elle ait la bonté de m'attendre, et le moindre mal qui puisse lui arriver à mon retour. . .

LA COMTESSE. En vérité, Monsieur, voilà bien la plus odieuse aventure. . . (*Le Comte l'emmène et ferme la porte à la clef.*)

### SCÈNE XIV.

#### SUZANNE, CHÉRUBIN.

SUZANNE *sort de l'alcôve, accourt au cabinet, et parle à la serrure.* Ouvrez, Chérubin, ouvrez vite, c'est Suzanne; ouvrez, et sortez.

CHÉRUBIN *sort*. Ah! Suzon, quelle horrible scène!

SUZANNE. Sortez, vous n'avez pas une minute.

CHÉRUBIN, *effrayé*. Eh! par où sortir?

SUZANNE. Je n'en sais rien, mais sortez.

CHÉRUBIN. S'il n'y a pas d'issue?

SUZANNE. Après la rencontre de tantôt, il vous écraserait! et nous serions perdues. Courez conter à Figaro. . .

CHÉRUBIN. La fenêtre du jardin n'est peut-être pas bien haute. (*Il court y regarder.*)

SUZANNE, *avec effroi*. Un grand étage! impossible! Ah ma pauvre maîtresse! et mon mariage, ô Ciel!

CHÉRUBIN *revient*. Elle donne sur la melonnière; quitte à gâter une couche ou deux. . .

SUZANNE, *le retient et s'écrie*. Il va se tuer!

CHÉRUBIN, *exalté*. Dans un gouffre allumé, Suzon! oui, je m'y jetterais plutôt que de lui nuire. . . Et ce baiser va me porter bonheur. (*Il l'embrasse et court sauter par la fenêtre.*)

## SCÈNE XV.

SUZANNE, *seule; un cri de frayeur.*

Ah! (*Elle tombe assise un moment. Elle va péniblement regarder à la fenêtre et revient.*) Il est déjà bien loin. Oh! le petit garnement! aussi leste que joli! Si celui-là manque de femmes. . . Prenons sa place au plus tôt. (*En entrant dans le cabinet.*) Vous pouvez à présent, Monsieur le comte, rompre la cloison, si cela vous amuse; au diantre qui répond un mot!

(*Elle s'y enferme.*)

## SCÈNE XVI.

LE COMTE, LA COMTESSE, *rentrent dans la chambre.*

LE COMTE, *une pince à la main, qu'il jette sur le fauteuil*. Tout est bien comme je l'ai laissé. Madame, en m'exposant à briser cette porte, réfléchissez aux suites: encore une fois, voulez-vous l'ouvrir?

LA COMTESSE. Eh! Monsieur, quelle horrible humeur peut altérer ainsi les égards entre deux époux? Si l'amour vous dominait au point de vous inspirer ces fureurs, malgré leur déraison, je les excuserais; j'oublierais peut-être, en faveur du

motif, ce qu'elles ont d'offensant pour moi. Mais la seule vanité peut-elle jeter dans cet excès un galant homme?

LE COMTE. Amour ou vanité, vous ouvrirez la porte, ou je vais à l'instant. . .

LA COMTESSE, *au devant*. Arrêtez, Monsieur, je vous prie. Me croyez-vous capable de manquer à ce que je me dois?

LE COMTE. Tout ce qu'il vous plaira, Madame; mais je verrai qui est dans ce cabinet.

LA COMTESSE, *effrayée*. Eh bien, Monsieur, vous le verrez. Écoutez-moi. . . tranquillement.

LE COMTE. Ce n'est donc pas Suzanne.

LA COMTESSE, *timidement*. Au moins n'est-ce pas non plus une personne. . . dont vous deviez rien redouter. . . Nous disposions une plaisanterie. . . bien innocente en vérité, pour ce soir, . . . et je vous jure. . .

LE COMTE. Et vous me jurez?

LA COMTESSE. Que nous n'avions pas plus de dessein de vous offenser l'un que l'autre.

LE COMTE, *vite*. L'un que l'autre? c'est un homme.

LA COMTESSE. Un enfant, Monsieur.

LE COMTE. Hé! qui donc?

LA COMTESSE. À peine osé-je le nommer!

LE COMTE, *furieux*. Je le tuerai.

LA COMTESSE. Grands dieux!

LE COMTE. Parlez donc.

LA COMTESSE. Ce jeune. . . Chérubin. . .

LE COMTE. Chérubin! L'insolent! Voilà mes soupçons et le billet expliqués.

LA COMTESSE, *joignant les mains*. Ah! Monsieur, gardez de penser. . . .

LE COMTE, *frappant du pied*. (*A part.*) Je trouverai partout ce maudit page! (*Haut.*) Allons, Madame, ouvrez; je sais tout maintenant. Vous n'auriez pas été si émue en le congédiant ce matin; il serait parti quand je l'ai ordonné; vous n'auriez pas mis tant de fausseté dans votre conte de Suzanne; il ne serait pas si soigneusement caché, s'il n'y avait rien de criminel.

LA COMTESSE. Il a craint de vous irriter en se montrant.

LE COMTE, *hors de lui, crie au cabinet*. Sors donc, petit malheureux!

LA COMTESSE *le prend à bras-le-corps, en l'éloignant*. Ah! Monsieur, Monsieur, votre colère me fait trembler pour lui. N'en croyez pas un injuste soupçon, de grâce, et que le désordre où vous l'allez trouver. . .

LE COMTE. Du désordre!

LA COMTESSE. Hélas! oui; prêt à s'habiller en femme, une coiffure à moi sur la tête, en veste et sans manteau, le col ouvert, les bras nus; il allait essayer. . .

LE COMTE. Et vous vouliez garder votre chambre! Indigne épouse! Ah! vous la garderez. . . longtemps; mais il faut avant que j'en chasse un insolent de manière à ne plus le rencontrer nulle part.

LA COMTESSE *se jette à genoux, les bras élevés.* Monsieur le comte, épargnez un enfant; je ne me consolerais pas d'avoir causé. . .

LE COMTE. Vos frayeurs aggravent son crime.

LA COMTESSE. Il n'est pas coupable, il partait: c'est moi qui l'ai fait appeler.

LE COMTE, *furieux.* Levez-vous. Ôtez-vous. . . Tu es bien audacieuse d'oser me parler pour un autre!

LA COMTESSE. Eh bien! je m'ôterai, Monsieur, je me lèverai, je vous remettrai même la clef du cabinet; mais, au nom de votre amour. . .

LE COMTE. De mon amour! Perfide!

LA COMTESSE *se lève et lui présente la clef.* Promettez-moi que vous laisserez aller cet enfant sans lui faire aucun mal, et puisse, après, tout votre courroux tomber sur moi, si je ne vous convaincs pas. . .

LE COMTE, *prenant la clef.* Je n'écoute plus rien.

LA COMTESSE *se jette sur une bergère, un mouchoir sur les yeux.* O Ciel! il va périr!

LE COMTE *ouvre la porte et recule.* C'est Suzanne!

## SCÈNE XVII.

LE COMTE, LA COMTESSE, SUZANNE.

SUZANNE *sort en riant.* Je le tuerai! Je le tuerai! Tuez-le donc, ce méchant page!

LE COMTE, *à part.* Ah! quelle école![1] (*Regardant la Comtesse qui est restée stupéfaite.*) Et vous aussi, vous jouez l'étonnement? . . . Mais peut-être elle n'y est pas seule. (*Il entre.*)

## SCÈNE XVIII.

LA COMTESSE, *assise;* SUZANNE.

SUZANNE *accourt à sa maîtresse.* Remettez-vous, Madame, il est bien loin; il a fait un saut. . .

LA COMTESSE. Ah! Suzon, je suis morte.

[1] quelle école, what a blunder!

## SCÈNE XIX.

LA COMTESSE, *assise;* SUZANNE, LE COMTE.

LE COMTE *sort du cabinet d'un air confus. Après un court silence.* Il n'y a personne, et pour le coup j'ai tort.—Madame, . . . vous jouez fort bien la comédie.

SUZANNE, *gaiement.* Et moi, Monseigneur?

(*La Comtesse, son mouchoir sur sa bouche pour se remettre, ne parle pas.*)

LE COMTE *s'approche.* Quoi! Madame, vous plaisantiez?

LA COMTESSE, *se remettant un peu.* Eh! pourquoi non, Monsieur?

LE COMTE. Quel affreux badinage! et par quel motif, je vous prie? . . .

LA COMTESSE. Vos folies méritent-elles de la pitié?

LE COMTE. Nommer folies ce qui touche à l'honneur!

LA COMTESSE, *assurant son ton par degrés.* Me suis-je unie à vous pour être éternellement dévouée à l'abandon et à la jalousie, que vous seul osez concilier?

LE COMTE. Ah! Madame, c'est sans ménagement.

SUZANNE. Madame n'avait qu'à vous laisser appeler les gens.

LE COMTE. Tu as raison, et c'est à moi de m'humilier. . . Pardon, je suis d'une confusion! . . .

SUZANNE. Avouez, Monseigneur, que vous la méritez un peu.

LE COMTE. Pourquoi donc ne sortais-tu pas lorsque je t'appelais? Mauvaise!

SUZANNE. Je me rhabillais de mon mieux, à grand renfort d'épingles, et Madame qui me le défendait, avait bien ses raisons pour le faire.

LE COMTE. Au lieu de rappeler mes torts, aide-moi plutôt à l'apaiser.

LA COMTESSE. Non, Monsieur; un pareil outrage ne se couvre point. Je vais me retirer aux Ursulines, et je vois trop qu'il en est temps.

LE COMTE. Le pourriez-vous sans quelques regrets?

SUZANNE. Je suis sûre, moi, que le jour du départ serait la veille des larmes.

LA COMTESSE. Eh! quand cela serait, Suzon, j'aime mieux le regretter que d'avoir la bassesse de lui pardonner; il m'a trop offensée.

LE COMTE. Rosine! . . .

LA COMTESSE. Je ne la suis plus, cette

Rosine que vous avez tant poursuivie! je suis la pauvre comtesse Almaviva, la triste femme délaissée que vous n'aimez plus.

SUZANNE. Madame. . .

LE COMTE, *suppliant.* Par pitié. . .

LA COMTESSE. Vous n'en aviez aucune pour moi.

LE COMTE. Mais aussi ce billet. . . Il m'a tourné le sang!

LA COMTESSE. Je n'avais pas consenti qu'on l'écrivît.

LE COMTE. Vous le saviez?

LA COMTESSE. C'est cet étourdi de Figaro. . .

LE COMTE. Il en était?

LA COMTESSE. . . . Qui l'a remis à Bazile.

LE COMTE. Qui m'a dit le tenir d'un paysan. O perfide chanteur! lame à deux tranchants! c'est toi qui paieras pour tout le monde.

LA COMTESSE. Vous demandez pour vous un pardon que vous refusez aux autres: voilà bien les hommes! Ah! si jamais je consentais à pardonner en faveur de l'erreur où vous a jeté ce billet, j'exigerais que l'amnistie fût générale.

LE COMTE. Eh bien, de tout mon cœur, Comtesse; mais comment réparer une faute aussi humiliante?

LA COMTESSE *se lève.* Elle l'était pour tous deux.

LE COMTE. Ah! dites pour moi seul. Mais je suis encore à concevoir comment les femmes prennent si vite et si juste l'air et le ton des circonstances. Vous rougissiez, vous pleuriez, votre visage était défait. . . D'honneur, il l'est encore.

LA COMTESSE, *s'efforçant de sourire.* Je rougissais. . . du ressentiment de vos soupçons. Mais les hommes sont-ils assez délicats pour distinguer l'indignation d'une âme honnête outragée d'avec la confusion qui naît d'une accusation méritée?

LE COMTE, *souriant.* Et ce page en désordre, en veste et presque nu.

LA COMTESSE, *montrant Suzanne.* Vous le voyez devant vous. N'aimez-vous pas mieux l'avoir trouvé que l'autre? En général, vous ne haïssez pas de rencontrer celui-ci.

LE COMTE, *riant plus fort.* Et ces prières, ces larmes feintes. . .

LA COMTESSE. Vous me faites rire, et j'en ai peu d'envie.

LE COMTE. Nous croyons valoir quelque chose en politique, et nous ne sommes que des enfants. C'est vous, c'est vous, Madame, que le roi devrait envoyer en ambassade à Londres! Il faut que votre sexe ait fait une étude bien réfléchie de l'art de se composer pour réussir à ce point!

LA COMTESSE. C'est toujours vous qui nous y forcez.

SUZANNE. Laissez-nous prisonniers sur parole, et vous verrez si nous sommes gens d'honneur.

LA COMTESSE. Brisons là, Monsieur le comte. J'ai peut-être été trop loin; mais mon indulgence en un cas aussi grave doit au moins m'obtenir la vôtre.

LE COMTE. Mais vous répéterez que vous me pardonnez.

LA COMTESSE. Est-ce que je l'ai dit, Suzon?

SUZANNE. Je ne l'ai pas entendu, Madame.

LE COMTE. Eh bien, que ce mot vous échappe.

LA COMTESSE. Le méritez-vous donc, ingrat?

LE COMTE. Oui, par mon repentir.

SUZANNE. Soupçonner un homme dans le cabinet de Madame!

LE COMTE. Elle m'en a si sévèrement puni!

SUZANNE. Ne pas s'en fier à elle quand elle dit que c'est sa camériste!

LE COMTE. Rosine, êtes-vous donc implacable?

LA COMTESSE. Ah! Suzon, que je suis faible! quel exemple je te donne! (*Tendant la main au Comte.*) On ne croira plus à la colère des femmes.

SUZANNE. Bon! Madame, avec eux ne faut-il pas toujours en venir là? (*Le Comte baise ardemment la main de sa femme.*)

## SCÈNE XX.

SUZANNE, FIGARO, LA COMTESSE, LE COMTE.

FIGARO, *arrivant tout essoufflé.* On disait Madame incommodée. Je suis vite accouru. . . Je vois avec joie qu'il n'en est rien.

LE COMTE, *sèchement.* Vous êtes fort attentif!

FIGARO. Et c'est mon devoir. Mais, puisqu'il n'en est rien, Monseigneur, tous vos jeunes vassaux des deux sexes sont en bas avec les violons et les cornemuses, attendant pour m'accompagner l'instant où vous permettrez que je mène ma fiancée. . .

LE COMTE. Et qui surveillera la Comtesse au château?

FIGARO. La veiller? Elle n'est pas malade.

LE COMTE. Non; mais cet homme absent qui doit l'entretenir?

FIGARO. Quel homme absent?

LE COMTE. L'homme du billet que vous avez remis à Bazile.

FIGARO. Qui dit cela?

LE COMTE. Quand je ne le saurais pas d'ailleurs, fripon! ta physionomie, qui t'accuse, me prouverait déjà que tu mens.

FIGARO. S'il est ainsi, ce n'est pas moi qui mens, c'est ma physionomie.

SUZANNE. Va, mon pauvre Figaro, n'use pas ton éloquence en défaites:[1] nous avons tout dit.

FIGARO. Et quoi dit? Vous me traitez comme un Bazile!

SUZANNE. Que tu avais écrit le billet de tantôt pour faire accroire à Monseigneur, quand il entrerait, que le petit page était dans ce cabinet où je me suis enfermée.

LE COMTE. Qu'as-tu à répondre?

LA COMTESSE. Il n'y a plus rien à cacher, Figaro, le badinage est consommé.

FIGARO, cherchant à deviner. Le badinage. . . est consommé?

LE COMTE. Oui, consommé. Que dis-tu là-dessus?

FIGARO. Moi, je dis. . . que je voudrais bien qu'on en pût dire autant de mon mariage, et si vous l'ordonnez. . .

LE COMTE. Tu conviens donc enfin du billet?

FIGARO. Puisque Madame le veut, que Suzanne le veut, que vous le voulez vous-même, il faut bien que je le veuille aussi; mais à votre place, en vérité, Monseigneur, je ne croirais pas un mot de tout ce que nous vous disons!

LE COMTE. Toujours mentir contre l'évidence! A la fin cela m'irrite!

LA COMTESSE, en riant. Eh! ce pauvre garçon! pourquoi voulez-vous, Monsieur, qu'il dise une fois la vérité?

FIGARO, bas à Suzanne. Je l'avertis de son danger; c'est tout ce qu'un honnête homme peut faire.

SUZANNE, bas. As-tu vu le petit page?

FIGARO, bas. Encore tout froissé.

SUZANNE, bas. Ah! pécaïre![2]

LA COMTESSE. Allons, Monsieur le comte, ils brûlent de s'unir; leur impatience est naturelle; entrons pour la cérémonie.

LE COMTE, à part. Et Marceline, Marceline. . . (Haut.) Je voudrais être. . . au moins vêtu.

LA COMTESSE. Pour nos gens! Est-ce que je le suis?

[1] défaites, poor excuses.
[2] pécaïre, alas!

## SCÈNE XXI.

FIGARO, SUZANNE, LA COMTESSE, LE COMTE, ANTONIO.

ANTONIO, demi-gris, tenant un pot de giroflées écrasées. Monseigneur! Monseigneur!

LE COMTE. Que me veux-tu, Antonio?

ANTONIO. Faites donc une fois griller les croisées qui donnent sur mes couches. On jette toutes sortes de choses par ces fenêtres, et tout à l'heure encore on vient d'en jeter un homme.

LE COMTE. Par ces fenêtres?

ANTONIO. Regardez comme on arrange mes giroflées!

SUZANNE, bas à Figaro. Alerte, Figaro, alerte!

FIGARO. Monseigneur, il est gris dès le matin.

ANTONIO. Vous n'y êtes pas. C'est un petit reste d'hier. Voilà comme on fait des jugements. . . ténébreux.

LE COMTE, avec feu. Cet homme! cet homme! où est-il?

ANTONIO. Où il est?

LE COMTE. Oui.

ANTONIO. C'est ce que je dis. Il faut me le trouver déjà. Je suis votre domestique; il n'y a que moi qui prends soin de votre jardin; il y tombe un homme, et vous sentez. . . que ma réputation en est effleurée.

SUZANNE, bas à Figaro. Détourne, détourne.

FIGARO. Tu boiras donc toujours?

ANTONIO. Et, si je ne buvais pas, je deviendrais enragé.

LA COMTESSE. Mais en prendre ainsi sans besoin. . .

ANTONIO. Boire sans soif et faire l'amour en tout temps, Madame, il n'y a que ça qui nous distingue des autres bêtes.

LE COMTE, vivement. Réponds-moi donc, ou je vais te chasser.

ANTONIO. Est-ce que je m'en irais?

LE COMTE. Comment donc?

ANTONIO, se touchant le front. Si vous n'avez pas assez de ça pour garder un bon domestique, je ne suis pas assez bête, moi, pour renvoyer un si bon maître.

LE COMTE, le secoue avec colère. On a, dis-tu, jeté un homme par cette fenêtre?

ANTONIO. Oui, mon Excellence, tout à l'heure, en veste blanche, et qui s'est enfui, jarni, courant. . .

LE COMTE, *impatienté.* Après?

ANTONIO. J'ai bien voulu courir après, mais je me suis donné contre la grille une si fière gourde [1] à la main, que je ne peux plus remuer ni pied ni patte de ce doigt-là. (*Levant le doigt.*)

LE COMTE. Au moins tu reconnaîtrais l'homme?

ANTONIO. Oh! que oui-da! . . . si je l'avais vu, pourtant!

SUZANNE, *bas à Figaro.* Il ne l'a pas vu.

FIGARO. Voilà bien du train pour un pot de fleurs! Combien te faut-il, pleurard, avec ta giroflée? Il est inutile de chercher, Monseigneur: c'est moi qui ai sauté.

LE COMTE. Comment, c'est vous?

ANTONIO. *Combien te faut-il, pleurard?* Votre corps a donc bien grandi depuis ce temps-là? car je vous ai trouvé beaucoup plus moindre et plus fluet!

FIGARO. Certainement; quand on saute, on se pelotonne. . .

ANTONIO. M'est avis que c'était plutôt. . . qui dirait, le gringalet de page.

LE COMTE. Chérubin, tu veux dire?

FIGARO. Oui, revenu tout exprès avec son cheval de la porte de Séville, où peut-être il est déjà.

ANTONIO. Oh! non! je ne dis pas ça, je ne dis pas ça; je n'ai pas vu sauter de cheval, car je le dirais de même.

LE COMTE. Quelle patience!

FIGARO. J'étais dans la chambre des femmes en veste blanche: il fait un chaud! . . . J'attendais là ma Suzannette, quand j'ai ouï tout à coup la voix de Monseigneur et le grand bruit qui se faisait; je ne sais quelle crainte m'a saisi à l'occasion de ce billet, et, s'il faut avouer ma bêtise, j'ai sauté sans réflexion sur les couches, où je me suis même un peu foulé le pied droit. (*Il frotte son pied.*)

ANTONIO. Puisque c'est vous, il est juste de vous rendre ce brimborion [2] de papier qui a coulé de votre veste en tombant.

LE COMTE *se jette dessus.* Donne-le-moi. (*Il ouvre le papier et le referme.*)

FIGARO, *à part.* Je suis pris.

LE COMTE, *à Figaro.* La frayeur ne vous aura pas fait oublier ce que contient ce papier, ni comment il se trouvait dans votre poche?

FIGARO, *embarrassé, fouille dans ses poches et en tire des papiers.* Non, sûrement. . . Mais c'est que j'en ai tant; il faut répondre à tout. . . (*Il regarde un des papiers.*) Ceci? ah! c'est une lettre de Marce-

[1] gourde, a benumbing blow.
[2] brimborion, scrap.

line, en quatre pages; elle est belle. . . Ne serait-ce pas la requête de ce pauvre braconnier en prison? . . . Non, la voici. . . J'avais l'état des meubles du petit château dans l'autre poche. . .

(*Le Comte rouvre le papier qu'il tient.*)

LA COMTESSE, *bas à Suzanne.* Ah! Dieux! Suzon, c'est le brevet d'officier.

SUZANNE, *bas à Figaro.* Tout est perdu, c'est le brevet.

LE COMTE *replie le papier.* Eh bien! l'homme aux expédients, vous ne le devinez pas?

ANTONIO, *s'approchant de Figaro.* Monseigneur dit, si vous ne devinez pas?

FIGARO *le repousse.* Fi donc! vilain qui me parle dans le nez!

LE COMTE. Vous ne vous rappelez pas ce que ce peut être?

FIGARO. Ah! ah! ah! ah! *povero!* ce sera le brevet de ce malheureux enfant, qu'il m'avait remis et que j'ai oublié de lui rendre. Oh! oh! oh! oh! étourdi que je suis! Que fera-t-il sans son brevet? Il faut courir. . .

LE COMTE. Pourquoi vous l'aurait-il remis?

FIGARO, *embarrassé.* Il. . . désirait qu'on y fît quelque chose.

LE COMTE, *regarde son papier.* Il n'y manque rien.

LA COMTESSE, *bas à Suzanne.* Le cachet.

SUZANNE, *bas à Figaro.* Le cachet manque.

LE COMTE, *à Figaro.* Vous ne répondez pas?

FIGARO. C'est. . . qu'en effet, il y manque peu de chose. Il dit que c'est l'usage. . .

LE COMTE. L'usage! l'usage! l'usage de quoi?

FIGARO. D'y apposer le sceau de vos armes. Peut-être aussi que cela ne valait pas la peine. . .

LE COMTE *rouvre le papier et le chiffonne de colère.* Allons! il est écrit que je ne saurai rien. (*A part.*) C'est ce Figaro qui les mène, et je ne m'en vengerais pas? (*Il veut sortir avec dépit.*)

FIGARO, *l'arrêtant.* Vous sortez sans ordonner mon mariage?

## SCÈNE XXII.

BAZILE, BARTHOLO, MARCELINE, FIGARO, LE COMTE, GRIPPE-SOLEIL, LA COMTESSE, SUZANNE, ANTONIO, VALETS DU COMTE, SES VASSAUX.

MARCELINE, *au Comte.* Ne l'ordonnez pas, Monseigneur; avant de lui faire grâce, vous nous devez justice. Il a des engagements avec moi.

LE COMTE, *à part.* Voilà ma vengeance arrivée.

FIGARO. Des engagements? De quelle nature? Expliquez-vous.

MARCELINE. Oui, je m'expliquerai, malhonnête! . . .

(*La Comtesse s'assied sur une bergère, Suzanne est derrière elle.*)

LE COMTE. De quoi s'agit-il, Marceline?

MARCELINE. D'une obligation de mariage.

FIGARO. Un billet,[1] voilà tout, pour de l'argent prêté.

MARCELINE, *au Comte.* Sous condition de m'épouser. Vous êtes un grand seigneur, le premier juge de la province. . .

LE COMTE. Présentez-vous au tribunal; j'y rendrai justice à tout le monde.

BAZILE, *montrant Marceline.* En ce cas, Votre Grandeur permet que je fasse aussi valoir mes droits sur Marceline?

LE COMTE, *à part.* Ah! voilà mon fripon du billet.

FIGARO. Autre fou de la même espèce!

LE COMTE, *en colère, à Bazile.* Vos droits! vos droits! Il vous convient bien de parler devant moi, maître sot?

ANTONIO, *frappant dans sa main.* Il ne l'a, ma foi, pas manqué du premier coup: c'est son nom.

LE COMTE. Marceline, on suspendra tout jusqu'à l'examen de vos titres, qui se fera publiquement dans la grande salle d'audience. Honnête Bazile, agent fidèle et sûr, allez au bourg chercher les gens du siège.[2]

BAZILE. Pour son affaire?

LE COMTE. Et vous m'amènerez le paysan du billet.

BAZILE. Est-ce que je le connais?

LE COMTE. Vous résistez!

BAZILE. Je ne suis pas entré au château pour en faire les commissions.

LE COMTE. Quoi donc?

BAZILE. Homme à talent sur l'orgue du village, je montre le clavecin à Madame, à chanter à ses femmes, la mandoline aux pages, et mon emploi, surtout, est d'amuser votre compagnie avec ma guitare, quand il vous plaît me l'ordonner.

GRIPPE-SOLEIL *s'avance.* J'irai bien, Monsigneu, si cela vous plaira?

LA COMTE. Quel est ton nom et ton emploi?

GRIPPE-SOLEIL. Je suis Grippe-Soleil, mon bon Signeu; le petit patouriau[3] des chèvres, commandé pour le feu d'artifice. C'est fête aujourd'hui dans le troupiau, et je sais ous-ce-qu'est toute l'enragée boutique à procès[4] du pays.

LE COMTE. Ton zèle me plaît, vas-y; mais vous (*A Bazile*), accompagnez Monsieur en jouant de la guitare, et chantant pour l'amuser en chemin. Il est de ma compagnie.

GRIPPE-SOLEIL, *joyeux.* Oh! moi, je suis de la. . .

(*Suzanne l'apaise de la main en lui montrant la Comtesse.*)

BAZILE, *surpris.* Que j'accompagne Grippe-Soleil en jouant?

LE COMTE. C'est votre emploi; partez, ou je vous chasse.

(*Il sort.*)

## SCÈNE XXIII.

LES ACTEURS PRÉCÉDENTS, *excepté le Comte.*

BAZILE, *à lui-même.* Ah! je n'irai pas lutter contre le pot de fer,[5] moi qui ne suis. . .

FIGARO. Qu'une cruche.[6]

BAZILE, *à part.* Au lieu d'aider à leur mariage, je m'en vais assurer le mien avec Marceline. (*A Figaro.*) Ne conclus rien, crois-moi, que je ne sois de retour. (*Il va prendre la guitare sur le fauteuil du fond.*)

FIGARO *le suit.* Conclure! Oh! va, ne crains rien, quand même tu ne reviendrais jamais. . . Tu n'as pas l'air en train de chanter; veux-tu que je commence? . . . Allons, gai! haut la-mi-la pour ma fiancée. (*Il se met en marche à reculons, danse en chantant la séguedille[7] suivante; Bazile accompagne, et tout le monde le suit.*)

SÉGUEDILLE: *Air noté*
Je préfère à richesse
     La sagesse
   De ma Suzon;
Zon, zon, zon,

---

[1] billet, promisory note.
[2] siège, court.
[3] patouriau, dialect for pastoureau, shepherd.
[4] toute l'enragée boutique à procès, the whole darn gang of lawyers (Langley).
[5] Reference to La Fontaine's fable *Le Pot de terre et le pot de fer.*
[6] cruche, play on the two meanings of the word, pitcher and blockhead.
[7] séguedille, kind of Spanish song.

Zon, zon, zon,
Zon, zon, zon,
Zon, zon, zon.
Aussi sa gentillesse
Est maîtresse
De ma raison;
Zon, zon, zon,
Zon, zon, zon,
Zon, zon, zon,
Zon, zon, zon.

(*Le bruit s'éloigne, on n'entend pas le reste.*)

## SCÈNE XXIV.

### SUZANNE, LA COMTESSE.

LA COMTESSE, *dans sa bergère.* Vous voyez, Suzanne, la jolie scène que votre étourdi m'a value avec son billet.

SUZANNE. Ah! Madame, quand je suis rentrée du cabinet, si vous aviez vu votre visage! Il s'est terni tout à coup; mais ce n'a été qu'un nuage, et, par degrés, vous êtes devenue rouge, rouge, rouge!

LA COMTESSE. Il a donc sauté par la fenêtre?

SUZANNE. Sans hésiter, le charmant enfant! Léger. . .comme une abeille.

LA COMTESSE. Ah! ce fatal jardinier! Tout cela m'a remuée au point. . .que je ne pouvais rassembler deux idées.

SUZANNE. Ah! Madame, au contraire; et c'est là que j'ai vu combien l'usage du grand monde donne d'aisance aux dames comme il faut pour mentir sans qu'il y paraisse.

LA COMTESSE. Crois-tu que le Comte en soit la dupe? et s'il trouvait cet enfant au château!

SUZANNE. Je vais recommander de le cacher si bien. . .

LA COMTESSE. Il faut qu'il parte. Après ce qui vient d'arriver, vous croyez bien que je ne suis pas tentée de l'envoyer au jardin à votre place.

SUZANNE. Il est certain que je n'irai pas non plus. Voilà donc mon mariage encore une fois. . .

LA COMTESSE *se lève.* Attends. . .Au lieu d'une autre ou de toi, si j'y allais moi-même?

SUZANNE. Vous, Madame?

LA COMTESSE. Il n'y aurait personne d'exposé. . .le Comte alors ne pourrait nier. . .Avoir puni sa jalousie et lui prou-ver son infidélité! cela serait. . .Allons: le bonheur d'un premier hasard m'enhardit à tenter le second. Fais-lui savoir promptement que tu te rendras au jardin. Mais, surtout, que personne. . .

SUZANNE. Ah! Figaro.

LA COMTESSE. Non, non. Il voudrait mettre ici du sien.[1]. .Mon masque de velours et ma canne, que j'aille y rêver sur la terrasse. (*Suzanne entre dans le cabinet de toilette.*)

## SCÈNE XXV.

### LA COMTESSE, *seule.*

Il est assez effronté, mon petit projet! (*Elle se retourne.*) Ah! le ruban! mon joli ruban! je t'oubliais! (*Elle le prend sur sa bergère et le roule.*) Tu ne me quitteras plus. . .tu me rappelleras la scène où ce malheureux enfant. . . Ah! Monsieur le comte, qu'avez-vous fait?. . . Et moi, que fais-je en ce moment?

## SCÈNE XXVI.

### LA COMTESSE, SUZANNE.

(*La Comtesse met furtivement le ruban dans son sein.*)

SUZANNE. Voici la canne et votre loup.[2]

LA COMTESSE. Souviens-toi que je t'ai défendu d'en dire un mot à Figaro.

SUZANNE, *avec joie.* Madame, il est charmant, votre projet. Je viens d'y réfléchir. Il rapproche tout, termine tout, embrasse tout, et, quelque chose qui arrive, mon mariage est maintenant certain. (*Elle baise la main de sa maîtresse.*)

(*Elles sortent.*)

*Pendant l'entr'acte des valets arrangent la salle d'audience: on apporte les deux banquettes à dossier des avocats, que l'on place aux deux côtés du théâtre, de façon que le passage soit libre par derrière. On pose une estrade à deux marches dans le milieu du théâtre vers le fond, sur laquelle on place le fauteuil du Comte. On met la table du greffier et son tabouret de côté sur le devant, et des sièges pour Brid'oison et d'autres juges des deux côtés de l'estrade du Comte.*

[1] mettre ici du sien, have his finger in it.
[2] loup, half-mask.

# ACTE TROISIÈME

*Le théâtre représente une salle du château appelée Salle du trône et servant de salle d'audience, ayant sur le côté une impériale en dais, et dessous, le portrait du roi.*

## SCÈNE PREMIÈRE.

LE COMTE, PÉDRILLE, *en veste et botté, tenant un paquet cacheté.*

LE COMTE, *vite.* M'as-tu bien entendu?
PÉDRILLE. Excellence, oui. (*Il sort.*)

## SCÈNE II.

LE COMTE, *seul, criant.*

Pédrille!

## SCÈNE III.

LE COMTE, PÉDRILLE *revient.*

PÉDRILLE. Excellence?
LE COMTE. On ne t'a pas vu?
PÉDRILLE. Ame qui vive.[1]
LE COMTE. Prenez le cheval barbe.
PÉDRILLE. Il est à la grille du potager, tout sellé.
LE COMTE. Ferme,[2] d'un trait jusqu'à Séville.
PÉDRILLE. Il n'y a que trois lieues, elles sont bonnes.
LE COMTE. En descendant, sachez si le page est arrivé.
PÉDRILLE. Dans l'hôtel?
LE COMTE. Oui; surtout depuis quel temps.
PÉDRILLE. J'entends.
LE COMTE. Remets-lui son brevet, et reviens vite.
PÉDRILLE. Et s'il n'y était pas?
LE COMTE. Revenez plus vite, et m'en rendez compte. Allez.

## SCÈNE IV.

LE COMTE, *seul, marche en rêvant.*

J'ai fait une gaucherie en éloignant Bazile!... La colère n'est bonne à rien. Ce billet, remis par lui, qui m'avertit d'une entreprise sur la Comtesse... La camériste enfermée quand j'arrive... La maîtresse affectée d'une terreur fausse ou vraie... Un homme qui saute par la fenêtre, et l'autre après qui avoue... ou qui prétend que c'est lui... Le fil m'échappe. Il y a là dedans une obscurité... Des libertés chez mes vassaux, qu'importe à gens de cette étoffe? Mais la Comtesse! Si quelque insolent attentait... Où m'égaré-je? En vérité, quand la tête se monte, l'imagination la mieux réglée devient folle comme un rêve! Elle s'amusait; ces ris étouffés, cette joie mal éteinte! Elle se respecte, et mon honneur... où diable on l'a placé! De l'autre part, où suis-je? Cette friponne de Suzanne a-t-elle trahi mon secret? Comme il n'est pas encore le sien!... Qui donc m'enchaîne à cette fantaisie? J'ai voulu vingt fois y renoncer... Étrange effet de l'irrésolution! Si je la voulais sans débat, je la désirerais mille fois moins. Ce Figaro se fait bien attendre! il faut le sonder adroitement (*Figaro paraît dans le fond; il s'arrête*), et tâcher, dans la conversation que je vais avoir avec lui, de démêler d'une manière détournée s'il est instruit ou non de mon amour pour Suzanne.

## SCÈNE V.

LE COMTE, FIGARO.

FIGARO, *à part.* Nous y voilà.
LE COMTE. .. S'il en sait par elle un seul mot. ..
FIGARO, *à part.* Je m'en suis douté.
LE COMTE. .. Je lui fais épouser la vieille.
FIGARO, *à part.* Les amours[3] de monsieur Bazile?
LE COMTE. .. Et voyons ce que nous ferons de la jeune.
FIGARO, *à part.* Ah! ma femme, s'il vous plaît.
LE COMTE *se retourne.* Hein? quoi? qu'est-ce que c'est?
FIGARO *s'avance.* Moi, qui me rends à vos ordres.
LE COMTE. Et pourquoi ces mots?
FIGARO. Je n'ai rien dit.
LE COMTE *répète.* Ma femme, s'il vous plaît?
FIGARO. C'est. .. la fin d'une réponse que je faisais: *Allez le dire à ma femme, s'il vous plaît.*

---

[1] ame qui vive, not a living soul.
[2] ferme, d'un trait jusqu'à, ride hard without stopping until you reach.
[3] Les amours, the sweetheart.

LE COMTE *se promène. Sa femme!* . . .
Je voudrais bien savoir quelle affaire peut
arrêter Monsieur quand je le fais appeler?

FIGARO, *feignant d'assurer son habillement.* Je m'étais sali sur ces couches en
tombant; je me changeais.

LE COMTE. Faut-il une heure?

FIGARO. Il faut le temps.

LE COMTE. Les domestiques, ici, . . .
sont plus longs à s'habiller que les maîtres!

FIGARO. C'est qu'ils n'ont point de valets
pour les y aider.

LE COMTE. . . Je n'ai pas trop compris ce qui vous avait forcé tantôt de courir un danger inutile en vous jetant. . .

FIGARO. Un danger! On dirait que je me
suis engouffré tout vivant. . .

LE COMTE. Essayez de me donner le
change en feignant de le prendre, insidieux
valet! Vous entendez fort bien que ce n'est
pas le danger qui m'inquiète, mais le motif.

FIGARO. Sur un faux avis, vous arrivez
furieux, renversant tout, comme le torrent
de *la Morena;*[1] vous cherchez un homme,
il vous le faut, ou vous allez briser les portes, enfoncer les cloisons! Je me trouve là
par hasard: qui sait, dans votre emportement, si. . .

LE COMTE, *interrompant.* Vous pouviez
fuir par l'escalier.

FIGARO. Et vous, me prendre au corridor.

LE COMTE, *en colère.* Au corridor? (*A
part.*) Je m'emporte, et nuis à ce que je
veux savoir.

FIGARO, *à part.* Voyons-le venir, et jouons
serré.

LE COMTE, *radouci.* Ce n'est pas ce que
je voulais dire, laissons cela. J'avais. . .
oui, j'avais quelque envie de t'emmener à
Londres, courrier de dépêches; . . . mais,
toutes réflexions faites. . .

FIGARO. Monseigneur a changé d'avis?

LE COMTE. Premièrement, tu ne sais pas
l'anglais.

FIGARO. Je sais *God-dam.*

LE COMTE. Je n'entends pas.

FIGARO. Je dis que je sais *God-dam.*

LE COMTE. Hé bien?

FIGARO. Diable! c'est une belle langue que
l'anglais; il en faut peu pour aller loin.
Avec *God-dam,* en Angleterre, on ne manque de rien nulle part. Voulez-vous tâter[2]
d'un bon poulet gras? entrez dans une ta-
verne, et faites seulement ce geste au garçon (*il tourne la broche*), *God-dam!* on vous

apporte un pied de bœuf salé sans pain.
C'est admirable! Aimez-vous à boire un
coup d'excellent bourgogne ou de clairet?
rien que celui-ci (*il débouche une bouteille*),
*God-dam!* on vous sert un pot de bière,
en bel étain, la mousse aux bords. Quelle
satisfaction! Rencontrez-vous une de ces
jolies personnes qui vont trottant menu, les
yeux baissés, coudes en arrière et tortil-
lant un peu des hanches? mettez mignarde-
ment tous les doigts unis sur la bouche.
Ah! *God-dam!* elle vous sangle[3] un soufflet
de crocheteur. Preuve qu'elle entend. Les
Anglais, à la vérité, ajoutent par-ci par-là
quelques autres mots en conversant; mais
il est bien aisé de voir que *God-dam* est le
fond de la langue; et si Monseigneur n'a
pas d'autre motif de me laisser en Espagne. . .

LE COMTE, *à part.* Il veut venir à Londres; elle n'a pas parlé.

FIGARO, *à part.* Il croit que je ne sais
rien; travaillons-le un peu dans son genre.

LE COMTE. Quel motif avait la Comtesse pour me jouer un pareil tour?

FIGARO. Ma foi, Monseigneur, vous le
savez mieux que moi.

LE COMTE. Je la préviens sur tout[4] et la
comble de présents.

FIGARO. Vous lui donnez, mais vous êtes
infidèle. Sait-on gré du superflu à qui nous
prive du nécessaire?

LE COMTE. . . . Autrefois tu me disais
tout.

FIGARO. Et maintenant je ne vous cache
rien.

LE COMTE. Combien la Comtesse t'a-t-
elle donné pour cette belle association?

FIGARO. Combien me donnâtes-vous pour
la tirer des mains du docteur? Tenez, Monsieur, n'humilions pas l'homme qui nous
sert bien, crainte d'en faire un mauvais
valet.

LE COMTE. Pourquoi faut-il qu'il y ait
toujours du louche en ce que tu fais?

FIGARO. C'est qu'on en voit partout quand
on cherche des torts.

LE COMTE. Une réputation détestable!

FIGARO. Et si je vaux mieux qu'elle?
Y a-t-il beaucoup de seigneurs qui puissent
en dire autant?

LE COMTE. Cent fois je t'ai vu marcher
à la fortune, et jamais aller droit.

FIGARO. Comment voulez-vous? La foule
est là; chacun veut courir; on se presse, on

---

[1] la Morena, the Sierra Morena mountains in southern Spain.
[2] tâter, try, sample.
[3] sangle, strike.
[4] Je la préviens sur tout, I anticipate all her wishes.

pousse, on coudoie, on renverse; arrive qui peut, le reste est écrasé. Aussi c'est fait; pour moi, j'y renonce.

LE COMTE. A la fortune? (*A part.*) Voici du neuf.

FIGARO, *à part.* A mon tour maintenant. (*Haut.*) Votre Excellence m'a gratifié de la conciergerie du château; c'est un fort joli sort: à la vérité je ne serai pas le courrier étrenné [1] des nouvelles intéressantes; mais, en revanche, heureux avec ma femme au fond de l'Andalousie. . .

LE COMTE. Qui t'empêcherait de l'emmener à Londres?

FIGARO. Il faudrait la quitter si souvent que j'aurais bientôt du mariage par-dessus la tête. [2]

LE COMTE. Avec du caractère et de l'esprit, tu pourrais un jour t'avancer dans les bureaux.

FIGARO. De l'esprit pour s'avancer? Monseigneur se rit du mien. Médiocre et rampant, et l'on arrive à tout.

LE COMTE. . . . Il ne faudrait qu'étudier un peu sous moi la politique.

FIGARO. Je la sais.

LE COMTE. Comme l'anglais: le fond de la langue!

FIGARO. Oui, s'il y avait ici de quoi se vanter; mais feindre d'ignorer ce qu'on sait, de savoir tout ce qu'on ignore, d'entendre ce qu'on ne comprend pas, de ne point ouïr ce qu'on entend, surtout de pouvoir au delà de ses forces; avoir souvent pour grand secret de cacher qu'il n'y en a point; s'enfermer pour tailler des plumes et paraître profond quand on n'est, comme on dit, que vide et creux; jouer bien ou mal un personnage; répandre des espions et pensionner des traîtres; amollir des cachets, intercepter des lettres, et tâcher d'ennoblir la pauvreté des moyens par l'importance des objects: voilà toute la politique, ou je meure!

LE COMTE. Eh! c'est l'intrigue que tu définis!

FIGARO. La politique, l'intrigue, volontiers; mais, comme je les crois un peu germaines, en fasse qui voudra! *J'aime mieux ma mie, oh gué!* [3] comme dit la chanson du bon roi. [4]

LE COMTE, *à part.* Il veut rester. J'entends. . . Suzanne m'a trahi.

FIGARO, *à part.* Je l'enfile et le paie en sa monnaie.

LE COMTE. Ainsi tu espères gagner ton procès contre Marceline?

FIGARO. Me feriez-vous un crime de refuser une vieille fille, quand Votre Excellence se permet de nous souffler toutes les jeunes?

LA COMTE, *raillant.* Au tribunal le magistrat s'oublie et ne voit plus que l'ordonnance.

FIGARO. Indulgente aux grands, dure aux petits. . .

LE COMTE. Crois-tu donc que je plaisante?

FIGARO. Eh! qui le sait, Monseigneur? *Tempo è galant'uomo,* [5] dit l'italien; il dit toujours la vérité: c'est lui qui m'apprendra qui me veut du mal ou du bien .

LE COMTE, *à part.* Je vois qu'on lui a tout dit; il épousera la duègne.

FIGARO, *à part.* Il a joué au fin [6] avec moi; qu'a-t-il appris?

## SCÈNE VI.

### LE COMTE, UN LAQUAIS, FIGARO.

LE LAQUAIS, *annonçant.* Don Gusman Brid'oison.

LE COMTE. Brid'oison?

FIGARO. Eh! sans doute. C'est le juge ordinaire, le lieutenant du siège, votre prud'homme. [7]

LE COMTE. Qu'il attende.

(*Le laquais sort.*)

## SCÈNE VII.

### LE COMTE, FIGARO.

FIGARO *reste un moment à regarder le Comte qui rêve.* . . . Est-ce là ce que Monseigneur voulait?

LE COMTE, *revenant à lui.* Moi? . . . je disais d'arranger ce salon pour l'audience publique.

FIGARO. Hé! qu'est-ce qu'il manque? le grand fauteuil pour vous, de bonnes chaises aux prud'hommes, le tabouret du greffier,

---

[1] étrenné, entrusted.
[2] par-dessus la tête, more than enough.
[3] J'aime mieux ma mie, oh gué, from a song quoted in Molière's *Misanthrope*, 1. 2.
[4] bon roi, probably Henri IV.
[5] Tempo è galant'uomo, Time is a man of honor.
[6] Il a joué au fin, he has played a subtle game.
[7] prud'homme, legal authority.

deux banquettes aux avocats, le plancher pour le beau monde, et la canaille derrière. Je vais renvoyer les frotteurs.

(*Il sort.*)

### SCÈNE VIII.

#### Le Comte, *seul.*

Le maraud m'embarrassait! en disputant, il prend son avantage, il vous serre, vous enveloppe. . . Ah! friponne et fripon! vous vous entendez pour me jouer? Soyez amis, soyez amants, soyez ce qu'il vous plaira, j'y consens; mais, parbleu, pour époux. . .

### SCÈNE IX.

#### Suzanne, le Comte.

Suzanne, *essoufflée.* Monseigneur, . . . pardon, Monseigneur.

Le Comte, *avec humeur.* Qu'est-ce qu'il y a, Mademoiselle?

Suzanne. Vous êtes en colère?

Le Comte. Vous voulez quelque chose apparemment?

Suzanne, *timidement.* C'est que ma maîtresse a ses vapeurs. J'accourais vous prier de nous prêter votre flacon d'éther. Je l'aurais rapporté dans l'instant.

Le Comte *le lui donne.* Non, non, gardez-le pour vous-même, il ne tardera pas à vous être utile.

Suzanne. Est-ce que les femmes de mon état ont des vapeurs, donc? C'est un mal de condition,[1] qu'on ne prend que dans les boudoirs.

Le Comte. Une fiancée bien éprise, et qui perd son futur.

Suzanne. En payant Marceline avec la dot que vous m'avez promise.

Le Comte. Que je vous ai promise, moi?

Suzanne, *baissant les yeux.* Monseigneur, j'avais cru l'entendre.

Le Comte. Oui, si vous consentiez à m'entendre vous-même.

Suzanne, *les yeux baissés.* Et n'est-ce pas mon devoir d'écouter Son Excellence?

Le Comte. Pourquoi donc, cruelle fille, ne me l'avoir pas dit plus tôt?

Suzanne. Est-il jamais trop tard pour dire la vérité?

Le Comte. Tu te rendrais sur la brune au jardin?

Suzanne. Est-ce que je ne m'y promène pas tous les soirs?

[1] un mal de condition, a society illness.

Le Comte. Tu m'as traité ce matin si durement!

Suzanne. Ce matin? . . . Et le page derrière le fauteuil?

Le Comte. Elle a raison, je l'oubliais. Mais pourquoi ce refus obstiné, quand Bazile, de ma part. . . ?

Suzanne. Quelle nécessité qu'un Bazile. . . ?

Le Comte. Elle a toujours raison. Cependant il y a un certain Figaro à qui je crains bien que vous n'ayez tout dit!

Suzanne. Dame! oui, je lui dis tout, hors ce qu'il faut lui taire.

Le Comte, *en riant.* Ah! charmante! Et tu me le promets? Si tu manquais à ta parole, entendons-nous, mon cœur: point de rendez-vous, point de dot, point de mariage.

Suzanne, *faisant la révérence.* Mais aussi point de mariage, point de droit du seigneur, Monseigneur.

Le Comte. Où prend-elle ce qu'elle dit? D'honneur, j'en raffolerai! Mais ta maîtresse attend le flacon. . .

Suzanne, *riant et rendant le flacon.* Aurais-je pu vous parler sans un prétexte?

Le Comte *veut l'embrasser.* Délicieuse créature!

Suzanne *s'échappe.* Voilà du monde.

Le Comte, *à part.* Elle est à moi.

(*Il s'enfuit.*)

Suzanne. Allons vite rendre compte à Madame.

### SCÈNE X.

#### Suzanne, Figaro.

Figaro. Suzanne, Suzanne! Où cours-tu donc si vite en quittant Monseigneur?

Suzanne. Plaide à présent, si tu le veux; tu viens de gagner ton procès. (*Elle s'enfuit.*)

Figaro *la suit.* Ah! mais, dis donc. . .

### SCÈNE XI.

#### Le Comte *rentre seul.*

*Tu viens de gagner ton procès!* Je donnais là dans un bon piège! O mes chers insolents! je vous punirai de façon. . . Un bon arrêt, bien juste. . . Mais, s'il allait payer la duègne. . . Avec quoi? S'il payait. . . Eeeeh! n'ai-je pas le fier Antonio, dont le noble orgueil dédaigne en

Figaro un inconnu pour sa nièce? En caressant cette manie. . . Pourquoi non? Dans le vaste champ de l'intrigue, il faut savoir tout cultiver, jusqu'à la vanité d'un sot. (*Il appelle.*) Anto. . . *Il voit entrer Marceline, etc.*)

(*Il sort.*)

## SCÈNE XII.

BARTHOLO, MARCELINE, BRID'OISON.

MARCELINE, *à Brid'oison.* Monsieur, écoutez mon affaire.

BRID'OISON, *en robe et bégayant un peu.* Eh bien, pa-arlons-en verbalement.

BARTHOLO. C'est une promesse de mariage.

MARCELINE. Accompagnée d'un prêt d'argent.

BRID'OISON. J'en-entends, *et cætera,* le reste.

MARCELINE. Non, Monsieur, point d'*et cætera.*

BRID'OISON. J'en-entends; vous avez la somme?

MARCELINE. Non, Monsieur, c'est moi qui l'ai prêtée.

BRID'OISON. J'en-entends bien; vou-ous redemandez l'argent?

MARCELINE. Non, Monsieur; je demande qu'il m'épouse.

BRID'OISON. Eh mais, j'en-entends fort bien; et lui, veu-eut-il vous épouser?

MARCELINE. Non, Monsieur; voilà tout le procès!

BRID'OISON. Croyez-vous que je ne l'en-entende pas, le procès?

MARCELINE. Non, Monsieur. (*A Bartholo.*) Où sommes-nous! (*A Brid'oison.*) Quoi! c'est vous qui nous jugerez?

BRID'OISON. Est-ce que j'ai a-acheté ma charge pour autre chose?

MARCELINE, *en soupirant.* C'est un grand abus que de les vendre!

BRID'OISON. Oui, l'on-on ferait mieux de nous les donner pour rien. Contre qui plai-aidez-vous?

## SCÈNE XIII.

BARTHOLO, MARCELINE, BRID'OISON; FIGARO *rentre en se frottant les mains.*

MARCELINE, *montrant Figaro.* Monsieur, contre ce malhonnête homme.

FIGARO, *très gaiement, à Marceline.* Je

vous gêne peut-être.—Monseigneur revient dans l'instant, Monsieur le conseiller.

BRID'OISON. J'ai vu ce ga-arçon-là quelque part.

FIGARO. Chez madame votre femme, à Séville, pour la servir, Monsieur le conseiller.

BRID'OISON. Dans-ans quel temps?

FIGARO. Un peu moins d'un an avant la naissance de monsieur votre fils, le cadet, qui est un bien joli enfant, je m'en vante.

BRID'OISON. Oui, c'est le plus jo-oli de tous. On dit que tu-u fais ici des tiennes?[1]

FIGARO. Monsieur est bien bon. Ce n'est là qu'une misère.

BRID'OISON. Une promesse de mariage. A-ah! le pauvre benêt!

FIGARO. Monsieur. . .

BRID'OISON. A-t-il vu mon-on secrétaire, ce bon garçon?

FIGARO. N'est-ce pas Double-Main, le greffier?

BRID'OISON. Oui, c'è-est qu'il mange à deux râteliers.[2]

FIGARO. Manger! je suis garant qu'il dévore. Oh! que oui, je l'ai vu, pour l'extrait,[3] et pour le supplément d'extrait; comme cela se pratique, au reste.

BRID'OISON. On-on doit remplir les formes.

FIGARO. Assurément, Monsieur: si le fond des procès appartient aux plaideurs, on sait bien que la forme est le patrimoine des tribunaux.

BRID'OISON. Ce garçon-là n'è-est pas si niais que je l'avais cru d'abord. Hé bien, l'ami, puisque tu en sais tant, nou-ous aurons soin de ton affaire.

FIGARO. Monsieur, je m'en rapporte à votre équité, quoique vous soyez de notre justice.

BRID'OISON. Hein? . . . Oui, je suis de la-a justice. Mais si tu dois et que tu-u ne payes pas? . . .

FIGARO. Alors Monsieur voit bien que c'est comme si je ne devais pas.

BRID'OISON. Sans-ans doute. Hé! mais, qu'est-ce donc qu'il dit?

## SCÈNE XIV.

BARTHOLO, MARCELINE, LE COMTE, BRID'OISON, FIGARO, UN HUISSIER.

L'HUISSIER, *précédant le Comte, crie.* Monseigneur, Messieurs!

[1] des tiennes, your tricks.
[2] *i. e.* he obtains money from several sources at the same time.
[3] extrait, brief.

LE COMTE. En robe ici, Seigneur Brid'oison! ce n'est qu'une affaire domestique. L'habit de ville était trop bon.

BRID'OISON. C'è-est vous qui l'êtes, Monsieur le comte. Mais je ne vais jamais sansans elle; parce que la forme, voyez-vous, la forme! Tel rit d'un juge en habit court, qui-i tremble au seul aspect d'un procureur en robe. La forme, la-a forme!

LE COMTE, à l'Huissier. Faites entrer l'audience.[1]

L'HUISSIER va ouvrir en glapissant. L'audience!

## SCÈNE XV.

LES ACTEURS PRÉCÉDENTS, ANTONIO, LES VALETS DU CHÂTEAU, LES PAYSANS ET PAYSANNES en habits de fête; LE COMTE s'assied sur le grand fauteuil; BRID'OISON, sur une chaise à côté; LE GREFFIER, sur le tabouret derrière sa table; LES JUGES, LES AVOCATS, sur les banquettes; MARCELINE, à côté de BARTHOLO; FIGARO, sur l'autre banquette; LES PAYSANS ET VALETS debout derrière.

BRID'OISON, à Double-Main. Double-Main, a-appelez les causes.

DOUBLE-MAIN lit un papier. Noble, très noble, infiniment noble, Don Pédro George, Hidalgo, Baron de los Altos, y Montes Fieros, y otros montes, contre Alonzo Calderon, jeune auteur dramatique. Il est question d'une comédie mort-née, que chacun désavoue et rejette sur l'autre.

LE COMTE. Ils ont raison tous deux. Hors de cour.[2] S'ils font ensemble un autre ouvrage, pour qu'il marque un peu dans le grand monde, ordonné que le noble y mettra son nom, le poète son talent.

DOUBLE-MAIN lit un autre papier. André Pétrutchio, laboureur, contre le receveur de la province. Il s'agit d'un forcement arbitraire.[3]

LE COMTE. L'affaire n'est pas de mon ressort. Je servirai mieux mes vassaux en les protégeant près du roi. Passez.

DOUBLE-MAIN en prend un troisième. (Bartholo et Figaro se lèvent.) Barbe-Agar-Raab-Magdelaine-Nicole-Marceline de Verte-Allure, fille majeure (Marceline se lève et salue), contre Figaro... nom de baptême en blanc?

FIGARO. Anonyme.

BRID'OISON. A-anonyme? Què-el patron [4] est-ce là?

FIGARO. C'est le mien.

DOUBLE-MAIN écrit. Contre Anonyme Figaro. Qualités?

FIGARO. Gentilhomme.

LE COMTE. Vous êtes gentilhomme? (Le Greffier écrit.)

FIGARO. Si le Ciel l'eût voulu, je serais fils d'un prince.

LE COMTE, au Greffier. Allez.

L'HUISSIER, glapissant. Silence, Messieurs!

DOUBLE-MAIN lit. . . . Pour cause d'opposition faite au mariage dudit Figaro par ladite de Verte-Allure. Le docteur Bartholo plaidant pour la demanderesse, et ledit Figaro pour lui-même, si la cour le permet, contre le vœu de l'usage et la jurisprudence du siège.

FIGARO. L'usage, maître Double-Main, est souvent un abus; le client un peu instruit sait toujours mieux sa cause que certains avocats qui, suant à froid, criant à tue-tête, et connaissant tout, hors le fait, s'embarrassent aussi peu de ruiner le plaideur que d'ennuyer l'auditoire et d'endormir Messieurs; plus boursoufflés après que s'ils eussent composé l'oratio pro Murena.[5] Moi, je dirai le fait en peu de mots. Messieurs. . .

DOUBLE-MAIN. En voilà beaucoup d'inutiles, car vous n'êtes pas demandeur et n'avez que la défense. Avancez, docteur, et lisez la promesse.

FIGARO. Oui, promesse!

BARTHOLO, mettant ses lunettes. Elle est précise.

BRID'OISON. I-il faut la voir.

DOUBLE-MAIN. Silence donc, Messieurs!

L'HUISSIER, glapissant. Silence!

BARTHOLO lit. Je soussigné reconnais avoir reçu de damoiselle, etc. . . Marceline de Verte-Allure, dans le château d'Aguas-Frescas, la somme de deux mille piastres fortes cordonnées; laquelle somme je lui rendrai à sa réquisition, dans ce château, et je l'épouserai par forme de reconnaissance, etc. Signé Figaro, tout court. Mes conclusions sont au paiement du billet et à l'exécution de la promesse, avec dépens. (Il plaide.) Messieurs. . . jamais cause plus intéressante ne fut soumise au juge-

---

1 l'audience, the court.
2 Hors de cour, case dismissed.
3 forcement arbitraire, arbitrary demand for payment of uncollected taxes.
4 patron, patron saint.
5 oratio pro Murena, one of Cicero's orations.

ment de la cour! et, depuis Alexandre le Grand, qui promit mariage à la belle Thalestris. . .

LE COMTE, *interrompant.* Avant d'aller plus loin, Avocat, convient-on de la validité du titre?

BRID'OISON, *à Figaro.* Qu'oppo. . . qu'oppo-osez-vous à cette lecture?

FIGARO. Qu'il y a, Messieurs, malice, erreur ou distraction dans la manière dont on a lu la pièce; car il n'est pas dit dans l'écrit: *laquelle somme je lui rendrai ET je l'épouserai;* mais: *laquelle somme je lui rendrai, OU je l'épouserai,* ce qui est bien différent.

LE COMTE. Y a-t-il ET, dans l'acte; ou bien OU?

BARTHOLO. Il y a ET.

FIGARO. Il y a OU.

BRID'OISON. Dou-ouble-Main, lisez vous-même.

DOUBLE-MAIN, *prenant le papier.* Et c'est le plus sûr, car souvent les parties déguisent en lisant. (*Il lit.*) E. e. e. *damoiselle* e. e. e. *de Verte-Allure* e. e. e. Ha! *laquelle somme je lui rendrai à sa réquisition, dans ce château.* . . ET. . . OU. . . ET. . . OU. . . Le mot est si mal écrit. . . il y a un pâté.

BRID'OISON. Un pâ-âté? je sais ce que c'est.

BARTHOLO, *plaidant.* Je soutiens, moi, que c'est la conjonction copulative ET qui lie les membres corrélatifs de la phrase: je paierai la demoiselle, ET je l'épouserai.

FIGARO, *plaidant.* Je soutiens, moi, que c'est la conjonction alternative OU qui sépare lesdits membres: je paierai la donzelle, OU je l'épouserai; à pédant, pédant et demi; qu'il s'avise de parler latin, j'y suis grec; je l'extermine.

LE COMTE. Comment juger pareille question?

BARTHOLO. Pour la trancher, Messieurs, et ne plus chicaner sur un mot, nous passons qu'il y ait OU.

FIGARO. J'en demande acte.[1]

BARTHOLO. Et nous y adhérons. Un si mauvais refuge ne sauvera pas le coupable: examinons le titre en ce sens. (*Il lit.*) *Laquelle somme je lui rendrai dans ce château où je l'épouserai;* c'est ainsi qu'on dirait, Messieurs: *vous vous ferez saigner dans ce lit où vous resterez chaudement;*

c'est dans lequel. *Il prendra deux gros de rhubarbe* où *vous mêlerez un peu de tamarin; dans lesquels on mêlera.* Ainsi *château* où *je l'épouserai,* Messieurs, *c'est château dans lequel.* . .

FIGARO. Point du tout; la phrase est dans le sens de celle-ci: ou *la maladie vous tuera,* ou *ce sera le médecin;* ou bien *le médecin,* c'est incontestable. Autre exemple; ou *vous n'écrirez rien qui plaise,* ou *les sots vous dénigreront;* ou bien *les sots,* le sens est clair: car, audit cas, *sots* ou *méchants* sont le substantif qui gouverne. Maître Bartholo croit-il donc que j'aie oublié ma syntaxe? Ainsi, je la paierai dans ce château, *virgule, ou* je l'épouserai. . .

BARTHOLO, *vite.* Sans virgule.

FIGARO, *vite.* Elle y est. C'est *virgule,* Messieurs, *ou bien, je l'épouserai.*

BARTHOLO, *regardant le papier, vite.* Sans virgule, Messieurs.

FIGARO, *vite.* Elle y était, Messieurs. D'ailleurs, l'homme qui épouse est-il tenu de rembourser?

BARTHOLO, *vite.* Oui; nous nous marions séparés de biens.[2]

FIGARO, *vite.* Et nous de corps,[3] dès que le mariage n'est pas quittance. (*Les juges se lèvent et opinent tout bas.*)

BARTHOLO. Plaisant acquittement.

DOUBLE-MAIN. Silence, Messieurs!

L'HUISSIER, *glapissant.* Silence!

BARTHOLO. Un pareil fripon appelle cela payer ses dettes!

FIGARO. Est-ce votre cause, Avocat, que vous plaidez?

BARTHOLO. Je défends cette demoiselle.

FIGARO. Continuez à déraisonner, mais cessez d'injurier. Lorsque, craignant l'emportement des plaideurs, les tribunaux ont toléré qu'on appelât des tiers,[4] ils n'ont pas entendu que ces défenseurs modérés deviendraient impunément des insolents privilégiés. C'est dégrader le plus noble institut.

(*Les juges continuent d'opiner bas.*)

ANTONIO, *à Marceline, montrant les juges.* Qu'ont-ils à balbucifier?[5]

MARCELINE. On a corrompu le grand juge, il corrompt l'autre, et je perds mon procès.

BARTHOLO, *bas, d'un ton sombre.* J'en ai peur.

FIGARO, *gaiement.* Courage, Marceline!

---

[1] acte, declaration to that effect.

[2] séparés de biens, retaining our property rights.

[3] (séparés) de corps, legally separated.

[4] des tiers, outside parties.

[5] balbucifier, illiterate form of balbutier.

DOUBLE-MAIN *se lève; à Marceline.* Ah! c'est trop fort! Je vous dénonce, et, pour l'honneur du tribunal, je demande qu'avant faire droit [1] sur l'autre affaire il soit prononcé sur celle-ci.

LE COMTE *s'assied.* Non, Greffier, je ne prononcerai point sur mon injure personnelle. Un juge espagnol n'aura point à rougir d'un excès digne au plus des tribunaux asiatiques; c'est assez des autres abus. J'en vais corriger un second en vous motivant mon arrêt: tout juge qui s'y refuse est un grand ennemi des lois! Que peut requérir la demanderesse? Mariage à défaut de paiement; les deux ensemble impliqueraient.[2]

DOUBLE-MAIN. Silence, Messieurs!

L'HUISSIER, *glapissant.* Silence!

LE COMTE. Que nous répond le défendeur? qu'il veut garder sa personne; [3] à lui permis.

FIGARO, *avec joie.* J'ai gagné.

LE COMTE. Mais, comme le texte dit: *laquelle somme je paierai à la première réquisition, ou bien j'épouserai, etc.,* la cour condamne le défendeur à payer deux mille piastres fortes à la demanderesse, ou bien à l'épouser dans le jour. (*Il se lève.*)

FIGARO, *stupéfait.* J'ai perdu.

ANTONIO, *avec joie.* Superbe arrêt.

FIGARO. En quoi superbe?

ANTONIO. En ce que tu n'es plus mon neveu. Grand merci, Monseigneur!

L'HUISSIER, *glapissant.* Passez, Messieurs. (*Le peuple sort.*)

ANTONIO. Je m'en vas tout conter à ma nièce. (*Il sort.*)

## SCÈNE XVI.

LE COMTE, *allant de côté et d'autre;* MARCELINE, BARTHOLO, FIGARO, BRID'OISON.

MARCELINE *s'assied.* Ah! je respire.

FIGARO. Et moi, j'étouffe.

LE COMTE, *à part.* Au moins, je suis vengé; cela soulage.

FIGARO, *à part.* Et ce Bazile qui devait s'opposer au mariage de Marceline, voyez comme il revient! (*Au Comte qui sort.*) Monseigneur, vous nous quittez?

LE COMTE. Tout est jugé.

FIGARO, *à Brid'oison.* C'est ce gros enflé de conseiller. . .

BRID'OISON. Moi, gros-os enflé!

FIGARO. Sans doute. Et je ne l'épouserai pas: je suis gentilhomme une fois.[4] (*Le Comte s'arrête.*)

BARTHOLO. Vous l'épouserez.

FIGARO. Sans l'aveu de mes nobles parents?

BARTHOLO. Nommez-les, montrez-les.

FIGARO. Qu'on me donne un peu de temps; je suis bien près de les revoir: il y a quinze ans que je les cherche.

BARTHOLO. Le fat! c'est quelque enfant trouvé!

FIGARO. Enfant perdu, Docteur; ou plutôt enfant volé!

LE COMTE *revient.* Volé, perdu? La preuve. Il crierait qu'on lui fait injure!

FIGARO. Monseigneur, quand les langes à dentelles, tapis brodés et joyaux d'or trouvés sur moi par les brigands n'indiqueraient pas ma haute naissance, la précaution qu'on avait prise de me faire des marques distinctives témoignerait assez combien j'étais un fils précieux: et cet hiéroglyphe à mon bras. . . (*Il veut se dépouiller le bras droit.*)

MARCELINE, *se levant vivement.* Une spatule à ton bras droit?

FIGARO. D'où savez-vous que je dois l'avoir?

MARCELINE. Dieux! c'est lui!

FIGARO. Oui, c'est moi.

BARTHOLO, *à Marceline.* Et qui? lui!

MARCELINE, *vivement.* C'est Emmanuel.

BARTHOLO, *à Figaro.* Tu fus enlevé par des bohémiens?

FIGARO, *exalté.* Tout près d'un château. Bon Docteur, si vous me rendez à ma noble famille, mettez un prix à ce service; des monceaux d'or n'arrêteront pas mes illustres parents.

BARTHOLO, *montrant Marceline.* Voilà ta mère.

FIGARO. . . . Nourrice?

BARTHOLO. Ta propre mère.

LE COMTE. Sa mère!

FIGARO. Expliquez-vous.

MARCELINE, *montrant Bartholo.* Voilà ton père.

FIGARO, *désolé.* O o oh! aïe de moi!

MARCELINE. Est-ce que la nature ne te l'a pas dit mille fois?

FIGARO. Jamais.

LE COMTE, *à part.* Sa mère!

BRID'OISON. C'est clair, i-il ne l'épousera pas.

[1] faire droit, pronouncing judgment.
[2] impliqueraient, would be incompatible.
[3] garder sa personne, retain his independence.
[4] une fois, une fois pour toutes.

BARTHOLO. Ni moi non plus.

MARCELINE. Ni vous! Et votre fils? Vous m'aviez juré. . .

BARTHOLO. J'étais fou. Si pareils souvenirs engageaient, on serait tenu d'épouser tout le monde.

BRID'OISON. E-et si l'on y regardait de si près, per-ersonne n'épouserait personne.

BARTHOLO. Des fautes si connues! une jeunesse déplorable!

MARCELINE, s'échauffant par degrés. Oui, déplorable, et plus qu'on ne croit. Je n'entends pas nier mes fautes, ce jour les a trop bien prouvées! Mais qu'il est dur de les expier après trente ans d'une vie modeste! J'étais née, moi, pour être sage, et je le suis devenue sitôt qu'on m'a permis d'user de ma raison. Mais, dans l'âge des illusions, de l'inexpérience et des besoins, où les séducteurs nous assiègent, pendant que la misère nous poignarde, que peut opposer une enfant à tant d'ennemis rassemblés? Tel nous juge ici sévèrement, qui, peut-être, en sa vie a perdu dix infortunées!

FIGARO. Les plus coupables sont les moins généreux; c'est la règle.

MARCELINE, vivement. Hommes plus qu'ingrats, qui flétrissez par le mépris les jouets de vos passions, vos victimes! c'est vous qu'il faut punir des erreurs de notre jeunesse; vous et vos magistrats, si vains du droit de nous juger, et qui nous laissent enlever, par leur coupable négligence, tout honnête moyen de subsister. Est-il un seul état pour les malheureuses filles? Elles avaient un droit naturel à toute la parure des femmes; on y laisse former mille ouvriers de l'autre sexe.

FIGARO, en colère. Ils font broder jusqu'aux soldats!

MARCELINE, exaltée. Dans les rangs même plus élevés, les femmes n'obtiennent de vous qu'une considération dérisoire: leurrées de respects apparents, dans une servitude réelle; traitées en mineures pour nos biens, punies en majeures pour nos fautes! Ah! sous tous les aspects, votre conduite avec nous fait horreur ou pitié.

FIGARO. Elle a raison!

LE COMTE, à part. Que trop raison!

BRID'OISON. Elle a, mon-on Dieu, raison.

MARCELINE. Mais que nous font, mon fils, les refus d'un homme injuste? Ne regarde pas d'où tu viens, vois où tu vas; cela seul importe à chacun. Dans quelques mois ta fiancée ne dépendra plus que d'elle-même; elle t'acceptera, j'en réponds: vis entre une

épouse, une mère tendres, qui te chériront à qui mieux mieux. Sois indulgent pour elles, heureux pour toi, mon fils; gai, libre et bon pour tout le monde: il ne manquera rien à ta mère.

FIGARO. Tu parles d'or, maman, et je me tiens à ton avis. Qu'on est sot, en effet! Il y a des mille mille ans que le monde roule, et dans cet océan de durée où j'ai, par hasard, attrappé quelques chétifs trente ans qui ne reviendront plus, j'irais me tourmenter pour savoir à qui je les dois! Tant pis pour qui s'en inquiète! Passer ainsi la vie à chamailler,[1] c'est peser sur le collier sans relâche comme les malheureux chevaux de la remonte des fleuves, qui ne reposent pas, même quand ils s'arrêtent, et qui tirent toujours, quoiqu'ils cessent de marcher. Nous attendrons.

LE COMTE. Sot événement qui me dérange!

BRID'OISON, à Figaro. Et la noblesse et le château? Vous impo-osez à[2] la justice.

FIGARO. Elle allait me faire faire une belle sottise, la justice! après que j'ai manqué, pour ces maudits cent écus, d'assommer vingt fois Monsieur, qui se trouve aujourd'hui mon père! Mais, puisque le Ciel a sauvé ma vertu de ces dangers, mon père, agréez mes excuses. . . Et vous, ma mère, embrassez-moi. . . le plus maternellement que vous pourrez.

(Marceline lui saute au cou.)

## SCÈNE XVII.

BARTHOLO, FIGARO, MARCELINE, BRID'OISON, SUZANNE, ANTONIO, LE COMTE.

SUZANNE, accourant, une bourse à la main. Monseigneur, arrêtez; qu'on ne les marie pas: je viens payer Madame avec la dot que ma maîtresse me donne.

LE COMTE, à part. Au diable la maîtresse! Il semble que tout conspire. . .

(Il sort.)

## SCÈNE XVIII.

BARTHOLO, ANTONIO, SUZANNE, FIGARO, MARCELINE, BRID'OISON.

ANTONIO, voyant Figaro embrasser sa mère, dit à Suzanne. Ah! oui, payer! Tiens, tiens.

SUZANNE se retourne. J'en vois assez: sortons, mon oncle.

---

[1] chamailler, squabble.

[2] imposez à, cheat.

FIGARO *l'arrêtant.* Non, s'il vous plaît. Que vois-tu donc?

SUZANNE. Ma bêtise et ta lâcheté.

FIGARO. Pas plus de l'une que de l'autre.

SUZANNE, *en colère.* Et que tu l'épouses à gré, puisque tu la caresses.

FIGARO, *gaiement.* Je la caresse, mais je ne l'épouse pas.

(*Suzanne veut sortir. Figaro la retient.*)

SUZANNE *lui donne un soufflet.* Vous êtes bien insolent d'oser me retenir.

FIGARO, *à la compagnie.* C'est-il ça de l'amour? Avant de nous quitter, je t'en supplie, envisage bien cette chère femme-là.

SUZANNE. Je la regarde.

FIGARO. Et tu la trouves?

SUZANNE. Affreuse.

FIGARO. Et vive la jalousie! elle ne vous marchande pas.

MARCELINE, *les bras ouverts.* Embrasse ta mère, ma jolie Suzannette. Le méchant qui te tourmente est mon fils.

SUZANNE *court à elle.* Vous, sa mère! (*Elles restent dans les bras l'une de l'autre.*)

ANTONIO. C'est donc de tout à l'heure?

FIGARO. . . Que je le sais.

MARCELINE, *exaltée.* Non, mon cœur entraîné vers lui ne se trompait que de motif; c'était le sang qui me parlait.

FIGARO. Et moi, le bon sens, ma mère, qui me servait d'instinct quand je vous refusais, car j'étais loin de vous haïr; témoin l'argent. . .

MARCELINE *lui remet un papier.* Il est à toi; reprends ton billet, c'est ta dot.

SUZANNE *lui jette la bourse.* Prends encore celle-ci.

FIGARO. Grand merci.

MARCELINE, *exaltée.* Fille assez malheureuse, j'allais devenir la plus misérable des femmes, et je suis la plus fortunée des mères! Embrassez-moi, mes deux enfants; j'unis en vous toutes mes tendresses. Heureuse autant que je puis l'être, ah! mes enfants, combien je vais aimer!

FIGARO, *attendri, avec vivacité.* Arrête donc, chère mère! arrête donc! Voudrais-tu voir se fondre en eau mes yeux noyés des premières larmes que je connaisse? Elles sont de joie, au moins. Mais quelle stupidité! j'ai manqué d'en être honteux; je les sentais couler entre mes doigts; regarde (*il montre ses doigts écartés*); et je les retenais bêtement! Va te promener, la honte! Je veux rire et pleurer en même temps; on ne sent pas deux fois ce que j'éprouve. (*Il embrasse sa mère d'un côté, Suzanne de l'autre.*)

MARCELINE. O mon ami!

SUZANNE. Mon cher ami!

BRID'OISON, *s'essuyant les yeux d'un mouchoir.* Eh bien, moi, je suis donc bê-ête aussi!

FIGARO, *exalté.* Chagrin, c'est maintenant que je puis te défier! Atteins-moi, si tu l'oses, entre ces deux femmes chéries.

ANTONIO, *à Figaro.* Pas tant de cajoleries, s'il vous plaît. En fait de mariage dans les familles, celui des parents va devant, savez! Les vôtres se baillent-ils la main?

BARTHOLO. Ma main? puisse-t-elle se dessécher et tomber si jamais je la donne à la mère d'un tel drôle!

ANTONIO, *à Bartholo.* Vous n'êtes donc qu'un père marâtre?[1] (*A Figaro.*) En ce cas, not' galant, plus de parole.

SUZANNE. Ah, mon oncle! . . .

ANTONIO. Irai-je donner l'enfant de not' sœur à sti[2] qui n'est l'enfant de personne?

BRID'OISON. Est-ce que cela-a se peut, imbécile? on-on est toujours l'enfant de quelqu'un.

ANTONIO. Tarare![3] . . . il ne l'aura jamais. (*Il sort.*)


### SCÈNE XIX.

BARTHOLO, SUZANNE, FIGARO, MARCELINE, BRID'OISON.


BARTHOLO, *à Figaro.* Et cherche à présent qui t'adopte. (*Il veut sortir.*)

MARCELINE, *courant prendre Bartholo à bras-le-corps, le ramène.* Arrêtez, Docteur, ne sortez pas!

FIGARO, *à part.* Non, tous les sots de l'Andalousie sont, je crois, déchaînés contre mon pauvre mariage!

SUZANNE, *à Bartholo.* Bon petit papa, c'est votre fils.

MARCELINE, *à Bartholo.* De l'esprit, des talents, de la figure.

FIGARO, *à Bartholo.* Et qui ne vous a pas coûté une obole.

BARTHOLO. Et les cent écus qu'il m'a pris?

MARCELINE, *le caressant.* Nous aurons tant de soin de vous, papa!

---

[1] marâtre, illegitimate.
[2] sti, celui.
[3] Tarare, nonsense, fiddlesticks.

SUZANNE, *le caressant.* Nous vous aimerons tant, petit papa!

BARTHOLO, *attendri.* Papa! bon papa! petit papa! voilà que je suis plus bête encore que Monsieur, moi. (*Montrant Brid'oison.*) Je me laisse aller comme un enfant. (*Marceline et Suzanne l'embrassent.*) Oh! non, je n'ai pas dit oui. (*Il se retourne.*) Qu'est donc devenu Monseigneur?

FIGARO. Courons le joindre; arrachons-lui son dernier mot. S'il machinait quelque autre intrigue, il faudrait tout recommencer.

TOUS *ensemble.* Courons, courons.

(*Ils entraînent Bartholo dehors.*)

## SCÈNE XX

### BRID'OISON, *seul.*

Plus bê-ête encore que Monsieur! On peut se dire à soi-même ces-es sortes de choses-là, mais. . . I-ils ne sont pas polis du tout dans-ans cet endroit-ci. (*Il sort.*)

## ACTE QUATRIÈME.

*Le théâtre représente une galerie ornée de candélabres, de lustres allumés, de fleurs, de guirlandes, en un mot préparée pour donner une fête. Sur le devant, à droite, est une table avec une écritoire, un fauteuil derrière.*

## SCÈNE PREMIÈRE.

### FIGARO, SUZANNE.

FIGARO, *la tenant à bras-le-corps.* Hé bien! amour, es-tu contente? Elle a converti son docteur, cette fine langue dorée de ma mère! Malgré sa répugnance, il l'épouse, et ton bourru d'oncle est bridé; il n'y a que Monseigneur qui rage, car enfin notre hymen va devenir le prix du leur. Ris donc un peu de ce bon résultat.

SUZANNE. As-tu rien vu de plus étrange?

FIGARO. Ou plutôt d'aussi gai. Nous ne voulions qu'une dot arrachée à l'Excellence; en voilà deux dans nos mains, qui ne sortent pas des siennes. Une rivale acharnée te poursuivait; j'étais tourmenté par une furie! tout cela s'est changé pour nous dans *la plus bonne* des mères. Hier j'étais comme seul au monde, et voilà que j'ai tous mes parents; pas si magnifiques, il est vrai, que je me les étais galonnés,[1] mais assez bien pour nous, qui n'avons pas la vanité des riches.

SUZANNE. Aucune des choses que tu avais disposées, que nous attendions, mon ami, n'est pourtant arrivée!

FIGARO. Le hasard a mieux fait que nous tous, ma petite. Ainsi va le monde : on travaille, on projette, on arrange d'un côté; la fortune accomplit de l'autre : et depuis l'affamé conquérant qui voudrait avaler la terre, jusqu'au paisible aveugle qui se laisse mener par son chien, tous sont le jouet de ses caprices; encore l'aveugle au chien est-il souvent mieux conduit, moins trompé dans ses vues, que l'autre aveugle avec son entourage. Pour cet aimable aveugle, qu'on nomme Amour. . . (*Il la reprend tendrement à bras-le-corps.*)

SUZANNE. Ah! c'est le seul qui m'intéresse!

FIGARO. Permets donc que, prenant l'emploi de la Folie,[2] je sois le bon chien qui le mène à ta jolie mignonne porte, et nous voilà logés pour la vie.

SUZANNE, *riant.* L'Amour et toi?

FIGARO. Moi et l'Amour.

SUZANNE. Et vous ne chercherez pas d'autre gîte?

FIGARO. Si tu m'y prends, je veux bien que mille millions de galants. . .

SUZANNE. Tu vas exagérer : dis ta bonne vérité.

FIGARO. Ma vérité la plus vraie!

SUZANNE. Fi donc, vilain! en a-t-on plusieurs?

FIGARO. Oh! que oui. Depuis qu'on a remarqué qu'avec le temps vieilles folies deviennent sagesse, et qu'anciens petits mensonges assez mal plantés ont produit de grosses, grosses vérités, on en a de mille espèces. Et celles qu'on fait sans oser les divulguer, car toute vérité n'est pas bonne à dire; et celles qu'on vante sans y ajouter foi, car toute vérité n'est pas bonne à croire; et les serments passionnés, les menaces des mères, les protestations des buveurs, les promesses des gens en place, le dernier mot de nos marchands : cela ne finit pas. Il n'y a que mon amour pour Suzon qui soit une vérité de bon aloi.

SUZANNE. J'aime ta joie, parce qu'elle est folle; elle annonce que tu es heureux. Parlons du rendez-vous du Comte.

[1] galonnés, arrayed.

[2] Reference to La Fontaine's fable *l'Amour et la Folie,* in which Folly, having struck Love so that he became blind, is condemned to lead him about.

Figaro. Ou plutôt, n'en parlons jamais; il a failli me coûter Suzanne.

Suzanne. Tu ne veux donc plus qu'il ait lieu?

Figaro. Si vous m'aimez, Suzon, votre parole d'honneur sur ce point: qu'il s'y morfonde,[1] et c'est sa punition.

Suzanne. Il m'en a plus coûté de l'accorder que je n'ai de peine à le rompre; il n'en sera plus question.

Figaro. Ta bonne vérité?

Suzanne. Je ne suis pas comme vous autres savants; moi, je n'en ai qu'une.

Figaro. Et tu m'aimeras un peu?

Suzanne. Beaucoup.

Figaro. Ce n'est guère.

Suzanne. Et comment?

Figaro. En fait d'amour, vois-tu, trop n'est pas même assez.

Suzanne. Je n'entends pas toutes ces finesses; mais je n'aimerai que mon mari.

Figaro. Tiens parole, et tu feras belle exception à l'usage. (*Il veut l'embrasser.*)

## SCÈNE II.

### Figaro, Suzanne, la Comtesse.

La Comtesse. Ah! j'avais raison de le dire; en quelque endroit qu'ils soient croyez qu'ils sont ensemble. Allons donc, Figaro, c'est voler l'avenir, le mariage et vous-même, que d'usurper un tête-à-tête. On vous attend, on s'impatiente.

Figaro. Il est vrai, Madame, je m'oublie. Je vais leur montrer mon excuse.

(*Il veut emmener Suzanne.*)

La Comtesse *le retient*. Elle vous suit.

## SCÈNE III.

### Suzanne, la Comtesse.

La Comtesse. As-tu ce qu'il nous faut pour troquer de vêtement?

Suzanne. Il ne faut rien, Madame; le rendez-vous ne tiendra pas.

La Comtesse. Ah! vous changez d'avis?

Suzanne. C'est Figaro.

La Comtesse. Vous me trompez.

Suzanne. Bonté divine!

La Comtesse. Figaro n'est pas homme à laisser échapper une dot.

Suzanne. Madame? eh! que croyez-vous donc?

La Comtesse. Qu'enfin d'accord avec le Comte, il vous fâche à présent de m'avoir confié ses projets. Je vous sais par cœur. Laissez-moi.

(*Elle veut sortir.*)

Suzanne *se jette à genoux*. Au nom du Ciel, espoir de tous! vous ne savez pas, Madame, le mal que vous faites à Suzanne! après vos bontés continuelles et la dot que vous me donnez! . . .

La Comtesse, *la relève*. Hé mais. . . je ne sais ce que je dis! En me cédant ta place au jardin, tu n'y vas pas, mon cœur; tu tiens parole à ton mari, tu m'aides à ramener le mien.

Suzanne. Comme vous m'avez affligée!

La Comtesse. C'est que je ne suis qu'une étourdie. (*Elle la baise au front.*) Où est ton rendez-vous?

Suzanne *lui baise la main*. Le mot de jardin m'a seul frappée.

La Comtesse, *montrant la table*. Prends cette plume, et fixons un endroit.

Suzanne. Lui écrire!

La Comtesse. Il le faut.

Suzanne. Madame! au moins, c'est vous. . .

La Comtesse. Je mets tout sur mon compte. (*Suzanne s'assied, la Comtesse dicte.*)

«Chanson nouvelle, sur l'air: . . . *Qu'il fera beau, ce soir, sous les grands marronniers . . . Qu'il fera beau, ce soir. . .*»

Suzanne *écrit*. Sous les grands marronniers. . . Après?

La Comtesse. Crains-tu qu'il ne t'entende pas?

Suzanne *relit*. C'est juste. (*Elle plie le billet.*) Avec quoi cacheter?

La Comtesse. Une épingle, dépêche! elle servira de réponse. Écris sur le revers: *Renvoyez-moi le cachet.*

Suzanne *écrit en riant*. Ah! le cachet! . . . Celui-ci, Madame, est plus gai que celui du brevet.

La Comtesse, *avec un souvenir douloureux*. Ah!

Suzanne *cherche sur elle*. Je n'ai pas d'épingle, à présent!

La Comtesse *détache sa lévite*. Prends celle-ci. (*Le ruban du page tombe de son sein à terre.*) Ah, mon ruban!

Suzanne *le ramasse*. C'est celui du petit voleur! Vous avez eu la cruauté? . . .

La Comtesse. Fallait-il le laisser à son bras? c'eût été joli! Donnez donc!

Suzanne. Madame ne le portera plus, taché du sang de ce jeune homme.

La Comtesse *le reprend*. Excellent pour

---

[1] morfonde, wait in vain.

Fanchette. . . Le premier bouquet qu'elle m'apportera.

## SCÈNE IV.

Une Jeune Bergère, Chérubin, *en fille;* Fanchette *et* beaucoup de Jeunes Filles *habillées comme elle et tenant des bouquets;* la Comtesse, Suzanne.

Fanchette. Madame, ce sont les filles du bourg qui viennent vous présenter des fleurs.

La Comtesse, *serrant vite son ruban.* Elles sont charmantes! Je me reproche, mes belles petites, de ne pas vous connaître toutes. (*Montrant Chérubin.*) Quelle est cette aimable enfant qui a l'air si modeste?

Une Bergère. C'est une cousine à moi, Madame, qui n'est ici que pour la noce.

La Comtesse. Elle est jolie. Ne pouvant porter vingt bouquets, faisons honneur à l'étrangère. (*Elle prend le bouquet de Chérubin et le baise au front.*) Elle en rougit! (*A Suzanne.*) Ne trouves-tu pas, Suzon. . . qu'elle ressemble à quelqu'un?

Suzanne. A s'y méprendre,[1] en vérité.

Chérubin, *à part, les mains sur son cœur.* Ah! Ce baiser-là m'a été bien loin!

## SCÈNE V.

Les Jeunes Filles, Chérubin *au milieu d'elles;* Fanchette, Antonio, le Comte, la Comtesse, Suzanne.

Antonio. Moi, je vous dis, Monseigneur, qu'il y est. Elles l'ont habillé chez ma fille; toutes ses hardes y sont encore, et voilà son chapeau d'ordonnance que j'ai retiré du paquet. (*Il s'avance, et, regardant toutes les filles, il reconnaît Chérubin, lui enlève son bonnet de femme, ce qui fait retomber ses longs cheveux en cadenette. Il lui met sur la tête le chapeau d'ordonnance et dit:*) Eh! parguenne, v'là notre officier!

La Comtesse *recule.* Ah! Ciel!

Suzanne. Ce friponneau!

Antonio. Quand je disais là-haut que c'était lui! . . .

Le Comte, *en colère.* Eh bien, Madame?

Comtesse. Eh bien, Monsieur, vous me

voyez plus surprise que vous, et, pour le moins, aussi fâchée.

Le Comte. Oui; mais tantôt, ce matin?

La Comtesse. Je serais coupable, en effet, si je dissimulais encore. Il était descendu chez moi. Nous entamions le badinage que ces enfants viennent d'achever; vous nous avez surprises l'habillant: votre premier mouvement est si vif! il s'est sauvé, je me suis troublée, l'effroi général a fait le reste.

Le Comte, *avec dépit, à Chérubin.* Pourquoi n'êtes-vous pas parti?

Chérubin, *ôtant son chapeau brusquement.* Monseigneur . . .

Le Comte. Je punirai ta désobéissance.

Fanchette, *étourdiment.* Ah! Monseigneur, entendez-moi. Toutes les fois que vous venez m'embrasser, vous savez bien que vous dites toujours: «Si tu veux m'aimer, petite Fanchette, je te donnerai ce que tu voudras.»

Le Comte, *rougissant.* Moi! j'ai dit cela?

Fanchette. Oui, Monseigneur. Au lieu de punir Chérubin, donnez-le-moi en mariage, et je vous aimerai à la folie.

Le Comte, *à part.* Etre ensorcelé par un page!

La Comtesse. Hé bien, Monsieur, à votre tour; l'aveu de cette enfant, aussi naïf que le mien, atteste enfin deux vérités; que c'est toujours sans le vouloir si je vous cause des inquiétudes, pendant que vous épuisez tout pour augmenter et justifier les miennes.

Antonio. Vous aussi, Monseigneur? Dame! je vous la redresserai [2] comme feu sa mère, qui est morte. . . Ce n'est pas pour la conséquence; mais c'est que Madame sait bien que les petites filles quand elles sont grandes. . .

Le Comte, *déconcerté, à part.* Il y a un mauvais génie qui tourne tout ici contre moi!

## SCÈNE VI.

Les Jeunes Filles, Chérubin, Antonio, Figaro, le Comte, la Comtesse, Suzanne.

Figaro. Monseigneur, si vous retenez nos filles, on ne pourra commencer ni la fête ni la danse.

Le Comte. Vous, danser! vous n'y pen-

---

[1] A s'y méprendre, the exact image.

[2] je vous la redresserai, I'll fix her.

sez pas. Après votre chute de ce matin, qui vous a foulé le pied droit!

FIGARO, *remuant la jambe.* Je souffre encore un peu; ce n'est rien. (*Aux jeunes filles.*) Allons, mes belles, allons!

LE COMTE *le retourne.* Vous avez été fort heureux que ces couches ne fussent que du terreau bien doux!

FIGARO. Très heureux, sans doute, autrement. . .

ANTONIO *le retourne.* Puis il s'est pelotonné en tombant jusqu'en bas.

FIGARO. Un plus adroit, n'est-ce pas, serait resté en l'air! (*Aux jeunes filles.*) Venez-vous, Mesdemoiselles?

ANTONIO *le retourne.* Et pendant ce temps le petit page galopait sur son cheval à Séville?

FIGARO. Galopait ou marchait au pas! . . .

LE COMTE *le retourne.* Et vous aviez son brevet dans la poche?

FIGARO, *un peu étonné.* Assurément; mais quelle enquête! (*Aux jeunes filles.*) Allons donc, jeunes filles!

ANTONIO, *attirant Chérubin par le bras.* En voici une qui prétend que mon neveu futur n'est qu'un menteur.

FIGARO, *surpris.* Chérubin! . . . (*A part.*) Peste du petit fat!

ANTONIO. Y es-tu maintenant?

FIGARO, *cherchant.* J'y suis. . . j'y suis. . . Hé! qu'est-ce qu'il chante?

LE COMTE, *sèchement.* Il ne chante pas; il dit que c'est lui qui a sauté sur les giroflées.

FIGARO, *rêvant.* Ah! s'il le dit. . . , cela se peut! Je ne dispute pas de ce que j'ignore.

LE COMTE. Ainsi vous et lui?

FIGARO. Pourquoi non? la rage de sauter peut gagner: voyez les moutons de Panurge; [1] et, quand vous êtes en colère, il n'y a personne qui n'aime mieux risquer.

LE COMTE. Comment, deux à la fois! . . .

FIGARO. On aurait sauté deux douzaines; et qu'est-ce que cela fait, Monseigneur, dès qu'il n'y a personne de blessé? (*Aux jeunes filles.*) Ah çà, voulez-vous venir, ou non?

LE COMTE, *outré.* Jouons-nous une comédie? (*On entend un prélude de fanfare.*)

FIGARO. Voilà le signal de la marche. A vos postes, les belles, à vos postes. Allons, Suzanne, donne-moi le bras.

(*Tous s'enfuient, Chérubin reste seul, la tête baissée.*)

[1] See Rabelais' *Pantagruel*, Book IV, chapters vii, viii.

## SCÈNE VII.

CHÉRUBIN, LE COMTE, LA COMTESSE.

LE COMTE, *regardant aller Figaro.* En voit-on de plus audacieux? (*Au page.*) Pour vous, Monsieur le sournois, qui faites le honteux, allez vous rhabiller bien vite, et que je ne vous rencontre nulle part de la soirée.

LA COMTESSE. Il va bien s'ennuyer.

CHÉRUBIN, *étourdiment.* M'ennuyer! J'emporte à mon front du bonheur pour plus de cent années de prison. (*Il met son chapeau et s'enfuit.*)

## SCÈNE VIII.

LE COMTE, LA COMTESSE.

(*La Comtesse s'évente fortement sans parler.*)

LE COMTE. Qu'a-t-il au front de si heureux?

LA COMTESSE, *avec embarras.* Son. . . premier chapeau d'officier, sans doute; aux enfants tout sert de hochet.

(*Elle veut sortir.*)

LE COMTE. Vous ne nous restez pas, Comtesse?

LA COMTESSE. Vous savez que je ne me porte pas bien.

LE COMTE. Un instant pour votre protégée, ou je vous croirais en colère.

LA COMTESSE. Voici les deux noces, asseyons-nous donc pour les recevoir.

LE COMTE, *à part.* La noce! il faut souffrir ce qu'on ne peut empêcher. (*Le Comte et la Comtesse s'assoient vers un des côtés de la galerie.*)

## SCÈNE IX.

LE COMTE, LA COMTESSE, *assis; l'on joue les «FOLIES D'ESPAGNE» d'un mouvement de marche.* (Symphonie notée.)

### MARCHE.

LES GARDES-CHASSE, *fusil sur l'épaule.*

L'ALGUAZIL, LES PRUD'HOMMES, BRID'OISON.

LES PAYSANS et PAYSANNES *en habits de fête.*

DEUX JEUNES FILLES, *portant la toque virginale à plumes blanches.*

DEUX AUTRES, *le voile blanc.*

DEUX AUTRES, *les gants et le bouquet de côté.*

ANTONIO *donne la main à Suzanne, comme étant celui qui la marie à Figaro.*

D'AUTRES JEUNES FILLES *portent une autre toque, un autre voile, un autre bouquet blanc, semblables aux premiers, pour Marceline.*

FIGARO *donne la main à Marceline, comme celui qui doit la remettre au Docteur, lequel ferme la marche, un gros bouquet au côté. Les jeunes filles, en passant devant le Comte, remettent à ses valets tous les ajustements destinés à Suzanne et à Marceline.*

LES PAYSANS ET PAYSANNES *s'étant rangés sur deux colonnes à chaque côté du salon, on danse une reprise du fandango (air noté), avec des castagnettes; puis on joue la ritournelle du duo, pendant laquelle Antonio conduit Suzanne au Comte; elle se met à genoux devant lui. Pendant que le Comte lui pose la toque, le voile, et lui donne le bouquet, deux jeunes filles chantent le duo suivant. (Air noté.)*

> Jeune épouse, chantez les bienfaits et la gloire
> D'un maître qui renonce aux droits qu'il eut sur vous;
> Préférant au plaisir la plus noble victoire,
> Il vous rend chaste et pure aux mains de votre époux.

SUZANNE *est à genoux, et, pendant les derniers vers du duo, elle tire le Comte par son manteau et lui montre le billet qu'elle tient; puis elle porte la main qu'elle a du côté des spectateurs à sa tête, où le Comte a l'air d'ajuster sa toque; elle lui donne le billet.*

LE COMTE *le met furtivement dans son sein; on achève de chanter le duo; la fiancée se relève et lui fait une grande révérence.*

FIGARO *vient la recevoir des mains du Comte et se retire avec elle à l'autre côté du salon, près de Marceline. (On danse une autre reprise du fandango pendant ce temps.)*

LE COMTE, *pressé de lire ce qu'il a reçu, s'avance au bord du théâtre et tire le papier de son sein; mais, en sortant, il fait le geste d'un homme qui s'est cruellement piqué le doigt; il le secoue, le presse, le suce, et, regardant le papier cacheté d'une épingle, il dit:*

LE COMTE. (*Pendant qu'il parle, ainsi que Figaro, l'orchestre joue pianissimo.*) Diantre soit des femmes qui fourrent des épingles partout! (*Il la jette à terre, puis il lit le billet et le baise.*)

FIGARO, *qui a tout vu, dit à sa mère et à Suzanne.* C'est un billet doux qu'une fillette aura glissé dans sa main en passant. Il était cacheté d'une épingle qui l'a outrageusement piqué.

(*La danse reprend. Le Comte, qui a lu le billet, le retourne; il y voit l'invitation de renvoyer le cachet pour réponse. Il cherche à terre et retrouve enfin l'épingle, qu'il attache à sa manche.*)

FIGARO, *à Suzanne et Marceline.* D'un objet aimé tout est cher. Le voilà qui ramasse l'épingle. Ah! c'est une drôle de tête!

(*Pendant ce temps. Suzanne a des signes d'intelligence avec la Comtesse. La danse finit, la ritournelle du duo recommence. Figaro conduit Marceline au Comte, ainsi qu'on a conduit Suzanne, à l'instant où le Comte prend la toque et où l'on va chanter le duo, on est interrompu par les cris suivants:*)

L'HUISSIER, *criant à la porte.* Arrêtez donc, Messieurs! vous ne pouvez entrer tous. . . Ici les gardes! les gardes! (*Les gardes vont vite à cette porte.*)

LE COMTE, *se levant.* Qu'est-ce qu'il y a?

L'HUISSIER. Monseigneur, c'est monsieur Bazile entouré d'un village entier, parce qu'il chante en marchant.

LE COMTE. Qu'il entre seul.

LA COMTESSE. Ordonnez-moi de me retirer.

LE COMTE. Je n'oublie pas votre complaisance.

LA COMTESSE. Suzanne? . . . Elle reviendra. (*A part à Suzanne.*) Allons changer d'habits. (*Elle sort avec Suzanne.*)

MARCELINE. Il n'arrive jamais que pour nuire.

FIGARO. Ah! je m'en vais vous le faire déchanter![1]

### SCÈNE X.

TOUS LES ACTEURS PRÉCÉDENTS, *excepté la Comtesse et Suzanne;* BAZILE, *tenant sa guitare;* GRIPPE-SOLEIL.

BAZILE *entre en chantant sur l'air du vaudeville de la fin.*

(Air noté)

Cœurs sensibles, cœurs fidèles,
Qui blâmez l'amour léger,
Cessez vos plaintes cruelles;
Est-ce un crime de changer?
Si l'Amour porte des ailes,
N'est-ce pas pour voltiger?
N'est-ce pas pour voltiger?
N'est-ce pas pour voltiger?

FIGARO *s'avance à lui.* Oui, c'est pour cela justement qu'il a des ailes au dos. Notre ami, qu'entendez-vous par cette musique?

BAZILE, *montrant Grippe-Soleil.* Qu'après avoir prouvé mon obéissance à Monseigneur, en amusant Monsieur qui est de sa compagnie, je pourrai, à mon tour, réclamer sa justice.

GRIPPE-SOLEIL. Bah! Monsigneu! il ne m'a pas amusé du tout, avec leux guenilles d'ariettes.[2]

LE COMTE. Enfin, que demandez-vous, Bazile?

BAZILE. Ce qui m'appartient, Monseigneur, la main de Marceline; et je viens m'opposer. . .

FIGARO *s'approche.* Y a-t-il longtemps que Monsieur n'a vu la figure d'un fou?

BAZILE. Monsieur, en ce moment même.

FIGARO. Puisque mes yeux vous servent si bien de miroir, étudiez-y l'effet de ma prédiction. Si vous faites mine seulement d'approximer Madame. . .

BARTHOLO, *en riant.* Eh! pourquoi? laisse-le parler.

BRID'OISON *s'avance entre deux.* Fau-aut-il que deux amis. . . ?

FIGARO. Nous, amis?

BAZILE. Quelle erreur!

FIGARO, *vite.* Parce qu'il fait de plats airs de chapelle?

BAZILE, *vite.* Et lui des vers comme un journal?

FIGARO, *vite.* Un musicien de guinguette!

BAZILE, *vite.* Un postillon de gazette!

FIGARO, *vite.* Cuistre d'oratorio!

BAZILE, *vite.* Jockey diplomatique!

LE COMTE, *assis.* Insolents tous les deux!

BAZILE. Il me manque en toute occasion.

FIGARO. C'est bien dit, si cela se pouvait!

BAZILE. Disant partout que je ne suis qu'un sot.

FIGARO. Vous me prenez donc pour un écho?

BAZILE. Tandis qu'il n'est pas un chanteur que mon talent n'ait fait briller.

FIGARO. Brailler.

BAZILE. Il le répète!

FIGARO. Et pourquoi non, si cela est vrai? Es-tu un prince, pour qu'on te flagorne? Souffre la vérité, coquin, puisque tu n'as pas de quoi gratifier un menteur; ou, si tu la crains de notre part, pourquoi viens-tu troubler nos noces?

BAZILE, *à Marceline.* M'avez-vous promis, oui ou non, si dans quatre ans vous n'étiez pas pourvue, de me donner la préférence?

MARCELINE. A quelle condition l'ai-je promis?

BAZILE. Que, si vous retrouviez un certain fils perdu, je l'adopterais par complaisance.

TOUS *ensemble.* Il est trouvé.

BAZILE. Qu'à cela ne tienne![3]

TOUS *ensemble, montrant Figaro.* Et le voici.

BAZILE, *reculant de frayeur.* J'ai vu le diable!

BRID'OISON, *à Bazile.* Et vous-ous renoncez à sa chère mère!

BAZILE. Qu'y aurait-il de plus fâcheux que d'être cru le père d'un garnement?

FIGARO. D'en être cru le fils; tu te moques de moi!

BAZILE, *montrant Figaro.* Dès que Monsieur est de quelque chose ici, je déclare, moi, que je n'y suis plus de rien.

(*Il sort.*)

---

[1] le faire déchanter, make him change his tune.
[2] guenilles d'ariettes, scraps of tunes.
[3] Qu'à cela ne tienne, that makes no difference.

## SCÈNE XI.

LES ACTEURS PRÉCÉDENTS, *excepté Bazile.*

BARTHOLO, *riant.* Ah! ah! ah! ah!

FIGARO, *sautant de joie.* Donc à la fin j'aurai ma femme!

LE COMTE, *à part.* Moi, ma maîtresse. (*Il se lève.*)

BRID'OISON, *à Marceline.* Et tou-out le monde est satisfait.

LE COMTE. Qu'on dresse les deux contrats; j'y signerai.

TOUS *ensemble.* Vivat! (*Ils sortent.*)

LE COMTE. J'ai besoin d'une heure de retraite.

(*Il veut sortir avec les autres.*)

## SCÈNE XII.

GRIPPE-SOLEIL, FIGARO, MARCELINE, LE COMTE.

GRIPPE-SOLEIL, *à Figaro.* Et moi, je vais aider à ranger le feu d'artifice sous les grands marronniers, comme on l'a dit.

LE COMTE *revient en courant.* Quel sot a donné un tel ordre?

FIGARO. Où est le mal?

LE COMTE, *vivement.* Et la Comtesse qui est incommodée, d'où le verra-t-elle, l'artifice? C'est sur la terrasse qu'il le faut, vis-à-vis de son appartement.

FIGARO. Tu l'entends, Grippe-Soleil? la terrasse.

LE COMTE. Sous les grands marronniers! belle idée! (*En s'en allant, à part.*) Ils allaient incendier mon rendez-vous!

## SCÈNE XIII.

FIGARO, MARCELINE.

FIGARO. Quel excès d'attention pour sa femme!

(*Il veut sortir.*)

MARCELINE *l'arrête.* Deux mots, mon fils. Je veux m'acquitter avec toi; un sentiment mal dirigé m'avait rendue injuste envers ta charmante femme; je la supposais d'accord avec le Comte, quoique j'eusse appris de Bazile qu'elle l'avait toujours rebuté.

FIGARO. Vous connaissiez mal votre fils de le croire ébranlé par ces impulsions féminines. Je puis défier la plus rusée de m'en faire accroire.

[1] mét, interruption of métier.

MARCELINE. Il est toujours heureux de le penser, mon fils; la jalousie. . .

FIGARO. . . N'est qu'un sot enfant de l'orgueil, ou c'est la maladie d'un fou. Oh! j'ai là-dessus, ma mère, une philosophie. . . imperturbable; et si Suzanne doit me tromper un jour, je le lui pardonne d'avance; elle aura longtemps travaillé. . . (*Il se retourne et aperçoit Fanchette qui cherche de côté et d'autre.*)

## SCÈNE XIV.

FIGARO, FANCHETTE, MARCELINE.

FIGARO. E-e-eh! . . . ma petite cousine qui nous écoute!

FANCHETTE. Oh! pour ça non: on dit que c'est malhonnête.

FIGARO. Il est vrai; mais, comme cela est utile, on fait aller souvent l'un pour l'autre.

FANCHETTE. Je regardais si quelqu'un était là.

FIGARO. Déjà dissimulée, friponne! vous savez bien qu'il n'y peut être.

FANCHETTE. Et qui donc?

FIGARO. Chérubin.

FANCHETTE. Ce n'est pas lui que je cherche, car je sais fort bien où il est; c'est ma cousine Suzanne.

FIGARO. Et que lui veut ma petite cousine?

FANCHETTE. A vous, petit cousin, je le dirai. C'est. . . ce n'est qu'une épingle que je veux lui remettre.

FIGARO, *vivement.* Une épingle! une épingle! . . . et de quelle part, coquine? A votre âge vous faites déjà un mét.[1] . . (*Il se reprend, et dit d'un ton doux.*) Vous faites déjà très bien tout ce que vous entreprenez, Fanchette; et ma jolie cousine est si obligeante. . .

FANCHETTE. A qui donc en a-t-il de se fâcher? je m'en vais.

FIGARO, *l'arrêtant.* Non, non, je badine; tiens, ta petite épingle est celle que Monseigneur t'a dit de remettre à Suzanne, et qui servait à cacheter un petit papier qu'il tenait; tu vois que je suis au fait.

FANCHETTE. Pourquoi donc le demander, quand vous le savez si bien?

FIGARO, *cherchant.* C'est qu'il est assez gai de savoir comment Monseigneur s'y est pris pour t'en donner la commission.

FANCHETTE, *naïvement.* Pas autrement que vous le dites: *Tiens, petite Fanchette,*

# LE MARIAGE DE FIGARO

*rends cette épingle à ta belle cousine, et
dis-lui seulement que c'est le cachet des
grands marronniers.*

Figaro. Des grands. . . ?

Fanchette. *Marronniers.* Il est vrai
qu'il a ajouté: *Prends garde que personne
ne te voie.*

Figaro. Il faut obéir, ma cousine; heureusement personne ne vous a vue. Faites
donc joliment votre commission et n'en
dites pas plus à Suzanne que Monseigneur
n'a ordonné.

Fanchette. Et pourquoi lui en dirais-
je plus? Il me prend pour un enfant, mon
cousin. (*Elle sort en sautant.*)

## SCÈNE XV.

### Figaro, Marceline.

Figaro. Eh bien, ma mère?

Marceline. Eh bien, mon fils?

Figaro, *comme étouffé.* Pour celui-ci!
. . . il y a réellement des choses! . . .

Marceline. Il y a des choses! Hé! qu'est-
ce qu'il y a?

Figaro, *les mains sur la poitrine.* Ce que
je viens d'entendre, ma mère, je l'ai là
comme un plomb.

Marceline, *riant.* Ce cœur plein d'assurance n'était donc qu'un ballon gonflé?
une épingle a tout fait partir!

Figaro, *furieux.* Mais cette épingle, ma
mère, est celle qu'il a ramassée! . . .

Marceline, *rappelant ce qu'il a dit.* La
jalousie! Oh! j'ai là-dessus, ma mère, une
philosophie. . . imperturbable; et, si Suzanne m'attrape un jour, je le lui pardonne. . .

Figaro, *vivement.* Oh! ma mère! on parle
comme on sent: mettez le plus glacé des
juges à plaider dans sa propre cause, et
voyez-le expliquer la loi!—Je ne m'étonne
plus s'il avait tant d'humeur sur ce feu!—
Pour la mignonne aux fines épingles, elle
n'en est pas où elle le croit, ma mère, avec
ses marronniers! Si mon mariage est assez fait pour légitimer ma colère, en revanche il ne l'est pas assez pour que je
n'en puisse épouser une autre et l'abandonner. . .

Marceline. Bien conclu! Abîmons tout
sur un soupçon! Qui t'a prouvé, dis-moi,
que c'est toi qu'elle joue, et non le Comte?
L'as-tu étudiée de nouveau, pour la condamner sans appel? Sais-tu si elle se ren-

dra sous les arbres, à quelle intention elle
y va; ce qu'elle y dira, ce qu'elle y fera?
Je te croyais plus fort en jugement!

Figaro, *lui baisant la main avec respect.*
Elle a raison, ma mère; elle a raison, raison, toujours raison! Mais accordons, maman, quelque chose à la nature; on en vaut
mieux après. Examinons, en effet, avant
d'accuser et d'agir. Je sais où est le rendez-
vous. Adieu, ma mère! (*Il sort.*)

## SCÈNE XVI.

### Marceline, *seule.*

Adieu. Et moi aussi je le sais. Après
l'avoir arrêté, veillons sur les voies de Suzanne, ou plutôt avertissons-la; elle est si
jolie créature! Ah! quand l'intérêt personnel ne vous arme pas les unes contre
les autres, nous sommes toutes portées à
soutenir notre pauvre sexe opprimé contre
ce fier, ce terrible. . . (*en riant*) et pourtant un peu nigaud de sexe masculin.
(*Elle sort.*)

## ACTE CINQUIÈME

*Le théâtre représente une salle de mar-
ronniers dans un parc; deux pavillons,
kiosques ou temples de jardins, sont à
droite et à gauche; le fond est une clai-
rière ornée, un siège de gazon sur le devant. Le théâtre est obscur.*

### SCÈNE PREMIÈRE.

Fanchette, *seul, tenant d'une main deux
biscuits et une orange, et de l'autre une
lanterne de papier allumée.*

Dans le pavillon à gauche, a-t-il dit. C'est
celui-ci. S'il allait ne pas venir à présent,
mon petit rôle. . . Ces vilaines gens de
l'office qui ne voulaient pas seulement me
donner une orange et deux biscuits!—
«Pour qui, Mademoiselle?—Eh bien, Monsieur, c'est pour quelqu'un.—Oh! nous
savons.» Et quand ça serait;[1] parce que
Monseigneur ne veut pas le voir, faut-il
qu'il meure de faim? Tout ça pourtant m'a
coûté un fier baiser sur la joue! . . . Que
sait-on? Il me le rendra peut-être. (*Elle
voit Figaro qui vient l'examiner; elle fait
un cri.*) Ah! . . . (*Elle s'enfuit, et elle entre dans le pavillon à sa gauche.*)

[1] quand ça serait, what if it were?

## SCÈNE II.

FIGARO, *un grand manteau sur les épaules, un large chapeau rabattu;* BAZILE, AN-TONIO, BARTHOLO, BRID'OISON, GRIPPE-SOLEIL, TROUPE DE VALETS ET DE TRAVAILLEURS.

FIGARO, *d'abord seul.* C'est Fanchette! (*Il parcourt des yeux les autres à mesure qu'ils arrivent, et dit d'un ton farouche:*) Bonjour, Messieurs, bonsoir; êtes-vous tous ici?

BAZILE. Ceux que tu as pressés d'y venir.

FIGARO. Quelle heure est-il bien à peu près?

ANTONIO *regarde en l'air.* La lune devrait être levée.

BARTHOLO. Eh! quels noirs apprêts fais-tu donc? Il a l'air d'un conspirateur!

FIGARO, *s'agitant.* N'est-ce pas pour une noce, je vous prie, que vous êtes rassemblés au château?

BRID'OISON. Cè-ertainement.

ANTONIO. Nous allions là-bas, dans le parc, attendre un signal pour ta fête.

FIGARO. Vous n'irez pas plus loin, Messieurs; c'est ici, sous ces marronniers, que nous devons tous célébrer l'honnête fiancée que j'épouse et le loyal seigneur qui se l'est destinée.

BAZILE, *se rappelant la journée.* Ah! vraiment, je sais ce que c'est. Retirons-nous, si vous m'en croyez: il est question d'un rendez-vous, je vous conterai cela près d'ici.

BRID'OISON, *à Figaro.* Nou-ous reviendrons.

FIGARO. Quand vous m'entendrez appeler, ne manquez pas d'accourir tous, et dites du mal de Figaro, s'il ne vous fait voir une belle chose.

BARTHOLO. Souviens-toi qu'un homme sage ne se fait point d'affaire avec les grands.

FIGARO. Je m'en souviens.

BARTHOLO. Qu'ils ont quinze et bisque sur nous,[1] par leur état.

FIGARO. Sans leur industrie, que vous oubliez. Mais souvenez-vous aussi que l'homme qu'on sait timide est dans la dépendance de tous les fripons.

BARTHOLO. Fort bien.

FIGARO. Et que j'ai nom *de Verte-Allure* du chef [2] honoré de ma mère.

BARTHOLO. Il a le diable au corps.

BRID'OISON. I-il l'a.

BAZILE, *à part.* Le Comte et sa Suzanne se sont arrangés sans moi? Je ne suis pas fâché de l'algarade.

FIGARO, *aux valets.* Pour vous autres, coquins, à qui j'ai donné l'ordre, illuminez-moi ces entours, ou, par la mort [3] que je voudrais tenir aux dents, si j'en saisis un par le bras. . . (*Il secoue le bras de Grippe-Soleil.*)

GRIPPE-SOLEIL, *s'en va en criant et pleurant.* A, a, o, oh! Damné brutal!

BAZILE, *en s'en allant.* Le Ciel vous tienne en joie, Monsieur du marié!

(*Ils sortent.*)

## SCÈNE III.

FIGARO, *seul, se promenant dans l'obscurité, dit du ton le plus sombre:*

O femme! femme! femme! créature faible et décevante! . . . nul animal créé ne peut manquer à son instinct; le tien est-il donc de tromper? Après m'avoir obstinément refusé quand je l'en pressais devant sa maîtresse, à l'instant qu'elle me donne sa parole, au milieu même de la cérémonie. . . Il riait en lisant, le perfide! et moi, comme un benêt! . . . Non, Monsieur le comte, vous ne l'aurez pas. . . vous ne l'aurez pas. . . Parce que vous êtes un grand seigneur, vous vous croyez un grand génie! . . . Noblesse, fortune, un rang, des places: tout cela rend si fier! Qu'avez-vous fait pour tant de biens? Vous vous êtes donné la peine de naître, et rien de plus; du reste, homme assez ordinaire! tandis que moi, morbleu! perdu dans la foule obscure il m'a fallu déployer plus de science et de calculs pour subsister seulement, qu'on n'en a mis depuis cent ans à gouverner toutes les Espagnes: et vous voulez jouter! . . . On vient. . . c'est elle! . . .Ce n'est personne. La nuit est noire en diable et me voilà faisant le sot métier de mari, quoique je ne le sois qu'à moitié! (*Il s'assied sur un banc.*) Est-il rien de plus bizarre que ma destinée! Fils de je ne sais pas qui, volé par des bandits, élevé dans leurs mœurs, je m'en dégoûte et veux courir une carrière honnête; et partout je suis

---

[1] ils ont quinze et bisque sur nous, they have a big advantage over us. Expression borrowed from jeu de paume.

[2] du chef, from the head; i.e., on my mother's side.

[3] mort, play upon words mort and mors.

repoussé! J'apprends la chimie, la pharmacie, la chirurgie, et tout le crédit d'un grand seigneur peut à peine me mettre à la main une lancette vétérinaire!—Las d'attrister des bêtes malades, et pour faire un métier contraire, je me jette à corps perdu dans le théâtre; me fussé-je mis [1] une pierre au cou! Je broche une comédie dans les mœurs du sérail. Auteur espagnol, je crois pouvoir y fronder [2] Mahomet, sans scrupule: à l'instant, un envoyé . . . de je ne sais où se plaint que j'offense dans mes vers la Sublime Porte, la Perse, une partie de la presqu'île de l'Inde, toute l'Égypte, les royaumes de Barca, de Tripoli, de Tunis, d'Alger et de Maroc: et voilà ma comédie flambée, pour plaire aux princes mahométans, dont pas un, je crois, ne sait lire, et qui nous meurtrissent l'omoplate en nous disant: *Chiens de Chrétiens!* —Ne pouvant avilir l'esprit, on se venge en le maltraitant.—Mes joues creusaient; mon terme était échu; [3] je voyais de loin arriver l'affreux recors, [4] la plume fichée dans sa perruque: en frémissant je m'évertue. Il s'élève une question sur la nature des richesses, et, comme il n'est pas nécessaire de tenir les choses pour en raisonner, n'ayant pas un sou, j'écris sur la valeur de l'argent et sur son produit net; sitôt je vois, du fond d'un fiacre, baisser pour moi le pont d'un château-fort, à l'entrée duquel je laissai l'espérance et la liberté. (*Il se lève.*) Que je voudrais bien tenir un de ces puissants de quatre jours, si légers sur le mal qu'ils ordonnent, quand une bonne disgrâce a cuvé son orgueil! [5] Je lui dirais. . . que les sottises imprimées n'ont d'importance qu'aux lieux où l'on en gêne le cours; que sans la liberté de blâmer il n'est point d'éloge flatteur, et qu'il n'y a que les petits hommes qui redoutent les petits écrits. (*Il se rassied.*) Las de nourrir un obscur pensionnaire, on me met un jour dans la rue; et, comme il faut dîner quoiqu'on ne soit plus en prison, je taille encore ma plume et demande à chacun de quoi il est question: on me dit que pendant ma retraite économique il s'est établi dans Madrid un système de liberté sur la vente des productions, qui s'étend même à celles de la presse, et que, pourvu que je ne parle en mes écrits ni de l'autorité, ni du culte, ni de la politique, ni de la morale, ni des gens en place, ni des corps en crédit, ni de l'Opéra, ni des autres spectacles, ni de personne qui tienne à [6] quelque chose, je puis tout imprimer librement, sous l'inspection de deux ou trois censeurs. Pour profiter de cette douce liberté, j'annonce un écrit périodique, et, croyant n'aller sur les brisées d'aucun autre, je le nomme *Journal inutile.* Pou-ou! je vois s'élever contre moi mille pauvres diables à la feuille; [7] on me supprime, et me voilà derechef sans emploi.—Le désespoir m'allait saisir; on pense à moi pour une place, mais par malheur j'y étais propre: il fallait un calculateur, ce fut un danseur qui l'obtint. Il ne me restait plus qu'à voler; je me fais banquier de pharaon: [8] alors, bonnes gens! je soupe en ville, et les personnes dites *comme il faut* m'ouvrent poliment leur maison en retenant pour elles les trois quarts du profit. J'aurais bien pu me remonter; je commençais même à comprendre que pour gagner du bien le savoir-faire vaut mieux que le savoir. Mais, comme chacun pillait autour de moi en exigeant que je fusse honnête, il fallut bien périr encore. Pour le coup [9] je quittais le monde, et vingt brasses d'eau m'en allaient séparer, lorsqu'un Dieu bienfaisant m'appelle à mon premier état. Je reprends ma trousse et mon cuir anglais; [10] puis, laissant la fumée [11] aux sots qui s'en nourrissent, et la honte au milieu du chemin, comme trop lourde à un piéton, je vais rasant de ville en ville, et je vis enfin sans souci. Un grand seigneur passe à Séville; il me reconnaît, je le marie, et, pour prix d'avoir eu par mes soins son épouse, il veut intercepter la mienne! Intrigue, orage à ce sujet, prêt à tomber dans un abîme, au moment d'épouser ma mère, mes parents m'arrivent à la file. (*Il se lève en s'échauffant.*) On se débat: c'est vous, c'est lui, c'est moi, c'est toi; non, ce n'est

[1] me fussé-je mis, would that I had tied.
[2] fronder, satirize.
[3] mon terme était échu, my rent was due.
[4] recors, constable, bailiff.
[5] cuvé son orgueil, taken down his pride.
[6] tienne à, is connected with.
[7] diables à la feuille, pamphleteers.
[8] je me fais banquier de pharaon, I run a faro bank.
[9] Pour le coup, this time.
[10] trousse, case of razors, etc.; cuir anglais, strop.
[11] fumée, *i. e.*, earthly vanity.

pas nous: eh mais! qui donc? (*Il retombe assis.*) O bizarre suite d'événements! Comment cela m'est-il arrivé? Pourquoi ces choses, et non pas d'autres? Qui les a fixées sur ma tête? Forcé de parcourir la route où je suis entré sans le savoir, comme j'en sortirai sans le vouloir, je l'ai jonchée d'autant de fleurs que ma gaieté me l'a permis; encore je dis ma gaieté, sans savoir si elle est à moi plus que le reste, ni même quel est ce *moi* dont je m'occupe: un assemblage informe de parties inconnues, puis un chétif être imbécile, un petit animal folâtre, un jeune homme ardent au plaisir, ayant tous les goûts pour jouir, faisant tous les métiers pour vivre; maître ici, valet là, selon qu'il plaît à la fortune; ambitieux par vanité, laborieux par nécessité, mais paresseux. . . avec délices! orateur selon le danger, poète par délassement, musicien par occasion, amoureux par folles bouffées, j'ai tout vu, tout fait, tout usé. Puis l'illusion s'est détruite, et, trop désabusé. . . Désabusé! . . . Suzon, Suzon, Suzon! que tu me donnes de tourments!—J'entends marcher. . . On vient. Voici l'instant de la crise.

(*Il se retire près de la première coulisse à sa droite.*)

### SCÈNE IV.

FIGARO, LA COMTESSE, *avec les habits de Suzon;* SUZANNE, *avec ceux de la comtesse;* MARCELINE.

SUZANNE, *bas à la comtesse.* Oui, Marceline m'a dit que Figaro y serait.

MARCELINE. Il y est aussi; baisse la voix.

SUZANNE. Ainsi l'un nous écoute, et l'autre va venir me chercher; commençons.

MARCELINE. Pour n'en pas perdre un mot, je vais me cacher dans le pavillon. (*Elle entre dans le pavillon où est entrée Fanchette.*)

### SCÈNE V.

FIGARO, LA COMTESSE, SUZANNE.

SUZANNE, *haut.* Madame tremble! est-ce qu'elle aurait froid?

LA COMTESSE, *haut.* La soirée est humide, je vais me retirer.

SUZANNE, *haut.* Si madame n'avait pas besoin de moi, je prendrais l'air un moment sous ces arbres.

LA COMTESSE, *haut.* C'est le serein[1] que tu prendras.

SUZANNE, *haut.* J'y suis toute faite.

FIGARO, *à part.* Ah! oui, le serein![1] (*Suzanne se retire près de la coulisse, du côté opposé à Figaro.*)

### SCÈNE VI.

FIGARO, CHÉRUBIN, LE COMTE, LA COMTESSE, SUZANNE.

(*Figaro et Suzanne retirés de chaque côté sur le devant.*)

CHÉRUBIN, *en habit d'officier, arrive en chantant gaiement la reprise de l'air de la romance. La, la, la, etc.*

J'avais une marraine,
Que toujours adorai.

LA COMTESSE, *à part.* Le petit page!

CHÉRUBIN *s'arrête.* On se promène ici; gagnons vite mon asile, où la petite Fanchette. . . C'est une femme!

LA COMTESSE *écoute.* Ah! grands dieux!

CHÉRUBIN *se baisse en regardant de loin.* Me trompai-je? à cette coiffure en plumes qui se dessine au loin dans le crépuscule, il me semble que c'est Suzon.

LA COMTESSE, *à part.* Si le comte arrivait! . . .

(*Le Comte paraît dans le fond.*)

CHÉRUBIN *s'approche et prend la main de la Comtesse qui se défend.* Oui, c'est la charmante fille qu'on nomme Suzanne. Eh! pourrais-je m'y méprendre à la douceur de cette main, à ce petit tremblement qui l'a saisie, surtout au battement de mon cœur! (*Il veut y appuyer le dos de la main de la Comtesse, elle la retire.*)

LA COMTESSE, *bas.* Allez-vous-en.

CHÉRUBIN. Si la compassion t'avait conduite exprès dans cet endroit du parc, où je suis caché depuis tantôt!

LA COMTESSE. Figaro va venir.

LE COMTE, *s'avançant, dit à part.* N'est-ce pas Suzanne que j'aperçois?

CHÉRUBIN, *à la Comtesse.* Je ne crains point du tout Figaro, car ce n'est pas lui que tu attends.

LA COMTESSE. Qui donc?

LE COMTE, *à part.* Elle est avec quelqu'un.

CHÉRUBIN. C'est Monseigneur, friponne, qui t'a demandé ce rendez-vous ce matin, quand j'étais derrière le fauteuil.

[1] serein, the chilly damp. Figaro in repeating the word also plays upon *serin*, a gullible person.

LE COMTE, *à part, avec fureur.* C'est encore le page infernal !

FIGARO, *à part.* On dit qu'il ne faut pas écouter !

SUZANNE, *à part.* Petit bavard !

LA COMTESSE, *au page.* Obligez-moi de vous retirer.

CHÉRUBIN. Ce ne sera pas au moins sans avoir reçu le prix de mon obéissance.

LA COMTESSE, *effrayée.* Vous prétendez ? . . .

CHÉRUBIN, *avec feu.* D'abord vingt baisers pour ton compte, et puis cent pour ta belle maîtresse.

LA COMTESSE. Vous oseriez ?

CHÉRUBIN. Oh ! que oui, j'oserai ! Tu prends sa place auprès de Monseigneur, moi celle du Comte auprès de toi : le plus attrapé, c'est Figaro.

FIGARO, *à part.* Ce brigandeau !

SUZANNE, *à part.* Hardi comme un page. (*Chérubin veut embrasser la Comtesse. Le Comte se met entre deux et reçoit le baiser.*)

LA COMTESSE, *se retirant.* Ah ! Ciel !

FIGARO, *à part, entendant le baiser.* J'épousais une jolie mignonne !

(*Il écoute.*)

CHÉRUBIN, *tâtant les habits du Comte.* (*A part.*) C'est Monseigneur. (*Il s'enfuit dans le pavillon où sont entrées Fanchette et Marceline.*)

## SCÈNE VII.

FIGARO, LE COMTE, LA COMTESSE, SUZANNE.

FIGARO *s'approche.* Je vais. . .

LE COMTE, *croyant parler au page.* Puisque vous ne redoublez pas le baiser. . . (*Il croit lui donner un soufflet.*)

FIGARO, *qui est à portée, le reçoit.* Ah !

LE COMTE. . . Voilà toujours le premier payé.

FIGARO, *à part, s'éloigne en se frottant la joue.* Tout n'est pas gain non plus en écoutant.

SUZANNE, *riant tout haut de l'autre côté.* Ah ! ah ! ah ! ah !

LE COMTE, *à la Comtesse, qu'il prend pour Suzanne.* Entend-on quelque chose à ce page ! il reçoit le plus rude soufflet, et s'enfuit en éclatant de rire.

FIGARO, *à part.* S'il s'affligeait de celui-ci ! . . .

LE COMTE. Comment ! je ne pourrai faire un pas. . . (*A la Comtesse.*) Mais laissons cette bizarrerie ; elle empoisonnerait le plaisir que j'ai de te trouver dans cette salle.

LA COMTESSE, *imitant le parler de Suzanne.* L'espériez-vous ?

LE COMTE. Après ton ingénieux billet ! (*Il lui prend la main.*) Tu trembles ?

LA COMTESSE. J'ai eu peur.

LE COMTE. Ce n'est pas pour te priver du baiser que je l'ai pris. (*Il la baise au front.*)

LA COMTESSE. Des libertés !

FIGARO, *à part.* Coquine !

SUZANNE, *à part.* Charmante !

LE COMTE *prend la main de sa femme.* Mais quelle peau fine et douce, et qu'il s'en faut que la Comtesse[1] ait la main aussi belle !

LA COMTESSE, *à part.* Oh ! la prévention ![2]

LE COMTE. A-t-elle ce bras ferme et rondelet, ces jolis doigts pleins de grâce et d'espièglerie ?

LA COMTESSE, *de la voix de Suzanne.* Ainsi l'amour ? . . .

LE COMTE. L'amour. . . n'est que le roman du cœur ; c'est le plaisir qui en est l'histoire :[3] il m'amène à tes genoux.

LA COMTESSE. Vous ne l'aimez plus ?

LE COMTE. Je l'aime beaucoup, mais trois ans d'union rendent l'hymen si respectable !

LA COMTESSE. Que vouliez-vous en elle ?

LE COMTE, *la caressant.* Ce que je trouve en toi, ma beauté. . .

LA COMTESSE. Mais dites donc.

LE COMTE. . . Je ne sais : moins d'uniformité peut-être ; plus de piquant dans les manières ; un je ne sais quoi qui fait le charme ; quelquefois un refus ; que sais-je ? Nos femmes croient tout accomplir en nous aimant. Cela dit une fois, elles nous aiment, nous aiment. . . quand elles nous aiment ! . . . et sont si complaisantes et si constamment obligeantes, et toujours, et sans relâche, qu'on est tout surpris un beau soir de trouver la satiété où l'on recherchait le bonheur.

LA COMTESSE, *à part.* Ah ! quelle leçon !

LE COMTE. En vérité, Suzon, j'ai pensé mille fois que, si nous poursuivions ailleurs ce plaisir qui nous fuit chez elles, c'est qu'elles n'étudient pas assez l'art de soutenir notre goût, de se renouveler à l'amour, de ranimer, pour ainsi dire, le

---

[1] qu'il s'en faut que la Comtesse, how far the Countess is from having.

[2] prévention, the power of prejudice.

[3] l'histoire, what counts, the real thing.

charme de leur possession par celui de la variété.

La Comtesse, *piquée.* Donc elles doivent tout? . . .

Le Comte, *riant.* Et l'homme rien? Changerons-nous la marche de la nature? Notre tâche, à nous, fut de les obtenir; la leur. . .

La Comtesse. La leur?

Le Comte. Est de nous retenir: on l'oublie trop.

La Comtesse. Ce ne sera pas moi.

Le Comte. Ni moi.

Figaro, *à part.* Ni moi.

Suzanne, *à part.* Ni moi.

Le Comte *prend la main de sa femme.* Il y a de l'écho ici; parlons plus bas. Tu n'as nul besoin d'y songer, toi que l'amour a faite et si vive et si jolie! Avec un grain de caprice tu seras la plus agaçante maîtresse! (*Il la baise au front.*) Ma Suzanne, un Castillan n'a que sa parole. Voici tout l'or promis pour le rachat du droit que je n'ai plus sur le délicieux moment que tu m'accordes. Mais, comme la grâce que tu daignes y mettre est sans prix, j'y joindrai ce brillant, que tu porteras pour l'amour de moi.

La Comtesse, *une révérence.* Suzanne accepte tout.

Figaro, *à part.* On n'est pas plus coquine que cela.

Suzanne, *à part.* Voilà du bon bien qui nous arrive.

Le Comte, *à part.* Elle est intéressée; tant mieux.

La Comtesse *regarde au fond.* Je vois des flambeaux.

Le Comte. Ce sont les apprêts de ta noce; entrons-nous un moment dans l'un de ces pavillons pour les laisser passer?

La Comtesse. Sans lumière?

Le Comte *l'entraîne doucement.* A quoi bon? nous n'avons rien à lire.

Figaro, *à part.* Elle y va; ma foi! je m'en doutais.

(*Il s'avance.*)

Le Comte *grossit sa voix en se retournant.* Qui passe ici?

Figaro, *en colère.* Passer! on vient exprès.

Le Comte, *bas à la Comtesse.* C'est Figaro! . . . (*Il s'enfuit.*)

La Comtesse. Je vous suis.

(*Elle entre dans le pavillon à sa droite, pendant que le Comte se perd dans le bois, au fond.*)

---

¹ asseoir, verify.

## SCÈNE VIII.

Figaro, Suzanne, *dans l'obscurité.*

Figaro *cherche à voir où vont le Comte et la Comtesse, qu'il prend pour Suzanne.* Je n'entends plus rien, ils sont entrés. M'y voilà. (*D'un ton altéré.*) Vous autres époux maladroits, qui tenez des espions à gages et tournez des mois entiers autour d'un soupçon, sans l'asseoir,¹ que ne m'imitez-vous? Dès le premier jour je suis ma femme, et je l'écoute; en un tour de main on est au fait; c'est charmant: plus de doute, on sait à quoi s'en tenir. (*Marchant vivement.*) Heureusement que je ne m'en soucie guère, et que sa trahison ne me fait plus rien du tout. Je les tiens donc enfin!

Suzanne, *qui s'est avancée doucement dans l'obscurité.* (*A part.*) Tu vas payer tes beaux soupçons. (*Du ton de voix de la Comtesse.*) Qui va là?

Figaro, *extravagant.* Qui va là? Celui qui voudrait de bon cœur que la peste eût étouffé en naissant. . .

Suzanne, *du ton de la Comtesse.* Eh! mais, c'est Figaro!

Figaro *regarde, et dit vivement.* Madame la comtesse!

Suzanne. Parlez bas.

Figaro, *vite.* Ah! Madame, que le Ciel vous amène à propos! Où croyez-vous qu'est Monseigneur?

Suzanne. Que m'importe un ingrat? Dis-moi. . .

Figaro, *plus vite.* Et Suzanne, mon épousée, où croyez-vous qu'elle soit?

Suzanne. Mais parlez bas.

Figaro, *très vite.* Cette Suzon qu'on croyait si vertueuse, qui faisait de la réservée! Ils sont enfermés là-dedans. Je vais appeler.

Suzanne, *lui fermant la bouche avec sa main, oublie de déguiser sa voix.* N'appelez pas.

Figaro, *à part.* Eh! c'est Suzon! Goddam!

Suzanne, *du ton de la Comtesse.* Vous paraissez inquiet.

Figaro, *à part.* Traîtresse! qui veut me surprendre!

Suzanne. Il faut nous venger, Figaro.

Figaro. En sentez-vous le vif désir?

Suzanne. Je ne serais donc pas de mon sexe! Mais les hommes en ont cent moyens.

Figaro, *confidemment.* Madame, il n'y a

personne ici de trop. Celui[1] des femmes . . . les vaut tous.

SUZANNE, *à part.* Comme je le souffletterais !

FIGARO, *à part.* Il serait bien gai qu'avant la noce ! . . .

SUZANNE. Mais qu'est-ce qu'une telle vengeance, qu'un peu d'amour n'assaisonne pas ?

FIGARO. Partout où vous n'en voyez point, croyez que le respect dissimule.

SUZANNE, *piquée.* Je ne sais si vous le pensez de bonne foi, mais vous ne le dites pas de bonne grâce.

FIGARO, *avec une chaleur comique, à genoux.* Ah ! Madame, je vous adore. Examinez le temps, le lieu, les circonstances, et que le dépit supplée en vous aux grâces qui manquent à ma prière.

SUZANNE, *à part.* La main me brûle.[2]

FIGARO, *à part.* Le cœur me bat.

SUZANNE. Mais, Monsieur, avez-vous songé. . . ?

FIGARO. Oui, Madame, oui, j'ai songé.

SUZANNE. . . Que pour la colère et l'amour. . .

FIGARO. . . Tout ce qui se diffère est perdu. Votre main, Madame ?

SUZANNE, *de sa voix naturelle et lui donnant un soufflet.* La voilà !

FIGARO. Ah ! demonio ! quel soufflet !

SUZANNE *lui en donne un second.* Quel soufflet ? et celui-ci ?

FIGARO. Et *ques-aquo,*[3] de par le diable ! Est-ce ici la journée des tapes ?

SUZANNE *le bat à chaque phrase.* Ah ! *ques-aquo ?* Suzanne : et voilà pour tes soupçons ; voilà pour tes vengeances et pour tes trahisons, tes expédients, tes injures et tes projets. C'est-il ça de l'amour ! Dis donc comme ce matin ?

FIGARO *rit en se relevant. Santa Barbara !* oui, c'est de l'amour. O bonheur ! ô délices ! ô cent fois heureux Figaro ! Frappe, ma bien-aimée, sans te lasser. Mais, quand tu m'auras diapré tout le corps de meurtrissures, regarde avec bonté, Suzon, l'homme le plus fortuné qui fut jamais battu par une femme.

SUZANNE. *Le plus fortuné !* Bon fripon, vous n'en séduisiez pas moins la Comtesse, avec un si trompeur babil que, m'oubliant moi-même, en vérité, c'était pour elle que je cédais.

FIGARO. Ai-je pu me méprendre au son de ta jolie voix ?

SUZANNE, *en riant.* Tu m'as reconnue ? Ah ! comme je m'en vengerai !

FIGARO. Bien rosser et garder rancune est aussi par trop féminin ! Mais, dis-moi donc par quel bonheur je te vois là, quand je te croyais avec lui ; et comment cet habit, qui m'abusait, te montre enfin innocente. . .

SUZANNE. Eh ! c'est toi qui es un innocent de venir te prendre au piège apprêté pour un autre ! Est-ce notre faute à nous, si, voulant museler un renard, nous en attrapons deux ?

FIGARO. Qui donc prend l'autre ?

SUZANNE. Sa femme.

FIGARO. Sa femme ?

SUZANNE. Sa femme.

FIGARO, *follement.* Ah ! Figaro, pendstoi ; tu n'as pas deviné celui-là ! Sa femme ? O douze ou quinze mille fois spirituelles femelles ! Ainsi les baisers de cette salle ?

SUZANNE. Ont été donnés à Madame.

FIGARO. Et celui du page ?

SUZANNE, *riant.* A Monsieur.

FIGARO. Et tantôt, derrière le fauteuil ?

SUZANNE. A personne.

FIGARO. En êtes-vous sûre ?

SUZANNE, *riant.* Il pleut des soufflets, Figaro.

FIGARO *lui baise la main.* Ce sont des bijoux que les tiens. Mais celui du Comte était de bonne guerre.[4]

SUZANNE. Allons, superbe ! humilie-toi.

FIGARO *fait tout ce qu'il annonce.* Cela est juste ; à genoux, bien courbé, prosterné, ventre à terre.

SUZANNE, *en riant.* Ah ! ce pauvre Comte ! quelle peine il s'est donnée. . .

FIGARO, *se relève sur ses genoux. . . .* Pour faire la conquête de sa femme !

## SCÈNE IX.

LE COMTE *entre par le fond du théâtre, et va droit au pavillon à sa droite;* FIGARO, SUZANNE.

LE COMTE, *à lui-même.* Je la cherche en vain dans le bois, elle est peut-être entrée ici.

SUZANNE, *à Figaro, parlant bas.* C'est lui.

---

[1] Celui, *i.e.*, le moyen.

[2] brûle, itches.

[3] ques-aquo, Provençal for qu'est-ce que cela. A favorite expression of Beaumarchais' enemy **Marin.**

[4] était de bonne guerre, was a good, honest one.

Le Comte, *ouvrant le pavillon.* Suzon, es-tu là-dedans?

Figaro, *bas.* Il la cherche, et moi je croyais. . .

Suzanne, *bas.* Il ne l'a pas reconnue.

Figaro. Achevons-le, veux-tu? (*Il lui baise la main.*)

Le Comte, *se retourne.* Un homme aux pieds de la Comtesse! . . . Ah! je suis sans armes. (*Il s'avance.*)

Figaro, *se relève tout à fait en déguisant sa voix.* Pardon, Madame, si je n'ai pas réfléchi que ce rendez-vous ordinaire était destiné pour la noce.

Le Comte, *à part.* C'est l'homme du cabinet de ce matin. (*Il se frappe le front.*)

Figaro *continue.* Mais il ne sera pas dit qu'un obstacle aussi sot aura retardé nos plaisirs.

Le Comte, *à part.* Massacre, mort, enfer!

Figaro, *la conduisant au cabinet.* (*Bas.*) Il jure. (*Haut.*) Pressons-nous donc, Madame, et réparons le tort qu'on nous a fait tantôt, quand j'ai sauté par la fenêtre.

Le Comte, *à part.* Ah! tout se découvre enfin.

Suzanne, *près du pavillon à sa gauche.* Avant d'entrer, voyez si personne n'a suivi. (*Il la baise au front.*)

Le Comte *s'écrie.* Vengeance!

(*Suzanne s'enfuit dans le pavillon où sont entrés Fanchette, Marceline et Chérubin.*)

## SCÈNE X.

### Le Comte, Figaro.

(*Le Comte saisit le bras de Figaro.*)

Figaro, *jouant la frayeur excessive.* C'est mon maître!

Le Comte *le reconnaît.* Ah! scélérat, c'est toi! Holà! quelqu'un, quelqu'un!

## SCÈNE XI.

### Pédrille, Le Comte, Figaro.

Pédrille, *botté.* Monseigneur, je vous trouve enfin.

Le Comte. Bon! c'est Pédrille. Es-tu tout seul?

Pédrille. Arrivant de Séville, à étripe-cheval.[1]

Le Comte. Approche-toi de moi et crie bien fort.

[1] à étripe-cheval, at breakneck speed.
[2] paquet, *i. e.*, le brevet.

Pédrille, *criant à tue-tête.* Pas plus de page que sur ma main. Voilà le paquet.[2]

Le Comte *le repousse.* Eh! l'animal!

Pédrille. Monseigneur me dit de crier.

Le Comte, *tenant toujours Figaro.* Pour appeler. Holà, quelqu'un! si l'on m'entend, accourez tous!

Pédrille. Figaro et moi, nous voilà deux; que peut-il donc vous arriver?

## SCÈNE XII.

### Les Acteurs précédents, Brid'oison, Bartholo, Bazile, Antonio, Grippe-Soleil.

(*Toute la noce accourt avec des flambeaux.*)

Bartholo, *à Figaro.* Tu vois qu'à ton premier signal. . .

Le Comte, *montrant le pavillon à sa gauche.* Pédrille, empare-toi de cette porte.
(*Pédrille y va.*)

Bazile, *bas à Figaro.* Tu l'as surpris avec Suzanne?

Le Comte, *montrant Figaro.* Et vous tous, mes vassaux, entourez-moi cet homme, et m'en répondez sur la vie.

Bazile. Ha! ha!

Le Comte, *furieux.* Taisez-vous donc! (*A Figaro d'un ton glacé.*) Mon cavalier, répondez-vous à mes questions?

Figaro, *froidement.* Eh! qui pourrait m'en exempter, Monseigneur? Vous commandez à tout ici, hors à vous-même.

Le Comte, *se contenant.* Hors à moi-même!

Antonio. C'est ça parler.

Le Comte *reprend sa colère.* Non, si quelque chose pouvait augmenter ma fureur, ce serait l'air calme qu'il affecte.

Figaro. Sommes-nous des soldats qui tuent et se font tuer pour des intérêts qu'ils ignorent? Je veux savoir, moi, pourquoi je me fâche.

Le Comte, *hors de lui.* O rage! (*Se contenant.*) Homme de bien qui feignez d'ignorer! nous ferez-vous au moins la faveur de nous dire quelle est la dame actuellement par vous amenée dans ce pavillon?

Figaro, *montrant l'autre avec malice.* Dans celui-là?

Le Comte, *vite.* Dans celui-ci.

Figaro, *froidement.* C'est différent. Une jeune personne qui m'honore de ses bontés particulières.

Bazile, *étonné.* Ha! ha!

Le Comte, *vite.* Vous l'entendez, Messieurs?

Bartholo, *étonné.* Nous l'entendons.

Le Comte, *à Figaro.* Et cette jeune personne a-t-elle un autre engagement que vous sachiez?

Figaro, *froidement.* Je sais qu'un grand seigneur s'en est occupé quelque temps; mais, soit qu'il l'ait négligée, ou que je lui plaise mieux qu'un plus aimable, elle me donne aujourd'hui la préférence.

Le Comte, *vivement.* La préf... (*Se contenant.*) Au moins il est naïf! car ce qu'il avoue, Messieurs, je l'ai ouï, je vous jure, de la bouche même de sa complice.

Brid'oison, *stupéfait.* Sa-a complice!

Le Comte, *avec fureur.* Or, quand le déshonneur est public, il faut que la vengeance le soit aussi.

(*Il entre dans le pavillon.*)

## SCÈNE XIII.

Tous les Acteurs précédents, *hors le Comte.*

Antonio. C'est juste.

Brid'oison, *à Figaro.* Qui-i donc a pris la femme de l'autre?

Figaro, *en riant.* Aucun n'a eu cette joie-là.

## SCÈNE XIV.

Les Acteurs précédents, le Comte, Chérubin.

Le Comte, *parlant dans le pavillon et attirant quelqu'un qu'on ne voit pas encore.* Tous vos efforts sont inutiles; vous êtes perdue, Madame, et votre heure est bien arrivée! (*Il sort sans regarder.*) Quel bonheur qu'aucun gage d'une union [1] aussi détestée...

Figaro *s'écrie.* Chérubin!

Le Comte. Mon page?

Bazile. Ha! ha!

Le Comte, *hors de lui, à part.* Et toujours le page endiablé! (*A Chérubin.*) Que faisiez-vous dans ce salon?

Chérubin, *timidement.* Je me cachais, comme vous l'avez ordonné.

Pédrille. Bien la peine de crever un cheval!

Le Comte. Entres-y, toi, Antonio: conduis devant son juge l'infâme qui m'a déshonoré.

Brid'oison. C'est Madame que vous y-y cherchez?

Antonio. L'y a parguenne, une bonne Providence; vous en [2] avez tant fait dans le pays!...

Le Comte, *furieux.* Entre donc! (*Antonio entre.*)

## SCÈNE XV.

Les Acteurs précédents, *excepté Antonio.*

Le Comte. Vous allez voir, Messieurs, que le page n'y était pas seul.

Chérubin, *timidement.* Mon sort eût été trop cruel, si quelque âme sensible n'en eût adouci l'amertume.

## SCÈNE XVI.

Les Acteurs précédents, Antonio, Fanchette.

Antonio, *attirant par le bras quelqu'un qu'on ne voit pas encore.* Allons, Madame, il ne faut pas vous faire prier pour en sortir, puisqu'on sait que vous y êtes entrée.

Figaro *s'écrie.* La petite cousine!

Bazile. Ha! ha!

Le Comte. Fanchette!

Antonio *se retourne et s'écrie.* Ah! palsambleu, Monseigneur, il est gaillard [3] de me choisir pour montrer à la compagnie que c'est ma fille qui cause tout ce train-[4] là!

Le Comte, *outré.* Qui la savait là-dedans? (*Il veut rentrer.*)

Bartholo, *au-devant.* Permettez, Monsieur le comte, ceci n'est pas plus clair. Je suis de sang-froid, moi. (*Il entre.*)

Brid'oison. Voilà une affaire au-aussi trop embrouillée.

## SCÈNE XVII.

Les Acteurs précédents, Marceline.

Bartholo, *parlant en dedans, et sortant.* Ne craignez rien, Madame, il ne vous sera fait aucun mal. J'en réponds. (*Il se retourne et s'écrie:*) Marceline!...

Bazile. Ha! ha!

---

1 gage d'une union, offspring from a marriage.
2 en, acts of licentiousness, etc.
3 gaillard, a jolly trick.
4 train, rumpus.

FIGARO, *riant.* Hé! quelle folie! ma mère en est?

ANTONIO. A qui pis fera.[1]

LE COMTE, *outré.* Que m'importe à moi? La Comtesse. . .

## SCÈNE XVIII.

LES ACTEURS PRÉCÉDENTS, SUZANNE.

(*Suzanne, son éventail sur le visage.*)

LE COMTE. . . Ah! la voici qui sort. (*Il la prend violemment par le bras.*) Que croyez-vous, Messieurs, que mérite une odieuse. . . ?

(*Suzanne se jette à genoux la tête baissée.*)

LE COMTE. Non, non!

(*Figaro se jette à genoux de l'autre côté.*)

LE COMTE, *plus fort.* Non, non!

(*Marceline se jette à genoux devant lui.*)

LE COMTE, *plus fort.* Non, non!

(*Tous se mettent à genoux excepté Brid'oison.*)

LE COMTE, *hors de lui.* Y fussiez-vous un cent!

## SCÈNE XIX.

TOUS LES ACTEURS PRÉCÉDENTS, LA COMTESSE *sort de l'autre pavillon.*

LA COMTESSE *se jette à genoux.* Au moins je ferai nombre.[2]

LE COMTE, *regardant la Comtesse et Suzanne.* Ah! qu'est-ce que je vois!

BRID'OISON, *riant.* Eh! pardi! c'è-est Madame.

LE COMTE *veut relever la Comtesse.* Quoi! c'était vous, Comtesse? (*D'un ton suppliant.*) Il n'y a qu'un pardon bien généreux. . .

LA COMTESSE, *en riant.* Vous diriez, *non, non,* à ma place; et moi, pour la troisième fois d'aujourd'hui, je l'accorde sans condition. (*Elle se relève.*)

SUZANNE *se relève.* Moi aussi.

MARCELINE *se relève.* Moi aussi.

FIGARO *se relève.* Moi aussi. Il y a de l'écho ici!

(*Tous se relèvent.*)

LE COMTE. De l'écho!—J'ai voulu ruser avec eux, ils m'ont traité comme un enfant!

LA COMTESSE, *en riant.* Ne le regrettez pas, Monsieur le comte.

FIGARO, *s'essuyant les genoux avec son chapeau.* Une petite journée comme celle-ci forme bien un ambassadeur!

LE COMTE, *à Suzanne.* Ce billet fermé d'une épingle? . . .

SUZANNE. C'est Madame qui l'avait dicté.

LE COMTE. La réponse lui en est bien due.

(*Il baise la main de la Comtesse.*)

LA COMTESSE. Chacun aura ce qui lui appartient.

(*Elle donne la bourse à Figaro et le diamant à Suzanne.*)

SUZANNE, *à Figaro.* Encore une dot.

FIGARO, *frappant la bourse dans sa main.* Et de trois.[3] Celle-ci fut rude à arracher!

SUZANNE. Comme notre mariage.

GRIPPE-SOLEIL. Et la jarretière de la mariée, l'aurons-je?

LA COMTESSE *arrache le ruban qu'elle a tant gardé dans son sein et le jette à terre.* La jarretière? Elle était avec ses habits; la voilà.

(*Les garçons de la noce veulent la ramasser.*)

CHÉRUBIN, *plus alerte, court la prendre et dit:* Que celui qui la veut vienne me la disputer!

LE COMTE, *en riant, au page.* Pour un monsieur si chatouilleux,[4] qu'avez-vous trouvé de gai à certain soufflet de tantôt?

CHÉRUBIN, *recule en tirant à moitié son épée.* A moi, mon colonel?

FIGARO, *avec une colère comique.* C'est sur ma joue qu'il l'a reçu: voilà comme les grands font justice!

LE COMTE, *riant.* C'est sur sa joue? Ah! ah! ah! qu'en dites-vous donc, ma chère Comtesse?

LA COMTESSE, *absorbée, revient à elle et dit avec sensibilité:* Ah! oui, cher Comte, et pour la vie, sans distraction, je vous le jure.

LE COMTE, *frappant sur l'épaule du juge.* Et vous, Don Brid'oison, votre avis maintenant?

BRID'OISON. Su-ur tout ce que je vois, Monsieur le comte? . . . Ma-a foi, pour moi, je-e ne sais que vous dire: voilà ma façon de penser.

TOUS *ensemble.* Bien jugé.

FIGARO. J'étais pauvre, on me méprisait. J'ai montré quelque esprit, la haine est accourue. Une jolie femme et de la fortune. . .

---

[1] A qui pis fera, They are seeing who can do the worst.

[2] je ferai nombre, I shall swell the number.

[3] Et de trois, this makes three.

[4] chatouilleux, sensitive.

BARTHOLO, *en riant*. Les cœurs vont te revenir en foule.

FIGARO. Est-il possible?

BARTHOLO. Je les connais.

FIGARO, *saluant les spectateurs*. Ma femme et mon bien mis à part,[1] tous me feront honneur et plaisir.

(*On joue la ritournelle du vaudeville. Air noté.*)

## VAUDEVILLE.

### BAZILE.

#### PREMIER COUPLET.

Triple dot, femme superbe:
Que de biens pour un époux!
D'un seigneur, d'un page imberbe,
Quelque sot serait jaloux.
Du latin d'un vieux proverbe
L'homme adroit fait son parti.

FIGARO. Je le sais. . .
    (*Il chante.*)
        *Gaudeant bene nati.*[2]
BAZILE. Non. . .
    (*Il chante.*)
        *Gaudeant bene nanti.*[3]

### SUZANNE.

#### II° COUPLET.

Qu'un mari sa foi trahisse,
Il s'en vante, et chacun rit;
Que sa femme ait un caprice,
S'il l'accuse, on la punit.
De cette absurde injustice
Faut-il dire le pourquoi?
Les plus forts ont fait la loi. . . (*Bis.*)

### FIGARO.

#### III° COUPLET.

Jean Jeannot, jaloux risible,
Veut unir femme et repos;
Il achète un chien terrible,
Et le lâche en son enclos.
La nuit, quel vacarme horrible!
Le chien court, tout est mordu;
Hors l'amant qui l'a vendu. . . (*Bis.*)

### LA COMTESSE.

#### IV° COUPLET.

Telle est fière et répond d'elle,
Qui n'aime plus son mari;
Telle autre, presque infidèle,
Jure de n'aimer que lui.
La moins folle, hélas! est celle
Qui se veille en son lien,[4]
Sans oser jurer de rien. . . (*Bis.*)

### LE COMTE.

#### V° COUPLET.

D'une femme de province,
A qui ses devoirs sont chers
Le succès est assez mince;
Vive la femme aux bons airs!
Semblable à l'écu du prince,
Sous le coin [5] d'un seul époux,
Elle sert au bien de tous. . . (*Bis.*)

### MARCELINE.

#### VI° COUPLET.

Chacun sait la tendre mère
Dont il a reçu le jour;
Tout le reste est un mystère,
C'est le secret de l'amour.

### FIGARO *continue l'air.*

Ce secret met en lumière
Comment le fils d'un butor
Vaut souvent son pesant d'or. . . (*Bis.*)

#### VII° COUPLET.

Par le sort de la naissance,
L'un est roi, l'autre est berger;
Le hasard fit leur distance;
L'esprit seul peut tout changer.
De vingt rois que l'on encense
Le trépas brise l'autel;
Et Voltaire est immortel! . . . (*Bis.*)

---

[1] mis à part, safely won.
[2] Gaudeant bene nati, let those of high birth rejoice!
[3] nanti, those who are well provided.
[4] se veille en son lien, keeps an eye on her conjugal relations.
[5] coin, die, stamp.

CHÉRUBIN.

VIII<sup>e</sup> COUPLET.

Sexe aimé, sexe volage,
Qui tourmentez nos beaux jours,
Si de vous chacun dit rage,[1]
Chacun vous revient toujours.
Le parterre [2] est votre image:
Tel paraît le dédaigner,
Qui fait tout pour le gagner. . . (*Bis.*)

SUZANNE.

IX<sup>e</sup> COUPLET.

Si ce gai, ce fol ouvrage,
Renfermait quelque leçon,

[1] rage, all the evil possible.
[2] le parterre, the pit of the theatre.

En faveur du badinage
Faites grâce à la raison.
Ainsi la nature sage
Nous conduit, dans nos désirs,
A son but, par les plaisirs. . . (*Bis.*)

BRID'OISON.

X<sup>e</sup> COUPLET.

Or, Messieurs, la co-omédie,
Que l'on juge en cè-et instant,
Sauf erreur, nous pein-eint la vie
Du bon peuple qui l'entend.
Qu'on l'opprime, il peste, il crie;
Il s'agite en cent fa-açons:
Tout fini-it par des chansons. . . (*Bis.*)

BALLET GÉNÉRAL.

# L'AMI DES LOIS

*Comédie en cinq actes, en vers*

Représentée pour la première fois au **Théâtre de la Nation**
le 2 janvier 1793

# LAYA

Jean-Louis Laya (1761–1833) was born in Paris of a family of Spanish de-scent. His education was received at the Collège de Lisieux in Paris. He began his literary career in 1785 with a comedy, *le Nouveau Narcisse,* written in col-laboration with Legouvé, which was received by the Comédie-Française but never performed. The following year he and Legouvé published a volume of elegies entitled *Essais de deux amis.* In 1790 Laya succeeded in having two plays per-formed at the Comédie-Française: a comedy, *les Dangers de l'opinion,* and a tragedy, *Jean Calas,* inspired by the success of M.-J. Chénier's *Charles IX.* These plays brought him into prominence as a dramatist. He followed them in 1793 with the comedy, *l'Ami des lois,* the most famous of all the Revolutionary plays and his chief claim to fame. On account of the moderate stand which he had taken in this play he was declared *hors la loi* by the Commune a few months later and compelled to remain in concealment during the whole of the Terror. With the return of more settled conditions Laya reappeared and gave his atten-tion to various literary activities. He became a collaborator of a number of periodicals and produced three plays: *les Deux Stuarts* (1797), *Falkland* (1799), one of Talma's great successes, and *Une Journée du jeune Néron* (1799). He en-deavored in vain to obtain a political office under the Consulate and finally took a position in the French Embassy in Dresden. Upon his return to France he was appointed a professor first at the Lycée Charlemagne and then at the Lycée Napoléon, and in 1813 he succeeded Delille to the chair of literary history and French poetry at the Sorbonne. The French Academy elected him to membership in 1817. A short time later he was named censor of the theatres. He continued his several duties until his death in 1833.

The first performance of *l'Ami des lois* at the Comédie-Française on January 2, 1793, during the trial of Louis XVI, was a political event. It may be con-sidered the last, futile, stand of the moderate party. The decisive moment in the struggle between la Gironde and la Montagne, the moderate and extremist groups among the revolutionists, was at hand. It was an act of considerable courage to produce this protest against mob-rule only nineteen days before the execution of the king. The play was from the first a great success and aroused an immense amount of discussion. The extremists considered it a direct attack upon them-selves and insisted that the author had portrayed Robespierre in his character Nomophage, and Marat in Duricrâne. After four performances it was suspended by the General Council of the Commune, which was controlled by the extremists, and the actors of the Comédie-Française were ordered to submit their weekly repertory to the Council in advance; thus the censorship was again established. The author addressed an energetic protest to the Convention, in which he de-clared: "Je n'ai point fait, comme on ose le dire, de mon art, qui doit être l'école du civisme et des mœurs, la satire des individus. De traits épars dans la Révolu-tion, j'ai composé les formes de mes personnages; je n'ai point vu tel et tel; j'ai vu les hommes." The Convention sustained this protest and the performance of the play was allowed to continue for one day. Then a decree was issued for-bidding all plays that might cause public disorder, and the performances of *l'Ami des lois* had to be abandoned.

The play was revived on June 6, 1795, with little success because conditions had changed and its timeliness had passed. Like all of the purely Revolutionary plays, it was written for the moment; and it bears plenty of evidence of hasty composition. It also illustrates, as do all these plays, the fact that the Revolutionary dramatists had no time to consider innovations in technique; but it has its interest as a typical production of the Revolutionary period.

BIBLIOGRAPHY : *Œuvres complètes de J.-L. Laya*, Paris, 1836, 5 vols. *Notice biographique sur J.-L. Laya* (anonymous), Paris, 1833. CH. NODIER : *Discours de réception à l'Académie Française*, 1833. C. G. ÉTIENNE and A. MARTAINVILLE : *Histoire du théâtre français depuis le commencement de la Révolution jusqu'à la réunion générale*, Paris, 1802, 4 vols. H. WELSCHINGER : *Le Théâtre de la Révolution*, Paris, 1881. L. MOLAND : *Le Théâtre de la Révolution*, Paris, 1877. F. BRUNETIÈRE : *Le Théâtre de la Révolution*, in *Études critiques*. 2 e série.

# L'AMI DES LOIS [1]

## PAR JEAN-LOUIS LAYA.

### PERSONNAGES.

M. DE VERSAC, *ci-devant baron.*
MADAME DE VERSAC, *sa femme.*
M. DE FORLIS, *ci-devant marquis.*
M. NOMOPHAGE.
FILTO, *son ami.*

DURICRÂNE, *journaliste.*
M. PLAUDE.
BÉNARD, *homme d'affaires de M. Forlis.*
UN OFFICIER *et sa suite.*
DOMESTIQUES *de M. de Versac.*

La scène est à Paris, dans la maison de M. de Versac. Le théâtre est éclairé.

## ACTE PREMIER

### SCÈNE PREMIÈRE.

M. DE VERSAC, FORLIS.

M. DE VERSAC. Vous avez vu ma fille ? au
   moins je suis tranquille,
Elle est mieux : sa santé m'inquiétait, la
   ville,
Tout son ennui, le train qui règne en
   ma maison
Où vos petits messieurs, héros en déraison,
Veulent régir la France, et ma table, et
   ma femme :
Ce fracas allait mal aux goûts purs de
   son âme.
Tout son cœur a bientôt revolé vers les
   champs :
Chez sa tante du moins livrée à ses penchants,

[1] Text of first edition.

Elle n'écoute pas les discours empha-
   tiques
De ces nains transformés en géants po-
   litiques.
Elle y cultive en paix votre idée et son
   cœur.
Mais je vous le redis, Forlis, avec dou-
   leur,
Leurs fonds sont rehaussés ; vos quinze
   jours d'absence
Aux dépens de la vôtre ont grossi leur
   puissance :
Madame de Versac en est ivre, et je
   crains
Pour ma Sophie et vous, mon cher, bien
   des chagrins.
FORLIS. J'ai votre aveu, le sien.
VERSAC.        Ma parole ? elle est sûre :
Je la tiendrai.
FORLIS. Tant mieux. Ce mot seul me ras-
   sure :
Car je vous vis toujours maître dans la
   maison.

VERSAC. Le bon temps est passé.

FORLIS. Vraiment! et la raison? C'était un grand abus!

VERSAC. La chance est bien changée. Ma femme était soumise; elle s'est corrigée:
Elle acquiert, mais beaucoup de résolution:
Et c'est, mon cher monsieur, la révolution
Qui m'ôte avec mes droits ceux que j'eus sur son âme.

FORLIS. Oh! le tour est piquant!

VERSAC. J'avais contre madame
Deux grands torts: j'étais noble, et de plus son mari.

FORLIS. Vous voilà du premier comme moi bien guéri.

VERSAC. L'héritage, Forlis, que je tiens de mon père
Était en fonds d'honneurs et non en fonds de terre.
Les aïeux de ma femme, en titres moins brillants,
En bon contrats de rente étaient plus opulents.
La fortune illustrée alors par ce mélange
Payait la qualité qui vivait de l'échange:
C'était bien. Comme noble ensemble et comme époux,
J'avais double pouvoir sur ses vœux, sur ses goûts,
J'ordonnais: mais, mon cher, il faut voir la manière
Dont regimbe à présent sa hauteur roturière!
Madame veut avoir aussi sa volonté:
Et comme tous les biens viennent de son côté,
Elle sait de ses droits s'en faire sur sa fille.
Si je parle en époux, en vrai chef de famille,
Tout est perdu pour moi! vos régénérateurs,
Des vices sociaux ardents dépurateurs,
Pour qui la nouveauté fut toujours une amorce,
Ont, vous le savez bien, décrété le divorce. . . .

FORLIS. Oui.

VERSAC. Je suis roturier déjà de leur façon:
Ma femme, en me quittant, peut me rendre garçon.

FORLIS. Vous êtes gai, vraiment, pour un aristocrate!

VERSAC. Moi? j'enrage, et me tais: car enfin que j'éclate,
Puis-je changer, après bien des cris, bien des frais,
La tête de ma femme ainsi que vos décrets?

FORLIS. Non. . . . On tient donc toujours bureau de politique?

VERSAC. Oui, c'est à qui fera ses plans de république.
L'un dans sa vue étroite et ses goûts circonscrits,
Claquemure la France aux bornes de Paris:
L'autre plus décisif, plus large en sa manière,
Avec la France encor régit l'Europe entière:
L'autre, en petits états coupant trente cantons,
Demande trente rois, pour de bonnes raisons:
Et tous jouant les mœurs, étalent la science,
Veulent régénérer tout, hors leur conscience.

FORLIS. Le portrait est fidèle entre nous, mais je voi
Que vous vous alarmez un peu trop tôt pour moi.

VERSAC. Vous ne doutez de rien.

FORLIS. Votre femme. . . .

VERSAC. En est folle,
Et compte bien un jour par eux jouer un rôle.
Vous qui trouvez tout bien, monsieur l'homme sensé,
Qui voyez tout debout, quand tout est renversé,
Qui vantez, adorez dans votre folle ivresse,
La révolution ainsi qu'une maîtresse,
Dites. . . .

FORLIS. Vous m'attaquez? si je vais riposter,
Nous finirons encor, Versac, par disputer.
Faut-il qu'à mon retour madame me surprenne. . .

VERSAC. Je suis ici tout seul, ainsi donc point de gêne.

FORLIS. Votre femme. . . .

VERSAC. Est au club [1] à faire ses décrets. . .
Or, maintenant lisez ceci.

*(Il lui remet une lettre.)*

---

[1] club, probably the Club des Jacobins, the ultra-extremist group among the revolutionists.

FORLIS, *l'ouvrant.*          Coblenz![1] après?

VERSAC. Ils viennent.

FORLIS.                Qui?

VERSAC.    Les rois, l'Europe qu'on irrite.

FORLIS. Vous m'effrayez! les rois!

VERSAC.        Eux, monsieur, et leur suite.
 La loi, par votre illustre et docte inven-
  tion,
 Est du vœu général toute l'expression:
 Toute la volonté de l'Europe alarmée
 Par cent bouches à feu va vous être ex-
  primée.

FORLIS. Allons!

VERSAC. Un manifeste[2] adroit, bien dé-
  taillé,
 Et d'une bonne armée au besoin appuyé,
 S'imprime, qui pesant dans un juste équilibre
 Les droits des souverains et ceux du
  peuple libre. . .

FORLIS. De vos rois apportant la dernière
  raison,
 Nous va fonder des lois à grands coups de
  canon?

VERSAC. On veut nous éclairer, et non pas
  vous détruire;
 Vous nous abattez tout, on vient tout
  reconstruire;
 Commerce, industrie, arts, tout tend à
  s'abîmer. . .

FORLIS. Et grâce à vos pandours[3] tout se
  va ranimer?

VERSAC. Mais tous nos droits d'abord.

FORLIS.                Pour de vains privilèges,
 Verrez-vous sans effroi ces hordes sacrilèges
 Rougir le sol français du sang de nos
  guerriers?

VERSAC. Non, s'ils sont teints de sang j'abjure nos lauriers.
 Je suis, puisqu'aujourd'hui tout noble
  ainsi se nomme,
 Aristocrate, soit; mais avant honnête
  homme.
 Je ne saurais me faire à votre égalité;
 Mais j'aime mon pays, je ne l'ai point
  quitté.
 Et, s'il faut franchement dire ce que
  j'éprouve
 Sur tous nos émigrés, mon cœur les
  désapprouve.
 Mais dans l'âme comme eux gentilhomme
  français,

Je puis, sans les servir, attendre leurs
  succès.

FORLIS. Vous attendrez.

VERSAC.    La France, antique monarchie!
 République! vrai monstre! enfantement
  impie
 Qui ne se vit jamais!

FORLIS.            Que vous verrez.

VERSAC.                    Allons! . . .
 Un état sans noblesse! . . . il faut des
  échelons
 Pour monter.

FORLIS. Nous marchons dans une route
  égale.

VERSAC. Le dernier citoyen perdu dans l'in-
  tervalle
 Pourra-t-il sans patrons, sans voix, sans
  truchement,
 Des degrés élevés franchir l'éloignement?

FORLIS. Oui, mon cher, et sans peine encor,
  sans résistance.
 C'était les échelons qui faisaient la distance;
 Les voilà tous rompus.

VERSAC.            J'enrage, allons, poussez,
 Intrépide optimiste!

FORLIS.            Ah! vous vous courroucez?

VERSAC. Vous qui voulez, de l'homme éten-
  dant le domaine,
 Dans l'âme d'un Français voir une âme
  romaine,
 Rappellez-vous donc Rome au siècle de
  Caton:
 L'erreur d'un demi-dieu peut servir de
  leçon.
 Caton qu'eût adoré Rome dans son en-
  fance,
 Et dont le sort plus tard déplaça l'exis-
  tence;
 Caton qu'un saint amour pour sa Rome
  enflamma,
 La voulut reculer au siècle de Numa.
 Des Romains à la sienne il jugea l'âme
  égale;
 Il n'avait que pour lui mesuré l'inter-
  valle.
 Il crut n'obtenir rien que d'obtenir beau-
  coup;
 Voulant tout exiger, sa vertu perdit tout:
 Sa vertu prépara les fers de Rome es-
  clave;
 Rome immola César, et fléchit sous Oc-
  tave.

---

[1] Coblenz was one of the headquarters of the *émigrés,* or fugitive royalists. Early in 1792 they succeeded in gaining military support first from Austria and then from Prussia. The armies of these two countries invaded France and were turned back by French volunteers at the battle of Valmy, September 20, 1792.

[2] See note 4. p. 546.

[3] pandours, a force of ruthless, irregular soldiers raised in 1741 near Pandur, Hungary, by Baron von der Trenk. Forlis means here the invading Austrian forces.

Monsieur, je vous renvoie à la comparaison.

FORLIS. Je réponds à présent de votre guérison.

Vous raisonnez; c'est être à moitié démocrate,

Ce beau germe perdu sur une terre ingrate,

Caton "qu'un saint amour pour sa Rome enflamma,

«La voulut reculer au siècle de Numa»?

Oui: Caton se trompa. Qu'en pouvez-vous conclure?

Qu'il connut la vertu; mais fort mal la nature.

Il traita Rome usée et tombant de langueur,

Comme il eût traité Rome aux jours de sa vigueur.

Ce vœu fut, j'en conviens, d'un fou plus que d'un sage,

D'assoupir la vieillesse aux mœurs du premier âge,

L'avons-nous imité? Toutes nos vieilles lois

Dans leur poudre, aujourd'hui, dorment avec nos rois.

Nous n'allons pas fouiller ces mines sépulcrales,

Ces titres tout rongés de rouilles féodales,

Le temps et la raison, ces fidèles flambeaux,

Vont diriger nos pas dans des sentiers nouveaux,

Et, des vieux préjugés éclairant l'artifice,

Cimenter de nos lois l'immortel édifice.

Bientôt un même esprit. . . . .

VERSAC. Un même esprit? Jamais,
Tant qu'il existera des intrigants.

FORLIS. Eh! mais
Tout excès a son terme, et l'homme qui sommeille

Aux purs rayons du jour à la fin se réveille.

Ce n'est qu'un voyageur par un guide égaré,

Qui dans le droit chemin sera bientôt rentré,

Un conducteur plus sûr, sa raison l'y rappelle.

L'oreille, le cœur s'ouvre à sa voix immortelle:

Les sentiers suborneurs bientôt sont délaissés;

Les faux guides bientôt punis ou repoussés.

VERSAC. Grands mots que tout cela! Le temps, l'expérience

Vous donne un démenti: mais je perds patience;

N'en parlons plus, Forlis. . . Vous allez voir ici

Un bon original.

FORLIS. Encore!

VERSAC. Oh! celui-ci,
Vous le connaissez bien de nom; c'est monsieur Plaude.

FORLIS. Qui?

VERSAC. Cet esprit tout corps qui maraude, maraude

Dans l'orateur romain, met Démosthène à sec,

Et n'est, quand il écrit, pourtant Latin ni Grec. . .

FORLIS. Ni Français, n'est-ce pas?

VERSAC. Animal assez triste,
Suivant de ses gros yeux les complots à la piste;

Cherchant partout un traître, et courant à grand bruit

Dénoncer le matin ses rêves de la nuit.

Dans le champ politique effaçant ses émules,

Nul ne sait comme lui cueillir les ridicules.

FORLIS. J'y suis.

VERSAC. Vous connaissez les autres: c'est d'abord

Duricrâne, de Plaude audacieux support,

Journaliste effronté, qu'aucun respect n'arrête.

Je ne sais que son cœur de plus dur que sa tête.

Puis monsieur Nomophage et Filto son ami.

Filto dans le chemin est le moins affermi;

Le besoin d'exister, la fureur de paraître

Le rend sur les moyens peu scrupuleux peut-être.

Pour monsieur Nomophage, oh! passe encor: voilà

Ce que j'appelle un homme! un héros! l'Attila

Des pouvoirs et des lois! Grand fourbe politique,

De popularité semant sa route oblique,

C'est un chef de parti. . .

FORLIS. Peu dangereux.

VERSAC. Ma foi,
Je ne sais. . . il vous craint.

FORLIS. Je le méprise, moi. . .

## SCÈNE II.

### Les Mêmes, un Domestique.

Le Domestique, *à Versac.* Monsieur, on est
    rentré. (*Le domestique sort.*)
Versac, *à Forlis.* Vous allez voir ma femme.
Forlis. Volontiers.
Versac.          Je l'entends.

## SCÈNE III.

### Les Mêmes, Madame Versac.

Versac, *à sa femme.* Voici Forlis, madame.
Madame Versac, *le saluant froidement.*
    Monsieur. . .
Forlis, *bas à Versac.* Ce froid accueil con-
    firme vos soupçons.
Versac, *à sa femme.* Je viens de l'informer
    des puissantes raisons.
    Qui vous font en ce jour détruire votre
      ouvrage,
    Et de son union rejeter l'avantage;
    Mais il ne me croit pas.
Madame Versac.        C'est une vérité.
Versac. Je vous dis que madame ainsi l'a
    décrété.
    Adieu. (*Il sort.*)

## SCÈNE IV.

### Forlis, Madame Versac.

Madame Versac. Ces nœuds, Forlis, ne
    faisaient plus mon compte.
    Nous n'en serons pas moins bons amis,
      et j'y compte.
    Avec tous vos talents, chef d'une faction,
    Vous eussiez agrandi vos biens et votre
      nom;
    Quand l'audace est encor la vertu de
      votre âge,
    Quand il fallait oser, vous avez fait le
      sage;
    Faux calcul! vous voyez, avec tous vos
      talents
    Vous restez de côté, tandis que d'autres
      gens,
    Moins forts que vous peut-être, auront
      sur vous la pomme.
    Qu'arrive-t-il de là? D'excellent gentil-
      homme
    Qu'on vous vit autrefois, vous voilà
      **comme nous,**

    Et comme votre ami, monsieur mon cher
      époux,
    Qui me faisait sonner si haut sa ba-
      ronie,
    Devenu tiers-état, membre de bour-
      geoisie;
    Or l'homme ancien chez vous n'étant pas
      remplacé,
    Par les hommes du jour mon cher est
      effacé.
Forlis. Si vous aviez l'esprit moins juste,
    au fond de l'âme,
    J'aurais bien quelque droit de m'effrayer,
      madame.
Madame Versac. Vous valez mieux, d'ac-
    cord, que vos rivaux.
Forlis.                Vraiment!
    Vous n'attendez de moi rien pour ce com-
      pliment.
Madame Versac. Mais de l'opinion le ther-
    momètre indique
    Qu'on doit en trente états couper la ré-
      publique.
Forlis. Vous croyez?
Madame Versac. C'est le vœu général à
    présent.
    Votre chère unité sera mise au néant.
    Un sublime projet! c'est le plan du par-
      tage!
    Quelqu'un m'en fait demain lecture:
      Nomophage
    Qui vient exprès dîner. . . . . Mais j'ou-
      blie à propos
    Que je vais vous parler encor de vos
      rivaux. . . .
    Vous les haïssez bien!
Forlis.            Et je m'en glorifie.
Madame Versac. Pourquoi, Forlis?
Forlis.           Faut-il que je les quali-
    fie?
    Je pardonne au trompé, mais jamais au
      trompeur.
Madame Versac. Quoique vous les traitez
    avec un peu d'humeur,
    J'aime à vous voir ici tous quatre bien
      en prise!
    Nous vous aurons demain?
Forlis.        Craint-on ce qu'on méprise?
    Oui, madame.
Madame Versac. Avec eux, demain je vous
    attends.
Forlis. J'ai rencontré parfois de plus fiers
    combattants:
    Et vaincre ces messieurs n'est pas une
      victoire.
    Un combat sans danger donne un laurier
      sans gloire.
    Mais j'impose au combat une condition:
    C'est que donnant l'essor à mon opinion.

J'en exerce sur eux le libre ministère.

MADAME VERSAC. Sans gêne. Ils ont d'ailleurs un fort bon caractère.

FORLIS. En vérité, madame, oui, j'admire
comment
Ces messieurs vous ont pu séduire un
seul moment!

MADAME VERSAC. Mais ils sont, croyez moi,
patriotes.

FORLIS.                              Madame,
Descendons vous et moi franchement dans
votre âme:
Patriotes! ce titre et saint et respecté,
A force de vertus veut être mérité.
Patriotes! Eh quoi! ces poltrons intré-
pides
Du fond d'un cabinet prêchant les homi-
cides!
Ces Solons [1] nés d'hier, enfants réfor-
mateurs
Qui rédigeant en lois leurs rêves des-
tructeurs,
Pour se le partager voudraient mettre à
la gêne
Cet immense pays rétreci comme Athène:
Ah! ne confondez pas le cœur si différent
Du libre citoyen, de l'esclave tyran.
L'un n'est pas patriote, et vise à le pa-
raître:
L'autre tout bonnement se contente de
l'être.
Le mien n'honore point, comme vos mes-
sieurs font,
Les sentiments du cœur de son mépris
profond.
L'étude, selon lui, des vertus domes-
tiques
Est notre premier pas vers les vertus
civiques.
Il croit qu'ayant des mœurs, étant homme
de bien,
Bon parent, on peut être alors bon ci-
toyen.
Compatissant aux maux de tous tant que
nous sommes,
Il ne voit qu'à regret couler le sang des
hommes;
Et du bonheur publique posant les fondements,
Dans celui de chacun en voit les éléments.
Voilà le patriote! il a tout mon hommage.
Vos messieurs ne sont pas formés à
cette image.
Mais, dites-moi, des deux quel est le favori?

MADAME VERSAC. Aucun encor, ma foi.

[1] Solon, Athenian lawgiver (B. C. 640–558).

FORLIS.                       Bon!

MADAME VERSAC.          Je n'ai jusqu'ici
Point de penchant pour eux et pour eux
point de haine.

FORLIS. Il faut choisir pourtant.

MADAME VERSAC.    Je choisirai sans peine.
Si le succès s'arrange au gré de vos rivaux
Comme ils l'ont arrangé déjà dans leurs
cerveaux,
Plus digne par son bien d'entrer dans
ma famille,
Le mieux doté des deux, mon cher, aura
ma fille.

FORLIS, lui baisant la main. Je serai votre
gendre.

MADAME VERSAC. Oui... nous verrons cela.
Pour monsieur mon mari, patience: on
saura
Lui prouver que ce monde est une lo-
terie
Où le sort suit sa roue, avec elle varie.
Du haut nom de baron on le vit s'en-
ticher,
Vers de plus grands honneurs moi je
prétends marcher.
Pour ma fille en un mot, puisqu'il n'est
plus de princes,
Je veux un gouverneur de deux ou trois
provinces.

FORLIS, riant. Oh! vous ne pouviez mieux
terminer le roman.

MADAME VERSAC. N'est-ce pas? permettez
qu'on vous quitte un moment?
Je passe chez monsieur.

FORLIS.          Peut-on vous conduire?
                (Elle lui donne la main.)
Je vais le saluer de son nouvel empire.


## ACTE DEUXIÈME.

### SCÈNE PREMIÈRE.

FORLIS, BÉNARD.

FORLIS. Entrons ici, Bénard.

BÉNARD.    Monsieur, je vous apporte...

FORLIS. La liste?

BÉNARD.          En bon état.

FORLIS, Il prend un papier de ses mains.
                Elle me paraît forte...
Cent cinquante!... par jour, à vingt
sols, c'est je crois...
Par jour... vingt sols chacun... deux
cents louis par mois.

BÉNARD. Moins douze, monsieur.

FORLIS.            Oui, moins douze.
BÉNARD.                    Et quatre livres.
FORLIS. Et quatre livres : bon.
BÉNARD.            C'est noté dans mes livres.
  Ce nombre est un peu cher, monsieur, à
    soudoyer !
FORLIS. C'est doubler son argent que le
  bien employer.
BÉNARD. De ces actions-là peu de gens sont
  capables.
FORLIS. Vous me jugez trop bien ou trop
  mal mes semblables.
  Le secret est-il sûr ?
BÉNARD.            Oui ; mais d'un si beau trait
  Qui vous ferait honneur ; pourquoi faire
    un secret,
  Monsieur ?
FORLIS. Mon cher Bénard, faut-il que je
  vous dise
  Que c'est de la vertu faire une marchan-
    dise
  Qu'étaler au grand jour le bien qu'on dut
    cacher.
  L'opinion est-elle un prix à rechercher ?
  C'est usuairement placer la bienfaisance
  Qu'au delà du bienfait chercher sa ré-
    compense :
  C'est vendre, non donner. Le seul pur in-
    térêt
  Qu'on en doive exiger, Bénard, c'est le
    secret.
  Mais suivez-moi, voici ce monsieur No-
    mophage
  Et son ami Filto.
BÉNARD.                    C'est le couple d'usage.[1]
            (Ils sortent tous deux.)


## SCÈNE II.

### NOMOPHAGE, FILTO.

NOMOPHAGE, *voyant sortir Forlis.* Com-
  ment diable ! Forlis de retour ! . . .
  ah ! tant pis.
  Il faut au journaliste en donner prompt
    avis.
  Nous serons bien ici. . . Je vais vous
    montrer l'acte.
            (Ils s'asseyent à une table.)
FILTO. Du partage ?
NOMOPHAGE. J'en tiens une copie exacte.
  Vous savez que déjà le plan est arrêté.

FILTO. Oui, je sais même encor comme on
  vous a traité.
NOMOPHAGE. J'ai su faire valoir mes ser-
  vices extrêmes :
  Nous plaidons toujours bien en plaidant
    pour nous-mêmes.
  Mais tant de concurrents !
FILTO.                    Sans doute.
NOMOPHAGE.                    Il fallait bien
  Nous saigner quelque peu pour force gens
    de bien,
  Bons travailleurs sous nous, troupeau qui
    nous seconde ;
  Et qui veut réussir ménage tout le monde.
  Soyons juste d'ailleurs, mon cher : sous
    l'ordre ancien
  Qu'étions-nous vous et moi ? parlons
    franc ; moins que rien.
  Qu'avions-nous ? j'en rougis ! pas même
    un sol de dettes.
  Car il faut du crédit pour en avoir de
    faites.
  Or, d'un vaste pays maintenant gouver-
    neurs,
  Nous aurons des sujets, des trésors, des
    honneurs,
  Nous qui, riches de honte et surtout de
    misère,
  N'avions en propre, hélas ! pas un ar-
    pent de terre.
FILTO, *Il lit sur le papier, et suit des yeux
  sur la carte géographique.* Oui. . .
  voyons le travail. . . Mâcon. . .
  Beaune.[2] . . vraiment,
  Bon pays pour le vin !
NOMOPHAGE. Il tombe au plus gourmand.
FILTO. Ah voici notre lot. . . . on me
  donne le Maine.[3]
NOMOPHAGE. Vous allez y manger les cha-
  pons par centaine.
FILTO. C'est un fort beau pays ! . . . vous
  avez le Poitou.[4]
NOMOPHAGE. Oui, mais j'aurais voulu qu'on
  y joignît l'Anjou.[5]
FILTO. Je n'y vois rien pour Plaude ?
NOMOPHAGE. Eh ! mais, que diable y faire
  D'un fou, qui tout coiffé d'un vain sys-
    tême agraire,
  Ne fait du sol français qu'une propriété,
  Et des habitants qu'une communauté ?
FILTO. Vous faisiez secte ensemble ?
NOMOPHAGE.                    En politique habile,
  J'use d'un instrument, tant qu'il peut
    m'être utile.

---

[1] C'est le couple d'usage, it's the pair that one always sees together.
[2] Mâcon, Beaune, towns in the Burgundy wine region.
[3] Le Maine, district around le Mans, bordering Brittany on the east ; this district is famous
for its capons.
[4] Poitou, district of western France, of which Poitiers is the capital.
[5] Anjou, district between le Maine and Poitou ; Angers, on the Loire, is its capital.

Un moment, comme lui, je fus *agrairien,*
Mais pourquoi? C'est qu'un champ vaut
    toujours mieux que rien.
Aujourd'hui du Poitou puissant seigneur
    et prince,
Je laisse là le champ pour prendre la
    province.
FILTO. Ce plan me paraît bien. Il n'y
    manque à présent
Que l'exécution et le succès.
NOMOPHAGE.               Comment?
FILTO. Le Forlis nous travaille, et nous et
    notre suite
Avec une vigueur de talents. . . .
NOMOPHAGE.               Qui m'irrite.
Il faut qu'avant huit jours ce Forlis qui
    nous nuit
Tombe ou nous: de sa fin notre règne
    est le fruit;
Et de l'ordre et des lois ces fidèles
    apôtres
Sont les amis du peuple, et ne sont pas
    les nôtres.
Un Forlis, dégagé de toute ambition,
Ivre de son pays pour toute passion,
Ne doit être à nos yeux qu'un monstre
    en politique.
Ces prôneurs d'unité dans une répu-
    blique
Sont des fléaux pour nous; un état dé-
    membré
Seul à l'ambition offre un règne assuré.
FILTO. Il faut que la vertu cache en soi
    quelque chose
Que je ne comprends pas, et qui nous
    en impose;
Mais ce Forlis m'étonne, et j'ai honte
    entre nous,
D'être à lui peu semblable, et si sem-
    blable à vous.
NOMOPHAGE. Tête étroite! une fois poussé
    dans la carrière,
Doit-on, comme un poltron, regarder en
    arrière?
Allons droit en avant, monsieur le vi-
    ceroi.
Il faut avoir sa marche, une attitude à
    soi.
Dans les flancs de l'airain que la flamme
    enfermée
Frappe en se faisant jour [1] notre oreille
    alarmée,
J'y consens; mais plus ferme et bravant
    tous les feux,

Le cœur, sans s'étonner, s'élance au mi-
    lieu d'eux.
Les succès sont toujours les vrais fils de
    l'audace.
Qui sait oser, sait vaincre; et qui craint,
    s'embarrasse,
Se fourvoye, et s'égare au plus beau du
    chemin.
Il faut, comme un enfant, vous mener
    par la main.
La vertu! c'est sans doute une chose
    fort belle!
J'ai, moi qui vous en parle, un grand
    respect pour elle;
Et n'était qu'en ce monde on est mince
    sans bien,
Je pourrais, comme un autre, être un
    homme de bien. . .
Duricrâne, mon cher, poursuit Forlis, le
    guette:
Il n'entendra pas, lui, la redite indis-
    crète
D'un obscur sentiment, de ce cri de vertu
Qui doit toujours se taire, une fois qu'il
    s'est tu.
FILTO. Cela n'est pas toujours, quoique cela
    doive être.
Ce cri mal étouffé souvent reparle en
    maître.
Mais, sans rougir enfin, pouvons-nous
    partager
Avec un Duricrâne?
NOMOPHAGE.            Il le faut ménager.
FILTO. Qu'avec moi sans détour votre
    bouche s'explique.
Dites, que pensez-vous du plan de ré-
    publique?
NOMOPHAGE. Du nôtre? bon pour nous!
FILTO.            Tenez, entre nous deux,
Quand je suis avec vous, j'ai toujours
    sous les yeux
Ces deux prêtres Romains dont parle la
    satire,[2]
Qui ne pouvaient jamais se regarder sans
    rire.
NOMOPHAGE. Nous pouvons aussi rire; car
    nous aurons de quoi.
Mais parlons d'autre chose un peu; çà
    dites-moi;
La petite Versac vous tient-elle en cer-
    velle?
FILTO. Selon. Et vous?
NOMOPHAGE. Ma foi, j'en rabats bien [3]
    pour elle.

[1] en se faisant jour, as it makes its way.

[2] Reference to a statement made by Cicero in *de Divinatione*, II, 24, which has been taken over into French where it has become almost proverbial. It is employed by Voltaire in article on *Théologie* in his *Dictionnaire philosophique.*

[3] j'en rabats bien, I willingly lessen my claims.

L'empereur du Poitou, digne allié des rois,
Ne pourra plus descendre à ces liens bourgeois.

FILTO. Monsieur le gouverneur de l'un et l'autre Maine,
Peut trouver dans les cours quelqu'infante, et sans peine.

NOMOPHAGE. Oui, mais mon cher Filto, croyez-en mes avis.
Tenons toujours le dé[1] pour l'ôter à Forlis.
Cet enfant-là d'ailleurs est unique héritière,
Et si quelque démon (ce que je ne crains guère)
Brisait contre un écueil notre empire et nos vœux,
Son bien dans le naufrage aiderait l'un des deux.
Pour moi, votre rival, je verrai sans colère
Le bonheur d'un ami. . . (A part) j'ai l'aveu de la mère.

FILTO. Et moi donc, tous les deux soyez unis demain,
Je serai satisfait. . . . (A part) on m'a promis sa main.

## SCÈNE III.

### LES MÊMES, DURICRÂNE.

NOMOPHAGE. Eh! voici Duricrâne. . . . , accourez, qu'on s'empresse
A vous féliciter. . . . . oh! quel air d'allégresse!
Vous avez, mon cher cœur, votre part au gâteau.

DURICRÂNE. Je sais. . . j'accours vers vous, et je suis tout en eau,
Vous remarquez ma joie.

NOMOPHAGE.                Oui, ta gaîté maligne,
D'un complot découvert nous doit être un doux signe.

DURICRÂNE. Ah! . . . devinez un peu le traître.

NOMOPHAGE.                        Le coquin
Nous aborde toujours un complot à la main.

DURICRÂNE. Ce dernier en vaut cent.

NOMOPHAGE.        Enchanteur! . . . . . allons, passe.

DURICRÂNE. Oh! oui, le ciel sur moi manifeste sa grâce,
A sauver la patrie il m'a prédestiné!

NOMOPHAGE. Fais que ton chapelet soit bientôt décliné; [2]
Laisse un peu là, mon cher, le ciel et la patrie.
Ne nous torture plus, parle quand on t'en prie.

DURICRÂNE. Il m'a guidé, vous dis-je.

NOMOPHAGE.                Où donc?

DURICRÂNE.                        Dans le jardin.

NOMOPHAGE. Le ciel! . . . . et pour y voir?

DURICRÂNE.        Ah! le diable est bien fin;
Vous deux qui vous croyez un esprit plus habile,
Devinez le coupable, on vous le donne en mille.[3]

NOMOPHAGE. Voyez si ses écarts seront bientôt finis?
Son nom?

DURICRÂNE. Vous saurez donc. . . .

NOMOPHAGE.                Son nom?

DURICRÂNE.                        Monsieur Forlis.

NOMOPHAGE. Quoi! Forlis?

FILTO. Prenez garde : oh! cela ne peut être.

DURICRÂNE. On en est sûr, monsieur; on se connaît en traître.

NOMOPHAGE. En effet, mon ami, prends garde, il a raison;
Prends garde. . . . Oh! seulement si de sa trahison
Nous avions, pour l'acquit de notre conscience,
Je ne dis pas la preuve, une seule apparence!
Ce serait trop heureux!

DURICRÂNE. Apparence! . . . ah! bien, oui? . . .
Complot réel, vous dis-je, incroyable! inouï!
Cent cinquante ennemis qu'il soutient, sans reproche,
De ses propres deniers. . . . Le tout est dans ma poche.

NOMOPHAGE. Parle, point de longueurs.

DURICRÂNE.        En deux mots, m'y voici :
A l'invitation je me rendais ici.
Traversant le jardin, et guettant par routine,
J'aperçois un quidam de fort mauvaise mine,
Marchant près d'un monsieur, qu'à son air, ses habits,
Je reconnus bientôt pour Monsieur de Forlis.
Ce quidam, dont la mine aux façons assortie,
Dénonçait un agent de l'aristocratie.

---

[1] Tenons toujours le dé, let's continue to monopolize the claims (to her hand).
[2] Fais que ton chapelet, etc., have done with your ranting.
[3] on vous le donne en mille, a thousand chances to one (you can't guess).

Le retour un peu prompt de son maître,
    un instinct,
Un rayon, je le crois, qui d'en haut me
    survint,
Tout accrut mes soupçons: «Forlis, me
    dis-je, à peine
«Vient-il hors de Paris de passer la quin-
    zaine;
«Le voici de retour! lui parti pour ses
    bois,
«Qui nous avait promis d'être absent
    tout le mois.»
Quelque chose est caché sous cette
    marche oblique.
NOMOPHAGE. Oui, le raisonnement est clair
    et sans réplique.
C'est une tête au moins! il vous flaire
    un complot!
DURICRÂNE. J'étais né délateur: épier est
    mon lot.
Quand j'ignore un complot, toujours je
    le devine.
NOMOPHAGE. Après.
DURICRÂNE. Après? . . . . Vers eux je
    marche à la sourdine,
J'avance, retenant le feuillage indiscret
Dont le bruit de mes pas eût trahi le
    secret;
Caché par le taillis, l'oreille bien active,
Le cou tendu, l'œil fixe, et l'haleine cap-
    tive,
J'écoutai, j'entendis, je vis, je fus con-
    tent!
Après un court narré, vague et non im-
    portant,
«Bon, dit Monsieur Forlis, vos listes sont
    complètes;
«Je garde celle-ci.» Puis prenant ses ta-
    blettes,
Il écrit, les referme, et sans me voir, il
    sort,
Oubliant sur le banc cette liste. . . . son
    sort!
Le nôtre! que sait-on? crac, fuir de ma
    cachette,
Saisir et dévorer cette liste indiscrète,
Ce fut pour moi l'éclair! . . . . Voyez,
    lisez un peu.
(*Il remet un papier à Nomophage.*)
Cent cinquante employés, tous reduits par
    le jeu
Du ressort politique, à zéro! cette
    bande,
Monsieur la soutient seul! . . . pour-
    quoi? je le demande.
FILTO. Ceci prouve à mon sens bien peu
    de chose ou rien.
Il faut pour condamner. . . .
DURICRÂNE.              Lisez.

NOMOPHAGE.               Lisons.
(*Il lit.*)
«Liste des noms de ceux à qui moi,
Charles-Alexandre Forlis, je m'engage à
fournir jusqu'au terme convenu une paie de
vingt sols par jour, bien entendu que de
leur part ils rempliront les conventions
par eux souscrites, et me garderont le se-
cret.»
DURICRÂNE, à *Filto.*         Eh bien?
NOMOPHAGE. Rien n'est plus clair, complot
    avéré, manifeste!
Vite, il faut dénoncer.
DURICRÂNE.         C'est fait.
NOMOPHAGE.         Bon.
DURICRÂNE.         Je suis preste!
J'ai commencé par-là, je repars, on m'at-
    tend.
NOMOPHAGE. Pourquoi?
DURICRÂNE.         Pour appuyer.
NOMOPHAGE.    Oh! oui, cours, c'est l'in-
    stant! . . .
Écoute, bonne idée! oui. . . quinze ou
    vingt copies
A nos fidèles.
DURICRÂNE.      Bon.
NOMOPHAGE.         Avec art dépar-
    ties,
Ces listes tout d'abord vont produire un
    effet! . . .
DURICRÂNE. Du diable! un bruit d'enfer!
    un désordre parfait!
Fiez-vous à mes soins. . . . Oh! j'ai la
    pratique:
Des émeutes à fond je connais la tac-
    tique.
FILTO. Forlis est accusé, ne passez point
    vos droits,
Et sans les prévenir laissez parler les
    lois.
DURICRÂNE. Les lois! les lois! . . . ce mot
    est toujours dans leurs bouches!
Avec des juges vifs et prompts comme
    des souches,
Laissez parler des lois, qui se tairont
    toujours!
Non, il faut de la forme accélérer le
    cours.
NOMOPHAGE. Bien dit.
DURICRÂNE. J'ai dénoncé dans moins d'une
    quinzaine
Huit complots coup sur coup, c'est quatre
    par semaine!
Peu de bons citoyens, sans me vanter, je
    crois,
En ont su découvrir tout au plus un par
    mois.
Bon! . . . . mes yeux n'ont été que des
    visionnaires!

Mes complots (vrais complots d'élite!)
　　des chimères!
Mes accusés le soir sortaient des prisons.
Et moi, j'étais gibier à petites maisons.[1]
Je cours à notre affaire.
NOMOPHAGE.　　　Attends, que je te suive.
On s'entend bien mieux deux, et la
　　marche est plus vive.
Sans adieu, mon Filto ; nous reviendrons.

### SCÈNE IV.

FILTO, *seul.*
　　　　　　　　　　　Ma foi,
Cette affaire pour eux me cause quel-
　　qu'effroi.
Je n'y veux point entrer : puisqu'ils l'ont
　　disposée,
Qu'ils démêlent entr'eux, s'ils peuvent, la
　　fusée. . . .
Ces deux enragés-là, Nomophage sur-
　　tout,
Ont fait un intrigant de moi, contre mon
　　goût.
J'étais né pour la vie honnête et sé-
　　dentaire.
C'est le plus grand des maux qu'être sans
　　caractère.
Dans les nœuds des serpents, je suis
　　pris. . . aujourd'hui
Remplissons notre sort, je n'ai qu'eux
　　pour appui.
Hélas! que ne peut-on, d'une marche
　　commune,
En restant honnête homme aller à la
　　fortune!

## ACTE TROISIÈME.

### SCÈNE PREMIÈRE

FILTO, NOMOPHAGE.

FILTO. Oui, je vous le répète, oui, je
　　tremble pour vous,
Qu'il ne vous faille enfin parer vos
　　propres coups.
NOMOPHAGE. Trembler! voilà votre art,
　　mon cher! sottes alarmes!
Car enfin, contre lui n'avons-nous pas des
　　armes?
Je mets la chose au pis, et ma haine y
　　consent.
Forlis est cru coupable et se trouve in-
　　nocent.

---

[1] à petites maisons, for the insane asylum.
[2] verbalisent, are making official reports.

Bon! ses accusateurs ont tort? erreur
　　nouvelle.
Ils se sont égarés, oui, mais c'était par
　　zèle.
Leur terreur, quoique fausse, était un
　　saint effroi,
Et le salut du peuple est la suprême loi.
FILTO. Fort bien : mais cet effroi, selon
　　vous, salutaire,
Ne peut être excusé qu'autant qu'il est
　　sincère :
Et quoique enfin du peuple ordonne l'in-
　　térêt,
S'il frappe l'innocence, il n'est plus
　　qu'un forfait.
NOMOPHAGE. Filto, trève à la peur, ou
　　trève à la morale.
FILTO. Votre accusation, je suppose, est
　　légale :
Mais la route secrète où vous vous en-
　　fermez,
Ces doubles de la liste avec tant d'art
　　semés,
Est-ce légal aussi?
NOMOPHAGE.　　　C'est où je vous arrête.
Notre marche est plus sûre en ce qu'elle
　　est secrète.
Qui diable voulez-vous qui la trahisse?
　　rien.
Les doubles de la liste? . . . oui, dange-
　　reux moyen,
Si j'avais dans la main des travailleurs
　　timides,
Mais ce sont gens de choix que les miens,
　　sûrs, solides,
Gens à principes!
FILTO.　　　Bon ; mais tous ces aguerris
N'ont pas eu fort souvent affaire à des
　　Forlis.
NOMOPHAGE. Dans les jardins déjà les
　　groupes verbalisent : [2]
D'un feu toujours croissant les têtes
　　s'électrisent :
L'affaire est retournée, augmentée, il
　　faut voir
Des oisifs curieux les vagues se mou-
　　voir!
Ce que c'est que l'esprit public! comme
　　il se monte!
FILTO. L'esprit public! un groupe abu-
　　sé! . . . . quelle honte!
Quel excès de délire et de corruption!
NOMOPHAGE. Bon! toujours étonné de la
　　perfection!
Puis-je de mon esprit resserrant l'éten-
　　due,
Jusqu'à votre horizon rapetisser ma vue?

FILTO. Laisser sécher son cœur! l'endurcir à ce point!

NOMOPHAGE. Prodige!

FILTO. Et sans remords?

NOMOPHAGE. Je ne les connais point.
Des hauteurs de l'estime où le Forlis
s'élève,
Il faut qu'il tombe enfin! Tout mon sang
se soulève,
De voir que son orgueil me confonde aujourd'hui
Avec ces flots d'humains roulants autour
de lui,
Parmi cent factieux obscurs et sans
courage;
Ce monsieur en enfant veut traiter Nomophage!
Tout beau, Monsieur Forlis, vous qu'on
dit si sensé,
Vous saurez ce que peut l'amour-propre
offensé.

FILTO. Faut-il qu'il rende l'âme implacable, inhumaine?

NOMOPHAGE. Eh quoi! tout vient ici justifier ma haine.
Car outre que sa chûte aide à notre projet,
Forlis, s'il n'est coupable, est au moins
bien suspect.
Bien mieux que vous pour lui, contre lui
l'écrit plaide.

FILTO. Eh bien! laissez agir la justice.

NOMOPHAGE. Je l'aide.
Est-ce donc un grand mal?

FILTO. Est-ce l'aider, grand Dieu!
Que lui forcer la main?

NOMOPHAGE. Mon cher Filto, pour peu
Que vous perdiez de vue encor votre
personne,
Vous êtes ruiné; moi, je vous abandonne
Au parti modéré[1] dont vous serez l'espoir.
Esprit lourd, endurci, vous ne voulez pas
voir
Que Forlis est un noble, et que tout titulaire
Ne se convertit point au culte populaire.

FILTO. Mais Forlis. . . .

NOMOPHAGE. Le serpent, constant dans ses
humeurs,
Change de peau, jamais il ne change de
mœurs. . .
Écoutez, mon Filto, redressez ce langage,
Ou votre nom soudain est biffé du partage.

---

[1] parti modéré, *i.e.*, les Girondins.

Un mot encore. Il faut vous dicter tous
vos pas,
Pour que votre air, vos yeux ne vous
trahissent pas,
Quand Duricrâne ici paraîtra dans une
heure,
Vous verrez le Forlis en état et demeure
D'arrestation.

FILTO. Quoi?

NOMOPHAGE. Vous vous troublez déjà.
Allons, un maintien ferme, et point de
pâleur. . . . là.
Le voici: taisons-nous.

FILTO. Voici la compagnie.

## SCÈNE II.

LES MÊMES, FORLIS, M. et MADAME VERSAC.

MADAME VERSAC, *bas à Nomophage.* Nous
verrons votre plan à quelqu'heure
choisie.
Vous l'avez?

NOMOPHAGE. Dans ma poche.

MADAME VERSAC. Il faut pour l'examen,
Du temps. . . . Nous parlerons aussi de
votre hymen.

## SCÈNE III.

LES MÊMES, M. PLAUDE.

MADAME VERSAC. Eh! comment donc?
voici monsieur Plaude!

VERSAC, *bas à Forlis.* En personne
C'est l'inquisition.

MADAME VERSAC. L'ingrat nous abandonne.

PLAUDE. Le service public. . . .

MADAME VERSAC. Vous excuse.

PLAUDE, *lui remettant une brochure.* Voici
Ma dissertation nouvelle: celle-ci,
J'ose croire, madame, aura quelqu'influence,
Et doit, pour son grand bien, bouleverser la France.

FORLIS. Pour son grand bien, monsieur?

PLAUDE. Oui, monsieur, en deux mots
La voici: je remonte à la source des
maux.
Il n'en est qu'une.

FORLIS. Bon!

PLAUDE. Une seule; elle est claire.
C'est la propriété!

FORLIS. Je ne m'en doutais guère.

PLAUDE. De la propriété découlent à longs
flots

Les vices, les horreurs, messieurs, tous
les fléaux.[1]

Sans la propriété point de voleurs; sans
elle

Point de supplices donc: la suite est naturelle.

Point d'avares, les biens ne pouvant s'acquérir;

D'intrigants, les emplois n'étant plus à
courir;

De libertins, la femme accorte et toute
bonne

Étant à tout le monde, et n'étant à personne.

Point de joueurs non plus, car, sous mes
procédés,

Tombent tous fabriquants de cartes et
de dés.

Or je dis: si le mal naît de ce qu'on possède,

Donc ne plus posséder en est le sûr remède.

Murs, portes et verroux, nous brisons
tout cela.

On n'en a plus besoin dès que l'on en
vient là.

Cette propriété n'était qu'un bien pos-
tiche;

Et puis le pauvre naît dès qu'on permet le riche.

Dans votre république un pauvre bêtement

Demande au riche! abus! dans la mienne
il lui prend.

Tout est commun; le vol n'est plus vol,
c'est justice.

J'abolis la vertu pour mieux tuer le vice.

FORLIS. La modération n'est pas votre défaut.

NOMOPHAGE, *regardant Forlis.* Tant mieux;
les modérés ne sont pas ce qu'il faut.

FORLIS. Si ce mot dont souvent l'on peut
faire une injure,

Désigne en ce moment ces gens froids
par nature,

Ces égoïstes nuls, ces hommes sans
élans,

Endormis dans la mort de leurs goûts
nonchalants,

Et de qui l'existence équivoque et flétrie
D'un inutile poids fatigue leur patrie;

Je hais autant que vous ces honteux éléments

D'une nature inerte obscurs avorte-
ments:

Mais si vous entendez par ce mot,
l'homme sage,

Citoyen par le cœur plus que par le
langage;

Qui contre l'intrigant défend la vérité,
En dût-il perdre un peu de popularité;

Sert, sachant l'estimer et parfois lui déplaire,

Le peuple pour le peuple, et non pour
le salaire;

Patriote, et non pas de ceux-là dont la
voix

Va crier *Liberté* jusqu'au plus haut des
toits,

Mais de ceux qui sans bruit, sans parti,
sans systèmes,

Prêchent toujours la loi qu'ils respectent
eux-mêmes;

Si fuir les factions, c'est être modéré,
De cette injure alors j'ai droit d'être honoré!

PLAUDE, *à part.* Quel est donc ce monsieur? un ci-devant [2] sans doute.

NOMOPHAGE, *haut.* Moi, les gens sans parti
sont ceux que je redoute..

FORLIS. Oh! c'est par modestie et non de
bonne foi

Que ces gens-là, monsieur, vous donnent
de l'effroi;

Et, sans citer des noms, que personne
n'ignore,

Nous en savons tous deux de plus à
craindre encore.

NOMOPHAGE. Moi, je ne connais point. . .

FORLIS.                    Si j'étais indiscret. . .

NOMOPHAGE. Sont-ce ces paladins,[3] armés
pour un décret? [4]

Ces héros d'outre-Rhin, ces puissances
altières?

FORLIS. Vous les cherchez trop loin par-
delà nos frontières.

Non, les miens s'aiment trop pour nous
quitter ainsi.

Ces prudents ennemis sont près de nous,
ici,

Ce sont tous ces jongleurs, patriotes de
places,[5]

[1] Rousseau's doctrine as set forth in the *Discours sur l'origine et les fondements de l'inégalité parmi les hommes,* 1755.

[2] ci-devant, term applied to the aristocracy of the old regime.

[3] paladins, *i. e.,* the Austrian and Prussian armies marching on France.

[4] décret, probably the celebrated manifesto issued by the Duke of Brunswick, commanding the Prussian forces, on July 25, 1792, which enjoined the Parisians to submit to the king or see their city destroyed, and which incited the mob to storm the Tuileries on August 10, and make the king a prisoner.

[5] patriotes de places, soap-box patriots.

D'un faste de civisme entourant leurs
  grimaces;
Prêcheurs d'égalité, pétris d'ambition:
Ces faux adorateurs, dont la dévotion
N'est qu'un dehors plâtré, n'est qu'une
  hypocrisie:
Ces bons et francs croyants, dont l'âme
  apostasie,
Qui pour faire haïr le plus beau don des
  cieux,
Nous font la liberté sanguinaire comme
  eux.
Mais non, la liberté, chez eux méconnais-
  sable,
A fondé dans nos cœurs son trône impé-
  rissable.
Que tous ces charlatans, populaires lar-
  rons,
Et de patriotisme insolents fanfarons
Purgent de leur aspect cette terre af-
  franchie!
Guerre, guerre éternelle aux faiseurs
  d'anarchie!
Royalistes tyrans, tyrans républicains,
Tombez devant les lois, voilà vos souve-
  rains!
Honteux d'avoir été, plus honteux en-
  cor d'être,
Brigands, l'ombre a passé: songez à di-
  sparaître.
NOMOPHAGE, *avec un peu d'embarras*. Moi,
  je ne reconnais personne à ce por-
  trait.
FORLIS. Moi, j'en sais quelques-uns qu'il
  fait voir trait pour trait.
NOMOPHAGE. On pourrait en douter.
FORLIS.                    Oui, la glace fidèle
Réfléchit des objets aveugles devant
  elle.
NOMOPHAGE. Vous citeriez les noms avec
  quelqu'embarras.
FORLIS. Ma mémoire longtemps ne les cher-
  cherait pas.
NOMOPHAGE. C'est la preuve à trouver qui
  serait difficile.
FORLIS. Mille dans leurs écrits, dans leurs
  conduite mille.
NOMOPHAGE. Les vrais amis du peuple
  ainsi sont outragés,
Mais dans leurs conscience ils sont du
  moins vengés.
FORLIS. L'honnête homme pour eux montre
  moins d'indulgence;
Il ne sait pas flatter comme leur conscience.
NOMOPHAGE. Le prix, que jusqu'ici leur
  zèle a retiré,
Prouve que l'intérêt ne l'a point inspiré.

FORLIS. Quand un motif est pur, c'est une
  triste voie
Que d'en parler toujours pour faire
  qu'on y croie:
La vertu sans effort se doit persuader,
Et c'est en la cachant qu'on la fait regarder.

## SCÈNE IV.

### LES MÊMES, DURICRÂNE.

NOMOPHAGE. Venez, vous avez part aux
  traits que monsieur lance.
Vous êtes patriote.
DURICRÂNE, *à voix basse à Nomophage*. Ils
  vont venir.
NOMOPHAGE, *de même*.           Silence.
PLAUDE. Laissons cela. Chacun doit voir
  selon ses yeux.
Vous autres, vous voyez comme des fac-
  tieux.
On ne fera jamais de vous de bons es-
  claves.
FORLIS. Il faut l'être des lois: sans leurs
  saintes entraves
La liberté, monsieur, est le droit du bri-
  gand.
Le plus libre est des lois le moins indé-
  pendant,
Malheur à tout état où règne l'arbitraire,
Où le texte fléchit devant le commen-
  taire.
Brutus du sang des siens l'a jadis at-
  testé:
Et Brutus se pouvait connaître en li-
  berté.
PLAUDE. Brutus! c'est tout au plus: lui, qui
  n'osait dans Rome
Sur un simple soupçon faire arrêter un
  homme!
C'est bien ainsi qu'on fonde un bon gou-
  vernement.
Non, la délation et l'emprisonnement,
Voilà les vrais ressorts! Il ne faut point
  de grâce:
De l'apparence même au besoin on se
  passe.
Moi, monsieur, par exemple, oh! je l'en-
  tends au mieux!
Je n'examine pas si c'est clair ou dou-
  teux;
Je vois ou ne vois pas, j'arrête au préa-
  lable.
Aussi, me direz-vous qu'il échappe un
  coupable.
Je fournis les cachots.
FORLIS.           C'est un terrible emploi.

PLAUDE. Il faut être de fer, il faut que ce
    soit moi
Pour y tenir, monsieur; pas un jour ne
    s'achève
Qui n'apporte avec lui son traître. . .
    C'est sans trève.
Tenez, on en arrête encore un aujourd'hui;
Je viens de donner l'ordre, on doit être
    chez lui.
Il est riche, il fut noble; après ces deux
    épreuves. . .
VERSAC. J'entends; cela suffit pour se passer de preuves.
PLAUDE. Ici, j'en ai.
VERSAC.     Vraiment.
PLAUDE.     Un écrit de sa main.
DURICRÂNE, à part. Quel contretemps!
PLAUDE. J'espère aussi que dès demain
Un bon arrêt. . .
VERSAC.     Sitôt!
PLAUDE.     Tout retard est funeste.
Il nous faut un exemple. Aussi, je vous
    proteste
Que je vais de tout cœur soigner ce monsieur-là,
Que je vous certifie un bon traître! Déjà
Le procès est instruit.
NOMOPHAGE, à part. Oh! la langue indiscrète!
VERSAC. Un noble, dites-vous?
PLAUDE.     Oui, son affaire est faite;
Son nom va circuler bientôt dans tout
    Paris:
C'est un certain marquis de Forlis.
MADAME VERSAC.     De Forlis!
FORLIS. Y pensez-vous, monsieur? Quel
    nom osez-vous dire?
PLAUDE. Un marquis de Forlis.
FORLIS.     Etes-vous en délire?
PLAUDE. Non, monsieur, c'est son nom, et
    je le sais fort bien.
Je n'ai pas ce matin instrumenté pour
    rien.
FORLIS. Oh! grand Dieu!
PLAUDE. J'ai tout fait pour qu'on saisît le
    traître.
FORLIS. Et l'on va l'arrêter chez lui?
PLAUDE.     Bon, ce doit être
Chose faite à présent!
FORLIS.     Moi, je vous avertis
Qu'on n'aura pas trouvé chez lui monsieur Forlis.
PLAUDE. Vous le connaissez?
FORLIS.     Oui.
PLAUDE.     Comment un homme sage
A-t-il quelque commerce avec ce personnage?

¹ passe-droit, special favor.

FORLIS. Monsieur. . .
PLAUDE.     C'est, entre nous, un scélérat.
FORLIS.     Eh! quoi?
Savez-vous bien, monsieur, que ce Forlis c'est moi?
PLAUDE. Est-il possible? Vous! . . . Ah!
    ah! que j'ai de honte!
On vous cherche, monsieur, vous ferez
    notre compte:
Pardon, ou de rester ou de suivre mes
    pas.
FORLIS. Vous pourrez voir, monsieur, que
    je ne fuirai pas.
PLAUDE. J'en suis fâché, vraiment: quel
    dommage! . . . un brave homme!
    (Apercevant l'officier et sa suite.)
Ah! bon! voici mes gens.

## SCÈNE V.

LES MÊMES, UN OFFICIER, SUITE.

PLAUDE, à l'officier. Messieurs, monsieur se
    nomme
Monsieur Forlis. . . Je sors. (Il s'échappe.)
FORLIS.     Oui, messieurs, avancez:
Je suis au fait.
L'OFFICIER.     Voici nos mandats.
FORLIS.     C'est assez.
Quand règne avec les lois la liberté publique
Ces ordres sont, messieurs, un abus: ma
    critique
Paraît en ce moment suspect, je le voi.
Au reste, eût-elle tort, j'obéis à la loi.
VERSAC. La liberté, messieurs, qui nous est
    tant promise,
Doit-elle en un moment être ainsi compromise?
Que la loi sans rigueur veille à sa sûreté:
Double-t-on ses moyens par la sévérité?
Souffrez que mon ami, dont vous répond
    ma tête,
Trouve dans mon hôtel une prison honnête.
FORLIS. Non, non, plus que la loi n'en accorde ou n'en doit,
Forlis ne prétend pas, messieurs, de
    passe-droit.¹
Point de rang dans le crime ainsi que
    dans la peine.
Innocent ou coupable, il suffit, qu'on
    m'emmène.
Je vous suis.
L'OFFICIER. Ce mot seul, monsieur, cet air
    décent

Montre moins un coupable en vous qu'un
  innocent.
De la loi qui commande exécuteur fidèle,
Je ne puis voir, agir, ordonner que pour
  elle.
Mais de la loi, monsieur, trop rigoureux
  agent
Dois-je apporter moins qu'elle un esprit
  indulgent ?
Non, non, je cours pour vous soliciter
  moi-même,
Vous faire prisonnier de l'ami qui vous
  aime,
Ou le tenter du moins : déjà, sur votre
  foi,
Sans cet ordre, monsieur, vous le seriez
  de moi.
Souffrez que ces messieurs, ainsi que
  leur escorte,
Attendant mon retour restent à cette
  porte.
VERSAC. Quel noble procédé ! je ne l'attendais pas.
L'OFFICIER. Vous avez tort, messieurs : nos
  citoyens soldats
Ont tous le même cœur, ont tous le même
  zèle.
Ces cœurs n'admettent point une vertu
  cruelle ;
Et, jamais endurci d'insensibilité,
Le courage est toujours chez eux l'humanité.
FORLIS, à l'Officier qui sort. Monsieur, quoique sur lui l'on décide ou l'on
  fasse,
Forlis approuve tout, mais ne veut point
  de grâce.

## SCÈNE VI.

LES MÊMES, excepté l'Officier et sa suite.

FORLIS. Madame, pardonnez l'éclat inat-
  tendu
D'un coup, dont je me sens plus que
  vous confondu.
Le temps arrachera le voile à l'impos-
  ture.
MADAME VERSAC. Vous ne soupçonnez rien ?
FORLIS. Non, rien : cette aventure
Est un mystère encor pour moi comme
  pour vous.
Mais ces messieurs pourraient en savoir
  plus que nous :
De Monsieur Plaude ils sont les amis,
  les apôtres.

Nous avons rarement des secrets pour les
  nôtres.
Ils sont instruits sans doute ?
NOMOPHAGE.       Oh ! moi, je ne sais rien.
DURICRÂNE. J'ignore tout.
FORLIS. Pour moi, j'ai là quelque soutien
Qui sans peine rendra cette attaque inu-
  tile.
Il est dans ce moment plus d'un cœur
  moins tranquille !
Cachant mal de leurs fronts l'indiscret
  mouvement,
Mes ennemis déjà triomphent haute-
  ment.
De ce succès d'un jour qu'ils goûtent
  bien les charmes !
Ils pourront dès demain l'expier de leurs
  larmes.
NOMOPHAGE. J'agirais comme vous sans nul
  ménagement.
Mais je vous plains, monsieur, et bien
  sincèrement ;
La réputation sur un soupçon ternie
Ne peut souvent laver. . .
FORLIS.       Ah ! laissons l'ironie.
Ma réputation n'est pas faible à ce
  point
Qu'un soupçon la renverse à n'en relever
  point.
D'une pitié menteuse épargnez-moi l'in-
  jure :
Le travail de vos yeux et de votre fi-
  gure
Ne me séduira pas : agissez haute-
  ment,
Et s'il se peut, monsieur, nuisez-moi
  franchement.
Je vous estime peu, je dois en faire
  gloire.
Ce grand zèle entre nous pourrait me
  faire croire
Que le trait part de vous.
NOMOPHAGE.       Vous penseriez. . .
FORLIS.       Pour peu
Que vous niez encor, c'est m'en faire
  l'aveu.
NOMOPHAGE. Monsieur. . .
    (Un domestique paraît avec une ser-
     viette.)
FORLIS. On a servi. . . mais oublions à
  table
Un sujet qui pour moi n'a rien de re-
  doutable.
Ce mystère d'horreurs où je suis com-
  promis,
Ne peut être effrayant que pour mes en-
  nemis.
    (Forlis présente la main à madame
    Versac, tout le monde sort.)

## ACTE QUATRIÈME

### SCÈNE PREMIÈRE.

FILTO, NOMOPHAGE.

FILTO. Monsieur, encor un coup, vous me
 l'accorderez?
NOMOPHAGE. Non, cela ne se peut.
FILTO.                    Nous verrons.
NOMOPHAGE.                    Vous verrez.
FILTO. Je ne vous quitte pas qu'avant je
 ne l'obtienne.
NOMOPHAGE. Veux-tu suivre ma marche? il
 faut changer la tienne,
Mon cher Filto.
FILTO.          Forlis n'est point coupable.
NOMOPHAGE.                    Oh! non.
FILTO. Sa fermeté, monsieur, son sang-
 froid m'en répond.
NOMOPHAGE. La peste! quel esprit pro-
 fond! comme il discerne!
Si ce n'était ici qu'un chef bien su-
 balterne,
Un mince conjuré, bon! par exemple. . .
 toi!
Nous eussions dans ses yeux lu des signes
 d'effroi.
Mais Forlis!
FILTO. Il n'est pas coupable, je le gage.
NOMOPHAGE. Et la liste?
FILTO. La liste! eh bien! cet assemblage
De noms tous inconnus peut bien être in-
 nocent.
NOMOPHAGE. Innocent! . . . Soudoyer un
 parti mécontent!
Tudieu! quelle innocence! . . . ensuite,
 le mystère?
FILTO. Qu'il soit coupable ou non, avez-
 vous dû vous faire
Le vil ordonnateur des ressorts qu'au-
 jourd'hui
Duricrâne sous vous fait mouvoir contre
 lui?
NOMOPHAGE. Des éclats contre moi, contre
 le journaliste!
Vous vous êtes parfois montré moins for-
 maliste.
FILTO. Épargnez-moi ma honte.
NOMOPHAGE.      A vous parler sans fard,
Vous vous convertissez, mon cher, un peu
 trop tard.
Sachez, l'expérience, au moins le per-
 suade,
Que jamais vers le bien l'homme ne ré-
 trograde;

Sachez qu'un scélérat, mais grand, mais
 prononcé,
Vaut mieux que l'être nul dans son néant
 fixé,
Honnête sans vertu, criminel sans cou-
 rage,
Et qu'il faut être enfin Forlis ou Nomo-
 phage.
FILTO. Continuez, monsieur.
NOMOPHAGE.               Prenez votre parti.
D'honneur, vous aurez beau jouer le con-
 verti.
Dans un cœur corrompu ces révoltes sont
 vaines.
Un feu contagieux circule dans vos
 veines.
La fièvre des honneurs, des rangs et des
 succès
Ravage votre sang brûlé de ses accès.
FILTO. Reprenez ces honneurs qu'avec vous
 je partage:
J'achète trop, monsieur, leur funeste
 avantage.
NOMOPHAGE. Vous serez sans ressource.
FILTO.                          Oui.
NOMOPHAGE.          Car vous n'existez. . .
FILTO. Que par le crime, hélas!
NOMOPHAGE.          Et si vous me quittez,
Que vous reste-t-il?
FILTO.          Rien: pas même l'inno-
 cence.
NOMOPHAGE. J'ai voulu faire en vain de
 vous une puissance:
Ce beau gouvernement du Maine est bien
 tentant!
Mais le bien met obstacle au zèle re-
 pentant.
N'y pensons plus. . . voyez, avant que
 rien n'éclate.
Monsieur l'homme de bien encor de
 fraîche date,
La vertu vaut son prix, mais vous la
 payez cher!
Tenez, j'ai malgré vous pitié de vous,
 mon cher.
Vous savez, du néant qui toujours vous
 réclame,
J'ai retiré vos pas, sans retirer votre
 âme.
Vous êtes mon ouvrage, et sans vous ir-
 riter,
Je ne rappelle pas cela pour me vanter.
Qu'est-ce que ton remords, Filto? faiblesse pure!
Et je veux t'en convaincre; écoute: la
 nature,
Qui, sur ce pauvre globe, où le sage et
 le fou

Passent comme l'éclair, et vont je ne sais
où,
A des germes confus jeté la masse en-
tière,
Laisse en ses éléments se heurter la ma-
tière,
Les atômes divers au hasard s'accrocher,
Et selon leurs penchants se fuir ou se
chercher.
Que des germes, épars dans leur cours
nécessaire,
D'embrions monstreux viennent peupler
la terre,
Ou bien, se composant d'éléments épurés,
Organisent ces corps par nous tant ad-
mirés;
Les formes ne sont rien, le grand but
c'est la vie.
Pourvu qu'au mouvement, la matière as-
servie
Dans son cours productif roule éternelle-
ment,
Elle vit, elle enfante, il n'importe com-
ment.
Que les trônes croulant dans l'océan des
âges
S'abîment, illustrés par de brillants nau-
frages;
Que l'eau, cédant au feu, s'élance des
canaux;
Que les feux à leur tour soient chassés
par les eaux,
Dans ces traits variés j'admire la na-
ture.
L'édifice est entier sous une autre struc-
ture:
Rien ne se perd, s'éteint, tout change
seulement;
L'on existait ainsi, l'on existe autre-
ment.
Le soleil luit toujours, sa chaleur épan-
due
D'esprits vivifiants embrase l'étendue,
Et ce globe tournant, vers son pôle ap-
plati,
Décrit, sans se lasser, son orbe assujetti.
FILTO. Bon, généralisez dans vos affreux
systèmes,
La cause et les effets, les biens, les maux
extrêmes;
L'homme occupé du tout, des détails
écarté,
Se dispense aisément de sensibilité.
Séchez bien votre cœur.
NOMOPHAGE. J'en voulais donc conclure
Que dix siècles et plus, cette bonne na-
ture
A vu sans s'émouvoir, cent brigands cou-
ronnés

Mener comme un troupeau, les peuples
enchaînés,
Et que tu nous verras à notre tour nous-
mêmes
Nous parer de leur sceptre et de leur
diadême,
Poursuivre qui nous hait, perdre nos en-
nemis,
Sans que l'ordre du monde en rien soit
compromis.
FILTO. Ainsi point de vertus, voilà la con-
séquence!
Qui veut les pratiquer admet leur exis-
tence.
L'homme de bien jamais ne descend dans
son cœur
Sans courber tout son être aux pieds de
son auteur,
Ne parcourt depuis lui la chaîne univer-
selle
Que pour admirer mieux la sagesse éter-
nelle,
L'immuable harmonie, et l'ordre, et l'é-
quité
Qui de ces grands ressorts règle l'im-
mensité,
Et des perfections de cet ordre suprême
En conclut le devoir d'être parfait lui-
même.
Mais l'homme vicieux, au bien indiffé-
rent,
Partout comme dans lui voit le vice in-
hérent,
Ou plutôt ses discours, dont il sent l'im-
posture,
Pour tromper son remords, blasphèment
la nature.
NOMOPHAGE, gaiement. Adieu, mon cher
Filto.
FILTO. Malheureux, arrêtez,
Voyez sur quels écueils vous vous pré-
cipitez!
Quel combat imprudent! d'un côté l'as-
surance
Qu'au front de l'homme droit imprime
l'innocence,
De l'autre, l'embarras de la dupli-
cité;
L'astuce enfin en prise avec la loyauté.
Vous êtes perdu!
NOMOPHAGE. Soit; mais pour qu'un mot dé-
cide,
Un homme tel que moi vit et meurt in-
trépide,
Tente tout, risque tout, n'apprend point
à trembler,
Ne craint rien en un mot. . . que de
vous ressembler.
Adieu, Filto.

## SCÈNE II.

FILTO, *seul.*

Quel homme! un si grand caractère!
Tant de corruption! ô nature!... que
  faire?
Sauver Forlis? comment puis-je, vil dé-
  lateur,
Tout scélérat qu'il est, trahir mon bien-
  faiteur?
A mes yeux éblouis d'une coupable
  ivresse,
La trahison toujours parut une bassesse;
Elle doit l'être encore, et le joug des
  bienfaits
Est un lien sacré, même au sein des for-
  faits.
Forlis vient!... je ne puis soutenir
  son approche:
Sa présence à mon cœur fait un secret
  reproche!
Chez madame Versac entrons pour l'évi-
  ter.

## SCÈNE III.

FORLIS, VERSAC.

VERSAC. Un moment avec moi daignez vous
  arrêter:
Lorsqu'un soin domestique occupe encor
  ma femme,
Je veux vous parler seul: il faut m'ou-
  vrir votre âme.
Contez-moi tout, Forlis.
FORLIS.          Comment donc? vous donnez
Dans ces bruits de complots? contes
  imaginés!
VERSAC. Ah! niez, c'est fort bien; quoique
  je sois crédule,
Je ne le serai point jusqu'à ce ridicule
D'accepter pour comptant vos refus de
  parler.
Allons, mon cher Forlis, pourquoi dis-
  simuler
Avec moi, votre ami? tenez, un gentil-
  homme
Est toujours gentilhomme au fond du
  cœur; et comme
Je l'ai dit mille fois, l'habitude chez nous
Bien plus que la nature est tyran de nos
  goûts,
Et ces nobles sournois, courtisans éméri-
  tes,
Courbant sous vos tribuns leurs faces
  hypocrites,
Du patriote vrai n'ont rien que les ha-
  bits:

Ce sont loups déguisés sous la peau des
  brebis.
Ces éloges pompeux dont vous fêtiez
  sans cesse
La révolution n'étaient qu'une finesse.
A présent que j'y songe, oui, depuis quel-
  que temps
Vous couvez là, monsieur, des secrets im-
  portants.
Je m'y connais.
FORLIS.          Beaucoup.
VERSAC.          Moi, m'avoir fait sa dupe!
FORLIS. C'est étonnant!
VERSAC. Pour vous cette affaire m'occupe,
Mais sans m'inquiéter: vos ennemis ja-
  loux
Ne seront pas de taille à lutter contre
  vous.
Laissez-moi, mon ami, me réjouir
  d'avance.
Ainsi donc un seul homme, un Forlis à
  la France...
FORLIS. Oubliez-vous, Versac, que vous par-
  lez à moi?
Que sans notre amitié...
VERSAC.          Mon ami, je vous croi.
Ne vous fâchez pas.
FORLIS. Soit; mais c'est me faire injure...
VERSAC. Quel est donc cet écrit dont...
FORLIS.          Invention pure.

## SCÈNE IV.

LES MÊMES, UN DOMESTIQUE, *accourant
d'un air effrayé.*

LE DOMESTIQUE. *A Forlis.* Monsieur! mon-
  sieur!
FORLIS.          Eh quoi?
LE DOMESTIQUE. Monsieur, votre inten-
  dant,
Le front pâle, les yeux égarés, à l'in-
  stant
Pour vous parler, accourt plein de fra-
  yeurs mortelles.
FORLIS. Que s'est-il donc passé?
VERSAC.          Quelques horreurs nouvelles,
En doutez-vous?... qu'il entre.

## SCÈNE V.

LES MÊMES, L'INTENDANT.

L'INTENDANT.          Ah! grand Dieu!
FORLIS.          Quel effroi!
L'INTENDANT. Pardon, je n'en puis plus!
FORLIS.          Remettez-vous.
L'INTENDANT.          Je croi

Que tous ces furieux me poursuivent en-
    core!
FORLIS. Des furieux! parlez, qui sont-ils?
L'INTENDANT.             Je l'ignore.
Oui, des brigands cruels échappés de
    l'enfer,
Étincelants de feux, tout hérissés de fer,
Portant un front plus propre à semer les
    alarmes,
Plus meurtrier encor que leurs feux,
    que leurs armes.
Des monstres étrangers; (car quel Fran-
    çais jamais
Fut né pour ressembler aux tigres des
    forêts?)
Par d'autres monstres qu'eux envoyés
    pour détruire,
Sont chez vous; à cette heure où j'ac-
    cours vous instruire
Le feu dévore tout: les combles em-
    brasés
Croulent de toute part sur les plafonds
    brisés.
J'ai voulu les fléchir: sanglots, larmes,
    prières,
Rien, rien n'attendrirait ces âmes meur-
    trières!
Dans les torrents de feu vos murs sont
    renversés:
Meubles, glaces, tableaux brûlés ou fra-
    cassés,
Tout périt consumé par la flamme ra-
    pide,
Ou sert de récompense au brigandage
    avide.
VERSAC. Les scélérats!
L'INTENDANT. Monsieur, ils n'ont rien res-
    pecté.
Mais à travers les feux pleuvant de tout
    côté,
Bravant la mort, bravant le glaive et
    l'incendie,
Sur les ais embrasés, d'une marche hardie
J'ai couru, j'ai volé vers le détour se-
    cret
Qui mène en son issue à votre cabinet:
Les brigands et la flamme en respec-
    taient la porte.
Avec l'aide d'un fer que d'un bras sûr je
    porte,
J'ai frayé mon passage, et bientôt ces
    deux mains,
Tentant pour vous servir d'honorables
    larcins,
Sans que mon œil en fût le complice inu-
    tile,
De vos secrets, monsieur, ont violé l'a-
    syle.
Je repars aussitôt de vos papiers saisi:

Je les volai pour vous, je les rends: les
    voici.
                *(Il les lui remet.)*
FORLIS. Quelle perte de biens que ce trait
    ne compense!
Je ne vous parle point, Bénard, de ré-
    compense.
La plus digne de vous, le prix le plus
    flatteur
N'est pas dans mes trésors, il est dans
    votre cœur.
Bénard, aucun des miens défendant mon
    asyle,
N'est-il blessé du moins?
L'INTENDANT.            Aucun.
FORLIS.             Je suis tranquille.
    *(Forlis fait un signe à l'intendant*
           *qui se retire.)*
VERSAC, *après un moment de silence.* Vous
    rêvez? Votre esprit d'un jour nou-
    veau frappé
De ses illusions sans doute est dé-
    trompé? . . .
Le voilà donc, monsieur, ce magnifique
    ouvrage!
Voilà ces belles lois! ces droits du pre-
    mier âge,
Du bonheur des états éternels fonde-
    ments!
Qu'ont-ils produit? le meurtre et les em-
    brasements! . . .
Vous vous taisez!
FORLIS.           Forlis ne sait point se dé-
    dire.
Monsieur, retenez bien ce qu'il faut vous
    redire:
Les hommes dans leur tête ont de quoi
    tout gâter;
Mais le bien sera bien quoi qu'ils puis-
    sent tenter.
Du coup qui m'atteint seul ma raison se
    console:
Dans l'intérêt commun mon intérêt s'im-
    mole.
Irais-je confondant et le bien et l'excès,
Quand c'est l'excès qui blesse, au bien
    faire un procès?
Ou blâmer, comme vous embrassant les
    extrêmes,
Des lois que j'approuvai, qui sont tou-
    jours les mêmes?
Non: dussent des brigands les glaives et
    les feux
Menacer mes foyers et moi-même avec
    eux;
Non, jamais les brigands, et le glaive et
    la flamme
Ne me feront tomber dans l'oubli de mon
    âme.

Je vivrai, je mourrai le même, exempt
　　d'effroi,
Fidèle à ma raison, toujours un, tou-
　　jours moi.
VERSAC. Non, je ne croyais pas qu'un
　　homme droit et sage,
Osât déifier ainsi le brigandage! . . .
Allons, il faut mourir, il faut abandon-
　　ner
Un monde où la raison ne peut plus
　　gouverner;
Où poussé dans ces flots d'erreur uni-
　　verselle,
L'honnête homme égaré fait naufrage
　　avec elle. . .
Non, j'enrage, et m'en veux d'être en-
　　cor votre ami!
Mais, quelle est donc la base où repose
　　affermi
Votre gouvernement? Où, régnant par
　　lui-même,
Votre cher souverain, ce monarque su-
　　prême,
Le peuple vers l'excès par sa fougue em-
　　porté,
Fonde sur des débris sa souveraineté?
FORLIS. Le peuple! allons, le peuple! Ils
　　n'ont que ce langage!
Tout le mal vient de lui; tout crime est
　　son ouvrage!
Eh! mais, quand un beau trait vient l'im-
　　mortaliser,
Que ne courez-vous donc aussi l'en ac-
　　cuser?
Non, non, le peuple est juste, et c'est
　　votre supplice!
Qui punit les brigands, ne s'en rend pas
　　complice.
Ce peuple, je dis plus, des fautes qu'il
　　consent,
Des excès qu'il commet est encor inno-
　　cent.
Il faut tromper son bras avant qu'il
　　serve au crime;
Revenu de l'erreur, il pleure sa victime.
VERSAC. Il est bien temps, ma foi!
FORLIS.　　　　　　Comme vous, mon ami,
J'aime et je veux des lois; j'ai plus que
　　vous gémi
D'en voir tous les liens chaque jour se
　　détendre:
Mais est-ce donc aux lois enfin qu'il faut
　　s'en prendre?
L'insuffisance ici n'est que dans leurs
　　soutiens:
Accusez les agents et non pas les moy-
　　ens.
VERSAC. Moi, je m'en prends à tout, aux
　　hommes, à la chose,

Quand tout va mal. . . Pardon, je m'em-
　　porte sans cause;
Car après tout, le feu respecte encor
　　mon bien;
C'est le vôtre qui brûle, et vous le trou-
　　vez bien!
FORLIS. Vous n'avez pas en vous ce qu'il
　　faut pour m'entendre.
Ainsi, laissons cela.
VERSAC. Soit; daignez donc m'apprendre
Ce qu'en un tel malheur vous comptez
　　faire?
FORLIS.　　　　　　　　　　　Rien.
Attendre en paix chez vous, Versac;
　　sous son lien
Un décret, vous savez, m'y tient captif.
VERSAC.　　　　　　　　　　Sans doute:
Mais il est d'autres coups que l'amitié
　　redoute.
Ne pourrais-je, Forlis, connaître quels
　　papiers
Bénard vous a sauvé des flammes?
FORLIS.　　　　　　　　　　　　Volontiers.
　　　　　　　(Il les examine.)
Je n'ai point regardé. . . voyons. . . ô
　　le brave homme!
Voici de bons effets d'une assez forte
　　somme.
VERSAC. C'est un vol, entre nous, que vos
　　soins obligeants
Devraient restituer à ces honnêtes gens.
FORLIS. Mais ceci vaut bien mieux!
VERSAC.　　　　　　Vos titres de noblesse?
FORLIS. Eh! non. C'est un écrit qu'il faut
　　que je vous laisse;
Car bien que ces papiers au fond soient
　　innocents,
On pourrait avec art donnant l'entorse
　　au sens,
Les tourner contre moi: je puis vous
　　les remettre,
Bien sûr qu'ils ne pourront en rien vous
　　compromettre.
VERSAC. Donnez, je ne crains rien.
FORLIS.　　　　　　Attendez; ce matin
Bénard m'en a remis encor un au jar-
　　din:
Je l'ai, je m'en souviens, fermé dans mes
　　tablettes,
Je vais vous livrer tout.
VERSAC.　　　　J'ai deux ou trois cachettes
D'où le diable viendra, s'il peut, les en-
　　lever!
FORLIS, cherchant. Oh! Oh!
VERSAC. Dépêchez donc, qu'avez vous à
　　rêver?
FORLIS. Je ne le trouve point.
VERSAC.　　　　Bon! autre alarme encore!
Cherchez donc bien.

FORLIS.    J'ai beau les retourner, j'ignore
Ce que j'en ai pu faire.

VERSAC.                    Ah! Dieu!

FORLIS.                    Point de souci. . .
Un moment. . . ce matin. . . ah! tout
m'est éclairci!
Bénard me l'a remis au jardin où je
tremble
De l'avoir oublié!

VERSAC.            Venez, courons ensemble:
En cherchant. . .

FORLIS. Inutile: il est bien temps, ma foi!
J'ai vu le journaliste y rôder après moi.

VERSAC. Ah! vous êtes perdu!

FORLIS.            Non, point d'inquiétude;
Mais me voilà guéri de mon incertitude.
Tout est clair à présent, je sais tout, je
vois tout:
Et ce sont vos messieurs qui m'ont porté
ce coup.

VERSAC. Mais enfin, cet écrit cache-t-il un
mystère
Qui. . .

FORLIS. Je puis à présent cesser de vous
le taire. . .
Vous    saurez. . . avant    tout,    l'autre
m'étant ravi,
Je dois tenir sur moi ce papier.

VERSAC.                              Le voici.

FORLIS. Sachez. . .

## SCÈNE VI.

LES MÊMES, MADAME VERSAC, FILTO.

MADAME VERSAC. Nous accourons, je suis
toute saisie!

VERSAC. Comment?

MADAME VERSAC. Qu'allons-nous faire?

VERSAC.                    Expliquez, je vous prie,
Ce grand effroi!

MADAME VERSAC. Monsieur; qu'allons-nous
devenir?

VERSAC. Allons, des cris encor à n'en jamais finir!

FILTO, à Versac. Monsieur, un de vos gens
accourt rempli d'alarmes,
Il a dans son chemin vu des hommes en
armes
Marcher vers votre hôtel: ces flots de
furieux
Se grossissent encore en roulant vers ces
lieux.
(A Forlis.)
Fuyez, monsieur.

MADAME VERSAC.        Je tremble, ah! Dieu!

FORLIS.                    Calmez votre âme,
C'est moi, ce n'est que moi qu'on cherche
ici, madame:

Pour vous moins exposer je cours au-
devant d'eux.

VERSAC. Non, restez: un décret nous enchaîne tous deux.
J'ai répondu de vous, je tiendrai ma parole:
Forlis, de l'amitié commence ici le rôle.
L'esprit nous divisa, le cœur nous met
d'accord.
Versac va partager ou changer votre
sort;
J'aurais trop à rougir si d'une âme commune
J'abandonnais l'ami que trahit la fortune!
Restez, ces murs et moi pourront vous
protéger.

FORLIS. Du peuple qui m'appelle ai-je à
craindre un danger?
Je puis d'un cœur tranquille affronter
sa présence.
La crainte est pour le crime et non pour
l'innocence.

VERSAC. Du moins en quelqu'endroit que
vous tourniez vos pas,
Vous savez qu'un ami ne vous quittera
pas.

MADAME VERSAC. J'oubliais: on a vu ces
hommes pleins de rage
Courir vers la maison de monsieur Nomophage,
Lui cet ami du peuple! hautement l'accuser
D'être ami de Forlis qu'il venait d'excuser,
Et la flamme à la main, vouloir dans
leur vengeance
De cette liaison punir sur lui l'offense.

FORLIS. Mon ami! ce trait-là sans doute est
le dernier!
C'était le seul affront qui pût m'humilier!
Eh quoi! cet homme vil qu'ici je ne
supporte
Qu'avec ces mouvements de haine franche
et forte
Que jamais l'homme droit ne saurait déguiser
Au faussaire intrigant qui ne peut l'abuser!
Lui mon ami! grand Dieu!

## SCÈNE VII.

LES MÊMES, NOMOPHAGE.

FILTO, à part, l'apercevant. Que vois-je?
Nomophage!

VERSAC. Quoi! cet homme à cette heure!

FORLIS.         Est-ce un nouvel outrage?

FILTO, *à part.* Que veut-il?

NOMOPHAGE. Mon abord vous surprend, je le voi?

FORLIS. Que voulez-vous, monsieur?

NOMOPHAGE.         Vous sauver.

FORLIS.         Qui? vous!... moi!

NOMOPHAGE. Moi-même, et ce n'est plus qu'à force de services

Que je veux désormais punir vos injustices.

FORLIS. Reprenez vos secours, monsieur; tout à l'honneur,

J'ai brigué votre haine et non votre faveur.

NOMOPHAGE. Écoutez-moi, par grâce, après vous serez maître

D'accepter ce service ou de le méconnaître.

Écoutez.

VERSAC.         Écoutons, Forlis.

NOMOPHAGE.         On vous poursuit.

Le peuple, je l'ignore, équitable ou séduit...

FORLIS. Séduit: oui, c'est le mot.

NOMOPHAGE.         Demande votre tête.

Je n'ai pu qu'un moment conjurer la tempête.

Le croiriez-vous, moi-même en butte à sa fureur,

J'ai failli payer cher une honorable erreur.

De quelques mots sur vous où parlait mon estime,

De notre connaisance on m'osa faire un crime,

Ce peuple à des soupçons se laissant emporter,

M'accusa d'un honneur que je veux mériter,

Nous crut liés ensemble, et la même justice

Qui me fit votre ami, me fit votre complice.

Fier d'un titre aussi doux, j'eusse aimé son danger!...

FORLIS. Soit.

NOMOPHAGE. L'orage sur moi n'était que passager.

Mon entier dévouement au parti populaire,

Ma vie a de ce peuple éclairé la colère.

J'eusse voulu de même en l'enchaînant sur vous.

FORLIS. Au fait.

NOMOPHAGE. Pour un moment j'ai suspendu les coups.

Vous êtes accusé: la loi, votre refuge,

Entre le peuple et vous doit être le seul juge.

De mes retardements le peuple bientôt las,

Va fondre dans ces lieux: monsieur, ne tardons pas:

Fuir, vous cacher ici, double espoir inutile,

Et qui de vos amis exposerait l'asyle!

FORLIS. Ces moyens seraient vils; je n'en sais prendre aucun;

Mais où tend ce discours?

NOMOPHAGE.         Monsieur, il n'en est qu'un,

Et le seul où je puis fonder quelqu'espérance.

BÉNARD, *accourant du fond du théâtre.* Hâtez-vous, le temps presse, et le peuple s'avance:

J'entends déjà les cris.

NOMOPHAGE.         Oublions nos débats:

Oubliez un moment que vous ne m'aimez pas.

De ce public amour que la faveur me donne

Entourons bien vos jours, couvrons votre personne.

Je vous suis: ma présence est votre bouclier:

Nous montrer tous les deux, c'est vous justifier!

Tout ce peuple envers moi plein de reconnaissance,

Dans notre liaison va voir votre innocence.

Sans regarder la main, acceptez le secours.

Faites-vous mon ami pour conserver vos jours.

Je bornerai, monsieur, la grâce que j'envie

A ce qu'il faut de temps pour sauver votre vie.

FILTO, *à part.* Quel changement! ô ciel! Est-ce une illusion?

Ou d'un génie l'horrible invention?

VERSAC, *à* Nomophage. Monsieur, votre démarche est généreuse et belle!

(*A Forlis.*)

Allons, suivons monsieur, ne soyez point rebelle.

FORLIS... Je refuse, monsieur.

VERSAC.         Forlis, vous résistez!

NOMOPHAGE. Mais vous êtes perdu, monsieur, si...

FORLIS.         Permettez:

Ce pouvoir sur le peuple, et qui n'est qu'une injure

Faite à sa dignité, si sa source n'était pure,

Je l'eusse reconnu, je l'eusse révéré ;
Acceptant vos secours, je m'en fusse honoré.
«Tout un peuple envers vous plein de reconnaissance,
Dans notre liaison verra mon innocence ?
Votre présence enfin sera mon bouclier,
Et nous montrer unis, c'est me justifier ?»
A merveille, monsieur ! pour qu'on vous puisse croire,
Il faut une autre fois montrer plus de mémoire.
Vous avez oublié, bien maladroitement,
Ce grand courroux du peuple et son ressentiment,
Quand trompé, dites-vous, sur notre intelligence,
Il courait chez vous-même en demander vengeance :
Pour l'honneur de mon être et de l'humanité,
Je couvre vos secrets de leur obscurité.
Tout pouvoir m'est suspect, s'il n'est pas légitime.
On m'appelle, et je cours présenter la victime.
Restez.

NOMOPHAGE. Monsieur. . .

FORLIS, *avec force.* Restez. . . vous tous, veillez sur lui.
Sauvez-moi, cher Versac, l'affront d'un tel appui.

NOMOPHAGE. Non, je veux vous prouver. . .

FORLIS, *avec plus de force.* Restez, je vous l'ordonne.

NOMOPHAGE. Monsieur. . .

FORLIS. Restez, vous dis-je, ou bien je vous soupçonne.

VERSAC. Je vous suivrai donc seul.

FORLIS, *appellant.* Picard, Dumont, Lafleur,
Venez tous, accourez. (*Les trois laquais paraissent.*)

VERSAC. Pourquoi cette clameur ?

FORLIS, *aux laquais.* J'éprouvai votre zèle et veux le reconnaître.
(*Il leur distribue sa bourse.*)
Tenez, mes bons amis. . . Vous aimez votre maître.
Gardez qu'il sorte. . . Adieu.
(*Il s'échappe.*)

## SCÈNE VIII.

LES MÊMES, *excepté* FORLIS.

VERSAC, *le rappellant.* Forlis ! . . . cris superflus !

Forlis ! ah ! c'en est fait ! nous ne le verrons plus !
(*Il se retire par le côté opposé.*)

MADAME VERSAC. Que va-t-il devenir ? . . .
Monsieur, je ne puis croire
Ce qu'il pense de vous ! . . . L'âme est-elle assez noire
Pour. . .

NOMOPHAGE. Le malheur, sans doute, à ses yeux reproduit
Ces rêves d'un complot qui toujours le poursuit.

MADAME VERSAC. Le malheur rend injuste !
oui ; . . . venez. . . Ah ! je tremble :
Du cabinet voisin suivons des yeux ensemble
Les mouvements du peuple et cet infortuné,
Dont pour toute autre fin le grand cœur était né !
(*A Filto.*)
Vous, monsieur, au dehors informez-vous, de grâce !
Je brûle de savoir, et crains ce qui s'y passe.

# ACTE CINQUIÈME

## SCÈNE PREMIÈRE.

NOMOPHAGE, *seul.*

Voyez-moi ce Filto ! toute une heure mortelle
Sans rentrer ! que fait-il ? quoi ! pas une nouvelle !
Trois laquais sont partis, rien n'arrive. . . O tourment !
C'est la première fois, depuis que je conspire,
Qu'un homme a, sur mes sens, su prendre cet empire.
Filto l'a bien jugé ! Quel est donc ce Forlis,
Qui sait trouver mon âme à travers ses replis ? . . .
J'ai cru qu'il me suivrait : c'était le coup de maître ! . . .
(*Il regarde.*)
Personne. . . Ce Filto ne serait-il qu'un traître ? . . .
Non : d'ailleurs, que sait-il ? presque rien, Dieu merci !
(*Il écoute.*)
On se querelle encor ! . . . j'ai brouillé tout ici ! . . .
Ensorcelé Filto, reviendras-tu ? . . . Personne.

Que faire? m'échapper? déjà l'on me
soupçonne.
Fuir, c'est tout confirmer, c'est me perdre! . . . O Forlis!
Moi, j'ai voulu vous prendre; et vous,
vous m'avez pris!
Tenons fermes au surplus, le dénoûment
approche;
Qu'ai-je à craindre? sous moi j'ai des
gens sans reproche,
Sûrs; nul écrit qui prouve. . . Ah!
voici nos époux.

## SCÈNE II.

M. ET Madame DE VERSAC, NOMOPHAGE.

VERSAC. Madame, pardonnez mon injuste
courroux.
Plaignez, plaignez les maux où mon âme
est en proie.
Au jour de la douleur, comme au jour de
la joie,
Quand l'amitié gémit, de soi-même vain-
queur,
Garde-t-on l'équilibre et de l'âme et du
cœur?
Je vais, je cours partout, ainsi qu'une
ombre errante;
J'appelle en vain Forlis, d'une voix gé-
missante!
Tout se tait sur son sort; et ce silence af-
freux
Redouble la terreur de ce jour dou-
loureux!
Ah! Dieu! . . . Dieu! que je crains!
. . . voyons, sonnez encore:
Quels secrets m'apprendra le temps que
je dévore?
MADAME VERSAC, au laquais qu'elle a sonné.
Aucun n'est revenu?
LE DOMESTIQUE.     Non, aucun jusqu'ici.
MADAME VERSAC. Le quartier?
LE DOMESTIQUE. Est tranquille, à présent,
Dieu merci.
(Le domestique sort.)
VERSAC. C'est bon. . . tranquille! et moi,
quand pourrai-je enfin l'être!
Le quartier est tranquille! Ah! ce calme,
peut-être,
D'un orage nouveau n'est qu'un avant-
coureur.
MADAME VERSAC. Écoutons!
VERSAC. On accourt! . . . O moment de
terreur!

## SCÈNE III.

LES MÊMES, FILTO, UN DOMESTIQUE.

LE DOMESTIQUE, accourant avec des cris de
joie. Sauvé! sauvé!
VERSAC.          Qui donc?
FILTO.          Forlis.
VERSAC.          Forlis?
FILTO.          Lui-même.
MADAME VERSAC. O bonheur!
NOMOPHAGE, à part.   O revers!
VERSAC.          O justice suprême!
Vous l'avez défendu! . . . Dieu! laissez-
moi courir
L'embrasser le premier, et de joie en
mourir!
FILTO. L'embrasser le premier! . . . oh! le
peuple a d'avance
Par mille embrassements payé son in-
nocence!
VERSAC. Le peuple! ô ciel! Forlis?
FILTO.          Il en est adoré!
L'innocent pour ce peuple est un objet
sacré.
VERSAC. Je veux voir. . .
FILTO. Oh! monsieur; laissez-le sans con-
trainte
S'entourer de ce peuple et de sa douce
étreinte.
Respectez ces transports d'ivresse et de
faveur:
Ce moment appartient au peuple son
sauveur
Qui de joie en ses bras donne et reçoit
des larmes:
C'est l'heure où de la gloire il goûte tous
les charmes.
Plus douce encor pour vous par ce nou-
veau succès,
L'heure de l'amitié va la suivre de près.
VERSAC. Quel prodige inouï l'a sauvé de la
rage. . .
FILTO. Un prodige chez lui de grandeur,
de courage;
Chez le peuple un prodige à jamais ré-
pété,
De justice, d'égards, de sensibilité!
Tout ce qu'on vit jamais de noble et d'é-
quitable,
Tout ce qui fut jamais et grand et re-
spectable,
A paru dans une heure entre le peuple
et lui;
Ils ont lutté tous deux de vertus au-
jourd'hui.
L'un était digne enfin d'être sauvé par
l'autre.

Nomophage, *à part.* Le peuple est son sauveur! . . . Eh! quel sera le nôtre?

Filto. Je courais sur votre ordre; à peine
descendu
Je trouve en bas Forlis par le peuple
attendu,
Recueillant ses moyens et son âme en si-
lence.
Un bruit s'élève alors: soudain Forlis
s'élance
Seul, quand de nouveaux cris par mille
voix poussés,
Font retenir ces mots mille fois pro-
noncés:
«C'est lui! c'est lui!» . . . «C'est moi,
moi! vous m'allez entendre:
Citoyens, on m'accuse, et vous m'allez
défendre.
Je viens vous dénoncer le plus affreux
complot!
Citoyens, écoutez.» Tout se tait à ce mot.
Il reprend: «Peuple juste et d'un crime
incapable,
L'innocent sous vos yeux s'avance, ou le
coupable.
Voyez de l'innocent sous vos coups
étendu,
Sur vous, sur vos enfants tout le sang
répandu!
Tremblez en frappant l'autre; assassins,
sacrilèges,
Vous violez les lois dans leurs saints
privilèges!
Nul des deux n'est à vous: sur eux quels
sont vos droits?
L'un et l'autre à cette heure appartien-
nent aux lois.»
Il dit; on le regarde, on balance, on
s'étonne.
Un groupe d'assassins fond vers lui, l'environne,
Les poignards sont levés, les coups prêts
de tomber,
Votre ami. . .

Versac. Juste ciel! Forlis va succomber?

Filto. Non, il en saisit deux, et terrible il
s'écrie:
«J'arrête au nom des lois, au nom de la
patrie,
Ces traîtres dont l'aspect déshonore à la
fois
La dignité du peuple, et le ciel, et les
lois.»
Des assassins troublés tout le reste frissonne,
Se cache dans la foule, et fuit ce dieu
qui tonne.

Déjà six scélérats par le peuple en-
chaînés,
Dans la nuit des cachots vont être encor
traînés:
Forlis au tribunal veut qu'on les lui
confronte:
Il marche, il entre. «Au peuple, à vous
Forlis doit compte;
Magistrats, je vous somme en vertu de
la loi,
De lire hautement vos charges contre
moi.
Peuple, en vous l'innocent a trouvé son
refuge,
L'accusé reparaît: redevenez son juge.»
Un acte pour réponse à sa vue est pro-
duit:
«Oui, je le reconnais, dit-il, lisez:» on
lit.
Une liste de noms que cet acte rassemble,
Laisse voir un complot et les preuves en-
semble;
Et montre à tous les yeux que de ses re-
venus,
Forlis paie en secret cent cinquante in-
connus.
Qui sont-ils? pour quel but? et pourquoi
le mystère? . . .
Forlis toujours fidèle à son grand carac-
tère,
Offre des mêmes noms un écrit revêtu.[1]
Qui, le lavant du crime atteste sa vertu.
On va lire. . . un cri part: «Laissez,
laissez ces preuves,
Voici d'autres garants, voici d'autres
épreuves:
Traîtres qui l'accusez, nous voici!»
C'était ceux
Dont les noms sont inscrits dans ces actes
douteux,
Et qui, ravis au crime ainsi qu'à la mi-
sère,
Venaient tous proclamer et défendre leur
père.
«Oui, Français, criaient-ils, vous lui de-
vez nos bras.
Nous n'étions plus sans lui que des en-
fants ingrats,
Qui le fer à la main, menaçant vos mu-
railles,
Accouraient de la France entr'ouvrir les
entrailles.
Des devoirs, des vertus par son géné-
reux soin
Il nous fit une tâche, et bientôt un be-
soin.
Pour conserver nos cœurs, nos bras à la
patrie,

---

[1] revêtu, bearing, containing.

Ses trésors vertueux payaient notre industrie.

Oseriez-vous punir ce saint emploi des biens

Qui de vos ennemis vous fait des citoyens?»

Le peintre, l'orateur n'ont qu'un art infidèle

Pour rendre ce tableau d'ivresse universelle.

C'est d'abord un muet et long étonnement:

Puis des cris d'allégresse et d'attendrissement.

Ses ennemis sont morts; son jour enfin commence.

Et l'accusé plus grand qu'entoure un peuple immense,

De respect et de joie, et d'amour enivré,

Paraît être un vainqueur du triomphe honoré.

VERSAC. Vous soulevez le poids qui pesait sur mon âme.

MADAME VERSAC. J'entends Forlis, je crois.

FILTO. C'est lui-même, madame.

## SCÈNE IV.

LES MÊMES, FORLIS. *L'intendant entre avec lui.*

VERSAC, *se jetant dans ses bras.* Forlis!

NOMOPHAGE, *sur le bord du théâtre.* Quel embarras!

VERSAC.          Forlis, est-ce bien vous?

FORLIS. Mon ami!... ce moment est encor le plus doux!

Je viens de remporter une grande victoire!

Mais je n'eus de bonheur que celui de la gloire:

Eh je sens dans vos bras, dont Forlis est lié,

Que la gloire n'est rien auprès de l'amitié...

(*Apercevant Nomophage.*)

Quel homme vois-je, ô ciel!

NOMOPHAGE, *à part.* Soutenons mon audace.

FORLIS, *à Nomophage.* Osez-vous bien encor me regarder en face?

NOMOPHAGE. Pourquoi non?

MADAME VERSAC, *à Forlis.* Quel discours!

FORLIS.          Voilà mon assassin!

Il se dit mon ami pour me percer le sein!

Sous ce manteau sacré de ses regards perfides

Il venait diriger le fer des homocides!

Il commanda ma mort; et pour mieux l'assurer,

Lui-même il me voulait porter à dévorer!

VERSAC. O scélérat!

FILTO, *bas à Nomophage.* Fuyez, fuyez.

NOMOPHAGE, *bas à Filto.* Moi! que je fuie!

Je ne suis point Filto... (*A Forlis.*) monsieur, la calomnie...

FORLIS. Vos amis ont parlé. Les yeux sont dessillés.

Le peuple est là, monsieur; il vous connaît: tremblez!

NOMOPHAGE. Pensez-vous que ce peuple envers vous si facile

N'ouvre qu'à vos accents une oreille docile?

Il est là, dites-vous? j'y vole, il m'entendra:

Si son courroux me cherche, un mot le contiendra;

Mais ma présomption dût-elle être punie,

Je ne compose point pour racheter ma vie:

Je brave tout mon sort: et sais envisager

Le prix d'une action bien moins que son danger.

A côté du succès je mesure la chûte;

Et certain de tomber, je marche et j'exécute.

Adieu, monsieur Forlis. Vous pouvez l'emporter;

Mais j'étais avec vous digne au moins de lutter.

(*Il sort.*)

## SCÈNE V.

LES MÊMES, *excepté* NOMOPHAGE.

VERSAC, *à l'intendant.* Monsieur, suivez cet homme, et venez nous redire

Si sur le peuple encor sa voix a quelqu'empire.

(*L'intendant sort.*)

FORLIS. Plaignons de ses talents le déplorable emploi!

FILTO, *à part.* O malheureux Filto, quel exemple pour toi!

MADAME VERSAC. Ah! Dieu! que je rougis, Forlis, de ma conduite!

Cher Forlis! les pervers! comme ils m'avaient séduite!

Aussi, de ce moment, oui, j'abhorre à jamais

La nouvelle réforme autant que je l'aimais!

FORLIS. Non, fuyez cet excès: aimez-la, mais
  pour elle.
Des crimes d'un brigand ne faites point
  querelle
Au peuple généreux fait pour les dé-
  tester.
Le factieux l'outrage, il ne peut le gâter.
Eh bien? (*A l'intendant qui revient.*)

### SCÈNE VI.

#### LES MÊMES, L'INTENDANT.

L'INTENDANT. De l'intriguant le règne en-
  fin expire.
A séduire le peuple en vain sa bouche
  aspire.
Le peuple inexorable alors qu'il est
  trompé,
A couvert de ses cris son langage usurpé.
Vingt bras l'ont enchaîné comme il par-
  lait encore.
Mais d'un sang criminel, de ce sang qu'il
  abhorre,
Le peuple, déposant son glaive redouté,
Ne veut point de ses mains souiller la
  pureté;
Et laissant à la loi le soin de sa justice,
Le traîne à la prison où l'attend son
  complice.
MADAME VERSAC, *à Filto.* Destin trop mé-
  rité!. . . ces éclats scandaleux
De notre liaison ont rompu tous les
  nœuds.
Monsieur, votre présence à Forlis si fu-
  neste,
Ne peut plus désormais. . .
FORLIS.        Souffrez que monsieur reste.
FILTO. Ah! monsieur, croyez bien. . .
FORLIS.          Oui, soyez rassuré:
Je sais tout: des méchants vous avaient
  égaré:
Oui, contre votre arrêt, madame, je ré-
  clame;
Monsieur est notre ami.
FILTO.              Ciel!
FORLIS.          J'ai lu dans votre âme,
Elle est droite.
FILTO.      Ah! sur moi, je n'ose ramener
Les regards que vers vous je viens de
  détourner.
FORLIS. Vous avez dû rougir quand vous
  étiez coupable.
Le repentir, monsieur, fait de vous mon
  semblable.
Donnez-moi votre main.
FILTO.            Sous le crime abattu,
Je puis près de vous seul renaître à la
  vertu.

FORLIS. Vous la sentez déjà.
FILTO.              Votre voix consolante
Rassure et raffermit mon âme chance-
  lante;
Au sentier des vertus, j'ai besoin d'un
  soutien.
Je réponds de mon cœur, si vous êtes le
  sien.
VERSAC. Ce diable d'homme en soi je ne
  sais quoi renferme,
Qui, si je m'oubliais, si je n'étais pas
  ferme,
Me ferait presque aimer sa révolution!
FORLIS. Vous l'aimerez.
VERSAC.            Moi?
FORLIS.              Vous. A l'adoration.
VERSAC. Si je vous écoutais, votre voix dan-
  gereuse. . .
FORLIS. Vous avez l'esprit juste et l'âme
  généreuse,
Vous l'aimerez.
VERSAC. Ah! bon, vous me flattez, For-
  lis. . .
J'espère bien, madame, et vous l'avez
  promis. . .
N'unir ma fille enfin. . .
MADAME VERSAC. Qu'à Forlis.
VERSAC.              Bon, sans cesse,
Madame, vous vantez l'éclat de la ri-
  chesse,
Nous n'en parlerons plus, n'est-ce pas?
MADAME VERSAC. De grand cœur. . .
Si vous nous laissez là tous vos titres
  d'honneur.
VERSAC. Soit.
MADAME VERSAC. Recevez, Forlis, l'hom-
  mage d'une amie;
Ma tête se perdait, et vous l'avez gué-
  rie.
Mon cœur n'entrait pour rien dans cette
  illusion:
Un faux amour de gloire, un grain d'am-
  bition
M'avait seul égarée: à ma raison pre-
  mière
Je vous dois mon retour; je vous dois la
  lumière
Par qui mes yeux fermés se rouvrent dans
  ce jour.
Je vais à tous les miens consacrer ce re-
  tour.
Du sang et de l'hymen suivre la loi
  chérie,
C'est ainsi qu'une femme aime et sert la
  patrie;
Puisque dans vos leçons vous nous montrez si bien,
Que le seul honnête homme est le vrai
  citoyen.